资治通鉴

全本全注全译

第四册

汉纪

[宋] 司马光 编著
张大可 韩兆琦 等 注译

浙江人民出版社

图书在版编目（CIP）数据

资治通鉴全本全注全译. 第四册 / (宋) 司马光编著 ; 张大可等注译. -- 杭州 : 浙江人民出版社, 2024. 10（2025. 6重印）.

ISBN 978-7-213-11662-9

Ⅰ. K204. 3

中国国家版本馆CIP数据核字第2024HC6455号

资治通鉴全本全注全译　第四册

ZIZHI TONGJIAN QUANBEN QUANZHU QUANYI

［宋］司马光　编著　　张大可　韩兆琦　等　注译

出版发行：浙江人民出版社（杭州市环城北路 177 号　邮编　310006）
市场部电话：（0571）85061682　85176516
选题策划：胡俊生
项目统筹：潘海林　魏　力
责任编辑：潘海林　魏　力
营销编辑：陈雯怡
责任校对：姚建国　王欢燕　马　玉
责任印务：程　琳　幸天骄
封面设计：北京之江文化传媒有限公司
电脑制版：北京之江文化传媒有限公司
印　　刷：浙江新华数码印务有限公司
开　　本：710 毫米 ×1000 毫米　1/16　　印　　张：40.75
字　　数：796 千字　　插　　页：4
版　　次：2024 年 10 月第 1 版　　印　　次：2025 年 6 月第 2 次印刷
书　　号：ISBN 978-7-213-11662-9
定　　价：124.00 元

目　　录

卷第三十　汉纪二十二

起屠维赤奋若（己丑，公元前三二年），尽著雍阉茂（戊戌，公元前二三年），凡十年。

【题解】

本卷记事起公元前三二年，迄公元前二三年，凡十年史事，当汉成帝建始元年至阳朔二年。汉成帝是西汉第九位国君，在位二十六年。本卷载述汉成帝前期十年的治国情况。汉成帝是典型的昏庸之君，比汉元帝还要糊涂，也还要窝囊，完全被掌控在外戚大将军王凤手中，没有一丝主意。西汉政治大衰败，政权逐渐转移外戚王氏之手，最终王莽代汉，就是成帝为其奠定的基础。成帝河平二年（公元前二七年）六月在一天之中同时册封五位舅舅王谭、王商、王立、王根、王逢时为列侯，世谓之“五侯”。这一非常事件，打破了开国皇帝刘邦与大臣约定的不是刘姓皇室的外姓“非有功不得封侯”的基本国策，开启了外戚靠裙带可以封侯的制度，如此纵容王凤肆无忌惮的专权，外戚日进，皇室日退的局面基本形成。汉成帝政治上无所作为，自然灾害也频繁发生。黄河两次决堤，第一次在建始四年，河决东郡金堤，淹没四郡，三十二县，毁坏村落房屋四万余所，冲毁

【原文】

孝成皇帝①上之上

建始元年（己丑，公元前三二年）

春，正月乙丑②，悼考庙灾③。

石显迁长信中太仆④，秩中二千石。显既失倚，离权⑤，于是丞相、御史条奏显旧恶⑥，及其党牢梁、陈顺⑦皆免官。显与妻子徙归故郡⑧，忧懑不食，道死⑨。诸所交结以显为官者，皆废罢。少府五鹿充宗左迁⑩玄菟⑪太守，御史中丞伊嘉为雁门都尉⑫。

司隶校尉涿郡王尊⑬劾奏：“丞相衡、御史大夫谭，知显等颛权擅势⑭，大作威福，为海内患害，不以时⑮白奏行罚；而阿谀曲从，附下罔上⑯，怀邪迷国⑰，无大臣辅政之义，皆不道⑱！在赦令前⑲。赦

耕地十五万余顷，人民死亡无数。第二次在河平三年，河决平原郡，淹没两郡，灾情是上一次的一半。丞相匡衡反对加固河堤，因此两次决口，造成大灾害，政府不作为占了主要因素。大雨、冰雹、山崩、地震不绝于书。成帝也做了几件好事，斥逐宦官石显，节省皇室开支，以至于许皇后提出了抗议；赈灾、减税，其中人头税减收三分之一，原税一百二十文，减收四十文；大规模整理图书；多次下诏求言。国境四邻尚称安静，不接受匈奴使者的诈降，羁縻西域罽宾，用能吏安抚西南夷，决策正确，成帝尚有英明的一面。可惜成帝生性懦弱愚孝，在母后皇太后王政君和大舅王凤的挟制下，丧失了一切的聪明，一次又一次斥逐贤良大臣，丞相王商、京兆尹王尊和王章都蒙冤而死，又心知刘向忠诚而不敢任用。汉成帝违心屈从大将军王凤，丢失了皇帝的威严，令人可叹。读本卷书，不免使人丧气。

【语译】

孝成皇帝上之上

建始元年（己丑，公元前三二年）

春，正月初一日乙丑，宣帝的父亲悼考庙发生火灾。

石显调任长信宫的中太仆，秩禄为中二千石。石显已经失去了汉元帝这个依靠，离开了权力中枢，于是丞相匡衡和御史大夫张谭列举石显一条条罪状上奏，连同石显的党羽牢梁、陈顺都被罢官。石显和妻子儿女被遣送回原籍济南郡，忧愁悲愤，吃不下饭，死在路上。所有因交结石显而得官的人，全都被罢官。少府五鹿充宗降职为玄菟郡太守，御史中丞伊嘉降职为雁门郡都尉。

司隶校尉涿郡人王尊上奏弹劾说："丞相匡衡、御史大夫张谭，明知石显等人专权仗势，大作威福，为害天下，不及时报奏皇上惩处他们；反而百般谄媚，曲意奉承，拉拢臣下，欺骗皇上，心怀邪恶，迷惑君主，没有坚持大臣辅政的原则，都犯下了不道之罪！幸好这都在去年七月大赦之前。在大赦之后，匡衡、张谭

后，衡、谭举奏显，不自陈不忠之罪，而反扬著先帝任用倾覆之徒⑳，妄言‘百官畏之，甚于主上㉑’，卑君尊臣㉒，非所宜称㉓，失大臣体㉔！”于是衡惭惧㉕，免冠谢罪，上丞相、侯印绶㉖。天子以新即位，重伤大臣㉗，乃左迁尊为高陵令㉘。然群下多是尊者㉙。衡嘿嘿㉚不自安，每有水旱，连乞骸骨让位㉛；上辄以诏书慰抚㉜，不许㉝。

立故河间王元弟上郡库令良㉞为河间王。

有星孛于营室㉟。

赦天下。

壬子㊱，封舅诸吏、光禄大夫、关内侯王崇㊲为安成侯，赐舅谭、商、立、根、逢时爵关内侯。夏，四月，黄雾四塞㊳，诏博问㊴公卿大夫，无有所讳。谏大夫杨兴、博士驷胜㊵等[1]皆以为“阴盛侵阳之气也。高祖之约㊶，非功臣不侯。今太后诸弟皆以无功为侯，外戚未曾有也，故天为见异”。于是大将军凤惧，上书乞骸骨，辞职；上优诏㊷不许。

御史中丞㊸东海薛宣㊹上疏曰：“陛下至德仁厚，而嘉气尚凝㊺，阴阳不和，殆吏多苛政。部刺史或不循守条职㊻，举错㊼各以其意，多与郡县事㊽，至开私门㊾，听谗佞，以求㊿吏民过[2]，谴呵及细微(51)，责义不量力(52)；郡县相迫促，亦内相刻，流及[3]众庶(53)。是故乡党(54)阙(55)于嘉宾之欢(56)，九族(57)忘其亲亲之恩，饮食周急之厚(58)弥衰(59)，送往劳来之礼不行。夫人道不通则阴阳否隔(60)，和气不通[4]，未必不由此也！《诗》云(61)：‘民之失德，干糇以愆(62)。’鄙语(63)曰：‘苛政不亲，烦苦伤恩(64)。’方刺史奏事时，宜明申敕(65)，使昭然(66)知本朝之要务。”上嘉纳(67)之。

八月，有两月相承(68)，晨见东方。

冬，十二月，作长安南、北郊(69)，罢甘泉、汾阴祠(70)，及紫坛伪饰、女乐、鸾路、骍驹、龙马、石坛之属(71)。

上奏弹劾石显时，不但没有陈述自己不忠的罪过，反而张扬先帝任用了奸险之徒，荒谬地宣称‘文武百官畏惧石显，甚于畏惧天子’，贬低皇上，抬高臣下，不应当是他们说的话，有失大臣的规矩!”这样一来，匡衡既羞愧，又恐慌，就脱下官帽请罪，交出了丞相和乐安侯的印绶。成帝因刚即位，不愿重罚大臣，就把王尊降职为高陵县的县令。但是朝中很多人肯定王尊。匡衡沉默寡言，心里很不平静，以后凡遇水旱天灾，就接连请求辞职让位；成帝就下诏书慰留，不同意他辞职。

册封以前的河间王刘元的弟弟上郡的武库令刘良为河间王。

有彗星出现在营室附近。

赦免天下。

壬子日，册封舅舅诸吏、光禄大夫、关内侯王崇为安成侯，赐舅舅王谭、王商、王立、王根、王逢时关内侯的爵位。夏，四月，黄色的浓雾充塞四方，成帝下诏广泛地询问公卿大夫意见，不要有任何讳忌。谏大夫杨兴、博士驷胜等人都认为“阴气太盛，侵犯阳气。当年高皇帝规定，不是功臣，不可以封侯爵。如今，太后的几位弟弟并没有功劳，却都加封侯爵，这是外戚从未有过的，所以上天现此变异。”于是大将军王凤恐惧，上奏请求退休，辞去职务；成帝美诏抚慰，不予批准。

御史中丞东海郡人薛宣上奏说:“陛下有至高的仁德，但是，吉祥之气仍未通，阴阳不和，大概是官吏们的苛政太多的缘故。十三州各部的巡按刺史，有的不按条规办事，办事各以己意，多方干预郡县的行政事务，甚至私自纳贿，听信谗言，查找官吏和人民的过失，申斥责问吹毛求疵，要求别人去做不能胜任的事；郡守和县令在压力之下，也随之采取苛刻手段，层层苛责，灾祸落到民众身上。因此，乡里民众彼此间缺乏对待嘉宾那样的欢乐，九族之间，也相互忘了亲密的血缘关系，饮食相助、急难相济的好风尚日益衰退，送往迎来的礼节也丢了。做人的道德遭到破坏，天地间阴阳之气的流通就会被阻隔，祥和之气不通，未必不是由于这些啊!《诗经》说:‘人民丢失了道德，为一块干饼也会犯错。’俗话说:‘施政太过苛刻，会伤害亲情；人民烦劳悲苦，会伤害恩义。’每当一方的部刺史回京奏事，皇上应加以管束，让他们了解朝廷的要务。”成帝欣然采纳了他的建议。

八月的一天，一上一下两个月亮，清早出现在东方。

冬，十二月，成帝分别在首都长安南郊、北郊，祭祀上天和大地，撤除原在甘泉祭天、汾阴祭地的祭祀，同时撤销在甘泉泰畤的紫坛上所有的装饰、歌伎、车驾、赤色马、神马和石坛等物。

【段旨】

以上为第一段，写成帝初即位，斥逐权臣石显及其党羽，优礼大臣，大封外戚王氏，采纳薛宣建言，约法省禁，政治出现一丝曙光。

【注释】

① 孝成皇帝：汉元帝子，名骜，字太孙，西汉第八代皇帝，公元前三二至前七年在位。胡三省注引荀悦云："'骜'之字曰'俊'。" ② 乙丑：正月初一日。③ 悼考庙灾：汉宣帝父史皇孙的庙发生火灾。宣帝尊史皇孙曰悼考。④ 长信中太仆：官名，掌管长信宫皇太后的车马，不常置。⑤ 显既失倚二句：石显为汉元帝亲信，元帝死，他失去倚靠，又被罢了中书令的显职，没有了权力。⑥ 丞相御史条奏显旧恶：丞相匡衡、御史大夫张谭弹劾石显，一条条列出其先前的罪恶。⑦ 牢梁、陈顺：两人皆石显死党。牢梁官至中书仆射。⑧ 徙归故郡：逐出京师还归故乡济南郡。⑨ 道死：在回乡的途中死亡。⑩ 左迁：降职任用。⑪ 玄菟：郡名，治所在今辽宁新宾东。⑫ 雁门都尉：官名，掌雁门郡郡兵。雁门郡治所善无，在今山西右玉南。⑬ 王尊：字子赣，涿郡高阳（今河北高阳东）人。长于经学，官至司隶校尉。传见《汉书》卷七十六。⑭ 颛权擅势：专断权力，擅作威福。颛，同"专"。⑮ 不以时：不及时。⑯ 附下罔上：拉拢臣下，欺骗皇帝。⑰ 怀邪迷国：心怀邪恶，迷惑君王。⑱ 不道：汉代刑目之一。⑲ 在赦令前：成帝去年六月即位，七月发布大赦令。匡衡、张谭在赦令之前的过失，姑且不究。⑳ 反扬著先帝任用倾覆之徒：反而张扬先帝任用奸险之徒。㉑ 甚于主上：超过了畏惧皇上。㉒ 卑君尊臣：压低皇帝，抬高臣下。㉓ 非所宜称：与大臣地位不相称。㉔ 失大臣体：有失大臣的规矩。㉕ 惭惧：惭愧畏惧。㉖ 上丞相、侯印绶：自动交出丞相、封侯印。匡衡封乐安侯。㉗ 重伤大臣：不愿伤害大臣。重伤，难于伤害。㉘ 左迁尊为高陵令：将王尊降为高陵县令。㉙ 群下多是尊者：朝廷大臣中很多人肯定王尊。㉚ 嘿嘿：沉默寡言。㉛ 每有水旱二句：每逢水旱灾害发生，匡衡就接连上书请求辞职让位。乞骸骨，表示辞职的委婉说法，意谓出仕任职是以身许国，乞求皇帝赐还。㉜ 诏书慰抚：下诏劝慰留任。㉝ 不许：不批准辞职。㉞ 上郡库令良：上郡军械库长刘良，是河间王刘元之弟。元帝建昭元年，刘元被废，今以其弟刘良嗣封河间王。上郡，在今陕西北部，郡治肤施，在今陕西绥德东南。㉟ 有星孛于营室：在营室（营室二星，象天子之宫）出现孛星。㊱ 壬子：正月乙丑朔，无壬子。壬子，应为二月十八日。㊲ 王崇：王崇与大将军王凤、皇太后王政君三人为同母所生。下文王谭、王商、王立、王根、王逢时皆为成帝诸舅，五人与王崇、王凤为异母兄弟。㊳ 黄雾四塞：黄色的浓雾充满四方。古人认为这种天变是阴阳错乱造成，是政事不当的征兆。㊴ 博问：广泛询问。㊵ 驷胜：人名，史失其姓。时任博士。㊶ 高祖之约：高祖刘邦晚年，曾杀白马与大臣盟誓，不是皇室刘姓而封王，以及无功而封侯的人，天下

可共诛之。㊷优诏：辞美情切的诏书。㊸御史中丞：官名，御史大夫副职，秩千石。受公卿奏事，举劾按章，内掌秘籍，外督部刺史。㊹薛宣：字赣君，东海郡郯县（今山东郯城）人，官至丞相，封高阳侯。传见《汉书》卷八十三。㊺嘉气尚凝：吉祥之气仍未通。㊻部刺史或不循守条职：十三州部刺史中，有的不遵守律条履行职责。条职，刺史按六条问事，汉武帝所定。六条内容为：一、强宗豪右，田宅逾制，以强凌弱，以众暴寡。二、二千石不奉诏书，遵承典制，背公向私，旁诏守利，侵渔百姓，聚敛为奸。三、二千石不恤疑狱，风厉杀人，怒则任刑，喜则任赏，烦扰苛暴，剥戮黎元，为百姓所疾，山崩石裂，妖祥讹言。四、二千石选署不平，苟阿所爱，蔽贤宠顽。五、二千石子弟怙恃荣势，请托所监。六、二千石违公下比，阿附豪强，通行货赂，割损政令。见《续汉书·百官志》注引《汉仪》。㊼举错：处理政事。此指部刺史执行六条问事的具体行为。㊽多与郡县事：过多地干预郡县行政事务。㊾至开私门：甚至大开后门，收受贿赂。㊿求：查找。(51)谴呵及细微：申斥到吹毛求疵的地步。(52)责义不量力：要求别人去做不能胜任的事。(53)郡县相迫促三句：这几句是说郡县政府在部刺史催逼压力下，也使用苛刻手段，将祸害转嫁给民众。(54)乡党：乡亲邻里。(55)阙：通"缺"。(56)嘉宾之欢：相互友好的欢乐。《诗·小雅·鹿鸣》："我有嘉宾，鼓瑟吹笙。"(57)九族：亲族。上至高祖，下至玄孙，上下共九代，是为九族。这里泛指同宗亲族。(58)周急之厚：指相互救助急难的敦厚风俗。周急，救济困难。(59)弥衰：更加衰败；日益衰败。(60)人道不通则阴阳否隔：做人的伦理不顺，则阴阳自然被阻隔。否隔，阻隔。(61)诗云：引自《诗经·伐木》。(62)民之失德二句：人们丧失了道德，为一块干粮也会犯错。愆，过失。(63)鄙语：谚语；俗语。(64)苛政不亲二句：政令苛刻，伤害亲情，人民烦劳悲苦就伤害恩义。(65)申敕：约束。(66)昭然：清楚明白。(67)嘉纳：欣然采纳。(68)有两月相承：天空出现一上一下两个月亮。相承，相重。参照京房对《易传》的解释，君弱似妇，为阴所乘，则两月出。(69)作长安南北郊：在京城南北郊分建天地坛以祭天地。(70)罢甘泉汾阴祠：武帝建的甘泉泰畤与河东汾阴的后土祠，因违反南阳北阴以及东为少阳之义，故予以拆除。(71)及紫坛伪饰、女乐、鸾路、骍驹、龙马、石坛之属：指同时撤除甘泉泰畤的紫坛、女乐、石坛等。紫坛，祭坛上的紫色装饰。女乐，甘泉祭天时，用七十名童男童女唱歌。鸾路，运送牛羊等牺牲的专用道路。骍驹，祭祀用的枣红骏马。龙马，装饰着龙纹的马。石坛，石筑的祭坛。

【校记】

［1］等：据章钰校，十四行本、乙十一行本、孔天胤本此下皆有"对"字，张敦仁《通鉴刊本识误》同。［2］过：张敦仁《通鉴刊本识误》作"过失"。［3］及：据章钰校，十四行本、乙十一行本、孔天胤本皆作"至"。［4］通：据章钰校，十四行本、乙十一行本、孔天胤本皆作"兴"。

【原文】

二年（庚寅，公元前三一年）

春，正月，罢雍五畤及陈宝祠[72]，皆从匡衡之请也。辛巳[73]，上始郊祀长安南郊。赦奉郊县及中都官耐罪徒[74]，减天下赋钱，算四十[75]。

闰月[76]，以渭城延陵亭部为初陵[77]。

三月辛丑[78]，上始祠[79]后土于北郊。

丙午[80]，立皇后许氏[81]。后，车骑将军嘉之女也。元帝伤母恭哀后[82]居位日浅而遭霍氏之辜，故选嘉女以配太子。

上自为太子时，以好色闻；及即位，皇太后诏采良家女以备后宫。大将军武库令[83]杜钦[84]说王凤曰："礼，一娶九女，所以广嗣重祖[85]也；娣侄[86]虽缺不复补，所以养寿塞争[87]也。故后妃有贞淑[88]之行，则胤嗣[89]有贤圣之君；制度有威仪之节[90]，则人君有寿考之福。废而不由，则女德不厌[91]；女德不厌，则寿命不究于高年[92]。男子五十，好色未衰；妇人四十，容貌改前[93]；以改前之容侍于未衰之年，而不以礼为制，则其原不可救[94]，而后徕异态[95]；后徕异态，则正后自疑而支庶有间適之心[96]。是以晋献被纳谗之谤，申生蒙无罪之辜[97]。今圣主富于春秋[98]，未有適嗣，方乡术入学，未亲后妃之议[99]。将军辅政，宜因始初之隆，建九女之制[100]，详择有行义之家[101]，求淑女之质[102]，毋必有声色技能[103]，为万世大法[104]。夫少戒之在色[105]，《小卞》之作，可为寒心[106]。唯将军常以为忧[107]！"凤白之太后，太后以为故事无有[108]；凤不能自立法度，循故事[109]而已。凤素重钦[110]，故置之莫府[111]，国家政谋常与钦虑[112]之，数称达[113]名士，裨正阙失[114]。当世善政多出于钦者。

夏，大旱。

匈奴呼韩邪单于嬖[115]左伊秩訾兄女二人。长女颛渠阏氏生二子，长曰且莫车，次曰囊知牙斯；少女为大阏氏，生四子，长曰雕陶莫皋，次曰且麋胥，皆长于且莫车，少子咸、乐二人，皆小于囊知牙斯。又他阏氏子十余人。颛渠阏氏贵[116]，且莫车爱[117]，呼韩邪病且死，欲立且

【语译】

二年（庚寅，公元前三一年）

春，正月，撤除雍县的五天帝祭坛和陈仓的陈宝祠庙，这都是采纳匡衡的奏请。二十三日辛巳，成帝初次到京都长安南郊举行祭天典礼。赦免供奉郊祀之县以及京师各部门服役的轻罪囚徒，减轻全国赋税，算钱四十文。

闰正月，成帝把渭城延陵亭一带划定为自己的初陵地，兴建延陵。

三月十四日辛丑，成帝首次在京都北郊举行祭地典礼。

三月十九日丙午，册立许氏皇后。许皇后，是车骑将军许嘉的女儿。元帝因为哀悼母亲恭哀后在位时间不长，就受到霍氏毒害，所以特选许嘉的女儿婚配给太子。

成帝为太子时，就以好色闻名；等到即了皇帝位，皇太后下诏选娶良家女子充实后宫。大将军武库令杜钦劝谏王凤说："按照礼制，君王一次娶九个女子，借以多生子嗣，尊重祖先；其中嫔妃空缺，不再补充，为的是颐养长寿，杜绝争风吃醋。皇后与嫔妃若品行端庄，那么后代就有圣贤的国君；嫔妃进幸有制度规定，那么君王才会有高寿的福气。如果废弃这些规定不遵守，那么就会不断追求女色；不断追求女色，那君王的寿命就不能达到高寿。男子到了五十岁，还是喜好女色；女子到了四十，容貌改变了先前模样；以改变了容貌的女子，侍奉性欲没有衰退的男子，如果不用礼教来节制，就不能阻止原来的好色之心，导致对待妻子的态度发生变化；那样，原配嫡妻就会起疑心，而宠妃与庶子就会产生夺嫡的野心。所以晋献公遭到轻听骊姬谗言的批评，申生蒙受冤枉而被杀。如今皇上年轻，没有嫡子，正当读书求学的年龄，还不懂得处理皇后与嫔妃的夫妇关系。将军辅政，应当趁着皇上刚即位之时的隆盛，建立只娶九女的制度，仔细选择德行高尚的仁义之家，物色贤惠质朴的女子，不必一定有过分的美色和能歌善舞的技能，以此作为可传之万世的宫廷基本法则。青春少年时期，必须克制贪求美色，《诗经·小雅》中的那首《小卞》之诗，实在令人寒心啊！希望将军能常以此事为念！"王凤转告皇太后，皇太后认为皇帝只限于九个妻子，没有前例可循；王凤不能自立法度，只有按成例去做而已。王凤一向很器重杜钦，因此把他安排在自己官府，国家的大事方针经常与他共同商议，杜钦屡次举荐有名望的人士，补救政治上的缺失。当时的善政，很多出于杜钦。

夏天，发生大旱灾。

匈奴呼韩邪单于宠爱左伊秩訾哥哥的两个女儿。长女颛渠阏氏，生了两个儿子，大儿子叫且莫车，二儿子叫囊知牙斯；小女为大阏氏，生了四个儿子，长子叫雕陶莫皋，次子叫且麋胥，二人都比且莫车年长，小儿子栾提咸、栾提乐二人，都比囊知牙斯年小。还有其他的阏氏生的儿子共十多个。颛渠阏氏的地位显贵，而且莫车又深受宠爱，呼韩邪病危时，想立且莫车为太子。颛渠阏氏说："匈奴动乱十多年，

莫车。颛渠阏氏曰："匈奴乱十余年，不绝如发[118]，赖蒙汉力，故得复安。今平定未久，人民创艾[119]战斗。且莫车年少，百姓未附，恐复危国。我与大阏氏一家共子，不如立雕陶莫皋。"大阏氏曰："且莫车虽少，大臣共持国事。今舍贵立贱，后世必乱。"单于卒从颛渠阏氏计，立雕陶莫皋，约令传国与弟。呼韩邪死，雕陶莫皋立，为复株累若鞮单于[120]。复株累若鞮单于以且麋胥为左贤王，且莫车为左谷蠡王，囊知牙斯为右贤王。复株累单于复妻王昭君[121]，生二女，长女云为须卜居次[122]，小女为当于居次。

【段旨】

以上为第二段，写杜钦针对成帝好色的秉性，建言大将军王凤建立君王娶妻限额九女的制度，惜未推行。杜钦受到了大将军的重用，做了一些好事。匈奴呼韩邪单于临终为了安定国家，立长不立嫡，不失为匈奴的明君。

【注释】

⑫ 罢雍五畤及陈宝祠：裁撤雍城的五天帝祭坛，以及陈宝祠。陈宝祠，指秦时建于陈仓（今陕西宝鸡）北坂上的宝鸡神祠。相传秦文公时，曾于此获宝鸡。⑬ 辛巳：正月二十三日。⑭ 赦奉郊县及中都官耐罪徒：赦免长安、长陵县以及京师政府各部门中服役的罪徒。奉郊县，指供奉郊祀的县。汉代天坛在长安城南，近长安县；地坛在长安城北的长陵县界中，二县有供奉之职，故称为奉郊县。中都官，京城各部的总称。耐罪徒，剃去两鬓的轻罪徒。耐，通"耏"。剃去鬓发，一种轻于剃光头发的髡刑。⑮ 算四十：汉制，成人须纳人头税，每年每人一算，称算钱，一算为一百二十文。今减少为每算四十，即算赋每人减少八十文。⑯ 闰月：闰正月。⑰ 初陵：即成帝陵，定名延陵，在今陕西咸阳东北。⑱ 辛丑：三月十四日。⑲ 始祠：首次祭祀。⑳ 丙午：正月十九日。㉑ 皇后许氏：成帝舅车骑将军许嘉之女，虽立为后，但因无子受王凤等外戚排斥，终被废。传见《汉书》卷九十七下。㉒ 恭哀后：指许广汉之女，汉宣帝的许皇后。许皇后与许嘉是堂兄妹，权臣霍光之妻勾结宦官和太医，药死了许皇后。㉓ 大将军武库令：大将军之军所属的武库军械长。㉔ 杜钦：王凤之幕僚，杜延年之子。传见《汉书》卷六十。㉕ 广嗣重祖：多育子女便是尊重祖宗，这是儒家的观点。㉖ 娣侄：指陪嫁之女，若系亲妹称娣，若是正夫人兄弟之女则称侄。这里泛指嫔妃。㉗ 养寿塞争：让皇帝颐养身体长寿，

国家命脉像一根细细的头发，面临断绝，幸赖汉朝的扶持，才得以稳定下来。如今刚安定不久，人民都十分害怕战争。且莫车年纪尚幼，百姓还没有亲附他，立他恐怕再次危害国家。我与大阏氏是亲姐妹，不如立雕陶莫皋。”大阏氏说：“且莫车年纪虽幼，但有大臣们共同辅佐他执掌国政。现今若弃贵立贱，后世必定发生战乱。”单于最终听从了颛渠阏氏的建议，立雕陶莫皋为继承人，约定将来雕陶莫皋要传位给弟弟且莫车。呼韩邪死后，雕陶莫皋即位，称复株累若鞮单于。他封且麋胥为左贤王，且莫车为左谷蠡王，囊知牙斯为右贤王。复株累若鞮单于又娶王昭君为妻，生二女，长女云为须卜居次，小女为当于居次。

杜绝众嫔妃的争风吃醋。⑧⑧ 贞淑：品行端庄。⑧⑨ 胤嗣：指皇帝的儿子。⑨⓪ 制度有威仪之节：嫔妃进幸皇帝有制度规定。⑨① 废而不由二句：君王若废除这些规定不遵守，就会不断追求女色。女德，女色。⑨② 不究于高年：不会达到高寿。⑨③ 容貌改前：指女貌变丑，不如年轻时。⑨④ 原不可救：不能从根本上阻止君王的好色。⑨⑤ 后来异态：发展下去还会出现不正常的变化。⑨⑥ 正后自疑而支庶有间適之心：皇后惶恐不安而宠妃及庶子则会产生夺嫡的野心。適，通“嫡”。⑨⑦ 晋献被纳谗之谤二句：晋国的第十九任国君晋献公因宠爱骊姬，听信谗言，逼迫世子申生自杀，立骊姬子奚齐为世子。晋献公死后，晋国大乱。⑨⑧ 富于春秋：正当年轻力壮之年。时成帝刘骜二十一岁。⑨⑨ 方乡术入学二句：正是读书求学的年龄，还不懂得处理与皇后、嫔妃的夫妇关系。⑩⓪ 建九女之制：恢复夏、殷古制，建立天子只娶九女的制度。⑩① 详择有行义之家：认真选择出身于仁义之家的女性。⑩② 淑女之质：质朴贤惠的女性。⑩③ 声色技能：容貌美且能歌善舞。⑩④ 万世大法：可传之后世的根本法则。⑩⑤ 夫少戒之在色：年少之人最要节制情欲。孔子在《论语·季氏》中说：“君子有三戒，少之时，血气未定，戒之在色。”⑩⑥《小卞》之作二句：《小卞》，《诗经·小雅》篇名。其诗意是讽刺周幽王罢黜申后、废太子宜臼，立褒姒、封庶子伯服，最后导致西周灭亡，是为寒心之戒。⑩⑦ 常以为忧：经常以此为忧虑之事。⑩⑧ 故事无有：汉朝廷从无先例。⑩⑨ 循故事：因循成法惯例。⑪⓪ 凤素重钦：王凤一向敬重杜钦。重，看重；尊重。⑪① 置之莫府：安置在幕府。莫，通“幕”。⑪② 虑：商计。⑪③ 称达：推荐。⑪④ 裨正阙失：补救王凤政治上的缺陷或失误。裨正，补正。⑪⑤ 嬖：宠爱。⑪⑥ 贵：地位尊贵。⑪⑦ 爱：受宠爱。⑪⑧ 不绝如发：匈奴国运危如细发。⑪⑨ 创艾：因受打击而戒惧。⑫⓪ 复株累若鞮单于：公元前二〇至前一二年在位。⑫① 复妻王昭君：匈奴俗，单于立可妻诸母，故复株累若鞮单于复以王昭君为妻。⑫② 居次：匈奴语，公主之意。王昭君所生二女分别嫁匈奴贵族须卜氏、当于氏，从夫姓称作须卜公主、当于公主。

【原文】

三年（辛卯，公元前三〇年）

春，三月，赦天下徒。

秋，关内大雨四十余日。京师民相惊，言大水至。百姓奔走相蹂躏⑫³，老弱号呼⑫⁴，长安中大乱。天子亲御前殿，召公卿议。大将军凤以为："太后与上及后宫可御船，令吏民上长安城以避水。"群臣皆从凤议。左将军王商独曰："自古无道之国，水犹不冒城郭⑫⁵；今政治和平，世无兵革，上下相安，何因当有大水一日暴至⑫⁶[5]，此必讹言⑫⁷也！不宜令上城，重惊百姓⑫⁸。"上乃止。有顷，长安中稍定，问之，果讹言。上于是美壮商之固守⑫⁹，数称其议；而凤大惭，自恨失言。

上欲专委任王凤，八月，策免车骑将军许嘉，以特进侯就朝位⑬⁰。

张谭坐选举不实，免。冬，十月，光禄大夫尹忠为御史大夫。

十二月戊申朔⑬¹，日有食之。其夜，地震未央宫殿中。诏举贤良方正能直言极谏之士。杜钦及太常丞⑬²谷永⑬³上对，皆以为后宫女宠太盛，嫉妒专上⑬⁴，将害继嗣之咎⑬⁵。

越巂⑬⁶山崩。

丁丑⑬⁷，匡衡坐多取封邑四百顷⑬⁸，监临盗所主守直十金以上⑬⁹，免为庶人⑭⁰。

【段旨】

以上为第三段，写成帝建始三年（公元前三〇年）无大事，实质是君臣无所作为，丞相匡衡贪婪被罢官。全国各地灾害不断，大水、地震、山崩。

【注释】

⑫³蹂躏：践踏。⑫⁴号呼：大声哀叫。⑫⁵冒城郭：淹没了城墙。⑫⁶暴至：突然发生。⑫⁷讹言：谣言。⑫⁸重惊百姓：严重震惊百姓。⑫⁹美壮商之固守：赞赏王商临事镇定自若。此王商字子威，并不是王凤之弟王商。从此王凤恨王商，处心积虑地加以排

【语译】

三年（辛卯，公元前三〇年）

春，三月，赦免天下服劳役的犯人。

秋季，关中大雨四十余天。京师的民众惊慌，说洪水到了。百姓奔逃互相践踏，老弱号呼，长安城内大乱。成帝就亲自到前殿召集公卿商议。大将军王凤认为："皇太后和皇上，以及后宫嫔妃，可以乘船，下令官吏民众登上长安城墙去躲避水灾。"群臣都同意王凤的建议，只有左将军王商反对说："自古以来，即使是暴虐无道的国家，大水也不淹没它的城郭；如今政治太平，世无兵革，上下相安无事，怎么会有洪水一天突然来到，这一定是谣言！不应该让百姓爬上城墙，严重惊动百姓。"成帝便停止行动。没多久，长安城内逐渐安定，查问缘由，果真是谣言。成帝于是很赞赏王商临事镇定自若，多次称扬他的提议；王凤大感惭愧，自恨说错了话。

皇上准备把朝政大权委任给王凤，八月，策命免去车骑将军许嘉之职，让他以特进侯爵身份置身朝列。

御史大夫张谭因举荐人才与实不符，被免官。冬，十月，任命光禄大夫尹忠为御史大夫。

十二月初一日戊申，发生日食。当天夜晚，未央宫发生地震。成帝下诏举荐贤良方正以及能直言敢谏的人才。杜钦和太常丞谷永上奏回应，都认为后宫美女过于受宠，互相嫉妒，都想独占成帝，将有害于继嗣。

越嶲郡山崩。

十二月三十日丁丑，匡衡因在本封邑外侵占四百顷土地，且他管辖下的主管官员盗取官物价值十金以上，被罢官为平民。

斥。⑬⓪ 以特进侯就朝位：许嘉被免官，允许以特进和侯爵的身份仍在京师列位朝官的行列。许嘉继嗣为平恩侯。特进，加官，位在三公以下，列侯之上。⑬① 戊申朔：十二月初一日。⑬② 太常丞：官名，太常副长官，佐太常掌宗庙礼仪。⑬③ 谷永（？至公元前一一年）：字子云，长安人，经学大师，尤长于《京氏易》，依附外戚王氏，官至大司农。传见《汉书》卷八十五。⑬④ 专上：皇上的专宠。⑬⑤ 咎：祸患。⑬⑥ 越嶲：郡名，治所邛都，在今四川西昌。⑬⑦ 丁丑：十二月三十日。⑬⑧ 坐多取封邑四百顷：匡衡封邑在临淮郡僮县乐安乡，封地三千一百顷，南以闽陌为界，后以平陵陌为界，多占四百顷，因而蒙罪。坐，被判有罪。⑬⑨ 监临盗所主守直十金以上：匡衡属下官员盗取官物价值超过十金。汉制，黄金二十四两为一镒，即一金。按汉律，超过十金即须定罪。⑭⓪ 免为庶人：罢免官职为平民。

【校记】

［5］何因当有大水一日暴至：张瑛《通鉴校勘记》作“何因当大水，水一日暴至”。

【原文】

四年（壬辰，公元前二九年）

春，正月癸卯[141]，陨石于亳四[142]，陨于肥累[143]二。

罢中书宦官[144]。初置尚书员五人[145]。

三月甲申[146]，以左将军乐昌侯王商[147]为丞相。

夏，上悉召前所举直言之士，诣白虎殿[148]对策[149]。是时上委政王凤，议者多归咎焉。谷永知凤方见柄用[150]，阴欲自托[151]，乃曰：“方今四夷宾服[152]，皆为臣妾，北无荤粥、冒顿之患[153]，南无赵佗、吕嘉之难[154]，三垂[155]晏然[156]，靡有兵革之警[157]；诸侯大者乃食数县，汉吏制其权柄[158]，不得有为，无吴、楚、燕、梁[159]之势；百官盘互[160]，亲疏相错[161]，骨肉大臣有申伯[162]之忠，洞洞属属[163]，小心畏忌，无重合、安阳、博陆之乱[164]。三者无毛发之辜[165]，窃恐陛下舍昭昭之白过[166]，忽天地之明戒，听暗昧之瞽说[167]，归咎乎无辜[168]，倚异乎政事[169]，重失天心，不可之大者也。陛下诚深察愚臣之言，抗湛溺之意[170]，解偏驳之爱[171]，奋乾刚之威[172]，平天覆之施[173]，使列妾得人人更进[174]，益纳宜子妇人[175]，毋择好丑[176]，毋避尝字[177]，毋论年齿[178]。推法言之[179]，陛下得继嗣于微贱之间，乃反为福；得继嗣而已，母非有贱也[180]。后宫女史、使令有直意者[181]，广求于微贱之间，以遇天所开右[182]，慰释皇太后之忧愠[183]，解谢上帝之谴怒，则继嗣蕃滋[184]，灾异讫息！”

杜钦亦仿此意。上皆以其书示后宫，擢永为光禄大夫。

夏，四月，雨雪[185]。

秋，桃、李实[186]。

大雨水十余日，河决东郡金堤[187]。先是清河都尉[188]冯逡[189]奏言：

【语译】

四年（壬辰，公元前二九年）

春，正月二十六日癸卯，亳县落下四颗陨石，肥累县落下两颗陨石。

撤销中书宦官。首次设置尚书五人，分曹办事。

三月初八日甲申，任命左将军乐昌侯王商为丞相。

夏，皇上召集前些时候所举荐的全部直言敢谏的人士，前往未央宫白虎殿参加对策面试。当时成帝把朝政委托给王凤，对策士人大多将缺失归罪于王凤。谷永知道王凤正掌权柄受重用，想暗中投靠，于是在对策中说："如今四方外族，都已臣服，成了我国的臣属，北边没有荤粥、冒顿的祸患，南边没有赵佗、吕嘉的发难，三方边境都很安宁，没有战争的警讯；最大的诸侯，才食邑数县，况且有朝廷派去的官吏控制他们的权柄，不能有什么作为，已没有当年吴、楚、燕、梁等诸侯王国那种尾大不掉的势力；文武百官互相制衡，皇亲国戚与朝中百官交错掌权，在皇上骨肉之亲的大臣中，又有像周宣王的舅舅申伯一样忠诚的人，谨慎敬畏，小心翼翼，更没有像重合侯马通、安阳侯上官桀、博陆侯霍禹那样的乱臣贼子。外戚、诸侯王、臣僚三个方面都没有丝毫的过失，我深恐陛下留下明显的错误，忽视天地明显的警告，听信愚昧之人的瞎说，归罪于无辜，把政事托付给不可靠的人，那么就大失天心，这是最不应该的。陛下若能深切考虑愚臣的建议，排除沉溺之心，解除专宠之爱，振奋阳刚精神，平等布施恩德，使妃嫔人人都能得到皇上的恩宠，多接纳能生儿子的妇人，不要挑选美丑，不必计较是不是处女，无论她的年龄大小。按理说来，陛下若能让出身卑贱的嫔妃生下儿子，反倒是一种福气；因为是要得到继承人罢了，其母没有贵贱之别。即使是后宫的女史宫婢，有皇上中意的，便可广泛接纳侍奉皇上，贵与贱都不重要，一旦上天保佑，说不定降下皇子，就可以使皇太后的忧愁消失，消解上帝的责怒，那么后嗣繁衍，灾害消除。"

杜钦也效法奏上同样的意见。皇上把奏章都传示后宫，擢升谷永为光禄大夫。

夏，四月，下雪。

秋，桃树、李树结下果实。

大雨接连下了十多天，黄河在东郡金堤决口。在这之前，清河郡都尉冯逡上奏

“郡承河下流[190]，土壤轻脆易伤，顷所以阔无大害[191]者，以屯氏河通，两川分流也。今屯氏河塞，灵鸣犊口又益不利，独一川兼受数河之任[192]，虽高增堤防，终不能泄[193]。如有霖雨[194]，旬日不霁[195]，必盈溢[196]。九河[197]故迹，今既灭难明，屯氏河新绝未久，其处易浚[198]；又其口所居高，于以分杀水力[199]，道里便宜[200]，可复浚以助大河，泄暴水[201]，备[6]非常[202]。不豫[203]修治，北决病[204]四五郡，南决病十余郡，然后忧之，晚矣！”事下丞相、御史[205]，白遣博士许商行视[206]，以为“方用度不足，可且勿浚[207]”。后三岁，河果决[208]于馆陶及东郡金堤，泛滥兖、豫及[7]平原、千乘、济南[209]，凡灌四郡、三十二县[210]，水居地[211]十五万余顷，深者三丈，坏败官亭、室庐[212]且四万所。

冬，十一月，御史大夫尹忠以对方略疏阔，上切责其不忧职[213]，自杀。遣大司农非调[214]调均钱谷[215]河决所灌之郡，谒者二人发河南以东船五百艘，徙民避水居丘陵九万七千余口。

壬戌[216]，以少府张忠为御史大夫。

【段旨】

以上为第四段，写汉成帝陶醉于后宫美色，贤良方正谷永在大将军王凤唆使下不在对策中建言国家大事而替皇上纵欲辩护；丞相匡衡尸位素餐，不治黄河，至此终于酿成大祸。

【注释】

[141]癸卯：正月二十六日。[142]陨石于亳四：在亳县落下了四颗陨石。亳，县名，县治在今河南商丘东南。四，陨石四颗。[143]肥累：县名，县治在今河北藁城东。[144]罢中书宦官：汉初宦官有中谒者令，汉武帝改称中书谒者令，又置中书谒者仆射为副长官。至此，成帝罢宦官而复用士人，复改为中谒者令。[145]初置尚书员五人：《汉旧仪》云：“尚书四人，为四曹（四个司）：常侍尚书，主丞相、御史事；二千石尚书，主刺史、二千石事；户曹尚书，主庶人上书事；主客尚书，主外交事务。”成帝置五人，加三公曹尚书，主断狱事。〖按〗元帝时尚书已至五人，至成帝时始成定制。[146]甲申：三月初八日。[147]王

说："清河郡处在黄河的下游，土壤松脆，容易崩塌，近些年之所以没有大水灾，因为有屯氏河畅通，黄河分流为二。如今屯氏河被堵塞，灵县的鸣犊口也一天天淤塞不通，只剩下一条黄河，却要容纳几条河水的流量，即使把堤防加高，也无法使它宣泄畅通，如果遇上连续几天的大雨，十天不晴，河水必定涨过堤防。夏禹疏通的九河遗迹，如今已经消失，找不到它的位置，屯氏河刚淤塞不久，疏通并不困难；加上黄河分口处地势较高，可以大大分减黄河水流的冲击力，道里便利，可以疏通用来分担黄河的水量，宣泄暴涨的洪水，预防非常险情的发生。若不预先加以修治，北岸决口危害四五个郡，南岸决口危害十余郡，之后担忧操心，就晚了！"冯逡的奏章转交到丞相匡衡、御史大夫张谭那里去审议，匡衡、张谭奏请派博士许商前往视察，许商视察后，报告说"现在国家经费困难，可以暂时不疏通它"。三年后，黄河果然在馆陶和东郡的金堤决口，大水泛滥兖州、豫州以及平原郡、千乘郡、济南郡，共淹没四郡，三十二县，水浸没耕地十五万余顷，水深处有三丈，冲坏了官府和民间房屋四万多间。

冬，十一月，御史大夫尹忠因为提出的救灾方案过于粗疏，成帝痛切地指责他不尽职责，尹忠自杀。成帝命大司农非调筹措经费和粮食，调往受灾各郡实施救济，又派出两名谒者征召河南郡以东的船舶五百艘，迁移灾民到丘陵高地躲避水患，共九万七千余人。

十一月二十日壬戌，任命少府张忠为御史大夫。

商：字子威，非王凤之弟。⑱白虎殿：未央宫殿名，为宫中讲学之所。⑲对策：选人才之考试。由皇帝出题设问，应对者直言以对，既求言，又选士。⑳方见柄用：正掌握权柄受重用。㉑阴欲自托：想暗中投靠王凤。㉒宾服：臣服。㉓荤粥、冒顿之患：即匈奴之边患。殷周时称匈奴为荤粥，冒顿是西汉初年屡次侵扰中国的匈奴单于。㉔赵佗、吕嘉之难：指南边南越之祸患。赵佗为南越王，西汉初通好于汉。事见《史记》《汉书》之南越传。吕嘉是南越大臣，汉武帝时反叛汉朝，被武帝诛杀。㉕三垂：北、西、南三边。㉖晏然：太平无事。㉗靡有兵革之警：没有战争警报。㉘汉吏制其权柄：朝廷所派官吏控制着诸侯王的权柄。㉙吴、楚、燕、梁：吴、楚，指汉景帝时吴楚等七诸侯国之乱。燕，指汉昭帝时燕王刘旦谋反。梁，指汉景帝弟梁王刘武，骄横逾制，死后梁国一分为五。㉚盘互：互相牵制。㉛亲疏相错：皇亲国戚与百官交错。㉜申伯：周宣王之舅，《诗经·崧高》就是褒奖申伯的诗。这里以申伯暗喻大将军王凤。㉝洞洞属属：谨慎而又小心。洞洞，敬肃的样子。属属，谨慎小心的样子。㉞重合、安阳、博陆之乱：指武帝时的重合侯马通，昭帝时的安阳侯上官桀，宣帝时的博陆侯霍禹，三人

皆以阴谋作乱而被诛。⑯5 三者无毛发之辜：外敌、诸侯王、臣僚三方面都没有丝毫过失。⑯6 舍昭昭之白过：犯下明显的错误。舍，留下；犯下。⑯7 忽天地之明戒二句：忽视天地灾异之变的明显警示，而听信愚昧之人的瞎说。⑯8 归咎乎无辜：归罪于无辜的人。⑯9 倚异乎政事：改变托付重任的人。倚，依。《汉书·谷永传》原文在"三者无毛发之辜"句下有"不可归咎诸舅"之语，其义更为明晰。⑰0 抗湛溺之意：抗拒沉溺之心。湛，通"沉"。⑰1 解偏驳之爱：解除专宠之爱。谷永此言，是针对许皇后而发。⑰2 奋乾刚之威：振奋阳刚精神。⑰3 平天覆之施：指平等对待众嫔妃。施，恩惠。⑰4 使列妾得人人更进：让嫔妃人人都能得到皇帝的恩宠。⑰5 益纳宜子妇人：多接纳能生育男孩的妇女。这是劝皇帝早生后代的措施。许皇后仅生一女，且早夭。⑰6 毋择好丑：不要挑选长得美丑。⑰7 毋避尝字：不必计较是不是为处女。其时，王凤已将自己小妾的妹妹，结过婚的张美人送进后宫。谷永此言，一为王凤开脱，二为张美人得宠造舆论。⑰8 毋论年齿：不必管年龄大小。⑰9 推法言之：按理说来。这里的理，指为速得子而择妇之理。⑱0 得继嗣而已二句：只要能生子，就不必计较其母身份的贵贱。⑱1 后宫女史使令有直意者：即使是后宫的女婢、女奴，只要皇帝中意便可侍奉皇帝。女史，抄写文书的宫婢。使令，在后宫供差遣的使女。⑱2 以遇天所开右：一旦上天保佑，说不定会降生皇子。右，通"佑"。⑱3 慰释皇太后之忧愠：可使皇太后的忧愁消失。⑱4 继嗣蕃滋：后代不断增多。⑱5 雨雪：降雪。农历夏四月降雪属天变，故记载。⑱6 秋二句：秋天桃李结实。按常理，桃、李应在春末结实。⑱7 河决东郡金堤：指在今河南滑县境内的黄河决口。金堤是河堤之名，在东郡辖区内。⑱8 清河都尉：官名，清河郡都尉，掌郡兵。清河郡在黄河下游，治所清阳，在今河北清河县东。⑱9 冯逡：冯奉世之子，字子产，为清河郡尉时，曾提出过治理黄河的策略，见《汉书·沟洫志》，这里只是摘要。冯逡传附《冯奉世传》，见《汉书》卷七十九。⑲0 郡承河下流：指清河郡在黄河的下游。⑲1 阔无大害：很

【原文】

南山㉑7 群盗傰宗㉑8 等数百人为吏民害。诏发兵千人逐捕，岁余不能禽。或说大将军凤，以"贼数百人在毂下㉑9，讨不能得，难以示四夷㉒0。独选贤京兆尹乃可。"于是凤荐故高陵令王尊，征为谏大夫，守京辅都尉㉒1，行京兆尹事㉒2。旬月间㉒3，盗贼清；后拜为京兆尹。

上即位之初，丞相匡衡复奏："射声校尉陈汤以吏二千石奉使㉒4，颛命蛮夷中㉒5，不正身以先下㉒6，而盗所收康居财物，戒官属曰：'绝域

少有大的水灾。阔，稀少。⑲²一川兼受数河之任：指黄河一川而容纳了多条河的水量。这是指因屯氏河阻塞，几条河的水全部流入黄河。屯氏河是汉武帝修的一条人工河，目的在于分黄河的水势。汉元帝永光五年（公元前三九年），灵县鸣犊口决口，屯氏河遂淤塞。⑲³泄：指排泄水量。⑲⁴霖雨：连续三天以上的大雨。⑲⁵旬日不霁：天连下十日大雨不晴。旬，十日为旬。⑲⁶必盈溢：必然暴涨，溢出堤防。⑲⁷九河：相传大禹在兖州境内开凿过九条河，有徒骇河、太史河、马颊河、覆釜河、胡苏河、简河、絜河、钩盘河、鬲津河，目的是分黄河水入渤海。⑲⁸浚：疏通。⑲⁹分杀水力：分减河水的冲力。⑳⁰道里便宜：指疏浚原屯氏河比新开河道要省工省力。⑳¹泄暴水：分泄洪水。⑳²备非常：防范非常事件（指决口）。⑳³豫：预先。⑳⁴病：为害。⑳⁵事下丞相、御史：冯逡的奏章交给丞相王商、御史大夫尹忠处理。⑳⁶白遣博士许商行视：丞相、御史大夫奏请成帝派博士许商前去实地考察。⑳⁷可且勿浚：可以暂时不疏浚。⑳⁸后三岁二句：过了三年，黄河果然决口，事在成帝建始四年（公元前二九年）。⑳⁹泛滥兖豫及平原千乘济南：灾区包括兖州、豫州以及青州的平原、千乘、济南等郡。㉑⁰凡灌四郡、三十二县：这次黄河决口，总计淹没了四个郡共三十二个县的地界。灌，淹没。四郡，即被水淹的平原、千乘、济南三郡和东郡。㉑¹水居地：积水淹没的耕地。㉑²坏败官亭室庐：洪水冲毁官房及民居。坏，洪水冲毁。官亭，公房。室庐，民居。㉑³不忧职：不尽职。㉑⁴非调：人名，非姓据说是秦非子之后。㉑⁵调均钱谷：指筹措救灾经费及粮食，调往受灾的地区。㉑⁶壬戌：十一月二十日。

【校记】

［6］备：张敦仁《通鉴刊本识误》作“卫”。［7］及：据章钰校，乙十一行本、孔天胤本皆作“入”。

【语译】

南山一带盗贼傰宗等数百人成为官吏和人民的祸害。成帝下诏发兵一千人去追捕，一年多没能抓获。有人建议大将军王凤说“盗贼数百人在京师附近，征讨却不能捕得，这很难宣威四夷。唯有选任贤能的京兆尹，才可以处理。”因此王凤推荐前高陵县令王尊，征调为谏大夫，守理京辅都尉，代行京兆尹职权。一个月内，盗贼肃清；后来王尊拜任京兆尹。

成帝初即位时，丞相匡衡又上奏说：“射声校尉陈汤以二千石官的身份出使西域，在蛮夷中专权独行，不能以身作则，为部下表率，反而盗取了所收的康居国的财物，还告诉部下说：‘我们身在绝域干的事，朝廷是不会认真查究的。’这件事虽发

事不覆校[227]。'虽在赦前[228]，不宜处位。"汤坐免。

后汤上言："康居王侍子，非王子。"按验，实王子也。汤下狱当死。太中大夫[229]谷永上疏讼汤[230]曰："臣闻楚有子玉得臣[231]，文公为之仄席而坐[232]；赵有廉颇、马服[233]，强秦不敢窥兵井陉[234]；近汉有郅都、魏尚[235]，匈奴不敢南乡沙幕。由是言之，战克之将，国之爪牙，不可不重[236]也。盖君子闻鼓鼙之声[237]，则思将帅之臣。窃见关内侯陈汤，前斩郅支，威震百蛮，武畅西海[238]，汉元[239]以来，征伐方外[240]之将，未尝有也！今汤坐言事非是，幽囚久系，历时不决，执宪之吏欲致之大辟[241]。昔白起[242]为秦将，南拔郢都[243]，北坑赵括[244]，以纤介之过[245]，赐死杜邮[246]；秦民怜之，莫不陨涕[247]。今汤亲秉钺[248]，席卷[249]、喋血[250]万里之外，荐功祖庙[251]，告类上帝[252]，介胄之士靡不慕义[253]。以言事为罪，无赫赫之恶[254]。《周书》曰：'记人之功，忘人之过，宜为君者也。'[255]夫犬马有劳于人，尚加帷盖之报[256]，况国之功臣者哉！窃恐陛下忽于鼙鼓之声，不察《周书》之意，而忘帷盖之施[257]，庸臣遇汤[258]，卒从吏议[259]，使百姓介然[260]有秦民之恨，非所以厉[261]死难之臣[262]也！"书奏，天子出汤[263]，夺爵为士伍[264]。

会西域都护段会宗[265]为乌孙兵所围，驿骑上书[266]，愿发城郭、敦煌兵[267]以自救；丞相商、大将军凤及百僚议数日不决。凤言："陈汤多筹策[268]，习外国事，可问。"上召汤见宣室[269]。汤击郅支时中寒[270]，病两臂不屈申[271]。汤入见，有诏毋拜[272]，示以会宗奏。汤对曰："臣以为此必无可忧也。"上曰："何以言之？"汤曰："夫胡兵五而当汉兵一，何者？兵刃朴钝[273]，弓弩不利。今闻颇得汉巧，然犹三而当一。又《兵法》曰：'客倍而主人半，然后敌[274]。'今围会宗者人众不足以胜会宗，唯陛下勿忧！且兵轻行五十里[275]，重行三十里[276]，今会宗欲发城郭、敦煌，历时[277]乃至，所谓报雠之兵，非救急之用也。"上曰："奈何？其解可必乎[278]？度[279]何时解？"汤知乌孙瓦合[280]，不能久攻[281]，故事不过数日，因对曰："已解矣！"屈指计其日，曰："不出五日，当有吉语闻[282]。"居

生在竟宁元年七月大赦之前，但陈汤也不适宜仍居官位。”陈汤坐罪免职。

后来陈汤上奏说：“康居王送来的入侍皇上的儿子，不是真王子。”调查证明，实是真王子。陈汤被捕入狱，判了死刑。太中大夫谷永上奏为陈汤辩护，说：“我听说楚国有大夫名叫得臣，字子玉，晋文公因而坐不安席；赵国有廉颇和马服君赵奢，强大的秦国不敢窥伺赵国西界的井陉关；近世汉朝有郅都、魏尚，匈奴不敢南下靠近沙漠。由这些例证看来，战胜敌人的将领，是国家武臣，不能不看重他们。当君王听到战鼓的声音，便会想到将帅之臣。臣看到关内侯陈汤，从前击斩郅支单于，威震蛮夷，功名传遍了整个西域，自汉初以来，在疆域之外作战的将领中，未曾有过这样的人！现在陈汤因言事不实，被长期囚禁监狱，历时长久不能结案，那些执法的官吏是想判他死刑。从前白起当秦国的大将，南征攻陷了楚国郢都，北伐坑杀了赵括，后来却因一点细小过失，赐死在杜邮；秦国人民哀怜他，无不流泪。如今陈汤亲执武器，如卷席般迅疾，血战万里之外，把战果呈献在皇家祖宗祭庙上，祭告上帝，所有的战士，无不倾心崇拜。陈汤不过是因言事犯罪，并没有严重的过恶。《周书》说：‘记住他人的功劳，忘却他人的过失，这样的人才适宜做国君。’犬马对人们有功劳，死后人们尚且加盖帷帐埋葬，用以报答他，何况是对国家有大功的功臣呢！只怕是陛下忽视了战鼓的声音，没有去弄清《周书》的意思，因此忘记给陈汤留下像给犬马加帷盖那样的恩惠，用对待平庸之臣的态度来看待陈汤，终于批准死刑，使百姓心里再次怀有当年秦国人民那样的遗憾，这绝不是勉励死难之臣的办法啊！”奏章呈上之后，天子下令释放陈汤，但剥夺爵位，贬为士卒。

适逢西域都护段会宗被乌孙国的军队围困，驿骑飞驰上书朝廷，希望征调西域城邦及在敦煌的驻兵前去营救；丞相王商、大将军王凤以及文武百官商议了几天也不能决定。王凤说：“陈汤多谋略，又熟悉西域各国的情况，可以向他询问。”成帝于是在未央宫的宣室殿召见陈汤。陈汤在攻击郅支单于时患了风湿，两臂不能屈伸。陈汤入宫拜见时，成帝下诏让他不必跪拜，把段会宗的奏章给他看。陈汤回答说：“我认为这件事一定不用担忧。”成帝说：“你为什么这样说？”陈汤说：“五个胡兵，才能抵挡得住一个汉兵，为什么？因为他们的武器落后，刀剑不锋利，弓箭不强劲。于今听说学到一些中国兵器的技术，但仍需三个胡兵才能抵得过一个汉兵。《兵法》说：‘攻击的部队的人数超过守军人数一倍，才能势均力敌。’现今包围段会宗的人数，不足以胜过段会宗，因此请陛下不必忧虑！况且部队轻装行军，每天五十里，重装行军，每天三十里，现在段会宗想调发西域城邦及敦煌的士兵去解围，需要很长时间才能抵达，这就是所谓用来报仇的军队，不能用来救急啊。”成帝说：“那怎么办呢？段会宗一定能够退敌解围吗？估计什么时候才能解围呢？”陈汤知道乌孙军队如同屋瓦之合，不能持久进攻，所以只需几天就可解围。于是回答说：“已经解围了！”陈汤屈指计算日期，说：“不出五天，就能听到好消息。”过了四天，军队的文

四日[283]，军书到，言已解。大将军凤奏以为从事中郎[284]，莫府[285]事壹决于汤[286]。

【段旨】

以上为第五段，写段会宗建功西域，用以衬托陈汤的军事才能与功勋，而纯儒的迂腐大臣匡衡等人却纠缠不休，必欲置陈汤于死地而后快。由于西域边事再起，挽救了功臣陈汤。

【注释】

㉑⑦南山：指长安南郊的终南山。㉑⑧傰宗：人名。㉑⑨毂下：京师辇毂之下，天子脚下。㉒⓪难以示四夷：难以向四方蛮族宣威。㉒①守京辅都尉：代理京辅都尉之职。京辅都尉，汉官名，掌京师治安。㉒②行京兆尹事：行使京兆尹的权力。京辅都尉为京兆尹之助理，掌郡兵，现又代理行使京兆尹的职权。㉒③旬月间：一个月内。㉒④以吏二千石奉使：陈汤以二千石品级的官吏作为西域副校尉出使西域。二千石，指作为地位为二千石的官员。西域都护，秩二千石。西域副校尉，比二千石。陈汤为副校尉，特给予西域校尉待遇。㉒⑤颛命蛮夷中：在西域蛮夷中独断专行。颛，同“专”。㉒⑥不正身以先下：不能以身作则为下属的表率。㉒⑦绝域事不覆校：事出在极远的西域，朝廷不会认真追究。㉒⑧虽在赦前：成帝于竟宁元年（公元前三三年）七月发布大赦令。赦前吏民的罪过，既往不咎。陈汤事虽在赦前，但匡衡揪住陈汤不放。㉒⑨太中大夫：时谷永为光禄大夫，此据《汉书·陈汤传》。太中大夫、光禄大夫，均郎中令属官，掌谏议。㉓⓪讼汤：替陈汤申诉、辩护。㉓①子玉得臣：楚国大夫，芈姓，名得臣，字子玉。鲁僖公二十八年（公元前六三二年），楚子玉得臣率军与晋文公战于城濮。这是晋楚之间的一场大战，史称城濮之战。虽然晋胜楚败，但晋文公仍然忧愁不乐，当听到楚成王杀了子玉得臣之后，才转忧为喜。㉓②仄席而坐：斜坐在席上。即心有忧虑，不能安坐在席上。仄，同“侧”。㉓③廉颇、马服：均为战国时赵国的名将。马服，指马服君赵奢。廉颇、赵奢两人同传，见《史记》卷八十一。㉓④井陉：地名，在今河北井陉西，战国时为赵国西境的军事重镇。㉓⑤郅都魏尚：郅都是景帝时的雁门太守，魏尚是文帝时的云中太守。二人均勇猛善战，匈奴不敢进犯。郅都事见《史记·酷吏列传》。魏尚事附《史记·张释之冯唐列传》。㉓⑥重：重视；看重。㉓⑦闻鼓鼙之声：听到战鼓的声音。鼓鼙之声，战鼓之声，此指战争警报。㉓⑧武畅西海：武功传播西域。西海，指西域的阗池，即今吉尔吉斯斯坦境内的伊塞克湖。此代指西域。㉓⑨汉元：指汉初。元，开始。㉔⓪方外：境外。㉔①执宪之吏欲致之大辟：执法官决心要判处陈汤死刑。大辟，杀头。㉔②白起：秦昭王时名将，在秦赵

书送到京师，说已经解围了。大将军王凤上奏请求任命陈汤为大将军府的从事中郎，大将军幕府的日常事务都由陈汤决断。

长平之战中，全歼赵军四十五万人，震惊列国。从此，赵国一蹶不振。传见《史记》卷七十三。㉔③南拔郢都：南下攻破楚国郢都，事在公元前二七八年。郢都，在今湖北江陵。㉔④北坑赵括：公元前二六〇年，秦赵长平之战，赵将赵括率领的四十五万赵军战败，被秦军坑杀。㉔⑤纤介之过：微小的过失。长平战后，白起认为围攻邯郸，列国来救，秦军不能取胜，拒绝为将，本是正确意见，不仅不被秦昭王采纳，反而以抗君之命被赐死杜邮。㉔⑥杜邮：地名，在今陕西咸阳东。㉔⑦陨涕：流泪。㉔⑧秉钺：手执武器。钺，大斧。㉔⑨席卷：如卷席之势迅猛进军。㉕⓪喋血：奋勇血战。㉕①荐功祖庙：将战果进献在祖宗庙上。荐，献。㉕②告类上帝：将胜利祭告上天。㉕③介胄之士靡不慕义：穿甲战士，无不倾心崇拜。㉕④赫赫之恶：大恶。㉕⑤周书曰四句：牢记臣下的功劳，忘记臣下的过失，这才是一个真正的君王。今本《尚书》无此语，此系《逸周书》之文。人，他人，此指臣下。㉕⑥帷盖之报：报答；回报。语出《礼记·檀弓下》，孔子说："敝帷弗弃，为埋马也；敝盖弗弃，为埋狗也。"意谓破帐不要丢弃，留作埋马之用；破篷不要丢弃，留作埋狗之用。帷，帐幕。盖，车盖。㉕⑦忘帷盖之施：指忘了给陈汤以报答。㉕⑧庸臣遇汤：以对待庸臣的方式对待陈汤。㉕⑨卒从吏议：终于交给司法官审判。㉖⓪介然：耿正的样子。此指内心不平。㉖①厉：通"励"。勉励。㉖②死难之臣：为国难而死的忠臣。㉖③出汤：把陈汤从监狱中放出。㉖④夺爵为士伍：取消陈汤关内侯的爵位，贬为普通士兵。㉖⑤段会宗：字子松，天水上邽（今甘肃天水市）人，官至西域都护，立功西域，最后病死乌孙。传见《汉书》卷七十。㉖⑥驿骑上书：用驿站的乘骑快速上奏朝廷。㉖⑦发城郭、敦煌兵：征发西域诸城邦国家和驻守敦煌的军队。㉖⑧多筹策：长于谋略。㉖⑨宣室：未央宫中殿名。㉗⓪中寒：染上风湿病。㉗①两臂不屈申：两臂不能自由弯曲伸直。㉗②有诏毋拜：特下诏命，可不跪拜。㉗③兵刃朴钝：兵器粗糙不锋利。朴，实，引申为粗糙。㉗④客倍而主人半二句：进攻一方要超过防守一方一倍的人数，两方才势均力敌。客倍，指攻方的部队要达到守方的两倍。主人半，指据守城市的部队只要达到攻方的一半，就可以守得住。敌，相当；相匹敌。㉗⑤轻行五十里：轻装前进，每天五十里。㉗⑥重行三十里：重装前进，一天三十里。㉗⑦历时：要经历很长时间。㉗⑧其解可必乎：指段会宗凭借自己的力量能退敌解围吗。㉗⑨度：估计。㉘⓪瓦合：如瓦之聚合，形容不牢固。㉘①久攻：持久战。㉘②吉语闻：好消息传到；捷报到达。㉘③居四日：过了四天。㉘④从事中郎：武官名，大将军幕府僚属，秩六百石，职责是参谋划策。㉘⑤莫府：即幕府。㉘⑥壹决于汤：全都决定于陈汤。

【原文】

河平元年（癸巳，公元前二八年）

春，杜钦荐犍为王延世[287]于王凤，使塞决河。凤以延世为河堤使者[288]。延世以竹落[289]长四丈，大九围[290]，盛[291]以小石，两船夹载而下之。三十六日，河堤成。三月，诏以延世为光禄大夫，秩中二千石，赐爵关内侯、黄金百斤。

夏，四月己亥晦[292]，日有食之。诏公卿百僚陈过失[293]，无有所讳。大赦天下。光禄大夫刘向对曰[294]：“四月交于五月，月同孝惠，日同孝昭[295]，其占恐害继嗣。”是时许皇后专宠，后宫希得进见，中外[296]皆忧上无继嗣，故杜钦、谷永及向所对皆及之。上于是减省[297]椒房[298]、掖庭[299]用度，服御、舆驾[300]所发诸官署及所造作[301]，遗赐外家[302]、群臣妾[303]，皆如竟宁以前故事[304]。

皇后上疏[8]自陈[305]，以为：“时世异制，长短相补，不出汉制而已，纤微[306]之间未必可同。若竟宁前与黄龙前[307]，岂相放哉[308]！家吏[309]不晓，今壹受诏[310]如此，且使妾摇手不得[311]。设妾欲作某屏风张于某所，曰：‘故事无有。’或不能得，则必绳[312]妾以诏书矣。此诚不可行，唯陛下省察[313]！故事，以特牛祠大父母[314]，戴侯、敬侯皆得蒙恩以太牢祠[315]，今当率如故事[316]，唯陛下哀之！今吏甫受诏读记[317]，直豫言[318]使后知之，非可复若私府有所取也[319]。其萌牙所以约制妾者，恐失人理[320]。唯陛下深察焉！”

上于是采谷永、刘向所言灾异咎验皆在后宫之意以报之[321]，且曰：“吏拘于法，亦安足过[322]。盖矫枉者过直[323]，古今同之。且财币之省，特牛之祠，其于皇后，所以扶助德美，为华宠[324]也。咎根[325]不除，灾变相袭[326]，祖宗且不血食，何戴侯也！传不云乎[327]：‘以约失之者鲜[328]。’审[329]皇后欲从其奢与？朕亦当法孝武皇帝也，如此，则甘泉、建章可复兴矣。孝文皇帝，朕之师也。皇太后，皇后成法[330]也。假使太后在彼时不如职[331]，今见亲厚，又恶可以逾乎[332]！皇后其刻心秉德[333]，谦约为右[334]，垂则列妾，使有法焉[335]。”

【语译】

河平元年（癸巳，公元前二八年）

春，杜钦向王凤举荐犍为人王延世，派他堵塞黄河缺口。王凤任命王延世为河堤使者。王延世用长四丈，大九围的竹笼，装满小石头，用两条船夹着搬运，投入河堤的缺口。三十六天，堤防修成。三月，下诏任命王延世为光禄大夫，年俸中二千石，封爵位关内侯，赏赐黄金一百斤。

夏，四月最后一天三十日己亥，发生日食。成帝下诏公卿百官上书条陈过失，不要有什么忌讳。大赦天下。光禄大夫刘向上书回答说："四月三十日月末连结五月，这一天的日食，按月份与孝惠皇帝相同，按日期与孝昭皇帝相同，这个占象恐怕有害于后嗣。"当时许皇后专宠，后宫嫔妃很少进见成帝，朝廷内外都担心皇上无继嗣，所以杜钦、谷永，以及刘向的对策都言及这一点。成帝于是减少椒房、掖庭的用费，压缩御用衣服、车马，以及朝廷百官府署的各项工程的造作，对于皇后家族和内宫妃嫔的赏赐都依照先帝竟宁以前的规矩办事。

许皇后上奏疏亲自申述，认为："时代不同，规矩要变，长短互补，只要不超出汉朝的制度，那些细微的地方不一定要完全相同。竟宁时代与黄龙时代难道是一样！后宫属吏不明白，如今刚受诏命就如此这般，将使臣妾想摇摇手都不可能。假设臣妾想做某屏风安置在某个地方，属吏就说：'没有先例。'臣妾的想法不能实现，他们必用诏书来限制臣妾，这实在是行不通，请陛下明察！按照旧例，只能用一头牛祭祀祖父母，可是我祖父平恩戴侯许广汉、父亲乐成敬侯许延寿，都蒙受恩典，可以用牛、羊、猪三牲来祭祀，现在也要一律按照旧制度，只能用一头牛了，请陛下哀怜他们！如今属吏刚刚把诏书读给臣妾听，还警告臣妾说，不可以和从前一样，把宫廷中的物品当作自己的私产随意支配。这才是制约臣妾的开始，将来对臣妾的摆布，恐怕会达到失去人性的地步。请陛下深切考虑！"

成帝于是用谷永、刘向所说灾异罪证都在后宫这一意思回答许皇后，并且说："官吏执行法令，有什么过错！矫枉过正，古今一样。况且节省钱财，改用一头牛来祭祀先祖，对皇后而言，正好帮助你，使你德行更美，以利你得到更大的恩宠。如果祸根不铲除，灾异相袭，祖宗的祭祀恐怕都会中断，还谈什么平恩戴侯的祭祀啊！《论语》不是说过：'因节俭而犯过失的人是很少有的。'难道皇后真的是追求奢侈？那么朕也应当仿效孝武皇帝了，这样一来，那甘泉、建章两宫就应当重新修建起来。孝文皇帝，才是朕的老师。皇太后，就是皇后应该依循的成法。假如皇太后在当年都不能随心所欲，如今皇后受到亲厚，又怎能超过太后呢！皇后应该专心秉持美德，以谦虚节俭为先，给众嫔妃做出榜样，使她们能够效法。"

给事中平陵平当[336]上言："太上皇[337]，汉之始祖，废其寝庙园，非是。"上亦以无继嗣，遂纳当言。秋，九月，复太上皇寝庙园。

诏曰："今大辟之刑[338]千有余条，律令烦多，百有余万言；奇请、他比[339]，日以益滋。自明习者[340]不知所由[341]，欲以晓喻众庶，不亦难乎！于以罗元元之民[342]，夭绝无辜[343]，岂不哀哉！其议减死刑[344]及可蠲除约省[345]者，令较然易知[346]，条奏[347]！"时有司不能广宣上意，徒钩摭微细[348]，毛举数事[349]，以塞诏[350]而已。

匈奴单于遣右皋林王伊邪莫演[351]等奉献，朝正月。

【段旨】

以上为第六段，写河平元年（公元前二八年）汉成帝办了两件大事：一是堵塞了黄河缺口；二是因日蚀下诏求言，并采纳臣下建议，节省皇室费用，裁减刑法条文。

【注释】

[287]王延世：字长叔，犍为郡人，水利专家。犍为郡治所僰道，在今四川宜宾。[288]河堤使者：官名，临时任命的筑堤总指挥官。[289]竹落：竹笼。[290]围：计量周长的度量单位。成人两手合抱为一围。[291]盛：装满。[292]己亥晦：四月三十日。[293]陈过失：上言皇帝施政中的过失。[294]刘向对曰：刘向这番话也是针对许皇后专宠而言。事关皇后，不便明说，故假借天变为借口来陈说。[295]四月交于五月三句：汉惠帝七年（公元前一八八年）五月丁卯，即五月二十九日发生日食；汉昭帝七年（公元前八〇年）七月己亥，即七月三十日发生日食；且两帝皆无后嗣。现在成帝河平元年（公元前二八年）四月三十日发生日食，论月，接近惠帝，论日，同于昭帝。刘向用此例暗示，成帝也可能没有后嗣。[296]中外：朝廷内外。[297]减省：紧缩开支。[298]椒房：皇后所居殿名，以用椒和泥涂壁而得名。椒，结籽成团，象征多子。[299]掖庭：后宫。[300]服御舆驾：皇帝的衣服、车马用度。[301]诸官署及所造作：朝廷百官府署及政府各项工程。[302]遗赐外家：赏赐外戚。遗赐，赏赐。外家，皇后娘家家族。[303]群臣妾：指内宫妃嫔。[304]皆如竟宁以前故事：指将各项开支恢复到汉元帝时的标准。竟宁以前，即成帝即位前（汉元帝时）。成帝奢靡，元帝节俭。[305]自陈：亲自申述。[306]纤微：喻细微的制度区别。[307]黄龙前：指宣帝时。黄龙，宣帝最后的一个年号，仅一年，即公元前四九年。[308]岂相放哉：难道

给事中平陵人平当上奏说："太上皇是汉朝的始祖，废除他的墓园，不对。"成帝也因自己没有继嗣，就采纳了平当的建议。秋，九月，恢复太上皇的祭庙墓园。

成帝下诏说："如今仅死刑的条文，就有一千多条，律令繁多，达百余万字；奇请、他比这类新增条文，一天比一天多。就连熟悉法令的法官狱吏，也都不知所从，想用它去教育民众，让他们都能知晓，不是很难吗！用它来网罗天下的百姓，使无辜的人死于非命，未尽天年，岂不是令人哀痛的事吗！有关部门商讨减少死刑以及应当废除那些不合时宜的法令，使法律条文明白易知，商议之后，分条详细回奏！"当时那些主管官员不能全面体会成帝的旨意，只不过找出细枝末节，列举了一些毫毛般的小事，来搪塞诏书罢了。

匈奴单于派右皋林王伊邪莫演等人前来进贡，将在明年正月朝见。

是相同的吗。放，通"仿"。仿效；雷同。㉙家吏：皇后官属，如长乐少府等。㉚壹受诏：刚受诏。㉛摇手不得：摆摆手都是错。极言皇后被管束得手足无措。㉜绳：以法约束。㉝省察：明察。㉞故事二句：按照汉代的仪制，皇后祭祀祖父母只能用一牲。特牛，古时祭祀。一牲用牛，称特牛。牛、羊二牲称少牢；牛、羊、豕三牲具称太牢。大父母，祖父母。㉟戴侯、敬侯皆得蒙恩以太牢祠：戴侯是许皇后叔高祖许广汉，封平恩侯，谥为戴侯。敬侯是许皇后祖父许延寿，封乐成侯，谥为敬侯。许延寿本是许广汉之侄，过继给许广汉为后嗣。蒙恩，成帝特别开恩，允许戴侯、敬侯享受太牢祭祀。㊱今当率如故事：按竟宁以前的旧例，戴侯、敬侯只能享受特牛祠。㊲吏甫受诏读记：家吏刚对皇后宣读诏书毕。㊳直豫言：直率地警告。豫言，指把警告的话说在前头。豫，同"预"。㊴非可复若私府有所取也：家吏对皇后说，宫中之物不能像从前那样当做私产随意取用。㊵其萌牙所以约制妾者二句：这才是约束我的开始，恐怕今后摆布我会达到失去人性的地步。萌牙，即萌芽，以草木初生之蒙喻开始。㊶上于是采谷永、刘向所言句：成帝于是将谷永、刘向等人所说的天变灾异咎由后宫的话用来回答许皇后。㊷吏拘于法二句：主管官吏依法执法，有什么过错呢。㊸矫枉者过直：矫枉必须过正。㊹华宠：光荣的恩宠。㊺咎根：祸根。㊻灾变相袭：天变接连不断地到来。㊼传不云乎：书传上不是有这样的记载吗。传，引言见《论语·里仁》孔子之言。㊽以约失之者鲜：因节俭的美德而犯过失的人是很少有的。㊾审：真是；如果。㊿成法：定法；必须依循之法。(331)假使太后在彼时不如职：假使皇太后当年做皇后时尚不能随心所欲。太后，指许皇后婆母王政君。(332)今见亲厚二句：谓今皇后，即许皇后，受到宠爱，但又怎么能超过婆婆呢。按照封建礼法，儿媳的穿戴用度，不能超过婆母。(333)刻心秉德：专心秉持美德。(334)谦约为右：以谦虚俭约为先。(335)垂则列妾二句：给众嫔妃作出榜样，使她们能

够效法。垂则，垂范；留下仪范。㊱平当：字子思，平陵（今陕西咸阳西北）人，哀帝时官至丞相。传见《汉书》卷七十一。㊲太上皇：指汉朝开国君主刘邦之父刘太公，刘邦尊为太上皇。㊳大辟之刑：杀头罪。㊴奇请他比：在常法之外，临时拟定的定罪条文，称奇请。援引、参照其他法律条文定罪，叫他比。㊵明习者：熟悉法令的人。指执法者。㊶不知所由：不知如何遵从。㊷罗元元之民：设置禁网陷天下百姓于罪。㊸天绝无辜：使无罪的人死于非命。天绝，未尽天年而早死于非命。㊹减死刑：放宽量刑尺度，减少死刑。㊺蠲除约省：废除不合理的法禁，使条文简化。㊻较然易知：明白易懂。㊼条奏：分条详细回奏。㊽徒钩摭微细：只是在小事上做文章。钩摭，寻求。㊾毛举数事：列举一些细如毫发的小事。㊿塞诏：敷衍诏命。(351)伊邪莫演：匈奴族人名。

【原文】

二年（甲午，公元前二七年）

春，伊邪莫演罢归(352)，自言欲降，“即不受我，我自杀，终不敢还归。”使者以闻，下公卿议。议者或言：“宜如故事，受其降。”光禄大夫谷永、议郎杜钦以为：“汉兴，匈奴数为边害，故设金爵之赏(353)以待降者。今单于屈体称臣(354)，列为北藩，遣使朝贺，无有二心；汉家接之，宜异于往时。今既享单于聘贡之质(355)，而更受其逋逃之臣，是贪一夫之得而失一国之心，拥(356)有罪之臣而绝(357)慕义之君(358)也。假令单于初立，欲委身中国，未知利害，私使伊邪莫演诈降以卜吉凶(359)，受之，亏德沮善(360)，令单于自疏(361)，不亲边吏(362)；或者设为反间(363)，欲因以[9]生隙，受之，适合其策(364)，使得归曲而责直(365)。此诚边境安危之原(366)，师旅动静之首(367)，不可不详也。不如勿受，以昭日月之信，抑诈谖之谋(368)，怀附亲之心，便！”对奏，天子从之。遣中郎将(369)王舜往问降状，伊邪莫演曰：“我病狂，妄言耳。”遣去。归到，官位如故，不肯令见汉使。

【校记】

［8］疏：原作“书”。据章钰校，十四行本、乙十一行本、孔天胤本皆作“疏”，今从改。

【语译】

二年（甲午，公元前二七年）

春，匈奴使者伊邪莫演朝贡后将回国，却声称要投降汉朝。他说：“如果不接受我的投降，我就自杀，终究不回匈奴。”接待官员如实奏报，皇上提交公卿大臣商议。参加商议的大臣，有的说：“应该依照成例，接受他投降。”光禄大夫谷永、议郎杜钦认为：“汉朝建立，匈奴多次侵犯边境，所以用赏赐黄金和爵位对待匈奴来投降的人。如今单于跪拜称臣，列名为北方的藩属，又遣使朝贡，没有二心。汉朝接待他们，应当不同于往时。如今已经接纳了单于的朝贡诚意，却又收留他们叛逃的臣子，这将是贪图一个人而失掉了一国的归心，得到一个犯罪的臣子，而断送一位向义归顺的国君。可能是匈奴复株累若单于刚刚即位，本想依靠中国，却不知是利是害，秘密指使伊邪莫演前来诈降，用以试探汉朝对匈奴的态度，我们接受他的请求，那就有亏道义，败坏美德，使单于和我们疏远，不再亲善中国边境的官吏；或者是他设下的反间之计，想要借此惹是生非，若我们接受他的请求，正好中了他们的圈套，使他们有指责我们背信弃义的借口。这确实是今后边境危急的根源，发生战争的开端，不能不特别慎重考虑。所以不如拒绝他的请降，以显示我们如同日月一样的信义，遏止他们诈降的阴谋，安抚他们归顺亲近我们的心意，这样最适宜！”这项建议上奏后，皇上采纳了。派遣中郎将王舜前往询问伊邪莫演请降的情况，伊邪莫演说：“我有精神狂妄症，我是胡言乱语而已。”伊邪莫演被遣送出境。他回到匈奴后，官位如故，单于不愿让他会见汉朝使者。

【段旨】

以上为第七段，写汉成帝在河平二年（公元前二七年）春节朝贡时，倾听群臣意见，采纳了正确的建议，没有接受匈奴朝贡使者的诈降，维护了两国的和平友好关系。

【注释】

[352]罢归：朝罢遣归国。[353]金爵之赏：赏以黄金和爵位。[354]屈体称臣：屈膝跪拜，自称臣下。[355]今既享单于聘贡之质：此句意为，现在既然接受单于报聘朝贡的诚意。享，接受；接纳。质，诚心诚意。[356]拥：得到。[357]绝：断送。[358]慕义之君：指已臣服于汉的匈奴单于。[359]诈降以卜吉凶：假投降，借以试探汉朝对匈奴的态度。[360]亏德沮善：亏损

【原文】

夏，四月，楚国[370]雨雹，大如釜。

徙山阳王康[371]为定陶王。

六月，上悉封诸舅：王谭为平阿侯，商为成都侯，立为红阳侯，根为曲阳侯，逢时为高平侯。五人同日封，故世谓之“五侯”。太后母李氏更嫁[372]为河内苟宾妻，生子参；太后欲以田蚡为比而封之[373]。上曰：“封田氏，非正也！”以参为侍中、水衡都尉[374]。

御史大夫张忠奏京兆尹王尊暴虐倨慢，尊坐免官；吏民多称惜之。湖[375]三老[376]公乘兴[377]等上书讼：“尊治京兆，拨剧整乱[378]，诛暴禁邪，皆前所希[10]有，名将所不及；虽拜为真[379]，未有殊绝褒赏加于尊身。今御史大夫奏尊‘伤害阴阳[380]，为国家忧，无承用诏书意[381]，“靖言庸违，象恭[11]滔天[382]。”’原[12]其所以，出御史丞杨辅[383]，素与尊有私怨，外依公事[384]建画为此议[385]，傅致奏文[386]，浸润加诬[387]，臣等窃痛伤[388]。尊修身洁己，砥节首公[389]，刺讥不惮将相，诛恶不避豪强，诛不制之贼[390]，解国家之忧，功著职修，威信不废，诚国家爪牙之吏，折冲之臣[391]。今一旦无辜制于仇人之手，伤于诋欺之文[392]，上不得以功除罪，下不得蒙棘木之听[393]，独掩怨仇之偏奏[394]，被共工之大恶[395]，无所陈冤

德义，败坏汉匈友好关系。㊱令单于自疏：迫使单于疏远中国。㊲不亲边吏：不再亲近汉朝边境上的官员，即边塞形势趋于紧张。㊳反间：向敌人提供假情报，或派人打入敌人内部称反间。此指伊邪莫演不一定是真降，有可能是匈奴采用的反间计。㊴适合其策：正中圈套。㊵使得归曲而责直：使匈奴能责备汉朝背信弃义。㊶安危之原：安危的根源。安危，偏义复词，危。指危急，危险。㊷师旅动静之首：指军事调动（战争）的开端。动静，偏义复词，动。指战争。首，开端。㊸抑诈谖之谋：遏止欺诈的阴谋。㊹中郎将：官名，郎中令属官，中郎之长，秩比二千石。掌宫门禁卫。

【校记】

［9］以：据章钰校，十四行本、乙十一行本、孔天胤本皆作“而”。

【语译】

夏，四月，楚国降落冰雹，大块的冰雹就像饭锅。

徙封山阳王刘康为定陶王。

六月，成帝册封他的各位舅舅：王谭为平阿侯，王商为成都侯，王立为红阳侯，王根为曲阳侯，王逢时为高平侯。五人同一天受封，所以世人称他们为“五侯”。皇太后王政君的母亲改嫁给河内人苟宾为妻，生了儿子苟参；皇太后想比照田蚡封苟参为侯。成帝说：“孝武皇帝封田蚡，不是正典！”皇上任命苟参为侍中、水衡都尉。

御史大夫张忠上奏京兆尹王尊残暴傲慢，王尊被免除职务；官民很多人惋惜他。湖县三老公乘兴等上书为王尊辩护，说：“王尊治理京师，拨乱反正，铲除凶暴，禁止奸邪，都是从前少有的，有名的郡将也赶不上他；虽然由代理而被正式任命为京兆尹，却没有受到任何特别的封赏。如今御史大夫上书指控王尊‘伤天害理，给国家带来忧患，不执行皇上诏书的旨意，就像《书经》形容的：“言行不一，说得好，做得差，外表好像恭廉，实际上罪恶滔天。”’考究被指控的原因，是出自御史丞杨辅，杨辅素来与王尊有私人仇怨，表面上利用公事策划了这一弹劾案，罗织成奏章，一点一点地施加诬陷，臣等非常痛心。王尊修养自身，廉洁自爱，砥砺品节，一心向公，批评不惧将相，伐恶不避豪强，讨灭了不肯顺服的盗匪，解除国家的忧患，功绩显著，职事修明，不失威信，实在是国家武勇威猛的官吏，抗敌保国的功臣。如今一朝无辜地受制于仇人之手，被一篇诬陷的文字伤害，上不能因功免罪，下不能在公堂之上申辩，独自受到仇家的片面弹劾，蒙受共工一样的恶名，却无处诉说

诉罪[396]。尊以京师废乱[397]，群盗并兴，选贤征用，起家为卿。贼乱既除，豪猾伏辜，即以佞巧废黜。一尊之身，三期之间，乍贤乍佞[398]，岂不甚哉！孔子曰[399]：‘爱之欲其生，恶之欲其死，是惑[400]也。’‘浸润之谮不行焉，可谓明矣。’愿下公卿、大夫、博士、议郎定尊素行[401]。夫人臣而‘伤害阴阳’，死诛之罪也；‘靖言庸违’，放殛之刑[402]也。审如御史章，尊乃当伏观阙之诛[403]，放于无人之域，不得苟免；及任与尊者，当获选举之辜，不可但已[404]。即不如章[405]，饰文深诋[406]以诉无罪，亦宜有诛，以惩谗贼之口，绝诈欺之路。唯明主参详[407]，使白黑分别！”书奏，天子复以尊为徐州[408]刺史。

【段旨】

以上为第八段，写京兆尹王尊果敢执法，触犯权贵，被诬告免官；又因吏民替他辩护而被任用，汉成帝左右摇摆，没有独断之明。

【注释】

(370)楚国：封国名，治所彭城，在今江苏徐州。(371)山阳王康：刘康，成帝之弟。《汉书》卷八十有传。(372)太后母李氏更嫁：据《汉书·元后传》，成帝母王政君之母因妒被弃，更嫁河内人苟宾为妻。(373)以田蚡为比而封之：太后以田蚡为例，要求成帝封苟参为侯。田蚡是汉武帝母王太后的同父异母弟，武帝封为武安侯。苟参恰好是王政君太后的同母异父弟，成帝之舅，故欲援例封侯。(374)以参为侍中、水衡都尉：这是双重官衔。水衡都尉，执掌上林苑。(375)湖：县名，县治在今河南灵宝西。(376)三老：乡官名，掌教化。(377)公乘兴：人名，以爵为姓。公乘系秦汉二十级爵位的第八级。(378)拨剧整乱：即拨乱反正，打开了局面。(379)拜为真：指王尊由代理京兆尹转为正式。(380)伤害阴阳：伤害阴阳之气。喻伤天害理。阴阳，指天地万物生存繁育之气。(381)无承用诏书意：不执行皇帝诏书的旨意。(382)靖言庸违二句：语出《尚书·尧典》，虞舜指责共工的话。意为言行不一，罪恶滔天。这是御史大夫张忠指控王尊时所引的话。靖言庸违，说一套，做一套，言行不一。靖言，善言；说得好听。庸违，做的一套与说的一套相违背。庸，用。(383)杨辅：本是王尊书佐，曾因酒醉被王尊的管家利家打了耳光，因此居心报复。事见《汉书·王尊传》。(384)外依公事：表面上利用公事。(385)建画为此议：策划了这一弹劾

冤屈。王尊因京师社会混乱、群盗横行，皇上选举贤能，将他征召入朝，列为公卿。如今贼乱已平，大奸巨猾也都伏法，而王尊却立即被指控奸巧谄媚而遭到贬斥。同样一个王尊，三年的时间，一会被尊崇为贤能的人，一会被指责为奸佞的人，怎么会是这样！孔子说：‘爱这个人，就希望他活着，厌恶这个人，就希望他死去，既希望他活，又希望他死，这就是迷惑。’又说：‘点点滴滴，日积月累的毁谤在你那里都行不通，那你可算是个明白人了。’臣等希望把王尊的案件，交给公卿、大夫、博士、议郎去会审，按照王尊的一贯表现定罪。为人臣子却‘伤天害理’，就是死罪；如果‘说得好、做得差’，也应该遭到放逐的处罚。如果确有御史大夫上奏所说的罪状，王尊就应当伏诛在宫殿之下，或流放到罕无人烟的地方，不该免去官职了事；还有那举荐王尊的人，也应该受到举荐不当的惩罚，不应原谅。若果王尊不像奏章所说那样，那么编造文辞，罗织罪状，以指控无罪的人，也应当遭到惩罚，用以惩戒谗害人的人，断绝诈骗欺人的途径。请求英明的皇上参酌详察，使黑白分明！”奏章呈上后，天子又任命王尊为徐州刺史。

案。㊽傅致奏文：捕风捉影地罗织罪状，拼凑弹劾的奏文。㊾浸润加诬：一点一点地加大罪状，诬蔑陷害。㊿痛伤：十分痛心。(389)砥节首公：修养名节，一心向公。(390)诛不制之贼：指诛杀了无法无天的大盗傰宗等。(391)折冲之臣：指能独当一面的大臣。折冲，能御敌抗强。(392)伤于诋欺之文：被一篇诬陷的文字所伤害。(393)棘木之听：指公堂对证。据《周礼·王制》："大司寇听狱于棘木之下。"相传公堂立棘木是表示断案要秉公办事。这里是说王尊被御史大夫诬告，连申辩的机会都没有。(394)独掩怨雠之偏奏：独自受到仇家的片面弹劾。(395)被共工之大恶：蒙受共工一样的恶名。张忠在弹劾王尊的奏文中引用"靖言庸违，象恭滔天"的话，就是虞舜当年指责共工时用的话。(396)陈冤诉罪：申诉冤枉。(397)京师废乱：首都秩序混乱。(398)乍贤乍佞：一会是贤人，一会是奸佞。(399)孔子曰：引语出《论语·颜渊》，孔子答子张之言。(400)惑：迷惑；思维混乱。(401)定尊素行：根据王尊的一贯表现定案。(402)放殛之刑：流放到远方。放殛，偏义词组，重在"放"字，以流为主。殛，死刑。(403)伏观阙之诛：明正典刑。相传孔子诛少正卯于两观之间。(404)不可但已：不能原谅。已，止。汉法，被举者不胜其任，保举者应与之同罪。王尊为京兆尹，是大将军王凤保荐，故这里欲借此作翻案文章。(405)即不如章：如果不是指控文书所言那样，即调查核实没有罪。(406)饰文深诋：夸大其词，无限上纲，用文字锻炼成狱。(407)唯明主参详：请英明的皇帝详察。(408)徐州：汉十三部州之一，辖琅邪、东海、临淮等郡，及楚、广陵等国。治所在彭城，即今江苏徐州。

【校记】

［10］希：据章钰校，十四行本、乙十一行本、孔天胤本皆作“稀”。［11］恭：据章钰校，十四行本、乙十一行本、孔天胤本皆作“龚”。［12］原：据章钰校，十四行本、乙十一行本皆作“源”。

【原文】

夜郎王兴、钩町王禹、漏卧侯俞⑩更举兵相攻。牂柯⑩太守请发兵诛兴等。议者以为道远不可击，乃遣太中大夫蜀郡⑪张匡持节和解。兴等不从命，刻木象汉吏，立道旁，射之。

杜钦说大将军王凤曰：“蛮夷王侯轻易汉使⑫，不惮国威⑬，恐议者选耎⑭，复守和解；太守察动静有变，乃以闻。如此则复旷一时⑮，王侯得收猎其众⑯，申固其谋，党助众多，各不胜忿，必相殄灭。自知罪成，狂犯守尉⑰，远臧温暑毒草之地⑱。虽有孙、吴将⑲，贲、育士⑳，若入水火，往必焦没㉑，智勇亡㉒所施；屯田守之，费不可胜量㉓。宜因其罪恶未成，未疑汉家加诛，阴敕旁郡守尉练士马㉔，大司农豫调谷积要害处㉕，选任职太守往，以秋凉时入，诛其王侯尤不轨者㉖。即以为㉗不毛之地㉘，无用之民，圣王不以劳中国，宜罢郡，放弃其民，绝其王侯勿复通。如以先帝㉙所立累世之功不可堕坏，亦宜因其萌牙㉚，早断绝之㉛。及已成形然后战师，则万姓被害。”于是凤［13］荐金城司马临邛陈立㉜为牂柯太守。

立至牂柯谕告夜郎王兴，兴不从命；立请诛之，未报。乃从吏数十人出行县，至兴国且同亭㉝，召兴。兴将数千人往至亭，从邑君㉞数十人入见立。立数责㉟，因断头。邑君曰：“将军诛无状㊱，为民除害，愿出晓士众！”以兴头示之，皆释兵降。钩町王禹、漏卧侯俞震恐，入粟千斛、牛羊劳吏士。立还归郡。

【语译】

夜郎王兴、钩町王禹、漏卧侯俞，彼此兴兵互相攻击。牂柯太守请求发兵征讨夜郎王兴等。参与廷议的大臣认为路途太远，不可出兵讨伐，便派遣太中大夫蜀郡人张匡持符节前往调解。兴等不听从和解的命令，还用木头刻成汉吏的形像，立在道路旁边，用箭射击。

杜钦劝说大将军王凤说："蛮夷王侯轻视汉朝使节，不惧朝廷的国威，恐怕那些参与廷议的人怯懦，仍然坚持和解政策；等到当地太守察知蛮夷王侯的动静有了变化，才呈报上来。这样，就会延误三个月，蛮夷王侯能有时间集结训练部众，再次坚定他们的谋略，党徒众多，各部落相互之间的愤恨又不能容忍，一定自相残杀。等到他们知道自己罪过已经铸成，就可能疯狂进犯郡城杀害太守和都尉，然后远远地深藏到烟瘴毒草遍布的地方。到那时，即使有孙武、吴起那样的将领，孟贲、夏育这样的勇士，也将像跳进火坑深潭，前往交战一定被烧死或淹死，智慧和勇敢都无法施展；派兵屯田驻守，费用无法计算。应趁他们还没有铸成大罪，尚未想到汉朝讨伐，秘密下令相邻各郡的太守和都尉训练兵马，大司农征调粮草储备在各军事要冲，选用称职的人前去任太守，在秋凉季节发动攻击，诛杀王侯中特别横暴的分子。如认为那是不毛之地，无用之民，圣明的君王就不应为此烦劳中国，就应当撤销郡县，放弃那里的人民，断绝与他们王侯的关系，不再和他们往来。如认为那里积累几代先帝所建立的万世功业，不可毁坏，也应当在变乱刚刚萌芽，及早去消除它。等到变乱已经爆发，然后兴师问罪，那么百姓就遭难了。"于是王凤向成帝举荐金城郡司马临邛人陈立为牂柯太守。

陈立到达牂柯郡明白告诉夜郎王兴，兴不从命；陈立便向朝廷请求杀掉兴，朝廷没有回复。陈立就率领随从数十人巡视所辖各县，到达夜郎国的且同亭时，宣召夜郎王兴。夜郎王兴率领数千名部众来到且同亭，带着数十名酋长入见陈立。陈立历数他的罪状，趁机砍下他的头。酋长们说："将军杀掉了不法之徒，为民除害，我们愿出去告诉部众！"陈立以夜郎王兴的人头示众，数千名部众全都弃械投降。钩町王禹、漏卧侯俞很害怕，交纳粟米一千斛和牛羊慰劳将士。陈立返回牂柯郡。

兴妻父翁指[437]，与子邪务[438]收余兵[439]，迫胁旁二十二邑反。至冬，立奏募诸夷，与都尉、长史[440]分将攻翁指等。翁指据厄[441]为垒，立使奇兵绝其饷道，纵反间[442]以诱其众。都尉万年曰："兵久不决，费不可共[443]。"引兵独进，败走，趋[444]立营。立怒，叱戏下[445]令格之。都尉复还战，立救之。时天大旱，立攻绝其水道。蛮夷共斩翁指，持首出降，西夷遂平。

【段旨】

以上为第九段，写牂柯太守陈立平定了西南夷地区西夷的反叛。

【注释】

⑩夜郎王兴、钩町王禹、漏卧侯俞：汉武帝开发西南夷后，将夜郎、钩町、漏卧三县归属牂柯郡，而原有的部落仍按旧建制称王。兴、禹、俞，人名，史失其姓。兴，夜郎王。禹，钩町王。⑩牂柯：郡名，郡治在故且兰，即今贵州贵定东。⑪蜀郡：郡名，治所成都，在今四川成都。⑫轻易汉使：轻视怠慢汉朝使者。⑬不惮国威：不畏惧汉朝的权威。⑭议者选耎：廷议者怯懦。⑮复旷一时：徒然空废几个月的时间。一时，三个月。⑯王侯得收猎其众：指夜郎等王侯，有时间集结和训练部队。⑰狂犯守尉：疯狂到攻杀郡守、郡尉。⑱远藏温暑毒草之地：远远地深藏到烟瘴毒草遍布之地。⑲孙、吴将：孙武、吴起那样的名将。⑳贲、育士：孟贲、夏育那样的勇士。孟贲、夏育，古代勇士之名。㉑焦没：烧焦或淹没。㉒亡：通"无"。㉓费不可胜量：费用开支不可估量。㉔阴敕

【原文】

三年（乙未，公元前二六年）

春，正月，楚王嚣[446]来朝。二月乙亥[447]，诏以嚣素行纯茂[448]，特加显异，封其子勋为广戚侯。

丙戌[449]，犍为[450]地震，山崩，壅[451]江水，水逆流。

秋，八月乙卯晦[452]，日有食之。

夜郎王兴的岳父翁指，和他的儿子邪务搜集残部，胁迫附近二十二个村邑反叛。到了冬天，陈立奏请招募各部落的夷人，和都尉、长史分别率领攻击翁指等。翁指据守险要，修筑壁垒，陈立用奇兵切断翁指粮道，派出间谍，利用反间计诱惑他的部众。都尉万年说："战争持久不决，军费无法供给。"就率军单独挺进，大败而还，奔赴陈立营垒。陈立大怒，责令部下拘捕他。都尉万年只好回军再战，陈立率军援救。当时天大旱，陈立攻占并截断了翁指部众的输水渠道。蛮夷就一起杀掉翁指，献出人头投降，西夷于是被平定。

旁郡守尉练士马：暗中下令让邻近郡郡守、郡尉训练人马。㊽要害处：军事要冲。426尤不轨者：最不守法者。427即以为：如以为。428不毛之地：寸草不生的蛮荒之地。429先帝：指汉武帝。430因其萌牙：趁变乱的苗头初起。因，趁。431早断绝之：及早掐断它。432金城司马临邛陈立：临邛人陈立原任金城郡司马。金城郡治允吾，在今青海民和。临邛，县名，县治在今四川邛崃。433且同亭：亭名，系夜郎县郊亭。王莽改夜郎为同亭，即以亭名县。夜郎县治在今贵州桐梓东南。434邑君：夜郎所属小部落酋长。西南夷以邑落为聚，各有君长。435数责：历数其罪状。436无状：指无善行的人。437翁指：人名。438邪务：人名，翁指之子。439收余兵：收聚、集结夜郎未投降陈立的残余兵众。440都尉长史：郡太守属官。郡都尉，即郡尉，掌郡兵。郡长史，掌郡日常事务。441据厄：据险。442纵反间：派出间谍。443费不可共：费用军资供应不上。444趍：奔赴。445戏下：指帐下武士。戏，通"麾"。

【校记】

［13］于是凤：据章钰校，十四行本、乙十一行本、孔天胤本皆作"大将军凤于是"。

【语译】

三年（乙未，公元前二六年）

春，正月，楚王刘嚣来京师朝见天子。二月十六日乙亥，皇上下诏因刘嚣品行一向端正，特别加以褒扬，封他的儿子刘勋为广戚侯。

二月二十七日丙戌，犍为郡发生地震，山崩，堵塞了长江，江水倒流。

秋，八月最后一天二十九日乙卯，发生日食。

上以中秘书[453]颇散亡，使谒者[454]陈农求遗书于天下。诏光禄大夫刘向校经传、诸子、诗赋，步兵校尉[455]任宏校兵书，太史令[456]尹咸校数术[457]，侍医[458]李柱国校方技[459]。每一书已[460]，向辄条其篇目[461]，撮其指意[462]，录而奏之[463]。

刘向以王氏权位太盛，而上方向《诗》《书》古文，向乃因[464]《尚书·洪范》[465]，集合上古以来，历春秋、六国至秦、汉符瑞、灾异[466]之记，推迹行事[467]，连傅祸福[468]，著其占验[469]，比类相从[470]，各有条目[471]，凡十一篇，号曰《洪范五行传论》[472]，奏之。天子心知向忠精，故为凤兄弟起此论也；然终不能夺王氏权。

河复决平原[473]，流入济南、千乘，所坏败者半建始[474]时。复遣王延世与丞相史杨焉及将作大匠[475]许商、谏大夫乘马延年[476]同作治[477]，六月乃成。复赐延世黄金百斤。治河卒非受平贾者[478]，为著外徭六月[479]。

【段旨】

以上为第十段，写刘向受命校理图书，上书成帝抑制王氏外戚势力。成帝不纳，王氏权势日盛。黄河再次决口。

【注释】

㊻楚王嚣：即刘嚣，宣帝子，成帝叔。传见《汉书》卷八十。㊼乙亥：二月十六日。㊽素行纯茂：品行一向端正。㊾丙戌：二月二十七日。㊿犍为：郡名，治所僰道，在今四川宜宾。[451]壅：阻塞。[452]乙卯晦：八月二十九日。[453]中秘书：宫中藏书。西汉时国家藏书分宫内、宫外。宫内皇家藏书有延阁、广内等藏馆，宫外有太常、太史、博士等藏馆。[454]谒者：官名，掌礼仪宾赞，秩六百石。[455]步兵校尉：武官名，汉武帝置禁军八校尉之一，掌上林苑门屯兵。[456]太史令：官名，太常属官，掌天官图籍。[457]数术：占卜之书。[458]侍医：御医，属太医令。[459]方技：医药之书。[460]每一书已：每一种书校订完毕。[461]条其篇目：列出篇章目录。[462]撮其指意：写出内容提要。[463]录而奏之：汇总起来，呈报成帝。录，汇总。刘向校书所作的汇总工作，就是目录学史上有名的《别录》，

成帝因为宫中藏书失散很多，派谒者陈农到全国各地征求散佚的书籍。命令光禄大夫刘向校正经传、诸子、诗赋，步兵校尉任宏校正兵书，太史令尹咸校正占卜算卦书籍，侍医李柱国校正医药书籍。每本书校正完毕，刘向就列出篇章目录，写出内容提要，汇总并呈报成帝。

刘向因王氏权势日益膨胀，而成帝正一心想着《诗经》《书经》等古书，刘向就根据《尚书·洪范》，搜集自上古以来，历经春秋、战国，以至秦、汉等有关祥瑞吉兆、天地灾异的记载，推测每一次祥瑞或灾异发生的经过，以及与祸福的关系，占卜与应验的结果，分门别类，编定篇目，共十一篇，名为《洪范五行传论》，呈献给成帝。成帝心知刘向对汉朝一片赤诚之心，所以因王凤兄弟的权势过大，才产生这些论述；但始终未能剥夺王氏的权位。

黄河又在平原郡决口，洪水泛滥到济南郡、千乘郡，所造成的破坏是建始四年那次水害的一半。又派王延世和丞相长史杨焉，以及将作大匠许商、谏大夫乘马延年共同修筑河堤，历时六个月才完工。朝廷再次赏赐王延世黄金一百斤。没有领工钱的治河民夫，都登记姓名，可以抵免六个月的其他劳役。

由其子刘歆完成。其书汉后已佚，《汉书·艺文志》即该书摘要。㊽因：凭借。㊾洪范：《尚书》中之篇名，阐述占卜理论。⑯符瑞灾异：祥瑞灾害。⑰推迹行事：推论历史上每一次祥瑞或灾异产生的经过及意义。⑱连傅祸福：说明其与祸福的关系。傅，通“附”。⑲著其占验：揭示出占卜与应验的结果。⑳比类相从：分门别类排比。㉑各有条目：各立题目。㉒洪范五行传论：刘向所作天人感应的书，已佚。㉓决平原：黄河在平原郡决口。平原郡治所平原，在今山东平原县南。㉔建始：成帝初即位年号。建始四年（公元前二九年），黄河在东郡金堤决口，凡灌四郡三十二县。这次平原决口，灾情大约是上次的一半。㉕将作大匠：本作“将作少府”，秦官名，汉景帝中元六年（公元前一四四年）改名“将作大匠”，掌治宫室。㉖乘马延年：人名，乘马乃复姓。㉗同作治：共同负责治河。㉘治河卒非受平贾者：被征发参加筑河的民伕中未付工钱者。平贾，当时的劳力市价。贾，同“价”。㉙为著外徭六月：汉律，成丁应轮流义务戍守京师一年，称正卒，若以钱雇人代役，则每月须纳钱二千。今筑河六月，未发给民夫工钱，因此决定可以折抵六个月正卒负担的徭役，并将此记录在案。著，记录在案。外徭，指正卒在外地戍守。

【原文】

四年（丙申，公元前二五年）

春，正月，匈奴单于来朝。

赦天下徒[480]。

三月癸丑朔[481]，日有食之。

琅邪太守杨肜[482]与王凤连昏[483]，其郡有灾害，丞相王商按问之。凤以为请[484]，商不听，竟奏免肜，奏果寝[485]不下。凤以是怨商，阴求其短[486]，使频阳耿定[487]上书，言“商与父傅婢通[488]，及女弟[489]淫乱，奴杀其私夫[490]，疑商教使”。天子以为暗昧之过[491]，不足以伤大臣。凤固争[492]，下其事司隶[493]。太中大夫蜀郡张匡，素佞巧[494]，复上书极言诋毁[495]商。有司奏请召商诣诏狱[496]。上素重商，知匡言多险，制曰：“勿治！”凤固争之。夏，四月壬寅[497]，诏收商丞相印绶。商免相三日，发病，欧血薨，谥曰戾侯。而商子弟亲属为驸马都尉、侍中、中常侍、诸曹、大夫、郎吏者，皆出补吏，莫得留给事、宿卫者[498]。有司奏请除国邑，有诏：“长子安嗣爵为乐昌侯。”

上之为太子也，受《论语》于莲勺张禹[499]，及即位，赐爵关内侯，拜为诸吏、光禄大夫，秩中二千石，给事中，领尚书事。禹与王凤并领尚书，内不自安，数病，上书乞骸骨，欲退避凤。上不许，抚待愈厚。六月丙戌[500]，以禹为丞相，封安昌侯。

庚戌[501]，楚孝王嚣薨。

【段旨】

以上为第十一段，写丞相王商在大将军王凤的报复下被罢官逼死，成帝任用老师张禹为丞相。

【语译】

四年（丙申，公元前二五年）

春，正月，匈奴单于来京师朝见天子。

赦免天下服劳役的犯人。

三月初一日癸丑，发生日蚀。

琅邪太守杨彤与大将军王凤连姻，琅邪郡发生灾害，丞相王商调查此事。王凤替杨彤说情，王商不听从，最终上奏罢免杨彤，免职奏书搁置宫中没有下发。王凤因此怨恨王商，暗中寻找王商的短处，指使频阳人耿定上书，说："王商和他父亲的近身侍婢通奸，王商的妹妹淫乱，王商的家奴杀了王商妹妹的情夫，怀疑是王商唆使。"成帝认为这是隐秘的过失，不值得伤害大臣。王凤坚持己见，将这案子移交司隶校尉查办。太中大夫蜀郡张匡，一贯奸巧，再次上奏用最狠毒的语言诽谤王商。主管部门奏请召来王商送往诏狱。成帝一向敬重王商，知道张匡的言论大多阴险，下诏说："不要追究！"王凤坚持查办。夏，四月二十日壬寅，成帝下诏收回王商的丞相印绶。王商罢相后三天，突发重病，吐血而死，谥号戾侯。王商的子弟亲属任职有驸马都尉、侍中、中常侍、诸吏、大夫、郎官的人，全部外放做地方官，没有一个留在给事中、近卫郎官的职位上。主管官员还奏请削除王商封邑，成帝下诏："王商的长子王安嗣爵为乐昌侯。"

成帝为太子时，曾跟莲勺县的张禹学习《论语》，等到即皇帝位，赐张禹关内侯爵位，任职诸吏、光禄大夫，年俸中二千石，兼职给事中，领尚书事。张禹与王凤同领尚书，内心惶恐不安，多次称病，上书请求退休，想回避王凤。成帝不准，抚慰礼遇更加优厚。六月初五日丙戌，任命张禹为丞相，封爵安昌侯。

六月二十九日庚戌，楚孝王刘嚣去世。

【注释】

⑷⒇ 赦天下徒：赦免全国服劳役的犯人。⑷⒧ 癸丑朔：三月初一日。⑷⒨ 杨彤：琅邪郡守。琅邪郡治所东武，在今山东诸城。⑷⒩ 连昏：通婚。昏，通"婚"。⑷⒪ 请：说情。⑷⒫ 寝：搁置。⑷⒬ 阴求其短：暗中搜求王商的过失。⑷⒭ 频阳耿定：频阳，县名，县治在今陕西富平东北。耿定，频阳县人。⑷⒮ 商与父傅婢通：王商与其父的贴身婢女通奸。傅，附。⑷⒯ 女弟：妹。⑷⒰ 奴杀其私夫：王商家的奴仆杀了王商之妹的情夫。⑷⒱ 暗昧之过：隐秘的过失。⑷⒲ 固争：顽固坚持己见。⑷⒳ 下其事司隶：将此案移交司隶校尉审理。⑷⒴ 素佞巧：一贯逢迎拍马，专为奸巧。⑷⒵ 极言诋毁：用最狠毒的语言诽谤。⑷Ⓐ 诣

诏狱：送到特别监狱拘押审理。诣，送。诏狱，以皇上名义主管的特别监狱，审理大臣。㊾⑦ 壬寅：四月二十日。㊾⑧ 莫得留给事宿卫者：王商的亲族不得留在给事中、近卫郎官等位置上。㊾⑨ 张禹（？ 至公元前五年）：字子文，本河内轵（今河南济源东南）人，至禹父迁左冯翊莲勺。精通经学，为博士。元帝时，教太子学《论语》，成帝时官至丞相。传见《汉书》卷八十一。(500) 丙戌：六月初五日。(501) 庚戌：六月二十九日。

【原文】

初，武帝通西域，罽宾(502)自以绝远(503)，汉兵不能至，独不服，数剽杀(504)汉使。久之，汉使者文忠与容屈(505)王子阴末赴(506)合谋攻杀其王(507)；立阴末赴为罽宾王。后军候(508)赵德使罽宾，与阴末赴相失(509)。阴末赴锁琅当德(510)，杀副已下(511)七十余人，遣使者上书谢。孝元帝以其[14]绝域，不录(512)，放其使者于县度(513)，绝而不通。

及帝即位，复遣使谢罪。汉欲遣使者报送其使。杜钦说王凤曰："前罽宾王阴末赴，本汉所立，后卒畔逆。夫德莫大于有国子民(514)，罪莫大于执杀使者，所以不报恩、不惧诛者，自知绝远，兵不至也。有求则卑辞，无欲则骄慢[15]，终不可怀服(515)。凡中国所以为通厚蛮夷、惬快其求(516)者，为壤比(517)而为寇。今县度之厄，非罽宾所能越[16]也，其乡慕(518)，不足以安西域；虽不附，不能危城郭。前亲逆节(519)，恶暴西域(520)，故绝而不通。今悔过来，而无亲属、贵人(521)，奉献者皆行贾贱人(522)，欲通货市买(523)，以献为名。故烦使者送至县度，恐失实见欺(524)。凡遣使送客者，欲为防护寇害也。起皮山(525)，南更不属汉之国四五，斥候(526)士百余人，五分夜(527)击刁斗(528)自守，尚时为所侵盗。驴畜负粮，须诸国禀食(529)，得以自赡(530)。国或贫小不能食(531)，或桀黠(532)不肯给。拥强汉之节(533)，馁山谷之间，乞丐无所得(534)，离一二旬(535)，则人畜弃捐旷野(536)而不反。又历大头痛、小头痛(537)之山，赤土、身热之阪，令人身热无色(538)，头痛呕吐，驴畜尽然。又有三池盘、石阪道，狭者尺六七寸(539)，

【语译】

当初，汉武帝打通西域，罽宾自认为路途遥远，汉兵不能到达，独自不归服，多次劫掠杀害汉朝使节。过了很久，汉使文忠与罽宾的附属国容屈王的儿子阴末赴合谋攻杀罽宾国王；立阴末赴为罽宾国王。后来汉朝军候赵德出使罽宾，与阴末赴关系闹翻。阴末赴把赵德用铁链锁起来，杀死汉朝副使以下七十多人，派遣使者到京师上书请罪。孝元帝因为其地路途遥远，不接受罽宾国书，把罽宾国的使者流放到县度，断绝邦交，不再通使。

等到成帝即位，罽宾国又派遣使者来请罪。汉朝打算派遣汉使护送罽宾使者回国。杜钦劝王凤说："先前罽宾王阴末赴，原本是汉使所立，后来竟然背叛。最大的恩德，莫过于使他拥有国家，统治万民，最大的罪恶，莫过于抓住并杀死他的使节，他们所以不肯报恩，又不怕惩罚，是因为仗恃距离中国极远，汉兵无法到达。因而当他们有求于我们时，就恭敬谦虚；无求于我们时，就骄纵怠慢，始终无法使他们感恩归服。大凡中国所以要厚待蛮夷部落，尽量满足他们的要求让他们快意，为的是双方疆土相接，避免他们入境劫掠。如今县度的通道险要，不是罽宾国军队所能越过的，他们仰慕而归附汉朝，不足以安定西域；即使他们不归附，也不会危害已经归汉的西域城邦各国。先前罽宾王亲自伤害汉使，罪恶暴露于西域各国，所以中国和罽宾断绝来往。如今虽然悔过前来，但是派来奉献的使节中却没有罽宾王的亲属、贵族官员，奉献贡物的都是做生意的贱人，不过是想来做生意，拿贡献当借口。因此，派汉使护送他们到县度，害怕事情失实被他们欺骗。凡是护送外国使节，为的是保护他们不受盗匪伤害。自皮山国以南，不臣属于汉朝的还有四五个国家。汉朝还要派侦察部队百余人，每晚分五个班次，敲打刁斗警戒守卫，有时尚且遭受袭击。驴子载负食粮有限，还需要沿途各国给予食物，才能自给。有些国家，又小又穷，无力供应，有些国家倨傲狡猾不愿供给。使节拿着强大汉朝的符节，在山谷之间忍饥挨饿，乞讨不到东西，挨饿一二十天，人马就会弃身旷野，不能归还。沿途又要经过大头痛、小头痛山，以及赤土、身热阪，使人浑身发烧，面无人色，头痛、呕吐，连驴马也都是如此。路途又有三池盘、石阪道，最狭的山径只有一尺六七寸宽，

长者径三十里[540]，临峥嵘[541]不测之深[542]，行者骑步相持，绳索相引，二千余里，乃到县度。畜坠，未半坑谷尽靡碎[543]；人堕，势不得相收视[544]。险阻危害，不可胜言。圣王分九州[545]，制五服[546]，务盛内，不求外[547]；今遣使者承至尊之命，送蛮夷之贾，劳吏士之众，涉危难之路，罢敝所恃以事无用[548]，非久长计也。使者业已受节[549]，可至皮山而还。"于是凤白从钦言。罽宾实利赏赐贾市[550]，其使数年而壹至云。

【段旨】

以上为第十二段，写中国与西域罽宾国的通使情况。

【注释】

[502]罽宾：南亚古国名，当今印、巴之间的克什米尔地区。[503]绝远：极远。[504]剽杀：劫杀。[505]容屈：臣服罽宾的部落国名。[506]阴末赴：人名。[507]攻杀其王：杀掉了罽宾国王乌头劳。[508]军候：武官名，掌侦察情报。[509]相失：闹翻。[510]锁琅当德：把赵德用铁链锁起来。琅当，指铁链。[511]副已下：副使以下。[512]不录：不接受罽宾国书，以示断交。[513]县度：喀喇昆仑山的一山口名。原意是悬绳架索桥而过，因以为名。[514]德莫大于有国子民：最大的恩德莫过于让他拥有国家，统治臣民。[515]怀服：怀德臣服。[516]惬快其求：尽可能地满足对方的要求并让他们快意。[517]壤比：国土相连。[518]乡慕：向往仰慕汉朝。乡，通"向"。[519]前亲逆节：此前罽宾国王阴末赴曾亲自伤害过汉朝使节。[520]恶暴西域：罪恶暴露在西域。[521]无亲属贵人：指罽宾使者中没有王族及重臣。[522]奉献者皆行贾贱人：来汉朝奉献的使者都是普通的商人。奉献者，奉使贡献者。行贾贱人，做生意的下等人。[523]欲通货市买：想来做生意。[524]烦使者送至县度二句：意谓烦劳汉朝使者把罽宾使者护送到县度，害怕事情失实被欺骗。[525]皮山：西域国名，在今新疆南部皮山县。汉时，皮山以西之国，尚未藩属汉朝。[526]斥候：指边防巡逻队。[527]五分夜：将每夜分五个更次。[528]刁斗：军中巡夜用的铜铃，敲击器物，能容一斗，故称刁斗。[529]禀食：给予食物。禀，给予。以食与人。[530]赡：满足需要。[531]不能食：无力供食。[532]桀黠：倨傲而

而长达三十里，山径下边是深不可测的险峻山谷，行人与马匹要相互扶持，使用绳索前后牵连，走二千余里，才到县度。一旦牲畜坠落，还没有跌到谷底，已经粉身碎骨；人坠落下去，连尸首也不能收殓。艰难险阻，难以说尽。从前圣明的君王把全国划分为九州，制定了五服的远近亲疏关系，是致力于治好内政，不管外族之事；如今派遣使节，承奉皇上之命，护送蛮夷的商人回去，烦劳那么多的官员士民，跋涉险恶的道路，疲惫国家所依赖的官民，去侍奉毫无用处的蛮夷，这不是长久的计策。既然使节已经派定，可以护送到皮山国就返回。”于是王凤向成帝呈报，成帝采纳了杜钦的建议。罽宾王确实是贪图赏赐用来做生意，因此，每隔数年，总要派遣使节前来中国。

且狡猾。533 拥强汉之节：持着强大汉朝的符节。534 馁山谷之间二句：在山谷间挨饿，乞讨不到东西。535 离一二旬：挨饿十天、二十天。536 弃捐旷野：倒毙在旷野中。弃捐，指抛尸，无人收埋。537 大头痛小头痛：这两名和下文之“赤土”“身热”皆翻越昆仑山所经地名。山势险恶，以行者的感觉而起是名。538 身热无色：身上发烧，面无人色。539 狭者尺六七寸：道路最狭窄处只有一尺六七寸宽。540 长者径三十里：狭谷的道路长达三十里。径，直。指弯曲的道路拉直计算长度。541 峥嵘：山峰参差险恶。542 不测之深：山谷深不见底。深，此指山谷。543 畜坠二句：牲畜失蹄掉落深谷，落到一半即已粉身碎骨。544 人堕二句：人若失足坠落，连尸首也无法收找。545 圣王分九州：大禹治水，分天下自然区域为九州，即冀、兖、豫、青、徐、荆、扬、梁、雍。546 制五服：周制，以王都为中心，向四方辐射，按远近不同划分为五等政治隶属关系。五服为：甸服（京畿）、侯服、绥服、要服、荒服。547 务盛内二句：致力于治理好内政，不管外域之事。548 罢敝所恃以事无用：使民疲敝去侍奉外族蛮夷，即劳民伤财之意。549 使者业已受节：护送罽宾使者的官员已经选定。受节，已接受符节，即将奉命出发。550 罽宾实利赏赐贾市：罽宾国实际目的是贪图汉朝的赏赐用来进行商业活动。

【校记】

［14］其：据章钰校，十四行本、乙十一行本、孔天胤本皆无此字。［15］慢：据章钰校，乙十一行本、孔天胤本皆作“嫚”。［16］越：据章钰校，孔天胤本作“趋”。

【原文】

阳朔元年（丁酉，公元前二四年）

春，二月丁未晦[551]，日有食之。

三月，赦天下徒。

冬，京兆尹泰山王章[552]下狱，死。

时大将军凤用事，上谦让无所颛。左右尝荐光禄大夫刘向少子歆通达[553]有异材。上召见，歆诵读诗赋，甚悦之，欲以为中常侍[554]，召取衣冠，临当拜，左右皆曰：“未晓[555]大将军。”上曰：“此小事，何须关大将军！”左右叩头争之，上于是语凤。凤以为不可，乃止。

王氏子弟皆卿、大夫、侍中、诸曹，分据势官[556]，满朝廷。杜钦见凤专政泰重，戒之曰：“愿将军由周公之谦惧[557]，损穰侯之威[558]，放武安之欲[559]，毋使范雎之徒得间其说[560]！”凤不听。

时上无继嗣，体常不平[561]。定陶共王来朝，太后与上承先帝意，遇共王甚厚，赏赐十倍于他王，不以往事[562]为纤介[563]；留之京师，不遣归国。上谓共王：“我未有子，人命不讳，一朝有他[564]，且不复相见，尔长留侍我矣！”其后天子疾益有瘳[565]，共王因留国邸[566]，旦夕侍上；上甚亲重之。大将军凤心不便共王在京师，会日食，凤因言：“日食，阴盛之象。定陶王虽亲，于礼当奉藩在国；今留侍京师，诡正非常[567]，故天见戒。宜遣王之国。”上不得已于凤而许之。共王辞去，上与相对涕泣而决。

王章素刚直敢言，虽为凤所举，非凤专权[568]，不亲附凤，乃奏封事[569]，言“日食之咎，皆凤专权蔽主之过”。上召见章，延问以事[570]。章对曰：“天道聪明，佑善而灾恶[571]，以瑞应[17]为符效。今陛下以未有继嗣，引近定陶王，所以承宗庙，重社稷，上顺天心，下安百姓，此正议善事，当有祥瑞，何故致灾异！灾异之发，为大臣专[18]政者也。今闻大将军猥归日食之咎于定陶王[572]，建遣之国[573]，苟欲使天子孤立于上，颛擅朝事以便其私，非忠臣也。且日食，阴侵阳，臣颛君之咎[574]。

【语译】

阳朔元年（丁酉，公元前二四年）

春，二月最后一天三十日丁未，发生日食。

三月，赦免天下服劳役的犯人。

冬，京兆尹泰山郡人王章被捕下狱死去。

这时大将军王凤主政，成帝谦让软弱，没有权力。左右侍从曾举荐光禄大夫刘向的小儿子刘歆，说他学识渊博，通达事理，有奇才。成帝召见他，刘歆朗诵诗赋，成帝十分喜欢他，打算任命为中常侍，就叫人去拿官服，正当要授职时，身边的人都说："还没有告诉大将军。"成帝说："这是小事，何必麻烦他呢！"身边的人惶恐，磕头力争。皇上于是告诉王凤，王凤认为不可以，便作罢了。

王氏子弟都是卿、大夫、侍中、诸曹等官职，分别担任有权势的要职，势力充满朝廷。杜钦看到王凤权势太盛，告诫王凤说："希望将军遵循周朝周公姬旦那样的谦虚戒惧，减少秦朝权臣穰侯魏冉的威势，放弃武安侯田蚡那样的欲望，不要让范雎那种人抓住把柄挑拨离间！"王凤不听规劝。

当时成帝没有儿子，身体多病。定陶共王刘康来朝见，皇太后和成帝秉承先帝的心意，待刘康很优厚，给他的赏赐十倍于其他的亲王，并不因为先帝曾一度想立他为太子这事而有所嫌隙；还把刘康留在京师，不让他返回封国。成帝告诉刘康："我没有嗣子，人生不必讳死，有朝一日我有了意外，我们将不能再相见，你就长留在京师与我做伴吧！"后来成帝渐渐病愈，刘康便住在京师的定陶共王府邸，早晚陪侍成帝；成帝十分亲爱看重他。大将军王凤心中认为刘康久留京师，对自己不利，恰好遇到日食，王凤借机说："日食，是阴气过盛的天象。定陶共王虽然是亲兄弟，依礼他应当回到封国；现今留侍京师，是违反常规的非常事件，因此上天呈现警告。应该遣送定陶共王回国。"成帝对王凤没有办法，只好答应。刘康拜辞成帝时，兄弟二人相泣而别。

王章一向刚正敢于直言，虽然是王凤举荐的人，但是不满王凤的专权，不亲附王凤，于是上秘密奏章，说"日食的灾异，都是由于王凤专权、蒙蔽主上的罪过"。成帝召见王章，引入询问弹劾王凤的事。王章回答说："上天耳聪目明，它保佑善良而降灾祸给邪恶的人，常用天变作为信验。如今陛下因为无继嗣，所以特别亲近定陶王刘康，这是为承继祖先宗庙，尊重国家，上顺天意，下安民心的作为，是一桩善事，上天应有祥瑞才对，怎么会导致灾变呢！灾变发生，那是因为大臣专政的缘故。现在听说大将军王凤枉曲地把日食的发生归咎于定陶王刘康，建议遣送回藩国，如果想使陛下在上孤立无助，自己专擅朝政以便行其私欲，那就不是忠臣。况且日食是阴气侵犯了阳气，是臣子专擅君权的灾异。如今朝廷大小政事，都出自王凤之

今政事大小皆自凤出，天子曾不壹举手[575]；凤不内省责，反归咎善人，推远定陶王[576]。且凤诬罔[577]不忠，非一事[578]也。前丞相乐昌侯商，本以先帝外属[579]，内行笃[580]，有威重，位历将相，国家柱石臣也，其人守正，不肯屈节[581]随凤委曲[582]；卒用闺门之事[583]为凤所罢，身以忧死，众庶愍之[584]。又凤知其小妇弟张美人[585]已尝适人，于礼不宜配御至尊，托以为宜子[586]，内[587]之后宫，苟以私其妻弟；闻张美人未尝任身就馆[588]也。且羌、胡尚杀首子以荡肠[589]正世，况于天子，而近已出之女[590]也！此三者[591]皆大事，陛下所自见，足以知其余及他所不见者。凤不可令久典事[592]，宜退使就第，选忠贤以代之！”

自凤之白罢商[593]，后遣定陶王也，上不能平[594]。及闻章言，天子感寤[595]，纳之，谓章曰：“微[596]京兆尹直言，吾不闻社稷计。且唯贤知贤，君试为朕求可以自辅者。”于是章奏封事，荐信都王[597]舅琅邪太守冯野王[598]，忠信质直，智谋有余，以王舅出，以贤复入，明圣主乐进贤也[19]。上自为太子时，数闻野王名[20]，方欲[21]倚以代凤。章每召见，上辄辟左右[599]。时太后从弟子侍中音[600]独侧听，具知章言，以语凤。凤闻之，甚忧惧。杜钦令凤称病[601][22]出就第，上疏乞骸骨，其辞指甚哀。太后闻之，为垂涕，不御食[602]。上少[603]而亲倚凤，弗忍废，乃优诏报凤，强起之，于是凤起视事。

上使尚书劾奏章[604]：“知野王前以王舅出补吏[605]，而私荐之，欲令在朝，阿附诸侯；又知张美人体御至尊，而妄称引羌胡杀子荡肠，非所宜言。”下章吏[606]。廷尉致其大逆罪[607]，以为“比上夷狄，欲绝继嗣之端。背畔天子，私为定陶王”。章竟死狱中，妻子徙合浦[608]。自是公卿见凤，侧目而视。

冯野王惧不自安，遂病。满三月，赐告[609]，与妻子归杜陵就医药。大将军凤风御史中丞劾奏“野王赐告养病而私自便[610]，持虎符出界[611]归家，奉诏不敬”。杜钦奏记于凤曰：“二千石病，赐告得归，有故事[612]；不得去郡，亡著令[613]。《传》曰[614]：‘赏疑从予[615]’，所以广恩劝功也；‘罚疑从去[616]’，所以慎刑，阙难知也[617]。今释令与故事而假不敬

手，皇上连一次插手的机会都没有；王凤不从内心检讨，反而怪罪善良的人，把定陶王排挤到远方。何况王凤毁谤欺骗的不忠之事，不止一件。前任丞相乐昌侯王商，本是宣帝舅舅王武的儿子，品德纯厚，威望素重，位居将相，是国家的栋梁之臣。由于他耿直正派，不肯违背节操阿附王凤进退；结果竟以闺房隐私，被王凤罢官，以致忧愤而死，大家都为他悲伤而惋惜。还有王凤明知他小妾的妹妹张美人曾出嫁过，依礼不当再配给至尊的皇上，他借口说她能生儿子，把她纳入后宫，徇私偏袒她；可是张美人进宫后，却没有怀孕生子。况且西羌、北胡尚且对女人首胎婴儿还要杀掉，称为洗肠，以便纯正血统，何况皇帝陛下，怎可以接近已嫁过人的女子！这三件都是大事，是陛下自己所见，足以推断其他的事和看不见的事情。王凤不当长久主持朝政，应该让他退位回到府第，挑选忠良贤能的人来代替他。”

自从王凤上奏罢免了丞相王商，后又遣送定陶王回到封国，成帝内心不能宁静。等听到王章所言，成帝醒悟，决定采纳王章的建议，对王章说：“没有你京兆尹的直言，朕就听不到治国大计。况且，只有贤能的人才知道谁是贤人，卿试着给朕找一个可以辅佐我的人。”于是王章秘密上奏，举荐信都王刘兴的舅舅琅邪太守冯野王，说他忠心正直，很有谋略，以前因为信都王舅舅的身份而调出朝廷，又因为贤良而调入朝廷，彰显皇上是乐于进用贤良的。皇上从当太子时起，多次听到冯野王的名声，正想要依靠他来代替王凤。王章每次被召见，成帝就让身边的人回避。当时皇太后的侄儿侍中王音独自从旁偷听，全部了解王章的话，把他的话告诉了王凤。王凤听说后，非常忧虑恐惧。杜钦让王凤称病搬出大将军府，回到自己府第，上疏请求辞职退休，言辞十分悲痛。皇太后听到了，为此哭泣，不进食。成帝从小就亲近依赖王凤，不忍心罢他的官，于是下诏书慰勉，强迫王凤上任，王凤于是上任办公。

皇上指使尚书上奏弹劾王章说：“王章明知冯野王先前因是亲王舅舅的缘故，外放就任地方官，而私自举荐他，想让冯野王回到朝中，谄媚诸侯；又明知张美人已经匹配皇上，而荒谬地引用羌胡杀子洗肠的事，不是臣子应该说的话。”成帝把王章交给主管官吏查办。廷尉罗织罪状判王章大逆不道之罪，认为“王章把皇上比作羌胡蛮族，想用洗肠的办法断绝皇上的后嗣。背叛天子，私自为定陶王谋划”。王章最终死在狱中，妻子儿女流放到合浦。从此以后，公卿大臣遇见王凤，都侧目而视。

冯野王非常忧惧，坐立不安，因而病倒。病假三个月期满，皇上准他带职养病，冯野王便带妻子儿女回到故乡杜陵就医治病。大将军王凤暗示御史中丞上奏弹劾说“冯野王赐准带职养病，却私自随意行事，持虎符出了任职郡界回家，这是对诏书存心不敬。”杜钦给王凤写信说：“二千石的官员患病，皇上恩准带职回家养病，是有旧例的；说他不能离开郡界，没有法令规定。古书上说：‘对奖赏有疑问，宁可奖赏。’目的在于推广恩德，勉励人立功；‘对惩罚有疑问，就免去惩罚。’目的在于谨慎用刑，搁置难以弄清的问题。现在把法令和前例丢在一边，而借‘大不敬’的法条治

之法[618]，甚违‘阙疑从去’之意。即以二千石守千里之地，任兵马之重，不宜去郡，将以制刑为后法者[619]，则野王之罪在未制令前也。刑赏大信，不可不慎！”凤不听，竟免野王官。

时众庶多冤王章讥朝廷[620]者，钦欲救其过[621]，复说凤曰：“京兆尹章，所坐事密[622]，自京师不晓，况于远方！恐天下不知章实有罪，而以为坐言事[623]。如是，塞争引之原[624]，损宽明之德。钦愚以为宜因章事举直言极谏，并见郎从官[625]，展尽其意，加于往前，以明示四方，使天下咸知主上圣明，不以言罪下也。若此，则流言消释，疑惑著明。”凤白行其策焉。

是岁，陈留太守薛宣[626]为左冯翊。宣为郡，所至有声迹[627]。宣子惠为彭城令，宣尝过其县，心知惠不能，不问以吏事[628]。或问宣：“何不教戒惠以吏职？”宣笑曰：“吏道以法令为师，可问而知。及能与不能，自有资材[629]，何可学也！”众人传称[630]，以宣言为然。

【段旨】

以上为第十三段，着重写阳朔元年（公元前二四年）一件大事，京兆尹王章秘密上奏，直言朝政，蒙冤而死。成帝昏庸，大权旁落，可视为王氏代汉的伏笔。

【注释】

[551]丁未晦：二月三十日。[552]王章：字仲卿，泰山郡巨平（今山东泰安南）人，继王尊之后为京兆尹，因弹劾王凤而蒙冤死。传见《汉书》卷七十六。[553]通达：知识渊博而又能融会贯通。[554]中常侍：西汉为加官，可以出入宫中，东汉始纯用宦官，成为专权的皇帝近侍。[555]晓：告知。[556]分据势官：分别担任有权势的要职。势官，掌握要害部门实权的官。[557]由周公之谦惧：遵循西周贤臣周公姬旦那样的谦虚、警惧。主要是指周公在成王年幼时摄政，成王长大后，周公返政为臣。[558]损穰侯之威：损减秦权臣穰侯的威势。穰侯魏冉是秦昭王舅，时昭王年少，穰侯秉政，有大功于秦王，后被秦放逐至封邑，忧郁而死。传见《史记》卷七十二。[559]放武安之欲：放弃武安侯田蚡那样的欲望。胡三省注认为“武安君”是指汉武帝时的武安侯田蚡。[560]毋使范雎之徒得间其说：范雎

罪，大大违背‘疑罪从无’的古训。如果因为二千石官员管辖千里国土，负责兵马重任，不宜离开本郡，将要制定新的令条，作为以后的法规，那么冯野王所犯的罪，却发生在未制定新令条之前。惩罚和奖赏，是朝廷最重要的信誉，不能不慎重啊!”王凤不听，最终还是免了冯野王的官职。

当时许多民众认为王章冤屈而讥刺朝廷，杜钦为了补救这个过失，又劝王凤说：“京兆尹王章犯罪事实隐秘，近在京师的人都不知道，更何况远方的人呢！怕天下人不知道王章的确有罪，而误认为他是因直言规劝才被判刑。如果这样，就会阻塞今后臣下的进谏，杜绝了皇上引纳建议的来源，伤害朝廷宽厚的德惠。我愚昧认为应当利用王章的事件，下诏全国举荐直言极谏的人士，以及现任近卫郎官，让他们尽情畅所欲言，超过以往，用来向四方昭示，让天下的人全都知道皇上圣明，不因言论惩罚臣民。如果这样，谣言就会平息，疑惑之处也就明白了。”王凤报告成帝，按杜钦的办法实施。

这一年，陈留太守薛宣任职左冯翊。薛宣治理陈留，所到之处都很有声誉事迹。薛宣的儿子薛惠为彭城县令，薛宣途经彭城，知道儿子没有才能，因此他不考察儿子行政方面的事。有人问薛宣：“为什么不教诫你儿子怎样当官呢?”薛宣笑着说：“当官的诀窍，就是以法为师，一问便知。至于能不能当好官，那是天生的才能，怎么能学到呢!”大家都传颂这句话，认为薛宣说得有道理。

曾说服秦昭王放逐穰侯而用他为相。事详《史记》卷七十九范睢本传。《史记》“睢”作“睢”。字当作“雎”或“且”。561 体常不平：意谓身体多疾病。562 往事：指元帝在世时曾打算立刘康为太子之事。563 纤介：丝毫芥蒂。564 一朝有它：一旦发生意外。指皇帝崩逝。565 疾益有瘳：病情有好转。566 留国邸：居留在京师的定陶王官邸。567 诡正非常：违反常规的非常事件。568 非凤专权：反对王凤专权。569 奏封事：汉制加密奏章直达皇上，称奏封事。往往是揭发大臣或告变，或言非常的奏章。570 延问以事：引入询问弹劾王凤之事。571 佑善而灾恶：保佑善人，惩治恶人。572 大将军猥归日食之咎于定陶王：大将军王凤枉曲地把日食之灾推到定陶王刘康的头上。猥，曲。573 建遣之国：建议将刘康遣离京师归国。574 臣颛君之咎：阴侵犯了阳，象征大臣专了君权产生的祸患。意谓日食之咎不应由定陶王承担，应由大臣王凤承担责任。575 天子曾不壹举手：皇帝连插手问一次事的机会都没有。576 推远定陶王：把刘康排挤到远方。577 诬罔：欺骗皇上的罪。578 非一事：不止一件。指王凤的诬罔罪不止一件。579 本以先帝外属：王商本是先帝（汉宣帝）的外戚。王商系宣帝舅王武之子。580 内行笃：内在品德纯厚。581 屈节：有亏大臣之

节。582 随凤委曲：随从王凤进退。583 闺门之事：指闺房隐私。584 愍之：同情王章。愍，悲悼感伤。585 张美人：王凤妾之妹，已经嫁人，王凤又把她荐入宫中，安插在成帝身边为妃。586 托以为宜子：以宜于生子作借口。587 内：同“纳”。588 任身就馆：妇人怀孕，出外到其他馆舍。589 荡肠：古人为保持嫡亲血统，有时将妇人的头胎子抛弃，名曰洗肠。590 近已出之女：接近已经嫁过人的女人。591 此三者：指将日食归咎于定陶王、排斥丞相王商、荐已嫁之女（妾妹）为嫔妃等三事。592 典事：指王凤专擅国政之事。593 白罢商：王凤上奏罢免丞相王商。594 不能平：不能宁静。595 感寤：醒悟。596 微：没有。597 信都王：即刘兴，成帝弟，元帝冯倢伃之子。598 冯野王：字君卿，上党潞县人，西汉名将冯奉世中子，官至大鸿胪。传见《汉书》卷七十九。599 辟左右：让身边的人回避。辟，通“避”。600 太后从弟子侍中音：王音，王太后堂弟，长乐宫卫尉王弘之子。据《汉书·元后传》颜师古注，王弘为王太后叔父，则王音为太后从弟，成帝从舅。601 杜钦令凤称病：这是杜钦出主意让王凤称病归家。602 不御食：不进食物。603 少：年幼时。604 劾奏章：弹劾王章。605 野王前以王舅出补吏：成帝初立时，有司曾奏冯野王是信都王舅，不宜居九卿之位，于是将野王外放为上郡太守。出补吏，出任地方官。606 下章吏：逮捕王章交由司法官吏审理。607 廷尉致其大逆罪：廷尉罗织罪状判王章大逆罪。据《汉书·百官公卿表》，当时廷尉为范路。608 合浦：郡名，郡治在今广西合浦东北。609 赐告：成帝颁诏，允许已称病三月的冯野王继续休假。汉制，告病过百日则免职，故成帝此举是一种特殊待遇。610 赐告养病而私自便：成帝特诏冯野王带职养病，回家本是惯例，而王凤把冯野王归家说成是擅离职守，借故免官。从此之后，即使皇帝特诏，也不能归家，只能在任上养病。便，安适。611 出界：指冯野王离开其任所琅邪郡界，即所谓擅离职守。612 故事：惯例，指得到赐告归家养病。613 不得去郡二句：得赐告者不能离任养病，

【原文】

二年（戊戌，公元前二三年）

春，三月，大赦天下。

御史大夫张忠卒。

夏，四月丁卯[631]，以侍中、太仆王音为御史大夫。于是王氏愈盛，郡国守相、刺史皆出其门下。五侯群弟[632]争为奢侈，赂遗珍宝[633]，四面而至，皆通敏人事，好士养贤，倾财施予以相高尚[634]；宾客满门，竞为之声誉。刘向谓陈汤曰：“今灾异如此，而外家日盛[635]，其渐

没有律令规定。⑭传曰：古书上说。⑮赏疑从予：对赏赐有疑问时，应给予赏赐。⑯罚疑从去：对处罚有疑问时，不予处罚。去，免除。⑰阙难知也：对疑难案件，宁可搁置难以弄清的问题，避免造成冤狱。⑱今释令与故事而假不敬之法：现在把法令和惯例丢在一边而借“大不敬”法治罪。释，废弃；丢开。假，借。⑲将以制刑为后法者：将要制定新的令条作为以后的法规。⑳讥朝廷：批评朝廷。㉑救其过：补救因错误处理冯野王所造成的过失，以挽回舆论的影响。㉒所坐事密：王章被指控的罪状，十分隐秘。实际上王章是因向成帝密奏王凤之罪而被王凤加害，冤死狱中，故无法公开。㉓坐言事：因上书言事犯罪。古制，一般不应将上书言事者治罪。㉔塞争引之原：杜塞今后群臣的进谏。争引，指臣下有谏争，君则引而纳之。㉕见郎从官：让现任的近卫郎官及大将军部属放胆直言。㉖薛宣：字赣君，东海郡郯（今山东郯城）人，官至丞相。传见《汉书》卷八十三。㉗声迹：声誉、事迹。㉘吏事：行政事务。下文“吏职”“吏道”与“吏事”同义。㉙资材：天资才干，即天分。㉚传称：传播和称赞。

【校记】

［17］应：据章钰校，十四行本、乙十一行本皆作“异”。［18］专：据章钰校，十四行本、乙十一行本、孔天胤本皆作“颛”。［19］以王舅出，以贤复入，明圣主乐进贤也：原无此十五字。据章钰校，乙十一行本有此十五字，今据补。［20］数闻野王名：据章钰校，乙十一行本作“数闻野王先帝名，卿声誉出凤远甚”。［21］欲：原无此字。据章钰校，十四行本、乙十一行本、孔天胤本皆有此字，张敦仁《通鉴刊本识误》同，今从改。［22］称病：原无此二字。据章钰校，乙十一行本有此二字，张敦仁《通鉴刊本识误》同，今据补。

【语译】

二年（戊戌，公元前二三年）

春，三月，大赦天下。

御史大夫张忠去世。

夏，四月二十七日丁卯，成帝任命侍中、太仆王音为御史大夫。于是王氏更加强大，郡国守相、刺史都出自王氏门下。谭、商、立、根、逢时五位兄弟争相豪华奢侈，贿赂和馈赠的珍珠宝玉，从四面八方涌入王氏家门，他们全都洞晓人事，好士养贤，输财施舍竞相攀比；宾客满门，竞相为王氏制造声誉。刘向对陈汤说：“如今变异如此严重，而外戚的权势日益强盛，发展下去，势必威胁刘氏王朝。我有幸

必危刘氏[636]。吾幸得以同姓末属[637]，累世蒙汉厚恩，身为宗室遗老，历事三主[638]。上以我先帝旧臣，每进见，常加优礼。吾而不言，孰当言者[639]！”遂上封事极谏曰：“臣闻人君莫不欲安，然而常危；莫不欲存，然而常亡。失御臣之术[640]也。夫大臣操权柄，持国政，未有不为害者也。故《书》曰：‘臣之有作威作福，害于而家，凶于而国。’[641]孔子曰：‘禄去公室，政逮大夫。’[642]危亡之兆也。今王氏一姓，乘朱轮华毂[643]者二十三人，青、紫、貂、蝉[644]充盈幄内[645]，鱼鳞左右[646]。大将军秉事用权，五侯骄奢僭盛[647]，并作威福，击断自恣[648]。行污而寄治[649]，身私而托公[650]，依东宫之尊[651]，假甥舅之亲[652]，以为威重。尚书、九卿、州牧、郡守皆出其门，管执枢机[653]，朋党比周[654]。称誉者登进[655]，忤恨者诛伤[656]；游谈者[657]助之说，执政者为之言。排摈宗室，孤弱公族[658]，其有智能者，尤非毁[659]而不进，远绝宗室之任，不令得给事朝省[660]，恐其与己分权；数称燕王、盖主[661]以疑上心，避讳吕、霍而弗肯称[662]。内有管、蔡之萌[663]，外假周公[664]之论，兄弟据重[665]，宗族磐互[666]，历上古至秦、汉，外戚僭贵[667]未有如王氏者也。物盛必有非常之变先见[668]，为其人微[23]象[669]。孝昭帝时，冠石立于泰山[670]，仆柳起于上林[671]，而孝宣帝即位。今王氏先祖坟墓在济南[672]者，其梓柱生枝叶，扶疏上出屋，根垂地中[673]，虽立石起柳，无以过此之明也。事势不两大，王氏与刘氏亦且不并立，如下有泰山之安[674]，则上有累卵之危[675]。陛下为人子孙，守持宗庙，而令国祚移于外亲，降为皂隶[676]，纵不为身，奈宗庙何！妇人内夫家而外父母家[677]，此亦非皇太后之福也。孝宣皇帝不与舅平昌侯[678]权，所以全安[679]之也。夫明者[680]起福于无形，销患于未然。宜发明诏[681]，吐德音，援近宗室[682]，亲而纳信[683]，黜远外戚，毋授以政，皆罢令就弟[684]，以则效先帝之所行，厚安外戚，全其宗族，诚东宫之意[685]，外家之福也。王氏永存，保其爵禄；刘氏长安，不失社稷。所以褒睦[686]外内之姓[687]，子子孙孙无疆[688]之计也。如不行此策，田氏[689]复见于

是刘氏皇家疏远的族属，累代都蒙受汉室的厚恩，我又是宗室老臣，历事宣帝、元帝、成帝三位皇帝。皇上因为我是先帝老臣，每次接见我，都给予特别礼遇。我如果不说话，还有谁应当进言！”因此呈递秘密奏章，竭力劝谏说：“臣听说没有一个国君不想安定，然而常常陷于危险之中；没有一个国君不盼望长存，然而常常灭亡。这是由于皇上失去驾驭人臣的方法。大臣操纵朝廷大权，把持国政，没有不为害国家的。因此《书经》上说：‘大臣一旦作威作福，不仅对家族造成灾难，而且对国家造成凶险。’孔子说：‘国君不能支配俸禄，大夫操纵政权。’这是国家危亡的先兆啊！如今王氏一姓，能坐红色车轮和华丽轴头车子的，就有二十三人，佩青、紫色印章绶带，帽上有貂尾与蝉文绣花的列侯，充斥宫廷，鱼鳞般排列在皇上左右。大将军王凤执掌朝政大权，五侯骄奢僭越，作威作福，随意横行。行为卑污，却伪装廉洁，自己为私，却假托为公，依仗皇太后的尊位，凭借甥舅间的亲情，取得权势。尚书、九卿、州牧、郡守全都出自王氏家门，掌管国家关键部门，结党营私。赞扬王氏的人得到进用，违抗和憎恨王氏的人不死即伤；游闲说客之流给他们歌功颂德，执政的人也替王氏说话。排斥刘氏宗室，孤立刘氏皇族，皇族中稍有智能的人，尤其受到毁谤，不得晋升，阻绝皇族，不准他们在宫中供职或奉朝请，害怕皇室宗亲的人分了自己的权力；还经常在皇上跟前说起从前燕王、盖主谋反之事，使皇上对宗室大臣心生猜忌，却故意回避吕后的娘家吕产、吕禄等的擅权专政，以及霍光的子侄和女婿们反逆被杀的往事，以免皇上对王氏外戚起疑心。在内心里，王氏和管叔、蔡叔一样，叛乱之念已经萌芽，外表上，却借口皇上年幼，自比周公摄政，兄弟盘据朝中重要位置，王氏宗族盘根错节，从上古直到秦朝、汉朝，外戚僭越尊贵，从没有像王氏这个样子的。万物太盛一定有不同寻常的天变显现，就是为把这种人的隐微动机昭示出来。孝昭帝时，泰山就有大石块自行起立，上林苑中有枯倒的柳树复苏重生，而孝宣帝即位。如今王氏在济南郡的祖先坟墓，老屋的梁柱上忽生枝叶，茂盛的枝叶伸出户外，树根深植地中，比起泰山大石块起立、枯倒柳树复活，是更明显的征兆。两个人主必然势不两立，王氏、刘氏也将不能同时并存，若王氏有泰山那样安稳，而皇上就像堆栈起来的蛋那样的危险。陛下身为刘氏子孙，守护宗庙，却把国家的命运移于外戚，自己降低成奴仆，即使陛下不为自身打算，也应为刘氏宗庙考虑！妇人应当亲近夫家人，疏远娘家人，而皇太后却反过来亲近娘家，这并非皇太后之福。孝宣皇帝不给舅舅平昌侯王无故大权，为的是保护舅家的安全。英明的人，能在无形中得福，把灾祸消除在未发生之前。皇上应当发布明白的诏书，吐发善言，提拔宗室的人，亲近信用，疏远外戚，不要授予大权，全都让他们解职回到自己的府第，以此效法先帝孝宣皇帝的行为，厚待外戚，保全他们的宗族，这才符合皇太后的本意，也是外戚之福。王氏家族永存，保住爵位和俸禄；刘氏皇族长治久安，不丢失江山。这才是和睦内外两姓，让子子孙孙传之无尽的策略啊！如

今，六卿[690]必起于汉，为后嗣忧，昭昭甚明[691]。唯陛下深留圣思[692]！”

书奏，天子召见向，叹息悲伤其意，谓曰：“君且休矣，吾将思之[693]！”然终不能用其言。

秋，关东大水。

八月甲申[694]，定陶共王康薨。

是岁，徙信都王兴为中山王。

【段旨】

以上为第十四段，录载刘向长篇上疏，陈奏外戚专权之祸，指出刘姓政权面临的危机。糊涂透顶的汉成帝得过且过，毫无能力采取措施。

【注释】

㉛丁卯：四月二十七日。632五侯群弟：五侯等兄弟。《汉书·元后传》载：王凤兄弟共八人。王凤、王崇与王政君同母，先封侯。王政君异母兄弟六人，王曼早死，王谭、王商、王立、王根、王逢时五人同日封侯，世称五侯。633赂遗珍宝：贿赂和馈赠的珍珠宝玉。634相高尚：互相标榜。635外家日盛：指外戚王氏权势日益隆盛。636其渐必危刘氏：王氏势力发展下去，势必危及刘氏政权。637末属：疏远的族属。刘向是高祖刘邦之弟楚王刘交的第五代孙，对皇室来说，已成为疏族。638历事三主：刘向历仕宣、元、成三朝。639孰当言者：谁应当进言。640御臣之术：控制臣下的方法。641《书》曰四句：引自《尚书·洪范》。意思是说，如果大臣作威作福，不仅会给家族带来祸患，而且会给国家造成凶险。而，同“尔”。汝。642孔子曰三句：引自《论语·季氏》，原文为：“孔子曰：禄之去公室五世矣，政逮于大夫四世矣，故夫三桓之子孙微矣。”643朱轮华毂：车轮红色，车轴头有彩绘。汉制，二千石以上的大官才能乘这种车。此指王氏家族做高官的人。644青紫貂蝉：汉制，列侯印系紫色绣带，二千石印系青色绣带，侍中、中常侍官帽上用貂尾作标志，还用金线绣上蝉的图案。645充盈幄内：充满宫廷。646鱼鳞左右：形容王氏子弟围在皇帝周围，像鱼鳞一样。647僭盛：逾制过分。648专断自恣：随意横行。649行污而寄治：行为卑污，却伪装廉洁。650身私而托公：自己为私，却假托为公。651依东宫之尊：这里是指倚仗皇太后的尊位。汉制，太后居长乐宫，在天子所居未央宫之东，故称东宫。太子居天子宫东殿，亦为东宫。名同而实不同。652假甥舅之亲：

果不这样做，那么田氏篡齐的事件就要重现于今天，晋国六卿分晋的事重演于汉朝，为后世子孙带来忧患，这是十分明显的。请求陛下三思。”

刘向的奏疏呈上后，成帝召见了刘向，为其深意叹息悲伤，对他说：“你不必再说了，我将认真考虑！”然而始终没有采纳他的建议。

秋，关东发生大水灾。

八月甲申日，定陶共王刘康去世。

这一年，徙封信都王刘兴为中山王。

指外戚王凤等借着与成帝是甥舅关系的亲情作威作福。假，借；凭借。653 管执枢机：把持了关键部门。654 朋党比周：结党营私。655 称誉者登进：赞扬王氏的人得到进用。656 忤恨者诛伤：违抗和憎恨王氏的人，非死即伤。657 游谈者：游闲说客。658 排摈宗室二句：排斥皇室，使皇族孤弱。659 尤非毁：特别受到打击、摧残。660 给事朝省：在宫中供职或奉朝请。661 燕王、盖主：燕王，即刘旦，昭帝兄。盖主，即鄂邑盖长公主，昭帝姐。二人与上官桀、桑弘羊等通谋，反对昭帝及霍光，均以大逆罪被诛。王凤多次向成帝提及此事，是指斥宗室近亲反叛。662 避讳吕、霍而弗肯称：吕，指吕禄、吕产。霍，指霍光之子霍禹，皆因谋反罪被诛。王凤对吕、霍等外戚乱政的事则讳莫如深，目的是让成帝对王凤等外戚不起疑心。663 管、蔡之萌：管叔鲜、蔡叔度，周文王之子、周武王之弟。武王死后，周公旦辅佐成王，管叔、蔡叔与殷纣王之子武庚禄父联合叛周，被周公讨平。事详《史记·管蔡世家》。此指叛乱的苗头。萌，苗头。664 周公：即协助武王伐纣、辅佐幼年成王的大臣姬旦。事详《史记·鲁周公世家》。665 据重：盘踞重要的权力部门。666 磐互：盘根错节。667 僭贵：奢侈僭越与权势尊贵。668 非常之变先见：非常的天变预先显现，以示警告。见，通“现”。669 为其人微象：昭示某人隐微动机的天象。670 冠石立于泰山：泰山上有大石自动立了起来。冠石，大圆石。671 仆柳起于上林：上林苑的枯柳起死回生。事见本书卷二十三昭帝元凤三年（公元前七八年）。仆柳，僵仆的枯柳。672 王氏先祖坟墓在济南：据《汉书·元后传》，王氏本济南东平陵（今山东章丘）人，汉武帝时，绣衣御史王贺免官后，从东平陵徙居魏郡元城（今河北大名东）。673 其梓柱生枝叶三句：此三句意思是，王氏老屋的梁柱，忽然生出枝叶，且生长茂盛，上出屋外，下垂地中变成树根。梓柱，木梁柱。垂，通“臿”。深入地下。674 下有泰山之安：指王氏。675 上有累卵之危：指刘氏。676 皂隶：奴仆。677 妇人内夫家而外父母家：妇人亲近夫家人而疏远娘家人。隐喻王太后亲近娘家人而疏远夫家人。678 平昌侯：王无故，宣帝舅。679 全安：保全和安定。意谓完完全全的安全。680 明者：明人。681 明诏：明白的诏书。682 援近

宗室：提拔宗室的人。㉘㉝ 亲而纳信：亲近信用。㉘㉞ 皆罢令就弟：一一罢免外戚，让他们各归其府第。㉘㉟ 诚东宫之意：这才符合王太后之本意。㉘㊱ 褒睦：褒扬和睦。㉘㊲ 外内之姓：王、刘两姓。外，指外戚王氏。内，指皇室刘氏。㉘㊳ 无疆：无尽。㉘㊴ 田氏：指战国时替代姜齐的田氏。㉙㉚ 六卿：春秋时晋国六卿智、范、中行、韩、赵、魏专权，后演变为韩、赵、魏三家分晋。㉙㉛ 昭昭甚明：十分明显。极度形容鲜明。㉙㉜ 深留圣思：要深深的思虑，即三思。㉙㉝ 君且休矣二句：你不必再说了，我将认真考虑。㉙㉞ 甲申：八月己亥朔，无甲申日，疑记载有误。

【校记】

［23］微：张敦仁《通鉴刊本识误》作“征”。

【研析】

本卷史事给读者提出了许多沉重的思考。首先，汉成帝这个误国昏君带给我们的思考。成帝个性仁懦，人又聪明，心地善良，有一份孝心。皇太后王政君并不是汉成帝的生母，但他贵为天子，却极有孝心，王政君一要妇人的小脾气，流眼泪，不吃饭，汉成帝就慌了神，撤销了对王凤的罢免令，转而收拾王章，是非不分，黑白不明，这就是昏君的特点。成帝也想把国家治好，一即位就斥逐了中官权臣石显，下诏求言，似乎有一线新生的曙光，但很快就把政权旁落给外戚了。成帝效法先帝汉元帝节俭之风，减少皇室用费，甚至于许皇后都提出了抗议；成帝赈灾、减税，水灾后尚思救弊，修治河堤，安定四夷，加强教育投资，大规模整理图书，给历史留下了这一章闪闪发光，这些善政，表现了成帝仁厚的一面。成帝依赖王凤，常常是迫于王凤压力违心处理国家大事，每一次斥逐耿正大臣，冤杀王尊、王章，罢免王商，甚至迫使定陶王回到封国，成帝都是违心做出的决定，活得很窝囊，这表现了成帝的懦弱，畏惧权臣产生了依赖心理。成帝没能力治国的弱点，他的父亲汉元帝早就看出了，要废立太子，可是儒家立嫡不立庶的宗法制度，废立太子是举国震动的大事件，不是乾纲独断的帝王是下不了决心的。汉景帝废立太子带来了汉武帝治国的隆盛；汉武帝废立太子，带来了汉室中兴。无独有偶，匈奴立单于都是以立贤为标准，既可以父死子继，又可以兄终弟及。呼韩邪单于临终，大小阏氏都支持立长君，不以嫡子为意，有利国家。宗法制度培育着汉成帝式的昏君一个又一个产生，是专制政体不可克服的又一病根，岂不令人深思。

第二个思考是那些道貌岸然的纯儒君子，迂腐僵化，这等人当政，简直是个混混。丞相匡衡，知名大儒，官至丞相，历仕汉元帝、汉成帝两朝，他干了些什么呢？为了保持爵禄，投靠石显做帮凶；石显倒台，翻脸落井下石；抠死理，钻牛角，抓住一个“矫制”理由，硬是与陈汤过不去，历经元帝、成帝两朝，念念不忘置陈汤于死地。他抓住陈汤贪财做文章，而自己却在封地里强占土地四百余顷，管家盗取财物价值黄金十斤。更不能容忍的是，身为丞相，不为百姓谋利益，反而阻止维修黄河堤，三年后导致黄河大决口，却没有被追究。一个昏庸皇帝，任用玩忽职守的伪君子，要想国家奋发图强，岂不是南辕北辙吗！

第三个思考，还有一些既为善又为恶的骑墙官员，像杜钦、谷永。他们既是权臣王凤的帮凶，又不断地给王凤补台，把危害国家的事件，尽可能降低负面的影响。例如为功臣陈汤辩护，保护人才，借王章冤死事件求纳善言，改善紧张关系，平缓矛盾。如果明君当国，政治开明，杜钦、谷永是良臣，而今权臣王凤专政，能够做到和稀泥，也就是不错的了。

卷第三十一　汉纪二十三

起屠维大渊献（己亥，公元前二二年），尽强圉协洽（丁未，公元前一四年），凡九年。

【题解】

本卷记事起公元前二二年，迄公元前一四年，凡九年史事，当汉成帝阳朔三年至永始三年。这一时期是汉成帝的中期政治，九年之间几乎无善政可述。成帝更加荒怠政事，极意声色游乐。鸿嘉元年（公元前二〇年），成帝与嬖宠张放想出新招，微服出游，皇太后和大臣皆以为忧。直到永始二年，班伯进言，皇太后、诸舅大臣及朝官共同劝谏施压，成帝迫不得已斥遣张放出京做外官，还时常优诏慰问。鸿嘉三年，赵飞燕姐妹大受成帝宠幸成了新欢。到永始元年，赵飞燕竟然夺取正宫成了新皇后，许皇后被废打入冷宫。赵皇后行为不检，污秽后宫，大臣交章上书切谏。王音、刘辅、刘向、杜业、谷永、梅福等谏书频奏，成帝不纳。本卷长篇摘载奏书，以彰汉成帝的昏聩顽劣。这时西汉国势渐衰，人民起义的星火此起彼伏，阳朔三年，颍川郡铁官徒暴动，永始三年，尉氏县樊并造反，山阳郡铁官徒起事，自称将军，流窜达十九个郡国。水旱之灾频繁发生。鸿嘉四年，黄河在清河等郡决口，淹没三十一县，成帝竟然不加修整，任由洪水泛滥。西汉政治的衰败，不可逆转。代汉的王莽在本卷初露头角。

【原文】

孝成皇帝上之下

阳朔三年（己亥，公元前二二年）

春，三月壬戌[①]，陨石东郡[②]八。

夏，六月，颍川[③]铁官徒[④]申屠圣等百八十人杀长吏，盗库兵[⑤]，自称将军，经历九郡。遣丞相长史、御史中丞逐捕，以军兴从事[⑥]，皆伏辜[⑦]。

秋，王凤疾，天子数自临问[⑧]，亲执其手涕泣曰："将军病，如有不可言[⑨]，平阿侯谭[⑩]次将军[⑪]矣！"凤顿首泣曰："谭等虽与臣至亲[⑫]，行皆奢僭[⑬]，无以率导[⑭]百姓，不如御史大夫音[⑮]谨敕[⑯]，臣敢以死保之！"及凤且死，上疏谢上，复固荐音自代，言谭等五人[⑰]必不可

【语译】

孝成皇帝上之下

阳朔三年（己亥，公元前二二年）

春，三月壬戌日，八颗陨石落在东郡。

夏，六月，颍川郡铸铁官所属劳工申屠圣等一百八十人杀了长官，盗取武库的兵器，自称将军，历经了九个郡。朝廷派出丞相府长史、御史中丞去追捕，按战时军事法行事，申屠圣等全都伏法。

秋，王凤生病，天子多次前往探问，亲自握住王凤的手，流着眼泪说："将军病重，若有不测，就由平阿侯王谭依次接替将军了！"王凤磕头流泪说："王谭等人虽然和臣是至亲，但他们行事奢侈违制，不能为民众做出表率，他不如御史大夫王音谨慎正派，臣敢以生命做担保！"等到王凤临死时，又上书称谢皇上，再次坚持推荐

用；天子然之。初，谭倨[18]，不肯事凤，而音敬凤，卑恭如子，故凤荐之。八月丁巳[19]，凤薨。九月甲子[20]，以王音为大司马、车骑将军，而王谭位特进[21]，领城门兵[22]。安定太守谷永[23]以谭失职[24]，劝谭辞让，不受城门职。由是谭、音相与不平。

冬，十一月丁卯[25]，光禄勋[26]于永[27]为御史大夫。永，定国之子也。

【段旨】

以上为第一段，写阳朔三年（公元前二二年），社会发生动荡，东郡铁官徒造反。王凤堂侄王音亲附王凤，得以取代王凤亲弟王谭而继王凤之后执掌国政。

【注释】

①三月壬戌：三月丙寅朔，无壬戌。壬戌，应为四月二十八日。②东郡：郡名，治所濮阳，在今河南濮阳西南。③颍川：郡名，治所阳翟，在今河南禹州。④铁官徒：冶铁工官所属劳工。⑤盗库兵：盗取政府军械库中的武器。⑥以军兴从事：按照战时军律执行。军兴，军兴法之省称，指紧急动员时的发兵体制。从事，办事。⑦伏辜：伏法。⑧临问：上对下的探问。⑨不可言：不好直说；不可测。指死亡。⑩平阿侯谭：大将军王凤之弟，字子元。封爵平阿侯。见《汉书》卷九十八《元后传》。⑪次将军：指依

【原文】

四年（庚子，公元前二一年）

春，二月，赦天下。

夏，四月，雨雪[28]。

秋，九月壬申[29]，东平思王宇[30]薨。

少府王骏为京兆尹[31]。骏，吉之子也[32]。先是，京兆有赵广汉、张敞、王尊、王章，至骏，皆有能名，故京师称曰：“前有赵、张，后有三王[33]。”

闰月壬戌[34]，于永卒。

王音代替自己，说王谭等五侯一定不可重用；成帝认为他说得对。起初，王谭傲慢，不肯侍奉王凤，而王音尊敬王凤，恭敬谦卑就像儿子对待父亲一样，所以王凤推荐他。八月二十四日丁巳，王凤去世。九月初二日甲子，任命王音为大司马、车骑将军，而王谭只进位特进，掌管城门卫兵。安定太守谷永认为王谭失去了执政的大将军的职位，劝他辞职，不接受掌管城门卫兵的职位。由此王谭与王音相互不和。

冬，十一月初六日丁卯，任命光禄勋于永为御史大夫。于永，是于定国的儿子。

次接替王凤的大将军之位。⑫至亲：骨肉兄弟。⑬奢僭：奢华违制。⑭率导：榜样；表率。⑮御史大夫音：即王音，时任御史大夫之职。王音是王凤的堂侄，继王凤之后任大司马车骑将军，封安阳侯。⑯谨敕：谨慎正派。⑰谭等五人：指王凤的五个弟弟，即平阿侯王谭、成都侯王商、红阳侯王立、曲阳侯王根、高平侯王逢时。⑱倨：傲慢。⑲丁巳：八月二十四日。⑳甲子：九月初二日。㉑特进：一种位次三公的加官，没有实权的荣衔，只是一种朝会位置，位在三公之下，侯爵之上。㉒领城门兵：掌管长安城门的屯兵。长安十二门，每门均备有屯兵。㉓谷永：汉成帝时的政治家。本名并，更名永，字子云，长安人。建始三年（公元前三〇年），举方正直言对策入仕。依附王凤，任北地太守，官至大司农。传见《汉书》卷八十五。㉔失职：指王谭失去了执政的大将军的职位。㉕丁卯：十一月初六日。㉖光禄勋：官名，即九卿之一的郎中令，武帝太初元年更名为光禄勋，掌宫廷警卫。㉗于永：宣帝时丞相于定国之子，官至御史大夫。传附《汉书·于定国传》中。

【语译】

四年（庚子，公元前二一年）

春，二月，赦免天下。

夏，四月，降雪。

秋，九月十六日壬申，东平思王刘宇去世。

任命少府王骏为京兆尹。王骏，是王吉的儿子。此前，担任过京兆尹的有赵广汉、张敞、王尊、王章，以至现任的王骏，都以才干闻名，所以京师传颂说："前有赵、张，后有三王。"

闰十二月初七日壬戌，于永去世。

乌孙小昆弥[35]乌就屠死，子拊离代立；为弟日贰所杀。汉遣使者立拊离子安日为小昆弥。日贰亡阻[36]康居；安日使贵人姑莫匿等三人诈亡从日贰，刺杀之。于是西域诸国上书，愿复得前都护段会宗[37]。上从之。城郭诸国闻之，皆翕然[38]亲附。

谷永奏言："圣王不以名誉加于实效。御史大夫任重职大，少府宣[39]达于从政[40]，唯陛下留神考察！"上然之。

【段旨】

以上为第二段，写阳朔四年（公元前二一年），成帝对京兆尹和御史大夫的任命，以及西域都护的人选，察纳善言，颇为得人。

【注释】

㉘雨雪：下雪。雨，降，作动词用。㉙壬申：九月十六日。㉚东平思王宇：宣帝之子刘宇，封东平王，谥曰思。传见《汉书》卷八十。㉛京兆尹：京师长安的行政长官，位次列卿。㉜骏二句：西汉有四王骏。此王骏为经学家王吉之子。王吉官至废帝昌邑王中尉，与贡禹齐名。传见《汉书》卷七十二。㉝前有赵、张二句：前，指宣帝时。后，

【原文】

鸿嘉元年（辛丑，公元前二〇年）

春，正月癸巳[41]，以薛宣为御史大夫。

二月壬午[42]，上行幸初陵[43]，赦作徒[44]；以新丰[45]之戏乡[46]为昌陵县，奉初陵。

上始为微行[47]，从期门郎[48]或私奴十余人，或乘小车，或皆骑，出入市里郊野，远至旁县甘泉、长杨、五柞[49]，斗鸡、走马，常自称富平侯家人。富平侯者，张安世四世孙放[50]也。放父临，尚敬武公主[51]，生放。放为侍中、中郎将，娶许皇后女弟[52]，当时宠幸无比，故假称[53]之。

乌孙的小昆弥乌就屠去世，他的儿子拊离继位；拊离被弟弟日贰所杀。汉王朝派遣使臣去封拊离的儿子安日为小昆弥。日贰就逃亡并依恃康居国；安日派贵族姑莫匿等三人也伪装跟随日贰逃亡，刺杀了日贰。于是西域各国都上书汉天子，希望再派遣前任都护段会宗返回西域。成帝听从了这个请求。西域有城邦的国家听到这个消息，一致亲附了汉朝。

谷永上奏说："圣明的君王，考察一个人，不把这人的名声放在实际才能之上。御史大夫责任重大，少府薛宣精通为政，请陛下留意考察！"成帝同意他的看法。

指成帝时。赵广汉、张敞，均于宣帝时为京兆尹。王尊、王章、王骏，成帝时为京兆尹。五人均称能吏，故民间有口碑。王骏传附《汉书·王吉传》中，其余四人合传，见《汉书》卷七十六。㉞壬戌：闰十二月初七日。㉟乌孙小昆弥：乌孙，西域国名，都赤谷城，与西汉联姻为与国。昆弥，又作"昆莫"，乌孙王号。宣帝时，立元贵靡为大昆弥，乌就屠为小昆弥。元贵靡与乌就屠为兄弟，皆乌孙肥王翁归靡之子。元贵靡为汉解忧公主所生，系长男；乌就屠为胡妇所生。㊱亡阻：亡，逃亡。阻，依恃。㊲段会宗：字子松，西汉名将，元、成帝时两度为西域都护。第一任为西域都护在公元前三三年，三年期满于公元前三一年回长安。此为二度出任。传见《汉书》卷七十。㊳翕然：聚合趋附貌。㊴少府宣：少府，掌管皇室财政，九卿之一。宣，薛宣，继于永为御史大夫，后官至丞相。传见《汉书》卷八十三。㊵达于从政：通达为政。

【语译】

鸿嘉元年（辛丑，公元前二〇年）

春，正月初九日癸巳，任命薛宣为御史大夫。

二月二十八日壬午，成帝亲临寿陵，赦免了修建陵墓的犯人；把陵墓所在的新丰的戏乡改为昌陵县，作为寿陵的奉邑。

成帝首次微服出行，带着期门郎或宫奴十多人跟随，有时乘坐小车，有时都骑马，出入于京师大街、小巷、郊外，甚至远到长安邻县地区的甘泉宫、长杨宫、五柞宫，斗鸡赛马，经常自称是富平侯的家人。富平侯是张安世第四代孙张放。张放的父亲张临娶皇上的姑姑敬武公主生下张放。张放任职侍中、中郎将，娶许皇后的妹妹为妻，当时无比受宠，所以成帝冒称是张放的家人。

三月庚戌㊹，张禹以老病罢，以列侯朝朔、望㊺，位特进，见礼如丞相，赏赐前后数千万。

夏，四月庚辰㊻，薛宣为丞相，封高阳侯；京兆尹王骏为御史大夫。

王音既以从舅㊼越亲用事㊽，小心亲职。上以音自御史大夫入为将军，不获宰相之封㊾，六月乙巳㊿，封音为安阳侯。

冬，黄龙见真定[61]。

是岁，匈奴复株累单于[62]死，弟且麋胥[63][1]立，为搜谐若鞮单于；遣子左祝都韩王呴留斯侯入侍，以且莫车为左贤王。

【段旨】

以上为第三段，写王音以皇上表兄弟之亲取代亲舅“五侯”执政，小心谨慎。汉成帝微服出宫嬉戏游乐。

【注释】

㊶癸巳：正月初九日。㊷壬午：二月二十八日。㊸初陵：指成帝更修的寿陵，即昌陵，未成而废，在今陕西临潼东。㊹赦作徒：赦免修陵的劳改犯人。㊺新丰：县名，县治在今陕西临潼东。㊻戏乡：新丰所属乡名，因建成帝陵而置邑，为昌陵县。㊼微行：便服私自出行。㊽期门郎：汉武帝私访，与卫士相约在宫门会合，故称皇帝私访的警卫为期门郎。㊾甘泉、长杨、五柞：京师远郊行宫名，甘泉宫在今陕西淳化西北甘泉山上，长杨宫、五柞宫在今陕西周至。㊿放：张放，西汉宣帝时中兴名臣张安世四世孙，大受

【原文】

二年（壬寅，公元前一九年）

春，上行幸云阳[64]、甘泉。

三月，博士[65]行大射礼[66]。有飞雉[67]集于庭，历阶登堂而雊[68]；后雉又集太常、宗正、丞相、御史大夫、车骑将军之府，又集未央宫承

三月二十七日庚戌，张禹因年老多病辞职回家，以侯爵的身份每月初一、十五上朝晋见，赐位特进，受到的礼遇与丞相一样，所得到的赏赐前后达数千万。

夏，四月二十七日庚辰，任命薛宣为丞相，封高阳侯；京兆尹王骏为御史大夫。

王音以堂舅父的身份超越亲舅“五侯”而掌握大权，因此特别谨慎尽职。成帝把王音由御史大夫而直升为车骑将军，却没有封侯，六月乙巳日，封王音为安阳侯。

冬，黄龙出现在真定县。

这一年，匈奴复株累单于去世，他的弟弟且麋胥继位，是为搜谐若鞮单于；搜谐若鞮单于派他的儿子左祝都韩王呴留斯侯到汉朝侍奉皇上，任命栾提且莫车为左贤王。

成帝宠爱，为侍中、中郎将，仪比将军。因骄恣被外放。传附见《汉书·张汤传》。㊿ 敬武公主：元帝妹。(52) 许皇后女弟：指成帝许皇后之妹。许皇后姐妹，为平恩侯许嘉之女。(53) 假称：冒名。指成帝冒名张放家人。(54) 庚戌：三月二十七日。(55) 朝朔、望：每月的初一和十五入宫朝见皇上。(56) 庚辰：四月二十七日。(57) 从舅：堂舅父。(58) 越亲用事：指王音超越成帝亲舅王谭等五侯而执掌国政。(59) 宰相之封：汉初刘邦与大臣约，非功不得封侯。武帝时丞相公孙弘被封为平津侯，自此丞相封侯成为定制，称作丞相之封。(60) 六月乙巳：六月癸丑朔，无乙巳。乙巳，应为七月二十四日。(61) 真定：县名，为真定国治所，在今河北正定南。(62) 复株累单于：呼韩邪单于之子，名雕陶莫皋，公元前三一至前二〇年在位。(63) 且麋胥：继复株累为搜谐若鞮单于，公元前二〇至前一二年在位。

【校记】

［1］且麋胥：据章钰校，十四行本、乙十一行本、孔天胤本皆作“且麋胥”。

【语译】

二年（壬寅，公元前一九年）

春，成帝巡幸云阳宫和甘泉宫。

三月，博士举行大射礼。有野鸡飞集庭院，顺着台阶一级一级登上厅堂，发出叫声；随后野鸡又飞集到太常、宗正、丞相、御史大夫、车骑将军各府，又飞集到

明殿⑲屋上。车骑将军音[2]、待诏⑳宠㉑等上言："天地之气，以类相应；谴告㉒人君，甚微而著。雉者听察㉓，先闻雷声，故《月令》㉔以纪气。《经》载高宗雊雉之异㉕，以明转祸为福之验。今雉以博士行礼之日大众聚会，飞集于庭[3]，历阶登堂，万众睢睢㉖，惊怪连日，径历三公之府，太常、宗正典宗庙骨肉之官㉗，然后入宫。其宿㉘留告晓人，具备深切；虽人道相戒，何以过是！"后帝使中常侍晁闳诏音㉙曰："闻捕得雉，毛羽颇摧折，类拘执者㉚，得无人为之㉛？"音复对㉜曰："陛下安得亡国之语！不知谁主为佞谄之计，诬乱圣德如此者！左右阿谀甚众，不待臣音复谄而足。公卿以下，保位自守，莫有正言㉝。如令陛下觉寤，惧大祸且至身，深责臣下，绳㉞以圣法㉟，臣音当先诛，岂有以自解哉！今即位十五年，继嗣不立㊱，日日驾车而出，失行流闻㊲，海内㊳传之，甚于京师。外有微行之害，内有疾病之忧，皇天㊴数见灾异，欲人变更㊵，终已不改。天尚不能感动陛下，臣子何望！独有极言㊶待死，命在朝暮而已。如有不然，老母安得处所，尚何皇太后之有！高祖天下当以谁属乎㊷！宜谋于贤智，克己复礼㊸，以求天意，继嗣可立，灾变尚可销也。"

初，元帝俭约，渭陵㊹不复徙民起邑㊺；帝起初陵㊻，数年后，乐霸陵曲亭南㊼，更营之。将作大匠㊽解万年使陈汤㊾为奏，请为初陵徙民起邑，欲自以为功，求重赏。汤因自请先徙，冀得美田宅。上从其言，果起昌陵邑。

夏，徙郡国豪桀赀五百万以上五千户于昌陵。

五月癸未⑩⁰，陨石于杜邮⑩¹三。

六月，立中山宪王⑩²孙云客为广德王。

是岁，城阳哀王云⑩³薨，无子，国除。

未央宫承明殿屋顶上。车骑将军王音、待诏宠等人上书说："天地之气，按类别相呼应；对君王显示告诫，虽然很细微，却是非常明显。野鸡听觉敏锐，能先听到雷声，所以《礼记·月令》就用野鸡的鸣叫来分别节气。《书经》记载商代的高宗祭祀祖先成汤时，有野鸡飞到大鼎耳柄上鸣叫的异兆，是为了显示高宗改行德政，转祸为福的效验。而今野鸡在博士举行大射礼之日大群聚集，飞聚到庭院，顺着台阶，登上厅堂，使得众多的人瞪大眼睛茫然看着，惊怪了好几天，野鸡又径直飞集三公的府上，还飞到太常、宗正这些掌管宗庙和骨肉亲属的官府，最后飞到了未央宫。野鸡留止一夜，它显示给人的警戒，既完备又深切；即使用人事来劝诫，怎么能超过这!"随后皇上命中常侍晁闳下诏书给王音说："听说捕捉到了那些野鸡，发现它们的羽毛很多被折断，像被人抓来的，莫不是有人故意这样做?"王音再次上书说："陛下怎么说出这样亡国的话！不知是谁设计了这样败坏皇上圣德，巧言谄媚的诡计！陛下左右奉承谄媚的人很多，用不着臣再来说奉承话就已足够了。公卿以下，都只顾守着自己的职位，没有人说一句正直的话。如果要让陛下醒悟，恐怕就要大祸临头，严厉地斥责臣下，用法律制裁，臣王音当会第一个被诛杀，哪还有办法解救自己！如今陛下即位已十五年，还没有立太子，每天驾车出游，错误的行为到处传播，天下的流言，比京师还严重。陛下身外有微服私游的毛病，身内有疾病缠身，皇天多次显示灾异，是警示陛下自己改正错误，而陛下始终没有改正。皇天尚且感动不了陛下，臣等还能有什么办法可指望！唯有极力冒死进言，生命置于早晚之间罢了。如果不这样做，大祸到来，老母都不知安身何处，又怎么顾得上皇太后！汉高祖创下的天下，陛下该当交给谁呢！陛下应当跟贤能智慧的人一起谋划，克制自己的私欲，使言行合于礼规，遵循天意，继承人问题才可解决，灾变才会消失。"

当初，元帝俭约，他的渭陵不再移民建立县邑；而成帝建造自己的初陵，几年后，又认为霸陵曲亭南边的风水更好，重新在那里建造。将作大匠解万年要陈汤上奏，请求往初陵移民，并在那里设置县邑，想为自己邀功，谋取重赏。陈汤便自己请求率先迁移，希望分到豪华的住宅和肥沃的田地。成帝采纳了他们的主张，果然建置了昌陵邑。

夏，迁徙郡国中拥有家财五百万以上的豪富五千户到昌陵。

五月初六日癸未，三颗陨石坠落在杜邮。

六月，册封中山宪王刘福的孙子刘云客为广德王。

这一年，城阳哀王刘云去世，他没有儿子，封国被撤销。

【段旨】

以上为第四段，写成帝从鸿嘉二年（公元前一九年）起，行为放纵，微服游乐，铺张建置寿陵。车骑将军王音借口野鸡飞集官府、皇宫这一异常事件，极力直谏汉成帝节制游乐。

【注释】

⑭云阳：行宫名，即甘泉宫。初为秦所建，称林光宫，汉时扩建，因在云阳县甘泉山上，故又称云阳宫、甘泉宫。⑮博士：官名，属太常，备顾问。武帝立太学后，博士兼经学教官。⑯大射礼：射箭讲武之礼。古代讲究文武合一，故天子、诸侯、大夫、士皆有大射之礼。此指博士所行士射礼。⑰雉：野鸡。⑱历阶登堂而雊：顺阶登殿堂而鸣叫。雊，鸣叫。⑲承明殿：未央宫殿名。⑳待诏：等待诏命的候补官，一般在公车府待诏。㉑宠：人名，史失其姓，从上疏内容看，似为经术待诏。㉒谴告：警告。指上天以灾祥警告人君。㉓听察：指野鸡听觉敏锐。㉔《月令》:《礼记》中的篇名。㉕《经》载高宗雊雉之异:《尚书·高宗肜日》载：商王武丁祭祀成汤，有只雉飞落在鼎耳上啼叫，武丁恐惧，大臣祖己作《高宗肜日》训诫商王修德，商朝复兴。高宗，即商王武丁。㉖睢睢：因惊怪而瞪眼注视的样子。㉗骨肉之官：即指宗正，掌管皇族事务。骨肉，喻其亲近。㉘其宿：指野雉止留宫中一宿。㉙晁闳诏音：晁闳，人名。诏音，晁闳把成帝诏书责问雊雉似人为之事传达给王音，要求王音做出解释。㉚类拘执者：指野雉像是捕获来的。㉛得无人为之：莫非是人为制造的。㉜音复对：王音再次上奏关于雊雉之事，系回答诏书的责问，故称复对。㉝正言：正直的忠言。㉞绳：以法律为准绳制裁。㉟圣法：

【原文】

三年（癸卯，公元前一八年）

夏，四月，赦天下。

大旱。

王氏五侯争以奢侈相尚。成都侯商尝病，欲避暑，从上借明光宫[104]。后又穿长安城，引内沣水[105]，注第中大陂[106]以行船，立羽盖[107]，张周帷[108]，楫棹越歌[109]。上幸商第，见穿城引水，意恨，内衔之[110]，未言；后微行出，过曲阳侯第，又见园中土山、渐台[111]，象白虎殿[112]，于是上怒，以让[113]车

指汉法。⑯继嗣不立：太子未立。这里指未育皇子。⑰失行流闻：错误的行为到处传播。⑱海内：天下；全国。⑲皇天：上天。⑳欲人变更：希望皇帝改正错误。㉑极言：尽忠直谏。㉒如有不然四句：此四句意为，如我不直言极谏，一旦祸患应验，连老母都不知如何安置，更无法侍奉皇太后。到那时，高祖打下的江山，陛下将交给谁呢。㉓克己复礼：克制自己的欲望，务使言行合于礼仪。语出《论语·颜渊》："克己复礼为仁。一日克己复礼，天下归仁焉。"㉔渭陵：元帝陵，在今陕西咸阳西北。㉕徙民起邑：移民于皇帝陵旁，形成县邑。秦汉时已是一项基本国策。帝陵前，定要有万家邑。㉖帝起初陵：指成帝最初（建始二年）起造的延陵，在今陕西咸阳西北。成帝死后葬延陵。中间更修的昌陵，因地势低平，难以起陵，数年后罢废。㉗霸陵曲亭南：指成帝新建昌陵所在地新丰县戏乡，位于霸陵县曲亭之南。霸陵县为汉文帝的陵邑。㉘将作大匠：官名，掌治宫室陵邑。㉙陈汤：字子公，山阳瑕丘（在今山东兖州东北）人。成帝时安边名将，官至西域副校尉，诛匈奴郅支单于。因建言修昌陵邑，扰动天下，被弹劾徙边。传见《汉书》卷七十。⑩癸未：五月初六日。⑩杜邮：地名，在今陕西咸阳东。⑩中山宪王：刘福，为景帝子中山王刘胜的玄孙。⑩城阳哀王云：刘云，为文帝时所封城阳王刘章的十世孙。刘章为高帝长男齐王刘肥的次子，因诛诸吕功封城阳王。

【校记】

［2］音：据章钰校，十四行本、乙十一行本、孔天胤本皆作"王音"。［3］大众聚会，飞集于庭：原无此八字。据章钰校，乙十一行本、孔天胤本皆有此八字，张敦仁《通鉴刊本识误》、张瑛《通鉴校勘记》同，今据补。

【语译】

三年（癸卯，公元前一八年）

夏，四月，赦免天下。

发生大旱。

王氏侯互相攀比豪华奢侈。成都侯王商曾经生病，想避暑，就向成帝借用明光宫。后来又凿穿长安城墙，把沣水引来，注入他家的人工湖里用来划船，用羽毛编制船篷，在船的四周张挂帷帐，摇船唱古越歌谣。成帝曾到王商家，看到穿城引水，怀恨在心，没有说话；后来成帝微服出行，路过曲阳侯王根家，又看见他园中有人工假山，以及建在水中的渐台，格局就像未央宫中的白虎殿，因此成帝发怒，申斥

骑将军音。商、根兄弟欲自黥、劓以谢太后⑭。上闻之，大怒，乃使尚书责问司隶校尉、京兆尹，知成都侯商等奢僭不轨，藏匿奸猾⑮，皆阿纵⑯，不举奏正法；二人顿首省户下⑰。又赐车骑将军音策书曰："外家何甘乐祸败！而欲自黥、劓，相戮辱于太后前⑱，伤慈母之心，以危乱国家！外家宗族强⑲，上一身浸弱⑳日久，今将一施之㉑。君其召诸侯，令待府舍㉒。"是日，诏尚书奏文帝诛将军薄昭故事㉓。车骑将军音藉[4]槁请罪㉔，商、立、根皆负斧质谢㉕，良久乃已。上特欲恐之，实无意诛也。

秋，八月乙卯㉖，孝景庙北阙㉗灾。

初，许皇后与班倢伃㉘皆有宠于上。上尝游后庭，欲与倢伃同辇载，倢伃辞曰："观古图画，贤圣之君皆有[5]名臣在侧，三代末主㉙乃有嬖妾㉚；今欲同辇，得无近似之乎！"上善其言而止。太后闻之，喜曰："古有樊姬㉛，今有班倢伃！"班倢伃进侍者李平得幸，亦为倢伃，赐姓曰卫。

其后，上微行过阳阿主家，悦歌舞者赵飞燕㉜，召入宫，大幸。有女弟，复召入，姿性尤酞粹㉝，左右见之，皆啧啧㉞嗟赏㉟。有宣帝时披香博士㊱淖方成在帝后，唾曰："此祸水也，灭火必矣！"姊、弟俱为倢伃，贵倾后宫。许皇后、班倢伃皆失宠。于是赵飞燕谮告许皇后、班倢伃挟媚道㊲，祝诅后宫，詈及主上。

冬，十一月甲寅㊳，许后废处昭台宫㊴，后姊谒㊵等[6]皆诛死，亲属归故郡㊶。考问班倢伃，倢伃对曰："妾闻'死生有命，富贵在天㊷'。修正尚未蒙福，为邪欲以何望！使鬼神有知，不受不臣之诉㊸；如其无知，诉之何益！故不为也。"上善其对，赦之，赐黄金百斤。赵氏姊、弟骄妒㊹，倢伃恐久见危，乃求共养太后于长信宫㊺。上许焉。

广汉男子郑躬等六十余人攻官寺，篡囚徒㊻，盗库兵，自称山君。

车骑将军王音。王商、王根兄弟打算在自己脸上刺字，割掉鼻子，向皇太后请罪。成帝听说后，大怒，就派尚书质问司隶校尉和京兆尹，说他们明知成都侯王商等人生活奢侈，行为越轨，又窝藏罪犯，却都徇私纵容，不举奏揭发，绳之以法；司隶校尉、京兆尹二人到宫门外下跪磕头请罪。成帝又下诏给车骑将军王音说："外戚他们为什么心甘情愿招致家破人亡！竟然想刺脸、割鼻，要在皇太后的面前自相戮辱，既伤害慈母的心，又扰乱国家！王氏宗族在朝中太过强横，朕在上面一身孤立，软弱很长时间了，现今要对他们下一次狠手。你通知那几位侯爵，命令他们待在家里等着。"当天，成帝下诏尚书，要尚书上奏文帝时诛杀将军薄昭的旧事。车骑将军王音坐在草垫子上请罪，王商、王立、王根都背负刑具认错，过了很长一段时间，才赦免了他们。成帝特意想这样恐吓他们，实际上不是真心要诛杀他们。

秋，八月十五日乙卯，景帝陵园的北门失火。

起初，许皇后与班婕妤都受成帝宠爱。成帝曾经在后宫游乐，想要班婕妤跟他同坐一辆车，班婕妤推辞说："我看古代的图画，贤圣的国君，都有名臣跟随在身旁，夏、商、周三朝的末代君王，才有宠爱的姬妾在身旁；今天要我和皇上同乘一车，岂不是和三代的末代国君相似吗！"成帝认为她说得对，就不再勉强。皇太后听到这件事，满意地说："古代有个樊姬，现今有班婕妤！"班婕妤举荐她的侍女李平给成帝，李平受到宠爱，也封婕妤，赐她姓卫。

此后，成帝微服出行经过阳阿公主家，喜欢公主家的歌舞女子赵飞燕，就召进宫中，大加宠爱。赵飞燕有妹妹也被召入宫，她的姿容仪态，纯美无疵，左右侍从看见她，都啧啧称赞。宣帝时在后宫任披香博士的淖方成，正站在皇上身后，吐唾沫说："她是祸水，汉朝之火德一定被她所灭！"赵飞燕姐妹二人都被封为婕妤，显贵压倒后宫所有美女，连许皇后、班婕妤都失宠。于是赵飞燕进谗言，诬陷许皇后、班婕妤用妖术诅咒后宫嫔妃，甚至诟骂成帝。

冬，十一月十六日甲寅，许皇后被废幽闭在上林苑的昭台宫，许皇后的姐姐许谒等人被杀害，亲属都被遣回原籍山阳郡。又拷问班婕妤，班婕妤回答说："臣妾听说'死生有命，富贵在天'。修行正道，尚且未能蒙受幸福，从事邪恶，还想能有指望吗！假若鬼神有知，就不会接受不守臣道的人提出的控诉；如果鬼神无知，那控诉又有什么用呢！所以我不做这种事。"成帝认为她回答得好，赦免了她，还赏赐黄金一百斤。赵飞燕姐妹骄纵妒忌，班婕妤担心时间长了遭到迫害，就要求到长信宫侍奉皇太后。成帝答应了。

益州广汉郡男子郑躬等六十余人攻打地方官署，胁迫狱中囚犯，盗取武库的兵器，自称山君。

【段旨】

以上为第五段，写汉成帝惩处王氏五侯，五侯丧胆，表明汉成帝仍有控制朝政的绝对权威，碍于王氏皇太后的袒护，始终不能下定决心罢斥五侯。这时出身微贱的歌舞女子赵飞燕姐妹，闯入成帝的生活，大受宠幸，乃至夺了许皇后之位。汉成帝沉溺女色，更加荒怠政事，无所作为。

【注释】

⑭明光宫：在长安城南，离桂宫不远。⑮引内沣水：引沣河之水入人工湖。内，通“纳”。沣水，渭水支流，在长安西，今已堙。⑯第中大陂：指王商住宅花园中的人工湖。⑰立羽盖：用羽毛编制的华盖。盖，此指船篷。⑱张周帷：在游船四周张挂围帐。⑲楫棹越歌：让划船的人高唱越人的歌曲。楫棹，船桨，短名楫，长名棹。⑳内衔之：把对王商的恨，藏于心中。衔，含，隐而不发。㉑渐台：人工筑的湖中小岛。㉒白虎殿：未央宫中殿名。㉓让：申斥。㉔自黥、劓以谢太后：指王商、王根兄弟自刑向太后请罪，向成帝施加压力。黥，脸上刺字。劓，割掉鼻子。谢太后，向太后请罪。太后，即成帝母王政君，王商、王根兄弟之姐。㉕藏匿奸猾：窝藏罪犯。㉖阿纵：徇私纵容。㉗二人顿首省户下：司隶校尉、京兆尹到宫门外磕头请罪。省户，禁门。司隶校尉察举官吏，京兆尹治理京师，王商兄弟犯法，二人皆被追究渎职罪。㉘戮辱于太后前：指王商兄弟想自黥自劓，在太后面前自相戮辱。㉙强：骄横。㉚浸弱：日渐孤立。㉛一施之：坚决地执法于外戚。㉜君其召诸侯二句：君，指车骑将军王音。成帝令王音通知王商、王根等诸侯，在家里听候处分。㉝薄昭故事：指汉文帝诛舅薄昭事，详本书卷十

【原文】

四年（甲辰，公元前一七年）

秋，勃海、清河、信都⑭河水湓溢⑭，灌县、邑三十一，败⑭官亭⑮、民舍四万余所。平陵⑮李寻[7]奏言：“议者常欲求索九河故迹⑮而穿之。今因其自决，可且勿塞，以观水势；河欲居之，当稍自成川，跳出沙土。然后顺天心而图之，必有成功，而用财力寡。”于是遂止不塞。朝臣数言百姓可哀，上遣使者处业⑮振赡之。

广汉⑮郑躬[8]党与浸广⑮，犯历四县，众且⑮万人，州郡不能制。冬，以河东⑮都尉⑮赵护为广汉太守，发郡中及蜀郡合三万人击之，

四文帝前元十年（公元前一七〇年）。⑫④藉槁请罪：坐在草垫子上听候处治。古代囚犯斩首时，为避免血污遍地，衬以草垫。⑫⑤负斧质谢：背负刑具请罪。斧，斩具。质，砧板。⑫⑥乙卯：八月十五日。⑫⑦北阙：北门。⑫⑧班倢伃：成帝妃。倢伃，位仅次于皇后的贵妃之号。⑫⑨三代末主：夏商周三代的亡国之君夏桀王、商纣王、周幽王。⑬⓪嬖妾：受宠的妃子。⑬①樊姬：春秋时楚庄王贤妃。楚庄王好畋猎，樊姬不食野味，终于使楚庄王感悟而停止了畋猎。⑬②赵飞燕：阳阿公主的舞女，成帝召入宫为倢伃，夺许皇后之宠为皇后。传见《汉书》卷九十七下。⑬③姿性尤醇粹：天生丽质，美艳无比。⑬④啧啧：交口赞誉之声。⑬⑤嗟赏：惊奇赞赏。⑬⑥披香博士：管理后宫的官员。⑬⑦媚道：诅咒他人以求自己得宠。⑬⑧甲寅：十一月十六日。⑬⑨昭台宫：在上林苑中。⑭⓪后姊谒：许皇后姐许谒，为平安刚侯夫人。⑭①归故郡：遣归原籍。许皇后故乡在山阳郡。⑭②死生有命二句：语出《论语·颜渊》子夏答司马牛之言。⑭③不受不臣之诉：不接受叛逆者的控诉。不臣，指诅咒皇帝之事。⑭④骄妒：骄横而忌妒。⑭⑤长信宫：太后所居宫，在长安城东，与未央宫相对。⑭⑥篡囚徒：胁迫狱中囚徒造反。

【校记】

［4］藉：原作“籍”。据章钰校，十四行本、乙十一行本、孔天胤本皆作“藉”，今从改。［5］有：原无此字。据章钰校，十四行本、乙十一行本、孔天胤本皆有此字，今从补。［6］等：原无此字。据章钰校，乙十一行本、孔天胤本皆有此字，张敦仁《通鉴刊本识误》同，今据补。〖按〗《汉书·外戚传》亦作“谒等”，且诬以巫蛊之罪，其株连当不止一人而已。

【语译】

四年（甲辰，公元前一七年）

秋，勃海、清河、信都各郡境内黄河洪水漫过河堤，淹了三十一县，冲毁邮亭、民房四万多栋。平陵人李寻上奏说：“先前朝中讨论治河的官员，经常想寻找九河故道，重新疏通。现今趁着黄河决口，可以暂不堵塞，用来察看水势；黄河流经的地方，当会逐渐形成自然的河道，冲出泥沙。然后顺着天意而疏通河床，一定能成功，并且所用经费和人力都会较少。”于是停止治河，不堵塞黄河决口。朝廷大臣多次上奏说，受灾的百姓可怜，成帝这才派出使者前往灾区安置救济灾民。

广汉人郑躬的党羽日益壮大，侵掠波及四县，部众将近一万人，州郡没有能力制服。冬，任命河东郡都尉赵护为广汉太守，征调广汉郡和蜀郡的兵力共三万人出

或相捕斩除罪⑮；旬月⑯平。迁护为执金吾⑯，赐黄金百斤。

是岁，平阿安侯王谭薨。上悔废谭使不辅政而薨也，乃复进[9]成都侯商，以特进领城门兵，置幕府⑯，得举吏如将军⑯。

魏郡杜邺⑯时为郎，素善车骑将军音，见音前与平阿侯有隙，即说音曰："夫戚而不见殊，孰能无怨⑯！昔秦伯⑯有千乘之国而不能容其母弟，《春秋》讥焉⑯。周、召⑯则不然：忠以相辅，义以相匡，同己之亲，等己之尊⑯，不以圣德独兼国宠，又不为长专受荣任⑰；分职于陕，并为弼疑⑰；故内无感⑰恨之隙，外无侵侮之羞，俱享天佑，两荷高名⑰者，盖以此也。窃见成都侯以特进领城门兵，复有诏得举吏如五府⑰，此明诏所欲必[10]宠也。将军宜承顺圣意，加异往时⑰，每事凡议，必与及之。发于至诚，则孰不说谕⑰！"音甚嘉其言，由是与成都侯商亲密。二人皆重邺。

【段旨】

以上为第六段，写黄河再次闹水害，汉成帝采纳错误意见，不堵决口，人民遭殃。外戚集团，王音、王商采纳杜邺之言，和衷共济。

【注释】

⑭勃海、清河、信都：郡国名，勃海郡治所浮阳，在今河北沧州东南。清河郡治所清阳，在今河北清河县东南。信都郡治所信都，在今河北冀州。⑭溢溢：河水涨过堤坝涌出。⑭败：冲毁。⑮官亭：邮亭。⑮平陵：昭帝陵邑，在今陕西咸阳东北。⑮九河故迹：九河故道。传说夏禹疏九河，《尔雅·释水》记载其名为：一徒骇河，二太史河，三马颊河，四覆釜河，五胡苏河，六简河，七絜河，八钩盘河，九鬲津河。九河流域在今河北东部天津市以南地区。⑮处业：安置。⑮广汉：郡名，治所在今四川金堂。⑮党与浸广：追随郑躬的党羽日益壮大。⑮且：将近。⑮河东：郡名，治所安邑，在今山西夏县西北。⑮都尉：官名，掌一郡军事事务。⑮相捕斩除罪：指发布命令，规定起事者可以互相捕斩以免除本人之罪。⑯旬月：一月。旬，满。⑯执金吾：官名，九卿之一，秩中二千石，掌京师治安。⑯置幕府：建立指挥机构。汉制，车骑、左、右将军才能置幕府。今王

击，又发布命令，如果郑躬的部众互相捕杀就免除本人的罪；一个月就平定了叛乱。升迁赵护为执金吾，赏赐黄金一百斤。

这一年，平阿安侯王谭去世。成帝后悔没有让王谭辅政便死了，于是重新进用成都侯王商，以特进身份掌管城门屯兵，建置幕府，可以同车骑将军一样举用属吏。

魏郡人杜邺当时任郎官，一向与车骑将军王音友好，看到王音先前与平阿侯王谭之间有矛盾，就劝王音说："亲属却得不到殊荣，谁能没有怨恨！从前秦景公是一个拥有千辆兵车的国君，却容不下同母弟弟公子针，受到《春秋》的讽刺。西周时的周公姬旦、召公姬奭就不是这样：他们以诚心互相帮助，以道义相互纠正错误，视同亲人，彼此敬重，都不因自己德行高尚而独享国家的恩宠，也不因抚养成王而专享荣耀的职位；以陕邑为界，划区分职，共同为弼辅大臣；所以内心没有抱怨的嫌隙，外表也没有受侵侮的羞辱，共同享有上天的保佑，两人都获得很高的声誉，大概是这个原因。我看到成都侯王商以特进之位掌管城门兵，又有诏命让他和丞相、御史、车骑将军、左将军、右将军等五府一样能举用属吏，这很明显，是皇上一定想要宠信他。将军你应该顺着皇上的意思，要比平常时更加倍地厚待王商，每一件凡是要协商的政事，都要和他商量。只要出于诚心，那怎么会不和悦无忧！"王音很赞同他的话，从此就和成都侯王商关系亲密。王音、王商也都很敬重杜邺。

商领城门兵，是低于将军的校尉，特准许他置幕府是表示恩宠。⑯³得举吏如将军：可如将军一样不经请示举用下属官吏。举吏，举用官吏。⑯⁴杜邺：字子夏，魏郡（治所邺县，在今河北临漳南）人，以孝廉为郎。传见《汉书》卷八十五。⑯⁵戚而不见殊二句：亲属却得不到殊荣，谁能没有怨恨。指平阿侯王谭系成帝亲舅，反而未能执政，所以对王音产生了怨恨。⑯⁶秦伯：指秦景公。景公同母弟公子针有宠于其父桓公。景公立，针惧而奔晋。事详《左传》昭公元年。⑯⁷《春秋》讥焉：对公子针出走晋国之事，《春秋》记作"秦伯之弟针出奔晋"，意含讥讽，表示对秦景公的批评。⑯⁸周、召：指西周时的周公姬旦、召公姬奭。两人无私怨，忠心辅国，为后世人臣楷模，受到历代封建社会士大夫的褒扬。⑯⁹同己之亲二句：指周公、召公互相敬重，和对方平等相待。⑰⁰不以圣德独兼国宠二句：周、召二人，都不因自己的才德而独占朝廷的恩宠，也不因抚养成王而专享荣耀的职位。⑰¹分职于陕二句：周、召二公，并为辅佐大臣，以陕（今河南三门峡市陕州区）为界，分别主持该地区政务，自陕以东，由周公主管，称"左辅""前疑"；自陕以西，由召公主管，称"右弼""后丞"。⑰²感：通"憾"。意为不满。⑰³两荷高名：两人获得很高的声誉。⑰⁴五府：丞相、御史大夫、车骑将军、左将军、右将军并称五府。国家军政大事，五府合议。⑰⁵加异往时：指王音较前更亲近王商。⑰⁶说谕：和悦无忧。说，通"悦"。

【校记】

［7］李寻：据章钰校，乙十一行本、孔天胤本皆作“李寻等”。［8］郑躬：据章钰校，十四行本、乙十一行本、孔天胤本皆作“郑躬等”，张敦仁《通鉴刊本识误》同。［9］进：据章钰校，十四行本、乙十一行本、孔天胤本皆无此字。［10］必：据章钰校，乙十一行本、孔天胤本皆无此字。

【原文】

永始元年（乙巳，公元前一六年）

春，正月癸丑[177]，太官[178]凌室[179]火。戊午[180]，戾后园[181]南阙火[182]。

上欲立赵倢伃[183]为皇后，皇太后嫌其所出微甚，难之[184]。太后姊子淳于长为侍中，数往来通语东宫[185]；岁余，乃得太后指[186]，许之。

夏，四月乙亥[187]，上先封倢伃父临为成阳侯。谏大夫河间刘辅[188]上书，言："昔武王、周公，承顺天地以飨鱼、乌之瑞[189]，然犹君臣祗惧[190]，动色相戒[191]。况于季世[192]，不蒙继嗣之福，屡受威怒[193]之异者乎！虽夙夜自责，改过易行，畏天命，念祖业，妙选[194]有德之世，考卜[195]窈窕之女，以承宗庙，顺神祇心，塞天下望[196]，子孙之祥犹恐晚暮！今乃触情纵欲，倾[197]于卑贱之女，欲以母天下[198]，不畏于天，不愧于人，惑莫大焉！里语[199]曰：'腐木不可以为柱，人婢不可以为主。'天人之所不予[200]，必有祸而无福，市道[201]皆共知之，朝廷莫肯壹言[202]。臣窃伤心，不敢不尽死！"

书奏，上使侍御史[203]收缚辅，系掖庭秘狱[204]，群臣莫知其故。于是左将军辛庆忌[205]、右将军廉褒[206]、光禄勋琅邪师丹[207]、太中大夫谷永俱上书曰："窃见刘辅前以县令求见，擢为谏大夫，此其言必有卓诡切至[208]当圣心者，故得拔至于此。旬月之间，收下秘狱。臣等愚以为辅幸得托公族之亲，在谏臣之列，新从下土来，未知朝廷体，独触忌讳，不足深过。小罪宜隐忍而已；如有大恶，宜暴治理官[209]，与众共之。

【语译】

永始元年（乙巳，公元前一六年）

春，正月二十二日癸丑，太官冰库失火。二十七日戊午，戾后陵园的南门失火。

成帝想立赵婕妤为皇后，皇太后嫌她出身太微贱，不同意。皇太后姐姐的儿子淳于长任侍中，经常往来于长乐宫说服皇太后；一年多，才得到皇太后旨意，同意了这件事。

夏，四月十五日乙亥，成帝先封赵飞燕的父亲赵临为成阳侯。谏大夫河间人刘辅上书说："从前周武王、周公，顺应天地，因而享有白鱼、乌鸦的祥瑞，然而君臣仍然恭敬戒惧，神色严肃地互相诫勉。何况现在，陛下并没有蒙受上天赐给太子的福气，反而多次受到上天愤怒而降的灾异呢！即使日夜自我责备，改过易行，敬畏天命，怀念祖宗的大业，精选有品德的人家，考求性情娴静的女子，用来承接宗庙，顺应神明，满足天下人的愿望，享受生育子孙的福分，恐怕还要很晚！如今陛下却因情纵欲，倾心于卑贱的女子，想立她为天下人的国母，不敬畏天命，不怕愧对人民，再没有比这更糊涂的了！俗话说：'腐朽的木头不可以做梁柱，人主的婢女不可以当主妇。'上天和人民所不赞同的事情，必定会带来灾祸而绝不会带来幸福，这是市井道路全都知道的，而朝廷没有人说一句话。我私下感到伤心，不敢不冒死以进谏！"

奏章呈上后，成帝派侍御史逮捕刘辅，关押在宫廷秘密监狱，大臣们都不知其中缘故。于是左将军辛庆忌、右将军廉褒、光禄勋琅邪人师丹、太中大夫谷永等四人一起上书说："我们看到先前刘辅以襄贲县令的职务求见，皇上提升他为谏大夫，这表明他一定有高明独到又深合皇上心意的言论，所以才受到如此提拔。一个月时间，抓捕投入秘狱。臣等认为刘辅有幸托身皇室宗亲，置身谏臣行列，但他新从地方上来，不知朝廷体制，触犯忌讳，不应当过分追究。小过错，皇上应对他克制忍耐；如果有大的罪过，应公开他的罪状，交由廷尉审理，使大家都知道他犯的罪过。

今天心未豫[210]，灾异屡降，水旱迭臻[211]，方当隆宽广问[212]，褒直尽下[213]之时也，而行惨急之诛于谏争[214]之臣，震惊群下，失忠直心。假令辅不坐直言，所坐不著，天下不可户晓[215]。同姓近臣，本以言显[216]，其于治亲养忠[217]之义，诚不宜幽囚于掖庭狱。公卿以下，见陛下进用辅亟而折伤之暴，人有惧心，精锐销耎[218]，莫敢尽节正言，非所以昭有虞之听[219]，广德美之风！臣等窃深伤[220]之，惟陛下留神省察[221]！”上乃徙辅系[11]共工狱[222]，减死罪一等，论为鬼薪[223]。

初，太后兄弟八人[224]，独弟曼早死，不侯，太后怜之。曼寡妇渠供养东宫[225]，子莽幼孤，不及等比[226]。其群兄弟皆将军、五侯子，乘时[227]侈靡，以舆马声色佚游相高[228]。莽因折节[229]为恭俭，勤身[230]博学，被服如儒生[231]；事母及寡嫂，养孤兄子[232]，行甚敕备；又外交英俊，内事诸父，曲有礼意[233]。大将军凤病，莽侍疾，亲尝药，乱首垢面[234]，不解衣带连月。凤且死，以托太后及帝，拜为黄门郎[235]，迁射声校尉[236]。久之，叔父成都侯商上书，愿分户邑以封莽。长乐少府[237]戴崇、侍中[238]金涉、中郎[239]陈汤等皆当世名士，咸为莽言。上由是贤莽，太后又数以为言。五月乙未[240]，封莽为新都侯，迁骑都尉[241]、光禄大夫[242]、侍中。宿卫谨敕[243]，爵位益尊，节操愈谦，散舆马、衣裘振施宾客，家无所余；收赡[244]名士，交结将、相、卿、大夫甚众。故在位者[12]更推荐之，游者[245]为之谈说[246]，虚誉[247]隆洽[248]，倾[249]其诸父矣。敢为激发之行[250]，处之不惭恧[251]。尝私买侍婢，昆弟或颇闻知[13]，莽因曰：“后将军朱子元[252]无子，莽闻此儿种宜子[253]，为买之[14]。”即日以婢奉朱博。其匿情[254]求名如此！

六月丙寅[255]，立皇后赵氏，大赦天下。

皇后既立，宠少衰[256]，而其女弟绝幸[257]。为昭仪[258]，居昭阳舍，其中庭彤朱[259]而殿上髹漆[260]；切皆铜沓，黄金涂[261]；白玉阶；壁带[262]往往为黄金釭[263]，函[264]蓝田璧、明珠、翠羽[265]饰之。自后宫未尝有焉。赵后居别馆，多通侍郎[266]、宫奴[267]多子者。昭仪尝谓帝曰：“妾姊性刚，

如今上天不高兴，多次降下灾异，水灾、旱灾，交替发生，这正应当是皇上宽大为怀，广开言路，褒奖正直，让臣民畅所欲言的时候，可是皇上却对诤谏的臣子施行惨烈急切的刑罚，使群臣震惊，使臣下失去忠诚正直之心。如果刘辅不是因直言规劝而判罪，他犯的罪过就不明显，对天下的人不能去挨家挨户解释。刘辅原本是皇上同姓的近臣，早就因直言而闻名，不论是作为皇族的榜样，还是培植忠良的模范，都不应该把他囚禁在宫廷秘狱。朝廷公卿以下大臣，看到皇上提升刘辅快速，而打击他也迅疾，人怀恐惧，即使想尽忠心也锐气尽失，没有人敢尽节直言，这不是用来昭示虞舜虚怀纳谏那样的胸怀，推广直言敢说的盛德风范！臣等深为痛心，希望陛下留心考察！”成帝于是把刘辅移交少府所属的监狱关押，减免死罪，判他三年徒刑，为宗庙采供柴薪。

当初，皇太后王政君有八个弟弟，唯有王曼早死，没有被封侯，太后非常怜惜。王曼的遗孀名渠，被供养在宫中，儿子王莽，因自幼丧父，待遇不及同辈。他的堂兄弟们，都是将军、五侯的儿子，趁富贵之时奢侈糜烂，在声色犬马游荡上争高低。王莽却甘居人下，谦恭节俭，勤奋好学，穿着与儒生一样；侍奉母亲和守寡的嫂嫂，抚养去世的哥哥王永的儿子王光，行为很严整周全；又，王莽对外结交才智杰出的朋友，对内侍奉伯父、叔父，委曲周备，彬彬有礼。伯父大将军王凤患病，王莽在床前侍奉，亲自尝药，以致蓬头垢面，好几个月都没有解脱衣带。王凤临死前，把他托付给皇太后和皇上，任命王莽为黄门郎，后来又升为射声校尉。过了很长时间，叔父成都侯王商上奏成帝，愿把自己的封邑分出一部分封给王莽。长乐少府戴崇、侍中金涉、中郎陈汤等人都是当代的知名人物，都替王莽说话。成帝因此认为王莽很贤能，皇太后又一再替王莽说话。五月初六日乙未，下诏封王莽为新都侯，升迁为骑都尉、光禄大夫、侍中。王莽在宫中值勤侍奉成帝极为谨慎严正，官爵愈加尊贵，态度愈益谦逊恭敬，散发自己的车马衣裘，周济门下的宾客，家无余财；收留供养名士，结交很多将、相、卿、大夫。所以在朝掌权的官员对王莽无不称赞，轮番推荐他，游说帮闲的人替他宣扬，以致他的声誉盛美，远远高于他的伯父、叔父。王莽敢于做常人不敢做的事情，却毫无愧色。他曾经私下买了婢女，被他兄弟们知道，王莽就说：“后将军朱子元没有儿子，我听说这女子会生儿子，为他买了下来。”当天就把这个婢女送给了朱博。他就是这样隐瞒真情而博取名声！

六月初七日丙寅，册立赵飞燕为皇后，大赦天下。

赵飞燕被册立为皇后之后，成帝的宠爱渐渐衰减，但是她的妹妹却极受成帝宠幸。被封为昭仪，住在昭阳宫，庭院的装饰全用朱红色，殿阁漆成黑色；用铜做门槛，外面包上黄金；台阶用白玉雕成；墙壁上带状的横木都用黄金环装饰，还用蓝田玉璧、明珠，以及青绿色的鸟羽嵌入墙壁作为装饰。从有后宫以来，未曾这样装潢过。皇后赵飞燕另居一宫，经常与侍郎和多子的奴仆私通。赵昭仪曾经对成帝说：

有如为人构陷，则赵氏无种矣！”因泣下凄恻。帝信之，有白[268]后奸状者，帝辄杀之。由是后公为淫恣，无敢言者，然卒无子。

光禄大夫刘向[269]以为王教由内及外，自近者始。于是采取《诗》《书》所载贤妃、贞妇兴国显家及孽、嬖[270]乱亡者，序次[271]为《列女传》，凡八篇；及采传记行事，著《新序》《说苑》，凡五十篇[272]，奏之。数上疏言得失，陈法戒[273]；书数十上，以助观览，补遗阙[274]。上虽不能尽用，然内嘉其言，常嗟叹之。

【段旨】

以上为第七段，写汉成帝荒淫而废除许皇后，以及宠幸赵飞燕姐妹的过程。王莽矫情，初露头角。

【注释】

⑰癸丑：正月二十二日。⑱太官：少府属官，掌御厨。⑲凌室：藏冰之所。⑳戊午：正月二十七日。㉑戾后园：武帝戾太子刘据妻史良娣的陵园，在长安城南。㉒南阙火：戾后园南门失火。㉓赵倢伃：指赵飞燕。㉔难之：皇太后王政君不同意立赵飞燕为皇后。㉕东宫：指皇太后所居之长信宫。㉖指：通“旨”。㉗乙亥：四月十五日。㉘河间刘辅：河间，封国名，治所乐成县，在今河北献县东南。刘辅，河间宗室，举孝廉为襄贲令，官至谏大夫。传见《汉书》卷七十七。㉙鱼、乌之瑞：据今文《尚书·泰誓》载：武王伐纣，渡河时有一条白鱼跳进武王乘坐的船上，武王拾起来作为祭品。渡河后，又有天火掉在武王住的屋顶上，化为一只乌鸦。鱼，在古代以介鳞之物象征战争。白色，为殷之正色，武王拾白鱼，象征政权转移。火化作乌鸦，象征周朝得火德。二者即是所谓的祥瑞。㉚祗惧：敬畏。㉛动色相戒：神色严肃地互相诫勉。㉜季世：末世，此指当今。㉝威怒：指皇天降威，愤怒谴告。㉞妙选：精心选择。㉟考卜：稽考占卜。㊱塞天下望：满足天下人的期望。㊲倾：迷恋。㊳母天下：为天下人之母，指当皇后。㊴里语：俗语。㊵天人之所不予：上天与百姓都不会赞同。㊶市道：指市井道路之人，即平民。此句是指这个道理连市井小民、三尺童子都清楚。㊷壹言：讲一句话。㊸侍御史：御史大夫属官，给事殿中，受纳章奏，监察检举百官。亦出监郡国、收捕审讯有罪

“臣妾的姐姐性格刚强，如果有人陷害，那么赵家就要被灭族！”说完哭得非常悲伤。成帝相信了她的话，凡有密告皇后奸淫的人，成帝就把告状的人杀害。从此以后，皇后公开纵情淫乱，也没有人敢揭发，然而始终没有生儿子。

光禄大夫刘向认为君王的教化应当由内向外推行，先从亲近的人开始。于是，刘向就摘录《诗经》《书经》中所记载的兴盛国家、显耀家族的贤妃、贞妇，以及乱国亡家的宠妻庶妾的故事，按照一定的顺序编列而成《列女传》，共八篇；又摘录书传上有关国家兴亡的记载，著成《新序》《说苑》，共五十篇，奏献给成帝。屡次上书陈说政事得失，叙述治理国家值得效法鉴戒的史事；前后上书数十次给成帝观览，拾遗补阙。成帝虽然不能全都采用，但心里称美他的言论，常常赞叹他。

官吏。㉔ 掖庭秘狱：宫中的秘密监狱。掖庭，亦称宫中之永巷。汉制设掖庭令，由宦官充任，管理嫔妃事务及负责内廷诏狱。㉕ 辛庆忌：辛武贤之子，以武勇俭约出名。传见《汉书》卷六十九。㉖ 廉褒：立功西域的名将，官至右将军，史书无传。㉗ 师丹：字仲公，哀帝即位，官至大司空。传见《汉书》卷八十六。㉘ 卓诡切至：指言论异于常人，中肯而且恰当。卓诡，不俗。㉙ 宜暴治理官：应当公布罪状，交给司法官员处治。暴，公开揭露。理官，指廷尉。㉚ 豫：愉悦。㉛ 水旱迭臻：水灾旱灾交替发生。㉜ 隆宽广问：宽大为怀，广开言路。㉝ 褒直尽下：褒奖忠直，让臣下尽情发言。㉞ 谏争：直言极谏。㉟ 假令辅不坐直言三句：意为如果刘辅不是因直言而致罪，那么他的罪过就不明显，天下的人都会产生疑问，而这种疑虑又不可能去挨家挨户解释。这是反对成帝秘密审理刘辅的委婉辩词。㊱ 以言显：以言论正直闻名。㊲ 治亲养忠：教育亲族，培养忠良。㊳ 公卿以下四句：朝廷公卿以下官员，看到皇帝快速提升刘辅又突然打击他，人怀恐惧，虽欲尽忠也锐气尽消。㊴ 昭有虞之听：表现出像虞舜那样虚怀若谷，乐于倾听意见。有虞，即大舜，相传舜设敢谏之鼓，虚心纳谏。㊵ 伤：痛心。㊶ 留神省察：留意考察。㊷ 共工狱：即考工狱。考工，管理制作器物的工官，属少府。考工令兼理少府诏狱。㊸ 减死罪一等二句：减罪一等，免去刘辅死刑，改为判苦役三年。论，判决。鬼薪，为宗庙伐薪，三岁刑。㊹ 太后兄弟八人：太后王政君有八弟，依次为王凤、王曼、王谭、王崇、王商、王立、王根、王逢时。太后与王凤、王崇系同母所生，王凤袭爵阳平侯，王崇封成安侯。庶弟六人，王曼早死不得侯，余五弟同日封侯，谓之五侯。㊺ 供养东宫：受供养于东宫。指太后把王曼寡妻接到东宫供养。㊻ 等比：同辈。比，辈。㊼ 乘时：趁富贵之时。㊽ 佚游相高：尽情游荡，互相攀比。㊾ 折节：甘居人下。㊿ 勤身：自身勤勉。(231) 被服如儒生：穿戴打扮像一个普通的读书人。(232) 养孤兄子：养亡兄之子。王

莽兄王永早死，遗一子名光，王莽养之如己子。㉝曲有礼意：卑身礼敬。㉞乱首垢面：头发蓬乱，脸面污秽。一方面表示尽心侍候病人，连梳洗的时间也没有；另一方面表示哀伤过度，无心梳洗。㉟黄门郎：掌守禁门的侍从官，属黄门令。㊱射声校尉：北军八校尉之一。校尉，职别低于将军的武官。㊲长乐少府：官名，主管太后长乐宫事务。长乐宫，高帝建，自惠帝时吕后居住后，遂为太后宫。㊳侍中：加官，皇帝亲随。东汉以后始掌实权。㊴中郎：郎官之一，掌守殿门，出充车骑。㊵乙未：五月初六日。㊶骑都尉：骑兵侍从官。都尉，低于将军等同校尉的武官。㊷光禄大夫：光禄勋属官，掌议论。㊸宿卫谨敕：侍从皇上谨慎严正。㊹收赡：收留供养。㊺游者：帮闲者。㊻谈说：宣扬。㊼虚誉：声誉。㊽隆洽：隆盛而美满。㊾倾：凌驾于。㊿敢为激发之行：敢于做常人不敢做的事情，如王莽买婢赠人、杀子偿命等事均属“激发之行”。251惭恧：惭愧。252朱子元：朱博字子元。传见《汉书》卷四十三。253此儿种宜子：这女子能够多生子女。254匿情：伪饰真情。255丙寅：六月初七日。256宠少衰：宠爱日渐淡薄。257绝幸：极受宠爱。258昭仪：成帝增设的嫔妃之号。赵昭仪所居宫，史称昭阳宫，即下文的昭阳舍，极其奢丽。259中庭彤朱：昭阳宫的中庭漆成朱红色。260殿上髹漆：寝殿漆呈黑色。

【原文】

昌陵制度奢泰275，久而不成。刘向上疏曰：“臣闻王者必通三统276，明天命所授者博，非独一姓也。自古及今，未有不亡之国。孝文皇帝尝美石椁之固277，张释之曰：‘使其中有可欲，虽锢278南山犹有隙。’夫死者无终极279而国家有废兴，故释之之言为无穷计280也。孝文寤焉，遂薄葬。棺椁281之作，自黄帝始。黄帝、尧、舜、禹、汤、文、武、周公，丘垅282皆小，葬具甚微；其贤臣孝子亦承命顺意而薄葬之，此诚奉安君父忠孝之至也。孔子葬母于防283，坟四尺。延陵季子284葬其子，封坟掩坎285，其高可隐。故仲尼孝子而延陵慈父，舜、禹忠臣，周公弟弟286，其葬君、亲、骨肉皆微薄矣；非苟为俭，诚便于体287也。秦始皇[15]葬于骊山之阿288，下锢三泉289，上崇山坟290，水银为江、海，黄金为凫、雁，珍宝之臧291，机械之变，棺椁之丽，宫馆之盛，不可胜原292；天下苦其役而反之，骊山之作未成，而周章293百万之师至其下矣。项籍燔其宫室、

髹，赤黑漆。㉖切皆铜沓二句：用铜做门槛，再用黄金包裹。切，门槛。沓，突出，这里指在木门槛上加一层铜门槛。㉖壁带：墙上露出的带状横木。㉖黄金釭：装饰在壁带上的金环。㉖函：镶嵌。㉖翠羽：翠鸟的羽毛。翠，青绿色。㉖侍郎：诸郎之一，可以出入宫禁。㉖宫奴：因罪没入宫中的奴仆。㉖白：禀告。㉖刘向：原名更生，字子政，在成帝即位时改名刘向。西汉著名学者。传附《汉书》卷三十六。㉗孽、嬖：均指宠幸的嫔妃。㉗序次：编排。刘向所著的《列女传》《新序》《说苑》等，皆流传至今。㉗凡五十篇：总计五十篇。《新序》三十篇，《说苑》二十篇。㉗陈法戒：陈述值得效法、借鉴的史迹。㉗补遗阙：拾遗补阙，指补救皇帝的过失。

【校记】

［11］辅系：据章钰校，乙十一行本、孔天胤本二字皆互乙。［12］者：据章钰校，十四行本、乙十一行本、孔天胤本皆无此字。［13］知：据章钰校，孔天胤本作“之”。［14］为买之：原无此三字。据章钰校，十四行本、乙十一行本、孔天胤本皆有此三字，张敦仁《通鉴刊本识误》、张瑛《通鉴校勘记》同，今据补。

【语译】

昌陵工程过于浩大奢侈，很长时间没有完成。刘向上奏说：“臣听说国家的君主一定要精通夏商周三统循环的历法，要明白天命要把君王的位置传给的人，不是一姓。从古到今，没有不灭亡的国家。孝文帝曾赞美石椁的坚硬，张释之说：‘如果石椁中藏有使人想要的东西，即便是浇铸在终南山也会钻凿出缝隙。’说到死亡，永无完结，而国家也有兴盛和衰亡，所以张释之的话是为长远计划的。孝文帝领悟了，于是实行薄葬。使用棺椁埋葬，从黄帝时就开始了。黄帝、尧、舜、禹、汤、文王、武王、周公，他们的坟冢都很小，陪葬的物品也很少；他们的贤臣孝子，也都承袭他们的遗愿，实行薄葬，这才是侍奉君父的大忠大孝。孔子把母亲埋葬在防邑，坟墓只有四尺高。延陵季子埋葬他的儿子，坟墓只及人腰，它的高度几乎看不见。所以孔仲尼是孝子，延陵季子是慈父，虞舜、大禹是忠臣，周公友爱弟弟，他们埋葬国君、父亲、骨肉兄弟都很微薄；并不是抠门节省，而是有利于遗体不遭破坏。秦始皇埋葬在骊山之旁，坟穴深达三泉，用铜铁汁浇铸，地上堆起山一样高的坟冢，用水银做成江海，用黄金铸成野鸭、飞雁，收藏的珍宝，机械的变化，棺椁的华丽，宫殿的雄伟，真是一言难尽；天下的百姓不堪差役的痛苦，群起造反，骊山的坟墓还没有建成，而周章的百万大军已经到达坟墓下面了。项羽烧了骊山的宫殿和陵寝

营宇[294]，牧儿持火照求亡羊，失火烧其臧椁。自古及[16]今，葬未有盛如始皇者也。数年之间，外被项籍之灾，内离牧竖之祸，岂不哀哉！是故德弥厚者葬弥薄，知[295]愈深者葬愈微。无德寡知，其葬愈厚，丘垅弥高，宫庙[296][17]甚丽，发掘必速。由是观之，明暗之效，葬之吉凶，昭然可见矣！陛下即位，躬亲节俭，始营初陵[297]，其制约小，天下莫不称贤明；及徙昌陵，增庳[298]为高，积土为山，发民坟墓，积以万数[299]，营起邑居，期日迫卒[300]，功费大万[301]百余，死者恨于下，生者愁于上，臣甚憖[302]焉！以死者为有知，发人之墓，其害多矣；若其无知，又安用大?谋之贤知[303]则不说[304]，以示众庶则苦之，若苟以说愚夫淫侈之人[305]，又何为哉！唯陛下上览明圣之制以为则[306]，下观亡秦之祸以为戒[307]，初陵之模[308]，宜从公卿大臣之议，以息众庶！”上感其言。

初，解万年自诡[309]昌陵三年可成，卒不能就；群臣多言其不便者。下有司议[310]，皆曰：“昌陵因卑为高，度便房[311]犹在平地上。客土[312]之中，不保幽冥之灵[313]，浅外不固[314]。卒徒工庸以巨万数[315]，至然脂[18]夜作[316]，取土东山，且与谷同贾[317]，作治数年，天下遍被其劳[318]。故陵因天性[319]，据真土[320]，处势高敞，旁近祖考[321]，前又已有十年功绪[322]。宜还复故陵，勿徙民，便！”秋，七月，诏曰：“朕执德不固[323]，谋不尽下[324]，过听将作大匠万年言‘昌陵三年可成’，作治五年，中陵[325]、司马殿门[326]内尚未加功[327]。天下虚耗，百姓罢劳，客土疏恶[328]，终不可成。朕惟其难，怛然伤心[329]。夫‘过而不改，是谓过矣[330]’。其罢昌陵，及故陵勿徙吏民，令天下毋有动摇之心！”

初，酂侯萧何[331]之子孙[19]嗣为侯者，无子及有罪，凡五绝祀[332]。高后、文帝、景帝、武帝、宣帝思何之功，辄以其支庶绍封[333]。是岁，何七世孙酂侯获[334]坐使奴杀人，减死，完为城旦[335]。先是，上诏有司访求汉初功臣之后，久未省录[336]。杜业[337]说上曰：“唐、虞、三代皆封建诸侯，以成太平之美，是以燕、齐[338]之祀与周并传，子继弟及[339]，历载不堕[340]。岂无刑辟[341]，繇祖之竭力[342]，故支庶赖焉。迹[343]汉功臣，亦皆

建筑，牧童点着火把找寻失落的羊只，又失火烧了墓穴中的棺椁。从古到今，没有人的陪葬丰盛超过秦始皇的。不过几年之间，就外受项籍之灾，内遭牧童之祸，这难道不是很悲哀的事吗！因此，道德越是深厚的人葬礼越是轻微，智慧越高的人葬礼越是微不足道。缺乏道德缺少智慧的人，其葬礼越是富厚，坟墓越是高大，陵庙极为华丽，一定很快被人挖掘。由此看来，埋葬是吉还是凶，就如同光明与黑暗一样清楚明白！陛下初即位时，带头节俭，开始兴建初陵时，规模很小，天下人民都称赞皇上的贤明；后来改建昌陵，却垫高洼地，积土成山，挖掘民坟，数以万计，建县造房，限期紧迫，耗费财力、人力达亿万之多，让死了的人含恨于地下，活着的人忧愁于世上，臣深为忧伤！如果认为死者有知，那么挖掘了人家的坟墓，危害就太多了；若死者无知，那又何必把坟墓修建得那么大呢？拿大建陵墓的事咨询贤能的人，他们不会喜悦，告诉天下老百姓，他们只会因此而痛苦。如果只是为了讨那些愚夫和奢侈的人高兴，那又何必呢！希望陛下上观圣朝制度，作为法则，下览秦王朝灭亡的灾祸，作为戒鉴，初陵的规模，应当听从公卿大臣的建议，使天下人能休养生息！”成帝为这番话深为感动。

起初，解万年妄说昌陵三年可以修成，到期却没能竣工；群臣大多认为兴建昌陵有不利的地方。成帝就把它交给主管部门去商讨，大家都说：“昌陵是借助低下地势来建筑高大陵墓，估计陵寝的便殿位置还在平地上。从别处运来的泥土，不能保护地下幽灵，浅表浮土不牢固。参与建坟的役徒累计的工作日上亿，到晚上甚至点灯劳作，从东山运泥土，耗去的费用差不多与粮食价格相等，连续几年的修筑，全国民众普遍感到疲劳。原先所选定的初陵，顺着天然的地势，使用原地泥土，地势高亢宽广，又靠近祖坟，以前又有十年的修筑基础。应该还是建在那里，也不要移民去建置陵邑，这样比较有利！”秋，七月，成帝下诏说：“朕遵守道德规范不够坚定，又没有广泛地征询群臣意见，错误听信了将作大匠解万年说的‘昌陵三年可以建成’的话，建造了五年，陵中的寝殿、司马门都还没有开工。国力已经空虚，百姓筋疲力尽，从外地运来的泥土松软不好，始终不能完成。朕念及工程的困难，既伤心又感到不安。古人说过‘有了过失而不改正，那才是真正的过失’。还是放弃修建昌陵，仍建初陵，也不要迁移吏民到初陵去建置县邑，使天下人心安定！”

当初，酂侯萧何子孙继承爵位为侯的，因为没有儿子或犯法，共有五次断绝祭祀。高后、文帝、景帝、武帝、宣帝思念萧何的功劳，每次都让他的旁支继承爵位。本年，萧何第七代孙子酂侯萧获犯教唆奴仆杀人罪被判死刑，减刑免死，改判四年徒刑。在这之前，成帝下诏要主管部门寻访汉初功臣的后代，很久没有办理。杜业劝成帝说：“唐尧、虞舜和夏、商、周三代，都是因封建了诸侯，才成就了太平盛世的伟业，因此燕国、齐国的祭祀，能和周朝并传，爵位或由儿子继承，或由兄弟继承，历代没有断绝。这并不是那时的诸侯子孙没有触法犯罪，而是由于他们祖先竭尽其力，建有功勋，所以他们的子孙有了依靠。回顾汉朝的功臣也都是剖符受封，

剖[20]符㉞世爵，受山、河之誓㉟；百余年间，而袭封者尽，朽骨孤于墓，苗裔流于道，生为愍隶㊱，死为转尸㊲。以往况今㊳，甚可悲伤。圣朝怜闵，诏求其后，四方忻忻㊴，靡不归心。出入数年而不省察，恐议者不思大义，徒设虚言，则厚德掩息㊵，吝简布章㊶，非所以示化劝后也㊷。虽难尽继，宜从尤功㊸。”上纳其言。癸卯㊹，封萧何六世孙南繺长喜为酂侯。

立城阳哀王弟俚为王。

八月丁丑㊺，太皇太后王氏㊻崩。

九月，黑龙见东莱㊼。

丁巳晦㊽，日有食之。

是岁，以南阳太守陈咸㊾为少府，侍中淳于长㊿为水衡都尉㊿。

【段旨】

以上为第八段，写汉成帝修建寿陵，由于计划不密，选址不周，匆匆动工，来回变动，劳民伤财，虚耗国力。在古代，现任皇帝建寿陵是一项国家大工程，而成帝与执政大臣竟然如此荒怠失职，表现了成帝时期政治昏暗的一个侧面。

【注释】

㉗奢泰：指昌陵工程浩大奢侈，耗费无度。泰，同“汰”。㉘三统：指天统、地统、人统。汉代流行的一种历史循环理论，比如说夏、商、周就是按三统历法周期改朝换代的。详见《汉书·律历志》。㉙美石椁之固：汉文帝巡视自己的寿陵（霸陵）时，曾对群臣说：“用北山石做棺是多么坚固啊!”事详本书卷十四文帝三年（公元前一七七年）。㉚锢：用金属熔液灌铸、封闭。㉛死者无终极：谓死亡永远不会完结，即人总是要死的。㉜无穷计：为长远计划。㉝棺椁：人死厚葬用两重棺，内称棺，外称椁。相传上古薄葬，人死只用柴草遮盖，自黄帝起始用棺椁。㉞丘垅：坟冢。㉟防：山名，一称“笔架山”，在山东曲阜东二十五里。相传孔子葬母于防山。㊱延陵季子：春秋时吴王寿梦的少子公子季札封于延陵，有贤名，人称延陵季子。㊲封坟掩坎：坟冢的高度只及人腰。掩坎，《汉书》臣瓒注：“谓人立可隐肘也。”人立时肘关节正在人腰部。㊳弟弟：即

世世代代继承，享受了高帝的‘山河之誓’；然而，百余年间，那些受封世袭的侯爵全都撤销，腐朽的骨骸孤单单地躺在坟墓之中，后代流落在道路之上，活着的时候充当令人怜悯的徒隶，死后尸首流转沟壑。拿古代的事和现在相比，实在太悲哀了。皇上的怜悯，下诏寻访功臣的后代，四方人民都欢欣鼓舞，无不心向朝廷。但是拖延了好几年，却没有访察清楚，这恐怕是承办人不思大义，说空话应付，如此就会使陛下深恩厚德遭到遮蔽而消失，寻访功臣后代的诏书被忽略不问，致使传布彰显于天下，这不是传布教化、劝勉后人的办法。汉朝的功臣绝嗣的比较多，尽管很难都续封爵位，但应该选择那些功劳显著的功臣后代先续封爵位。”成帝采纳了他的建议。七月十五日癸卯，封萧何六世孙巨鹿郡南䜌县的县长萧喜为酂侯。

册立城阳哀王刘云的弟弟刘俚为城阳王。

八月十九日丁丑，太皇太后王氏去世。

九月，黑龙出现在山东东莱。

最后一天三十日丁巳，发生日食。

这一年，任命南阳太守陈咸为少府，侍中淳于长为水衡都尉。

“悌弟”，对兄弟友爱。㉘⑦体：指遗体。㉘⑧骊山之阿：骊山旁。㉘⑨下锢三泉：坟穴深及地下三泉，用金属液浇铸。㉙⓪上崇山坟：向上将坟冢堆得像山一样高。据《皇览》，秦始皇陵高约合今七十六米。㉙①臧：通“藏”。㉙②不可胜原：无法说尽。胜，尽。原，推究。㉙③周章：陈胜部将，他曾率兵攻入关中，至戏下，临近秦始皇陵。㉙④营宇：指秦始皇骊山陵园建筑。㉙⑤知：通“智”。指智者。㉙⑥宫庙：即陵庙。㉙⑦始营初陵：指最初营建的延陵。㉙⑧庳：低洼地。㉙⑨发民坟墓二句：为修昌陵，迁徙百姓祖坟数以万计。㉚⓪营起邑居二句：兴建昌陵邑，限期紧迫。卒，通“猝”。㉚①大万：万万，即亿。㉚②愍：同“悯”。痛心；痛惜。㉚③知：通“智”。㉚④说：通“悦”。㉚⑤说愚夫淫侈之人：使愚昧奢侈的人高兴。㉚⑥则：榜样。㉚⑦戒：借鉴。㉚⑧初陵之模：寿陵的规模。㉚⑨诡：诡称；妄说。㉛⓪下有司议：交给主管部门审议。㉛①度便房：度，估计；度量。便房，陵之便殿。㉛②客土：从别处搬来的泥土。㉛③不保幽冥之灵：不能保护埋葬在地下的灵魂。㉛④浅外不固：浅表浮土，松软不坚固。㉛⑤卒徒工庸以巨万数：为修昌陵役徒累计做工上亿个工作日。工庸，指累计的工作日。巨万，即大万，亿。㉛⑥然脂夜作：点起火把，夜以继日地劳作。然，同“燃”。脂，灌以油脂的柴薪，即火把。㉛⑦贾：同“价”。㉛⑧遍被其劳：都感到疲劳。㉛⑨故陵因天性：指原来选定的延陵，凭借天然的山势，即延陵依山为陵。因天性，借助天然的地势。㉜⓪真土：原地的泥土。㉜①祖考：指祖先陵墓。延陵靠近武帝

茂陵和元帝渭陵。㉜绪：头绪；成果。㉝执德不固：遵守道德规范不坚定。㉞谋不尽下：谋略没有广泛听取群下的意见。㉟中陵：陵中寝殿。㊱司马殿门：指地上寝殿之司马门。㊲尚未加功：还没有动工。㊳疏恶：指外地土松软不坚固。㊴怛然伤心：惊骇又伤心。㊵过而不改二句：引语见《论语·卫灵公》。㊶萧何：西汉开国功臣，封酂侯，传见《史记》卷五十三、《汉书》卷三十九。㊷凡五绝祀：指酂侯五次断了继嗣。萧何子禄死后无子，一绝祀。高后乃封萧何夫人同为酂侯，封萧何少子萧延为筑阳侯。孝文帝元年，更封萧延为酂侯，延死其子萧遗继嗣，遗死后无子，二绝祀。汉文帝又封萧遗之弟萧则嗣，萧则有罪免，三绝祀。景帝二年（公元前一五五年），封萧则弟萧嘉为武阳侯，萧嘉死后，子萧胜嗣，因罪免，四绝祀。武帝元狩中，又以酂县二千四百户封萧何长孙萧庆为酂侯。萧庆死，子萧寿成嗣，因罪免，五绝祀。㊸支庶绍封：支庶，宗族旁支的子孙。绍封，续封。即酂侯家五绝祀，五次绍封。㊹酂侯获：萧寿成坐罪免后，宣帝又封萧何玄孙萧建世为酂侯，萧获乃萧建世之孙。㊺完为城旦：刑名，全称"完为城旦舂"，为五岁刑，其中三年为筑墙苦刑。完，指身体完整。汉文帝废除伤残肢体的肉刑，以苦刑代，故称完。舂，筑墙。㊻省录：调查登录，即办理。㊼杜业：杜周曾孙，官至太常。传附《汉书》卷六十。㊽燕、齐：西周初召公姬奭封燕，太公吕尚封齐。㊾子继弟及：子继父业称继，弟承兄位称及。㊿历载不堕：香火不绝。(341)刑辟：刑罚。(342)繇祖之竭力：由于祖先尽力建功，荫庇子孙。繇，通"由"。(343)迹：遗迹，引申为考察、回顾。(344)剖符：符，封诸侯的凭信，一分为二，天子与诸侯各执其一，以为凭证。(345)山河之誓：汉高祖封诸侯时的誓词说："使黄河如带，泰山若厉，国以永存，爰及苗裔。"(346)愍

【原文】

二年（丙午，公元前一五年）

春，正月己丑(362)，安阳敬侯王音薨。王氏唯音为修整，数谏正，有忠直节。

二月癸未(363)夜，星陨如雨，绎绎(364)，未至地灭。

乙酉晦(365)，日有食之。

三月丁酉，以成都侯王商[21]为大司马、卫将军；红阳侯王立位特进，领城门兵。

京兆尹翟方进(366)为御史大夫。

谷永为凉州刺史，奏事京师，讫，当之部，上使尚书问永，受所

隶：氓隶；奴隶。㊼转尸：尸首流转沟壑。㊽以往况今：以周之厚德比汉之薄情。况，比况。㊾忻忻：欢悦的样子。㊿掩息：消失。351 吝简布章：谓成帝寻求功臣之后的诏书下发后，略而不问，没有认真执行，致使传播彰显于天下。352 非所以示化劝后也：这不是传布教化，劝勉后人的办法。353 虽难尽继二句：谓汉朝功臣绝祀者众多，难以一一续封，但可以选择功劳最大的功臣后裔，先行续封。354 癸卯：七月十五日。355 丁丑：八月十九日。356 太皇太后王氏：即成帝祖母宣帝王皇后。传见《汉书》卷九十七上。357 东莱：郡名，治所掖县，在今山东烟台。358 丁巳晦：九月三十日。359 陈咸：字子康，陈万年之子。传附《汉书》卷六十六。360 淳于长：太后王政君姐王君侠之子，佞幸小人。传见《汉书》卷九十三。361 水衡都尉：官名，武帝元鼎二年（公元前一一五年）置，东汉省。掌上林苑及有关皇室财政，名义为少府属官，实际上权重于少府。

【校记】

［15］皇：据章钰校，十四行本、乙十一行本、孔天胤本皆作“皇帝”。［16］及：据章钰校，十四行本、乙十一行本、孔天胤本皆作“至”。［17］庙：原作“阙”。据章钰校，十四行本、乙十一行本、孔天胤本皆作“庙”，今从改。〖按〗此处当为陵庙之意，“宫阙”意迕，“宫庙”当是。［18］脂：据章钰校，十四行本、乙十一行本、孔天胤本皆作“脂火”，张敦仁《通鉴刊本识误》同。［19］孙：原无此字。据章钰校，十四行本、乙十一行本、孔天胤本皆有此字，张敦仁《通鉴刊本识误》同，今据补。［20］剖：据章钰校，十四行本、乙十一行本、孔天胤本皆作“割”。

【语译】

二年（丙午，公元前一五年）

春，正月初三日己丑，安阳敬侯王音去世。王氏家族中唯有王音修身谨慎，屡次规劝成帝，有忠直的节操。

二月二十八日癸未夜晚，流星像雨一般地从天上坠落，光芒闪烁，没有到地面就消失了。

最后一天三十日乙酉，发生日食。

三月十二日丁酉，任命成都侯王商为大司马、卫将军；红阳侯王立位特进，领城门兵。

京兆尹翟方进被任命为御史大夫。

谷永担任凉州刺史，到京师上奏公事，事毕，正要返回凉州，成帝派尚书去咨

欲言。永对曰："臣闻王天下、有国家者，患在上有危亡之事[367]而危亡之言[368]不得上闻。如使危亡之言辄上闻，则商、周不易姓而迭兴，三正[369]不变改而更用。夏、商之将亡也，行道之人皆知之；晏然自以若天有日[370]，莫能危，是故恶日广而不自知[371]，大命倾而不自〔22〕寤[372]。《易》曰：'危者有其安者也，亡者保其存者也。'[373]陛下诚垂宽明之听，无忌讳之诛，使刍荛[374]之臣得尽所闻于前，群臣之上愿，社稷之长福也！

"去〔23〕年九月，黑龙见[375]；其晦[376]，日有食之。今年[377]二月己未[378]夜，星陨；乙酉[379]，日有食之。六月之间[380]，大异四发[381]，二二〔24〕而同月[382]。三代之末，春秋之乱，未尝有也。臣闻三代所以陨社稷、丧宗庙者，皆由妇人[383]与群恶沉湎于酒；秦所以二世、十六年而亡者[384]，养生泰奢，奉终泰厚也[385]。二者，陛下兼而有之，臣请略陈其效。

"建始、河平[386]之际，许、班之贵[387]，倾动前朝，熏灼四方[388]，女宠至极，不可上矣；今之后起[389]，什倍于前。废先帝法度，听用其言，官秩不当，纵释王诛[390]，骄其亲属，假之威权，从横乱政[391]，刺举之吏，莫敢奉宪[392]。又以掖庭狱大为乱阱[393]，榜箠瘖于炮烙[394]，绝灭人命，主为赵、李报德复怨[395]。反除白罪，建治正吏[396]，多系无辜，掠立迫恐[397]。至为人起责，分利受谢[398]，生入死出[399]者，不可胜数。是以日食再既，以昭其辜。

"王者必先自绝[400]，然后天绝之。今陛下弃万乘[401]之至贵，乐家人之贱事[402]；厌高美之尊号，好匹夫之卑字[403]。崇聚僄轻无义小人[404]以为私客，数离深宫之固，挺身晨夜，与群小相随，乌集杂会[405]，醉饱吏民之家，乱服共坐[406]，沉湎媟嫚[407]，溷淆无别[408]，黾勉遁乐[409]，昼夜在路；典门户、奉宿卫之臣执干戈而守空宫，公卿百僚不知陛下所在。积数年矣。

询谷永，接受谷永的进言。谷永回答说："臣听说当天下的君王，统治一个国家的人，忧患就是君主有了危亡的事情，而拯救危亡的办法，却不能上达。假若拯救危亡的意见实时上达，那么商朝、周朝就不会改朝换代，相继兴起，夏、商、周三代的历法也就不会改变而交替使用。夏朝、商朝将灭亡的时候，连走路的人都知道；但当时的在位君王，却安然以为自己就是天上的太阳，没有人能够危害他，因而罪恶一天一天增多，而自己却不知道，身将死而自己却未醒悟。《易经》说：'危机出现，有使它转为安全的方法。灭亡的征兆显现，有使它保全的方法。'陛下如果真正垂意听取臣属的意见，使他们不因触犯忌讳而遭到杀头，让那些像草野一样渺小的人臣，能将自己的所见所闻全都向皇上陈述，这是群臣最大的心愿，也是国家长久的幸福！

"去年九月，有黑龙出现；同月最后一天，发生日食。今年二月初四日己未夜晚，有流星陨落；三十日乙酉，又发生日食。在六个月的时间内，就发生四次大的天象变异，而四次却是九月、二月，每月发生两次。夏、商、周三代的末世，春秋时的天下大乱，都没有这种现象。臣听说夏、商、周三代所以亡国、丧宗庙，都是因为妇人和一群恶劣的小人，沉湎在酒中；秦王朝所以只传两代共十六年就被灭亡，也是由于他们生活太骄纵奢侈，死后埋葬过于丰厚。这两样，陛下现在同时都具有，臣请求让我简要地陈述它的后果。

"建始、河平年间，许皇后、班婕妤两姓的贵盛，倾动前朝，像烟火一样熏灼四方，对美女的宠爱达到了极点，已无以复加；当今后起的赵氏姐妹、李平等人，受到的宠爱十倍于先前的许氏、班氏。废弃了先帝的法度，听从女宠的谗言，任官封爵失当，释放按王法当杀的犯人，还让她们的亲属骄横，赐给他们权力，横行乱政，负责纠察的官员，无人敢依法办事。又将宫中掖庭的诏狱作为害人的大陷阱，严刑拷打比炮烙之刑还惨痛，灭绝人命，原来只是皇上替赵飞燕、李平两家报仇出气。明明白白有罪之人，反而释放，公正办事的官吏，却建议处治，监狱中囚禁的大多是无罪之人，屈打成招，严刑逼供。赵、李两姓贵戚甚至替人放债，自己坐地分利，接受财物报谢，活着入狱，死后出牢的人，不可胜数。因此一再地发生日食，来显示赵飞燕、李平两家外戚的罪恶。

"君王一定是自己先毁灭自己，然后上天才会毁灭他。如今陛下不顾身为国君之尊，而喜欢做家奴小人的微贱之事；厌弃崇高至美的皇帝称号，却喜欢冒用一个普通男子的名字。又集结大量无赖、轻佻、好斗的小人作为自己的宾客，经常离开稳固的深宫，挺身外出，不分昼夜，同那一群小人相伴随，就像乌鸦一样时聚时散，醉饱在吏民的家里，衣衫凌乱，共起共坐，酗酒戏弄，混杂无别，尽情欢乐，日夜在外；负责门禁和奉命宿卫的武臣，手执干戈，守卫一座空宫，公卿等百官，都不知道陛下在什么地方。这种情况，已经连续好几年了。

“王者以民为基，民以财为本，财竭则下畔，下畔则上亡。是以明王爱养基本，不敢穷极[410]，使民如承大祭[411]。今陛下轻夺民财，不爱民力，听邪臣之计，去高敞初陵，改作昌陵，役百乾溪[412]，费拟骊山[413]，靡敝天下，五年不成而后反故。百姓愁恨感天，饥馑仍臻[414]，流散冗食[415]，餧死[416]于道，以百万数。公家无一年之畜，百姓无旬月[417][25]之储，上下俱匮[418]，无以相救。《诗》云：‘殷监不远，在夏后之世。’[419]愿陛下追观夏、商、周、秦所以失之，以镜考[420]已行，有不合者，臣当伏妄言之诛！

“汉兴九世[421]，百九十余载[422]，继体之主七[423]，皆承天顺道，遵先祖法度，或以中兴[424]，或以治安[425]；至于陛下，独违道纵欲，轻身妄行，当盛壮之隆，无继嗣之福，有危亡之忧，积失君道[426]，不合天意，亦以多矣。为人后嗣，守人功业如此，岂不负哉？方今社稷、宗庙祸福安危之机在于陛下。陛下诚能昭然远寤[427]，专心反道[428]，旧愆毕改[429]，新德既章，则赫赫大异[430]庶几可销[431]，天命去就[432]庶几可复，社稷、宗庙庶几可保！唯陛下留神反覆，熟省臣言[433]！”

帝性宽，好文辞，而溺于宴[26]乐，皆皇太后与诸舅夙夜所常忧，至亲难数言，故推永等使因天变而切谏，劝上纳用之。永自知有内应，展意无所依违[434]，每言事辄见答礼[435]。至上此对，上大怒。卫将军商密擿永[436]令发去[437]。上使侍御史收永，敕过交道厩[438]者勿追；御史不及永，还。上意亦解，自悔。

上尝与张放及赵、李诸侍中共宴饮禁中，皆引满举白[439]，谈笑大噱[440]。时乘舆幄坐张画屏风[441]，画纣醉踞妲己，作长夜之乐。侍中、光禄大夫班伯久疾新起，上顾指画而问伯曰：“纣为无道，至于是乎？”对曰：“《书》云‘乃用妇人之言’[442]，何有踞肆[443]于朝！所谓众恶归之，不如是之甚者也！”上曰：“苟不若此，此图何戒？”对曰：“‘沉湎于

“君王以人民作为根基，人民又以财产作为根本，财产枯竭，人民就会反叛，人民反叛，则国家灭亡。因此，圣明的君王，都十分爱护、保养这个根基和根本，不敢穷奢极侈，使唤老百姓就像承奉重大祭祀一样，谨慎认真。如今陛下轻易地剥夺人民财产，不爱惜民力，听信邪臣的计谋，丢弃高大开阔的初陵，改而修建昌陵，役使修陵的人工，超过楚灵王修建乾溪宫殿一百倍，财力的耗费，可与秦始皇修建骊山陵相比，耗尽天下人民财产，经过五年仍不能建成，然后再回去修建初陵。以致百姓愁恨动天，饥荒连年发生，百姓四散逃荒要饭，饿死在道路上的，以百万计。国家没有够一年用度的积蓄，百姓没有一个月的储备，上下全都匮乏，彼此无法相救。《诗经》说：‘商朝得失的鉴戒不远，就在夏桀这一代。’希望陛下追探夏、商、周、秦失去天下的原因，用以对照检查自己的行为，若陛下的言行不像他们那样，我愿意服妄言之罪，接受诛杀！

“汉朝兴起已历经九代，一百九十余年，继位的国君七位，他们都是承天顺道，遵守祖先的法度，有的因而中兴隆盛，有的因而天下太平；传到陛下，却独自违背天道，放纵情欲，轻贱自身而任意妄为，正值盛壮之年，却享受不到有儿子的福气，又有国家危亡的忧虑，长久失去为君之道，不合天意的事例，也实在太多了。身为继承人，守护先人的功业，竟是如此，难道不觉有愧吗？如今社稷、宗庙祸福安危的关键，全决定于陛下。陛下若真能明白，醒悟过来，专心一意返回正道，彻底改掉从前的过失，那么，重新建立的德行彰显之后，巨大的天地灾异就可能消除，已失去的天命也可能恢复，社稷、宗庙也许可以得到保全！请陛下再三注意，深思熟虑我的建议！”

成帝性情宽厚，喜好文章，却沉迷于饮宴作乐，这都是皇太后和诸舅们日夜忧虑不安的，由于都是至亲，不好再三劝谏，所以推请谷永等趁着天象变异时机，向成帝直言极谏，勉励成帝接受。谷永知道有他们内应，因此尽情陈述，毫无顾忌，每次规劝，都能得到成帝的回答和礼敬。但是这次呈上的奏章，成帝却很生气。卫将军王商暗中透露消息，要谷永赶快离开京师回凉州。成帝派侍御史拘捕谷永，告诫侍御史，谷永过了交道厩，就不要追了；结果侍御史没有追上谷永，折返回来。这时成帝的心情也宽和了，自己又后悔。

成帝曾经与张放以及赵、李两姓中的侍中在宫中宴饮，大家举起满满的酒杯一饮而尽，纵谈狂笑。当时成帝座位附近张挂着绘画屏风，画面上是殷纣王醉坐在妲己身上通宵取乐。侍中、光禄大夫班伯也在座，他久病初愈，成帝回头指着屏风上的画问班伯，说：“纣王昏庸无道，到了这个样子吗？”班伯回答说：“《书经》只是说纣王‘听信妇人的话’，哪至于在朝堂上放纵到坐在妲己身上啊！这就是孔子所说的，一个人一旦做错了事，就把所有的坏事加到他身上。纣王的过恶并不像这样严重啊！”成帝说：“如果不是这样，那么这幅画又警示些什么呢？”班伯回答说：“《书

酒[444]'，微子所以告去[445]也；'式号式呼[446]'，《大雅》所以流连[447]也。诗、书淫乱之戒，其原皆在于酒！"上乃喟然叹曰："吾久不见班生，今日复闻谠言[448]！"放等不怿[449]，稍自引起更衣，因罢出。

时长信庭林表[450]适使来，闻见之。后上朝东宫[451]，太后泣曰："帝间颜色瘦黑[452]。班侍中本大将军[453]所举，宜宠异之；益求其比，以辅圣德！宜遣富平侯且就国！"上曰："诺。"上诸舅闻之，以风[454]丞相、御史，求放过失。于是丞相宣、御史大夫方进奏"放骄蹇纵恣[455]，奢淫不制[456]，拒闭使者[457]，贼伤无辜[458]，从者支属[459]并乘权势[460]，为暴虐，请免放就国"。上不得已，左迁放为北地都尉。其后比年数有灾变，故放久不得还。玺书劳问不绝。敬武公主[461]有疾，诏征放归第视母疾。数月，主有瘳[462]，后复出放为河东都尉。上虽爱放，然上迫太后，下用大臣，故常涕泣而遣之。

【段旨】

以上为第九段，写谷永上书，直言极谏成帝纵情酒色，荒于政事，以及在皇太后、诸舅执政的压力下，成帝迫不得已外放嬖臣张放。此时王氏外戚集团尚有护持汉朝之心，而汉成帝太不争气，迷途不返。

【注释】

㊱②己丑：正月初三日。㊱③癸未：二月二十八日。㊱④绎绎：光芒闪烁的样子。㊱⑤乙酉晦：二月三十日。㊱⑥翟方进：字子威，汝南上蔡（今河南上蔡西南）人。官至丞相。传见《汉书》卷八十四。㊱⑦危亡之事：指出现政治危机。㊱⑧危亡之言：挽救危机的意见。㊱⑨三正：指夏、商、周历法。夏以正月一日为元旦，商以十二月一日为元旦，周以十一月一日为元旦。三正历法的变易，象征王朝更迭。其后秦历以十月一日为元旦，汉初因之，汉武帝改历，行夏正，又以正月一日为元旦。㊲⓪自以若天有日：自比天上的太阳。《尚书大传》载：夏桀无道，还自比为太阳，说："日亡，吾亦亡矣。"意谓只要太阳不掉下来，谁也对他无可奈何。㊲①恶日广而不自知：罪恶一天一天增多，而自己却不知道。㊲②大命倾而不自寤：性命将结束而自己仍不醒悟。㊲③《易》曰三句：语出《易

经》记载，商纣王‘沉湎于酒’，所以微子写了诰言离去了；《诗经·荡》说，酗酒过度，‘大喊大闹’，所以写《大雅·荡》的诗人禁不住涕泗横流。《诗经》《书经》对于淫乱的告诫，追根究底，因酒而起！”成帝感叹地说：“朕很久没看到班先生，今天又听到你正直的话！”在座的张放等人很不高兴，陆续起身托言上厕所，趁势溜走。

这时，长信宫的一位庭林表恰好来到未央宫，看见了这一幕。后来成帝到东宫朝见皇太后，皇太后流着眼泪说：“皇帝近来脸又瘦又黑。班侍中本是大将军王凤推荐的人，皇帝应当特别亲爱优待；更应该多找几个像班侍中这样的人来辅助皇帝你的德行！应该遣送富平侯张放回他自己的封国！”成帝说：“是。”成帝的舅舅们听到这个消息，就暗示丞相薛宣、御史大夫翟方进，去寻找张放的过失。于是薛宣、翟方进就上奏说“张放骄横放肆，奢侈荒淫，超越定规，闭门拒绝使者到他家搜捕盗贼，残杀无辜，他的随从和亲属都仗着他的权势为非作歹，请求罢免张放让他回到封国。”成帝不得已，只好把张放降职为北地都尉。后来连年多次发生灾变，所以张放长期不能返回京师。但成帝慰问他的诏书不断。他的母亲敬武公主患病，下诏征召他回家探视。数月之后，敬武公主的病已痊愈，又把他外放为河东都尉。成帝虽然喜爱张放，但上面迫于皇太后，下面有掌权大臣，所以成帝常常是流着泪送走张放。

经·系辞下》孔子之言。《十三经注疏》作：“子曰：危者安其位者也，亡者保其存者也。”意谓居安思危的人才能得其安，居位思亡的人才能享其存。㊱④刍荛：割草曰刍，采薪曰荛。这里喻卑贱小民。㊱⑤见：通“现”。黑龙现东莱。㊱⑥其晦：当月的最后一天，指永始元年九月三十日。㊱⑦今年：指成帝永始二年。㊱⑧己未：二月初四日。㊱⑨乙酉：二月三十日。㊳⓪六月之间：永始元年九月至次年二月，首尾凡六月。㊳①大异四发：重大的天象变异发生了四次。㊳②二二而同月：四次灾变两次为一组集中分布在两个月中。即元年九月黑龙现、日食；二年二月星陨、日食。㊳③皆由妇人：三代之亡皆因女祸。夏桀以妹喜，殷纣以妲己，周幽以褒姒。这是封建社会正统史家的说法。㊳④十六年而亡者：从秦始皇称帝至秦二世亡，凡十六年，即公元前二二一至前二〇六年。㊳⑤养生泰奢二句：指皇帝生时穷奢无度，死时厚葬。泰，通“太”。㊳⑥建始、河平：公元前三二至前二八年为建始年号；公元前二八至前二五年为河平年号。㊳⑦许、班之贵：指许皇后、班婕妤两姓外戚贵盛。㊳⑧熏灼四方：许、班外戚的势力，像烟火一样熏灼四方。㊳⑨今之后起：指现今女宠又起，即赵飞燕姐妹与李平等。㊴⓪纵释王诛：宽大释放犯法应受诛杀的罪犯。㊴①从横乱政：指女宠贵戚横行霸道，扰乱政治。从，同“纵”。㊴②刺举之吏二句：负责纠察的官员，无人敢执法办事。宪，法。㊴③阱：陷阱。喻宫中掖庭诏狱随意捕人，陷人于罪，有

如陷阱。(394)榜箠瘠于炮烙：严刑拷打比受炮烙之刑还痛苦。榜箠，拷打。瘠，疼痛。炮烙，殷纣王设之酷刑，铜柱上涂油膏后，用炭火烧，让犯人在上面行走。汉文帝去肉刑，改为笞刑，但往往打死人或伤残肢体，故这里说不亚于炮烙之刑。(395)复怨：报仇。(396)反除白罪二句：明明白白有罪反而免除，公正之吏却建言处治。意为有罪无罪，完全取决于与赵飞燕姐妹及李平的关系。(397)掠立迫恐：屈打成招，严刑逼供。(398)至为人起责二句：甚至赵、李两姓贵戚替人放债，坐地分利，接受财物报谢。责，通"债"。(399)生入死出：活着入狱，死后出牢。(400)自绝：自己走向灭亡。(401)万乘：万辆兵车，代指天子。(402)乐家人之贱事：喜欢做家奴小人的卑贱事。指成帝私自买田，夺取奴婢财物之事。(403)好匹夫之卑字：喜欢普通男人的名字。指成帝私行时往往冒充富平侯张放的家人，取一个普通的假名，以便随从称呼。(404)僄轻无义小人：剽悍、轻佻、无行的无赖小人。(405)乌集杂会：像一群乌鸦，时聚时散。(406)乱服共坐：衣衫凌乱，坐在一起。喻无尊卑之别。(407)沉湎媟嫚：酗酒戏耍。媟嫚，狎侮；戏弄。(408)溷淆无别：男女乱糟糟挤在一起。(409)黾勉遁乐：尽情欢乐。黾勉，勉力，引申为尽情。(410)穷极：穷奢极侈。(411)使民如承大祭：使用百姓要像对待祭祀大典那样认真、谨慎。语见《论语·颜渊》。(412)役百乾溪：役使的人工超过乾溪百倍。乾溪，古邑名，在今安徽亳州东南。春秋时楚灵王在乾溪大修宫室，数年乐而不返，国人叛变，灵王自尽而死。(413)费拟骊山：耗费的钱财可与秦始皇修骊山陵相比。(414)饥馑仍臻：饥荒频繁发生。(415)流散冗食：百姓四散逃荒要饭。(416)馁死：饿死。(417)旬月：一月。(418)匮：贫乏。(419)《诗》云三句：引自《诗经·荡》。(420)镜考：对照检查。(421)汉兴九世：汉朝至成帝，历高祖、惠帝、文帝、景帝、武帝、昭帝、宣帝、元帝、成帝共九世。(422)百九十余载：公元前二〇六年西汉建立，至成帝永始二年（公元前一五年），凡一百九十一年。(423)继体之主七：继承帝位的有七任，即惠、文、景、武、昭、宣、元。(424)中兴：昭、宣二代为中兴之世。(425)治安：文、景二代为太平之世。(426)积失君道：长久失去为君之道。(427)远寤：彻底醒悟。(428)专心反道：专心一志地回到正道上来。反，同"返"。(429)旧愆毕改：彻底改正先前的过错。(430)赫赫大异：巨大的灾异。(431)庶几可销：差不多可以消除。(432)天命去就：这里指汉家的政权。(433)熟省臣言：深思熟虑我的

【原文】

邛成太后[463]之崩也，丧事仓卒[464]，吏赋敛以趋办[465]。上闻之，以过丞相、御史。冬，十一月[466]己丑[467]，策[27]免丞相宣为庶人，御史大夫方进左迁[468]执金吾[469]。二十余日，丞相官缺，群臣多举方进者；上亦器其能，十一月壬子[470]，擢方进为丞相，封高陵侯。以诸吏、散骑、光禄

建议。㊹依违：吞吞吐吐；顾忌。㊺答礼：得到回答并受礼敬。㊻擿永：把成帝发怒将抓捕谷永的消息透露给谷永。擿，投，引申为透露。㊼令发去：让谷永立即出发离开京师。㊽交道厩：地名，在长安西六十里。㊾引满举白：酒杯斟满，干杯后将杯口翻转以示尽饮。白，空酒杯。㊿大噱：发狂地大笑。㊶乘舆幄坐张画屏风：成帝座位附近展开一扇有画的屏风。㊷《书》云句：见《尚书·泰誓》。㊸踞肆：放肆。指纣王坐在妇人身上。㊹沉湎于酒：引自《尚书·微子》，指纣王成天饮酒。湎，饮酒过度满脸通红的样子。㊺微子所以告去：纣王庶兄启，封于微，子爵，史称微子。纣王淫乱，微子数谏不听，于是他告知箕子、比干而逃亡。㊻式号式呼：《诗经·荡》诗句。形容酒醉后大喊大叫。㊼流连：涕泗横流的样子。指诗人作诗时嗟叹而涕泪满面。㊽谠言：直言。㊾不怿：不高兴。㊿长信庭林表：长信宫，王太后所居。庭林表，宫中女官名。451 上朝东宫：成帝到长信宫朝见太后。452 帝间颜色瘦黑：皇帝近来脸色发黑又消瘦。453 大将军：指王凤。454 风：以言语暗示。455 骄蹇纵恣：骄傲放纵。456 奢淫不制：荒淫奢侈超越定规。457 拒闭使者：执法侍御史修（史失其名）到张放家搜捕盗贼，张放家奴紧闭大门，并用箭射使者，不准入内。458 贼伤无辜：张放得知李游君打算把女儿献入宫中，竟派家奴康等到李家夺取，杀伤三人。贼，残害。459 从者支属：随从宾客及亲属。460 乘权势：借重权势。乘，借重。461 敬武公主：成帝姐，张放之母。462 瘳：病愈。

【校记】

［21］王商：原无“王”字。据章钰校，十四行本、乙十一行本、孔天胤本皆有“王”字，今据补。［22］自：原无此字。据章钰校，十四行本、乙十一行本、孔天胤本皆有此字，张敦仁《通鉴刊本识误》同，今据补。［23］去：原作“元”。严衍《通鉴补》改作“去”，张敦仁《通鉴刊本识误》同，今从改。［24］二二：据章钰校，孔天胤本作“二三”，张瑛《通鉴校勘记》同。［25］月：据章钰校，十四行本、乙十一行本、孔天胤本皆作“日”，张敦仁《通鉴刊本识误》同。［26］宴：据章钰校，十四行本、乙十一行本、孔天胤本皆作“燕”。

【语译】

邛成太后去世，丧事匆忙，主办官吏加收赋税仓促办理。成帝知道后，就责备丞相薛宣和御史大夫翟方进。冬，十一月己丑日，下诏把丞相薛宣免职为平民，御史大夫翟方进降职为执金吾。过了二十多天，丞相职位仍然空缺，群臣大多数推荐翟方进；成帝也很器重他的才能，初二壬子，提升翟方进为丞相，封为高陵侯。任

勋孔光[471]为御史大夫。方进以经术进，其为吏，用法刻深，好任势立威[472]；有所忌恶[473]，峻文深诋[474]，中伤[475]甚多。有言其挟私诋欺[476]不专平者，上以方进所举应科[477]，不以为非也。光，褒成君霸[478]之少子也，领尚书，典枢机十余年，守法度，修故事，上有所问，据经法，以心所安而对，不希指苟合[479]；如或不从，不敢强谏争，以是久而安。时有所言，辄削草稿[480]，以为章主之过以奸忠直[481]，人臣大罪也。有所荐举，唯恐其人之闻知。沐日归休[482]，兄弟妻子燕语[483]，终不及朝省政事。或问光："温室省中[484]树，皆何木也？"光嘿不应，更答以他语，其不泄如是。

上行幸雍，祠五畤。

卫将军王商恶陈汤，奏"汤妄言昌陵且复发徙[485]，又言黑龙冬出[486]，微行数出之应。"廷尉奏"汤非所宜言，大不敬[487]"。诏以汤有功[488]，免为庶人，徙边。

上以赵后之立也，淳于长有力焉，故德之，乃追显其前白罢昌陵之功，下公卿，议封长。光禄勋平当[489]以为："长虽有善言，不应封爵之科[490]。"当坐左迁钜鹿太守。上遂下诏，以常侍闳、卫尉[28]长首建至策，赐长、闳爵关内侯[491]。

将作大匠万年佞邪不忠，毒流众庶，与陈汤俱徙敦煌。

初，少府陈咸、卫尉逢信，官簿[492]皆在翟方进之右。方进晚进[493]，为京兆尹，与咸厚善。及御史大夫缺，三人皆名卿，俱在选中，而方进得之。会丞相薛宣得罪，与方进相连，上使五二千石杂问[494]丞相、御史，咸诘责[495]方进，冀得其处[496]，方进心恨。陈汤素以材能得幸于王凤及王音，咸、信皆与汤善，汤数称之于凤、音所，以此得为九卿。及王商黜逐汤，方进因奏"咸、信附会汤以求荐举，苟得无耻[497]"，皆免官。

是岁，琅邪太守朱博[498]为左冯翊。博治郡，常令属县各用其豪桀以为大吏，文、武从宜。县有剧贼及他非常，博辄移书以诡责之[499]，其尽力有效[500]，必加厚赏；怀诈不称[501]，诛罚辄行。以是豪强慑服，事无不集[502]。

用诸吏、散骑、光禄勋孔光为御史大夫。翟方进因精通经术进入仕途，他为官任职，用法苛刻严酷，喜欢运用权势来树立个人威信；他有所猜忌厌恶的人，就用严厉的文辞狠狠诋毁对方，因此受到他陷害的人很多。有人指控他隐藏私心，诬害欺骗，办事不公，成帝却认为他所主持的案件，都能合乎法律条文，不认为不对。孔光是褒成君孔霸的小儿子，担任尚书，掌管中枢机要十多年，奉公守法，依照前例成规办事，成帝有所咨问，他都依据经典和法令，以问心无愧的话去回答，不是揣摩皇上的意旨，苟且迎合；皇上若不听从，他也不敢坚持力争，因此能较长时间保持他的地位。有时上书建议，奏书写好，就把草稿毁掉，认为显露君王的过失，以博得忠直的美名，是人臣的大罪。他要举荐一个人，唯恐被推荐的人知道。假日回家，与兄弟妻子话家常，始终不涉及朝中政事。有人问孔光："温室殿宫中种的树，都是什么树木?"孔光沉默不答，改用别的话岔开，他不泄密朝中之事，就像这样。

成帝巡幸雍邑，祭祀五天帝庙。

卫将军王商厌恶陈汤，上奏说"陈汤胡说皇上又要迁徙吏民到昌陵邑去，还说冬天出现黑龙，都是皇上多次微服出行的感应。"廷尉也上奏说"陈汤说了他不应该说的话，是犯大不敬的死罪"。成帝下诏因陈汤有功，免官为平民，发配到边疆去。

成帝因册立赵飞燕为皇后，淳于长出了很大的力气，所以很感激他，便追溯彰显他建议撤销昌陵的功劳，要公卿们商讨，册封他。光禄勋平当认为："淳于长虽然提出过很好的建议，但不符合封侯的法规标准。"平当因此被降职任钜鹿太守。于是成帝下诏，因常侍王闳、卫尉淳于长首先提出撤销昌陵良策，赐封两人都为关内侯。

将作大匠解万年奸佞不忠，流毒民众，和陈汤全都发配敦煌。

起初，少府陈咸、卫尉逢信在登记官位的簿录上，都在翟方进的前面。翟方进是后进，他在任京兆尹时，和陈咸交情很深。等到御史大夫空缺，陈咸、逢信、翟方进三人都是著名的公卿，都列在候选人中，而翟方进取得。适逢丞相薛宣被控有罪，牵连了翟方进，成帝命五位两千石的大臣一起会审丞相薛宣、御史大夫翟方进，陈咸责问翟方进，穷追不舍，希望取代翟方进的职位，翟方进怀恨在心。陈汤向来以才干得到王凤、王音的宠信，而陈咸、逢信两人与陈汤的关系很好，陈汤几次在王凤、王音面前称赞他们，因此陈咸、逢信才被任命为九卿。等到王商贬斥陈汤时，翟方进就上奏"陈咸、逢信依附陈汤，以谋求举，苟且得官毫无廉耻"。最后陈咸和逢信都被撤职。

这一年，琅邪太守朱博担任左冯翊。朱博治理郡事时，常常命令所属各县选用当地的豪杰充任地方上层官吏，不论文武，一切从便。县里如果有大盗巨贼以及其他非常事变，朱博就行文责成所用的地方豪杰，他们能尽力有成，必加厚赏；心怀诡诈而不称职的，就进行诛杀或处罚。所以地方土豪劣绅畏惧顺服，事情没有办不成的。

【段旨】

以上为第十段，写成帝永始二年（公元前一五年）外朝的权力斗争和人事调整，薛宣被免相，功臣陈汤再次遭斥免。翟方进、朱博得势，翟方进升任丞相，朱博由地方郡守升任左冯翊。

【注释】

[463]邛成太后：孝宣王皇后，元帝的养母，其父王奉光封邛成侯。宫人为了区别两王太后，称孝宣王皇后为邛成太后，称成帝母王政君为王太后。[464]仓卒：同“仓促”，匆忙。[465]趣办：仓促办理。趣，同“促”。[466]十一月：应为“十月”。[467]己丑：十月初八日。[468]左迁：降职。指翟方进由御史大夫降职为执金吾。[469]执金吾：九卿之一，掌京师警卫，皇帝出巡时为先导。[470]壬子：十一月初二日。[471]孔光：字子夏，孔子第十四代孙。西汉大儒，历仕汉成帝、哀帝、平帝三朝。为官圆滑世故，哀帝时官至丞相。传见《汉书》卷八十一。[472]好任势立威：喜欢运用权势树立威望。[473]忌恶：猜忌和厌恶。[474]峻文深诋：利用苛刻严厉的文字严重诋毁对方。深诋，狠狠地诬陷。[475]中伤：陷害。[476]诋欺：刑律名，诬陷大臣。[477]所举应科：所举劾的案件均符合法律条文。[478]霸：孔光之父孔霸，汉元帝赐爵褒成君。事见本书卷二十八元帝永光元年（公元前四三年）。[479]希指苟合：揣摩皇帝心意，苟且奉迎。[480]辄削草稿：上呈皇帝的奏章抄正后，就把草稿毁掉。削，汉代用竹简书写，销毁文章便须将文字刮削掉。[481]奸忠直：博取忠直的名声。奸，通“干”。求也。[482]沐日归休：假日回家。汉代大臣五日一

【原文】

三年（丁未，公元前一四年）

春，正月己卯晦[503]，日有食之。

初，帝用匡衡[504]议，罢甘泉泰畤[505]，其日，大风坏甘泉竹宫[506]，折拔畤中树木[507]十围[508]以上百余。帝异之，以问刘向。对曰：“家人尚不欲绝种祠，况于国之神宝旧畤！且甘泉、汾阴及雍五畤[509]始立，皆有神祇感应，然后营之[510]，非苟而已也[511]。武、宣之世奉此三神，礼敬敕备[512]，神光尤著[513]。祖宗所立神祇旧位，诚未易动。前始纳贡禹[514]之议，

休，称汤沐日。㊽燕语：话家常。㊾温室省中：温室殿中。温室，长乐宫中殿名。省中，宫中。㊿复发徙：将要再次迁徙邑民。成帝修昌陵邑，采纳的是陈汤等人的建议。后来罢昌陵恢复延陵时，陈汤散布流言说，又要将昌陵邑的百姓迁徙到延陵去。王商借此事大加发挥以报复陈汤。486黑龙冬出：黑龙冬季出现，陈汤说是皇帝私自出行所带来的感应。487大不敬：言犯忌讳称大不敬，死罪。488汤有功：指陈汤在西域斩郅支单于之功。489平当：字子思，哀帝时官至丞相。传见《汉书》卷七十一。490不应封爵之科：不符合封侯的条例规定。汉高祖曾与大臣约定："非功不得封侯。"491赐长、闳爵关内侯：封淳于长、王闳二人为关内侯。关内侯，食采邑于京畿，为第十九级爵。492官簿：登录官位的档案。493晚进：后进。494五二千石杂问：委派五个二千石级的大臣组成合议庭，共同审理案件。杂问，合议庭众法官一起审问。495诘责：穷究不舍。496冀得其处：希望取代翟方进的御史大夫的位置。497苟得无耻：苟且得到，不知羞耻。苟得，苟且得到；不当得而得。498朱博：字子元，杜陵（今陕西长安东北）人。历官郡守、九卿，哀帝时官至丞相。传见《汉书》卷八十三。499移书以诡责之：朱博写信责成他们限期办理。诡责，责成；要求。诡，义同"责"，责成。500尽力有效：努力办事而有实效。501怀诈不称：心怀奸诈而不称职。502事无不集：没有办不成的事。集，成功。

【校记】

［27］策：据章钰校，乙十一行本、孔天胤本皆作"册"。［28］卫尉：据章钰校，十四行本、乙十一行本、孔天胤本皆作"侍中卫尉"。〖按〗前所载，永始元年，以"侍中淳于长为水衡都尉"，则已非居侍中职。

【语译】

三年（丁未，公元前一四年）

春，正月最后一天三十日己卯，发生日食。

起初，成帝采纳匡衡的建议，撤销了甘泉的泰畤，当天，大风吹坏了甘泉的竹宫，吹断或连根拔起泰畤祠中十围以上的大树一百多棵。成帝感到奇怪，召见刘向询问。刘向回答说："普通平民尚且不愿拆毁家庙，何况是一国的神室旧庙！再说，甘泉、汾阴和雍邑这几个地方的神庙初建时，都有天地神灵显应，然后营建，不是轻率决定的。武帝、宣帝之世，侍奉这三个地方的神灵，祭礼仪式严整周到，神光也显现得特别灵验。祖宗所建立的神灵旧址，实在不应该轻易变动。从前元帝采纳

后人相因⑮，多所动摇。《易·大传》曰：‘诬神者殃及三世。’恐其咎不独止禹等⑯！”上意恨⑰之，又以久无继嗣，冬，十月庚辰⑱，上白太后，令诏有司复甘泉泰畤、汾阴后土如故，及雍五畤、陈宝祠⑲、长安及郡国祠著明⑳者，皆复之。

是时，上以无继嗣，颇好鬼神、方术之属，上书言祭祀方术得待诏者甚众，祠祭费用颇多。谷永说上曰：“臣闻明于天地之性，不可惑以神怪；知万物之情，不可罔以非类㉑。诸背仁义之正道，不遵五经之法言㉒，而盛称奇怪鬼神，广崇祭祀之方，求报无福之祠㉓，及言世有仙人，服食不终之药㉔，遥兴轻举㉕、黄冶变化之术㉖者，皆奸人惑众，挟左道㉗，怀诈伪，以欺罔世主。听其言，洋洋㉘满耳，若将可遇；求之，荡荡㉙如系风捕景，终不可得。是以明王距而不听㉚，圣人绝而不语㉛。昔秦始皇使徐福㉜发男女入海求神采药，因逃不还，天下怨恨。汉兴，新垣平、齐人少翁、公孙卿、栾大㉝等皆以术穷诈得㉞，诛夷伏辜㉟。唯陛下距绝此类，毋令奸人有以窥朝者㊱！”上善其言。

【段旨】

以上为第十一段，写刘向、谷永上书言事，刘向请求成帝恢复已被撤销的神灵祭祀，谷永请求成帝拒绝方术迷信。两人的奏疏，显现当时的政治光怪陆离，君臣们把国计民生置之脑后，而在神鬼祭祀、方术迷信上无聊地争论不休。

【注释】

503 己卯晦：正月三十日。504 匡衡：字稚圭，西汉大儒，仕元、成二朝，官至丞相。传见《汉书》卷八十一。505 泰畤：祭泰一神的祭坛，汉武帝始建于甘泉宫。506 竹宫：以竹为宫，距泰畤三里，为天子祭泰一神时斋戒之所。507 折拔畤中树木：大风吹断泰畤庙中树木，有的连根拔起。508 十围：围，计算圆周弧长的单位，有三寸一围和五寸一围两种说法，俗以一抱称一围。以三寸一围计，十围之树，直径约一尺。509 甘泉、汾阴及雍五畤：汉时所立三大祭坛。甘泉（今陕西淳化）立泰畤，祭天之泰一神。汾阴（今山西河津市西南）立后土畤，祭地神。雍（今陕西凤翔）立五畤，祭五天帝。510 营之：指建立三处祭坛。511 非苟而已也：不是轻率决定的。512 礼敬敕备：祭礼仪式严整周到。513 神

贡禹的建议，后人相继遵循，变动很多。《易经·大传》说：‘诬蔑神灵的人，三代都要受到灾祸。’这个责任，恐怕不能只由贡禹等人承担吧！”成帝心里很悔恨，又因为一直没有继承的后嗣，冬，十月初五日庚辰，成帝禀告太后，命令主管官员恢复甘泉的泰畤和汾阴后土的祭祀，一切照旧，雍邑的五帝神坛、陈宝祠，以及长安和郡国著名的神祠，也都加以恢复。

这时，成帝由于没有继嗣，很喜好鬼神、方术这一类的事，民间上书谈论祭祀和方术而得以候补做官的人很多，成帝用在祭祀方面的费用颇多。谷永劝告成帝说：“臣听说，一个人如果明白天地的本性，就不可能拿神怪来迷惑他；了解万物生长的情况，也不可能用不同类的事物来欺骗他。种种违背仁义正道，不遵守“五经”的经典言论，而去极力称赞鬼怪神奇，多方推崇祭祀的妙方，祈求那些不能回报福音的鬼神庙宇，以及宣扬世间确有仙人，可以服用长生不死的仙药，能够远游升天，可以冶炼丹砂变成黄金等法术的，都是奸人妖言惑众，挟持邪门歪道，心怀欺诈，以蒙骗当世君王。听他们的言论，满耳无边际的大话，似乎即将与神仙相遇；如果真的去寻求，却空空荡荡，如同捕风捉影，始终见不到。所以，英明的君王，都会闭耳不听，圣人们也是闭口不语。以前秦始皇派遣徐福征召一批男女，到大海去寻求神仙，采摘灵药，结果徐福趁机逃亡，不再返回，天下人都怨恨。汉朝建立后，新垣平、齐人少翁、公孙卿、栾大等人，都因法术用尽，诈骗被揭穿，遭到杀头灭族。请求陛下对诸如此类加以拒绝，不要让那些奸猾的人有觊觎朝廷官位的机会！”成帝赞同他的建议。

光尤著：神光显现特别灵验。⑭ 贡禹：字少翁，元帝时大儒，官至丞相，首议汉祭礼多不合古礼。传见《汉书》卷七十二。⑮ 后人相因：指韦玄成、匡衡等相继支持贡禹的建议。⑯ 其咎不独止禹等：降低祭天地神灵规格之错，恐怕不只应由贡禹等人承担。言外之意，成帝也有责任。⑰ 恨：悔恨。⑱ 庚辰：十月初五日。⑲ 陈宝祠：祭宝鸡神，在今陕西宝鸡。⑳ 著明：有名。明，通“名”。㉑ 知万物之情二句：知晓万物生长的规律，异类无法迷惑。罔，欺罔；迷惑。㉒ 法言：神圣的经典之言。㉓ 求报无福之祠：向不能回报福音的鬼神祈求。㉔ 不终之药：不死之药。㉕ 遥兴轻举：谓人修炼成仙后，起行远游，轻身上天。㉖ 黄冶变化之术：指炼金术。方士诡称可将朱砂炼成黄金。㉗ 左道：邪僻之道。㉘ 洋洋：美盛的样子。这里指漫无边际的大话。㉙ 荡荡：空空荡荡。㉚ 距而不听：闭耳不听。㉛ 绝而不语：闭口不言。㉜ 徐福：方士，受秦始皇派遣，带领三千名童男童女去海中求仙药，一去不复返。事见《史记·秦始皇本纪》。㉝ 新垣平、齐人少翁、公孙卿、栾大：这几个人都是汉武帝宠信的方士。事见《史记·封禅书》。㉞ 术穷诈得：法术用尽诈伪被揭穿。㉟ 诛夷伏辜：诛杀伏法。㊱ 窥朝者：觊觎官位的机会。

【原文】

十一月，尉氏[537]男子樊并等十三人谋反，杀陈留太守，劫略吏民，自称将军；徒李谭、称忠、钟祖、訾顺共杀并。以闻，皆封为侯。

十二月，山阳[538]铁官徒苏令等二百二十八人攻杀长吏，盗库兵，自称将军；经郡国十九，杀东郡太守及汝南都尉。汝南太守严䜣捕斩令等。迁䜣为大司农。

故南昌尉[539]九江梅福[540]上书曰："昔高祖纳善若不及，从谏如[29]转圜[541]，听言不求其能，举功不考其素[542]；陈平起于亡命而为谋主，韩信拔于行陈而建上将。故天下之士云合归汉，争进奇异，知者竭其策，愚者尽其虑[543]，勇士极其节，怯夫勉其死[544]。合天下之知，并天下之威，是以举秦如鸿毛[545]，取楚若拾遗[546]，此高祖所以无敌于天下也。孝武皇帝好忠谏，说至言[547]，出爵不待廉、茂[548]，庆赐不须显功，是以天下布衣各厉志竭精以赴阙庭[549]，自衒鬻者[550]不可胜数，汉家得贤，于此为盛。使孝武皇帝听用其计，升平可致，于是积尸暴骨[551]，快心胡、越[552]，故淮南王安[553]缘间[554]而起；所以计虑不成而谋议泄者，以众贤聚于本朝，故其大臣势陵[555]，不敢和从也。方今布衣乃窥国家之隙，见间而起者，蜀郡[556]是也；及山阳亡徒苏令之群，蹈藉[557]名都、大郡，求党与，索随和[558]，而无逃匿之意。此皆轻量大臣，无所畏忌，国家之权轻，故匹夫欲与上争衡[559]也。

"士者，国之重器；得士则重，失士则轻。《诗》云：'济济多士，文王以宁。'[560]庙堂之议，非草茅所言也[561]；臣诚恐身涂野草，尸并卒伍[562]，故数上书求见，辄报罢[563]。臣闻齐桓之时，有以九九[564]见者，桓公不逆，欲以致大[565]也。今臣所言，非特九九也；陛下距臣者三[566]矣，此天下士所以不至也。昔秦武王好力，任鄙[567]叩关自鬻[568]；缪公行霸[30]，由余归德[569]。今欲致天下之士，民有上书求见者，辄使诣尚书问其所言，言可采取者，秩以升斗之禄，赐以一束之帛。若此，则天

【语译】

十一月，尉氏县的男子樊并等十三人谋反，杀死陈留太守，抢劫掳掠官吏和民众，自称将军；囚徒李谭、称忠、钟祖、訾顺共同杀死了樊并。报告朝廷，都被封为侯。

十二月，山阳郡铁官所管属的矿工苏令等二百二十八人攻打山阳郡，杀了长史，夺取武库兵器，自称将军；经过十九个郡国，杀了东郡太守和汝南都尉。汝南太守严䜣捕杀了苏令等人，晋升严䜣为大司农。

前南昌县尉九江人梅福上奏说："过去高祖刘邦接纳善言，常恐来不及；听从规劝，就像转圆环那样快；听取意见，不计较提意见的人有无才干；选用有功的人，不考察他平常的行为；陈平起家于亡命之徒，而成为谋主，韩信选拔于行伍，而被授命为上将。所以天下的人才，都从四面八方像云集一样来归附汉王，大家争相奉献奇谋妙计，有才智的人，尽力献出他的策略，愚昧的人，也尽力地献出他的一得之见，勇士们用生命捍卫操守，懦夫们也鼓励自己不怕死。集合天下人的聪明才智，团结天下的力量，因而攻取秦王朝就像举鸿毛，夺取楚就像捡起地上遗物，这就是汉高祖天下无敌的原因。孝武皇帝欢迎忠言规劝，喜欢听到至理名言，加官晋爵不论是不是孝廉、茂才，赏赐嘉许不必有显赫功勋，因此，全天下的人民都振奋志节，竭尽忠诚奔赴朝廷效力，自夸自荐的人不计其数，汉朝所得人才，这时候最多。假使孝武皇帝采纳当时贤人的建议，可以获得天下太平。但是，这时战争爆发，尸首堆积，枯骨遍野，孝武皇帝一定要灭亡匈奴、南越才甘心，所以淮南王刘安乘机而起；刘安之所以造反失败，计谋泄漏，是因为众多贤才聚集在朝廷，刘安的臣僚可以控制局势，不敢随从附和反叛。而当今一个平民百姓都在窥伺朝廷的缝隙，看到机会而起的，蜀郡人郑躬在鸿嘉四年造反就是；等到山阳郡亡命之徒苏令等人，践踏名都大郡，搜罗党羽，寻求随声附和的人，毫无逃跑躲藏的意思。这都是他们轻视朝廷大臣，无所畏忌，国家权势衰退，所以一介匹夫也敢想与皇上较量。

"士人，是治国的重要工具；得到士人国家才势重，失去士人国家则势轻。《诗经》说：'满朝都是贤才，文王得以享受安宁。'朝廷大事，本来不是山野草民可以议论的；但是臣确实担心身没山野，尸体与普通士兵一般，所以多次上书请求召见，每次都被搁置。臣听说齐桓公的时候，有人凭借九九乘法表进见，齐桓公没有拒绝，想以此引来更重要的建议。如今，臣的建言并不只是九九小技；陛下却多次拒绝召见臣，这就是天下的贤才不入朝廷的原因。从前，秦武王喜欢武力，勇士任鄙入关自荐；秦穆公实施霸道，由余投奔秦国。当今想要招揽天下的人才，人民有上书请求召见的，就应当准许他们到尚书府陈述，所言值得采纳的，赐给他升斗的俸禄，赏给他一束布帛。如果这样，那么天下的贤才，都会一抒怨气，吐出忠言，善谋天

下之士，发愤懑，吐忠言，嘉谋日闻于上，天下条贯[570]，国家表里，烂然[571]可睹矣。

“夫以四海之广，士民之数，能言之类至众多也；然其隽桀指世陈政，言成文章，质之先世[572][31]而不缪，施之当世合时务，若此者亦无几人[573]。故爵禄束帛者，天下之砥石[574]，高祖所以厉世摩钝[575]也。

“孔子曰：‘工欲善其事，必先利其器。’[576]至秦则不然，张诽谤之罔[577]以为汉驱除[578]，倒持泰阿[579]，授楚其柄[580]。故诚能勿失其柄，天下虽有不顺，莫敢触其锋，此孝武皇帝所以辟地建功，为汉世宗[581]也。

“今陛下既不纳天下之言，又加戮焉。夫鸢鹊遭害，则仁鸟增逝[582]；愚者蒙戮，则智士深退。间者愚民上书，多触不急之法[583]，或下廷尉而死者众。自阳朔[584]以来，天下以言为讳；朝廷尤甚，群臣皆承顺上指，莫有执正。何以明其然也？取民所上书，陛下之所善，试下之廷尉，廷尉必曰‘非所宜言，大不敬’，以此卜之，一矣。故京兆尹王章，资质忠直，敢面引廷争，孝元皇帝擢之[585]，以厉具臣而矫曲朝[586]。及至陛下，戮及妻子。且恶恶止其身[587]，王章非有反畔之辜而殃及室家[588]，折直士之节[589]，结谏臣之舌[590]。群臣皆知其非，然不敢争，天下以言为戒，最国家之大患也！

“愿陛下循高祖之轨，杜亡秦之路，除不急之法，下无讳之诏[591]，博览兼听，谋及疏贱，令深者不隐[592]，远者不塞[593]，所谓‘辟四门，明四目[594]’也。往者不可及，来者犹可追。方今君命犯而主威夺[595]，外戚之权，日以益隆。陛下不见其形[596]，愿察其景[597]！建始以来[598]，日食、地震，以率言[599]之，三倍春秋，水灾亡[600]与比数。阴盛阳微，金铁为飞[601]，此何景也[602]？汉兴以来，社稷三危[603]：吕、霍、上官，皆母后之家也。亲亲之道，全之为右[604]，当与之贤师良傅，教以忠孝之道；今乃尊宠其位，授以魁柄，使之骄逆，至于夷灭，此失亲亲之大者也。自霍光之贤，不能为子孙虑，故权臣易世则危[605]。《书》曰：‘毋若火，始庸庸。’[606]势陵于君，权隆于主，然后防之，亦无及已！”上不纳。

天上奏皇上，天下秩序井然，朝廷内外，光辉灿烂的景象可以见到了。

“凭着国家疆土的广大，人民的众多，能进忠言的人极为众多；然而其中的俊杰能指出现实政治的利弊，说出富有文采的建议，考之于前代而没有失误，实施在当代也合于时务，这样的人也没有几个。所以封爵、俸禄、绸缎、布匹，是激发天下士人效忠的动力，汉高祖用它们来磨砺世人，招揽英才。

“孔子说：‘工人想把器物做好，一定先要把工具磨锋利。’到了秦朝却不是这样，张开言论致罪的法网，替汉王朝的建立开辟道路，倒拿着泰阿宝剑，把剑柄交给楚人。所以真能不失剑柄，天下虽有人背叛，也不敢去触犯剑锋，这正是孝武皇帝所以开疆拓土，建立功业，成为汉代世宗的原因。

“如今陛下既不采纳天下人的建议，又还加害进言之人。那不祥的猫头鹰被害，仁爱的凤凰就赶紧飞走；愚昧的人都受杀戮，那么智士就要深藏。近来愚民上书，多触犯了不合理的法律，有的被逮捕下狱，遭廷尉处死的人很多。自从阳朔年间以来，天下的人忌讳直言；朝廷官员尤其严重，群臣都顺从皇上的旨意，没有人敢坚持公正直言。何以证明这种情况呢？拿出民众所上奏章，选取陛下所赞许的，试着交给廷尉，廷尉一定会说‘这不是他们应当说的话，是犯了大不敬之罪’，依此推测，其他事情都是一个样子。前京兆尹王章，性格忠直，敢当着皇上的面在朝廷上据理诤谏，孝元皇帝特意提拔他，用以鞭策那些不作为的臣子，矫正朝廷的歪风邪气。但是，到了陛下，不但王章被杀头，连他的妻子儿女也被株连。况且，惩治罪恶，只限于本人，王章并不是犯了谋反叛乱的重罪，祸殃竟波及全家，这是摧残正直人士的气节，扼住进谏之臣的口舌。群臣都知道这样处理是错误的，却不敢进言谏诤，所以天下人都相诫闭嘴不说话，这是国家最大的祸患啊！

“臣希望陛下遵循高祖之道，堵住亡秦的途径，撤除烦琐不宜的法令，发布不必讳言的诏书，博览兼听，疏远卑贱的人也征询意见，使藏身深处的人不再退隐，远来的人不遭阻隔，正如《书经》所说‘广开四门，明视四方’。过去的事情，不可以追悔，未来的事情，还可以补救。如今君王的权威受到侵犯和剥夺，外戚的权势也日益膨胀。陛下虽然看不见这种形势的具体形象，但可以察觉它造成的影响。从建始年间以来，日食、地震，大概说来，三倍于春秋，水灾多得无法比较。阴盛阳衰，金铁化成流星飞上天，这是什么景象？汉朝建立以来，政权出现三次危机：吕氏、霍禹、上官桀，都是皇太后的娘家人。亲爱亲戚的办法，保全他们为上策，应当给外戚子弟聘请贤良的教师和师傅，用忠孝之道教育他们；如今却尊宠他们的官位，授给他们权力，使他们骄横为逆，直到被灭族，这实际是失去了亲爱亲人的大义。即使霍光那样贤明的人，也没有很好地为子孙考虑，所以权力太重的臣子，第二代就陷于危险境地。《书经》说：‘不要轻易玩火，虽然开始时火苗微弱。’等到权臣势力压倒了君王，权力高过了主上，然后再来防范，那就来不及了！”成帝不予采纳。

【段旨】

以上为第十二段，写成帝永始三年（公元前一四年），人民起义的星火此起彼伏。南昌县尉梅福忧虑星火燎原，痛切上书成帝，直言劝谏，希望成帝纳谏用贤，疏远奸佞，抑制外戚，成帝不听。

【注释】

㊲尉氏：县名，为陈留郡属县。县治在今河南尉氏。㊳山阳：郡名，治所昌邑，在今山东金乡西北。㊴南昌尉：即豫章郡尉。南昌，县名，为豫章郡治所，在今江西南昌。㊵梅福：字子真，九江寿春人，为南昌尉，通经术，常上书言事。传见《汉书》卷六十七。㊶从谏如转圜：听从劝谏像转动圆环那样快。㊷举功不考其素：举用有功之人，不必考究其平常的行为。㊸愚者尽其虑：愚笨的人也能尽量发挥才智。即俗语所谓"愚者千虑，必有一得"。㊹怯夫勉其死：懦夫也勉励自己去面对死亡。㊺鸿毛：一根羽毛，喻其轻。㊻拾遗：捡起地上的东西，喻其易。㊼说至言：喜欢听至理名言。㊽出爵不待廉、茂：赏官封爵只看功劳大小，不管他是不是孝廉、茂才。茂才，即秀才，讳光武帝秀字改。㊾厉志竭精以赴阙庭：振奋志节，竭尽忠诚奔赴朝廷效力。㊿自衒鬻者：自夸自荐的人。汉武帝求贤，下令允许自荐。(551)积尸暴骨：尸首堆积，枯骨露于野。指汉武帝连年征伐，造成杀人盈野，死人遍地。(552)快心胡、越：必欲灭匈奴、南越才甘心。(553)淮南王安：刘安，汉高祖孙，文帝封为淮南王，武帝时谋反未遂，自杀国除。传见《史记》卷一百十八、《汉书》卷四十四。(554)缘间：乘机。(555)大臣势陵：指淮南王国内大臣的势力可以控制住刘安。(556)蜀郡：指鸿嘉四年广汉郡郑躬等反叛，被蜀郡兵平定之事。(557)蹈藉：践踏；蹂躏。(558)求党与二句：招降纳叛，搜罗党羽。(559)与上争衡：与皇帝较量。(560)《诗》云两句：引自《诗经·文王》。(561)庙堂之议二句：朝廷大事，我这个山野草民是没有资格议论的。草茅，蓬屋，喻山野小民。据《汉书》本传，梅福上书时已致仕家居，故以"草茅"自称。(562)身涂野草二句：身死山野，尸体和普通兵士一样被埋葬。意为不甘心碌碌无为，愿意为国效力。(563)辄报罢：往往被搁置，不采纳。(564)九九：一般的算术知识，如九九乘法表。(565)致大：招致重大的建议。(566)距臣者三：拒绝我已多次。三，多次。(567)任鄙：秦武王时的勇士。(568)叩关自鬻：入函谷关到秦国自我推荐。(569)由余归德：指由余由西戎投奔秦国。由余，本西戎贤臣，后辅佐秦穆公称霸。(570)条贯：秩序井然。(571)烂然：光辉灿烂。(572)先世：前代。(573)若此者亦无几人：像这样的人也没有几个人。(574)砥石：磨刀石，喻动力。爵禄是激发天下士人效忠的动力。(575)历世摩钝：指高祖以爵禄延揽人才。(576)孔子曰两句：引语见《论语·卫灵公》。(577)张诽谤之罔：张开法网，因言论治罪。罔，通"网"。(578)为汉驱除：为汉朝的建立开辟道路。(579)泰阿：宝剑名，为名匠欧冶子所铸。(580)授楚其柄：把剑柄授给楚人。这里指秦朝暴政，把人民推到楚国

人项羽一边。楚，指项羽。581 世宗：汉武帝的庙号。582 夫鸢鹊遭害二句：此二句是说作为恶鸟的猫头鹰遭到残害，吉祥的凤凰鸟也会远走高飞。鸢鹊，猫头鹰，古人认为是不祥之鸟。仁鸟，鸾凤，吉祥鸟。583 触不急之法：触犯了本身就不合理的法律。不急之法，指烦琐的、不合理的，甚至是不该设立的法律条文。如因言治罪，就是不急之法。584 阳朔：成帝的第三个年号，公元前二四至前二一年。阳朔元年，京兆尹王章直言遭诛，直言进谏者受挫。585 孝元皇帝擢之：元帝提拔王章为左曹、中郎将。586 以厉具臣而矫曲朝：指汉元帝提拔王章，是要用他来鞭策那些混世的官员，矫正政府的歪风邪气。厉具臣，鞭策平庸的官员。厉，鞭策。具臣，只知照章办事的官员。矫曲朝，纠正朝中的腐败现象。587 恶恶止其身：对罪恶的惩罚，只限于其本人。语出《公羊传》昭公二十年："恶恶止其身，善善及子孙。"588 殃及室家：灾祸殃及家人。王章死，妻子被徙。589 折直士之节：摧折正直士人的气节。590 结谏臣之舌：遏止臣子进谏的言路。591 下无讳之诏：颁布没有禁忌的诏令。指广开言路。592 深者不隐：退避深远的人不再隐居。593 远者不塞：远来的人不被阻止在外。594 辟四门二句：语出《尚书·舜典》。意为广开四门，明视四方，招揽贤才。595 君命犯而主威夺：君王的权力被侵犯，皇帝的威严削弱。犯，夺，指臣子犯君命，夺君权。596 不见其形：看不到具体内容。597 愿察其景：可以觉察其影响。景，通"影"。598 建始以来：指成帝即位以来。建始为成帝的第一个年号。599 率言：大略说；粗略计算。600 亡：同"无"。601 金铁为飞：成帝河平二年（公元前二七年），沛郡铁官在铸铁时，铁化成流星飞去，被认为是臣夺主权的征兆。602 此何景也：这是什么景象。意谓金铁为飞，是出现败亡景象。603 社稷三危：汉朝建立以来，政权三次遭到危险，即高帝末年诸吕用事、昭帝时上官桀争权、宣帝时霍禹谋逆，全是皇太后娘家人。604 全之为右：保全外戚才是最上策。605 权臣易世则危：大臣权力太重，到了第二代必然陷于危亡。易世，换了一代，即第二代。606《书》曰两句：引语见《周书·洛诰》。意谓："不要轻易玩火，虽然开始时不过是星星点点。"庸庸，形容火苗微弱的样子。

【校记】

［29］如：据章钰校，十四行本、乙十一行本皆作"若"。［30］霸：据章钰校，十四行本、乙十一行本皆作"伯"。［31］世：据章钰校，十四行本、乙十一行本、孔天胤本皆作"圣"，张敦仁《通鉴刊本识误》同。

【研析】

汉成帝昏愦顽劣，但不是智力不够，而是性情软弱；他荒怠政事，也不是一个傀儡皇帝。汉成帝微服出游，亲眼看到外戚王谭、王商骄奢逾制，感到了政权危机。成帝一反常态，严惩王侯，表演了一番大义灭亲，诛杀大臣的雄主威风，确实打击了外戚的嚣张气焰。只是成帝并没下定决心诛杀外戚，不过恐吓他们使其有所收敛罢了。此事发生在鸿嘉三年（公元前一八年），成帝正在微服出游、宠幸赵飞燕姐妹的兴头上，都做出了这一番政治秀，可以说明两个问题。其一，成帝头脑清醒，当亲眼看到了外戚的骄奢逾制，皇权受到威胁，也能采取果断措施。其二，王侯受惩，并不甘心，上书自请黥劓之刑，以舅父之尊，挟皇太后之势，胁迫成帝，别无反抗手段。成帝不吃这一套，把诸舅送上设计的假法场，像是真要诛杀他们似的。这说明汉成帝仍牢牢地控制着皇权，成帝的昏愦，不是不能为，而是不作为。这充分暴露了皇权至高无上的寡头政治，这种体制的弊端。举国体制，听命于一人，是多么的危险。成帝清醒时，也能听几句臣下的劝谏，谷永、刘向这些大臣也能切言直谏；成帝糊涂时，诛杀言官，群臣就噤若寒蝉了。

赵飞燕姐妹，出身寒微，没有任何依靠，仅凭天生丽质，就迷倒了汉成帝，赵飞燕夺了正宫之位，污秽后宫，竟也没受到惩罚。姐妹一心，相互掩护是其一，成帝天生好色，不爱江山爱美人是其二。成帝随心所欲，宴饮大呼小叫，没有一点九五之尊的体统，可算得上是一个风流皇帝。

永始元年（公元前一六年），成帝采纳刘向疏奏，停建昌陵，不失为一桩善政，也表明成帝洞察形势的清醒。当时国库空虚，头一年黄河决堤，政府没有经费修治，以寻求黄河故道为由，听任洪水泛滥。昌陵修建，选址不当，劳民伤财，五年不成，裁撤这一工程是明智之举。成帝昌陵工程，比起秦始皇骊山陵，只是小巫见大巫，在汉代诸陵中也不是最大的，仍然是几万人修建了五年还没完工，为了取土填坑，竟然挖掘了周围一万多座平民的坟墓。汉民族敬祖，坟墓被挖是一件大事。破了祖坟，就是惊了祖先的灵魂，灾祸将及于子孙。皇帝建陵，为的是死后灵魂安居，却不顾上万平民千家万户灵魂的安居，这还能算是子民天下的父母吗？每一座帝王坟墓，都是人民血泪和愤怒的见证。

卷第三十二　汉纪二十四

起著雍涒滩（戊申，公元前一三年），尽昭阳赤奋若（癸丑，公元前八年），凡六年。

【题解】

本卷记事起公元前一三年，迄公元前八年，凡六年史事，当汉成帝永始四年至绥和元年，是成帝执政的后期。重大事件，有永始四年，谷永上书阻止朝廷对梁王刘立骄奢横行，违法犯禁，与姑母乱伦案的调查，此乃皇室糜烂的延伸。元延二年（公元前一一年），段会宗出使西域，安定了乌孙，影响所及，康居遣子入质。匈奴、乌孙、康居三大国归附汉朝，标志西汉的极盛，实质是昭宣中兴的回光返照。此时王氏外戚势力日益隆盛，成帝浑浑噩噩，无所作为。元延三年（公元前一〇年），蜀地大山崩，成帝居然动员数十万民众抓捕野兽以供上林苑取乐。连年灾异不断，谷永、刘向、朱云等大臣交章上疏，劝谏成帝有所作为，成帝不纳。绥和元年，成帝恢复三公建制，确定定陶王刘欣入继大统。王莽攀附红阳侯王立，利用王立与淳于长两人的权力之争，既铲除了政敌淳于长，又沉重地打击了王立，一箭双雕。王莽长于政治，工于心计，终于夺取了执政中心的大司马职位，崭露头角，身手不凡。

【原文】

孝成皇帝中

永始四年（戊申，公元前一三年）

春，正月，上行幸甘泉，郊泰畤，大赦天下。

三月，行幸河东，祠后土。

夏，大旱。

四月癸未①，长乐临华殿②、未央宫东司马门③皆灾④。六月甲午⑤，霸陵园门阙灾。

秋，七月辛未晦⑥，日有食之。

冬，十一月庚申⑦，卫将军王商病免。

梁王立⑧骄恣无度，至一日十一犯法。相禹⑨奏“立对外家怨望，有恶言”。有司案验，因发其与姑园子奸事，奏“立禽兽行⑩，请诛”。

【语译】

孝成皇帝中

永始四年（戊申，公元前一三年）

春，正月，皇上巡幸甘泉宫，祭祀天帝太乙神，大赦天下。

三月，巡幸河东郡，祭祀后土神。

夏，大旱。

四月十一日癸未，长乐宫的临华殿、未央宫的东司马门都发生火灾。六月二十三日甲午，霸陵园的正门也发生火灾。

秋，七月最后一天三十日辛未，发生日食。

冬，十一月二十一日庚申，卫将军王商因病免职。

梁王刘立骄纵无度，甚至一天犯法十一次。梁国相禹上奏说“刘立对外戚怀有怨恨，恶言相加”。有关部门查办，由此揭发出刘立与姑母刘园子通奸之事，奏报说“刘立有乱伦的禽兽行为，请处以死刑”。太中大夫谷永上疏说：“臣听说礼仪规定，

太中大夫谷永上疏[1]曰："臣闻礼，天子外屏⑪，不欲见外也。是以帝王之意，不窥人闺门之私，听闻中冓之言⑫。《春秋》为亲者讳⑬，今梁王年少，颇有狂病⑭，始以恶言按验，既无事实，而发闺门之私，非本章所指。王辞又不服，猥强劾立，傅致⑮难明之事⑯，独以偏辞⑰成罪断狱，无益于治道。污蔑宗室以内乱之恶⑱，披布宣扬于天下，非所以为公族⑲隐讳，增朝廷之荣华，昭圣德之风化也。臣愚以为王少而父同产长⑳，年齿不伦。梁国之富足以厚聘美女，招致妖丽㉑，父同产亦有耻辱之心㉒。按事者乃验问恶言，何故猥自发舒㉓！以三者揆㉔之，殆非人情，疑有所迫切㉕，过误失言㉖，文吏蹑寻㉗，不得转移㉘。萌牙之时，加恩勿治，上也㉙。既已案验举宪㉚，宜及王辞不服，诏廷尉选上德通理之吏更审考清问㉛，著不然之效㉜，定失误之法㉝。而反命于下吏㉞，以广公族附疏㉟之德，为宗室刷污乱之耻，甚得治亲之谊㊱。"天子由是寝而不治㊲。

是岁，司隶校尉蜀郡何武㊳为京兆尹。武为吏，守法尽公，进善退恶，其[2]所居无赫赫名，去后常见思。

【段旨】

以上为第一段，写永始四年（公元前一三年）谷永上书，阻止朝廷对梁王刘立乱伦案件的调查。谷永按常理人情，做出强有力的推论雄辩，掩盖了嫌疑人刘立的犯罪事实，救了一个恶棍的命。在不平等的制度下，刑不上大夫，法律是保护特权的，谷永的辩护才得以奏效。

【注释】

①癸未：四月十一日。②长乐临华殿：长乐宫中殿名。③司马门：宫殿的外门，有军司马守卫，因称司马门。④灾：指天火，即雷击。长乐宫为太后所居，未央宫为皇帝所居，两宫同时失火，不祥，故记载。⑤甲午：六月二十三日。⑥辛未晦：七月三十日。⑦庚申：十一月二十一日。⑧梁王立：刘立，系景帝弟刘武的第八世孙。⑨相禹：梁王相名禹，史失其姓。⑩禽兽行：汉法称乱伦为"禽兽行"。⑪外屏：在门外建

天子在门外修建屏风墙，为的是不要看到外面的事情。因而帝王的心意，不探看他人闺门的隐私，窃听他人在内室的私房话。《春秋》大义，要为亲属隐讳过失，如今刘立年少，疯癫病又很厉害，开始因恶言被指控，而查无事实，转而告发他闺房隐私，已不属原指控的内容了。刘立又不承认，竟以各种手段强行弹劾刘立，附会罗织这些难以查明的事，只根据一面之词，就行定罪，无益于国家的法治之道。用乱伦的恶行诬蔑皇族，披露宣扬于天下，这绝对不是隐讳皇族过失，增加朝廷的光彩，宣扬圣德教化的办法。臣愚以为，刘立年少，而姑母是与父同胞的长辈，两人年龄不相当。再说，以梁国的富裕，足以用厚礼选聘美女，罗致绝色美人，而与父同胞的刘园子，也自有羞耻之心。调查的人本来是查问恶言的事，为什么当事人自己亲口说出乱伦事！从这三个方面推测，通奸的事，不合人情，因此臣怀疑供词是在逼迫的情况下，一时惊恐失言，调查人员抓住追究不放，所说不能回转。此案尚在萌芽之时，陛下施恩不加追究，这是上策。既然已经立案调查，应该乘刘立拒绝承认，下诏给廷尉，另选道德高尚、通情达理的官吏，重新审理明白，证明事出无据，肯定初审的失误。命令将调查无罪的事实材料交付有关官吏，以广布皇族亲附的美德，替宗室洗刷被诬蔑的污秽淫乱的耻辱，深得处理亲情的大义。”皇上于是就将此案搁置不办。

这一年，任命司隶校尉蜀郡人何武为京兆尹。何武任官，奉公守法，能引进良善的人，斥退邪恶的人，他在任时，虽没有显赫的功劳和名声，但离开后，常常被人们怀念。

的屏风墙。⑫中冓之言：内室说的私房话。⑬《春秋》为亲者讳：见《公羊传》闵公元年释例。⑭狂病：疯癫。⑮傅致：附会罗织。傅，通“附”。⑯难明之事：难以查明的闺房私事。⑰偏辞：一面之词。⑱内乱之恶：指乱伦的丑恶。⑲公族：皇族。⑳父同产长：指刘立之姑刘园子是刘立父的同胞长辈。㉑招致妖丽：罗致绝色美女。㉒耻辱之心：指刘园子身为姑妈自有羞耻之心。㉓猥自发舒：自己说出乱伦之事。㉔揆：推度；推理。㉕迫切：逼供。㉖过误失言：惊恐中说出的错话。㉗文吏蹑寻：舞文弄墨的文吏抓住不放。㉘不得转移：一句话说错，越追越离谱，收不回来。㉙萌牙之时三句：意谓刘立乱伦案一开始就应施恩不加追究，方为上策。㉚案验举宪：指调查立案。㉛更审考清问：重新调查审问。㉜著不然之效：彰显刘立案没有事实根据。㉝定失误之法：肯定初审的失误。㉞反命于下吏：移交主管部门处理。㉟附疏：使族属亲附。㊱治亲之谊：处理亲情的大义。㊲寝而不治：搁置起来，不再追究。㊳何武：字君公，蜀郡郫县（今四川成都市郫都区）人。官至大司空。传见《汉书》卷八十六。

【校记】

[1]疏：原作“书”。据章钰校，十四行本、乙十一行本、孔天胤本皆作“疏”，今据改。[2]其：原无此字。据章钰校，十四行本、乙十一行本、孔天胤本皆有此字，今据补。

【原文】

元延元年（己酉，公元前一二年）

春，正月己亥朔㊴，日有食之。

壬戌㊵，王商复为大司马、卫将军。

三月，上行幸雍，祠五畤。

夏，四月丁酉㊶，无云而雷㊷，有流星从日下东南行，四面耀耀如雨，自晡㊸及昏㊹而止。

赦天下。

秋，七月，有星孛于东井。

上以灾变，博谋群臣。北地太守谷永对曰：“王者躬行道德，承顺天地，则五征㊺时序，百姓寿考，符瑞并降。失道妄行，逆天暴物㊻，则咎征著邮㊼，妖孽㊽并见，饥馑荐臻㊾。终不改寤，恶洽变备㊿，不复谴告，更命有德(51)。此天地之常经，百王之所同也。加以功德有厚薄，期质有修短(52)，时世有中季，天道有盛衰。陛下承八世(53)之功业，当阳数之标季(54)，涉三七之节纪(55)，遭《无妄》之卦运(56)，直百六之灾厄(57)，三难(58)异科，杂焉同会。建始元年以来，二十载间，群灾大异，交错锋起，多于《春秋》所书(59)。内(60)则为深宫后庭，将有骄臣(61)悍妾(62)、醉酒狂悖卒起之败，北宫苑囿街巷之中、臣妾之家(63)幽闲之处，征舒、崔杼之乱(64)；外则为诸夏下土(65)，将有樊并、苏令(66)、陈胜、项梁(67)奋臂之祸(68)。安危之分界，宗庙之至忧，臣永所以破胆寒心，豫言之累年。下有其萌，然后变见于上(69)，可不致慎！祸起细微，奸生所易(70)，愿陛下正君臣之义，无复与群小媟黩(71)燕[3]饮。勤三纲(72)之严(73)，修

【语译】

元延元年（己酉，公元前一二年）

春，正月初一日己亥，发生日食。

二十四日壬戌，王商被重新起用为大司马、卫将军。

三月，皇上巡幸雍邑，祭祀五畤。

夏，四月初一日丁酉，天空无云而有雷声，有流星从太阳下方向东南方向划过，光耀四射，如同下雨，从申时到黄昏才停止。

赦免天下。

秋，七月，在东方井宿出现彗星。

皇上因为发生灾异，广泛征询臣下意见。北地太守谷永回答说：“君王能够亲身践行道德，承顺天地旨意，那么下雨、天晴、寒冷、炎热、刮风五种气象，就会按时令运转，人民就能长寿，吉祥符瑞一起降临。君王如果违背正道，胡作非为，违背天意，糟蹋万物，那么灾祸的征兆就显示人君的过失，妖孽同时出现，大饥荒接连来到。君王如果始终不醒悟，恶贯满盈，灾变丛生，上天就不再警告，另寻有德之君。这是天地行事的正常道理，对历代的君王是一样的。加上功德有厚有薄，天资有高有低，所处时代有中期、晚期，形势有盛有衰。陛下继承汉家八代的基业，正当阳九的晚期，临近二百一十年一个周期的劫数，正碰上《易经》上《无妄》之卦的命运，又恰逢‘百六’的灾难，不同的三种灾难日食、地震、暴雨，混杂着同时到来。自建始元年以来，二十年间，各种大灾异，交替发生，比《春秋》记载的还要多。在宫廷之内，将有骄横的内臣和凶悍的嫔妃、纵酒的狂悖之徒突然带来的败亡，在深宫的花园街巷之中，在姬妾之家的幽暗僻静之处，将会出现夏征舒与崔杼一样的变乱；在朝廷之外的广大国土之上，将会有樊并、苏令、陈胜、项梁振臂造反那样的灾祸。如今国家处在安全与危乱的分界线上，宗庙社稷面临最大忧患，这就是臣谷永胆破心寒，连年上书预言的缘故啊！人间有不安的苗头，上天才用灾异示警，怎能不谨慎小心啊！祸乱起于细微，奸邪生于随意，臣希望陛下端正君臣之间的大义，不要再与那群小人猥亵淫乱，宴饮作乐。严格按照三纲的原则，建立

后宫之政[74]，抑远骄妒之宠[75]，崇近婉顺之行[76]。朝覲[77]法驾[78]而后出，陈兵清道[79]而后行，无复轻身独出，饮食臣妾之家。三者既除[80]，内乱之路塞矣。诸夏举兵，萌[81]在民饥馑而吏不恤[82]，兴于百姓困而赋敛重，发于下怨离而上不知。《传》曰：‘饥而不损，兹谓泰，厥咎亡。’[83]比年[84]郡国伤于水灾，禾麦不收，宜损常税[85]之时，而有司奏请加赋，甚缪经义，逆于民心，市怨趋祸[86]之道也。臣愿陛下勿许加赋之奏，益减奢泰之费[87]，流恩广施，振赡[88]困乏，敕劝耕桑，以慰绥[89]元元[90]之心，诸夏之乱庶几可息！”

中垒校尉[91]刘向上书曰：“臣闻帝舜戒伯禹‘毋若丹朱傲[92][4]’，周公戒成王‘毋若殷王纣[93]’，圣帝明王常以败乱自戒，不讳废兴，故臣敢极陈其愚，唯陛下留神察焉！

“谨按《春秋》二百四十二年，日食三十六，今连三年比食[94]，自建始以来，二十岁间而八食，率[95]二岁六月而一发，古今罕有。异有小大希稠[96]，占有舒疾缓急[97]，观秦、汉之易世，览惠、昭之无后，察昌邑之不终，视孝宣之绍起，皆有变异著于汉纪[98]。天之去就，岂不昭昭然哉！臣幸得托末属[99]，诚见陛下宽明之德，冀销大异[100]而兴高宗、成王之声[101]，以崇[102]刘氏，故恳恳数奸[103]死亡之诛！天文难以相晓，臣虽图上，犹须口说，然后可知，愿赐清燕之闲[104]，指图陈状[105]！”上辄入之[106]，然终不能用也。

红阳侯立举陈咸方正，对策，拜为光禄大夫、给事中[107]。丞相方进复奏“咸前为九卿，坐为贪邪免，不当蒙方正举，备内朝臣[108]”，并劾红阳侯立选举故不以实。有诏免咸，勿劾立[109]。

十二月乙未[110]，王商为大将军。辛亥[111]，商薨，其弟红阳侯立次当辅政。先是立使客因南郡太守李尚占垦草田[112]数百顷，上书以入县官，贵取其直一万万[113][5]以上，丞相司直孙宝发之[114]，上由是废立，而用其弟光禄勋、曲阳侯根。庚申[115]，以根为大司马、骠骑将军[116]。

特进、安昌侯张禹[117]请平陵肥牛亭[118]地，曲阳侯根争，以为此地当平陵寝庙，衣冠所出游道[119]，宜更赐禹他地。上不从，卒以赐禹。根

后宫的秩序，疏远限制恃宠骄悍的嫔妃，亲近和顺、端庄、品德好的美女。皇上出行要有法驾的仪仗护卫，还要警卫戒严，不要随便独自出宫，饮宴姬妾之家。出游、酗酒、好色三种恶习去掉了，产生内乱的道路就堵死了。全国各地举兵造反，发端于民众饥饿而官吏不加体恤，兴起于百姓困苦而赋税沉重，暴发于民情怨恨而皇上不知。《易传》说：‘人民饥荒而不减损税赋，反而宣扬国泰民安，其灾祸就导致灭亡。’地方郡国连年遭受水灾伤害，谷子小麦都没有收成，应该是减免正常税额的时候，而主管官员却上奏增加赋税，这是很违背经典大义，背离民心，制造怨恨，招致灾祸的做法啊。臣希望陛下不要批准增加赋税的奏请，更要减少奢华享受所需要的费用，广施恩泽，救济贫困的民众，下诏劝勉他们耕田种桑，用来抚慰黎民百姓之心，全国各地的造反或许可以平息！”

中垒校尉刘向上书说：“臣听说帝舜告诫大禹‘不要像帝尧的儿子丹朱那样骄傲’，周公告诫成王‘不要学殷纣王’，圣明的帝王常常把别人的败亡作为自己的警戒，不忌讳说兴亡，所以臣才敢极力陈述愚见，请陛下留心考察！

“臣谨慎考察了《春秋》二百四十二年，记载了日食三十六次，现今连续三年发生日食，自建始以来，二十年间发生了八次日食，大致两年零六个月就发生一次，这是古今少有的。变异有小有大，有疏有密，占卜显示有轻有重，有缓有急，看一看秦汉的改朝换代，想一想汉惠帝、昭帝没有后代，查考昌邑王刘贺被废太子之位，审视孝宣帝从平民中崛起，都有天象变异记载在汉朝历史上。上天疏远谁和亲近谁，难道不是明明白白的吗！臣有幸为皇族的支脉，看到陛下有宽厚的德行，希望能消除变异，而能兴起像殷高宗、周成王那样的声誉，以提高刘氏的声望，所以才不断恳切地冒死上书！天文复杂，难以向陛下说明白，臣虽然绘制了天文图表，呈献陛下，但仍需口头说明，然后才能知晓，希望陛下将闲暇的时间赐给臣，让臣指着图表向陛下详述天文变异的情状！”皇上立即召见刘向，但终究没有采纳他的建议。

红阳侯王立举荐陈咸为方正，通过对策被任命为光禄大夫、给事中。丞相翟方进再次上奏说“陈咸从前位列九卿，因贪赃邪恶而被罢官，不该以方正资格举荐，充任朝廷侍从大臣”，同时还弹劾红阳侯王立有意不如实举荐人才。皇上下诏免去陈咸的官职，不追究王立。

十二月初二日乙未，王商为大将军。十八日辛亥，王商去世，他的弟弟红阳侯王立按顺序应担任辅政大臣。从前王立曾派他的门客通过南郡太守李尚占夺由百姓开垦过的荒田数百顷，然后上书说是新开垦的田，请求政府收购，乘机索取高价一亿多，丞相司直孙宝揭发此事，皇上因此废弃王立，而任用他的弟弟光禄勋、曲阳侯王根。二十七日庚申，任命王根为大司马、骠骑将军。

特进、安昌侯张禹请求皇上把平陵肥牛亭的土地赐给他，曲阳侯王根坚决反对，认为这块地在昭帝陵园附近，是皇帝祭祀衣冠出游庙园必经之地，应换另一块地方

由是害禹宠[120]，数毁恶之。天子愈益敬厚禹，每病，辄以起居闻[121]，车驾自临问之。上亲拜禹床下，禹顿首谢恩。禹小子未有官，禹数视其小子，上即禹床下拜为黄门郎、给事中。禹虽家居，以特进为天子师，国家每有大政，必与定议。

时吏民多上书言灾异之应，讥切王氏专政所致，上意颇然之，未有以明见[122]。乃车驾至禹弟[123]，辟左右[124]，亲问禹以天变，因用吏民所言王氏事示禹。禹自见年老，子孙弱，又与曲阳侯不平，恐为所怨，则谓上曰："《春秋》日食、地震，或为诸侯相杀，夷狄侵中国。灾变之意，深远难见，故圣人罕言命[125]，不语怪神，性与天道[126]。自子贡之属不得闻，何况浅见鄙儒之所言？陛下宜修政事，以善应之，与下同其福喜，此经义意也。新学小生，乱道误人，宜无信用，以经术断之！"上雅信爱禹[127]，由此不疑王氏。后曲阳侯根及诸王子弟闻知禹言，皆喜说，遂亲就禹。

故槐里令朱云[128]上书求见，公卿在前，云曰："今朝廷大臣，上不能匡主，下无以益民，皆尸位素餐[129]，孔子所谓'鄙夫不可与事君，苟患失之，亡所不至'[130]者也！臣愿赐尚方斩马剑[131]，断佞臣[132]一人头以厉[133]其余！"上问："谁也？"对曰："安昌侯张禹！"上大怒曰："小臣居下讪上[134]，廷辱师傅，罪死不赦！"御史将云下，云攀殿槛[135]，槛折。云呼曰："臣得下从龙逢、比干[136]游于地下，足矣！未知圣朝何如耳！"御史遂将云去。于是左将军辛庆忌免冠，解印绶[137]，叩头殿下曰："此臣素著狂直[138]于世，使其言是，不可诛，其言非，固当容之。臣敢以死争！"庆忌叩头流血，上意解，然后得已。及后当治槛，上曰："勿易[139]，因而辑之[140]，以旌直臣[141]！"

匈奴搜谐单于[142]将入朝，未入塞，病死。弟且莫车[143]立，为车牙若鞮单于[144]，以囊知牙斯为左贤王。

北地都尉张放到官数月，复征入侍中。太后与上书曰："前所

赐给他。皇上不听，最终把那块地赐给了张禹。王根因此很忌恨张禹得宠，多次毁谤张禹。但是皇上越发尊敬厚待张禹，张禹每次患病，皇上都要询问张禹的饮食起居情况，甚至乘车亲临慰问张禹。到张禹床前拜望，张禹磕头谢恩。张禹的小儿子还没有官职，张禹频频看着小儿子，皇上就在张禹床前任命他小儿子为黄门郎、给事中。张禹虽然住在家里，但因是特进和天子的老师，所以国家每有大事，皇上都一定要与他商议后才决定。

当时官员和百姓中有许多人上书，讽刺指责王氏专政而招致灾异，皇上心里也很是同意这个看法，但又认为证据不明显。就坐车到张禹家，屏退身边的人，亲自询问张禹关于天象变异的原因，同时把官员和百姓所说的有关王氏的事情告诉张禹。张禹知道自己年老，子孙太弱，又和曲阳侯王根关系不好，担心被他怨恨，就对皇上说："《春秋》上所记载的日食、地震，或是由于诸侯互相攻杀，或是因为夷狄侵犯中国。上天降下灾害变异的用意，深远难明，所以圣人孔子很少谈论天命，也不说怪异和鬼神的事，性命与天道的问题。连子贡他们都没有听到孔子谈论过，更何况那些见识肤浅的儒生所说的话呢？陛下应当勤于政事，以行善来应对天地所显示的变异，与臣下共享福泽，这才是经术的大义。那些初学小生，扰乱正道，贻误人们，不应该相信和任用他们，要按儒学经术来判断事理！"因为皇上非常宠信张禹，从此不再怀疑王氏。后来曲阳侯王根以及王氏的子弟得知张禹的这番话，都很高兴，于是都亲近张禹。

原槐里县令朱云上书给元帝请求谒见，当着公卿大臣，朱云说："如今朝廷大臣，对上不能纠正君王的过失，对下不能有利于人民，都占着职位白吃饭，是孔子所说的'庸俗小人，不可以让他侍奉君王，他若是担心失去禄位，便什么事都干得出来'那样的人！臣希望皇上赐给一口尚方斩马剑，杀一个奸巧谄媚的人头来警戒其他的人！"皇上问："要杀谁呀？"朱云回答说："安昌侯张禹！"皇上大怒说："你这个小小臣子，身居下位而毁谤上级，在朝廷之上侮辱朕的师傅，犯的是死而不赦的大罪！"御史拉朱云下殿，朱云抓住殿边的栏杆，栏杆折断了。朱云呼喊着说："小臣能到地下去和龙逄、比干交朋友，心满意足啦！只是不知道圣明的朝廷将会怎么样！"御史便把朱云押了出去。当时左将军辛庆忌脱掉官帽，解下了官印和绶带，在大殿之下叩首说："这个小臣一向以任性直率闻名当世，假如他说得对，就不可杀，假如他说得不对，本也该宽容他。我胆敢以死谏诤！"辛庆忌磕头流血，皇上的怒气消除了，然后这事才算罢休。等到后来该修理栏杆了，皇上说："别换新的，在原有的基础上加以修补，用以表彰直臣！"

匈奴搜谐单于即将入朝，没有进入边塞，就病死了。他的弟弟且莫车继立，即为车牙若鞮单于，任命囊知牙斯为左贤王。

北地都尉张放上任几个月，又被征召入朝当侍中。皇太后给皇上写信说："前次

道[145]尚未效[146]，富平侯反复来，其能默乎！”上谢曰：“请今奉诏！”上于是出放为天水属国都尉[147]，引少府许商、光禄勋师丹为光禄大夫，班伯为水衡都尉，并侍中，皆秩中二千石。每朝东宫，常从，及大政，俱使谕指于公卿。上亦稍厌游宴，复修经书之业，太后甚悦。

是岁，左将军辛庆忌卒。庆忌为国虎臣[148]，遭世承平，匈奴、西域亲附，敬其威信。

【段旨】

以上为第二段，写汉成帝元延元年（公元前一二年）仍依赖外戚王氏专政，灾异不断，大臣谷永、刘向、朱云等人，不断的交章上书，希望成帝有一番作为，成帝依然故我，不采纳善言。

【注释】

㊴己亥朔：正月初一日。㊵壬戌：正月二十四日。㊶丁酉：四月初一日。㊷无云而雷：天上无云打响雷。古人解释为人君不关心百姓，百姓怨望，上天示警。㊸晡：午后申时，即下午三点到五点。㊹昏：黄昏。四月的昏时，约在下午六七点。㊺五征：胡三省注认为是：雨、晴、冷、热、风。㊻逆天暴物：违背天意，糟蹋万物。㊼咎征著邮：灾祸的征兆显示人君有过。咎，灾祸。邮，通“尤”。㊽妖孽：草木成怪谓之妖，虫豸成怪谓之孽。㊾饥馑荐臻：大饥荒跟随妖孽到来。㊿恶洽变备：罪恶无边，灾变万端，即恶贯满盈。51更命有德：天命转移，另寻有德之君。52期质有修短：天资有高低。53八世：指高、惠、文、景、武、昭、宣、元八代帝王。54当阳数之标季：正当阳九的末世。按星象家的说法，运当阳九，灾难重重。标季，末世。55涉三七之节纪：步入二百一十年的劫数。三七相乘二十一，象征二百一十年，这也是一个所谓的劫数周期。成帝元延元年已是汉王朝建立后的一百九十五年，已向此劫数靠近。56遭《无妄》之卦运：碰到《易经·无妄卦》所说的命运。无妄，指无望、没有前途。57直百六之灾厄：正当百六之期的灾难。直，当。58三难：指日食、地震、暴雨。59书：记载。60内：宫内。61骄臣：骄悍的官，暗指淳于长等人。62悍妾：凶妒的后妃，暗指赵皇后、赵昭仪姐妹。63臣妾之家：姬妾之家。64征舒、崔杼之乱：指春秋时发生的两起国君淫乱丧生的事件。陈国大夫夏征舒之母美而寡居，陈灵公与之私通，常在夏家欢聚淫乱，公元前五九九年陈灵公被夏征舒射死。崔杼，齐国大夫，齐庄公与崔杼之妻通奸，于公元前五四八年被崔杼杀死。65诸夏下土：指华夏民族所居之地，即全国，这里是说朝廷之外的民间。66樊并

我说的事，你还未办，富平侯张放反倒回了京师，我还能沉默吗！”皇上谢罪说：“请让我立即奉诏去办！”于是皇上外任张放为天水属国都尉，引入少府许商、光禄勋师丹为光禄大夫，班伯为水衡都尉，仍兼侍中，都是官俸中二千石。每次朝见太后，常让他们随从，遇有国家大事，就让他们给公卿传谕旨意。皇上也逐渐厌倦游乐饮宴，重新研习儒家经书，太后非常高兴。

这一年，左将军辛庆忌去世。辛庆忌是国家的武臣虎将，遇上天下太平无事，匈奴、西域亲附汉朝，敬服辛庆忌的威信。

苏令：成帝三年的暴动首领。⑰ 陈胜、项梁：秦末起兵反秦将领。⑱ 奋臂之祸：奋臂一呼引起的祸难。指首倡起义。⑲ 下有其萌二句：人间出现灾祸的苗头，上天才显现灾异示警。⑳ 易：轻易；容易。㉑ 媟黩：猥亵淫乱。㉒ 三纲：即谓君为臣纲、父为子纲、夫为妻纲。㉓ 严：严守三纲之义。㉔ 修后宫之政：建立后宫的秩序。㉕ 抑远骄妒之宠：限制、疏远恃宠骄悍嫉妒的嫔妃。㉖ 崇近婉顺之行：亲近尊重性情温和行为端正的嫔妃。㉗ 朝覲：朝见皇太后。㉘ 法驾：皇帝出行时的仪仗队，由京兆尹、执金吾为先导，有属车四十六乘。㉙ 陈兵清道：布兵戒严。㉚ 三者既除：改正私自出游、酗酒、好色这三种恶习。㉛ 萌：苗头；起因。㉜ 吏不恤：官吏不加体恤。㉝《传》曰四句：语出京房《易传》，意谓人民饥荒而税赋不减损，却说天下太平，这灾祸的结果就是灭亡。㉞ 比年：近年；连年。㉟ 损常税：减免常规的赋税。㊱ 市怨趋祸：购买怨恨，招致灾祸。㊲ 益减奢泰之费：更要减少奢华享受所需的费用。㊳ 振赡：救济。㊴ 慰绥：安慰。㊵ 元元：黎民。㊶ 中垒校尉：武官名，禁军八校尉之首，掌北军垒门之内，比二千石。㊷ 毋若丹朱傲：语出《尚书·益稷》，为舜诫禹之言。丹朱，帝尧之子。敖，通“傲”。傲慢。㊸ 毋若殷王纣：周公诫成王之语，见《尚书·无逸》。意为不要像殷纣王那样迷乱。㊹ 三年比食：连续三年发生日食。㊺ 率：大致。㊻ 异有小大希稠：变异有小有大，有疏有密。希，通“稀”。㊼ 占有舒疾缓急：占卜显示有轻有重，有慢有急。㊽ 著于汉纪：记载在汉朝历史上。㊾ 末属：疏族；支脉。⑩ 冀销大异：希望消除特大灾异，暗示避免亡国。⑩ 兴高宗成王之声：高宗，殷王武丁。祭祀成汤时，有雉登鼎耳鸣叫，高宗惧而修德，殷复兴。成王，周成王。辅佐周成王的周公死后，暴风使禾苗倒伏，大树拔起，周成王惧而祭周公，天下雨，风回头，倒伏的禾苗恢复。“兴高宗成王之声”即谓此。⑩ 崇：提高。⑩ 奸：通“干”。冒犯。⑩ 清燕之闲：闲暇时间。燕，通“宴”。⑩ 指图陈状：刘向上奏时，附有星孛东井的天体图以及岷山崩的地位图。⑩ 上辄入之：成帝立即召刘向入宫。⑩ 给事中：加官，侍从皇帝。⑩ 备内朝臣：充任中朝官。⑩ 勿劾立：不追究王立。

汉制，举荐不实，举者连坐。⑩乙未：十二月初二日。⑪辛亥：十二月十八日。⑫垦草田：已被开垦的耕地。草田，荒地。少府管的山林陂泽，曾让贫民耕种，称垦草田。王立仗势侵占百姓数百顷垦草田。百亩为一顷。⑬贵取其直一万万：王立将强夺来的垦草田上书交给国家，却乘机高价收取一亿的价款。⑭孙宝发之：孙宝揭发了这件事。⑮庚申：十二月二十七日。⑯大司马、骠骑将军：骠骑将军位次大将军，加大司马之号，即为执政大臣，实权在丞相之上。大将军不常置，即以骠骑将军或车骑将军的名义委为执政大臣。⑰张禹：字子文，本河内轵（今河南济源）人，至其父时，徙家莲勺（今陕西渭南市北），河平四年继王商为丞相，鸿嘉元年致仕后加位特进。曾为成帝师，授《论语》，甚见亲信。传见《汉书》卷八十一。⑱肥牛亭：昭帝陵邑平陵县所属亭名，正当平陵寝庙前，张禹请求将肥牛亭作为他的葬地。⑲衣冠所出游道：汉制，将死去皇帝生前的衣帽陈列在寝庙，每月将衣帽捧出在灵前祭祀，称为“游衣冠”。肥牛亭正当游昭帝衣冠的路上。⑳害禹宠：憎恶张禹深受帝宠。㉑起居闻：成帝亲自过问张禹的饮食起居。㉒明见：明显的证据。见，通“现”。㉓弟：通“第”。宅第。㉔辟左右：让左右从人回避。辟，通“避”。㉕圣人罕言命：圣人，指孔子。《论语·子罕》：“子罕言利，与命与仁。”《论语·述而》：“子不语怪、力、乱、神。”㉖性与天道：这里化用子贡之言。《论语·公冶长》：“子贡曰：夫子之文章，可得而闻也；夫子之言性与天道，不可得而闻也。”㉗上雅信爱禹：成帝非常宠信张禹。㉘朱云：字游，曲阜（今山东曲阜）人，西汉著名直臣。元帝时曾为槐里（今陕西兴平）令，因弹劾权奸石显被罢官，所以称“故槐里令”。传见《汉书》卷六十七。㉙尸位素餐：空居其位，白吃闲饭。尸位，典出《尚书·五子之歌》：“太康尸位。”尸，古代祭祀时以人装扮的神主。素餐，白吃闲饭。典出《诗经·伐檀》：“彼君子兮，不素餐兮。”素，空；白白地。㉚孔子所谓三句：这里化用《论语·阳货》孔子之言。意为不可与小人同事一君，小人怕失去官位，无所不用其

【原文】

二年（庚戌，公元前一一年）

春，正月，上行幸甘泉，郊泰畤。三月，行幸河东，祠后土。既祭，行游龙门[149]，登历观[150]，陟西岳[151]而归。

夏，四月，立广陵孝王子守为王。

初，乌孙小昆弥[152]安日[153]为降民所杀，诸翎侯[154]大乱，诏征故金城太守段会宗[155]为左曹、中郎将、光禄大夫[156]，使安辑乌孙。立安日弟末振将为小昆弥，定其国而还。时大昆弥雌栗靡[157]勇健，末振将恐

极。⑬尚方斩马剑：尚方，少府所属官府名，保管和组织生产皇室所用器物。斩马剑，形容尚方宝剑锋利无比。⑬佞臣：奸佞之臣。⑬厉：鞭策。⑬讪上：诽谤在上位的人，即以下犯上。汉律，诽谤大臣犯诋欺罪，死刑。⑬殿槛：殿前栏杆。⑬龙逢、比干：龙逢，夏桀时忠臣关龙逢。比干，商纣王时忠臣。两人均因直谏被昏君杀害。⑬免冠二句：摘下官帽，解下官印和绶带，表示不顾一切犯颜直谏。⑬素著狂直：一向以性格率直著称。⑬勿易：不要更换。⑭辑之：修理好栏杆。⑭以旌直臣：用来表彰正直的忠臣。旌，表彰。⑭搜谐单于：即搜谐若鞮单于，名栾提且麋胥，栾提陶莫皋之弟，公元前二〇至前一二年在位。⑭且莫车：且麋胥同父异母弟。呼韩邪单于正宫颛渠阏氏生子二人，长曰且莫车，次曰囊知牙斯。大阏氏生子四子，长曰陶莫皋，次曰且麋胥。大阏氏之子年长于颛渠阏氏之子。呼韩邪单于为求政治稳定，传长不传嫡，但遗嘱兄终弟及，以便嫡子且莫车继位，故匈奴陶莫皋继位之后，连续数世均兄终弟及。事详本书卷三十成帝建始二年（公元前三一年）。⑭车牙若鞮单于：即且莫车，公元前一二至前八年在位。⑭前所道：指太后王政君言成帝亲近侍中班伯、疏远张放事。见本书卷三十一成帝永始二年（公元前一五年）。⑭效：办理。⑭天水属国都尉：治勇士县，在今甘肃榆中东南。属国都尉，官名。管理归附的民族事务。天水郡属国负责安置归附的羌人。⑭虎臣：如虎之臣。指为国家柱石的武将。

【校记】

[3]燕：原作“宴”。据章钰校，十四行本、乙十一行本、孔天胤本皆作“燕”，今据改。[4]敖：原作“傲”。据章钰校，十四行本、乙十一行本、孔天胤本皆作“敖”，今据改。[5]万万：原作“亿万”。据章钰校，十四行本、乙十一行本、孔天胤本皆作“万万”，张瑛《通鉴校勘记》同，今据改。

【语译】

二年（庚戌，公元前一一年）

春，正月，皇上巡幸甘泉宫，祭祀天帝泰一神。三月，巡幸河东，祭祀后土。祭祀完毕，皇上出游龙门，登上历山的道观，又登上了华山，然后回京城。

夏，四月，册立广陵孝王的儿子刘守为王。

当初，乌孙国王小昆弥安日被投降乌孙的人所杀，各翎侯大乱，成帝下诏征召前任金城太守段会宗为左曹、中郎将、光禄大夫，派他安抚乌孙。段会宗扶立安日的弟弟末振将为小昆弥，安定了乌孙国之后返回京师。当时大昆弥雌栗靡勇猛矫健，

为所并，使贵人乌日领诈降，刺杀雌栗靡。汉欲以兵讨之而未能，遣中郎将段会宗立公主孙伊秩靡⑱为大昆弥。久之，大昆弥、翎侯难栖杀末振将，安日子安犁靡代为小昆弥。汉恨不自诛末振将，复遣段会宗发戊己校尉⑲诸国兵，即诛末振将太子番丘⑳。会宗恐大兵入乌孙，惊番丘，亡逃不可得，即留所发兵垫娄地，选精兵三十弩㉑径至昆弥所在，召番丘，责以末振将之罪，即手剑击杀番丘。官属以下惊恐，驰归。小昆弥安犁靡勒兵数千骑围会宗，会宗为言来诛之意："今围守杀我，如取汉牛一毛㉒耳。宛王、郅支头县槁街㉓，乌孙所知也。"昆弥以下服，曰："末振将负汉，诛其子可也，独不可告我，令饮食之㉔邪？"会宗曰："豫告昆弥㉕，逃匿之，为大罪。即饮食以付我，伤骨肉恩㉖。故不先告。"昆弥以下号泣罢去。会宗还，奏事，天子赐会宗爵关内侯、黄金百斤。会宗以难栖杀末振将，奏以为坚守都尉㉗。责大禄、大监㉘以雌栗靡见杀状，夺金印、紫绶，更与铜、墨云。末振将弟卑爰疐本共谋杀大昆弥，将众八万余口[6]北附康居，谋欲借兵兼并两昆弥，汉复遣会宗与都护孙建并力以备之。

自乌孙分立两昆弥，汉用忧劳㉙，且无宁岁。时康居复遣子侍汉，贡献，都护郭舜㉚上言："本匈奴盛时，非以兼有乌孙、康居故也，及其称臣妾，非以失二国也。汉虽皆受其质子，然三国㉛内相输遗㉜，交通如故，亦相候司，见便则发㉝。合不能相亲信，离不能相臣役㉞。以今言之，结配乌孙，竟未有益，反为中国生事。然乌孙既结在前，今与匈奴俱称臣，义不可距。而康居骄黠㉟，讫不肯拜使者，都护吏至其国，坐之乌孙诸使下，王及贵人先饮食已，乃饮啖㊱都护吏，故为无所省以夸旁国㊲。以此度之，何故遣子入侍？其欲贾市㊳，为好辞之诈㊴也。匈奴，百蛮大国，今事汉甚备，闻康居不拜，且使单于有悔自卑之意。宜归其侍子，绝勿[7]复使㊵，以章汉家不通无礼之国！"汉为其新通，重致远人，终羁縻不绝。

末振将害怕被他吞并，就派遣贵人乌日领伪装投降，乘机刺杀了雌栗靡。汉朝想派兵征伐末振将，感到力量不足，就派中郎将段会宗前去扶立解忧公主的孙子伊秩靡为大昆弥。过了很久，大昆弥与翎侯难栖杀掉了末振将，安日的儿子安犁靡代替末振将为小昆弥。汉朝悔恨没有亲自杀掉末振将，再一次派遣段会宗调发戊己校尉所辖诸国的士兵，就地诛杀了末振将的太子番丘。段会宗担心大军进入乌孙，会惊动番丘，番丘逃跑不能抓获，因此就让大军留驻在垫娄，挑选三十名精良的弓弩手，直入昆弥的住地，召见番丘，追究末振将的罪行，当场亲手举剑击杀番丘。番丘手下的官属惊恐逃走。小昆弥安犁靡率领数千名骑兵包围了段会宗，段会宗向他们讲明前来诛杀番丘的意图说："现在你们包围了我们，杀了我，对于汉朝的损失，不过是拔了牛身上的一根毫毛。从前的大宛国王、郅支单于的人头悬挂在长安槁街上，想必你们乌孙都是知道的。"昆弥以下表示服从，说："末振将背负汉朝，可以杀他的儿子，难道不能先通报我们，好让我们为他送些饮食饯行吗？"段会宗说："如果预先告诉你小昆弥，让番丘逃跑隐藏，那就要犯大罪。假使让你为他饯行后，再交由我们处置，那会伤害你们骨肉恩情。所以不事先告诉你。"小昆弥以下放声大哭后撤兵而去。段会宗返回后，奏报朝廷，皇上赐他关内侯爵位，黄金百斤。段会宗因难栖杀末振将有功，奏请任命他为坚守都尉。又追究乌孙的大禄、大监没有尽到保护大昆弥雌栗靡的责任，于是收回原在宣帝时赐给他们的金印、紫绶，改给他们铜印、墨绶。末振将的弟弟卑爰疐，本是共同谋杀大昆弥的主犯，他率领八万多名部众往北依附康居国，图谋借用康居兵力兼并两昆弥，汉朝又派遣段会宗和都护孙建合力防备他。

自从乌孙分为两个昆弥以来，汉朝因而忧虑和辛劳，而且没有一年能得安宁。这时，康居国恢复派遣王子入侍汉朝皇帝，并进贡财物，都尉郭舜上书说："当初匈奴强盛时，并不是因为兼并了乌孙、康居两国，等到匈奴称臣归顺汉朝时，也不是因为失去了这两国。汉朝尽管接受了这三个国家的质子，而三国之间仍相互贸易赠送，交往与以前一样，同时也相互侦察，窥伺时机，得到机会就发动攻击。三国友好时互不相信，交恶时谁也征服不了谁。就现在的状况来说，与乌孙缔结姻缘，不但没有得到什么好处，反而给中国惹是生非。但乌孙与汉朝早已结好，现在和匈奴一起又都称臣归顺，按礼义不能拒绝。而康居却傲慢狡猾，至今仍不肯叩拜汉朝使者，都护官员到康居国，座位被排在乌孙各国使者后面，吃饭时，国王和贵人先饮食完毕，才让都护官员饮食，故意不把都护官员放在眼里，以此向邻国夸耀。由此推测，康居现在为什么要遣子入侍汉朝呢？其目的是想同中国做生意而已，他们说一番漂亮话，不过是一场欺骗。匈奴，是百蛮中的大国，如今侍奉汉朝礼仪十分周全，如果知道康居王不拜汉使，将会使匈奴单于产生自卑羞愧的心理。应当遣回康居王子，不派汉使，断绝外交，用以显示汉朝不与不懂礼仪的国家交往！"朝廷因康居新近才与汉朝往来，重视招徕远方民众，还是维系着与康居的关系，没有断绝交往。

【段旨】

以上为第三段，写段会宗三次出使西域，安定了乌孙，影响所及，康居也派质子向汉朝进贡。于是，匈奴、乌孙、康居三大强国归附汉朝，西域稳定。

【注释】

[149] 龙门：指龙门山禹门津。龙门山主峰在今山西河津北，山南禹门津为晋陕交通咽喉。[150] 历观：历山上的道观。历山在今山西永济南。[151] 陟西岳：登临华山。陟，登山。西岳，即华山，在今陕西华阴。[152] 乌孙小昆弥：宣帝甘露元年，遣使立元贵靡为乌孙大昆弥，乌就屠为小昆弥。元贵靡与乌就屠为兄弟，均系乌孙昆弥翁归靡之子。元贵靡为汉解忧公主所生，乌就屠为胡妇所生。[153] 安日：小昆弥乌就屠之孙。安日叔父日贰杀安日父拊离，叛逃康居。安日遣刺客杀日贰，拥护日贰的叛民归降安日，安日为其降民所杀。[154] 翎侯：乌孙大臣、将军之号。[155] 段会宗：字子松，天水郡上邽县（今甘肃天水市西南）人。两度为西域都护。又曾为金城太守，因病免。传见《汉书》卷七十。[156] 左曹、中郎将、光禄大夫：段会宗是汉朝安抚西域的名将，乌孙乱，再次起用他，加此三个头衔以示身份尊重。左曹，为加官，与右曹合称诸曹，秩二千石，每日朝谒，典掌枢机。[157] 雌栗靡：大昆弥元贵靡之孙，星弥之子。[158] 公主孙伊秩靡：公主，指解忧公主，汉楚王刘戊之孙，史称楚主解忧公主。伊秩靡，雌栗靡之叔父，解忧公主之孙。[159] 戊己校尉：武官名，执掌屯田西域车师的武官，隶属西域都护。[160] 番丘：末振将太子，与安犁靡为从兄弟。[161] 三十弩：三十人，人持一弩。[162] 汉牛一毛：同“九牛一毛”之意，喻

【原文】

三年（辛亥，公元前一〇年）

春，正月丙寅[181]，蜀郡岷山崩[182]，雍[183]江三日，江水竭。刘向大恶[184]之，曰：“昔周岐山崩，三川竭[185]，而幽王亡。岐山者，周所兴也。汉家本起于蜀、汉[186]，今所起之地，山崩川竭，星孛[187]又及摄提[188]、大角[189]，从参至辰，殆必亡矣！”

二月丙午[190]，封淳于长为定陵侯。

三月，上行幸雍，祠五畤。

上将大夸胡人以多禽兽，秋，命右扶风发民入南山[191]，西自褒斜[192]，东至弘农[193]，南驱汉中[194]，张罗罔[195]罝罘[196]，捕熊罴禽兽，载以槛

细微。司马迁《报任安书》:“假令仆伏法受诛，若九牛亡一毛，与蝼蚁何以异。”段会宗以此喻其身细微。⑯稿街：长安城中街道名，为少数民族聚居区，外国使馆也多在这条街上。大宛王毋寡于武帝太初三年被诛，匈奴郅支单于于元帝建始三年被诛，均曾悬首稿街。⑭令饮食之：指在杀番丘前赐之饮食，与番丘饯行。⑯豫告昆弥：指将诛杀番丘事事先告诉安犁靡。豫，通“预”。⑯即饮食以付我二句：如果允许安犁靡为番丘饯行，岂不有伤骨肉之情。这些都是段会宗为自己突击杀番丘编造的理由，因为不采取突击手段，番丘难以伏法。⑯坚守都尉：难栖为大昆弥之翎侯，因其杀末振将之功，授予此职。坚守，意为能坚守臣节。⑱大禄、大监：乌孙国丞相、监察大臣之号。⑲汉用忧劳：汉朝因乌孙两昆弥内乱而忧虑辛劳。⑰郭舜：人名，时任西域都护。⑰三国：指匈奴、乌孙、康居。⑰内相输遗：指三国之间互相通使交易。⑰见便则发：有机会便发起攻击。⑰合不能相亲信二句：三国友好时也互不信任，交恶时谁也征服不了谁。⑰骄黠：既傲慢又滑头。⑰饮啖：喝酒吃饭。⑰故为无所省以夸旁国：指康居故意怠慢汉使，借以向邻国夸耀。⑰贾市：做生意。⑰好辞之诈：康居遣子入汉，递交甜言蜜语的国书，是欺诈之术。⑱绝勿复使：断绝外交，汉朝不派使臣往康居。

【校记】

［6］余口：原无此二字。据章钰校，十四行本、乙十一行本、孔天胤本皆有此二字，张敦仁《通鉴刊本识误》、张瑛《通鉴校勘记》同，今据补。［7］勿：原作“不”。据章钰校，十四行本、乙十一行本、孔天胤本皆作“勿”，今据改。

【语译】

三年（辛亥，公元前一〇年）

春，正月初十日丙寅，蜀郡的岷山崩塌，堵塞岷江三天，江水枯竭。刘向极为震惊，说：“过去周朝岐山崩塌，泾水、渭水、洛水都枯竭，结果周幽王灭亡。岐山是周朝兴起的地方。汉室原本兴起于蜀汉，如今兴起的地方，山崩川竭，彗星尾巴扫到了摄提、大角星座，又从参星扫到辰星，汉朝恐怕定要灭亡了！”

二月二十日丙午，册封淳于长为定陵侯。

三月，皇上巡幸雍邑，祭祀五天帝。

皇上要向胡人夸耀园苑中珍禽怪兽众多，秋，下令右扶风征发民众进入终南山，西起褒斜道，东到弘农郡，南达汉中郡，在绵延千里的山峦丛中，布设罗网，捕猎

车，输[8]长杨射熊馆⑲⑦，以罔为周阹⑲⑧，纵禽兽其中，令胡人手搏之，自取其获，上亲临观焉。

【段旨】

以上为第四段，写成帝元延三年（公元前一〇年），蜀郡发生大山崩，按古时观念上天发出了严重警告，而成帝毫不觉醒，不恤民生，大搞排场，发动数十万民众捕兽以取一乐的行为，浑浑噩噩，匪夷所思。

【注释】

⑱① 丙寅：正月初十日。⑱② 岷山崩：此次山崩，据《水经注》载，在岷山天彭关附近。天彭关因天彭山而得名，两山夹江相对如门，又称天彭门，在今四川都江堰市西岷江灌口山西岭下。⑱③ 壅：堵塞。⑱④ 大恶：极为震惊。⑱⑤ 周岐山崩二句：周幽王二年（约公元前八〇年），三川地区大地震，岐山崩，三川枯。岐山，在今陕西岐山县东北，为周朝发祥之地，故岐山崩象征西周衰亡。三川，指泾、渭、洛三水。⑱⑥ 汉家本起于蜀、汉：指蜀、汉为汉家的发祥地。汉高祖刘邦当初被项羽封为汉王，有巴、蜀、汉中之地，并

【原文】

四年（壬子，公元前九年）

春，正月，上行幸甘泉，郊泰畤。

中山王兴⑲⑨、定陶王欣⑳⓪皆来朝，中山王独从傅⑳①，定陶王尽从傅、相、中尉⑳②。上怪之，以问定陶王，对曰："令⑳③：诸侯王朝，得从其国二千石。傅、相、中尉，皆国二千石，故尽从之。"上令诵《诗》，通习⑳④，能说⑳⑤。他日，问中山王："独从傅在何法令？"不能对，令诵《尚书》，又废⑳⑥。及赐食于前，后饱⑳⑦，起下⑳⑧，袜系解⑳⑨。帝由此以为不能，而贤定陶王㉑⓪，数称其材。是时诸侯王唯二人于帝为至亲㉑①，定陶王祖母傅太后随王来朝，私赂遗赵皇后、昭仪及票骑将军王根。

熊罴等禽兽，用槛车运往长杨宫的射熊馆，四面设网形成围障，把禽兽放入里面，让胡人赤手空拳与野兽格斗，谁获得野兽就归谁所有，皇上亲自到现场观看。

以此为根据地与项羽相争而有天下。⑱星孛：《汉书·五行志》如淳注："孛星尾长及摄提大角，始发于参至辰也。"孛星，这里指彗星，出现于天空，从参至辰，彗尾扫过摄提及大角星空。⑱摄提：大角星左右三颗呈三角形的六颗星，称摄提星，正当斗柄所指，以建时节。⑱大角：星名，即牧夫座α星，为一等星，中国古代占星家称为天王的帝廷。⑲丙午：二月二十日。⑲南山：即终南山，属秦岭。⑲褒斜：指褒斜道，南口为褒谷，在今陕西勉县；北口为斜谷，在今陕西眉县西南。⑲弘农：郡名，治所弘农，在今河南灵宝北。⑲汉中：郡名，治所南郑，即今陕西南郑。⑲罔：同"网"。⑲罝罘：均系捕兽之网。⑲长杨射熊馆：长杨，宫名，在今陕西周至东南。射熊馆系宫中动物园。⑲周阹：围障；阻挡禽兽的围栏。

【校记】

［8］输：原作"输之"。据章钰校，十四行本、乙十一行本、孔天胤本皆无"之"字，今据删。

【语译】

四年（壬子，公元前九年）

春，正月，皇上巡幸甘泉宫，祭祀太乙天神。

中山王刘兴、定陶王刘欣都来京朝见，中山王只让太傅相随，定陶王让太傅、相、中尉全都相随。皇上觉得奇怪，就问定陶王刘欣，刘欣回答说："按照法令规定：诸侯王朝见天子，应由诸侯王国里全体二千石的官员陪同。太傅、相、中尉都是王国里二千石的官员，所以就让他们都随从来了。"皇上命令他背诵《诗经》，他全都熟练背诵，而且还能解说其中义理。另一天，皇上问中山王刘兴："你只要太傅一人陪同，这是根据哪一条法令呢？"刘兴答不上来，命令他背诵《尚书》，又背诵不下去。等到皇上赐餐，刘兴最后一个吃饱，起身下殿，袜带子松开了。皇上因此认为刘兴没有什么才能，而认为刘欣贤能，多次称赞他的才干。当时在诸侯王中，只有他们两人是皇上至亲，定陶王祖母傅太后，随定陶王一起来朝见时，暗中贿赂赵皇后、赵昭仪和骠

后、昭仪、根见上无子，亦欲豫自结[212]，为长久计，皆更称[213]定陶王，劝帝以为嗣。帝亦自美其材，为加元服[214]而遣之，时年十七矣。

三月，上行幸河东，祠后土。

陨石于关东二。

王根荐谷永，征入[215]，为大司农。永前后所上四十余事，略相反覆[216]，专攻上身与后宫而已[217]。党于王氏，上亦知之，不甚亲信也。为大司农岁余，病，满三月，上不赐告，即时免[218]。数月，卒。

【段旨】

以上为第五段，写成帝亲爱定陶王，以及王氏外戚党羽谷永之死。

【注释】

⑲⑨ 中山王兴：刘兴，成帝幼弟。⑳⓪ 定陶王欣：刘欣，成帝大弟刘康之子。⑳① 独从傅：只有其师傅相随。⑳② 尽从傅、相、中尉：王师、王相及中尉，即全部二千石的高级官员都相随。⑳③ 令：汉律令。⑳④ 通习：全部都熟练。⑳⑤ 能说：能解说诗意。⑳⑥ 又废：又不能背诵。⑳⑦ 后饱：最后一个吃完饭。言其贪吃。⑳⑧ 起下：起身下殿。⑳⑨ 袜系解：袜带松开。形容其仪容不整。㉑⓪ 贤定陶王：认为定陶王贤。贤，才德兼备，使动词。㉑① 至

【原文】

绥和元年（癸丑，公元前八年）

春，正月，大赦天下。

上召丞相翟方进、御史大夫孔光、右将军廉褒、后将军朱博入禁中，议“中山、定陶王谁宜为嗣者”？方进、根、褒、博皆以为：“定陶王，帝弟之子。《礼》曰：‘昆弟之子，犹子也。为其后者，为之子也[219]。’定陶王宜为嗣。”光独以为：“礼，立嗣以亲[220]。以《尚书·盘庚》殷之及王为比，兄终弟及[221]。中山王，先帝之子，帝亲弟，宜为

骑将军王根。皇后、昭仪和王根看到皇上无子，也想预先私自和定陶王结交，作为自己的长久打算，因此轮番称赞定陶王，劝说皇帝立他为嗣。皇帝自己也很欣赏他的才能，亲自为他主持加冠礼，然后让他回国，刘欣当时是十七岁。

三月，皇上巡幸到河东，祭祀后土神。

两颗陨石坠落在关东。

王根推荐谷永，谷永受征召入朝，被任命为大司农。谷永前后上奏四十余事，内容大致相同，专门抨击皇上和后宫而已。谷永与王氏外戚结党，皇上也知道，所以对谷永并不太亲近和信任。谷永任大司农一年多后，因病休假，满三个月，皇上不给他延长病假，立即将他免职。过了几个月，谷永去世。

亲：最亲；血缘关系最近。中山王刘兴亲弟，定陶王刘欣亲侄。⑫豫自结：预先替自己打算而结交定陶王。⑬更称：轮番称赞；交口称誉。⑭加元服：加冠。元服，冠。此指成帝特为定陶王刘欣举办成人礼，表示特殊恩宠，有过继为子之意。古时加冠礼，应由父亲为儿子举办。⑮征入：征召谷永入京。时谷永为北地太守。⑯略相反覆：内容大致相同。反覆，翻来倒去，即老生常谈。⑰专攻上身与后宫而已：指谷永上奏，只是批评成帝本人以及后宫嫔妃，而绝口不谈外戚王氏专权的事。⑱上不赐告二句：汉制，公卿百官病假满百日，即自动免职。病假至三月，皇帝恩准续假，称为赐告。不赐告，即未给延假诏书，自动免职。

【语译】

绥和元年（癸丑，公元前八年）

春，正月，大赦天下。

皇上宣召丞相翟方进、御史大夫孔光、右将军廉褒、后将军朱博进宫，商讨"中山王刘兴与定陶王刘欣谁合适做继承人"？翟方进、王根、廉褒、朱博都认为："定陶王是皇上弟弟的儿子。《礼记》说：'兄弟的儿子，就如同自己的儿子。只要做了他的后嗣，也就是他的儿子了。'定陶王刘欣适宜立为继承人。"只有孔光一人认为："依礼，确立继承人要选择血缘关系最亲近的人，以《尚书·盘庚》中所记载的殷王的继承情形来比较，殷法是兄终弟及的。中山王刘兴，是先帝的儿子，皇上的

嗣。”上以“中山王不材，又礼，兄弟不得相入庙[222]”，不从光议。二月癸丑[223]，诏立定陶王欣为皇太子，封中山王舅谏大夫冯参为宜乡侯，益中山国三万户，以慰其意。使执金吾任宏守大鸿胪[224]，持节征定陶王。定陶王谢曰：“臣材质不足以假充[225]太子之宫，臣愿且得留国邸[226]，旦夕奉问起居，俟有圣嗣，归国守藩。”书奏，天子报闻[227]。戊午[228]，孔光以议不合意，左迁廷尉，何武为御史大夫。

初，诏求殷后，分散为十余姓[229]，推求其嫡[230]，不能得。匡衡、梅福皆以为宜封孔子世为汤后[231]，上从之，封孔吉为殷绍嘉侯[232]。三月，与周承休侯[233]皆进爵为公，地各百里。

上行幸雍，祠五畤。

初，何武之为廷尉也，建言：“末俗之敝，政事烦多，宰相之材不能及古，而丞相独兼三公[234]之事，所以久废而不治也，宜建三公官。”上从之。夏，四月，赐曲阳侯根大司马印绶[235]，置官属，罢票骑将军官。以御史大夫何武为大司空，封汜乡侯，皆增奉如丞相，以备三公焉。

秋，八月庚戌[236]，中山孝王兴薨。

匈奴车牙单于死，弟囊知牙斯立，为乌珠留若鞮单于[237]。乌珠留单于立，以弟乐为左贤王，舆[9]为右贤王，汉遣中郎将夏侯藩、副校尉韩容使匈奴。

或说王根曰：“匈奴有斗入汉地[238]，直[239]张掖郡，生奇材木[10]、箭竿、鹫羽[240]，如得之，于边甚饶，国家有广地之实，将军显功垂于无穷！”根为上言其利，上直欲从单于求之，为有不得，伤命损威[241]。根即但以上指晓藩[242]，令从藩所说而求之。藩至匈奴，以语次[243]说单于曰：“窃见匈奴斗入汉地，直张掖郡，汉三都尉居塞上，士卒数百人，寒苦，候望[244]久劳，单于宜上书献此地，直断割之[245]，省两都尉士卒数百人，以复天子厚恩，其报必大！”单于曰：“此天子诏语邪，将从使者所求也？”藩曰：“诏指也，然藩亦为单于画善计耳。”单于曰：“此温偶駼王[246]所居地也，未晓其形状、所生[247]，请遣使问之。”

亲弟弟，应当选他为继承人。”皇上以“中山王刘兴没有才干，并且依礼，兄弟的牌位不能同时入祀宗庙”为由，没有顺从孔光的建议。二月初九日癸丑，皇上下诏册立定陶王刘欣为皇太子，封中山王的舅父、谏大夫冯参为宜乡侯，又增封中山国采邑三万户，以示安慰。派执金吾任宏临时代理大鸿胪，拿着符节征召定陶王入京。定陶王推辞说：“以臣的才能资质，不足以充任太子位，臣但愿暂留在京师的定陶王官邸，早晚进宫问候皇上起居，等到皇上有了亲子，再回去守卫藩国。”奏章呈上，天子回复说知道了。十四日戊午，孔光因建议不合皇上的心意，被降职为廷尉，任命何武为御史大夫。

当初，皇上下诏访求殷商的后代，发现殷商子孙分散为十多个姓，寻找嫡系子孙，没有找到。匡衡、梅福都认为应封孔子的后世子孙为商汤王的后嗣，皇上听从了，封孔吉为殷绍嘉侯。三月，殷绍嘉侯与周承休侯都进爵位为公爵，封地各周长一百里。

皇上游幸雍邑，祭祀五天帝。

当初，何武担任廷尉时，上奏建议：“末世积习的弊端，政事繁多，当今宰相的才能赶不上古人，而丞相一人兼管三公的事务，所以国家事务长时间废弛，没有治理好，应设立三公官职。”皇上听从了何武的建议。夏，四月，赐曲阳侯王根大司马金印、紫绶，设置办事机构，免去骠骑将军职务。任命御史大夫何武为大司空，封汜乡侯，大司马、大司空的俸禄都增加到和丞相一样，用以配齐三公。

秋，八月初九日庚戌，中山孝王刘兴逝世。

匈奴车牙单于死，弟弟囊知牙斯继位，即为乌珠留若鞮单于。乌珠留若鞮继位后，任命弟弟栾提乐为左贤王，栾提舆为右贤王，汉朝派遣中郎将夏侯藩、副校尉韩容出使匈奴。

有人劝告王根说：“匈奴有一块突出的地方，伸入汉地，正当张掖郡内，它出产奇异木材、箭竿、鹫羽，若能得到此地，汉朝边郡就更加富饶，国家有开疆拓土之实，将军也可因功业显著而名垂千古！”王根对皇上说明获得这块地方的好处，皇上想直接从单于那里求取这块地方，又怕得不到，有损诏令，伤害国威。王根把皇上的旨意告诉了夏侯藩，指使他以个人意见向单于求地。夏侯藩到达匈奴，在与单于交谈中顺便劝导单于说：“我看到匈奴有块突出的土地伸入汉地，在张掖郡内，汉朝三名都尉沿边驻守，几百名士兵，天寒人苦，侦察瞭望，时间长，太劳苦，单于应当上书向汉天子献上这块土地，取直边界线，把突出部分割给汉朝，可以使汉朝省去两名都尉和数百名士卒，以此报答汉天子的厚恩，汉天子的回报必定丰厚！”单于问：“这是天子给你的旨意，还是你自己提出的要求？”夏侯藩说：“是天子的旨意，不过，也是我替单于筹划的善计。”单于说：“这块地方是温偶駼王的辖区，不知道地理形势与物产，请等我派人前去询问他。”

藩、容归汉后，复使匈奴，至则求地。单于曰：“父兄传五世㉘，汉不求此地，至知独求，何也？已问温偶骖王，匈奴西边诸侯作穹庐及车，皆仰此山材木，且先父地，不敢失也。”藩还，迁为[11]太原太守。单于遣使上书，以藩求地状闻。诏报单于曰[12]：“藩擅称诏，从单于求地，法当死，更大赦二㉙，今徙藩为济南太守，不令当匈奴。”

冬，十月甲寅㉚，王根病免。

上以太子既奉大宗后，不得顾私亲，十一月，立楚孝王孙景为定陶王㉛，以奉共王后[13]。太子议欲谢㉜，少傅阎崇以为为人后之礼，不得顾私亲，不当谢。太傅赵玄以为当谢，太子从之。诏问所以谢状，尚书劾奏玄，左迁少府，以光禄勋师丹为太傅。

初，太子之幼也，王祖母傅太后躬自养视。及为太子，诏傅太后与太子母[14]丁姬㉝自居定陶国邸，不得相见。顷之，王太后欲令傅太后、丁姬十日一至太子家，帝曰：“太子承正统，当共养陛下，不得复顾私亲。”王太后曰：“太子小而傅太后抱养之，今至太子家，以乳母恩耳，不足有所妨！”于是令傅太后得至太子家，丁姬以不养太子，独不得。

【段旨】

以上为第六段，写成帝绥和元年（公元前八年）恢复三公建制，确立太子人选，侄儿定陶王刘欣入承大统。

【注释】

㉑昆弟之子四句：意谓兄弟的儿子，视同自己的儿子。只要做他的后嗣，也就是他的儿子了。语出《仪礼·丧服》：“昆弟之子若子。”《公羊传》成公十五年：“为人后者，为之子也。”㉒立嗣以亲：按照宗法制度，选择继承人，应以血缘亲近为标准。成帝与中山王为兄弟，比与定陶王的叔侄关系更为亲近。㉓兄终弟及：商代王位兄死后由弟继承。㉔兄弟不得相入庙：按照宗庙礼仪，兄弟牌位不能同时进入祭庙。按照宗庙制度，父为昭，子为穆，兄弟不得为昭穆。㉕癸丑：二月初九日。㉖使执金吾任宏守大鸿胪：执金吾，九卿之一，执掌京师治安。守，试用，满岁再实任。这里是权宜授职，给

夏侯藩、韩容归国后，再次出使匈奴。一到匈奴，就要求割地。单于说："从呼韩邪单于开始，我们父子兄弟已传位五代，汉朝未曾求取这块土地，唯独到我囊知牙斯继位才求取，这是为什么？我已问过温偶馀王，他说匈奴西部各诸侯制作帐幕和车辆，全都依赖此地山上出产的木材。况且它是先父的土地，不敢失去它。"夏侯藩回国，迁为太原太守。单于遣使上书，报告了夏侯藩要求割地的情况。天子下诏回复单于说："夏侯藩擅自假称诏旨，向单于求地，依法应当处死，因为经过两次大赦，现改任他为济南太守，不再让他面对匈奴。"

冬，十月十四日甲寅，王根因病被免职。

皇上因为太子既然入奉为大宗，就不能再顾念自己生父的骨肉亲情，十一月，册封楚孝王的孙子刘景承爵定陶王，以供奉共王刘康香火。太子与左右商议，想上书叩谢，少傅阎崇认为按照为人后嗣之礼，对生父就不能再顾念父子亲情，所以不应叩谢。太傅赵玄则认为应当叩谢，太子听从了太傅赵玄的建议。皇上诏问太子为何叩谢，尚书就此事弹劾赵玄，赵玄被降职为少府，任命光禄勋师丹为太傅。

当初，太子年幼时，由定陶王祖母傅太后亲自抚养。等到做了太子，皇上诏令傅太后和太子生母丁姬留住京师定陶国府邸，不许与太子相见。不久，王太后想让傅太后、丁姬每隔十天到太子家探望一次，皇帝说："太子已承继正统，理应奉养太后，不能再顾念自己的骨肉亲人。"王太后说："太子很小傅太后就抱养他，现在让她到太子宫看望，不过是乳母之情罢了，不足以有所妨害！"皇上这才同意傅太后到太子家，丁姬因为没有抚养太子，就没有让她去。

任宏加"大鸿胪"衔，以便持节征召定陶王。大鸿胪，九卿之一，执掌诸侯国及四方蛮夷以及礼仪宾赞事务。㉕ 假充：谦辞，不配占有。㉖ 国邸：指定陶王邸舍。邸，诸侯王设在京师的宾馆。㉗ 天子报闻：皇帝回复知道了。不表示态度，即不准其所请。㉘ 戊午：二月十四日。㉙ 分散为十余姓：殷人子姓，后分为宋、孔、华、戴、桓、向、乐等姓。㉚ 推求其嫡：寻找嫡系子孙。㉛ 宜封孔子世为汤后：元帝时丞相匡衡首创以孔子世传的嫡系子孙作为殷汤的后裔封侯，成帝时梅福又提出此议。㉜ 殷绍嘉侯：成帝封孔子后代孔吉为殷绍嘉侯于沛（今江苏沛县）。㉝ 周承休侯：封周朝的后裔为承休侯，史失其名。㉞ 三公：汉初承秦制，以丞相、太尉、御史大夫为三公。此以丞相、大司马、大司空为三公。大司马相当于太尉，大司空相当于御史。㉟ 大司马印绶：汉武帝元狩四年（公元前一一九年），始置大司马，为大将军卫青的加衔，只是一种称号。汉宣帝地节三年（公元前六七年）恢复大司马，仍为称号。至成帝以王根为大司马，加印绶，置官署，始成为实职军事长官。大司马的俸禄与丞相同，号万石，为每月三百五十斛谷。㊱ 庚戌：

八月初九日。㊲乌珠留若鞮单于：车牙单于之弟，公元前一三至前八年在位。㊳斗入汉地：斗，指边界上的突出部，这里指匈奴有块土地楔入中国界内。㊴直：正当。㊵鹫羽：黑雕之羽，可做箭翎。㊶伤命损威：有损诏令，伤害国威。㊷根即但以上指晓藩：王根立即把皇帝的意图告诉将出使匈奴的夏侯藩。㊸语次：谈话中顺便提及。㊹候望：侦察瞭望。㊺直断割之：把边界取直，将突出部割让给汉朝。㊻温偶骍王：匈奴王名号。㊼所生：指草木鸟兽。㊽父兄传五世：呼韩邪单于传子复株累，复株累传弟搜谐，搜谐传弟车牙，车牙传弟囊知牙斯，是为五世。㊾更大赦二：经历两次大赦。成帝绥和二年（公元前七年）去世，哀帝即位大赦，接着改元又大赦。夏侯藩两次出使匈奴求地，匈奴的反应应在两次大赦后，即哀帝建平元年或二年（公元前六至前五年）。㊿甲寅：十月十四日。㉛定陶王：定陶王刘欣已过继给伯父成帝刘骜为太子，定陶王无后，今立宣帝之子楚孝王刘嚣之孙刘景继任定陶王奉祀刘康香火。㉜谢：上奏向成帝谢恩，因为成帝下诏立刘景为定陶王，使刘康有了奉祀的人，因此刘欣要谢恩，由于刘欣已过继为成帝太子，与自己生父已脱离关系，不应当谢恩。㉝丁姬：定陶共王刘康之妃，刘欣生母。

【原文】

卫尉、侍中淳于长有宠于上，大见信用，贵倾公卿，外交诸侯、牧、守，赂遗、赏赐累巨万，淫于声色。许后姊嬺为龙雒思侯㉞夫人，寡居，长与嬺私通，因取为小妻。许后时居长定宫，因嬺赂遗长，欲求复为倢伃㉟。长受许后金钱乘舆、服御物前后千余万，诈许为白上，立以[15]为左皇后。嬺每入长定宫，长[16]辄与嬺书，戏侮㊱许后，嫚易无不言㊲，交通书记，赂遗连年。

时曲阳侯根辅政，久病，数乞骸骨。长以外亲㊳居九卿位，次第当代根。侍中、骑都尉、光禄大夫王莽心害长宠，私闻其事。莽侍曲阳侯病，因言“长见将军久病意喜，自以当代辅政，至对衣冠㊴议语署置㊵”，具言㊶其罪过。根怒曰：“即如是，何不白也！”莽曰：“未知将军意，故未敢言。”根曰：“趣白东宫㊷！”莽求见太后，具言长骄佚，欲代曲阳侯，私与长定贵人姊通，受取其衣物。太后亦怒曰：“儿至如此！往，白之帝！”莽白上，上以太后故，免长官，勿治罪，遣就国。

【校记】

［9］舆：据章钰校，十四行本作“兴”。［10］木：原无此字。据章钰校，十四行本、乙十一行本、孔天胤本皆有此字，今据补。［11］为：原无此字。据章钰校，十四行本、乙十一行本、孔天胤本皆有此字，今据补。［12］曰：原无此字。据章钰校，十四行本、乙十一行本、孔天胤本皆有此字，今据补。［13］以奉共王后：原无此五字。据章钰校，十四行本有此五字，乙十一行本、孔天胤本、张敦仁《通鉴刊本识误》同，“共”作“恭”，今据十四行本补。〖按〗《汉书·宣元六王传》作“奉共王后”。［14］与太子母：原无此四字。据章钰校，十四行本、乙十一行本、孔天胤本皆有此四字，张瑛《通鉴校勘记》同，今据补。

【语译】

卫尉、侍中淳于长受皇上宠爱，大受重用和信任，尊贵压倒公卿，在宫廷外交结诸侯、州牧、太守，所受贿赂和皇上赐赏，累积亿万之多，且纵情声色。许皇后的姐姐许孊，原是龙雒思侯韩宝的夫人，守寡在家，淳于长和她私通，而后娶她为妾。许皇后当时住在长定宫，就通过姐姐贿赂淳于长，想请求重做婕妤。淳于长接受了许后送的金钱、车马、衣物器件等，前后共有千余万，假装答应为她向皇上禀白，立她为左皇后。许孊每次去长定宫，淳于长就让许孊捎书信给许后，戏弄侮辱许后，轻薄污秽的话无所不言，交往书信，送礼贿赂，连续了好几年。

当时曲阳侯王根辅政，因长期生病，多次请求辞职。淳于长以外戚身份位列九卿，按顺序应当代替王根辅政。侍中、骑都尉、光禄大夫王莽内心忌恨淳于长受宠，暗中探知他的不少坏事。王莽在侍候曲阳侯王根的病时，乘机说：“淳于长见将军久病，心里很高兴，自以为应当代替将军辅政，甚至还对士大夫及贵族子弟封官许愿。”王莽详细述说淳于长的罪过。王根发怒说：“如果有这样的事，为什么不早告诉我！”王莽说：“不知将军心里的想法，所以不敢告诉您。”王根说：“速去禀告太后！”王莽去求见太后，详细讲述了淳于长骄奢淫侈，想代替曲阳侯辅政，私下与长定贵人的姐姐通奸，接受许后贿赂的衣物。太后也发怒说：“此儿竟敢如此！快去！奏告皇帝！”王莽奏告了皇上，皇上因淳于长是太后姐姐的儿子，只免去淳于长的官职，没有治他的罪，把他送回定陵侯国。

初，红阳侯立不得辅政，疑为长毁谮，常怨毒长[263]，上知之。及长当就国，立嗣子[264]融从长请车骑[265]，长以珍宝因[266]融重遗立。立因上封事[267]，为长求留曰："陛下既托文[268]以皇太后故，诚不可更有他计。"于是天子疑焉[269]，下有司按验[270]。吏捕融，立令融自杀以灭口。上愈疑其有大奸，遂逮长系洛阳诏狱[271]，穷治[272]。长具服戏侮长定宫，谋立左皇后，罪至大逆，死狱中。妻子当坐者徙合浦[273]，母若归故郡[274]。上使廷尉孔光持节赐废后药，自杀。丞相方进复劾奏"红阳侯立，狡猾不道，请下狱"。上曰："红阳侯，朕之舅，不忍致法，遣就国。"于是方进复奏立党友后将军朱博、钜鹿太守孙闳，皆免官，与故光禄大夫陈咸皆归故郡[275]。咸自知废锢，以忧死。

方进智能有余，兼通文法吏事[276]，以儒雅缘饰法律[277][17]，号为通明相[278]，天子器重之。又善求人主微指[279]，奏事无不当意。方淳于长用事，方进独与长交，称荐之。及长坐大逆诛，上以方进大臣，为之隐讳，方进内惭，上疏谢罪[18]乞骸骨。上报曰："定陵侯长已伏其辜，君虽交通，传不云乎：'朝过夕改，君子与[280]之。'君何疑焉！其专心壹意，毋怠医药，以自持[281]。"方进起视事，复条奏长所厚善京兆尹孙宝、右扶风萧育、刺史二千石以上，免二十余人。函谷都尉[282]、建平侯杜业[283]，素与方进不平，方进奏"业受红阳侯书听请，不敬"，免，就国。

上以王莽首发大奸，称其忠直，王根因荐莽自代。丙寅[284]，以莽为大司马，时年三十八。莽既拔出同列，继四父[285]而辅政，欲令名誉过前人，遂克己不倦。聘诸贤良以为掾、史，赏赐、邑钱[286]悉以享士[287]，愈为俭约。母病，公卿列侯遣夫人问疾，莽妻迎之，衣不曳地[288]，布蔽膝[289]，见之者以为僮使。问知其夫人，皆惊[19]，其饰名[290]如此。

丞相方进、大司空武奏言："《春秋》之义，用贵治贱，不以卑临尊。刺史位下大夫而临二千石[291]，轻重不相准[292]。臣请罢刺史，更置州牧以应古制。"十二月，罢刺史，更置州牧，秩二千石。

当初，红阳侯王立不得辅政，怀疑是淳于长在诽谤诬陷他，时常痛恨淳于长，皇上知道这些情况。等到淳于长将要回到封国去时，王立的嫡长子王融请求淳于长把车骑送给他，淳于长就用珍宝通过王融重赂王立。王立于是上密封奏书，替淳于长求情留在京师，他说："陛下已在诏书中说了，看在皇太后的分上，真的不可另有别的打算。"由此皇上起了疑心，把事情下达主管部门调查。办案官员逮捕了王融，王立命令王融自杀来灭口。皇上更加怀疑他有大阴谋，于是逮捕淳于长关押在洛阳诏狱，彻底追究。淳于长招供了戏侮许皇后，谋求立她为左皇后的事，定罪名为"大逆"，死在狱中。受株连的妻子儿子放逐到合浦，淳于长的母亲王若遣送回原籍魏郡。皇上派廷尉孔光持节送药给废皇后许氏，她自杀了。丞相翟方进又上奏弹劾王立说"红阳侯王立，狡猾无道，请求逮捕下狱"。皇上说："红阳侯王立，是朕的舅舅，不忍心法办他，送他回封国。"于是翟方进又上奏弹劾王立的党羽后将军朱博、钜鹿太守孙闳，全都罢官，与原光禄大夫陈咸全都回归故里。陈咸明白自己已被废弃禁锢，忧愤而死。

翟方进很有智谋和才能，兼通文书法令和官吏行政事务，善于用儒学学说解释法律，被人称为通达明理的丞相，天子很器重他。又善于揣摩皇上细微的心思，奏事无不合天子的心意。当淳于长受重用时，翟方进只和淳于长交往，在皇上面前称赞和推荐他。到淳于长犯大逆罪被杀，皇上因翟方进是朝廷重臣，特意为他掩饰与淳于长的关系，翟方进内心惭愧，就上疏谢罪称病乞求辞职。皇上回复说："定陵侯淳于长已经服罪，你虽然曾与他有过交往，古书上不是说过：'早上的过失，晚上就改正，君子都会赞许的。'你还有什么好怀疑呢！还是专心一意，不要耽误了医治，保重自己吧。"于是翟方进又出来任职办事，再次上奏，分条弹劾与淳于长有特别交往的京兆尹孙宝、右扶风萧育，以及刺史二千石以上的官员，撤职二十余人。函谷都尉、建平侯杜业，素来与翟方进不和，翟方进上奏说"杜业曾接受红阳侯书信嘱托，犯了不敬之罪"，杜业被罢官，遣回封国。

皇上认为王莽首先揭发淳于长的重大奸恶，称赞他忠心正直，王根因此保荐王莽代替自己的职务。丙寅日，任命王莽为大司马，时年三十八岁。王莽已超出同列，继四位伯父、叔父之后而辅政，他想让自己的声誉超越前辈，就竭力克制私欲，自励不倦。聘用各种贤良人士作为自己的部属，皇上的赏赐和封邑的收入全部用来供养名士，自己越发俭朴节约。他的母亲患病，公卿诸侯都派夫人去探问，王莽的妻子迎接她们，衣服长不拖地，粗布围裙，看见她的人以为是家里佣人。询问后才知是王莽的夫人，都感到惊讶，王莽以伪装博取名誉就是这个样子。

丞相翟方进、大司空何武上奏说："《春秋》上所讲的大义，是用尊贵的人去治理卑贱的人，而不是让卑贱的人凌驾在尊贵的人之上。刺史官位低于大夫，却要监督二千石的官员，上下轻重的关系不相当。臣请求废掉刺史，改设州牧，以符合古制。"十二月，下诏废掉刺史，改设州牧，官秩二千石。

犍为郡[293]于水滨[294]得古磬十六枚，议者以为善祥。刘向因是说上：“宜兴辟雍[295]，设庠序[296]，陈礼乐[297]，隆雅颂之声[298]，盛揖让之容[299]，以风化天下。如此而不治者，未之有也。或曰[300]：不能具礼[301]。礼以养人[302]为本，如有过差[303]，是过而养人[304]也。刑罚之过或至死伤[305]，今之刑非皋陶之法[306]也，而有司请定法[307]，削则削，笔则笔[308]，救时务也。至于礼乐，则曰不敢，是敢于杀人、不敢于养人也。为其俎豆[309]、管弦[310]之间小不备[311]，因是绝而不为，是去小不备而就大不备[312]，惑莫甚焉！夫教化之比于刑法，刑法轻，是舍所重而急所轻[313]也。教化，所恃以为治也，刑法，所以助治也。今废所恃而独立其所助，非所以致太平也。自京师有悖逆不顺之子孙，至于陷大辟，受刑戮者不绝，由不习五常之道[314]也。夫承千岁之衰周，继暴秦之余敝，民渐渍恶俗，贪饕险诐[315]，不闲[316]义理，不示以大化而独驱[317]以刑罚，终已不改！”帝以向言下公卿议，丞相、大司空奏请立辟雍，按行长安城南营表[318]，未作而罢。时又有言“孔子布衣，养徒三千人，今天子太学弟子少”，于是增弟子员三千人，岁余，复如故[319]。

刘向自见得信于上，故常显讼宗室[320]，讥刺王氏及在位大臣，其言多痛切，发于至诚。上数欲用向为九卿，辄不为王氏居位者及丞相、御史所持[321]，故终不迁，居列大夫官前后三十余年而卒[322]。后十三岁而王氏代汉。

【段旨】

以上为第七段，写王莽攀附并利用红阳侯王立，铲除了政治竞争对手淳于长，又沉重地打击了王立的威信，可以说是打击政敌，一箭双雕。王莽长于政治，工于心计，终于夺取了辅政大臣大司马的职位。

犍为郡在水边得到十六枚古代石磬，议事的人认为这是吉祥的征兆。刘向借此劝说皇上："应当在京师兴建辟雍，在各地设立学堂，陈设礼乐，兴起高雅的音乐，大力倡导谦让的礼仪，用以教化天下。如果这样，仍治理不好天下，那是从未有过的。有人会说：治理天下，不能只靠礼仪。礼是以培养人为根本，如果礼有些差错，也只是用失误的礼仪培养人。如果刑罚有了差错，有时导致人的死伤。如今的刑法，不是皋陶之法，主管部门制定标准刑法，想删的就删，想增的就增，是为了救治时弊。至于礼乐，却推辞说不敢妄动，岂不是敢于杀人，而不敢于培养人。由于俎豆祭器、管弦乐器，稍稍不齐全，就索性放弃礼乐不作为，这是抛弃了小不齐全而造成了缺乏礼乐教化这样的大不齐全，没有比这更糊涂的了。教化与刑法两者比较，刑法轻，不兴教化，就是弃重取轻。教化，是治理国家的依靠，刑法，是治理国家的辅助手段。如今丢了要依靠的东西而去树立辅助的东西，这不是使天下太平的办法。从京师起，总有悖逆不孝的子孙，甚至不断有人被判死刑，受刑戮，这都是由于不学习仁、义、礼、智、信五常道德的结果。汉朝承袭了历经千年而衰弱的周朝，继承了暴秦留下的积习，民众逐渐浸染了恶劣风习，贪婪奸险，不明义理，若再不用仁义教化来教导他们，而单靠刑罚来约束他们，那么，目前这种现状是无法改变的！"皇帝把刘向的建议交由公卿讨论，丞相、大司空奏请设立京师太学，派人在长安城南郊选址，树立标志，尚未开工，就又搁置了。当时又有人说"孔子是一位平民，却有弟子三千人，现在天子太学的弟子太少。"于是又增太学弟子到三千人，一年多以后，又恢复原来的规模。

刘向见自己能得到皇上的信任，所以常常公开替皇族打抱不平，讥讽王氏以及在位大臣，言辞大多深切，发自内心至诚。皇上多次想任用刘向为九卿，每次都得不到身居高位的王氏及丞相、御史大夫的支持，所以刘向始终未能升迁，列位大夫前后三十多年而卒。他死后十三年，王莽取代了汉朝。

【注释】

㉕④龙雒思侯：即韩宝，宣帝时将军韩增之子。封爵龙雒侯，谥曰思。㉕⑤欲求复为倢伃：许皇后被废，囚居长定宫，希望重新得到倢伃称号以恢复自由。倢伃，地位低于皇后的嫔妃称号。㉕⑥戏侮：戏弄、羞辱。㉕⑦嫚易无不言：什么轻薄话都敢说。㉕⑧外亲：外戚。淳于长为皇太后王政君姐子。㉕⑨衣冠：代指士大夫。㉖⓪议语署置：封官许愿。㉖①具言：详说。㉖②趣白东宫：赶快禀告皇太后。㉖③怨毒长：痛恨淳于长。㉖④嗣子：嫡长子。㉖⑤从长请车骑：向淳于长讨要仪仗车骑。因淳于长出京就任封国，官属仪仗不能带去，故王融仗势讨取。㉖⑥因：凭借；通过。㉖⑦上封事：上奏密札，直呈皇帝。㉖⑧托文：

写于诏书的文辞。㉖⑨天子疑焉：成帝知王立素怨淳于长，现又突然为仇人求情，故起疑心。㉗⓪下有司按验：交主管部门审查。㉗①遂逮长系洛阳诏狱：淳于长封定陵侯，汉定陵县在今河南舞阳。因淳于长在赴封国途中案发，故直接逮捕囚于洛阳诏狱。㉗②穷治：彻底追究。㉗③合浦：郡名，郡治在今广西合浦北。汉时为重罪流放地之一。㉗④母若归故郡：淳于长母王若，字君侠，王太后姐，回归故里。王氏故里在汉魏郡元城县（今河北大名东北）。㉗⑤与故光禄大夫陈咸皆归故郡：元延元年，光禄大夫陈咸被免职。另据《汉书·翟方进传》，朱博、孙闳被免官，只陈咸被罢归故里，疑此句中“与”字、“皆”字衍。㉗⑥文法吏事：文书法令和行政经验。㉗⑦以儒雅缘饰法律：用儒家学说解释法律。缘饰，装饰，引申为解说。㉗⑧号为通明相：被称为通达明理的丞相。㉗⑨善求人主微指：善于揣摩皇帝的心思。㉘⓪与：赞许。㉘①自持：保重。㉘②函谷都尉：函谷关所置都尉，掌盘查出入之人。㉘③杜业：建平侯杜延年之孙，素不附权贵，与翟方进、淳于长皆不睦，故翟方进借机将其排斥。传附《汉书》卷六十。㉘④丙寅：十一月辛未朔，无丙寅。丙寅，应为十二月二十六日。㉘⑤四父：指王凤、王音、王商、王根，四人皆王莽叔伯。㉘⑥邑钱：封邑的收入。㉘⑦享士：供养名士。㉘⑧衣不曳地：衣服长度不拖到地面。㉘⑨布蔽膝：葛布做的外套。布，葛织物。蔽膝，护膝的围裙。㉙⓪饰名：以伪装博取名誉。㉙①刺史位下大夫而临二千石：刺史秩六百石，只相当于古时之下大夫，但领导着二千石的郡守及王国相等。㉙②轻重不相准：上下轻重的关系不相当。㉙③犍为郡：郡名，治所僰道，在今四川宜宾。㉙④水滨：江岸边。㉙⑤辟雍：京师太学。辟，明。雍，和。辟雍，取明和天下之义。㉙⑥设庠序：建立郡县的地方学校。相传西周时，党有庠，乡有序。㉙⑦陈礼乐：宣扬礼乐文化。㉙⑧隆雅颂之声：兴起高雅的音乐。㉙⑨盛揖让之容：讲究谦让的礼仪。㉚⓪或曰：有人说。㉚①不能具礼：治理天下不能只靠礼仪。㉚②养人：培养人；教育人。㉚③过差：过失、差错。㉚④过而养人：即使教化失误，也只不过是教育人的效果不显著而已。㉚⑤刑罚之过或至死伤：刑罚失误则导致人的死伤。㉚⑥皋陶之法：皋陶，传说中尧舜时的著名刑狱官，他施行的法律简朴公正。㉚⑦定法：标准刑法。㉚⑧削则削二句：指随意改变法律。㉚⑨俎豆：祭祀用的器皿。㉛⓪管弦：指祭乐。㉛①小不备：稍稍不周全齐备。㉛②大不备：重大的不周全齐备。指礼乐教化缺损。㉛③舍所重而急所轻：丢了大的重的，而拣小的轻的。今语有丢了西瓜而捡了芝麻，取舍失当。舍，舍弃。急，重视；致力于。㉛④五常之道：五种人人应遵守的道德。五常，仁、义、礼、智、信。㉛⑤贪饕险诐：贪婪奸险。㉛⑥闲：熟习。㉛⑦驱：通“殴”。击；殴打。㉛⑧按行长安城南营表：巡行长安南郊选址和树立标记。㉛⑨复如故：恢复原来的太学生一千人的定制。汉武帝初立太学，博士弟子定员五十人，以后不断扩大，至元帝时定员一千人，到成帝时一度扩大为三千人。㉜⓪显讼宗室：公开替皇族打抱不平。㉜①持：扶持；佐助。㉜②卒：去世。刘向历官谏大夫、中垒校尉、光禄大夫等职，于建平三年（公元前四年）去世。

【校记】

［15］以：原无此字。据章钰校，十四行本、乙十一行本、孔天胤本皆有此字，今据补。［16］长：原无此字。据章钰校，孔天胤本有此字，今据补。［17］法律：原无此二字。据章钰校，十四行本、乙十一行本、孔天胤本皆有此二字，张敦仁《通鉴刊本识误》同，今据补。［18］谢罪：原无此二字。据章钰校，十四行本、乙十一行本、孔天胤本皆有此二字，张敦仁《通鉴刊本识误》、张瑛《通鉴校勘记》同，今据补。［19］皆惊：原无此二字。胡三省注云："此下依《汉书》有'皆惊'二字，文意乃足。它本皆有此二字。"据章钰校，十四行本、乙十一行本、孔天胤本皆有此二字，张敦仁《通鉴刊本识误》同，今据补。

【研析】

本卷启人深思的有以下几件大事。第一件，永始四年（公元前一三年），梁王刘立违法犯禁，有时一天多达十余起，是一个恶棍。特别是刘立乱伦，与自己的亲姑母刘园子通奸，丑闻被揭发，谷永上书阻止朝廷调查。谷永用常理推断，说刘立与刘园子，不仅辈分不同，而且年龄相差太大，不可能有这等事。即使有，也是闺门隐私，为了皇室颜面，也要停止调查。成帝采纳了谷永建议，搁置案件，保护了刘立这个恶棍。谷永、刘向、朱云等许多大臣上奏言得失，成帝均不采纳，唯独这件混淆是非的上奏，成帝偏偏采纳了。成帝、谷永，为何要保护梁王刘立呢？主要原因有二。其一，专制制度，法律不平等。"刑不上大夫"有着根深蒂固的影响，更何况是宗室王。其二，成帝生活糜烂，刘立乱伦，是皇室腐朽的外延，成帝不欲深究。谷永是外戚王氏党羽，上书强调为尊者讳、为亲者讳的伦常观念，成帝自然心领神会而搁置案件了。

第二件，成帝侄儿刘欣入继大统，立为皇太子，却让刘欣生母丁姬、祖母傅太后都要留在封国内，要她们与刘欣割断关系。宗法制度，无情有理。皇太后王政君下诏，说傅太后抚育刘欣，可以到京师，以奶娘身份十天入见皇太子刘欣一次。这个口子一开，就为傅太后入宫打开了大门。等到刘欣即位，是为哀帝，傅太后就堂皇以祖母身份入宫，控制了哀帝，其后生出许多事端。虽非王政君始料所及，却是亲情不可斩断的生动证明。成帝要求刘欣继承大统后，要割断祖孙母子之情的要求完全落空。

第三件，段会宗安边给千疮百孔的西汉王朝打了一剂强心针，制造了成帝时的虚假强盛。不过段会宗是继陈汤之后的又一员出使西域的名将。段会宗，字子松，天水上邽人，曾在竟宁元年（公元前三三年）、阳朔元年（公元前二四年），两度出任西域都护。西域都护一任为三年。段会宗既懂军事，又懂政治。他既能宣明汉王朝的恩信、国威，又十分注意汉王朝与乌孙等各国的友好关系。段会宗在西域各国树立了很高的声望，赢得了尊敬。元延二年（公元前一一年），段会宗已七十三岁高龄，再次受命，以左曹中郎将、光禄大夫身份出使西域，率领戊己校尉的军队前去平定乌孙国内乱，段会宗以大勇精神智取乌孙国叛臣番丘的首级，可以说是兵不血刃结束了平叛任务，使汉王朝威震西域。两年后，乌孙再度发生内乱，七十五岁高龄的段会宗，又一次受命前往西域。段会宗与西域都护孙建一起平定了乌孙内乱。段会宗因积劳成疾，又高龄经受远行风霜，以及征战之劳，病死在乌孙。西域各国人民，听到噩耗，都十分悲痛。段会宗的一生献给了国家，献给了西域各国人民。段会宗出使西域期间，西域各国人心安定，一心归顺汉朝，社会生产得到发展。因此，段会宗死后，人民十分怀念他，西域各国为他发丧，并立祠庙祭祀他。

卷第三十三　汉纪二十五

起阏逢摄提格（甲寅，公元前七年），尽旃蒙单阏（乙卯，公元前六年），凡二年。

【题解】

本卷记事起公元前七年，至公元前六年，共二年史事，当成帝绥和二年至哀帝建平元年，新老皇帝交替之际。两年史事，洋洋一卷书，其实并没多少有关国计民生或对外事务的大事件，主要笔墨写的是统治集团的权力斗争和宫廷黑幕。绥和二年二月，荧惑守心，成帝逼死丞相翟方进以应天变，但并没有挽救自己的死亡。三月十八日成帝无疾暴崩，这是一桩疑案。成帝死，哀帝立，宗法伦理与亲情的矛盾立即凸显，母以子贵，傅太后入宫掣肘哀帝，阻止对成帝死因的调查，保护皇太后赵飞燕，因为赵飞燕替哀帝入继大统出过力。傅太后却无中生有，以谋反罪逼死中山王太后冯氏，以报昔年两人争宠之仇。哀帝嗣位，竟然无所作为。师丹上书建言限田，贾让上书献治河三策，均遭议而不决，最终搁置。只有耿育上书为陈汤鸣冤，陈汤被召还终老京师，陈汤的功过是非，终于画上了句号。在调查成帝死因中，牵扯出成帝亲手杀死皇子以讨好赵飞燕之妹赵昭仪。宫中黑幕，违反伦常，竟至于此。

【原文】

孝成皇帝下

绥和二年（甲寅，公元前七年）

春，正月，上行幸甘泉，郊泰畤。

二月壬子①，丞相方进薨。

时荧惑守心②，丞相府议曹③平陵李寻奏记④方进，言："灾变迫切⑤，大责⑥日加，安得但[1]保斥逐之戮⑦！阖府⑧三百余人，唯君侯⑨择其中，与尽节转凶⑩。"方进忧之，不知所出。会郎贲丽善为星⑪，言大臣宜当之。上乃召见方进，还归，未及引决⑫，上遂赐册⑬，责让以政事不治，灾害并臻，百姓穷困，曰："欲退君位，尚未忍，使尚书令赐君上尊酒⑭十石，养牛一⑮，君审处焉！"方进即日自杀。上秘之，遣九卿册[2]赠印绶⑯，赐乘舆秘器⑰、少府供张⑱，柱槛皆衣素⑲。天子亲临吊⑳者数至，礼赐异于他相故事。

【语译】

孝成皇帝下

绥和二年（甲寅，公元前七年）

春，正月，皇上巡幸甘泉宫，祭祀太乙天神。

二月十三日壬子，丞相翟方进去世。

当时，火星徘徊在心宿星区，丞相府议曹平陵人李寻向翟方进递交公文，说："灾变严重而急迫，责罚与日俱增，怎么能只保身免遭罢官斥逐之辱！相府全部官属三百余人，希望你从中选择，为国家尽忠贞之节，转移凶祸。"翟方进为此忧虑，不知道怎么办。正好郎官贲丽精通天文星象，向皇上奏说大臣应当承担灾祸。皇上就召见翟方进，翟方进从宫中回家，没来得及自裁，皇上便赐下策免诏书，斥责翟方进没有办理好政务，灾祸接连而至，百姓穷困。诏书说："想免掉你的职位，还不忍心，派尚书令赐予你上等酒十石，肥牛一头，你自己审慎地处理吧！"翟方进当天就自杀了。皇上对这件事秘而不宣，派九卿拿着皇上册书，赠送翟方进用于陪葬的官印和绶带，赐给车子、随葬的明器，由少府供给丧葬费用，翟方进宅第的房柱及栏杆裹上白色绸缎。天子亲自多次到灵堂吊唁，葬礼赏赐与其他丞相旧例不同。

臣光曰："晏婴㉑有言：'天命不慆，不贰其命㉒。'祸福之至，安可移乎！昔楚昭王、宋景公㉓不忍移灾于卿佐，曰：'移腹心之疾，置诸股肱，何益也！'藉㉔其灾可移，仁君犹不肯[3]为，况不可乎！使方进罪不至死而诛之，以当大变，是诬㉕天也；方进有罪当刑，隐其诛而厚其葬，是诬人也。孝成欲诬天、人而卒无所益，可谓不知命矣。"

三月，上行幸河东，祠后土。

丙戌㉖，帝崩于未央宫。

帝素强无疾病，是时，楚思王衍、梁王立来朝，明旦，当辞去，上宿供张白虎殿。又欲拜左将军孔光为丞相，已刻侯印，书赞㉗。昏夜㉘，平善㉙，乡晨㉚，傅绔袜欲起㉛，因失衣㉜，不能言㉝，昼漏上十刻㉞而崩。民间讙哗㉟，咸归罪赵昭仪。皇太后诏大司马莽杂与御史、丞相、廷尉治，问皇帝起居发病状，赵昭仪自杀。

班彪赞曰："臣姑㊱充后宫为婕妤，父子、昆弟侍帷幄㊲，数为臣言：'成帝善修容仪㊳，升车正立㊴，不内顾㊵，不疾言㊶，不亲指㊷，临朝渊嘿㊸，尊严若神，可谓有[4]穆穆㊹天子之容者[5]矣。博览古今，容受直辞㊺，公卿奏议可述㊻。遭世承平，上下和睦。然湛㊼乎[6]酒色，赵氏乱内，外家擅朝，言之可为於邑㊽！'建始以来，王氏始执国命，哀、平短祚，莽遂篡位，盖其威福㊾所由来者渐矣！"

是日，孔光于大行㊿前拜受丞相、博山侯印绶。

富平侯张放闻帝崩，思慕哭泣而死。

荀悦论曰："放非不爱上，忠不存焉。故爱而不忠，仁之贼也！"

皇太后诏南、北郊长安如故 51。

司马光说："晏婴说过：'天命不可怀疑，命数无法改变。'祸与福来了，怎么可以转移呢！从前楚昭王、宋景公不忍心把灾祸转移到大臣身上，说：'把心腹的病痛，转移到大腿和胳膊上，有什么好处！'即使灾祸可以转移，仁爱的君主也不肯那样做，何况灾祸根本就不可以转移呢！如果翟方进没有犯下死罪而杀了他，用来承当天变，就是欺骗上天；如果翟方进有死罪应当正法，却隐瞒他被诛杀的原因，加以厚葬，是欺骗人民。孝成皇帝想欺骗上天和民众，而又没有什么好处，可以说是不知道天命。"

三月，皇上巡幸河东，祭祀后土神。

三月十八日丙戌，皇上在未央宫逝世。

成帝身体向来强壮没有疾病，当时，楚思王刘衍、梁王刘立来京朝见，第二天早晨，两王应当辞别离去，皇上留宿在铺设帷帐的白虎殿。还想任命左将军孔光为丞相，已经刻好了侯印，写好了委任大臣的赞辞。夜晚，皇上身体还和往常一样，天将亮时，皇上穿裤袜想起床，突然手中衣服落下，说不出话，计时的漏斗指向十刻时逝世。民间流言哗然，都归罪于赵昭仪。皇太后下诏大司马王莽与御史大夫、丞相、廷尉一同调查皇帝的死因，查问皇帝的起居和发病情况，赵昭仪自杀。

班彪评论说："臣的姑姑曾经在后宫为婕妤，父子兄弟侍奉皇帝身边，他们多次对臣说：'成帝善于修饰仪表，乘车端庄严肃，不左右观望，不大声说话，不用手指指点点，临朝听政，沉静寡言，庄重严肃像一尊神，真是有庄重温和的天子仪容的帝王。博览古今，听得进直言，公卿奏议有充实可称赞的内容。遇上太平盛世，上下和睦。但成帝沉迷于酒色，赵飞燕姐妹秽乱后宫，外戚专权，说起来为之伤心！'从建始年间以来，王氏开始执掌国家大权，哀帝、平帝短命，王莽于是篡位，王氏作威作福，是长时间逐渐酿成的啊！"

成帝逝世的当天，孔光在大行皇帝灵堂前跪拜接受丞相、博山侯爵的印章、绶带。

富平侯张放听说成帝逝世，思念哭泣而死。

荀悦评论说："张放并不是不爱皇上，只是没有忠心。因此只有爱心而没有忠心，就是伤害仁义的蠢贼！"

皇太后诏令京师长安城南郊祭天、北郊祭地的大典恢复如故。

【段旨】

以上为第一段，写丞相翟方进、汉成帝之死。成帝聪明而多才艺，仪容庄重，待人宽容，是一块英明天子的料，只可惜生性风流，沉迷于声色，不仅误了国家，也枉送了性命。翟方进枉死，也没能替这位风流天子免祸。皇太后下诏，大臣合议会审，逼死赵昭仪，也挽救不了西汉衰颓的国运。成帝可恶，汉祚可悲。

【注释】

①壬子：二月十三日。②荧惑守心：火星徘徊在心宿星区。荧惑，即火星。火星为何逆行到心宿星区，这是天文现象之谜。但在古代星象家看来，是极严重的问题，因为荧惑守心，预兆天子死亡。③议曹：官府机构中设置的言官，从三公九卿至州郡长官，皆置议曹。④奏记：向上级递交的公文。⑤灾变迫切：指天象显示出严峻的形势，而且迫在眉睫。⑥大责：大责罚。⑦戮：羞辱。⑧阖府：指丞相府全部官属。⑨君侯：今语之意叫“侯爷”，是对丞相的尊称，因丞相皆封侯。⑩尽节转凶：为国家尽忠贞之节，转移灾祸。指翟方进尽节而死，才能转祸为福。⑪贲丽善为星：贲丽，人名。善为星，精通天文星象。⑫未及引决：没有立即自尽。⑬赐册：下策免诏书。册，同“策”。⑭上尊酒：上等酒。⑮养牛一：祭祀用的肥牛一头。汉制，凡天地大变，皇帝派侍中持节乘四白马赐丞相上等酒十石，牛一头，策告罪过，示意丞相立即自尽。使者还宫途中，尚书即上奏丞相病故。⑯册赠印绶：特颁诏书，赏赐丞相印绶陪葬。⑰秘器：随葬的明器。⑱少府供张：治丧所需钱物均由少府供给。⑲柱槛皆衣素：房柱及栏杆都裹上白色绸缎。⑳临吊：到灵堂祭吊。㉑晏婴：春秋时齐景公贤相。传见《史记》卷六十二。㉒天命不慆二句：天命不可怀疑，命数无法改变。㉓楚昭王、宋景公:《左传》哀公六年（公元前四八九年），楚国上空出现红云，像群火鸟挟持太阳奔跑了三天。周太史对昭王使臣说，可用祭祀的办法移祸于令尹或司马等大臣。楚昭王听后说：“把肚子上的病移在胳膊、大腿上，有什么益处。”终未做移祸大臣的祭祀。《史记·宋微子世家》载：

【原文】

夏，四月丙午[52]，太子即皇帝位，谒高庙，尊皇太后曰太皇太后，皇后曰皇太后。大赦天下。

哀帝初立，躬行俭约，省减诸用，政事由己出，朝廷翕然望至治焉。

宋景公时，出现荧惑守心的天象，主对人君不利，司星子韦说，可将灾祸转移给丞相、百姓或庄稼，宋景公均不答应，感动上帝，火星退离了心宿三度。㉔藉：即使。㉕诬：欺瞒。㉖丙戌：三月十八日。㉗书赞：已写好委任大臣的赞辞。㉘昏夜：黄昏时。㉙平善：成帝身体如常。㉚乡晨：将天亮。乡，通"向"。㉛傅绔袜欲起：指成帝穿裤袜准备起床。傅，通"附"。穿；着。㉜因失衣：突感手臂麻木拿不住衣裳。㉝不能言：不能说话。成帝症状颇似今脑出血。㉞昼漏上十刻：白天漏壶中的浮箭上升到十刻时。三月天，白天的漏刻共五十八刻，昼漏上十刻，即天刚亮不久。㉟民间讙哗：民间流言哗然。㊱臣姑：班彪之姑即成帝之班倢伃。成帝宠赵飞燕姐妹，班倢伃以侍奉太后自保。㊲侍帷幄：在深宫中侍奉。㊳修容仪：善于修饰仪表。㊴升车正立：乘车端庄严肃。㊵不内顾：不左右观望。㊶不疾言：不大声说话。㊷不亲指：不用手指指点点。以上几句是班彪借用《论语·乡党》对孔子升车仪容的描写来描绘成帝的仪容。㊸渊嘿：沉静寡言。㊹穆穆：庄重温和。㊺容受直辞：听得进直言。㊻可述：有内容，值得称道。㊼湛：沉迷。㊽於邑：呜咽，伤心的样子。㊾威福：即作威作福。㊿大行：指死而未葬的皇帝。(51)皇太后诏南、北郊句：天子冬至日在都城南郊"圆丘"祭天；夏至日在都城北郊"方泽"祭地。成帝永始三年（公元前一四年），撤销南、北郊的祭典，至此皇太后下诏恢复。

【校记】

[1]但：原无此字。据章钰校，十四行本、乙十一行本、孔天胤本皆有此字，张敦仁《通鉴刊本识误》同，今据补。[2]册：原作"策"。据章钰校，十四行本、乙十一行本、孔天胤本皆作"册"，今据改。[3]肯：原作"忍"。据章钰校，十四行本、乙十一行本、孔天胤本皆作"肯"，今据改。[4]有：原无此字。据章钰校，十四行本、乙十一行本、孔天胤本皆有此字，今据补。[5]者：原无此字。据章钰校，十四行本、乙十一行本、孔天胤本皆有此字，今据补。[6]乎：原作"于"。据章钰校，十四行本、乙十一行本、孔天胤本皆作"乎"，今据改。

【语译】

夏，四月初八日丙午，太子刘欣即皇帝位，祭告汉高祖刘邦陵庙，尊皇太后为太皇太后，皇后为皇太后。大赦天下。

哀帝刚即位，亲自厉行节约，减省各项开支，政事都由自己处理，朝廷上下和谐，大家都认为国家有希望治理好。

己卯[53]，葬孝成皇帝于延陵[54]。

太皇太后令傅太后、丁姬十日一至未央宫。

有诏问丞相、大司空："定陶共王太后宜当何居？"丞相孔光素闻傅太后为人刚暴，长于权谋，自帝在襁褓，而养长教道[55]至于成人，帝之立又有力。光心恐傅太后与政事[56]，不欲与帝旦夕相近，即议以为定陶太后宜改筑宫。大司空何武曰："可居北宫[57]。"上从武言。北宫有紫房复道[58]通未央宫，傅太后果从复道朝夕至帝所，求欲称尊号，贵宠其亲属，使上不得由直道[59]行。高昌侯董宏希指[60]，上书言："秦庄襄王，母本夏氏，而为华阳夫人所子，及即位后，俱称太后[61]。宜立定陶共王后为帝太后。"事下有司，大司马王莽、左将军、关内侯、领尚书事师丹劾奏宏："知皇太后至尊之号，天下一统，而称引亡秦以为比喻，诖误圣朝[62]，非所宜言，大不道！"上新立，谦让，纳用莽、丹言，免宏为庶人。傅太后大怒，要上[63]，欲必称尊号。上乃白太皇太后，令下诏尊定陶恭王为恭皇。

五月丙戌[64]，立皇后傅氏，傅太后从弟晏之子也。

诏曰："《春秋》[65]，母以子贵[66]。宜尊定陶太后曰恭皇太后、丁姬曰恭皇后，各置左右詹事[67]，食邑如长信宫、中宫[68][7]。"追尊傅父为崇祖侯，丁父为褒德侯，封舅丁明为阳安侯，舅子满为平周侯，皇后父晏为孔乡侯，皇太后弟侍中、光禄大夫赵钦为新城侯。太皇太后诏大司马莽就第[69]，避帝外家[70]，莽上疏乞骸骨。帝遣尚书令诏起莽，又遣丞相孔光、大司空何武、左将军师丹、卫尉傅喜白太皇太后曰："皇帝闻太后诏，甚悲！大司马即不起，皇帝即不敢听政！"太后乃复令莽视事。

成帝之世，郑声[71]尤甚，黄门名倡丙强、景武之属富显于世，贵戚[72]至与人主争女乐。帝自为定陶王时疾之，又性不好音，六月，诏曰："孔子不云乎：'放郑声，郑声淫[73]。'其罢乐府官。郊祭乐及古兵法武乐在经，非郑、卫之乐者，条奏[8]，别属他官[74]。"凡所罢省过半[75]，然百姓渐渍日久，又不制雅乐有以相变[76]，豪富吏民湛沔自若[77]。

王莽荐中垒校尉刘歆有材行，为侍中，稍迁光禄大夫，贵幸，更

己卯日，葬孝成皇帝于延陵。

太皇太后下令傅太后、丁姬每十天一次到未央宫探望哀帝。

皇上下诏询问丞相、大司空："定陶太后应当住在哪个宫里?"丞相孔光一向听说傅太后为人刚强暴戾，善于权谋，自皇帝还是婴孩时，就由她亲自抚养教导直到成人，皇帝被立为太子，她又尽了力。孔光心里害怕傅太后干预政事，不希望她与皇帝旦夕相处，于是便建议说定陶太后应另建宫室居住。大司空何武说："可以住在北宫。"皇上听从了何武的建议。北宫紫房的楼阁复道直通未央宫，傅太后果然从复道早晚到皇帝住所，请求皇帝加封她尊号，重用宠信她的亲属，使得皇帝不能按正规办事。高昌侯董宏迎合皇上和傅太后的心意，上奏说："秦庄襄王的母亲本是夏氏，后因被华阳夫人养为嗣子，等到即位后，夏氏、华阳夫人都尊称太后。应当立定陶共王后为帝太后。"皇上把奏章转给有关部门，大司马王莽，左将军、关内侯、主管尚书事师丹，联名上奏弹劾董宏，说："董宏知道皇太后是最尊贵的称号，现今天下一统，而称引亡秦的事例来作比喻，误导圣朝，这是不应该说的话，犯了大逆不道的罪!"皇上初即位，谦逊忍让，采纳王莽、师丹的意见，把董宏免职，贬为平民。傅太后大怒，要挟皇上，一定要称尊号。皇上就禀告太皇太后，太皇太后命令皇上下诏尊称定陶恭王为恭皇。

五月十九日丙戌，册立傅氏为皇后，她是傅太后堂弟傅晏的女儿。

皇上下诏说："《春秋》上说，母以子贵。应尊称定陶太后为恭皇太后、丁姬为恭皇后，各自设置左右詹事，采邑和长信宫皇太后、中宫皇后一样。"又追尊傅太后的父亲为崇祖侯，丁姬的父亲为褒德侯，封舅父丁明为阳安侯，舅父的儿子丁满为平周侯，皇后的父亲傅晏为孔乡侯，皇太后赵飞燕的弟弟侍中、光禄大夫赵钦为新城侯。太皇太后王政君下诏命令大司马王莽辞职回家，回避皇上的外戚，王莽上疏请求退辞。皇帝派尚书令持诏书起用王莽，又派丞相孔光、大司空何武、左将军师丹、卫尉傅喜禀报太皇太后说："皇帝听到太皇太后的诏书，十分悲痛！大司马不立刻出来办事，皇帝就不敢听政!"太皇太后便又命令王莽上朝理事。

汉成帝的时候，靡靡之音非常流行，宫廷著名倡优丙强、景武之辈富显于世，皇亲国戚甚至与皇帝争夺歌伎舞女。哀帝在做定陶王时就憎恶这种事，又生性不喜好音乐，六月下诏说："孔子不是说过：'不要听郑国音乐，郑国音乐太靡乱。'应撤销乐府官。郊祭天地大典的音乐，以及古代兵法军乐载于经典的，不是郑国、卫国靡靡之音的音乐，逐条上奏，可由别的部门来管理。"因此裁减的乐曲过半，然而百姓长久以来习惯于那种音乐，而又没有制定其他高雅的音乐来替换，因而富豪和官民之家，仍然一如既往地沉湎在郑、卫之音中。

王莽推荐中垒校尉刘歆，说他有才能德行，任命为侍中，逐渐迁升为光禄大夫，

名秀[78]。上复令秀典领“五经”[79]，卒父前业[80]。秀于是总群书而奏其《七略》[81]，有《辑略》、有《六艺略》、有《诸子略》、有《诗赋略》、有《兵书略》、有《术数略》、有《方技略》。凡书六略，三十八种，五百九十六家，万三千二百六十九卷。其叙诸子，分为九流[82]：曰儒，曰道，曰阴阳，曰法，曰名，曰墨，曰从横，曰杂，曰农，以为：“九家皆起于王道既微，诸侯力政[83]，时君世主好恶殊方，是以九家之术蜂出并作，各引一端，崇其所善，以此驰说[84]，取合诸侯。其言虽殊，譬犹[9]水火相灭，亦相生也[85]。仁之与义，敬之与和，相反而皆相成也。《易》曰：‘天下同归而殊涂，一致而百虑。’今异家者推所长[86]，穷知究虑以明其指[87]，虽有蔽短，合其要归[88]，亦六经之支与流裔[89]。使其人遭明王圣主，得其所折中，皆股肱之材已。仲尼有言：‘礼失而求诸野[90]。’方今去圣久远，道术缺废，无所更索[91]，彼九家者，不犹愈[92]于野乎！若能修“六艺”之术而观此九家之言，舍短取长，则可以通万方之略矣。”

河间惠王良能修献王[93]之行，母太后薨，服丧如礼，诏益封万户，以为宗室仪表[94]。

初，董仲舒说武帝，以“秦用商鞅之法，除井田，民得卖买，富者田连阡陌，贫者亡立锥之地。邑有人君之尊[95]，里有公侯之富[96]，小民安得不困！古井田法虽难卒行[97]，宜少近古，限民名田[98]以赡不足，塞并兼之路；去奴婢[99]，除专杀之威[100]；薄赋敛，省徭役，以宽民力[101]，然后可善治也”。及上即位，师丹复建言：“今累世承平，豪富吏民訾[102]数巨万，而贫弱愈困，宜略为限。”天子下其议，丞相光、大司空武奏请：“自诸侯王、列侯、公主名田各有限，关内侯、吏、民名田皆毋过三十顷[103]，奴婢毋过三十人。期尽三年[104]，犯者没入官。”时田宅、奴婢贾为减贱，贵戚近习[105]皆不便也，诏书：“且须后[106]。”遂寝不行[107]。又诏：“齐三服官[108]、诸官[109]，织绮绣难成、害女红之物[110]，皆止，无作输[111]。除任子令及诽谤诋欺法[112]。掖庭宫人[113]年三十以下，出嫁之，官奴婢[114]五十以上，免为庶人[115]。益吏三百石以下俸。”

显贵宠幸，改名刘秀。皇上又命令刘秀负责审核校对“五经”，完成其父刘向先前的事业。刘秀于是汇总群书，编成《七略》上奏，内有《辑略》《六艺略》《诸子略》《诗赋略》《兵书略》《术数略》《方技略》。其中分类书目共有六略，包括三十八种，五百九十六家，一万三千二百六十九卷。其中叙述诸子的，分为九大流派，有儒家、道家、阴阳家、法家、名家、墨家、纵横家、杂家、农家，刘秀认为：“九家都是兴起于王道衰微、诸侯争霸的时代，当时各国的君主好恶不同，所以九家学派一时蜂起，各自提出一种主张，抬高自己所称扬的学说，拿它到处游说，希望说服各个诸侯。他们的学说虽然不同，就像水火不能兼容，实际上又是相辅相成。仁与义，敬与和，尽管彼此相反，却又彼此相成。《易经》说：‘天下共同达到一个目标而有不同的道路，天下归一而有上百种考虑。’如今要从各个不同学派中找出它的长处，深入研究，明白它的主旨，虽然各有所短，但综合各家学说的宗旨和内容，也不过是儒家“六经”的支派和末流。让这些人如能遇到圣明国君，将各家学说取长补短，加以折中，那样就可成为国家的栋梁之材。孔子说过：‘古代礼仪失传了，往往可以到乡村中求得。’现在距离圣人的时代久远，那时的原则方法已经缺失，无处追寻，而现存的九家学说，岂不是胜过去乡村寻求吗！若能研修“六艺”之术，再参考九派的学说，取长补短，那么，也就可以通晓万种方略。”

河间王刘良能承继祖先献王刘德的高尚品德，母亲王太后去世，刘良服丧符合礼制，皇上下诏增加一万户封邑，作为皇族的表率。

起初，董仲舒劝说汉武帝，认为“秦国采用商鞅变法，废除井田制度，民众可以买卖土地，富人土地阡陌相连，贫穷的人没有立锥之地。县邑有如帝王之尊的豪绅，闾里有公侯一样的富人，小民怎能不贫困！古代的井田制虽然难以突然推行，但也应该稍稍靠近古代制度，限制百姓占有土地数额，用以补助耕地不足的民户，堵塞兼并的道路；取消奴婢，废除主人杀害奴婢的特权；减轻赋税，减少徭役，使民众得以休养生息，然后才可以把国家治理好。”等到哀帝即位，师丹又建言说：“如今累世太平，豪富、官吏、富民资产数亿，而贫弱百姓更加困难，应该稍加限制。”皇上把师丹的奏议转给臣下讨论，丞相孔光、大司空何武上奏请求说：“从诸侯王、列侯、公主起，所占有的田亩，每人要有限制，关内侯、官吏和富民，占地都不能超过三十顷，奴婢不能超过三十人。定下三年期限，违犯的人，多占的田亩和奴婢罚没入官。”当时田亩、奴婢的价值下跌，贵族、外戚，以及皇帝亲近的人，都深感不利，皇上下诏：“暂且等待一段时间。”于是限田建议被搁置没有实行。皇上又下诏：“设置在齐地的三服官以及其他主管皇室服装的官员，因为刺绣绮罗，织造艰难，伤害女红，全部停业，不再织造输送。废除任子令和诽谤诋欺罪的法令条文。掖庭中一般官女年三十岁以下的，放出宫嫁人，官奴婢五十岁以上的，免除服役为平民。增加三百石以下官吏的俸禄。”

【段旨】

以上为第二段，写汉哀帝即位，诸侯入继大统的宗法继嗣伦理与亲情的矛盾就尖锐地呈现出来。此时，西汉土地高度集中的社会矛盾也呈现出来，师丹建言限田法令，因触犯贵戚官僚的既得利益，而被搁置。刘歆完成《七略》的编制，是目录学史上的一件大事。

【注释】

52丙午：四月初八日。53己卯：四月己亥朔，无己卯。己卯，应为五月十二日。54延陵：汉成帝陵，在今陕西咸阳。55养长教道：指傅太后把哀帝刘欣一手养大到成人，又一手教导他。道，通“导”。56与政事：干预政治。57北宫：即未央宫北之桂宫。一说北宫非桂宫。58复道：由楼阁走廊形成的双层通道。59直道：正道。这里指按宗法制度办事。按照宗法制度，封国王太后不能与中央皇太后平起平坐，小宗亲属不能享受大宗（嫡长子）的特权。60希指：迎合在上者的旨意。61秦庄襄王五句：指秦庄襄王即位后将生母夏后与嫡母华阳夫人并称太后。事详本书卷六秦孝文王元年。62诖误圣朝：使汉朝陷入错误中。诖误，受牵连而陷入错误。意谓以秦比汉，而牵连汉朝。63要上：即要挟皇帝。64丙戌：五月十九日。65《春秋》：指《春秋公羊传》。66母以子贵：见《公羊传》隐公元年。67詹事：官名，主管皇后或皇太后、太子宫中事务。68食邑如长信宫、中宫：皇太后居长信宫，皇后居中宫。这里指傅太后的待遇比照皇太后，丁姬的待遇比照皇后。69就第：辞职回家。70避帝外家：回避皇上外家。即让王莽将权柄交给哀帝的外家傅氏、丁氏。71郑声：借指靡靡之音。72贵戚：指王氏五侯、淳于长之家。73放郑声二句：舍弃郑国的乐曲，因其靡曼淫秽。语出《论语·卫灵公》孔子之言。74其罢乐府官五句：意谓裁撤乐府官，祭祀天地的音乐，以及古兵法武乐载于经典的乐曲，不属于郑、卫靡曼之乐的，逐条上奏，改由其他单位管理。乐府官，管理音乐的机构。汉武帝元狩三年设置。郊祭乐，指南、北郊祭天、地的乐曲。75罢省过半：裁减禁演的乐曲超过半数。76又不制雅乐有以相变：又不用纯正的新乐曲来替换。77湛沔自若：一如既往地沉迷于相沿已久的郑、卫之音中。78更名秀：其时谶纬流行，有《河图赤伏符》书，内有“刘秀发兵捕不道，四夷云集龙斗野，四七之际火为王”的话头，于是刘歆改名刘秀，以应符谶，妄想变天当皇帝。79典领“五经”：掌管《诗》《书》《礼》《易》《春秋》五经。80卒父前业：完成其父刘向于成帝河平三年（公元前二六年）开始的典校群书之业。81《七略》：刘向、刘歆父子典校图书后，将图书分为六类，即《六艺略》《诸子略》《诗赋略》《兵书略》《术数略》《方技略》，加上书首的总序《辑略》，共为七略。㉜ 九流：九个学术流派。《七略》分诸子百家为儒、道、阴阳、法、名、墨、纵横、杂、农九个学派。㉝ 诸侯力政：战国时，诸侯凭借实力，各自为政。㉞ 驰说：到处游说。㉟ 水火相灭二句：指诸子百家学说，形式上水火不容，互相对立，实际上互相影响，相辅相成。㊱ 今异家者推所长：现在从各家学说中找出它们的长处。㊲ 穷知究虑以明其指：深入研究它们的中心思想，弄清主题。㊳ 虽有蔽短二句：虽各有所短，但归纳其主要精神。㊴ 亦六经之支与流裔：也是源于"六经"或属于"六经"的分支。㊵ 礼失而求诸野：失传了的古代礼仪，往往可以在农村中找到遗存。野，与都邑相对，指农村。㊶ 更索：另外寻求。㊷ 愈：超过；胜过。㊸ 献王：景帝子河间王刘德的谥号。刘德以谨厚闻名于世，曾向汉武帝进献雅乐。传见《汉书》卷五十三。㊹ 仪表：楷模；表率。㊺ 邑有人君之尊：每个县邑，都有如帝王之尊的贵人。㊻ 里有公侯之富：每个村庄，都有像王侯一样的富人。上两句意为全国城乡遍布大大小小的土皇帝。㊼ 卒行：突然实行。卒，通"猝"。㊽ 限民名田：限制富人占有土地的数量。名田，占田。㊾ 去奴婢：废除将奴婢作为私产的制度。⑩⓪ 除专杀之威：取消奴婢主人对奴婢随意生杀的特权。⑩① 宽民力：宽缓民力；与民休息。⑩② 訾：通"赀"。资产。⑩③ 三十顷：三千亩。百亩土地为一顷。⑩④ 期尽三年：指限令超量占有土地和奴婢的豪民贵戚三年内减到限量以内，否则将予以没收。详见《汉书·哀帝纪》及《汉书·食货志》。⑩⑤ 近习：指皇帝左右的亲信。⑩⑥ 且须后：暂且再等待一段时间。⑩⑦ 遂寝不行：于是限田建议被搁置没有执行。⑩⑧ 齐三服官：设于齐地临淄的织造机构。⑩⑨ 诸官：指少府所属东西织室令等。⑪⓪ 害女红之物：指奇巧织物，有害正常织绣工作。⑪① 无作输：指织造厂不再生产耗工费时、有碍正常织绣的奇巧织物，也不再向京师输送。⑪② 除任子令及诽谤诋欺法：汉二千石以上高官任满三年，可保举亲子一人为郎，称任子令。非议朝廷和诬陷大臣均治罪，即诽谤诋欺法。诏令废除。⑪③ 掖庭宫人：即皇宫一般宫女。⑪④ 官奴婢：替官府做杂役的奴隶、婢女，终身服役。⑪⑤ 免为庶人：成为一般平民。

【校记】

［7］中宫：据章钰校，乙十一行本作"中官"，张瑛《通鉴校勘记》同。［8］条奏：原无此二字。据章钰校，十四行本、乙十一行本、孔天胤本皆有此二字，张敦仁《通鉴刊本识误》、张瑛《通鉴校勘记》同，今据补。［9］犹：原作"如"。据章钰校，十四行本、乙十一行本、孔天胤本皆作"犹"，今据改。

【原文】

上置酒未央宫，内者令[116]为傅太后张幄[117]，坐于太皇太后坐旁。大司马莽按行[118]，责内者令曰："定陶太后，藩妾，何以得与至尊并！"彻去，更设坐。傅太后闻之，大怒，不肯会[119]，重怨恚[120]莽，莽复乞骸骨。秋，七月丁卯[121]，上赐莽黄金五百斤，安车驷马，罢就第。公卿大夫多称之者，上乃加恩宠，置中黄门，为莽家给使[122]，十日一赐餐。又下诏益封曲阳侯根、安阳侯舜、新都侯莽、丞相光、大司空武邑户各有差。以莽为特进、给事中，朝朔望，见礼如三公。又还红阳侯立于京师。

傅太后从弟右将军喜，好学问，有志行。王莽既罢退，众庶归望于喜[123]。初，上之官爵外亲也，喜独执谦称疾。傅太后始与政事，数谏之，由是傅太后不欲令喜辅政。庚午[124]，以左将军师丹为大司马，封高乡亭侯，赐喜黄金百斤，上右将军印绶，以光禄大夫养病；以光禄勋淮阳彭宣为右将军。大司空何武、尚书令唐林皆上书言："喜行义修洁，忠诚忧国，内辅之臣也。今以寝病一旦遣归，众庶失望，皆曰：'傅氏贤子，以论议不合于定陶太后，故退。'百寮[125]莫不为国恨之[126]。忠臣，社稷之卫，鲁以季友[127]治乱，楚以子玉[128]轻重，魏以无忌[129]折冲[130]，项以范增存亡[131]。百万之众，不如一贤，故秦行千金以间廉颇[132]，汉散万金以疏亚父[133]。喜立于朝，陛下之光辉，傅氏之废兴也。"上亦自重之，故寻复进用[134]焉。

建平侯杜业上书诋[135]曲阳侯王根[10]、高阳侯薛宣、安昌侯张禹而荐朱博。帝少而闻知王氏骄盛，心不能善，以初立，故且优之[136]。后月余，司隶校尉解光奏："曲阳侯，先帝山陵未成，公[137]聘取故[11]掖庭女乐五官[138]殷严、王飞君等置酒歌舞，及根兄子成都侯况，亦聘取故掖庭贵人以为妻，皆无人臣礼，大不敬，不道！"于是天子曰："先帝遇根、况父子，至厚也，今乃背恩忘[12]义！"以根尝建社稷之策[139]，遣归国，免况为庶人，归故郡。根及况父商所荐举为官者皆罢。

九月庚申[140]，地震，自京师到北边郡国三十余处，坏城郭，凡压杀四百余人。上以灾异问待诏李寻[141]，对曰："夫日者，众阳之长，人君

【语译】

皇上在未央宫设置酒宴，内者令为傅太后设置座位，位于太皇太后座位旁边。大司马王莽巡视检查，斥责内者令，说："定陶太后是藩王的妾，怎么能够和至尊太皇太后并排！"撤去她的座位，另外安排座位。傅太后听说后，大怒，不肯参加酒会，深为痛恨王莽，王莽又请求辞职。秋，七月初一日丁卯，皇上赏赐给王莽黄金五百斤，四马驾的安车一辆，免官回到自己府第。公卿大夫大多称赞王莽，皇上就给予特殊的恩宠，特派中黄门官到王莽家供其驱使，十天皇上赐餐一次。又下诏加封曲阳侯王根、安阳侯王舜、新都侯王莽、丞相孔光、大司空何武采邑户数，多少不等。又加官王莽为特进、给事中，每月初一、十五朝见天子，礼遇和三公一样。又召红阳侯王立返回京师。

傅太后堂弟右将军傅喜喜好学问，有志节操守。王莽罢退后，大家都希望傅喜接替王莽。起初，皇上加封外亲官爵时，唯独傅喜称病不肯接受。傅太后刚开始干预朝政，傅喜就多次谏阻她，因此傅太后不想让傅喜来辅政。七月初四日庚午，任命左将军师丹为大司马，封高乡亭侯，赐傅喜黄金百斤，交回右将军印信绶带，以光禄大夫的身份在家养病；任命光禄勋淮阳人彭宣为右将军。大司空何武、尚书令唐林都上奏说："傅喜操行与道义高尚洁美，忠诚忧国，是位辅弼大臣。如今却因卧病突然把他遣送回家，大家感到失望，都说：'傅喜是傅氏家族的贤能人才，因为见解与定陶太后不合，所以被罢退。'文武百官没有不为国家惋惜的。忠臣是国家的卫士，鲁国的治乱兴衰，全靠季友是不是当权，楚国因子玉的生死而影响国家地位的轻重，魏国依仗公子无忌而战胜强敌，项羽则因范增的去留决定了楚国的存亡。百万之众，抵不过一个贤能的人才，所以秦国用千金行贿来离间赵王与廉颇的关系，汉高祖散万金使项羽疏远范增。傅喜立于朝廷，是陛下的光辉，傅氏兴废的关键。"皇上自己也很器重傅喜，所以不久又举用他。

建平侯杜业上奏诋毁曲阳侯王根、高阳侯薛宣、安昌侯张禹，而举荐朱博。皇帝从小就知道王氏骄横，内心对他们没有好感，由于刚即位，所以暂且优待他们。杜业上书一个多月后，司隶校尉解光上奏说："曲阳侯王根，在先帝陵墓没有修成时，就公然聘娶以前的后宫女乐五官殷严、王飞君等，设酒歌舞，王根侄子、成都侯王况，也聘娶旧时后宫的贵人为妻，全无人臣礼节，犯了大不敬和不道之罪！"于是天子说："先帝对待王根、王况父子，极优厚，他们如今竟然忘恩负义！"由于王根曾建议立定陶王为太子，仅遣送他返回封国，撤销王况的侯爵，贬为平民，遣归故里。由王根和王况的父亲王商所举荐而任职的官员，全都免职。

九月二十五日庚申，发生地震，从京师到北边郡国三十多处城郭损坏，共压死四百余人。皇上就拿这次灾异询问待诏李寻，李寻回答说："太阳，是所有阳性物质

之表也。君不修道，则日失其度[142]，暗昧亡光[143]。间者[144]日尤不精[145]，光明侵夺失色[146]，邪气珥、蜺数作[147]。小臣不知内事，窃以日视陛下，志操衰于始初多矣。唯陛下执乾刚之德[148]，强志守度[149]，毋听女谒[150]、邪臣之态，诸保阿[151]、乳母甘言悲[13]辞之托，断而勿听[152]。勉强大义，绝小不忍[153]。良有不得已，可赐以货财，不可私以官位，诚皇天之禁也！

“臣闻月者，众阴之长，妃后、大臣、诸侯之象也。间者月数为变，此为母后与政乱朝[154]，阴阳俱伤，两不相便。外臣[155]不知朝事，窃信天文，即如此，近臣已不足杖[156]矣。唯陛下亲求贤士，无强所恶[157]，以崇社稷，尊强本朝！

“臣闻五行[158]以水为本，水为准平[159]。王道公正修明[160]，则百川理，落脉[161]通，偏党失纲[162]，则涌溢为败[163]。今汝、颍漂涌[164]，与雨水并为民害，此《诗》所谓‘百川沸腾[165]’，咎在皇甫卿士[166]之属。唯陛下少抑外亲大臣！

“臣闻地道柔静，阴之常义也。间者关东地数震，宜务崇阳抑阴以救其咎，固志建威[167]，闭绝私路[168]，拔进英隽，退不任职[169]，以强本朝[170]！夫本强则精神折冲[171]，本弱则招殃致凶，为邪谋所陵[172]。闻往者淮南王[173]作谋之时，其所难者独有汲黯，以为公孙弘等不足言也。弘，汉之名相，于今无比，而尚见轻，何况亡弘之属乎！故曰朝廷亡人，则为贼乱所轻，其道自然也。”

【段旨】

以上为第三段，写哀帝欲整朝纲，却受到傅氏、王氏两股外戚势力的牵制与互相角斗，天变灾异，不断示警。

的首领，是君王的象征。君王不修道，那么太阳就失去它的常态，昏暗无光。近来太阳尤为不明亮，光明被外物侵犯而失去原来的色泽，黑色云气环抱，晕霓多次出现。小臣不知宫内的事，但个人从太阳的变化来观察陛下，志气操行比刚即位时差多了。希望陛下秉持天子的阳刚之德，坚定志节，恪守法度，不要听从内宠、邪臣的摆布，保姆、乳娘甜言蜜语或言辞悲伤的请托，坚决不要听从。要努力实现大义，断绝小不忍的私情。实在不得已时，可赐予他们钱财珍宝，不可私授官职爵位，因为这实在是上天所禁止的！

“臣听说月亮是阴性物质的首领，是后妃、大臣、诸侯的象征。近来，月亮一再发生变异，这显示母后干预朝政，阴阳两败俱伤，两相妨碍。臣是一个没有职任编外之臣，不知朝廷的事，只是个人就天象变化，推断如此，亲近大臣已经不能依靠了。愿陛下亲自另求贤德之士，不要增强奸佞小人的势力，这样才能国家昌盛，汉朝强大！

“臣听说五行以水为根本，水的特性是公平。治理国家之道公正廉明，那么，百川顺畅，水脉流通，如果偏向私党，王纲坠失，那么，百川洪水泛滥成灾。如今汝水、颍水暴涨泛滥，与雨水一起成为民众的灾害。这正像《诗经》里所说的‘百川沸腾’，这些灾害应归咎于皇甫卿士这些人。希望陛下稍稍抑制外戚大臣！

“臣听说大地温柔平静，是阴性事物的正常规则。近来关东地区多次地震，应当致力崇扬阳刚，抑制阴柔，以此来补救过失，坚守志节，建立威严，杜绝私下请托的途径，提拔进用英杰人才，罢免不称职的官吏，才能使朝廷根本强盛！根本强盛了，那么精神上就能挫败对手，根本衰弱了，那就招灾惹祸，被邪恶的阴谋所欺凌。听说从前淮南王谋反之时，他所害怕的只有汲黯一人，认为公孙弘等人不值一提。公孙弘是汉朝的名相，今天没有人能比得上他，但是还被人看轻，何况如今连公孙弘之辈都没有呢！所以说，如果朝廷没有贤能的人才，就会被乱臣贼子轻视，这是很自然的道理。”

【注释】

⑯ 内者令：官名，主持宫中事务的宦官之长。⑰ 张幄：陈设幄帐。即设置座位。⑱ 按行：巡察检视。⑲ 不肯会：不答应赴宴会。⑳ 重怨恚：深为怨恨。㉑ 丁卯：七月初一日。㉒ 置中黄门二句：特派中黄门到王莽家供驱使。㉓ 众庶归望于喜：朝野大众都希望傅喜会接替王莽。㉔ 庚午：七月初四日。㉕ 百寮：指文武百官。㉖ 恨之：为国惋惜傅喜不得辅政。恨，惋惜；遗憾。㉗ 季友：鲁闵公时贤大夫。《左传》闵公二年云：“季氏亡则鲁不昌。”《史记·鲁周公世家》云：“季友亡则鲁不昌。”意谓鲁国的治乱兴衰，与

季友是否当权有关。⑫⑧子玉：楚成王时贤大夫，率楚军与晋文公战城濮，兵败为成王所杀，晋文公知道后才松了一口气。⑫⑨无忌：即战国时魏信陵君无忌，多次领兵抵御外敌，保持了魏国的地位。⑬⓪折冲：指抵御外敌。⑬①项以范增存亡：意谓范增的去留决定了项羽的成败。范增，秦末项羽的谋士。⑬②间廉颇：秦离间赵王与廉颇的关系，撤了廉颇之职，导致赵国长平之战大败。廉颇是战国中期赵国的著名大将。传见《史记》卷八十一。⑬③疏亚父：亚父，即范增，刘邦千方百计离间项羽和范增的关系。⑬④寻复进用：不久又进用傅喜。⑬⑤诋：毁谤，这里指弹劾。⑬⑥故且优之：因此暂且优待他。⑬⑦公：公然。⑬⑧五官：三百石的女官。⑬⑨建社稷之策：指拥立哀帝即位。⑭⓪庚申：九月二十五日。⑭①待诏李寻：待诏，未有实任的候补官员。李寻，当时的星占家。⑭②度：常规；常态。⑭③暗昧亡光：昏暗无光。亡，通"无"。⑭④间者：近来。⑭⑤不精：不亮。⑭⑥光明侵夺失色：太阳遭外物侵犯而失去了原有的色泽。⑭⑦邪气珥、蜺数作：珥，指环抱太阳的半圆形黑色云气。蜺，出现在太阳旁边的晕霓。古人认为均系不祥之兆。⑭⑧执乾刚之德：乾为阳，指代天子。此句意为握紧天子之权柄。⑭⑨强志守度：坚定不移，恪守法度。⑮⓪女谒：内宠。⑮①保阿：保姆。⑮②断而勿听：拒绝群小的请托不能听从。⑮③勉强大义二句：勉力坚持大义，断绝小不忍的私情。⑮④与政乱朝：干预政治，扰乱朝纲。与，通"预"。⑮⑤外臣：编外之臣。李寻自称。李寻为待诏，尚非官职。⑮⑥杖：通"仗"。

【原文】

骑都尉平当[174]使领河堤，奏："九河今皆寘灭。按经义，治水有决河[175]深川[176]而无堤防壅塞之文。河从魏郡以东北[14]多溢决[177]，水迹难以分明，四海之众[178]不可诬。宜博求能浚川疏河者。"上从之。

待诏贾让奏言："治河有上、中、下策。古者立国居民[179]，疆理土地[180]，必遗[181]川泽之分，度水势所不及[182]。大川无防，小水得入，陂障卑下，以为污泽，使秋水多得其所休息，左右游波宽缓而不迫[183]。夫土之有川，犹人之有口也，治土而防其川，犹止儿啼而塞其口，岂不遽[184]止，然其死可立而待也。故曰：'善为川者决之使道，善为民者宣之使言。'[185]盖堤防之作，近起战国，雍防百川，各以自利。齐与赵、魏以河为竟[186]，赵、魏濒山[187]，齐地卑下[188]，作堤去河[189]二十五里，河水

依仗；信任。⑰无强所恶：不要增强奸佞小人的势力。⑱五行：金、木、水、火、土。⑲水为准平：水的特性是公平。⑳王道公正修明：治国之道公正廉明。㉑落脉：经脉。将百川喻为大地的经脉。⑯偏党失纲：偏向私党，王纲坠失。《尚书·洪范》："无偏无党，王道荡荡。"⑯涌溢为败：百川泛滥，破坏土地。⑯汝、颍漂涌：汝水、颍水暴涨，淹没财物。⑯百川沸腾：源自《诗经·十月之交》。这首诗被释为讥刺周幽王的诗。⑯皇甫卿士：皇甫，即皇父，人名。周王室的达官贵人。⑯固志建威：坚守志向，建立威严。⑯闭绝私路：切断私情请托之路。⑯退不任职：黜退不称职的官吏。⑰以强本朝：加强中央政府的权威。⑰折冲：挫败对方。⑰陵：欺凌。⑰淮南王：指武帝时淮南王刘安，谋反被诛。事见本书卷十九武帝元狩元年（公元前一二二年）。

【校记】

［10］王根：原无"王"字。据章钰校，十四行本、乙十一行本、孔天胤本皆有"王"字，张敦仁《通鉴刊本识误》同，今据补。［11］故：原无此字。据章钰校，十四行本、乙十一行本、孔天胤本皆有此字，张敦仁《通鉴刊本识误》同，今据补。［12］恩忘：据章钰校，十四行本、乙十一行本二字皆互乙。［13］悲：原作"卑"。据章钰校，十四行本、乙十一行本、孔天胤本皆作"悲"，今据改。

【语译】

骑都尉平当被委派主管治理河堤事务，他上奏说："古代的九河，如今都填塞难寻。查验经义，治水有决开堵塞、深挖河床，而没有修筑堤防、堵塞水流的记载。黄河从魏郡东北多次发生河水泛滥决口，九河水流的遗迹难以弄清，四海之内的百姓是不能欺骗的。应广泛征求能挖深水道、疏浚河水的人才。"皇上采纳了他的建议。

待诏贾让上奏说："治河有上、中、下三种方案。古人建筑都城，安置民众，划界整理土地，都要预留川泽之水汇聚之处，选择水势达不到的地方。大河无堤防，小溪才可以流入，池塘的堤防低下，形成沼泽，这样才能使秋水涨时可以蓄洪水，水面宽阔，水流就缓慢不急。大地上有河流，就像人有口一样，修整土地却去阻塞河流，就像为了不让小孩子啼哭，而去塞住他的嘴巴，啼哭声停止了，但小孩的死期也就跟着到了。所以说：'善于治水的人，开决堤防，疏导水势，善于治理天下的人，开导人民，使他们畅所欲言。'堤防的修筑，近了说兴起于战国时代，各国或修筑堤防，或堵塞百川，各自为了自身的利益。齐国与赵国、魏国以黄河为界，赵、魏靠近高山，而齐国地势低下，在距离黄河岸边二十五里处修筑堤防，黄河水东下

东抵齐堤则西泛赵、魏，赵、魏亦为堤去河二十五里。虽非其正，水尚有所游荡，时至而去，则填淤肥美[190]，民耕田之。或久无害，稍筑宫宅[191]，遂成聚落。大水时至，漂没，则更起堤防以自救，稍去其城郭[192]，排水泽而居之，湛溺[193]自其宜也。今堤防，狭者[194]去水数百步，远者数里，于故大堤之内复有数重[195]，民居其间，此皆前世所排也。河从河内黎阳[196]至魏郡昭阳[197]，东西互有石堤，激水使还[198]，百余里间，河再西三东，迫厄[199]如此，不得安息[200]。

“今行上策，徙冀州之民当水冲者[201]，决黎阳遮害亭[202]，放河使北入海。河西薄大山，东薄金堤，势不能远，泛滥期月[203]自定。难者将曰：‘若如此，败坏城郭、田庐、冢墓以万数，百姓怨恨。’昔大禹治水，山陵当路者毁之，故凿龙门[204]，辟伊阙[205]，析厎柱[206]，破碣石[207]，堕断天地之性，此乃人功所造[208]，何足言也！今濒河十郡[209]，治堤岁费且万万[210]，及其大决，所残无数。如出数年治河之费以业[211]所徙之民，遵古圣之法，定山川之位，使神人各处其所而不相奸[212]。且大汉方制万里[213]，岂其与水争咫尺之地哉！此功一立，河定民安，千载无患，故谓之上策。

“若乃多穿漕渠[214]于冀州地，使民得以溉田，分杀水怒[215]，虽非圣人法，然亦救败术也。可从淇口[216]以东为石堤，多张水门[217]。恐议者疑河大川难禁制，荥阳漕渠足以卜[218]之。冀州渠首尽，当仰此水门，诸渠皆往往股引取之[219]。旱则开东方下水门，溉冀州；水则开西方高门，分河流，民田适治，河堤亦成。此诚富国安民、兴利除害，支数百岁，故谓之中策。

“若乃缮完故堤[220]，增卑倍薄[221]，劳费无已，数逢其害，此最下策[222]也！”

到达齐国堤防，就向西在赵、魏泛滥，赵、魏也在距离黄河岸边二十五里处修筑堤防。虽然双方方法不正当，河水还有流动的地方，洪水时来时去，泥沙淤泥沉积成为肥沃的土壤，百姓在上面耕种。或者经过很长的时间未发生水灾，就逐渐修建住宅，聚成村落。洪水一时到来，田宅人畜漂没，就加高堤防来自救，逐渐离开城郭，排除积水而定居下来，沿岸民众遭受水灾是自然之事。如今黄河堤防，距离河水近的仅数百步，远一点的有几里，在旧有的大堤之内又筑起数道小堤防，民众居住在里面，这都是前代排水的地方。黄河从河内郡的黎阳到魏郡的昭阳，东西两岸都有用石头筑成的堤防，阻遏水流使水回转，百余里的河段，黄河两次向西，三次向东弯折，如此挤压阻挡，自然不断发生灾害。

“如今实行治河的上策，就是迁移冀州洪泛区民众，掘开黎阳遮害亭的堤坝，让河水向北流入渤海。黄河的西边靠近太行山，东边接近金堤，水势不可能冲击很远，决堤造成的泛滥，一个月后自然会平定。责难的人会说：‘若这样，必定毁坏数以万计的城郭、田地、房屋和坟墓，人民会怨恨的。’从前大禹治水，山陵挡路，则毁掉山陵，因而凿通龙门山，劈开伊阙山，中分底柱山，破开碣石山，毁坏大地固有的面貌，现在这些城郭、田地、房屋和坟墓，不过是人力所造，哪值得一提！如今靠近黄河的十个郡，每年整治堤防的费用以亿计，一旦发生大的决口，所造成的毁坏难以计数。若拿出数年治河的费用来使迁移的民众安居乐业，遵照古代圣贤的做法，确定山川的位置，使神与人各居其所，互不相扰。何况大汉朝国土广阔万里，何须与河水去争那一尺一寸的土地呢！这个方案一旦实现，黄河稳定，人民安居乐业，千年无水灾，所以称为上策。

“若是在冀州地区多开凿运河渠道，使民众用来灌溉田地，又能分流减弱水势，这虽然不是圣人的做法，但也是挽救损毁的办法。可以从淇口以东修筑石堤，多设水闸门。恐怕有人会怀疑黄河这样的大河，用渠道、水门难以控制，那么荥阳的粮道运河，就足以作为例证说明问题。冀州的灌溉水渠，全依靠荥阳运河的水门节制，各条灌溉渠都从这里取水分流。天旱时，打开东方水流向下的水门，灌溉冀州的田地；洪水到来，就打开西方高处的水门，分散水流，使农田受到保护，河堤也能保存。这实在是富国安民、兴利除害、能控制水灾数百年的办法，所以称为中策。

“若只是修补原有的堤防，把低的地方增高，单薄的地方加厚，耗费人力物力永无止境，而民众要遭受无数次的水灾，这是最下策！”

【段旨】

以上为第四段，详细摘载贾让的治河三策，朝廷只是议而不决，没有下文。

【注释】

⑰④平当：字子思，平陵（今陕西咸阳西北）人。官至丞相。传见《汉书》卷七十一。⑰⑤决河：决开河堤，使分流。⑰⑥深川：疏浚河床。⑰⑦溢决：漫过河堤冲开缺口。⑰⑧四海之众：全国之民。⑰⑨立国居民：建立都城，安置百姓。⑱⓪疆理土地：划界治理土地。⑱①遗：留下；让出。⑱②度水势所不及：与上句意为垦土居民，一定要留出低洼之地以为川泽，而选择洪水淹不到的高敞之地垦殖。⑱③大川无防六句：对大的河川，不要筑堤限制河床，让众多的小溪可以流入；山坡下的低洼地，听其聚水成为湖泊沼泽；这样秋水可以蓄积，并使水流宽缓不急。⑱④遽：立刻。⑱⑤故曰三句：语出《国语·周语·召公谏厉王弭谤》。意谓善于治水的人，是决开堵塞疏导水势；善于治国的人，是引导民众畅所欲言。道，通"导"。疏导。宣，宣泄；引导。⑱⑥竟：通"境"。边界。⑱⑦赵、魏濒山：赵国、魏国的土地靠近高山。⑱⑧齐地卑下：齐国的土地靠海，比较低平。⑱⑨去河：距离黄河岸。⑲⓪填淤肥美：河岸泥沙淤积形成肥沃的土地。⑲①宫宅：住宅。⑲②稍去其城郭：逐渐离开位居高地的城郭。⑲③湛溺：遭水淹。⑲④狭者：指河床狭窄处。⑲⑤数重：数道小堤。⑲⑥黎阳：汉河内郡属县，县治在今河南浚县。⑲⑦昭阳：汉魏郡属县，县治在今河南濮阳西，与黎阳相距一百多里。⑲⑧激水使还：石堤堵截水流，使之回流。⑲⑨迫厄：指河水被挤压阻挡。⑳⓪不得安息：河水下流不畅，故不断发生水灾。⑳①当水冲者：指居住在水流必经的低洼地上的居民。⑳②遮害亭：亭名，此处筑有石堤，高一丈，名金堤，在浚县西南二十五里。⑳③期月：一个月。⑳④龙门：山名，在今山

【原文】

孔光、何武奏："迭毁之次当以时定[223]，请与群臣杂议[224]。"于是光禄勋彭宣等五十三人皆以为孝武皇帝虽有功烈，亲尽宜毁。太仆王舜、中垒校尉刘歆议曰："《礼》，天子七庙[225]。七者其正法数，可常数者也。宗不在此数中，宗变也[226]。苟有功德则宗之，不可预为设数。臣愚以为孝武皇帝功烈如彼，孝宣皇帝崇立之如此，不宜毁。"上览其议，制曰："太仆舜、中垒校尉歆议可。"

何武后母在蜀郡，遣吏归迎，会成帝崩，吏恐道路有盗贼，后母留止[227]。左右[228]或讥武事亲不笃，帝亦欲改易大臣，冬，十月，策免

西河津北。相传大禹凿龙门成龙门津。㉕伊阙：山名，伊水从山中穿过，两岸相对如阙，故名伊阙。在今河南洛阳南十五公里。㉖析厎柱：谓凿开厎柱山。析，分。厎柱，亦作“砥柱”，山名，又称三门山，在今河南陕县西三门峡附近的黄河中流。㉗碣石：山名，在今河北昌黎境。㉘人功所造：指城郭、田庐、冢墓。此句意谓昔年大禹治水，打通了所有阻挡水路的自然险阻，现在治理黄河水患，怎能让人工所造之物挡路。㉙濒河十郡：临河十郡为河南、河内、东郡、陈留、魏郡、平原、千乘、信都、清河、勃海。㉚万万：一亿。㉛业：使之乐业。㉜奸：通“干”。干扰；侵犯。㉝方制万里：指汉朝土地辽阔。㉞穿漕渠：修挖运河及灌溉渠。㉟分杀水怒：分减水势。㊱淇口：淇水注入黄河之口，在今河南浚县西南四十公里。㊲多张水门：多设闸门。㊳卜：占卜，引申为验证、例证。㊴冀州渠首尽三句：黄河北冀州平原上灌溉渠干涸时，全靠关闭荥阳运河闸门，导引河水注入河北各灌溉支渠。股，据《汉书》如淳注，应作“肢”，别支。㊵缮完故堤：修治完善原有的河堤。㊶增卑倍薄：将河堤低处增高，薄处加厚。倍，加。㊷下策：贾让建言治河三策，上策是引导河水自然入海；中策是在河北平原开凿数条运河分洪；下策是不断加固原有河堤。据不完全统计，从夏朝起四千多年来，黄河泛滥一千五百多次，改道七次，而治河却始终取下策。

【校记】

［14］北：原无此字。据章钰校，乙十一行本有此字，张敦仁《通鉴刊本识误》同，今据补。

【语译】

孔光、何武上奏：“依顺序拆除或变更皇室祭庙之事，应按时确定下来，请与群臣合议。”于是光禄勋彭宣等五十三人都认为孝武皇帝虽然有功业，但亲情已尽，应该拆毁。太仆王舜、中垒校尉刘歆建议说：“按照《礼记》，天子有七座祭庙。‘七’是法定的礼数，是永远不变的。被尊为‘宗’的，不在七庙之内，是一个变量。如果建立了功德才被尊为‘宗’，不可以预先设定数字。臣愚昧认为孝武皇帝既然建立了被尊为‘宗’的功业，孝宣皇帝又是那样的尊崇孝武帝，不应该毁庙。”皇上看了这个奏议，下诏说：“太仆王舜、中垒校尉刘歆的建议可行。”

何武的后母在原籍蜀郡，何武派官员回去接后母到长安居住，适逢成帝去世，接后母的官员怕路上有盗贼，就把何武的后母留在蜀郡。皇上左右的近臣有人指责何武奉养后母不厚道，皇帝也正想更换大臣，冬十月，下诏罢免何武，以列侯身份

武，以列侯归国。癸酉[229]，以师丹为大司空。丹见上多所匡改成帝之政，乃上书言："古者谅暗不言，听于冢宰[230]，三年无改于父之道[231]。前大行尸柩在堂，而官爵臣等以及亲属，赫然皆贵宠，封舅为阳安侯[232]，皇后尊号未定，豫封父为孔乡侯[233]，出侍中王邑、射声校尉王邯[234]等。诏书比下[235]，变动政事[236]，卒暴无渐[237]。臣纵不能明陈大义，复曾不能牢让[238]爵位，相随[239]空受封侯，增益陛下之过。间者郡国多地动水出[240]，流杀人民，日月不明，五星失行，此皆举错失中，号令不定，法度失理，阴阳溷浊之应也。

"臣伏惟人情无子，年虽六七十，犹博取[241]而广求。孝成皇帝深见天命，烛知至德[242]，以壮年克己[243]，立陛下为嗣。先帝暴弃天下[244]，而陛下继体[245]，四海安宁，百姓不惧，此先帝圣德，当合天人之功也。臣闻'天威不违颜咫尺[246]'，愿陛下深思先帝所以建立陛下之意，且克己躬行，以观群下之从化。天下者，陛下之家也，胏附[247]何患不富贵？不宜仓卒若是，其不久长矣。"丹书数十上，多切直之言。

傅太后从弟子迁[248]在左右，尤倾邪，上恶之，免官，遣归故郡。傅太后怒，上不得已，复留迁。丞相光与大司空丹奏言："诏书前后相反，天下疑惑，无所取信。臣请归迁故郡，以销奸党。"卒不得遣，复为侍中。其逼于傅太后，皆此类也。

【段旨】

以上为第五段，写大臣议迭毁之制，以及傅太后掣肘朝政。

【注释】

[223]迭毁之次当以时定：依顺序拆除或变更皇室祭庙之事，应按时决定。此议乃贡禹首先提出的，建议实行"五庙"制，即除保留开国皇帝刘邦的祭庙外，再保留现任皇帝向上推四世的四代祭庙，其余一律撤毁。其后韦玄成、匡衡也支持此议，但均停留在议论上，现在孔光、何武又旧事重提。[224]杂议：合议。[225]天子七庙：《礼记·王制》曰："天子七庙，三昭三穆，与太祖之庙而七。"排列是开国皇帝庙居中，然后左三、右三，左称昭，右称穆。三昭三穆是从现任皇帝上溯六代，一左一右依次排列。[226]宗变

遣归封国。初九日癸酉，任命师丹为大司空。师丹见皇上颇多更改成帝时的政令，就上书说："古代天子居丧时不发政令，国家大事听从太宰处理，三年不改变先父的治国之道。先帝的尸棺尚在灵堂，而臣等以及皇上亲属却升官封爵，全都赫然显贵宠幸，皇上封舅父丁明为阳安侯，皇后的尊号还未确定，就预封她父亲傅晏为孔乡侯，逐出侍中王邑、射声校尉王邯等。诏书连连颁布，人事变动来得突然，没有渐进过程。臣既不能明白地陈述大义，又不能坚决辞让爵位，跟着他人凭空接受封侯，更增加了陛下的过失。近来郡国多次发生地震，涌出大水，淹死百姓。太阳、月亮昏暗无光彩，五星失去它正常的运行，这都是举措失当，号令摇摆不定，法令制度失去常理，阴阳混浊不清的反映。

"臣观察人之常情，假若没有儿子，虽然年龄六七十，仍然多娶妻妾，广为求子。孝成皇帝深明天命，深知陛下有至高的品德，在壮年之时就克制自己，毅然立陛下为太子。先帝突然舍弃天下，而陛下继位，四海安宁，人民不惊，这是先帝的圣德，符合天人合一的效验。臣听说'上天的威严不远，近在咫尺之间'，希望陛下深思先帝之所以选择您作为继承人的心意，并且克制自己，身体力行，以此观察群臣听从教化的情况。天下，是陛下的家，还愁皇亲国戚不能富贵吗？不应当如此迫不及待，那样是不能长久的。"师丹上书数十次，多痛切直率之言。

傅太后的堂侄傅迁侍奉在皇上左右，尤为阴险奸邪，皇上很讨厌他，免去他的官职，遣回原郡。傅太后发怒，皇上无奈，又将傅迁留下。丞相孔光、大司空师丹上奏说："前后诏书内容相反，天下人迷惑，无法取信于民。臣请求把傅迁送回原郡，以清除奸党。"最终傅迁没有被遣归，又被任命为侍中。皇上每次受傅太后胁迫，都是这样的。

也：七庙是常数，其他因建立大功而被尊为宗的皇帝，不在七庙之列，称为变量，其祭庙永远不毁。如汉武帝被尊为"太宗"，汉宣帝被尊为"世宗"，故王舜、刘向等建言不毁。㉗留止：留在原籍，未到京师。何武，蜀郡郫县（今四川成都市郫都区）人，故其后母留在原籍蜀郡。㉘左右：此指天子左右近臣。㉙癸酉：十月初九日。㉚古者谅暗不言二句：古时新君居丧，沉默不言，国家大事，交宰相处理。谅暗，一作"谅阴"，居丧时所住的房子，又名"凶庐"。语出《论语·宪问》，子张问："《书》云：高宗谅阴，三年不言。"高宗，指殷帝武丁。㉛三年无改于父之道：语出《论语·学而》孔子之言。意谓儿子继位后，三年内不改变其父的施政方针。㉜阳安侯：指丁明。㉝孔乡侯：指傅晏。㉞侍中王邑、射声校尉王邯：均系太皇太后王政君的亲属。㉟比下：接连颁布。㊱变动政事：指人事安排发生变动。㊲卒暴无渐：变动突然，没有渐进过程。卒，

通“猝”。㉓㉘牢让：坚决辞让。㉓㉙相随：随波逐流。㉔⓪地动水出：地震洪水涌出。㉔①博取：多娶妻妾。取，同“娶”。㉔②烛知至德：指成帝洞察哀帝具有美好的品德。㉔③克己：克制私欲。㉔④暴弃天下：指成帝突然病故。㉔⑤继体：继位。㉔⑥天威不违颜咫尺：语出《左传》僖公九年齐桓公之言。意谓上天的威严始终在面前，行事必须谨慎。咫尺，八寸，指距离非常近。㉔⑦胏附：骨肉相连，喻皇帝左右的亲信。胏，带骨的肉脯。㉔⑧迁：傅迁，傅太后的堂侄，哀帝的堂表叔。

【原文】

议郎耿育上书冤讼[249]陈汤曰：“甘延寿、陈汤，为圣汉扬钩深致远之威[250]，雪国家累年之耻，讨绝域不羁之君，系万里难制之虏，岂有比哉！先帝嘉之，仍下明诏[251]，宣著其功，改年垂历[252]，传之无穷。应是[253]，南郡献白虎[254]，边垂无警备。会先帝寝疾，然犹垂意不忘，数使尚书责问丞相，趣立其功。独丞相匡衡排而不予[255]，封延寿、汤数百户，此功臣战士所以失望也。孝成皇帝承建业之基，乘征伐之威，兵革不动，国家无事，而大臣倾邪，欲专主威，排妒有功，使汤块然[256]被见拘囚，不能自明，卒以无罪老弃[257]。敦煌正当西域通道，令威名折冲之臣，旋踵及身[258]，复为郅支遗虏[259]所笑，诚可悲也！至今奉使外蛮者，未尝不陈郅支之诛以扬汉国之盛。夫援[260]人之功以惧敌，弃人之身以快谗[261]，岂不痛哉！且安不忘危，盛必虑衰，今国家素无文帝累年节俭富饶之畜，又无武帝荐延[262]枭俊禽敌之臣[263]，独有一陈汤耳！假使异世不及陛下[264]，尚望国家追录其功，封表其墓，以劝后进也。汤幸得身当圣世，功曾未久[265]，反听邪臣鞭逐斥远[266]，使亡逃分窜，死无处所。远览之士[267]，莫不计度，以为汤功累世不可及[268]，而汤过人情所有[269]，汤尚如此，虽复破绝筋骨[270]，暴露形骸[271]，犹复制于唇舌[272]，为嫉妒之臣所系虏耳。此臣所以为国家尤戚戚[273]也。”书奏，天子还汤，卒于长安。

【语译】

议郎耿育上书为陈汤诉冤说："甘延寿、陈汤为大汉扬取深来远之威，洗雪国家多年的耻辱，讨伐绝远地域不驯服的国君，捕捉万里之外难以制服的敌人，有谁能比得上他们的功绩呢！先帝嘉奖他们，而且颁下圣明的诏书，显扬他们的突出功绩，改换了年号，使功绩传之无穷。与此相呼应，南郡贡献白虎，边陲再没有警报。恰遇先帝卧病在床，然而仍然关怀不忘，多次派尚书责问丞相，催促他们迅速拟定功勋等级。唯独丞相匡衡从中排斥，不予奖赏，封了甘延寿、陈汤数百户的采邑，这正是功臣战士大失所望的原因。孝成皇帝承继先人创下的基业，凭征伐之威，战争平息，国家安宁无事，但是大臣歪邪作恶，意欲独占君主的权威，排斥嫉妒有功之臣，使陈汤孤身被囚禁于监狱，不能自我明辨，最终使一个年老的功臣，以无罪之身被遗弃边陲。敦煌正当通往西域的要道，让一个立威扬名击退敌人之臣，转眼成了阶下囚，又被郅支单于残部所讥笑，实在令人悲伤！直到今日，汉朝奉命出使各国的使节，无不陈述诛郅支单于的事情来宣扬汉朝的强盛。利用英雄的功绩使敌人惊惶害怕，抛弃英雄的身体而使谗言陷害的人称心快意，难道不令人痛心吗！何况平安时要不忘危险，鼎盛时一定要想到衰落，如今国家平时已没有文帝多年节约留下的丰富积蓄，又没有武帝时延揽的勇猛多才擒杀敌人的将领，独有陈汤一人而已！假若陈汤已经过世，未能赶上陛下当政，还希望国家能追录他的功劳，封表他的坟墓，用以激励后来的仁人志士。陈汤有幸得逢圣世，他立功的时间也不太久，反而听信奸臣的谗言，把他放逐到偏远的边塞，四处逃亡，死无葬身之地。有远见的人士无不思量，认为陈汤的功劳几代以来无人可比，而陈汤的过失却是人情之常见，陈汤的下场尚且如此，他人纵使为国家而粉身碎骨，捐躯疆场，仍不免被奸臣的口舌所钳制，被嫉妒之臣陷害而成囚犯。这正是我为国家特别忧愁的原因。"奏章呈上后，天子下诏让陈汤回到长安，在长安去世。

【段旨】

以上为第六段，写耿育上书为陈汤鸣冤，功臣得以终老京师。陈汤的功过是非，至此画上句号。

【注释】

㉔⑨冤讼：为人诉冤。㉕⓪扬钩深致远之威：指在边远蛮荒的西域为汉朝扬取深来远之威。钩深致远，钩取深处之物，招徕远方之人。㉕①明诏：圣明的诏书。㉕②改年垂历：由于陈汤等诛灭郅支，促使呼韩邪单于归汉，汉元帝为之改年号为“竟宁”。㉕③应是：以下是地方对陈汤建功的反应。㉕④献白虎：表示庆贺大汉扬威于西方。白虎，西方之兽，

【原文】

孝哀皇帝[274]上

建平元年（乙卯，公元前六年）

春，正月，陨石于北地[275]十六。

赦天下。

司隶校尉解光奏言：“臣闻许美人[276]及故中宫史[277]曹宫[278]，皆御幸孝成皇帝，产子，子隐不见。臣遣吏验问，皆得其状[279]：元延元年，宫有身，其十月，宫乳[280]掖庭牛官令舍。中黄门[281]田客持诏记[282]与掖庭狱丞籍武，令收置暴室狱[283]，‘毋问儿男、女，谁儿也！’宫曰：‘善臧我儿胞[284]，丞知是何等儿[285]也！’后三日，客持诏记与武，问：‘儿死未？’武对：‘未死。’客曰：‘上与昭仪[286]大怒，奈何不杀！’武叩头啼曰：‘不杀儿，自知当死；杀之，亦死！’即因客奏封事[287]曰：‘陛下未有继嗣，子无贵贱，唯留意！’奏入，客复持诏记取儿，付中黄门王舜。舜受诏，内儿殿中，为择乳母，告‘善养儿，且有赏，毋令漏泄’！舜择官婢张弃为乳母。后三日，客复持诏记并药以饮宫。宫曰：‘果也欲姊弟[288]擅天下！我儿，男也，额上有壮发[289]，类孝元皇帝。今儿安在？危杀之矣！奈何令长信得闻之[290]？’遂饮药死。弃所养儿，十一日，宫长李南以诏书取儿去，不知所置。

威武雄壮。㉕⑤ 匡衡排而不予：匡衡排斥陈汤等人，不给陈汤等人奖赏。事详本书卷二十九元帝竟宁元年（公元前三三年）。㉕⑥ 块然：孤独的样子。㉕⑦ 卒以无罪老弃：最终使功臣陈汤年老之时，无罪而被遗弃。㉕⑧ 旋踵及身：指陈汤转身成了罪犯。旋踵，转身，形容快速。㉕⑨ 郅支遗虏：郅支单于的残部。㉖⓪ 援：援引。㉖① 快谗：让谗佞之人感到高兴。㉖② 荐延：荐举延揽。㉖③ 枭俊禽敌之臣：勇猛多才擒敌制胜的武臣。㉖④ 假使异世不及陛下：假如陈汤已死，未等到陛下即位。异世，另一世界，指陈汤死亡。㉖⑤ 功曾未久：刚立功不久。㉖⑥ 鞭逐斥远：被驱赶到遥远的边塞。㉖⑦ 远览之士：有远见的人。㉖⑧ 累世不可及：几代人都赶不上。㉖⑨ 汤过人情所有：陈汤所犯的过失，都在人常情之内。㉗⓪ 破绝筋骨：为国粉身碎骨。㉗① 暴露形骸：抛尸疆场。㉗② 制于唇舌：被奸佞小人的口舌所钳制。㉗③ 戚戚：忧心忡忡的样子。

【语译】

孝哀皇帝上

建平元年（乙卯，公元前六年）

春，正月，十六块陨石坠落在北地郡。

赦免天下。

司隶校尉解光上奏说："臣听说许美人和原皇后宫史曹宫，都曾经蒙受孝成皇帝幸御，生下孩子，可是孩子下落不明。臣派官员查问，得知了全部实情：元延元年，曹宫怀孕，到了十月，曹宫在宫中牛官令的官舍生下孩子。中黄门田客拿着皇帝手诏给掖庭狱丞籍武看，命令籍武把曹宫母子关进暴室狱，并吩咐：'不许问生的是男是女，不管他是谁的孩子！'曹宫对籍武说：'请藏好我儿胎衣，你狱丞知道他是谁的孩子！'三天后，田客又拿手诏给籍武，问道：'小孩死了没有？'籍武回答说：'没有死。'田客说：'皇上和赵昭仪大怒，问你为什么不杀死！'籍武磕头哭着说：'不杀男孩，自知该死；杀了，也是死！'就通过田客呈递密封奏书说：'陛下没有继承人，自己的儿子不分贵贱，请陛下三思！'奏入，田客又拿着诏书来取走了小孩，交给了中黄门王舜。王舜接受手诏，把小孩送入内宫殿中，为他挑选奶妈，告诉奶妈说'好好喂养小孩，会有赏赐的，此事不准泄漏出去！'王舜选了官婢张弃当奶妈。三天后，田客又拿着手诏和毒药，让曹宫喝药自尽。曹宫说：'果然，赵飞燕姐妹俩想独霸天下！我生的孩子是男孩，额前下有一束突出的头发，与孝元皇帝一样。如今我儿在哪里？大概被她们杀害了吧！怎么样才能让皇太后知道？'于是饮药而死。张弃喂养那个小孩，十一天时，宫长李南就拿着手诏把小孩取走了，此后就再不知其下落。

“许美人元延二年怀子，十一月乳。昭仪谓成帝[15]曰：‘常绐我言从中宫来，即从中宫来，许美人儿何从生中㉑？许氏竟当复立邪㉒！’怼㉓，以手自捣，以头击壁户柱，从床上自投地，啼泣不肯食，曰：‘今当安置我，我欲归耳！’帝曰：‘今故告之，反怒为，殊不可晓也！’帝亦不食。昭仪曰：‘陛下自知是，不食何为？陛下尝自言：“约不负女㉔！”今美人有子，竟负约㉕，谓何？’帝曰：‘约以赵氏故不立许氏，使天下无出赵氏上者，毋忧也！’后诏使中黄门靳严从许美人取儿去，盛以苇箧㉖，置饰室帘南去㉗。帝与昭仪坐，使御者于客子解箧缄㉘，未已，帝使客子及御者皆出，自闭户，独与昭仪在。须臾开户，呼客子使缄封箧㉙，及诏记令中黄门吴恭持以与籍武曰：‘告武，箧中有死儿，埋屏处㉚，勿令人知！’武穿狱楼垣下为坎，埋其中。

“其他饮药伤堕者无数事，皆在四月丙辰赦令㉛前。臣谨案：永光三年，男子忠等发长陵傅夫人冢，事更大赦㉜，孝元皇帝下诏曰：‘此朕所不当得赦也！’穷治，尽伏辜。天下以为当。赵昭仪倾乱圣朝，亲灭继嗣，家属当伏天诛㉝。而同产亲属皆在尊贵之位，迫近帷幄，群[16]下寒心，请事穷竟㉞！”丞相以下议正法㉟，帝于是免新成侯赵钦、钦兄子咸阳侯䜣皆为庶人，将家属徙辽西郡。

【段旨】

以上为第七段，写由调查成帝之死因而牵引出宫中嫔妃争宠而明争暗斗的黑幕，充满血腥。汉成帝恋美人，乃至于亲手杀害儿子，比老虎还毒，简直是有悖人伦。

【注释】

㉔孝哀皇帝：讳欣，定陶王刘康之子，以诸侯为成帝嗣而继任为帝。公元前六至前一年在位。荀悦曰：“讳‘欣’之字曰‘喜’。”㉕北地：郡名，治所马岭，在今甘肃庆阳西北马岭镇。㉖许美人：废后许皇后的亲属。㉗中宫史：皇后宫中的女教官。㉘曹宫：字伟能，许皇后的师傅，教授《诗经》。㉙状：实情。㉚乳：产子。曹宫在宫中牛官令的官舍生下儿子。㉛中黄门：秩一百石的宦官。㉜诏记：成帝手书的便函。㉝暴室

“许美人元延二年怀孕，十一月分娩。赵昭仪对成帝说：‘您每次欺骗我说从皇后那里来，既然从皇后的宫里来，许美人的孩子是从哪里生出来？许氏竟然还要立为皇后吗！’赵合德非常恼恨，用手打自己，用头撞墙壁和门柱，从床上自己摔到地下，哭泣着不肯吃饭。说：‘您现在就打发我好了，我想回家！’皇帝说：‘我今天特意告诉你，你反而恼怒，真是令人搞不懂！’皇帝也不吃饭。赵昭仪说：‘陛下自己认为是对的，不吃饭干什么？陛下曾自己说：“誓不负你！”现在许美人有了孩子，竟然违背誓约，陛下还有什么说的？’皇帝说：‘朕与你赵氏有誓约，不立许氏为皇后，让天下的人没有能在赵氏之上的，你不要忧虑！’后来皇上下诏派中黄门靳严从许美人那里抱走小孩，装在苇草编的箩筐里，放在昭阳宫门帘的南边而离开。皇帝和赵昭仪坐着，命侍从于客子解箩筐的绳子，箩筐尚未打开，皇帝就叫于客子和其他侍从都退出去，自己关好门，单独与赵昭仪在一起。一会儿打开门，呼喊于客子，叫他将箩筐捆好，并写手诏令中黄门吴恭把箩筐交给籍武，说道：‘告诉籍武，箱子里有死婴，把他埋在隐秘的地方，不许让人知道！’籍武在狱楼墙下挖了个坑，将那死婴埋入。

“其他喝药堕胎的无数起，都发生在绥和二年四月丙辰日赦免令之前。臣谨考察：永光三年，男子忠等人盗掘长陵傅夫人的墓，事经大赦，孝元皇帝下诏说：‘这件事，是朕不应当赦免的！’彻底追究，全体伏诛。天下人都认为处理得当。赵昭仪倾覆祸乱圣朝，亲手杀害皇家继嗣，家属应为上天所诛伐。但是她的同母亲属都在尊贵的位置上，近身天子，群臣寒心，请陛下彻底查清这件事。”丞相以下朝廷大臣讨论认为应按正常法规处理，于是皇帝罢免了新成侯赵钦、赵钦侄子咸阳侯赵䜣的爵位，贬为平民，带着赵氏家属流放到辽西郡。

狱：属掖庭令，宫中嫔妃有病或皇后、贵人有罪则置其中。这里指将曹宫之子囚置暴室狱。㉘④善臧我儿胞：此曹宫对籍武所言，本意是“藏好我儿胞衣”，指“好好照顾我的孩子”。㉘⑤何等儿：暗示是皇帝之子。㉘⑥昭仪：赵昭仪。㉘⑦即因客奏封事：籍武趁机托田客向成帝上交一封秘信。㉘⑧娣弟：指赵皇后、赵昭仪姐妹。㉘⑨额上有壮发：在额头上有一束突出的头发，古时称圭头。㉙⓪奈何令长信得闻之：怎样能让皇太后知道这件事。长信，宫名，这里指太后王政君。㉙①许美人儿何从生中：这是赵昭仪质问成帝的话。成帝曾对赵氏姐妹发誓说只宠幸她二人。成帝每次去赵昭仪处也说是从赵皇后处来，既然如此，许美人怎会生孩子。㉙②许氏竟当复立邪：许美人为被废许皇后亲属，母以子贵，许美人生子有可能被立为皇后，故赵昭仪心里恐慌而有是言。㉙③怼：恼恨。㉙④约不负女：您曾发誓说永不负我。女，通“汝”。㉙⑤竟负约：您竟然违背誓约。㉙⑥盛以苇箧：将皇

子装在芦苇编的筐子里。㉙⑦置饰室帘南去：靳严把装着皇子的苇筐放在昭阳宫窗南而后离去。饰室，指以金玉为饰的昭阳宫。㉙⑧御者于客子解箧缄：御者，指侍从的宫婢。于客子，宫婢名。解箧缄，解开捆筐子的绳子。㉙⑨使缄封箧：让于客子重新将筐用绳捆好。㉚⓪埋屏处：埋在隐蔽的地方。㉚①丙辰赦令：成帝绥和二年（公元前七年）四月十八日赦令。丙辰，应为丙午，哀帝于四月初八丙午即位后大赦天下。见《汉书·哀帝纪》，本书亦同。㉚②事更大赦：指忠盗墓事，发生在两次大赦前。更，经历；经过。㉚③天诛：上天的惩罚。㉚④穷竟：彻底追查清楚。㉚⑤丞相以下议正法：丞相以下的九卿百官议定按正常法规处理。

【原文】

议郎耿育上疏言："臣闻继嗣失统，废適立庶，圣人法禁，古今至戒㉚⑥。然太伯见历知適㉚⑦，逡循㉚⑧固让，委身吴、粤，权变㉚⑨所设，不计常法，致位王季，以崇圣嗣㉛⓪，卒有天下。子孙承业，七八百载，功冠三王㉛①，道德最备，是以尊号追及太王㉛②。故世必有非常之变，然后乃有非常之谋。孝成皇帝自知继嗣不以时立㉛③，念虽末[17]有皇子㉛④，万岁之后未能持国，权柄之重，制于女主，女主骄盛则耆㉛⑤欲无极，少主幼弱则大臣不使㉛⑥。世无周公抱负之辅㉛⑦，恐危社稷，倾乱天下。知陛下有贤圣通明之德，仁孝子爱之恩，怀独见之明，内断于身㉛⑧，故废后宫就馆之渐，绝微嗣㉛⑨祸乱之根，乃欲致位㉜⓪陛下以安宗庙。愚臣㉜①既不能深援安危㉜②，定金匮之计㉜③，又不知推演㉜④圣德，述先帝之志，乃反覆校省内㉜⑤，暴露私燕㉜⑥。诬污先帝倾惑㉜⑦之过，成结宠妾妒媢之诛㉜⑧，甚失贤圣远见之明，逆负先帝忧国之意㉜⑨！夫论大德不拘俗㉝⓪，立大功不合众㉝①，此乃孝成皇帝至思㉝②所以万万于众臣㉝③，陛下圣德盛茂所以符合于皇天也，岂当世庸庸斗筲之臣㉝④所能及哉！且褒广将顺君父之美，匡救㉝⑤销灭既往之过，古今通义也。事不当时固争㉝⑥，防祸于未然，各随指阿从以求容媚㉝⑦。晏驾㉝⑧之后，尊号已定㉝⑨，万事已讫，乃探追不及之事㉞⓪，讦扬幽昧之过㉞①，此臣所深痛也！愿下有司议，即如臣言，宜宣布天下，使咸晓知先帝圣意所起。不然，空使谤议上及山陵㉞②，下流后世，远闻百蛮，近布海内，甚非先帝托后之意也。

【校记】

［15］成帝：原无“成”字。据章钰校，十四行本、乙十一行本、孔天胤本皆有“成”字，今据补。［16］群：原作“天”。据章钰校，十四行本、乙十一行本、孔天胤本皆作“群”，今据改。

【语译】

议郎耿育上疏说：“臣听说皇帝继承丧失大统顺序，废弃嫡子而立庶子，是圣人立法所禁，古今最重要的警戒。可是吴太伯发现小弟王季适合作继承人，再三坚决辞让，托身吴、粤，这是在特殊情况下的通权达变，不按常规办法，把嫡子的嗣位让给了王季，以尊崇圣嗣，结果周朝得了天下。子孙继承前代功业，有七八百年，功业居于夏商周三代之首，道德最为完备，因而王位的尊号追加到古公亶父，尊为太王。所以，时事一定要有非常的变化，然后才有非常的谋略。孝成皇帝自知早年没有生下继嗣，没能及时立下太子，考虑到即使晚年得子，自己万岁之后，儿子不能主持国政，国家大权，控制在母后女主之手，母后骄纵过度，就会贪欲不止，少主幼弱，大臣们就不听使命。当世如果没有周公姬旦那样抱负成王，尽心辅佐的臣子，恐怕就要危害国家，使天下大乱。先帝了解陛下有贤圣英明的品德，仁爱孝顺的恩情，独具慧眼，不再召幸嫔妃，所以废除后宫进御之习，断绝了晚年生子可能带来的祸根，就想把皇位传给陛下，以安定宗庙。愚昧之臣既不能稳定国家，制定出长治久安的计策，又不懂得发扬光大圣德，宣扬先帝正大无私的志向，却反复在宫禁内调查，揭露了宫闱中的隐私。诬言先帝被美色迷惑之过，造成替宠妃滥行诛杀，有失先帝圣贤远见的英明，辜负了先帝为国忧虑的本意。评论伟大人物的品德，不要拘泥于世俗的见解，建立重大功劳的人，不能用常人的标准去衡量，这正是孝成皇帝深谋远虑，高出众臣万万倍，陛下圣德茂盛符合皇天选择的原因，岂是当代庸俗鄙陋微细小臣所能及的呢！况且赞扬遵循君父的美德，补救消除已往的过失，是古今共同的大义。遇到事情不对，不能及时坚决力争，以防患于未然，而各自见风使舵，顺从主上的心意以取宠。先帝逝世后，赵太后的尊号已经确定，万事都已完毕，这才来追查无法挽回的往事，揭发暴露那些幽隐不明的过错，这实在是令臣深感悲痛！希望把此事交给主管官吏讨论，若如同臣所说，就应宣布于天下，使天下人都知道先帝圣意产生的原因。不然，平白地让诽谤言论上达死去的成帝，下至流传后代，远播异族，近布海内，这绝对不是先帝托付给陛下的本意。

盖孝子[18]善述父之志，善成人之事，唯陛下省察！”帝亦以为太子颇得赵太后力，遂不竟其事[343]。傅太后恩赵太后，赵太后亦归心[344]，故太皇太后及王氏皆怨之。

丁酉[345]，光禄大夫傅喜为大司马，封高武侯。

秋，九月甲辰[346]，陨石于虞[347]二。

郎中令[348]泠褒、黄门郎段犹等复奏言：“定陶共皇太后、共皇后皆不宜复引定陶藩国之名，以冠大号。车马、衣服宜皆称皇之意[349]，置吏二千石以下[350]，各供厥职，又宜为共皇立庙京师。”上复下其议，群下多顺指言：“母以子贵，宜立尊号以厚孝道。”唯丞相光、大司马喜、大司空丹以为不可。丹曰：“圣王制礼，取法于天地。尊卑者，所以正天地之位，不可乱也。今定陶共皇太后、共皇后以‘定陶共’为号者，母从子，妻从夫之义也[351]。欲立官置吏，车服与太皇太后并，非所以明‘尊无二上[352]’之义也。定陶共皇号谥已前定，义不得复改。《礼》：‘父为士，子为天子，祭以天子，其尸服以士服。[353]’子无爵父之义，尊父母也。为人后者为之子，故为所后服斩衰[354]三年，而降其父母期[355]，明尊本祖[356]而重正统也。孝成皇帝圣恩深远，故为共王立后，奉承祭祀，令共皇[357]长为一国太祖，万世不毁，恩义已备。陛下既继体先帝，持重大宗[358]，承宗庙、天地、社稷之祀，义不可复奉定陶共皇，祭入其庙。今欲立庙于京师，而[19]使臣下祭之，是无主[359]也。又亲尽当毁[360]，空去一国太祖不堕之祀[361]而就无主当毁不正之礼，非所以尊厚共皇也！”丹由是浸不合上意[362]。

会有上书言：“古者以龟、贝为货，今以钱易之，民以故贫，宜可改币。”上以问丹，丹对言可改。章下有司议，皆以为行钱以来久，难卒[363]变易。丹老人，忘其前语，复从公卿议。又丹使吏书奏，吏私写其草[364]。丁、傅子弟闻之，使人上书告“丹上封事，行道人遍持[365]其书。”上以问将军、中朝臣，皆对曰：“忠臣不显谏[366]。大臣奏事，不宜漏泄，宜下廷尉治。”事下廷尉，劾丹大不敬，事未决，给事中、博士

孝顺的子女，是善于遵循先父的遗志，善于完成先人未完成的事业，请陛下省览详察!”皇帝也觉得自己被立为太子，很得力于赵太后，于是不再追究这件事。傅太后感激赵太后立哀帝之功，赵太后也心向着傅太后，因此太皇太后以及王氏权贵们都怨恨赵太后。

正月初四日丁酉，任命光禄大夫傅喜为大司马，封高武侯。

秋，九月十五日甲辰，两颗陨石在虞县坠落。

郎中令泠褒、黄门郎段犹等又上奏说:“定陶共皇太后、共皇后都不应再使用定陶藩国的名称，加在尊号的上面。车马、衣服也都应与皇室的身份相称，应设置二千石以下官吏在那里供职，还应当为共皇在京师长安建立宗庙。”皇上又把奏章交由大臣们商议，大臣大多顺从皇上旨意说:“母以子贵，应当建立尊号，以厚孝道。”只有丞相孔光、大司马傅喜、大司空师丹认为不应这样。师丹说:“圣王制定礼仪，是取法于天地。尊者卑者，是摆正天地的位置，不能混乱。如今定陶共皇太后、共皇后以‘定陶共’为号，正是表示母从子、妻从夫的意思。想要建官设吏，车马、衣服和太皇太后一样，这就无法表明‘尊无二上’的道理。定陶共皇的尊号、谥号前已确定，在道理上是不能再更改的。《礼记》上说:‘父亲为士，儿子是天子，祭祀父亲时，儿子用天子的礼仪去祭祀，但尸的服装仍为士服。’儿子没有加封父亲爵位的道理，这是表示尊重父母。过继为他人作后嗣的，也就是他人的儿子，所以就要为过继的父母穿不缝边的粗麻布制成的衣服守孝三年，而缩短对亲生父母守孝的时间，以表明崇敬所过继的祖先，而尊重正统。孝成皇帝圣恩深远，特意为共王选定了继承人，以承奉祭祀，使共皇能长久为藩国的太祖，香火万代不灭，已经恩义备至。陛下既然为先帝的继承人，身居嫡系大宗负有重任，承袭了宗庙、天地、社稷的祭祀，在道义上就不能再承奉定陶共皇，到共皇庙去祭祀祖先。如今想在京师建立共皇庙，然而让臣下去祭祀，这就成为没有木主的祭祀。再有，亲情尽后祭庙当毁，现在徒然去除掉一个藩王万世不毁的祭祀，而去趋就一个既无木主又将撤除，而且按礼仪又不符合正道的祭祀，这不是尊崇厚待共皇的做法!”由此，师丹渐渐不合皇上的心意。

正好有人上奏说:“古代用龟甲、贝壳作为货币，如今用钱币来取代，因此百姓贫困，应该改革币制。”皇上询问师丹的意见，师丹回答可以改革。奏章交给主管部门讨论，都认为使用钱币的时间已很久了，难以骤然改变。师丹年纪大了，忘了他回答皇上说过的话，又顺从公卿们的意见。此外，师丹让属官抄写奏章，属官私自抄写了一份副本。丁、傅两家子弟得这一消息，派人上书告发“师丹呈上机密奏章，街上行路的人全都持有他的机密奏章”。皇上询问将军和朝中大臣，都回答说:“忠臣是不显露他对君王的谏阻。大臣上奏的事情，不应向外泄漏，应把师丹交廷尉治罪。”此案交由廷尉审查，廷尉弹劾师丹犯大不敬罪，案件没有最后判定，给事

申咸、炔钦上书言："丹经、行无比[367]，自近世大臣能若丹者少。发愤懑，奏封事，不及深思远虑，使主簿[368]书，漏泄之过不在丹，以此贬黜，恐不厌[369]众心。"上贬咸、钦秩各二等[370]，遂策免丹曰："朕惟君位尊任重，怀谖迷国[371]，进退违命，反覆异言[372]，甚为君耻之！以君尝托傅位[373]，未忍考于理[374]，其上大司空、高乐侯印绶，罢归[375]！"

尚书令唐林上疏曰："窃见免大司空丹策书，泰深痛切[376]。君子作文，为贤者讳。丹，经为世儒宗[377]，德为国黄耇[378]，亲傅圣躬[379]，位在三公。所坐者微[380]，海内未见其大过。事既以往，免爵太重，京师识者咸以为宜复丹爵邑，使奉朝请。唯陛下裁览众心[381]，有以尉复师傅之臣！"上从林言，下诏，赐丹爵关内侯。

上用杜业之言，召见朱博，起家复为光禄大夫，迁京兆尹。冬，十月壬午[382]，以博为大司空。

中山王箕子[383]，幼有眚病[384]，祖母冯太后自养视，数祷祠解[385]。上遣中郎谒者张由将医[386]治之。由素有狂易病[387]，病发，怒去[388]，西归长安。尚书簿责由擅去状[389]，由恐，因诬言中山太后[390]祝诅上及傅太后。傅太后与冯太后并事元帝，追怨之，因是遣御史丁玄按验[391]，数十日，无所得，更使中谒者令[392]史立治之。立受傅太后指，冀得封侯，治冯太后女弟习[393]及弟妇君之[394]，死者数十人，诬奏云："祝诅，谋杀[20]上，立中山王。"责问冯太后，无服辞[395]。立曰："熊之上殿何其勇[396]，今何怯也！"太后还谓左右："此乃中语[397]前世事[21]，吏何用知之？欲陷我效也[398]！"乃饮药自杀。宜乡侯参[399]、君之、习夫及子[22]当相坐者，或自杀，或伏法，凡死者十七人。众莫不怜之。

司隶孙宝奏请覆治[400]冯氏狱，傅太后大怒曰："帝置司隶，主使察我！冯氏反事明白，故欲擿抉[401]以扬我恶[402]，我当坐之[403]！"上乃顺指[404]，下宝狱。尚书仆射唐林争之，上以林朋党比周，左迁敦煌鱼泽障[405]候。大司马傅喜、光禄大夫龚胜固争，上为言太后，出宝，复官。张由以先告，赐爵关内侯，史立迁中太仆。

中、博士申咸、炔钦上奏说："师丹的经学与德行无人可比，在近世大臣之中像师丹这样的人少有。师丹因宣泄郁闷，上呈机密奏书，未能深思熟虑，就让主簿抄写，泄漏的过错不在师丹，以这个理由将他贬黜，恐怕不能使大家心服。"皇上将申咸、炔钦各降级二等，接着下策书罢免师丹，说："朕见你官位尊贵，责任重大，却心怀诈伪，贻误国事，行动举止有背诏令，说话前后矛盾，朕深为你感到羞耻！因为你曾居太傅之位，我不忍心由廷尉推究你，你交还大司空、高乐侯的印信绶带，免职回家！"

尚书令唐林上奏说："我看到罢免大司空师丹的策书，极为痛心。君子写文章，要为贤德的人掩饰过错。师丹经学为世儒所宗，品德上是国家尊崇的老前辈，亲自教导圣上，位居三公。而被指责的过失轻微，天下人没有看到师丹的重大过错。事情已经过去了，免除爵位的处分过重，京师有识之士都认为应当恢复师丹的爵位封邑，使他能参加朝见。希望陛下考虑众人的心意做出决断，用以安慰报答当过师傅的大臣！"皇上听从了唐林的意见，下诏赐师丹关内侯的爵位。

皇上采纳杜业的意见，召见朱博，又起用为光禄大夫，后迁任京兆尹。冬，十月二十三日壬午，任命朱博为大司空。

中山王刘箕子小时患有肝厥症，祖母冯太后亲自抚养看护，多次祈祷，以求病情缓解。皇上派遣中郎谒者张由带医师给刘箕子治病。张由原本就有精神疾病，病情发作，就发狂离去，西回长安。尚书下公文责问张由擅自离开中山国的原因，张由恐惧，就诬告中山太后诅咒皇上及傅太后。傅太后与冯太后都是一起侍奉元帝的，傅太后追想旧怨而怀恨冯太后，于是派遣御史丁玄调查核实，几十天，一无所获，另派中谒者令史立去审理。史立接受傅太后的旨意，想获得封侯，于是处治了冯太后的妹妹冯习以及弟媳君之，死了的有数十人，上奏诬告说："冯太后诉于鬼神，图谋杀害皇上，立中山王为帝。"史立责问冯太后，冯太后没有服罪的话。史立说："当年熊从栏中逃出时，你是何等勇敢，如今为什么如此胆怯呢！"冯太后回宫后对身边的人说："这是宫中谈论前代的事，史立怎么知道的？这是想陷害我的人提供的证据！"于是服毒自杀。宜乡侯冯参、君之、冯习的丈夫和儿子，被牵连此案而治罪的，有的自杀，有的被杀，共死了十七人。人们都很同情他们。

司隶孙宝奏请重新审理冯氏一案，傅太后大怒说："皇帝设置司隶官，难道是为了追查我！冯氏谋反的事情很清楚，孙宝想故意挑剔来显扬我的过失，我将让他坐牢！"皇上就顺从傅太后的旨意，把孙宝关进监狱。尚书仆射唐林为孙宝辩护，皇上以结党营私的罪名，把唐林贬调敦煌郡效谷县当军候。大司马傅喜、光禄大夫龚胜极力争辩，皇上把此事告诉傅太后，释放了孙宝，恢复他的官职。张由因为首先告发，赐爵关内侯，史立升官中太仆。

【段旨】

以上为第八段，写哀帝在傅太后挟制下执政昏庸，黑白颠倒。傅太后感谢赵飞燕皇太后拥立之功，讽耿育上书阻止了对成帝死因案的彻查；而傅太后欲报昔日冯婕妤当熊而立，使自己尴尬这一莫名之怨，数十年后还大兴冤狱，竟以谋反罪逼杀中山王冯太后。傅氏又索求尊号，贪婪无比，师丹为之而被罢官。

【注释】

㉖至戒：最重要的警戒。㉗见历知適：指太伯知道小弟季历当为嫡嗣。太伯，周先祖古公亶父的长子，他看到小弟季历贤能，又受到父王宠爱，便与二弟仲雍一起逃到吴地以让贤。季历，周文王姬昌之父，事详《史记·吴太伯世家》。㉘逡循：徘徊；往复多次。㉙权变：在特殊情况下，可通权达变。㉚以崇圣嗣：指让贤明的人来继承王位。这里具体指季历及文王姬昌。㉛功冠三王：指周文王之功，是夏、商、周三朝最大的。㉜太王：武王建立周朝后，追封古公亶父为太王。㉝继嗣不以时立：指成帝早年没能及时立太子。㉞末有皇子：晚年可能有皇子。㉟耆：通"嗜"。㊱大臣不使：大臣们不从使命。㊲周公抱负之辅：周公尽心辅佐成王。㊳内断于身：指成帝确定哀帝为继嗣后，便不再进御嫔妃，免得生下幼子来争位。㊴微嗣：指晚年所生幼子。㊵致位：传位。㊶愚臣：指解光等。㊷深援安危：尽力稳定国家。㊸定金匮之计：制定出长治久安之策。㊹推演：发扬光大。㊺反覆校省内：翻来覆去在宫禁内调查。㊻暴露私燕：揭露了成帝的隐私。私燕，指闺房中的隐私。㊼倾惑：为美色所惑。㊽成结宠妾妒媚之诛：谓成帝受宠妃摆布而造成替宠妃滥行诛杀。成结，造成。㊾甚失贤圣远见之明二句：为成帝杀子恶行辩护，意谓成帝杀嫔妃所生之子，不是被赵昭仪所迷惑，而是替哀帝铲除幼主争位的祸根，是高瞻远瞩安定国家的圣德。㊿论大德不拘俗：评论伟大人物的品德，不要拘泥于世俗的见解。331立大功不合众：建立重大功劳的人，不能用常人的标准去衡量。332至思：深思。333万万于众臣：高出众臣万万倍。334斗筲之臣：识量短浅的臣子。斗筲，喻细小，用于形容无远见的小人。筲，竹器，容量二升。335匡救：补救。336事不当时固争：当事情发生之时，不敢据理力争。337各随指阿从以求容媚：一个个见风使舵，顺从主上的心意以取宠。338晏驾：皇帝去世。339尊号已定：指赵皇后被尊为太后。340乃探追不及之事：才追究已无法挽回的往事。341讦扬幽昧之过：揭发暴露幽隐不明的过错。342空使谤议上及山陵：平白地让诽谤波及死去的成帝。山陵，指成帝的陵墓，借指死去的成帝。意指惩治赵氏姐妹将使成帝蒙受污垢。343遂不竟其事：于是对解光的指控，不作追查，不了了之。344赵太后亦归心：赵太后也倾心交结傅太后。345丁酉：正月初四日。346甲辰：九月十五日。347虞：县名，县治在今河南虞城。348郎中令："令"字衍。因武帝太初元年已将郎中令更名为光禄勋。349称皇之意：指车马衣服要和皇室尊位相称。350置吏二千石以下：可以设

置二千石以下的官吏。如詹事、太仆、少府等。㉛ 母从子二句：傅太后为定陶共王刘康之母，丁姬为刘康之妻，故尊傅太后为“定陶共皇太后”，尊丁姬为“定陶共皇后”，表示母从子、妻从夫。㉜ 尊无二上：至尊只能有一人。㉝ 父为士四句：引自《礼记·丧服小记》。意谓父亲的身份本来是士，儿子当了天子，祭祀时便按天子礼仪，而尸的服装仍为士服。用天子礼祭祀，表示身为天子的儿子尽孝心，仍着士服，表明父亲原来的身份。尸，古代祭祀，找一个童子穿着死者（祖宗）生前的衣服，装扮成死者受祭，后演变为牌位。㉞ 斩衰：粗麻布丧服。子女替父母守孝三年才服斩衰。㉟ 降其父母期：过继为人子之人，替父母服丧时降等为齐衰，守孝一年。㊱ 尊本祖：指哀帝既继成帝后，应尊成帝为正统，不应再去尊自己的生父。㊲ 共皇：即刘康，本为共王，其子刘欣过继给成帝，是为哀帝，故又称刘康为共皇。㊳ 持重大宗：身为嫡系大宗负有重任。㊴ 无主：指没有木主。㊵ 亲尽当毁：按当时祭礼，四世以后之庙，由于亲尽则尽毁，不再祭祀。㊶ 太祖不堕之祀：立共王庙于定陶，则为一国始祖庙，当万世不毁。㊷ 浸不合上意：逐渐不符合皇上的心意。㊸ 卒：通“猝”。突然。㊹ 私写其草：私自抄写副本。㊺ 遍持：全都持有。㊻ 忠臣不显谏：忠臣不公开谏阻皇帝。㊼ 经、行无比：经学、品行没人能比得上。㊽ 主簿：丞相府属官，执掌文书档案。㊾ 厌：心服。㊿ 贬咸、钦秩各二等：将博士申咸、炔钦降级二等，即从六百石降至四百石。371 怀谖迷国：心怀诈伪，贻误国事。谖，伪诈。372 反覆异言：说话前后矛盾。373 尝托傅位：哀帝为太子时，师丹曾任太子太傅。374 考于理：由廷尉推究。理，指司法官廷尉。375 罢归：免职回家。376 泰深痛切：极为痛心。377 经为世儒宗：经学为世儒所宗。378 德为国黄耇：是德高望重的国老。黄耇，对高寿者的尊称。黄，指老年人白发转黄。耇，形容老人面有积垢。379 亲傅圣躬：指师丹曾担任过哀帝的师傅。380 所坐者微：被指控的过失十分细微。381 裁览众心：考虑众人的心意做出决断。382 壬午：十月二十三日。383 箕子：中山王刘兴之子。384 眚病：即中医所称之“肝厥”，发病时，嘴唇、手脚指甲皆呈青色。385 数祷祠解：多次祭祀祷告，以求病情缓解。386 将医：带着太医。387 狂易病：即癫痫病，一说系精神失常。388 怒去：发狂离去。389 簿责由擅去状：下正式公文申斥张由，并责问其擅自离开中山王回京的原因。390 中山太后：即元帝之冯昭仪。391 按验：调查核实。392 中谒者令：出纳章奏的内廷宦官。393 女弟习：冯太后之妹冯习。394 君之：人名，冯太后弟媳，寡居。395 无服辞：没有认罪的文辞。396 熊之上殿何其勇：当初野熊上殿时，你是何等英勇。熊上殿事，详本书卷二十九元帝建昭元年（公元前三八年）。元帝与冯婕妤（后改昭仪）、傅昭仪等观斗兽，一野熊破栏上殿，傅昭仪仓皇逃走，冯倢伃以身相迎保护元帝。史立旧事重提，意在迫使冯太后自诬。397 中语：宫中密语，指冯、傅二人争风吃醋之事。398 欲陷我效也：想陷害我的人提供的证据。399 宜乡侯参：冯参，冯太后之弟。传附《汉书》卷七十九。400 覆治：重新调查审理。401 擿抉：即剔抉，找岔子。402 扬我恶：宣扬我的过错。403 我当坐之：我将要他坐牢。404 顺指：顺从傅太后的心意。405 鱼泽障：边防哨卡名，在敦煌效谷县。孙宝被贬为鱼泽障候官。

【校记】

[17]末：据章钰校，十四行本、乙十一行本、孔天胤本皆作“未”。[18]子：原作“者”。据章钰校，十四行本、乙十一行本、孔天胤本皆作“子”，今据改。[19]而：原无此字。据章钰校，十四行本、乙十一行本、孔天胤本皆有此字，今据补。[20]杀：原作“弑”。据章钰校，十四行本、乙十一行本、孔天胤本皆作“杀”，今据改。[21]前世事：原无此三字。据章钰校，十四行本、乙十一行本、孔天胤本皆有此三字，张瑛《通鉴校勘记》同，今据补。[22]刁夫及子：原作“刁及夫子”。胡三省注云：“〖按〗《冯昭仪传》‘刁夫及子’也。”据章钰校，乙十一行本作“刁夫及子”，当是，今据改。

【研析】

极端的皇权，就是所谓的绝对权威，而绝对权威必然带有野蛮性。本卷所载统治集团的权力斗争，以及宫中黑幕，活生生地表现了皇权的野蛮性，上演一出又一出的悲剧，包括皇帝本人在内亦不能幸免。丞相翟方进之冤死，汉成帝之暴崩，张放效愚忠之死，中山王冯太后被诬谋反而死，赵昭仪专宠丧失人性被逼死，无一不表现了专制政治的弊端，很有警世意义。专制不除，这些悲剧的上演就不会停止。

先说翟方进之死。按照古代的天人感应学说，人间政治昏乱，上天就要降灾示警。荧惑守心，自然天象，被说成是兆示国君有灾难，但可以转移到大臣身上。春秋时楚昭王二十七年（公元前四八九年），楚国上空出现火烧红云，像一群火鸟围绕太阳飞奔了三天。楚昭王芈轸派使者到周王室向太史请教。太史说：“楚王有灾难，可以用祭祀祷告的法术，转移到大臣令尹或者司马的身上。”楚昭王说：“大臣是寡人的臂膀，把腹心的疾病转移到臂膀，有什么好处。”楚昭王不做祷告。孔子称赞楚昭王是一个懂得大道的人。又春秋时宋景公三十七年（公元前四八〇年），荧惑守心，心宿是宋的分野，司星官子韦说：“宋公有灾，可转移到国相身上去。”宋景公说：“相是我的手和脚。”子韦说：“可转移给人民。”宋景公说：“国君依靠的是人民。”子韦说：“可转移给收成。”宋景公说：“没有收成，人民没有饭吃，我这国君有何用。”子韦祝贺说：“上天高高在上，听得见下界的声音。国君说了三次善言，荧惑将要后退。”荧惑果然退了三度。如今成帝绥和二年，荧惑守心，成帝却逼死丞相翟方进，企图嫁祸于人，结果自己并没有免祸，只比翟方进多活了一个月零五天。二月十三日翟方进被赐死，三月十八日成帝暴崩。正如司马光所说：假定灾祸可以转移，仁慈的君主也不忍心去做，楚昭王芈轸、宋景公头曼，做出了榜样。何况灾祸根本就不可转移。对于翟方进来说，他没有犯死罪，为了承当天变，把他杀了，是冤死而侮辱上帝；如果翟方进犯了死罪，借他的人头承当天变，却是在掩盖他的罪行，赐给他丰厚葬礼，是侮辱人民。汉成帝刘骜既欺天，又欺人，而自己并没有得到好处，实在是昏涂而不知天命。

再说成帝之死。班彪称赞成帝美姿容，是一个帅哥，很注意修饰仪容，乘车必立正，不左顾右盼，说话从容，从不发火，上朝时神情庄重，严肃得像一尊神，很有天子派头。成帝博览古今，知识渊博，听得进逆耳之言，很有权威，力能制奸，是一个聪明天子。很可惜，成帝一门心思玩女人，大臣直谏的话，能听不能行，只当耳边风，他沉溺于酒色达到了癫狂和心理变态的地步，甚至于亲手杀死皇子来讨好心上人赵昭仪。虎毒不食子，癫狂天子比虎还毒，令人发指。成帝无疾而暴崩，有人推断是服了过量春药而死，这叫作“自作孽，不可活”。

再说一人之死，那就是富平侯张放。张放是西汉名臣张安世的后裔，成帝宠信的大臣，任侍中、中郎将，与成帝同卧起，经常微行出游，又斗鸡走马长安市中，遭到大臣弹劾，王政君太后斥责，成帝不得已外出张放，三进三出，最后遣就国。成帝死后，张放思慕哭泣而悲死。荀悦认为，张放引导成帝放纵玩乐，不是一个忠臣，但他确实很爱成帝，以至于死。荀悦评论说:“爱而不忠，是仁义的蟊贼。”张放之爱，是对成帝的百依百顺，是典型的奴才之爱。成帝放纵，本不应由奴才负责。奴才殉主，是非同一般的爱，只有效极忠的人才舍得生命。奴才的效忠，也就是愚忠。对昏暴之君效愚忠的人，客观上可以说是助纣为虐，说他是仁义的蟊贼未为不可，但主观上，效愚忠的人与阿谀藏奸的人有本质的不同，不能说是仁义的蟊贼。愚效忠的人，其情可悯，而阴险小人，则令人憎恨。张放是值得同情的，但并不可爱。

中山王冯氏王太后被诬谋反而死，比翟方进还要冤。翟方进之冤，死于荒唐的意识形态，替皇帝御灾，用自己的生命去换取皇帝生命的安全，还可以与忠字挂钩，所以死了享受国葬。冯太后则是人为制造的冤案，无中生有，表现了皇权政治体制下司法的无边黑暗。史立奉命造冤狱，拷死了冯氏王太后的妹妹冯习等数十人，仍得不到口供，然后从宫中派去给刘箕子治病的御医中收买无行败类做假证，硬是颠倒黑白，做成冯氏王太后诅咒皇上的冤案。亲王之家尚且如此，平民百姓更是诉告无门，只能发出“屈死不告状”的哀鸣。法律应该是神圣的，但实际上只为权势和金钱服务。傅太后因嫉妒而生恨，几十年后仗着接近皇权而赤裸裸地制造冤案，株连而成大狱，即便是朝中大臣，只要同情冯氏王太后，就要受到打击，司隶校尉孙宝请求调查而被下狱，尚书令唐林出来申辩而遭流放，制造冤案的小人却有功，张由检举揭发被封关内侯，颠倒黑白的审判官史立被提升为中太仆。

赵昭仪以天生丽质迷倒汉成帝，不仅专宠后宫，而且逼迫成帝杀害皇子，颐指气使，不可一世，成帝死了，她的末日也就到了。

从翟方进之死，到赵昭仪之死，一连串的悲剧发生，无一不是由一至高无上的皇权生出的弊端。成帝是至高权威，他可以随意让人去替死。傅太后接近了皇权，她才可以呼风唤雨，制造冤案。张放匍匐皇权，才效愚忠而死。其实皇权也是一把双刃剑，它给一个人带来绝对权威，而绝对权威的滥用，也会伤及自身。成帝本人暴死而又无子的悲剧，不也是极端皇权异化人性的产物吗!

卷第三十四　汉纪二十六

起柔兆执徐（丙辰，公元前五年），尽著雍敦牂（戊午，公元前三年），凡三年。

【题解】

本卷记事起公元前五至前三年，凡三年史事，当哀帝建平二年到四年。哀帝是一个短命皇帝，年二十岁即位，即位六年，年二十五岁而死。本卷写哀帝即位前半段，即前期执政的三年史事。哀帝比成帝还要昏庸暴虐，几乎没有一件善政可言。哀帝即位后的第一件大事就是背叛入继大统尊奉成帝为正宗的伦理，他用提拔朱博等群小的办法完成对生父、祖母等直系亲属称尊号的愿望，从而排逐正直，亲近小人。董贤、息夫躬、傅宴、傅商等一班奸佞充斥朝廷。诤臣郑崇死狱中，执金吾毋将隆、谏大夫鲍宣上书劝谏，言民疾苦，哀帝充耳不闻。傅太后挟制天子，干预朝政，哀帝无所作为，既无能，也无心。哀帝尊宠丁氏、傅氏，加上王氏，三家外戚明争暗斗，政治一片昏暗，西汉王朝急剧衰落。

【原文】

孝哀皇帝中

建平二年（丙辰，公元前五年）

春，正月，有星孛①于牵牛②。

丁、傅③宗族骄奢，皆嫉傅喜④之恭俭。又，傅太后⑤欲求称尊号，与成帝母⑥齐尊⑦，喜与孔光⑧、师丹⑨共执⑩以为不可。上重违⑪大臣正议⑫，又内迫傅太后，依违者连岁。傅太后大怒，上不得已，先免师丹以感动喜⑬，喜终不顺⑭。朱博⑮与孔乡侯傅晏⑯连结，共谋成尊号事，数燕见⑰，奏封事，毁短喜及孔光。丁丑⑱，上遂策免喜⑲，以侯就第⑳。

御史大夫㉑官既罢㉒，议者多以为古今异制㉓，汉自天子之号下至佐史㉔，皆不同于古，而独改三公，职事㉕难分明，无益于治乱㉖。于是朱博奏言："故事㉗：选郡国守相㉘高第为中二千石㉙，选中二千石为

【语译】

孝哀皇帝中

建平二年（丙辰，公元前五年）

春，正月，有孛星出现在牵牛星旁。

外戚丁、傅宗族骄横奢侈，都忌恨傅喜谦恭节俭。又傅太后想要称尊号，与成帝母亲王政君太皇太后平起平坐，傅喜与孔光、师丹一起坚持不同意。皇上难违众大臣的正当主张，又内受傅太后的逼迫，犹豫了一年多。傅太后大怒，皇上不得已，先罢了师丹的官，以此触动傅喜，而傅喜始终不顺从。朱博与孔乡侯傅晏勾结，一起谋划完成傅太后称尊号的事，多次受皇上召请宴饮，便递上秘密奏书，诽谤傅喜和孔光。二月二十日丁丑，皇上于是下诏罢了傅喜的官，以侯爵身份回家。

御史大夫的官职已被裁撤，廷议大臣大多认为古今制度不同，汉朝上自天子的称号，下至佐史的名称，都和古代不同，而唯独更改三公的称号，职权和职责难以分清，无益于国家治理。于是朱博上奏说："按照惯例，选拔地方郡守、国相治绩最优的担任朝廷中二千石的官职，再从中二千石的官员中挑选人任御史大夫，御史大

御史大夫，任职[30]者为丞相。位次有序，所以尊圣德[31]，重国相[32]也。今中二千石未更[33]御史大夫而为丞相，权轻，非所以重国政也。臣愚以为大司空官可罢，复置御史大夫，遵奉旧制。臣愿尽力以御史大夫为百僚率[34]！”上从之。夏，四月戊午[35]，更拜博为御史大夫。又以丁太后[36]兄阳安侯明[37]为大司马、卫将军，置官属，大司马冠号[38]如故事。

傅太后又自诏丞相、御史大夫曰：“高武侯喜附下罔上[39]，与故大司空丹同心背畔，放命圮族[40]，不宜奉朝请[41]，其遣就国。”

丞相孔光，自先帝[42]时议继嗣[43]，有持异[44]之隙，又重忤傅太后指[45]，由是傅氏在位者与朱博为表里[46]，共毁谮光。乙亥[47]，策免光为庶人[48]。以御史大夫朱博为丞相，封阳乡[49]侯，少府[50]赵玄为御史大夫。临延登受策[51]，有大声如钟鸣，殿中郎吏陛者[52]皆闻焉。

上以问黄门侍郎[53]蜀郡扬雄[54]及李寻[55]。寻对曰：“此《洪范》[56]所谓鼓妖[57]者也。师法[58]，以为人君不聪[59]，为众所惑，空名得进[60]，则有声无形，不知所从生[61]。其《传》曰[62]：‘岁、月、日之中[63]，则正卿受之[64]。’今以四月日加辰、巳有异[65]，是为中焉。正卿，谓执政大臣也。宜退[66]丞相、御史，以应天变。然虽不退，不出期年[67]，其人自蒙其咎[68]。”扬雄亦以为“鼓妖，听失之象也[69]。朱博为人强毅，多权谋[70]，宜将不宜相，恐有凶恶亟疾[71]之怒”。上不听。

朱博既为丞相，上遂用其议[72]，下诏曰：“定陶共皇[73]之号不宜复称定陶，尊共皇太后曰帝太太后[74]，称永信宫；共皇后曰帝太后[75]，称中安宫；为共皇立寝庙[76]于京师，比[77]宣帝父悼皇考制度[78]。”于是四太后各置少府、太仆，秩[79]皆中二千石。

傅太后既尊后，尤骄，与太皇太后语，至谓之妪[80]。时丁、傅以一二年间暴兴[81]尤盛，为公卿列侯者甚众[82]，然帝不甚假[83]以权势，不如王氏[84]在成帝世也。

丞相博、御史大夫玄奏言：“前高昌侯宏[85]，首建尊号之议[86]，而为关内侯师丹所劾奏，免为庶人。时天下衰粗[87]，委政于丹[88]，丹不深惟[89]褒广尊号之义，而妄称说[90]，抑贬尊号，亏损孝道，不忠莫大焉！

夫称职的再担任丞相。这样，官位次第有序，就能尊重皇帝的恩德，加重丞相的地位和权力。如今中二千石没有经历御史大夫的阶梯，就担任了丞相，权力轻，不是用来重视国家政权的办法。臣愚昧地认为大司空官职可以裁撤，重新设置御史大夫，遵从旧制。臣愿尽心竭力做好御史大夫，成为百官的表率！”皇上听从了朱博的建议。夏，四月初二日戊午，改任朱博为御史大夫。又任命丁太后的兄长阳安侯丁明为大司马、卫将军，设置官属，大司马所加尊号和先前一样。

傅太后又自行给丞相、御史大夫下诏说：“高武侯傅喜，附和下属，蒙蔽皇上，和前任大司空师丹同心背离，违抗诏命，毁坏宗族，不应当让他参加朝拜，遣送他回封国去。”

丞相孔光在先前先帝讨论立继承人时，就持不同意见而与皇帝有嫌隙，又严重地违背傅太后的旨意，因此傅氏在朝廷任职的人与朱博内外夹攻，一起诋毁孔光。四月十九日乙亥，皇帝策免孔光为平民。任命御史大夫朱博为丞相，封为阳乡侯，又任命少府赵玄为御史大夫。皇上亲自引入二人登殿授予策书，这时有像钟鸣的洪大声音，殿上中郎、吏以及卫士全都听到了。

皇上拿这件怪事询问黄门侍郎蜀郡人扬雄和李寻。李寻回答说：“这是《洪范》里所说的鼓妖。依据师授之法，认为国君耳目闭塞，被人迷惑，使有名无实之人升官，所以就出现有声音而没有形状的怪事，使人不知从何处发出。《洪范五行传》说：‘鼓妖出现在岁、月、日的中期，预示正卿要承受灾难。’现在是四月，又是一天的辰时、巳时，出现怪异，正是岁、月、日的中期。正卿，指的是执政大臣。应当罢免丞相、御史大夫，以回应上天的变异。不过，即使不罢免他们，不到一年，他们自己也会遭受灾祸。”扬雄也认为“鼓妖的出现，是国君失听的象征。朱博为人刚强坚毅，多权变之谋，适宜为将，不宜为相，如不引退，恐怕会激怒上天，将很快遭到极凶险的灾祸”。皇上没有听从他们的意见。

朱博任丞相后，皇上就采纳他的建议，颁诏说：“定陶共皇这个称号不应当再有‘定陶’二字，现尊共皇太后为帝太太后，所居之宫称永信宫；共皇后为帝太后，所居之宫称中安宫；并为共皇在京师建立寝庙，依照宣帝的父亲悼皇考的寝庙规制。”于是，汉宫内傅太后、丁太后、赵太后、太皇太后四位太后各自设置少府、太仆，官秩都为中二千石。

傅太后取得尊号后，越发骄横，在和太皇太后说话时，甚至称她为老妪。当时丁、傅两家在一二年内突然暴发，权势格外强盛，为公卿列侯的人很多，但是皇帝不多给予他们实权，赶不上王氏在成帝的时代。

丞相朱博、御史大夫赵玄上奏说：“前高昌侯董宏首先倡议尊号之事，而被关内侯师丹所弹劾，免职为平民。当时天下为成帝服丧，国家政事交付师丹，师丹不深思褒扬推崇尊号的大义，反而妄加陈说，压抑贬低尊号，损害陛下的孝道，这是最

陛下仁圣，昭然⑨¹定尊号，宏以忠孝复封高昌侯。丹恶逆暴著⑨²，虽蒙赦令，不宜有爵邑⑨³，请免为庶人。”奏可。

又奏：“新都侯王莽⑨⁴[1]前为大司马，不广尊尊⑨⁵之义，抑贬尊号，亏损孝道，当伏显戮。幸蒙赦令，不宜有爵土，请免为庶人。”上曰：“以莽与太[2]皇太后有属⑨⁶，勿免，遣就国。”及平阿侯仁⑨⁷臧匿赵昭仪亲属，皆遣[3]就国。

天下多冤王氏⑨⁸者。谏大夫⑨⁹杨宣上封事言：“孝成皇帝深惟宗庙之重，称述陛下至德以承天序⑩⁰，圣策⑩¹深远，恩德至厚。惟念先帝之意，岂不欲以陛下自代⑩²，奉承东宫⑩³哉！太皇太后⑩⁴春秋七十，数更忧伤⑩⁵，敕令⑩⁶亲属引领⑩⁷以避丁、傅，行道之人为之陨涕，况于陛下？时[4]登高远望，独不慚于延陵⑩⁸乎！”帝深感其言，复封成都侯商中子邑⑩⁹为成都侯。

朱博又奏言：“汉家故事，置部刺史⑪⁰，秩卑而赏厚⑪¹，咸劝功乐进⑪²。前罢刺史，更置州牧，秩真二千石⑪³，位次九卿；九卿缺，以高第⑪⁴补。其中材则苟自守而已，恐功效陵夷⑪⁵，奸轨⑪⁶不禁。臣请罢州牧，置刺史如故。”上从之。

六月庚申⑪⁷，帝太后丁氏崩，诏归葬定陶共皇之园⑪⁸，发陈留⑪⁹、济阴⑫⁰近郡国五万人穿复土⑫¹。

【段旨】

以上为第一段，写哀帝依靠提拔朱博等群小的办法，终于完成对生父及其亲属称尊号的愿望，而对继承大统的操守，不免亏缺。

大的不忠！陛下仁慈圣明，明明白白确定了尊号，董宏因为忠孝而再被封为高昌侯。师丹的罪恶暴露得很明显，尽管蒙受赦免不治他死罪，也不应当再有爵位封邑，请求皇上将他贬为平民。”皇上批准了。

朱博、赵玄又上奏说：“新都侯王莽从前为大司马，不弘扬尊崇尊贵的大义，却压抑贬低尊号，损伤陛下的孝道，应当明正典刑，杀头示众。幸蒙赦令得免死罪，但不应当有爵位封邑，请求陛下把他贬为平民。”皇上说：“因王莽与太皇太后有亲属关系，不免除他的爵位和封土，遣送回封国算了。”另外，平阿侯王仁隐藏赵昭仪亲属，都被遣送回封国。

天下人大多为王氏受屈而不平。谏大夫杨宣呈上机密奏书说：“孝成皇帝深思宗庙的重要，称赞陛下至高的品德，让陛下承继帝王的正统，圣明的决策意义深远，对陛下的恩德极其深厚。追念先帝的本意，难道不是想让陛下代替自己来侍奉太皇太后吗！太皇太后已年高七十，屡经国丧的忧伤，又下令要自己亲属引退，以避让丁、傅二氏，路上的行人都为此而伤心落泪，更何况陛下呢？每当陛下登高远望，面对成帝的陵寝，难道不感到羞愧吗！”皇帝深为此言所感动，又封成都侯王商的次子王邑为成都侯。

朱博又上奏说：“依据汉家旧例，设置部刺史，秩次低，但赏赐丰厚，因此人人自勉立功，乐于进取。以前撤销刺史，改设州牧，官禄为真二千石，官位次于九卿；九卿中有缺额，就由州牧中优秀者递补。州牧中的中等人才，就只求苟且自保而已，如此，恐怕州牧的作用逐渐废弛，奸邪不轨的行为不能禁止。我请求撤销州牧，和以前一样设置刺史。”皇上听从了他的建议。

六月初五日庚申，帝太后丁氏去世，皇上下诏，归葬定陶共皇的陵园。征发陈留郡、济阴郡靠近定陶地区的民夫五万人挖土筑坟。

【注释】

①孛：星芒四出散射的现象，因而亦作为彗星的别称。②牵牛：星宿名，即“河鼓二”，古代称“牛宿”，俗称“牛郎星”。③丁、傅：指哀帝舅阳安侯丁明、哀帝祖母傅太后、皇后父孔乡侯傅晏等为首的外戚。④傅喜（？至公元九年）：字稚游，河内温（今河南温县）人，好学有志行，傅太后从父弟，官至大司马，封高武侯。传见《汉书》卷八十二。⑤傅太后（？至公元前二年）：元帝昭仪，哀帝祖母。传见《汉书》卷九十七下。⑥成帝母：即元帝王皇后。⑦齐尊：指傅太后要与王皇后同称“太皇太后”之尊号。⑧孔光（公元前六五至公元五年）：字子夏，孔子十四世孙，明经学，封博山侯。传见《汉书》卷八十一。⑨师丹（？至公元三年）：字仲公，官至大司空，封高乐侯。传见

《汉书》卷八十六。⑩ 共执：共同坚持。⑪ 重违：难违。⑫ 大臣正议：大臣们的正当建议。⑬ 感动喜：触动傅喜，使其恐惧。⑭ 不顺：不顺从。⑮ 朱博（？至公元前五年）：字子元，杜陵（今陕西长安）人，官至丞相，封阳乡侯。传见《汉书》卷八十三。⑯ 傅晏：汉哀帝傅皇后父，元寿二年（公元前一年）坐乱妻妾位免孔乡侯爵。传见《汉书》卷十八。⑰ 数燕见：哀帝多次召见赐宴。燕，通“宴”。⑱ 丁丑：二月二十日。⑲ 策免喜：下诏书罢免傅喜的官职。策，简册。此指免职诏书。⑳ 以侯就第：仍保留列侯的爵位，退位居家。㉑ 御史大夫：官名，秦、汉三公之一，副丞相，掌监察。㉒ 既罢：指汉成帝绥和元年（公元前八年）罢御史大夫，置大司空。㉓ 古今异制：古代和当代制度不同。㉔ 佐史：汉代低级官吏。㉕ 职事：职权和职责。㉖ 治乱：治理。㉗ 故事：惯例。㉘ 守相：汉制，郡置太守，封国置相，并称为守相。㉙ 中二千石：汉九卿官员以及郡国守相的俸禄级别。每月实得谷一百八十斛，年实得谷二千一百六十石。㉚ 任职：称职。㉛ 尊圣德：尊重皇帝的恩德。㉜ 重国相：加重丞相的地位和权力。㉝ 未更：没有经历。㉞ 率：表率。㉟ 戊午：四月初二日。㊱ 丁太后（？至公元前五年）：定陶共王姬，汉哀帝母。传见《汉书》卷九十七下。㊲ 明：丁明，以哀帝舅封阳安侯，后为王莽所杀。传见《汉书》卷八。㊳ 冠号：称号。㊴ 附下罔上：附和下臣，欺瞒皇帝。㊵ 放命圮族：违抗诏命，毁坏宗族。放，通“方”。语出《尚书·尧典》。㊶ 奉朝请：汉制，对退职大臣、皇亲等给予奉朝请之名，使能参加朝会。㊷ 先帝：指成帝。㊸ 议继嗣：议立太子事。㊹ 持异：坚持异议，指孔光主张立中山王之事。㊺ 重忤傅太后指：严重地违背傅太后的旨意。指，同“旨”。㊻ 为表里：相为表里，内外夹攻。傅太后与朱博，一在宫内，一在宫外，夹攻孔光。㊼ 乙亥：四月十九日。㊽ 庶人：平民。㊾ 阳乡：朱博封地，在山阳湖陵，今山东鱼台。㊿ 少府：官名，九卿之一，掌山林川泽，理皇室财政。51 临延登受策：汉制，初拜丞相或御史大夫，皇帝亲自延入登殿授予策书。52 陛者：执兵器列于殿阶前的禁卫宫兵。53 黄门侍郎：宫官，侍从皇帝。54 扬雄（公元前五三至公元一八年）：字子云，西汉著名文学家。传见《汉书》卷八十七。55 李寻：字子良，平陵（今山东济南市历城区）人，善星历，治《尚书》，官黄门侍郎，因罪流放敦煌。传见《汉书》卷七十五。56《洪范》：《尚书》篇名。57 鼓妖：鼓为妖，发出巨响。58 师法：老师所传授的学问技能。59 不聪：耳目闭塞。60 空名得进：徒有虚名的人得到进用。61 不知所从生：不知声音从何处发生。62《传》曰：指西汉刘向所著《洪范五行传》。63 岁、月、日之中：一年三分，则四月为岁中；一月三分，则十九为月中；一日三分，则辰、巳为日中。辰、巳相当于一日之九至十二时。64 则正卿受之：执政大臣应承担责任。汉时丞相、御史大夫、司空等三公相当周时的正卿。65 今以四月日加辰、巳有异：现今是在四月十九日的辰、巳时发生鼓妖的灾异，正是在岁、月、日之中。66 退：罢退。67 期年：一周年。68 自蒙其咎：自己蒙受灾祸。69 听失之象也：失听的象征。70 权谋：权术。71 亟疾：急剧到来的祸害。72 用其议：采纳他的意见。73 定陶共皇：元帝傅昭仪之子刘康，封定陶共王，其子即汉哀帝。⑭太太后：哀帝祖母傅氏之尊号。⑮帝太后：哀帝生母丁姬之尊号。⑯寝庙：即宗庙。古代宗庙分“庙”“寝”两部分，前为庙，后为寝。⑰比：比照。⑱宣帝父悼皇考制度：汉宣帝入承大统为昭帝之后，而宣帝在元康元年五月为其生父史皇孙立庙，号曰皇考，四时祭祀，皇考奉明陵置县奉明县。哀帝比照这一成例为其生父刘康置陵园。⑲秩：等级；官阶。⑳妪：老妇。㉑暴兴：暴发。㉒为公卿列侯者甚众：指傅氏、丁氏等外戚封官封侯者甚众。㉓假：给与。㉔王氏：指成帝时王太后家族。㉕高昌侯宏：董宏（？至公元前二年），为高昌侯董忠之子。初元二年（公元前四七年）袭爵，建平元年坐佞邪免爵。传见《汉书》卷十七。㉖首建尊号之议：指董宏首先提出尊傅太后为皇太后的倡议。㉗衰粗：斩衰粗服。当时尚为成帝服丧。㉘委政于丹：将政务交付师丹。㉙深惟：深深地思考。㉚妄称说：指师丹反对哀帝为生父加皇考尊号所说的理由，为人后者不应顾私亲。㉛昭然：明显。㉜恶逆暴著：罪恶暴露得很明显。㉝爵邑：爵位封邑。㉞新都侯王莽：王莽于成帝永始元年（公元前一六年）封新都侯。初始元年（公元八年），代汉称帝，建立新朝。传见《汉书》卷九十九。㉟尊尊：尊崇尊者。㊱有属：有亲戚关系。㊲平阿侯仁：河平二年（公元前二七年）始封皇太后弟王谭，永始元年（公元前一六年），王谭子王仁嗣爵，即平阿侯仁，后为王莽所杀。传见《汉书》卷十八。㊳王氏：指外戚王莽家族。㊴谏大夫：郎中令属官，掌议论。㊵天序：帝王按正统相传的次序。㊶圣策：圣明的决策。㊷自代：代替自己。㊸奉承东宫：指供养皇太后。㊹太皇太后：指元帝王皇后。㊺数更忧伤：指先丧元帝，又丧成帝。更，经历。㊻敕令：这里指太皇太后的命令。㊼引领：带头。㊽延陵：汉成帝陵名。㊾成都侯商中子邑：商，即王商，河平二年（公元前二七年）六月十二日以皇太后弟封成都侯。传见《汉书》卷八十二。中子，即仲子，第二个儿子王邑。㊿部刺史：汉武帝元封五年（公元前一〇六年），将全国分为十三部，置部刺史十三人，掌监察，秩六百石。(111)秩卑而赏厚：秩次低，但赏赐丰厚。(112)劝功乐进：自勉立功，乐于进取。(113)真二千石：官阶等级名，月俸一百五十斛，年俸谷一千八百石。(114)高第：指在真二千石考核中成绩优异者，可优先补入九卿中。(115)陵夷：衰落；废弛。(116)奸轨：奸佞不轨。(117)庚申：六月初五日。(118)定陶共皇之园：定陶共皇的陵园，在今山东定陶。即丁太后死与夫同葬。(119)陈留：郡名，治所陈留，在今河南开封东南。(120)济阴：郡名，治所定陶，在今山东定陶西北。(121)穿复土：先挖土为圹，下棺，再覆盖泥土为坟。

【校记】

［1］王莽：原无“王”字。据章钰校，乙十一行本有“王”字，今据补。［2］太：原无此字。据章钰校，乙十一行本、孔天胤本皆有此字，今据补。［3］遣：据章钰校，乙十一行本无此字。［4］时：原无此字。据章钰校，乙十一行本有此字，张敦仁《通鉴刊本识误》同，今据补。

【原文】

初，成帝时，齐人甘忠可诈造《天官历》[122]《包元太平经》[123]十二卷，言汉家[124]逢天地之大终[125]，当更受命[126]于天，以教渤海夏贺良等。中垒校尉[127]刘向[128]奏忠可假鬼神[129]，罔上惑众[130]。下狱，治服[131]，未断[132]，病死。贺良等复私以相教[133]。上即位，司隶校尉[134]解光、骑都尉[135]李寻白[136]贺良等，皆待诏黄门[137]。数召见，陈说"汉历中衰，当更受命。成帝不应天命，故绝嗣。今陛下久疾，变异屡数[138]，天所以谴告[139]人也。宜急改元易号[140]，乃得延年益寿，皇子生，灾异息矣。得道不得行[141]，咎殃且无不有[142]，洪水将出，灾火且起，涤荡民人[143]"。上久寝疾[144]，冀其有益，遂从贺良等议，诏大赦天下，以建平二年为太初元年，号曰"陈圣刘太平皇帝"，漏刻以百二十为度[145]。

秋，七月，以渭城[146]西北原上永陵亭部为初陵[147]，勿徙郡国民。

上既改号月余，寝疾自若[148]。夏贺良等复欲妄变政事，大臣争以为不可许。贺良等奏言："大臣皆不知天命，宜退丞相、御史，以解光、李寻辅政。"上以其言无验，八月，诏曰："待诏贺良等建言改元易号，增益漏刻，可以永安国家。朕信道不笃[149]，过听其言[150]，冀为百姓获福，卒无嘉应[151]。夫过而不改，是谓过矣！六月甲子诏书[152]，非赦令，皆蠲除[153]之。贺良等反道惑众，奸态当穷竟[154]。"皆下狱，伏诛。寻及解光减死一等[155]，徙敦煌郡[156]。

上以寝疾，尽复[157]前世所尝兴诸神祠[158]凡七百余所，一岁三万七千祠云。

傅太后怨傅喜不已，使孔乡侯晏[159][5]风[160]丞相朱博令奏免喜侯。博与御史大夫赵玄议之，玄言："事已前决[161]，得无不宜[162]？"博曰："已许孔乡侯矣。匹夫相要[163]，尚相得死[164]，何况至尊[165]？博唯有死耳！"玄即许可。博恶[166]独斥奏喜，以故大司空汜乡侯何武[167]前亦坐过免就国，事与喜相似，即并奏："喜、武前在位，皆无益于治，虽已退免，爵土之封，非所当也，皆请免为庶人。"上知傅太后素尝[168]怨

【语译】

当初成帝时，齐国人甘忠可伪造《天官历》《包元太平经》十二卷，称汉朝正遇到天地的一次轮回大终结，应该重新受命于天，以此传授渤海人夏贺良等。中垒校尉刘向上奏说，甘忠可假借鬼神，欺骗皇上，蛊惑人心。于是将甘忠可关进监狱，在审理中他招认了挟诈欺罔之罪，没有判决，就病死了。夏贺良等人又暗地里互相传授。皇上即位后，司隶校尉解光、骑都尉李寻向皇帝推荐夏贺良等人，都成为待诏黄门。夏贺良等人多次被皇帝召见，并向皇帝说："汉朝的寿命已中途衰落，应当重新接受天命。成帝不回应天命，所以断绝子嗣。如今陛下长年生病，天灾变异多次出现，这是上天以此来警告。应当赶快更换年号和皇上尊号，才能延年益寿，诞生皇子，这样，灾害异变就平息了。知道这个道理而不实行，灾祸将无处不有，洪水将涌出，大火将会燃起，危害百姓。"皇上久病在床，渴望有所帮助，就采纳夏贺良等人的建议，下诏大赦天下，把建平二年改为太初元年，号称"陈圣刘太平皇帝"。还将计时的漏刻改为一百二十刻度。

秋，七月，将渭城西北原上永陵亭一带划为皇上的陵墓区，但不迁移郡国的百姓去居住。

皇上改元易号一个多月以后，病情还和以前一样。夏贺良等人又想胡乱改变朝廷政事，大臣们都谏诤皇上，认为不能答应他们。夏贺良等上奏说："大臣们都不知天命，应当将丞相、御史罢免，任用解光、李寻等辅助朝政。"天子因为他们的话没有应验，八月，下诏说："待诏夏贺良等人，建议改元易号，增加漏器的刻度，可以使国家永葆平安。朕对天道的信奉不坚定，误听了他们的话，想因此而为百姓谋取幸福，结果没有得到好的报应。有过失而不改正，才是真正的过错！六月初九日甲子的诏书，除大赦令外，全部作废。夏贺良等违反天道，蛊惑人心，奸恶行为应彻底追究。"夏贺良等人都被关进监狱，处以死刑。李寻和解光减死罪一等，被流放到敦煌郡。

皇上因为卧病在床，恢复所有前代曾经祭祀的各种神祠共七百余处，一年祭祀三万七千次。

傅太后怨恨傅喜不止，派孔乡侯傅晏暗示丞相朱博，让他上奏免除傅喜的侯爵。朱博和御史大夫赵玄商议此事，赵玄说："此事先前已作了裁决，再提恐怕不合适吧？"朱博说："我已经答应孔乡侯了。匹夫间相交，尚且能以死相报，何况是傅太后？我朱博唯有一死，单独去做！"赵玄也就答应了。朱博不愿单独上奏指控傅喜，因为故大司空泛乡侯何武以前也因过失被免职而遣归封国，情况和傅喜相似，就一并弹劾说："傅喜、何武两人从前在位时，对治理国家都没有帮助，虽然已经罢免官职，但还保有爵位封邑，这是不妥当的，请求把他们都贬为平民。"皇上知道傅太后

喜，疑博、玄承指[169]，即召玄诣尚书问状[170]，玄辞服[171]。有诏："左将军[172]彭宣[173]与中朝者[174]杂问[175]"，宣等奏劾"博、玄、晏皆不道[176]，不敬，请召诣廷尉诏狱[177]"。上减玄死罪三等[178]，削晏户四分之一[179]，假谒者节[180]召丞相诣廷尉[181]，博自杀，国除。

九月，以光禄勋[182]平当[183]为御史大夫。冬，十月甲寅[184]，迁为丞相。以冬月故，且赐爵关内侯[185]。以京兆尹[186]平陵王喜[187]为御史大夫。

上欲令丁、傅处爪牙官[188]，是岁，策免左将军淮阳彭宣，以关内侯归家，而以光禄勋丁望[189]代为左将军。

乌孙[190]卑爰疐[191]侵盗匈奴西界，单于遣兵击之，杀数百人，略[192]千余人，驱牛畜去。卑爰疐恐，遣子趋逯为质[193]匈奴，单于受，以状闻[194]。汉遣使者责让[195]单于，告令还归卑爰疐质子，单于受诏遣归[196]。

【段旨】

以上为第二段，写待诏方术士夏贺良等人，以及朝廷大臣丞相朱博、御史大夫赵玄等佞臣，钻营取巧，终于奸事败露，一个个没有好下场。

【注释】

⑫《天官历》：一种历书。⑫《包元太平经》：也叫《天历包元太平经》，是道教最早的典籍，内容庞杂，包括天地、阴阳、五行、干支、灾异、神鬼等。⑫汉家：即汉朝。⑫大终：道教的说法，指天命终结。⑫更受命：改换天命，重新受命。⑫中垒校尉：官名，掌北军垒门内，外掌西域事务。⑫刘向（公元前七五至前四年）：名更生，字子政，沛（今江苏沛县）人，西汉经学家。传见《汉书》卷三十六。⑫假鬼神：假借鬼神，依靠鬼神说事。⑬罔上惑众：欺骗皇帝，迷惑民众。⑬治服：即审理中，本人承认其欺诈行为。⑬未断：没有判决。⑬私以相教：指夏贺良等私下互相传授伪《天官历》《包元太平经》等。⑬司隶校尉：官名，掌京师治安。⑬骑都尉：官名，汉常以骑都尉护西域。⑬白：推荐。⑬待诏黄门：以材技被征召，未正式授官，候补待命。⑬变异屡数：多次出现天变。⑬谴告：上天警告。⑭改元易号：改变年号和皇帝尊号。⑭得道不

平常怨恨傅喜，就怀疑朱博、赵玄是受傅太后旨意，因此立即召赵玄到尚书处询问情况，赵玄口供认罪。下诏说："左将军彭宣和中朝官一同审问此事。"彭宣等上奏弹劾说："朱博、赵玄、傅晏都犯有不道、不敬之罪，请求将他们召到廷尉诏狱审查。"皇上减赵玄死罪三等，削去傅晏四分之一的封邑，又派谒者持节召丞相朱博到廷尉那里受审，朱博自杀，封国撤销。

九月，任命光禄勋平当为御史大夫。冬，十月初一日甲寅，升迁平当为丞相。由于冬月不宜封侯，因而暂时先赐爵关内侯。任命京兆尹、平陵人王嘉为御史大夫。

皇上想把丁、傅两族亲人安置在捍卫王室的爪牙官的重位上，这一年，下策书免去左将军淮阳人彭宣的官职，以关内侯身份回家，而任命光禄勋丁望代替彭宣为左将军。

乌孙国卑爰疐侵犯劫掠匈奴西部边境地区，匈奴单于派兵还击，杀死数百人，掠夺千余人，驱赶牛畜而归。卑爰疐恐慌，派他的儿子趋逯到匈奴充当人质，单于接受了，把此事呈报汉朝。汉朝派使节责怪单于，命令归还卑爰疐作为人质的儿子，单于接到诏令，就把质子送回乌孙。

得行：知道这个道理而不能实行。⑭咎殃且无不有：灾祸将无处不有。且，将。⑭涤荡民人：指危害百姓。⑭寝疾：卧病在床。⑭漏刻以百二十为度：古代以壶滴漏计时，一昼夜为一百刻，今增加二十。⑭渭城：古县名，在今陕西咸阳东北。⑭初陵：新皇帝登基，即动手建造自己的陵墓，尚未取名，称初陵。⑭自若：仍是老样子。⑭信道不笃：信奉大道不坚定。笃，诚笃；坚定。⑮过听其言：错误地听了夏贺良等人的话。⑮卒无嘉应：始终没有好的报应。⑮甲子诏书：指前六月初九日改元易号所发布的诏书。⑮蠲除：废除。⑮穷竟：彻底追究。⑮减死一等：汉法，罪应至死，改判降低一等罪刑，免除死罪，改流徙边郡，称减死一等。⑮敦煌郡：郡名，治所敦煌，在今甘肃敦煌。⑮尽复：全部恢复。⑮祠：指祭祀。⑮孔乡侯晏：指傅晏。⑯风：通"讽"。暗示。⑯前决：原先已经处理过。⑯得无不宜：恐怕不适宜。得无，莫非；恐怕。⑯匹夫相要：指普通人相交、相约定。⑯得死：指得到相约朋友的死力相助。⑯至尊：指傅太后。⑯恶：厌恶；不愿。⑯何武（？至公元三年）：字君公，蜀郡郫县（今四川成都市郫都区）人，以射策甲科为郎，为人仁厚，喜举荐人，官至大司空，封泛乡侯。传见《汉书》卷八十六。⑯素尝：平常。⑯承指：秉承傅太后的旨意。⑰问状：讯问情况。⑰玄辞服：赵玄口供认罪。⑰左将军：官名，掌军事及少数民族事务。⑰彭宣：字子佩，淮阳阳夏（今河南太康）人，长于《易经》，官至大司空，封长平侯。传见《汉书》卷七十一。⑰中朝

者：指尚书台官员。⑮杂问：共同推问。⑯不道：刑律名目。⑰廷尉诏狱：即皇帝亲自将此案交廷尉审理。诏狱，奉诏令关押犯人的牢狱。⑱减玄死罪三等：减死罪三等，按汉制为隶臣妾。⑲削晏户四分之一：削去傅晏所封五千户中的一千二百五十户。⑳假谒者节：授予谒者符节，宣召朱博、赵玄。假，加；授予。谒者，郎中令属官，掌接待礼仪，传宣诏命。㉑诣廷尉：到廷尉处受审。㉒光禄勋：官名，汉九卿之一，掌皇宫禁卫。㉓平当（？至公元前四年）：字子思，以明经为博士，官至丞相。传见《汉书》卷七十一。㉔甲寅：十月初一日。㉕关内侯：爵名，为秦汉二十级爵位的第十九级。有侯号而无国邑，在京畿地区赐若干户食邑，大多为三百户。汉制，丞相应封侯，但冬月非封侯之时，故先赐平当关内侯爵位。㉖京兆尹：京师行政长官。㉗王喜：应为王嘉。王嘉（？至公元前二年），字公仲，平陵（今陕西咸阳西北）人，以明经射策甲科

【原文】

三年（丁巳，公元前四年）

春，正月，立广德夷王⑰弟广汉⑱为广平王。

癸卯⑲[6]，帝太太后所居桂宫正殿火。

上使使者召丞相平当，欲封之⑳，当病笃㉑，不应召[7]。室家㉒或谓当："不可强起受侯印为子孙邪？"当曰："吾居大位，已负素餐责矣，起受侯印，还卧而死，死有余罪。今不起者，所以为子孙也！"遂上书乞骸骨㉓，上不许。三月己酉㉔，当薨。

有星孛于河鼓㉕。

夏，四月丁酉㉖，王嘉为丞相，河南太守王崇为御史大夫。崇，京兆尹骏之子也。嘉以时政苛急㉗，郡国守相数㉘有变动，乃上疏曰："臣闻圣王之功在于得人，孔子曰：'材难㉙，不其然与！'故'继世立诸侯，象贤也㉚'。虽不能尽贤，天子为择臣㉛，立命卿㉜以辅之。居是国也㉝，累世尊重，然后士民之众附焉，是以教化行而治功立㉞。今之郡守重于古诸侯㉟，往者致㊱选贤材，贤材难得，拔擢可用者，或起于囚徒。昔魏尚㊲坐事系，文帝感冯唐㊳之言，遣使持节赦其罪，拜为云中太守，匈奴忌之。武帝㊴擢韩安国于徒中㊵，拜为梁内史，骨肉以安㊶。

为郎，官至丞相，封新甫侯。传见《汉书》卷八十六。⑱⑧爪牙官：指要害官位。⑱⑨丁望：丁太后的叔父。⑲⓪乌孙：古族名，初居祁连、敦煌间，后西迁至今伊犁河和伊塞克湖一带，从事游牧，都赤谷城。⑲①卑爰疐：乌孙末振将弟，杀贵人乌日领降汉，汉封为归义侯。⑲②略：掠夺。⑲③质：做人质。⑲④以状闻：指匈奴单于将接受卑爰疐子为质事报告汉廷。⑲⑤责让：责备。即责备匈奴与乌孙均为汉臣属国，匈奴不应擅自接受乌孙质子。⑲⑥受诏遣归：接受汉皇之命，遣送乌孙质子回国。

【校记】

［5］晏：原无此字。据章钰校，乙十一行本、孔天胤本皆有此字，张敦仁《通鉴刊本识误》同，今据补。

【语译】

三年（丁巳，公元前四年）

春，正月，封立广德夷王刘云客的弟弟刘广汉为广平王。

二十一日癸卯，帝太太后傅氏居住的桂宫正殿起火。

皇上派使者宣召丞相平当，想封他为侯，平当病重，没有应召进宫。妻妾们有人对平当说："不能强打精神进宫接受侯印，替子孙们着想吗？"平当说："我官居高位，已经背负不干事吃闲饭的指责了，起身接受侯印，回家卧床而死，死有余辜。今天我不起身接受侯印，正是为子孙后代着想啊！"于是上书请求辞职，皇上没有同意。三月二十八日己酉，平当去世。

有孛星出现在河鼓星旁。

夏，四月十七日丁酉，王嘉为丞相，河南太守王崇为御史大夫。王崇是京兆尹王骏的儿子。王嘉认为当时施政苛暴，郡国的长官太守和国相频繁变动，于是上疏说："臣听说圣王的最大功德就是取得人才，孔子曰：'人才难得，难道不是这样的吗！'所以'选立诸侯的继承人，像他先父祖那样贤能。'虽然诸侯王不可能全都是贤才，但天子可以为诸侯王选择贤良大臣，任命贤卿来辅佐他们。住在封国之内，代代尊荣，然后国人才会归附，因此礼教文化得以推行，政绩得以确立。现在的郡太守的职权重于古代诸侯，以往极力选择贤才担任郡太守，由于贤能的人才难得，提拔可以胜任的人，有时甚至起用囚犯。从前魏尚因事犯法坐牢，汉文帝被冯唐的话所感动，派遣使者持符节赦免魏尚的罪，任用他为云中郡太守，匈奴很害怕他。汉武帝从罪犯中选拔出韩安国，任命他为梁国内史，刘氏骨肉得以平安。

张敞[222]为京兆尹，有罪当免，黠吏知而犯敞[223]，敞收杀之，其家自冤[224]，使者覆狱，劾敞贼杀[225]人。上逮捕不下[226]，会免，亡命十数日，宣帝征敞拜为冀州刺史，卒获其用。前世非私此三人，贪[227]其材器有益于公家也。孝文时，吏居官者或长子孙，以官为氏[8]，仓氏、库氏则仓库吏之后也。其二千石长吏[228]亦安官乐职，然后上下相望[229]，莫有苟且[230]之意。其后稍稍变易，公卿以下传相促急[231]，又数改更政事，司隶[232]、部刺史[233]举劾苛细，发扬阴私[234]，吏或居官数月而退，送故迎新，交错道路。中材苟容求全[235]，下材怀危内顾[236]，壹切营私者多。二千石益轻贱[237]，吏民慢易之[238]，或持其微过[239]，增加成罪，言于刺史、司隶[9]，或上书告之。众庶知其易危，小失意则有离畔之心。前山阳亡徒苏令[240]等纵横，吏士临难，莫肯伏节死义，以守、相威权素夺[241]也。孝成皇帝悔之，下诏书，二千石不为故纵[242]，遣使者赐金，尉厚其意。诚以为国家有急，取办于二千石，二千石尊重难危[243]，乃能使下。孝宣皇帝爱其善治民之吏，有章劾事留中[244]，会赦壹解。故事：尚书希下章[245]，为烦扰百姓，证验系治，或死狱中，章文必有'敢告之'字乃下[246]。唯陛下留神于择贤，记善忘过，容忍臣子，勿责以备[247]。二千石、部刺史、三辅县令有材任职者，人情不能不有过差，宜可阔略[248]，令尽力者有所劝。此方今急务，国家之利也。前苏令发[249]，欲遣大夫使逐问状[250]，时见大夫无可使者[251]，召盩厔[252]令尹逢，拜为谏大夫遣之。今诸大夫有材能者甚少，宜豫畜养[253]可成就者，则士赴难不爱其死，临事仓卒乃求，非所以明朝廷[254]也。"嘉因荐儒者公孙光、满昌及能吏萧咸、薛修，皆故二千石[255]有名称者，天子纳而用之。

六月，立鲁顷王[256]子郚乡侯闵[257]为王。

上以寝疾未定[258]，冬，十一月壬子[259]，令太皇太后下诏复甘泉[260]泰畤[261]、汾阴[262]后土祠，罢南、北郊[263]。上亦不能亲至甘泉、河东[264]，遣有司行事而礼祠焉[265]。

张敞为京兆尹，犯了罪本当免职，狡猾的小吏得知张敞将被免职就故意冒犯张敞，张敞抓住小吏杀了，死者家属自称冤枉，使者详查此案后，弹劾张敞杀人。上奏逮捕张敞，宣帝把奏章留中不发，恰逢赦免，张敞逃亡十多天后，宣帝征召他任命为冀州刺史，终于得到重用。前代君王并不是偏爱他们三人，而是贪惜他们的才能有益于国家。孝文帝时，做官的小吏，有些人就让子孙长大用官名作为姓氏，如仓氏、库氏就是仓库官的后代。那些官秩在二千石的高级官员也安于官位，乐于尽职，然后上下相互监督，没有人有得过且过的思想。后来情况稍微有所更改，公卿以下的官员调动频繁，又多次更改法令规章，司隶、部刺史检举弹劾十分苛刻细琐，还揭发宣扬别人的隐私，以致有的官吏在位仅几个月就被罢免，送走旧官和迎接新官的人，交错行走在道路上。中等才能的人苟且求生，下等才能的人满怀危惧只顾自己，大多不论干什么都只是谋求私利。二千石的地方官员权力削弱，下属和普通民众更加轻视他们，有的揪住他们的轻微过失，扩大成罪状，向刺史、司隶报告，或者直接上书向皇上告发。大众平民知道官吏容易倒台，稍有不如意就产生背叛之心。前些时，山阳郡的亡命徒苏令等横冲直撞，官吏士民面临危难，没有一个人肯尽节死义，原因是郡太守、诸侯相的威信和权力一向受到削弱造成的。孝成皇帝感到懊悔，下诏书说，二千石的官员不是故意纵容犯罪的，就派使臣赏赐他们黄金，对他们的心意表示安慰厚待。这实在是国家有急难，需要二千石的官员出力办理，加重二千石官员的权威，难以侵犯，才能指挥下级。孝宣皇帝爱惜那些善于治理民众的官吏，有弹劾他们的奏章都留在宫中不予批复，遇到大赦就下令一律解除。根据惯例：尚书很少将奏章转付有关管理部门查办，为的是怕骚扰百姓，取证、审查、下狱治罪，有些人就冤死狱中，弹劾奏章上必须有'敢告之'三字才把它转交有关部门查办。希望陛下留意选择贤能之人，记住他的功绩，忘掉他的过失，宽容对待他们，不要对他们求全责备。二千石、部刺史、三辅县令中有才能称职的官员，按人情难免会有过失，应当宽恕其小过失，让竭尽心力者受到勉励。这是当前最紧急的大事，关系到国家的利益。前些时发生苏令作乱，想派遣大夫追讨，并询问作乱的原因，当时朝廷的官员没有一个可以派遣的，于是征召盩厔令尹逢，授为谏大夫，派遣他去。如今有才能的大夫非常少，应当预先培养可造就的人才，才能使他们赴难时不惜以死报效朝廷，事到临头才仓促去寻求人才，这不是表示朝廷有人才的办法。”王嘉趁机推荐儒家学者公孙光、满昌以及能干的官吏萧咸、薛修，他们都是从前二千石官员中卓有名望的，天子采纳了王嘉的建议而任用了他们。

六月，封立鲁顷王的儿子部乡侯刘闵为王。

皇上因卧病未安，冬，十一月初五日壬子，让太皇太后王政君下诏书：恢复甘泉泰畤、汾阴后土祠的祭祀，撤销长安南、北郊的祭祀。皇上也不能亲自到甘泉、河东郡祭祀，就派主管官员代为施行，以礼祭祀。

无盐危山㉖⑥土自起覆草㉖⑦，如驰道㉖⑧状。又，瓠山㉖⑨石转立㉗⓪。东平王云㉗①及后谒㉗②自之石所祭㉗③，治石象瓠山立石㉗④，束倍草㉗⑤，并祠之。河内㉗⑥息夫躬㉗⑦、长安孙宠相与谋共告之，曰："此取封侯之计也㉗⑧！"乃与中郎右师谭共因中常侍㉗⑨宋弘上变事㉘⓪，告焉。是时上被疾㉘①，多所恶，事下有司，逮王后谒下狱验治㉘②。服"祠祭诅祝上，为云求为天子，以为石立，宣帝起之表也㉘③"。有司请诛王，有诏，废徙房陵㉘④。云自杀，谒并[10]舅伍宏㉘⑤及成帝舅安成共侯夫人放，皆弃市。事连御史大夫王崇，左迁大司农。擢宠为南阳太守，谭颍川都尉，弘、躬皆光禄大夫、左曹、给事中㉘⑥。

【段旨】

以上为第三段，写哀帝以诸侯入继大统，心存猜忌，屡兴大狱。丞相王嘉善奏，劝谏哀帝要珍惜人才，施政宽和，苦口婆心，哀帝似有所悟，任用了王嘉推荐的一些人。紧接着因病又兴大狱，奸险小人息夫躬等得志于朝。

【注释】

⑲⑦广德夷王：刘云客，汉成帝鸿嘉二年（公元前一九年）封，鸿嘉四年卒，谥号曰"夷"，无后。⑲⑧广汉：刘广汉，建平三年（公元前四年）立为广平王，奉中山靖王嗣。⑲⑨癸卯：正月二十一日。⑳⓪欲封之：皇帝准备封平当为侯。⑳①病笃：病得很沉重。⑳②室家：指平当的妻子。⑳③乞骸骨：古代做官者要求辞职或退休的一种委婉说法。⑳④己酉：三月二十八日。⑳⑤河鼓：星宿名，即"河鼓二"，或称"牵牛星"，俗称"牛郎星"。⑳⑥丁酉：四月十七日。⑳⑦时政苛急：当时政令苛暴。⑳⑧数：屡次；多次。⑳⑨材难：指人才难得。语出《论语》。㉑⓪象贤也：像其先父祖那样贤能。语出《礼记·郊特牲》。㉑①择臣：指皇帝选择贤臣而任用之。㉑②命卿：古代由天子任命诸侯国卿士。汉朝诸侯王国的傅、相、中尉等职亦由天子任命，犹如古代之命卿。㉑③居是国也：住在封国内。㉑④教化行而治功立：礼教文化得以推行，政绩得以确立。㉑⑤今之郡守重于古诸侯：古代侯国，大不过百里，而汉郡守辖地千里，权势超过古诸侯。㉑⑥致：极力。㉑⑦魏尚：汉文帝时汉云中太守，匈奴不敢犯云中，因报功时缺六个首级而下狱。传附《汉书》卷五十《冯唐传》。㉑⑧冯唐：以孝著称，事文帝，官车骑都尉等职，曾劝文

无盐县内危山的泥土自动翻起覆盖草木，像是驰道的样子。另外，瓠山上的石头翻转起立。东平王刘云和王后谒亲自前往石前祭拜，雕了一块石头和瓠山立石相似，捆扎上黄倍草，一并祭祀。河内人息夫躬、长安人孙宠一起合谋向朝廷告发这件事，两人说："这是取得封侯的计策！"就与中郎右师谭一同通过中常侍宋弘入奏变乱之事，予以告发。此时皇上生病，对很多事情都很厌恶，就将这件事交付主管部门处理，主管官员逮捕王后谒，关进监狱，查询审理。王后谒招认"祭祀山石，诅咒皇上，为求神灵保佑刘云做天子，认为山石起立，是从前宣帝应天命而为天子的预兆"。主管官员请求杀东平王，皇上下诏，罢免刘云的王位，流放到房陵。刘云自杀，王后谒和刘云舅父伍宏，以及成帝的舅母安成共侯夫人放，全都街头处死。案件牵连御史大夫王崇，王崇被降职为大司农。擢升孙宠为南阳郡太守，右师谭为颍川都尉，宋弘、息夫躬都升为光禄大夫、左曹、给事中。

帝赦魏尚之过而用之。传见《汉书》卷五十。㉑⑨武帝：应为景帝。㉒⓪擢韩安国于徒中：韩安国犯罪被流放，景帝任命他为梁内史（秩二千石）。韩安国后官至御史大夫。传见《汉书》卷五十二。㉒①骨肉以安：指梁孝王因得韩安国为内史而得以免罪。㉒②张敞：字子高，河东平阳（今山西临汾西南）人，官至京兆尹，治绩突出。传见《汉书》卷七十六。㉒③黠吏知而犯敞：指贼捕掾絮舜知敞将免官而有意冒犯，认为张敞不敢治罪。㉒④自冤：絮舜家自称冤枉。㉒⑤贼杀：残害。㉒⑥逮捕不下：皇帝将奏捕张敞的奏章留中不发。㉒⑦贪：爱惜。㉒⑧二千石长吏：郡太守属官，秩二百石至四百石。㉒⑨上下相望：互相监督。㉓⓪苟且：得过且过。㉓①传相促急：调动频繁。传，指传车。㉓②司隶：指司隶校尉，负责监察三辅、三河、弘农等地事务。㉓③部刺史：官名，汉武帝分全国郡国为十三州，称为部，每部设刺史一人为督察官，按规定的六条问事，称部刺史。㉓④发扬阴私：揭发官吏个人的隐私。㉓⑤苟容求全：为保全自己，不敢严格要求下级。㉓⑥怀危内顾：害怕获罪，只为个人打算。㉓⑦轻贱：权力削弱。㉓⑧慢易之：指吏民对二千石官员的态度也变得轻慢。㉓⑨微过：小错误。㉔⓪苏令：原为山阳铁官徒，汉成帝永始三年（公元前一四年），率二百二十八人起事，自称将军。㉔①威权素夺：平素权威被侵夺。㉔②不为故纵：不以故意放纵为罪。㉔③尊重难危：加重威权，难以侵犯。㉔④章劾事留中：弹劾二千石官的奏章，皇帝将奏章留中不发。㉔⑤尚书希下章：尚书很少把弹劾官吏的奏章交付有关机构查办。㉔⑥章文必有"敢告之"字乃下：指奏章上申明"如属诬告，情愿反坐"者，才交有司查究。㉔⑦勿责以备：不要求全责备。㉔⑧阔略：宽恕。㉔⑨前苏令发：指成帝永始三年山阳铁官徒苏令造反事。㉕⓪遣大夫使逐问状：指派大夫追讨，并询问起

事的因由。㉕1 无可使者：无人可派。㉕2 盩厔：县名，即今陕西周至。㉕3 豫畜养：预先积蓄培养。豫，通“预”。㉕4 明朝廷：意谓表明朝廷有人才。㉕5 故二千石：指过去担任过郡守之职的官员。㉕6 鲁顷王（公元前五一至前二四年）：名刘封，汉景帝子鲁共王曾孙。㉕7 部乡侯闵：应为“郚乡侯闵”，鲁顷王子，建平三年六月十二日诏封。王莽时，曾贬为公，后媚莽，被赐姓王，封列侯。传见《汉书》卷十四。㉕8 未定：未安。㉕9 壬子：十一月初五日。㉖0 甘泉：宫名，在今陕西淳化西北甘泉山上。㉖1 泰畤：祭祠泰一神之祠坛，在甘泉宫。㉖2 汾阴：古县名，在今山西万荣西南，祭土地神的后土祠在汾阴。㉖3 南、北郊：皇帝在京师南、北郊祀天地。㉖4 河东：这里指汾阴。㉖5 遣有司行事而礼祠焉：哀帝不能亲至甘泉、汾阴祭祀，改派有关官员作代表去祭祀。㉖6 无盐危山：无盐县之危山，在今山东东平境。㉖7 土自起覆草：土自动翻起压盖住草木。㉖8 驰道：专供帝王出行用的宽广大道。㉖9 瓠山：山名，在今山东东平境。㉗0 石转立：石头翻转立起。㉗1 东平王云：刘云，东平王刘宇之子，鸿嘉元年（公元前二〇年）袭封，建平三年自杀。传见《汉书》卷十四。㉗2 后谒：刘云的王后名谒。㉗3 自之石所祭：刘云与王后亲自去石前祭祀。㉗4 治石象瓠山立石：刘云与后在宫中也竖立了一块与瓠山立石相似的石头。㉗5 倍草：祭祀用的黄倍草。㉗6 河内：郡名，治所怀县，在今河南武陟西南。㉗7 息夫躬：复姓息夫，字子微，河内河阳（今河南孟州）人，少为博士弟子，因告密封宜陵侯，后流徙死。传见

【原文】

四年（戊午，公元前三年）

春，正月，大旱。

关东㉘7 民无故惊走，持稿㉘8 或掫㉘9 一枚，转相付与㉙0，曰“行西王母筹㉙1”，道中相过逢㉙2，多至千数。或被发徒跣㉙3，或夜折关㉙4，或逾墙㉙5 入，或乘车骑奔驰，以置驿传行㉙6，经郡国二十六至京师，不可禁止。民又聚会里巷阡陌㉙7，设张[11] 博具㉙8，歌舞祠㉙9 西王母，至秋乃止。

上欲封傅太后从父弟㉚0 侍中、光禄大夫商，尚书仆射㉚1 平陵郑崇㉚2 谏曰：“孝成皇帝封亲舅五侯㉚3，天为赤黄，昼昏，日中有黑气。孔乡侯，皇后父，高武侯以三公封，尚有因缘㉚4。今无故欲复[12] 封商，坏乱制度，逆天人之心，非傅氏之福也！臣愿以身命当国咎㉚5。”崇因持诏书案起㉚6。傅太后大怒曰：“何有为天子，乃反为一臣所颛制㉚7 邪！”二月癸卯㉚8，上遂下诏封商为汝昌㉚9 侯。

《汉书》卷四十五。㉗⑧此取封侯之计也：这是获得封侯的办法。此，指告发东平王祠石事。㉗⑨中常侍：官名，出入宫廷，侍从皇帝。㉘⓪上变事：揭发谋逆的特殊奏章称上变事。上，上奏。变事，谋反之事。㉘①被疾：患病。㉘②验治：审查。㉘③宣帝起之表也：此乃王后谒之供词，意为山石起曾是宣帝应天命为天子的预兆。㉘④房陵：县名，在今湖北房县。㉘⑤伍宏：王后谒之舅，因医术得幸，经安成共侯夫人放推荐，出入宫禁，至此牵连被杀。㉘⑥光禄大夫、左曹、给事中：皆言官。光禄大夫，原称谏大夫，掌议论言事。左曹，加官，受尚书事。给事中，加官，备顾问应对。

【校记】

［6］癸卯：原无此二字。据章钰校，乙十一行本、孔天胤本皆有此二字，张瑛《通鉴校勘记》同，今据补。［7］召：原无此字。胡三省注云："不应召也。"据章钰校，乙十一行本、孔天胤本皆有此字，张瑛《通鉴校勘记》同，今据补。［8］以官为氏：原无此四字。据章钰校，乙十一行本、孔天胤本皆有此四字，张敦仁《通鉴刊本识误》、张瑛《通鉴校勘记》同，今据补。［9］刺史、司隶：原作"司隶刺史"。据章钰校，乙十一行本、孔天胤本皆作"刺史司隶"，今据改。［10］并：原作"及"。据章钰校，乙十一行本、孔天胤本皆作"并"，今据改。

【语译】

四年（戊午，公元前三年）

春，正月，大旱。

关东地区的民众无缘无故惊恐奔走，每人手拿一支麦秆或一支麻秆，互相传递，说"传递西王母娘娘的信牌"，沿途互相传递，人数多达上千。有的披散头发，打着赤脚，有的夜半闯关，有的翻墙而入，有的乘车骑马奔驰，有的放在驿车传送，经二十六个郡国，传到京师长安，无法禁止。民众又聚集在街巷、田间，摆设放置赌博工具，载歌载舞祭祀西王母，一直到秋天才停止。

皇上想封傅太后堂弟侍中、光禄大夫傅商为侯，尚书仆射平陵人郑崇谏阻说："孝成皇帝封亲舅五侯，天变为赤黄，白天昏暗，太阳中有黑色云气。孔乡侯傅晏是皇后父亲，高武侯傅喜以三公身份而封侯，还算有依据。现今无故想再给傅商封侯，破坏了汉家制度，违反天人的心意，不是傅氏家族的福分。臣愿意以自身性命承担官家惩处。"郑崇于是拿着诏书草稿站起来。傅太后大怒说："哪有身为天子反被一个臣下所挟制呢！"二月二十八日癸卯，皇上仍然下诏封傅商为汝昌侯。

【段旨】

以上为第四段，写傅太后干预朝政，挟制哀帝封堂弟傅商为汝昌侯。

【注释】

[287]关东：地区名，泛指函谷关以东地区。又称山东，谓华山以东地区。即中原地区的代称。[288]稿：禾秆。[289]掫：麻秆。[290]转相付与：互相传递。[291]行西王母筹：西王母，传说中的神话人物，相传其长生不老，住在昆仑山上，西周第五任国王周穆王曾与她相会过。筹，指筹策，一种符信，持之可行走天下。此句意谓传递西王母的筹策。[292]过逢：相遇。[293]徒跣：赤脚。[294]折关：冲开关门。[295]逾墙：翻越城墙。[296]置驿传行：放在驿车上传送。驿传，国家传送公文的车马驿站。[297]阡陌：乡村小路。[298]博具：赌博游戏之

【原文】

驸马都尉[310]、侍中云阳董贤[311]得幸于上，出则参乘[312]，入御[313]左右，赏赐累巨万，贵震朝廷。常与上卧起，尝昼寝[314]，偏藉上袖[315]，上欲起，贤未觉[316]，不欲动贤，乃断袖而起。又诏贤妻得通引籍殿中[317]，止贤庐[318]。又召贤女弟[319]以为昭仪，位次皇后。昭仪及贤与妻旦夕上下[320]，并侍左右。以贤父恭[321]为少府，赐爵关内侯。诏将作大匠[322]为贤起大第北阙下，重殿[323]，洞门[324]，土木之功，穷极技巧。赐武库禁兵、上方[325]珍宝。其选物上弟[326]尽在董氏，而乘舆[327]所服乃其副[328]也。及至东园秘器[329]、珠襦[330]、玉匣[331][13]，豫以赐贤，无不备具。又令将作为贤起冢茔义陵[332]旁，内为便房[333]，刚柏题凑[334]，外为徼道[335]，周垣[336]数里，门阙罘罳[337]甚盛。

郑崇以贤贵宠过度谏上，由是重得罪，数以职事见责。发疾颈痈[338]，欲乞骸骨，不敢。尚书令赵昌佞谄[339]，素害崇，知见疏[340]，因奏“崇与宗族通，疑有奸，请治”。上责崇曰：“君门如市人[341]，何以欲禁切[342]主上？”崇对曰：“臣门如市，臣心如水[343]，愿得考覆[344]！”

具。㉙祠：指祭祀。㉚从父弟：伯父或叔父的弟弟，即堂弟。㉛尚书仆射：少府属官，掌宫廷事务。㉜郑崇（？至公元前三年）：字子游，少为郡文学史，官至尚书仆射。传见《汉书》卷七十七。㉝封亲舅五侯：指成帝封其舅王谭、王商、王立、王根、王逢时五人皆为关内侯。因在同一天封，并称为五侯。㉞因缘：依据。㉟臣愿以身命当国咎：我愿以身家性命承担由此而产生的祸害。国咎，指傅太后的怪罪。㊱持诏书案起：拿着诏书草稿站起来。表示强烈反对封傅商为侯。㊲颛制：即“专制”。这里意谓左右、挟制。㊳癸卯：二月二十八日。㊴汝昌：在今山东阳谷东北。

【校记】

［11］张：原无此字。据章钰校，乙十一行本、孔天胤本皆有此字，今据补。［12］欲复：原作“复欲”。据章钰校，乙十一行本、孔天胤本二字皆互乙，今据改。

【语译】

驸马都尉、侍中云阳人董贤受皇上宠爱，出行与皇上同坐一辆车，入宫随侍左右，得到的赏赐价值几亿，尊贵震动了朝廷。董贤经常与皇上睡在一起，曾经有一次睡午觉，董贤侧身而卧，压住了皇上的袖子，皇上想起床，但见董贤还未睡醒，不想惊醒董贤，就把袖子割断再起来。又诏命董贤的妻子列名在册，出入皇宫，住进董贤官内。又召董贤的妹妹入宫，封为昭仪，地位仅次于皇后。董昭仪、董贤与妻子早晚侍候在皇上身边。任命董贤的父亲董恭为少府，赐爵关内侯。还下诏书，命令将作大匠为董贤在未央宫北门外建造豪华住宅，有前后两重大殿，殿门广阔如同宫门，土木工程精巧豪华，无与伦比。又赐给他武库里专供给宫中用的兵器和禁中珍宝。经过挑选，上等的精制珍宝器物，都进了董贤的家中，而天子所用的却是次等的。甚至连皇家丧葬用的棺木、用珠串缀成的短寿衣、用玉制成的寿裤，都预先赐给董贤，无不齐备。又下令将作大匠在义陵旁边为董贤建造墓园，墓内建有小的曲室，存放用坚实的柏木做成的外椁题凑，墓园外修建有巡行警戒的道路，墓园的围墙有数里之长，门墙上的防御设施，威严壮观。

郑崇认为董贤受宠过度而谏阻皇上，因而严重得罪了皇上，皇上多次藉公事谴责他。郑崇颈子上长毒痈，想请求退休，又不敢提出。尚书令赵昌是个谄媚之人，一向陷害郑崇，知道郑崇被皇上疏远，于是上奏说：“郑崇与刘氏宗族中的人交往密切，我怀疑有奸谋，请求查处。”皇上责问郑崇说：“你家门庭若市，为什么要禁止朕交朋友？”郑崇回答说：“臣下门庭若市，臣心清白如水，希望得到皇上的审核！”

上怒，下崇狱。司隶孙宝[345]上书曰："按尚书令昌奏仆射崇狱，覆治，榜掠[346]将死，卒无一辞，道路[347]称冤。疑昌与崇内有纤介[348]，浸润[349]相陷。自禁门枢机近臣[350]，蒙受冤谮，亏损国家，为谤不小。臣请治昌以解众心[351]。"书奏，上下诏曰："司隶宝附下罔上，以春月[352]作诋欺[353]，遂其奸心，盖国之贼也。免宝为庶人。"崇竟[354]死狱中。

三月丁卯[355][14]，诸吏、散骑[356]、光禄勋[357]贾延为御史大夫。

上欲侯董贤而未有缘[358]，侍中傅嘉劝上定息夫躬、孙宠[359]告东平本章，掇[15]去宋弘[360]，更言因董贤以闻，欲以其功侯之，皆先赐爵关内侯。顷之[361]，上欲封贤等而心惮王嘉[362]，乃先使孔乡侯晏[363]持诏书示丞相、御史。于是嘉与御史大夫贾延上封事[364]言："窃见董贤等三人始赐爵，众庶匈匈[365]，咸曰贤贵，其余并蒙恩[366]，至今流言未解[367]。陛下仁恩于贤等不已[368]，宜暴[369]贤等本奏语言，延问公卿、大夫、博士、议郎，考合古今，明正其义，然后乃加爵土。不然，恐大失众心，海内引领而议[370]。暴评其事[371]，必有言当封者，在陛下所从。天下虽不说[372]，咎有所分[373]，不独在陛下。前定陵侯淳于长[374]初封，其事亦议，大司农谷永以长当封，众人归咎于永，先帝不独蒙其讥[375]。臣嘉、臣延，材驽不称[376]，死有余责，知顺指不迕[377]，可得容身须臾[378]，所以不敢者，思报厚恩也。"上不得已，且为之止。

夏，六月，尊帝太太后[379]为皇太太后。

秋，八月辛卯[380]，上下诏切责公卿曰："昔楚有子玉得臣[381]，晋文公[16]为之侧席而坐[382]，近事，汲黯[383]折淮南之谋[384]。今东平王云等至有图弑天子逆乱之谋者，是公卿股肱莫能悉心[385]、务聪明[386]以销厌未萌[387]故也。赖宗庙之灵，侍中、驸马都尉贤等发觉以闻，咸伏厥辜[388]。《书》不云乎：'用德章厥善[389]。'其封贤为高安侯[390]，南阳太守宠为方阳侯[391]，左曹、光禄大夫躬为宜陵侯[392]，赐右师谭爵关内侯。"又封傅太后同母弟郑恽子业为阳信侯[393]。息夫躬既亲近，数进见言事，议论无所避[394]，上疏历诋[395]公卿大臣。众畏其口，见之仄目[396]。

上使中黄门[397]发武库兵[398]，前后十辈[399]，送董贤及上乳母王阿舍[400]。

皇上发怒，把郑崇关进监狱。司隶孙宝上书说："尚书令赵昌上奏指控仆射郑崇一案，经过反复审查，笞击拷问，把郑崇打得半死，但终无一句口供，道路上的行人都说郑崇冤枉。我疑心赵昌与郑崇怀有私人的宿怨，逐渐谗毁陷害郑崇。假若连皇帝身边主管机要的大臣，都遭诬陷而蒙受冤屈，国家受到亏损，这个诽谤不小。我请求追查赵昌诬谤罪，以解众人心中的困惑。"奏章呈上后，皇上下诏说："司隶孙宝附和臣下，欺蒙皇上，利用春月宽赦之时，毁谤赵昌，欺骗朝廷，想达到救助郑崇的奸恶用心，是国家的奸贼。罢免孙宝的官职，贬为平民。"郑崇最终死在狱中。

三月二十二日丁卯，任命诸吏、散骑、光禄勋贾延为御史大夫。

皇上打算封董贤侯爵，却没有机会，侍中傅嘉劝皇上更改息夫躬、孙宠控告东平王刘云的奏章，将宋弘的名字削去，改说是由董贤告发的，想借口这个功劳来封董贤侯爵，把告发有功的人都先封为关内侯。不久，皇上想正式加封董贤等人为侯，而心里害怕王嘉反对，就先派孔乡侯傅晏拿诏书给丞相、御史大夫看。于是王嘉和御史大夫贾延呈进机密奏章说："臣私下注意到董贤等三人刚被赐封关内侯时，群情激愤，都说董贤因显贵受封，其他两人是借光而受封，至今流言还没有平息。陛下对董贤等人的仁爱恩德不断，应当把董贤等人的奏章原文公布，询问公卿、大夫、博士、议郎，请他们考查是否合乎古今的事例，让大家鲜明地看到加封合乎道义，然后再加封爵位采邑。否则的话，恐怕大失众心，天下人就要伸长脖子议论。如果公开让大臣们议论此事，必定有说应当加封他们的人，如此，陛下不过是采纳其建议。天下人即使不高兴，过错也有人分担，就不由陛下一人承担了。从前定陵侯淳于长初封时，其事也是讨论过，大司农谷永认为淳于长当封侯，众人就归罪于谷永，先帝没有独自一人蒙受讥刺。臣王嘉、臣贾延，才能低下不称职，死有余辜，明知顺从陛下的心意，不违逆陛下，可以暂时安稳保身，之所以不敢这样做，是想报答皇上深德厚恩。"皇上不得已，暂时搁下这件事。

夏，六月，尊帝太太后傅氏为皇太太后。

秋，八月十九日辛卯，皇上下诏严厉斥责公卿说："从前楚国有子玉得臣，晋文公因他而忧虑不敢正坐，近代有汲黯，阻止了淮南王叛乱的阴谋。如今东平王刘云等人甚至有杀害天子之谋，这是公卿大臣们没能尽心职守，及早发觉，把阴谋消除在没有萌生之前的缘故。幸赖祖宗在天之灵，侍中、驸马都尉董贤等人及时察觉并报告给朕，才使叛臣贼子全都服罪正法。《书经》不是说过吗：'要以恩德来彰明善行。'封董贤为高安侯，南阳太守孙宠为方阳侯，左曹、光禄大夫息夫躬为宜陵侯，赐右师谭关内侯爵位。"又封傅太后同母弟郑恽子郑业为阳信侯。息夫躬亲近了皇上后，他就多次进见皇上言事，议论毫无顾忌，上书逐一诋毁公卿大臣。朝廷百官都害怕他那张嘴，遇见他不敢正视。

皇上派中黄门到武库拿兵器，前后共有十批，送给董贤以及皇上乳母王阿家中。

执金吾[401]毋将隆[402]奏言："武库兵器，天下公用。国家武备，缮治造作，皆度大司农钱[403]。大司农钱，自乘舆不以给共养[404]，共养劳赐，一出少府[405]。盖不以本臧[406]给末用，不以民力共浮费[407]，别公私，示正路也。古者诸侯、方伯得颛征伐[408]，乃赐斧钺[409]，汉家边吏职任距寇，亦赐武库兵，皆任事然后蒙[410]之。《春秋》之谊[411]，家不臧甲[412]，所以抑臣威[413]，损私力[414]也。今贤等便僻弄臣[415]，私恩微妾[416]，而以天下公用给其私门，契国威器[417]，共其家备。民力分于弄臣，武兵设于微妾，建立非宜，以广骄僭[418]，非所以示四方也[419]。孔子曰：'奚取于三家之堂[420]！'臣请收还武库。"上不说。

顷之，傅太后使谒者贱买执金吾官婢八人，隆奏言："买贱，请更平直[421]。"上于是制诏丞相、御史："隆位九卿，既无以匡[422]朝廷之不逮[423]，而反奏请与永信宫[424]争贵贱之贾，伤化失俗[425]。以隆前有安国之言，左迁为沛郡都尉[426]。"初，成帝末，隆为谏大夫，尝奏封事言："古者选诸侯入为公卿，以褒[427]功德，宜征定陶王使在国邸，以填万方[428]。"故上思其言而宥[429]之。

谏大夫渤海鲍宣[430]上书曰："窃见孝成皇帝时，外亲[431]持权，人人牵引[432]所私以充塞朝廷，妨贤人路[433]，浊乱天下，奢泰亡度[434]，穷困百姓，是以日食且十[435]，彗星四起[436]。危亡之征[437]，陛下所亲见也，今奈何反覆剧[438]于前乎！

"今民有七亡[439]：阴阳不和[440]，水旱为灾，一亡也；县官重责[441]更赋[442]租税，二亡也；贪吏并公，受取不已[443]，三亡也；豪强大姓，蚕食亡厌[444]，四亡也；苛吏繇役[445]，失农桑时[446]，五亡也；部落鼓鸣，男女遮列[447]，六亡也；盗贼劫略[448]，取民财物，七亡也。七亡尚可，又有七死[449]：酷吏殴杀[450]，一死也；治狱深刻[451]，二死也；冤陷亡辜[452]，三死也；盗贼横发[453]，四死也；怨仇相残[454]，五死也；岁恶[455]饥饿，六死也；时气疾疫[456]，七死也。民有七亡而无一得[457]，欲望国安，诚难；民有七死而无一生，欲望刑措[458]，诚难。此非公卿、守相贪残成化[459]之所致邪？

"群臣幸得居尊官，食重禄[460]，岂有肯加恻隐[461]于细民[462]，助陛下

执金吾毋将隆上奏说：“武库兵器是天下人公用的。国家的武器装备，修理制作，费用开支都由大司农支付。大司农的钱，就连天子的生活费用都不供给，天子的生活费和对臣下的慰劳赏赐，都出自少府。不把国家用于根本的储备供给君王作赏赐，也不拿民力为浮华而消耗，区别公私，显示正道。古代诸侯、方伯受命专行征伐时，才赐给他们斧钺，汉朝守边官吏的职责是抵御外来侵略，也赐给他们武库的兵器，这都是因为有军事任务，然后才接受兵器。《春秋》上说的大义，私家不能藏兵器，以此抑制臣下的威势，削弱私人的势力。如今董贤等人是谄佞逢迎，被皇上亲近狎玩的小臣，是对皇上有私恩的奴仆，皇上却将天下公用之物赠给私家，拿国家威武的兵器供给私家作武备。使民力分散到狎玩之臣的手中，把国家武库的兵器摆放在卑贱奴仆之家，这种做法很不妥当，将更增强他们的骄横僭越，不是应该展示给全国的榜样。孔子说：‘天子祭祖之礼，怎么能行于三家大夫祭祖的厅堂上！’我请求陛下收回兵器归库。”皇上很不高兴。

不久，傅太后派谒者以低价收买执金吾官府的八名官婢，毋将隆上奏说：“买官婢的价钱太低，请改付公平市价。”皇上因此下诏给丞相、御史大夫说：“毋将隆位列九卿，不但不能扶正朝廷的过失，反而奏请与永信宫的傅太后争论价格的高低，有伤教化，败坏风俗。因他从前有安定国家的建议，把他降职为沛郡都尉。”当初，成帝末年，毋将隆任谏大夫，曾进呈密封奏章说：“古代选拔诸侯入朝为公卿，是为了褒奖功德，应当征召定陶王，让他住在京城定陶王府邸，以威震天下。”因此皇上念及他的话而宽恕了他。

谏大夫渤海人鲍宣上书说：“我看成帝时，外戚把持权柄，人人都引荐各自所偏爱的人来布满朝廷，阻碍贤能之士晋升的道路，混乱天下，穷奢极欲没有节制，使百姓穷困，所以发生了近十次日食，彗星四次出现。这些危亡的征兆，是陛下所亲眼见到的，如今为什么反而比从前更厉害呢！

“如今百姓流亡有七种情况：阴阳不和，水旱成灾，此其一；县吏加重征收更赋和税租，此其二；贪官污吏借口为公，勒索不已，此其三；豪强大族吞食小民土地永无满足，此其四；苛暴的官吏征发徭役，使农桑失时，此其五；村落鸣鼓示警，男女列队捕盗，此其六；盗贼抢掠，夺取民众财物，此其七。这七种流亡尚可忍受，还要面对七种死亡：被酷吏殴打致死，这是第一种死亡；审案严刑苛法而死，这是第二种死亡；冤枉陷害，无罪致死，这是第三种死亡；因盗贼横行而死，这是第四种死亡；因仇怨而互相残杀致死，这是第五种死亡；荒年饥饿而死，这是第六种死亡；流行瘟疫而死，这是第七种死亡。民众有七种死亡而得不到一点帮助，想让国家安定，实在太难了；人民有七死却没有一条生路，想无人犯法，刑法搁置不用，更是难上加难。这难道不是公卿、守相贪婪残忍成风所造成的吗？

“群臣有幸能身居高位，享受丰厚的俸禄，哪里还有肯对小民有恻隐之心，帮助流教化[463]者邪！志但在营私家，称宾客，为奸利[464]而已。以苟容曲从[465]为贤，以拱默尸禄[466]为智，谓如臣宣等为愚。陛下擢臣岩穴[467]，诚冀有益豪毛[468]，岂徒使臣美食大官[469]、重高门之地[470]哉！

"天下，乃皇天之天下也。陛下上为皇天子，下为黎庶[471]父母，为天牧养元元[472]，视之当如一[473]，合《尸鸠》[474]之诗。今贫民菜食不厌[475]，衣又穿空[476]，父子、夫妇不能相保，诚可为酸鼻[477]。陛下不救，将安所归命[478]乎！奈何独养外亲与幸臣董贤，多赏赐，以大万数，使奴从、宾客，浆酒藿肉[479]，苍头庐儿[480]，皆用致富，非天意也！

"及汝昌侯傅商[481]，亡功而封。夫官爵非陛下之官爵，乃天下之官爵也。陛下取非其官，官非其人[482]，而望天说民服，岂不难哉？方阳侯孙宠、宜陵侯息夫躬，辩足以移众[483]，强可用独立[484]。奸人之雄[485]，惑世尤剧者也，宜以时罢退[486]。及外亲幼童未通经术者，皆宜令休，就师傅[487]。急征[488]故大司马傅喜，使领外亲，故大司空何武、师丹，故丞相孔光，故左将军彭宣，经皆更博士[489]，位皆历三公；龚胜[490]为司直[491]，郡国皆慎选举[492]，可大委任也。陛下前以小不忍[493]退武等[494]，海内失望。陛下尚能容亡功德者甚众，曾不能忍武等邪！治天下者，当用天下之心为心[495]，不得自专快意[496]而已也。"宣语虽刻切[497]，上以宣名儒，优容之[498]。

【段旨】

以上为第五段，写哀帝嬖宠董贤贵盛，息夫躬等奸邪小人朋比乱政，直臣尚书仆射郑崇蒙冤死狱中，执金吾毋将隆、谏大夫鲍宣，上书劝谏，哀帝充耳不闻。

【注释】

⑶⑩驸马都尉：汉武帝置，掌皇帝车驾之副马。⑶⑪董贤：字圣卿，云阳（今陕西淳化西北）人，为汉哀帝所宠幸，官至大司马，操纵朝政。传见《汉书》卷九十三。⑶⑫参乘：即骖乘，古时乘车在车右陪乘的人。⑶⑬御：随侍。⑶⑭昼寝：睡午觉。⑶⑮偏藉上袖：董贤侧身而卧，压住了皇帝的衣袖。⑶⑯未觉：没有醒。⑶⑰通引籍殿中：列名宫中名册，自由进入宫禁。⑶⑱止贤庐：留董贤在宫中歇宿的地方。⑶⑲女弟：董贤之妹。⑶⑳旦夕上下：早

陛下推行教化的人啊！他们的志向只在经营自己的私产，满足宾客的要求，为奸取利而已。他们把苟且偷生曲意迎合视为贤德，把无所事事尸位食禄视为明智，认为像臣这样的人是愚蠢的。陛下将臣从山村里提升起来，希望臣对朝廷能有丝毫助益，哪只是让我饱尝美食、身居高位、无所作为地站在高门大殿上呢！

“天下，是皇天的天下。陛下上为皇天之子，下为黎民百姓的父母，替上天来管理和教养黎民，应一视同仁，与《尸鸠》一诗中布谷鸟同等怜爱它的七个儿子相符合。如今穷人连野菜都吃不饱，衣不蔽体，父子、夫妇不能相互保全，实在令人悲痛心酸。陛下如果不救助他们，让他们到哪里去安身呢！为什么只供养外戚和宠臣董贤，赏赐之多，动辄上亿，使奴仆、宾客视酒肉如同白水豆叶，奴仆、侍从都成为富翁，这可不是皇天的心意啊！

“还有汝昌侯傅商无功而被封侯。官爵不是陛下的官爵，而是天下人的官爵。陛下选定的人不配受此官爵，此官也不应当授此人，却希望上天喜悦，民众心服，岂不是太难了吗？方阳侯孙宠、宜陵侯息夫躬，辩才足以煽动民众，强暴足以使他们闹独立。这两人是奸邪人中的魁首，迷惑世人最厉害的人，应立即将他们罢免。那些外戚幼童不懂经术的，都应命令他们辞职回家，跟老师学习经术。尽快征召前大司马傅喜，令他统率外戚，前大司空何武、师丹，前丞相孔光，前左将军彭宣，他们的经学都经历了名师教导，而官位都高列三公；龚胜为司直，郡国都谨慎严肃地向朝廷举荐人才，这样的人，应该委以重任。陛下前些时因稍有些不能容忍，罢了何武等人的官，让天下大失所望。陛下尚且能容忍许多无功无德的人，竟然不能容忍何武等有用的人吗！治理天下的人，就应该以天下人的心意为自己的心意，不能只图自己痛快而已。”鲍宣的话虽然深刻激烈，皇上因鲍宣是名儒，也就宽容了他。

晚都在皇帝身边。(321)恭：董恭，董贤父，初为御史，后因董贤贵宠而为九卿，封关内侯。事见《汉书》卷九十三。(322)将作大匠：官名，即秦将作少府，掌修治宫室。(323)重殿：有前后二重宫殿。(324)洞门：与宫门相仿。重殿、洞门皆僭天子制度。(325)上方：禁中。(326)选物上弟：挑选出的上等物品。弟，通“第”。等级。(327)乘舆：指皇帝。(328)副：次等。(329)东园秘器：指棺材。汉制，大臣死则赐东园秘器。东园，官署名，属少府，主制作冥器。(330)珠襦：将珠子用金线穿成的上衣。(331)玉匣：用金线将玉片穿成，穿在死者足以上腰以下。汉制，帝王死，用珠襦玉匣。(332)义陵：哀帝陵。(333)便房：小的曲室，用以盛放棺椁。(334)刚柏题凑：即黄肠题凑，天子用的棺木。以柏木黄心朝外，称黄肠；椁上木头皆内向为椁盖，上尖下方，像屋檐四垂，称为题凑。题，头。凑，聚。(335)徼道：巡行警戒用的道路。(336)周垣：围墙。(337)罘罳：古代设在宫门外或城角的瞭望或防御设施，形似

网，上有孔。㊳⑧疾颈痈：颈部长了毒痈。㊳⑨佞谄：溜须拍马的小人。㊵⓪知见疏：察知郑崇被哀帝疏远。㊶①君门如市人：意谓郑崇家门庭若市。㊷②禁切：阻禁。㊸③臣心如水：我的心像水一样清白。㊹④考覆：考查复核。㊺⑤孙宝：字子严，颍川鄢陵（今河南鄢陵）人，以明经为郡吏，清正刚直，官至大司农。传见《汉书》卷七十七。㊻⑥榜掠：鞭打。㊼⑦道路：指道路上的行人。㊽⑧纤介：指细微宿怨。㊾⑨浸润：谗言积累，逐渐发生作用。㊿⓪枢机近臣：掌握机要的亲近重臣。㉛①解众心：平息众人心中的困惑。㉜②春月：万物生长月，汉廷常有大赦。㉝③诋欺：欺骗；诋毁。㉞④竟：最终。㉟⑤丁卯：三月二十二日。㊱⑥诸吏、散骑：均为加官，诸吏得举法，散骑傍乘舆，无常职。㊲⑦光禄勋：官名，九卿之一，秦朝称郎中令，汉武帝改名光禄勋。掌皇宫禁卫。㊳⑧缘：机会。㊴⑨孙宠：因告发东平王而封方阳侯，元寿二年（公元前一年）免，流放合浦。传见《汉书》卷十八。㊵⓪掇去宋弘：去掉原奏章中宋弘的名字。㊶①顷之：过了一段时间。㊷②心惮王嘉：害怕丞相王嘉反对。㊸③晏：傅晏。㊹④上封事：上密封奏章。㊺⑤匈匈：群情激愤的样子。㊻⑥其余并蒙恩：指息夫躬与孙宠是因董贤贵宠而附带被封侯。㊼⑦未解：没有平息。㊽⑧不已：不断；不止。㊾⑨暴：公开。㊿⓪引领而议：伸长脖子议论。㉛①暴评其事：公开评论董贤封侯一事。㉜②说：通“悦”。㉝③咎有所分：过错有人分担。㉞④淳于长：太皇太后王政君姐子，元延三年（公元前一〇年）二月二十日封，绥和元年（公元前八年）坐大逆，下狱死。传见《汉书》卷十八。㉟⑤讥：讥讽。㊱⑥材驽不称：才能低下不称职。自谦之词。㊲⑦迕：同“忤”。违背。㊳⑧须臾：短暂的时间。㊴⑨帝太太后：指哀帝祖母傅太后。㊵⓪辛卯：八月十九日。㊶①子玉得臣：楚成王大将，晋楚城濮之战，晋虽得胜，但听说未抓到子玉，晋文公仍深感忧虑。得臣，即子玉。㊷②侧席而坐：指晋文公面有忧色。㊸③汲黯（？至公元前一一二年）：字长孺，濮阳（今河南濮阳西南）人，好黄老之术，官淮阳太守。传见《汉书》卷五十。㊹④淮南之谋：淮南王刘安谋反，独惧汲黯。㊺⑤悉心：尽心。㊻⑥务聪明：及早察觉。㊼⑦销厌未萌：消灭在阴谋未发生之前。㊽⑧咸伏厥辜：都服其罪。㊾⑨用德章厥善：用爵禄赏赐表彰善行。语出《尚书·盘庚》。㊿⓪高安侯：封国在朱扶，其地今无考。㉛①方阳侯：封国在沛郡龙亢，即今安徽怀远西北。㉜②宜陵侯：封国在南阳杜衍，即今河南南阳西南。㉝③阳信侯：封国在南阳新野，即今河南新野。㉞④避：避忌。㉟⑤历诋：逐一诋毁众大臣。㊱⑥仄目：侧目；不敢正视。㊲⑦中黄门：官名，秩百石，掌给事禁中。㊳⑧发武库兵：调发武库的兵器。武库，国家总兵器库，在长安城中处于未央宫与长乐宫之间。㊴⑨十辈：十批。㊵⓪送董贤及上乳母王阿舍：哀帝让中黄门先后把十批兵器送到董贤及哀帝乳母王阿的家中。㊶①执金吾：官名，秦及汉初称中尉，武帝太初元年更名为执金吾，掌京师警卫。㊷②毋将隆：字君房，东海兰陵（今山东兰陵县）人，传见《汉书》卷七十七。㊸③皆度大司农钱：都用的是大司农国库的钱。度，用。㊹④不以给共养：不供给皇帝使用。共，通“供”。㊺⑤一出少府：全部从少府支出。㊻⑥本臧：指大司农钱。臧，通“藏”。㊼⑦浮费：为浮华而消耗。㊽⑧颛征伐：专掌征伐之权。颛，通

"专"。409 斧钺：象征享有征伐之权。410 蒙：得到。411 谊：通"义"。412 家不藏甲：《春秋公羊传》载孔子所说，私家不可藏兵器。413 抑臣威：抑制臣子之威。414 损私力：削弱私家的势力。415 便僻弄臣：皇帝亲近狎玩的谄佞小臣。416 私恩微妾：于皇帝有私恩的奴仆。417 契国威器：拿国家威武的兵器。418 骄僭：骄横僭越。419 示四方也：为全国作榜样。420 奚取于三家之堂：源出《论语》孔子之言。孔子是指天子所用的八佾之礼不应行于鲁叔孙、仲孙、季孙之堂。毋将隆引用孔子之言，是说国家武器不应赏赐给董贤、王阿等私门。421 请更平直：请求改付相当的价钱。422 匡：匡正。423 不逮：不足。424 永信宫：傅太后所居宫，这里代指傅太后。425 伤化失俗：伤风败俗。426 沛郡都尉：官名，太守之副，掌郡国兵事。427 褒：表彰。428 以填万方：以威震四方。填，通"镇"。429 宥：宽大；谅解。430 鲍宣（？至公元三年）：字子都，渤海高城（今河北盐山县东南）人，好学明经，举孝廉为郎，官至司隶校尉。传见《汉书》卷七十二。431 外亲：指外戚王氏。432 牵引：指裙带关系，任用私人。433 妨贤人路：阻塞了贤者的晋身之路。434 奢泰亡度：奢侈享受没有节制。435 日食且十：日食出现近十次。436 彗星四起：彗星四次出现。古人认为彗星出现是不祥之兆。437 征：征兆。438 剧：超过；增加。439 民有七亡：百姓流亡有七种情况。440 阴阳不和：气候失调。441 重责：加重征收。442 更赋：汉代征收的一种代役税。443 贪吏并公二句：贪官污吏假借国家的名义，没完没了地勒索百姓，中饱私囊。444 蚕食亡厌：指豪强大姓吞食小民的土地永无满足。445 徭役：服劳役。446 失农桑时：错过种田植桑的农时。447 部落鼓鸣二句：村落鸣鼓示警，男女列队捕盗。448 劫略：抢掠。449 七死：七种致民于死的情况。450 殴杀：酷打虐杀。451 治狱深刻：审案严刑峻法。452 冤陷亡辜：冤枉陷害无辜百姓。453 盗贼横发：盗贼到处横行。454 怨仇相残：仇杀致死。455 岁恶：年成不好。456 时气疾疫：流行疾疫。457 一得：一条生路。458 刑措：刑罚搁置不用，指无人犯罪。459 贪残成化：贪污残害成风。460 食重禄：享受丰厚的俸禄。461 恻隐：同情心。462 细民：微不足道的老百姓。463 教化：教育风化。464 奸利：狼狈为奸取利。465 苟容曲从：苟且偷生，曲意迎合。466 拱默尸禄：无所事事，尸位素餐。467 擢臣岩穴：皇帝将我从村野中提拔起来。468 有益豪毛：有微小的贡献。469 美食大官：居高官，食美食。470 重高门之地：立于高门殿上。高门，殿名，在未央宫中。471 黎庶：老百姓。472 牧养元元：管理黎民。473 视之当如一：一视同仁。474《尸鸠》：出自《诗经·尸鸠》。言鸠养七子，平均对待，引申为对百姓要一视同仁。475 菜食不厌：连野菜都吃不饱。476 衣又穿空：衣服破败，百孔千疮。477 酸鼻：让人心痛。478 归命：活命。479 浆酒藿肉：将酒当水，将肉当豆叶，形容董贤奢侈的生活。藿，豆叶。480 苍头庐儿：奴婢；仆从。481 汝昌侯傅商：以皇太太后从父弟封，元寿元年（公元前二年），因外附诸侯免。传见《汉书》卷十八。482 取非其官二句：所选的人不应当受此官职，此官职也不应当授给此人。皆指皇帝用人不当。483 辩足以移众：诡辩足可以煽动大众。辩，此指诡辩。484 强可用独立：强暴足以闹独立。485 奸人之雄：奸雄之首。486 宜以时罢退：应及时罢免黜退。㊽皆宜令休二句：均应辞退，到老师那里去学习儒术。㊾征：征召。㊾经皆更博士：经学都经历过博士教育。更，经历。㊾龚胜（公元前六七至公元一二年）：字君宾，好学明经，官光禄大夫。传见《汉书》卷七十二。㊾司直：丞相属官，秩千石。㊾慎选举：推荐人才十分谨慎。因龚胜守正不阿，郡国皆惧其弹劾。㊾小不忍：稍有些不能容忍。㊾退武等：黜退大司空何武等人。㊾用天下之心为心：以天下人的心意为自己的心意。㊾自专快意：只图自己一时痛快。㊾刻切：深刻激烈。㊾优容之：优待宽容他。哀帝因鲍宣为当世大儒而未加处置。

【原文】

匈奴单于上书愿朝五年[499]。时帝被疾[500]，或言[501]："匈奴从上游来厌人[502]，自黄龙、竟宁时[503]，单于朝中国，辄有大故[504]。"上由是难之[505]，以问公卿，亦以为虚费府帑[506]，可且勿许。单于使辞去，未发[507]，黄门郎扬雄上书谏曰："臣闻《六经》之治，贵于未乱[508]，兵家之胜，贵于未战[509]。二者皆微[510]，然而大事之本[511]，不可不察也。今单于上书求朝，国家不许而辞之，臣愚以为汉与匈奴从此隙[512]矣。匈奴本五帝[513]所不能臣[514]，三王[515]所不能制[516]，其不可使隙[517]明甚。臣不敢远称，请引秦以来明[518]之。

"以秦始皇之强，蒙恬[519]之威，然不敢窥西河[520]，乃筑长城以界之[521]。会汉初兴，以高祖之威灵，三十万众困于平城[522]，时奇谲之士、石画之臣[523]甚众，卒其所以脱[524]者，世莫得而言[525]也。又高皇后[17]时，匈奴悖慢[526]，大臣权书遗之[527]，然后得解。及孝文时，匈奴侵暴北边[528]，候骑[529]至雍甘泉[530]，京师大骇，发三将军屯细柳、棘门[18]、霸上[531]以备之，数月乃罢。孝武即位，设马邑之权[532]，欲诱匈奴，徒费财劳师，一虏不可得见，况单于之面乎？其后深惟[533]社稷之计，规恢万载之策[534]，乃大兴师数十万，使卫青[535]、霍去病[536]操兵，前后十余年。于是浮西河，绝大幕[537]，破寘颜[538]，袭王庭[539]，穷极其地，追奔逐北，封狼居胥山[540]，禅于姑衍[541]，以临瀚海[542]，虏名王、贵人以百数。自是之后，匈奴震怖，益求和亲，然而未肯称臣也。

【校记】

[13] 匣：据章钰校，乙十一行本作“柙”。[14] 丁卯：原无此二字。据章钰校，乙十一行本、孔天胤本皆有此二字，今据补。[15] 掇：原无此字。据章钰校，乙十一行本有此字，《汉书·王嘉传》亦同，今据补。[16] 公：据章钰校，乙十一行本无此字。

【语译】

匈奴单于上奏请求建平五年入朝。当时皇帝患病，有人说：“匈奴从黄河上游的西北方向来压制人，从黄龙、竟宁年间起，单于每到中国朝见，中国就有大丧。”皇上因此感到为难，拿此事询问公卿大臣，大家也认为接待单于白白地浪费国家钱财，可暂时不答应。单于使节辞别离去，没有出发，黄门郎扬雄上书劝谏说：“臣听说，儒家《六经》所讲的治国之道，最重要的是把祸乱消弭在未发生之时，兵家的胜利，是不战而胜。这两件事都很精微深奥，但都是国家大事的根本，不可不明察。如今单于上书请求入朝，皇上没有同意而辞去，臣认为这将使汉朝与匈奴从此产生嫌隙。匈奴原本是五帝不能臣服、三王不能控制的，因此不能使匈奴有嫌隙之心是很明显的。臣不敢追溯太远的历史，请让臣引用秦朝以来的史实加以说明。

“凭着秦始皇的强大，蒙恬的雄威，却不敢窥伺西河，于是修筑长城来隔断匈奴。等到汉朝兴起，以汉高祖的声威和英明，三十万名汉军困于平城，当时善出奇计的谋士、筹划决策的谋臣很多，最后所以能脱险的原因，世人不得而知。又，高皇后时，匈奴蛮横傲慢，大臣们权宜作书应答，交给单于，这样才将危险化解。到了孝文帝时，匈奴侵犯北部边境，巡逻侦察骑兵深入汉朝雍城、甘泉，京师震骇，派遣徐厉、周亚夫、刘礼三位将军，率兵分别驻守细柳、棘门、霸上以防备匈奴，双方对峙了几个月，匈奴才撤兵。孝武帝即位，设下马邑之计，想引诱匈奴深入，徒然浪费财物，又劳累军队，连一个匈奴人也没有见到，更何况见单于一面呢？此后，武帝深思熟虑国家的安危大计，拟定了万年的太平策略，动员数十万大军，派卫青、霍去病统率，前后奋战十余年。渡过西河，穿过大漠，攻破窴颜山，袭击单于王庭，深入匈奴内地，追击败兵，在狼居胥山筑坛祭天，在姑衍山祭地，汉军迫近瀚海，擒获名王、贵人数百人。自此以后，匈奴震惊恐怖，越发要求和亲，但是，仍不肯向朝廷称臣。

"且夫前世岂乐倾[543]无量之费，役无罪之人，快心于[19]狼望[544]之北哉？以为不壹劳[545]者不久逸，不暂费者不永宁，是以忍百万之师以摧饿虎之喙[546]，运府库之财填卢山[547]之壑而不悔也。至本始之初，匈奴有桀心[548]，欲掠乌孙、侵公主[549]，乃发五将[550]之师十五万骑以击之。时鲜有所获，徒奋扬威武，明汉兵若雷风耳！虽空行空反[551]，尚诛两将军[552]，故北狄[553]不服，中国未得高枕安寝也。逮至元康、神爵[554]之间，大化神明，鸿恩溥洽[555]，而匈奴内乱，五单于争立，日逐[556]、呼韩邪[557]携国归死[558]，扶伏[559]称臣，然尚羁縻[560]之，计不颛制[561]。自此之后，欲朝者不距[562]，不欲者不强，何者？外国天性忿鸷[563]，形容魁健，负力怙气[564]，难化以善，易肄以恶[565]，其强难诎[566]，其和难得。故未服之时，劳师远攻，倾国殚货[567]，伏尸流血，破坚拔敌，如彼之难也。既服之后，慰荐抚循[568]，交接赂遗[569]，威仪[570]俯仰，如此之备也。往时尝屠大宛之城[571]，蹈乌桓之垒[572]，探姑缯之壁[573]，藉荡姐之场[574]，艾朝鲜之旃[575]，拔两越之旗[576]。近不过旬月[577]之役，远不离二时[578]之劳，固已犁其庭[579]，扫其闾[580]，郡县而置之，云彻[581]席卷，后无余灾。唯北狄为不然，真中国之坚敌也，三垂[582]比之悬[583]矣。前世重之兹甚[584]，未易可轻也。

"今单于归义，怀款诚[585]之心，欲离其庭，陈见于前[586]，此乃上世之遗策[587]，神灵之所想望，国家虽费，不得已者也。奈何距以来厌之辞[588]，疏以无日之期[589]，消往昔之恩，开将来之隙？夫疑而隙之，使有恨心，负前言，缘往辞[590]，归怨于汉，因以自绝，终无北面之心[591]。威之不可，谕之不能[592]，焉得不为大忧乎？夫明者视于无形[593]，聪者听于无声[594]，诚先于未然[595]，即兵革不用而忧患不生。不然，壹有隙之后，虽智者劳心于内，辩者毂击于外[596]，犹不若未然之时也。且往者图西域，制车师[597]，置城郭都护三十六国，费岁以大万计者[20]，岂为康居、乌孙能逾白龙堆[598]而寇西边哉？乃以制匈奴也。夫百年劳之，一日失之，费十而爱一[599]，臣窃为国不安也。唯陛下少留意于未乱、未战，以

“再说前代祖先难道愿意耗费无限量的费用，驱使无罪的国民，在狼烟遍地的北方浴血奋战，只求一时之快吗？那是因为不做一次劳师动众，就得不到长久的安逸，不暂时花费钱财，就得不到长久安宁，因此才狠下心来，投入百万大军来摧毁饿虎之口，动用府库的钱财来填塞卢山的沟壑也不后悔。至本始初年，匈奴有暴戾不顺之心，企图劫掠乌孙国，侵害乌孙公主，于是宣帝调发五员大将率领的十五万名骑兵去袭击匈奴。当时很少有收获，仅仅是奋扬武威，显示汉军宛如风雷疾速而已！由于这次出征，徒劳往返，还诛杀了两位将军，所以北方的蛮族不顺服，中国就不能高枕无忧。等到元康、神爵年间，朝政清明，皇恩浩荡，而匈奴内部发生叛乱，五个单于争夺汗位，日逐、呼韩邪率领国民归顺汉廷匍匐称臣，但是朝廷还要笼络他们，而不完全控制他们。从此以后，匈奴想来朝见的都不拒绝，不想来朝见也不勉强，这是为什么呢？因为化外之人天性凶狠，体魄魁梧健壮，仗恃气力，难以感化向善，却容易习惯作恶。他们性情倔强，难以使其屈服，难以和睦相处。所以，他们未顺服时，朝廷劳师远攻，竭尽国力，耗光财物，伏尸流血，攻坚克敌，是那样的困难。已经降服之后，慰劳安抚，交往赠送，礼仪俯仰，是如此完备。从前汉军曾攻破大宛的都城，夷平乌孙的军营，袭击姑缯的营壁，践踏荡姐的战场，砍断朝鲜国的旗柄，拔取两越的军旗。时间短的战役，不过一个月，长的也不超过半年辛劳，就已经夷平王庭耕为桑田，改编原来的部落设置郡县，就像云之散，席之卷，天清地净，没有给后世留下丝毫祸根。只有北狄不是如此，真是中国的强敌，东、西、南三陲之敌，和它相比，实在相差太远了。正由于此，前世对匈奴很重视，如今也绝不可等闲视之。

“现今单于归心教化，怀着诚恳之心，想离开自己的王庭，来京师朝见陛下，这是前代遗留下来的策略，也是祖先神灵所盼望的。国家虽要为此支出些费用，也是不得已的事。怎么能用‘匈奴从上游来厌人’一句话来加以拒绝，用没有说定确切日期的来朝导致与匈奴疏远，把历年积下的所有恩德一笔勾销，开启未来的嫌隙？匈奴因怀疑而产生嫌隙，如果有了仇恨之心，仗恃以往的和好与今日被拒绝入朝的言辞，把全部怨恨归罪于汉朝，由此与汉朝决裂，最终放弃臣服汉朝之心。到那时，我们以武力相加不可以，好言开导也不可以，怎能不构成重大忧患呢？眼明的人能看到无形的东西，耳聪的人能听到无声的音响，果真料事于事发之前，也就能兵革不用而忧患不生。不然，嫌隙一旦产生，尽管有智者在朝廷内辛苦策划，善辩使者乘车频相往来于外，还是不如在事情没有发生的时候有一个正确的决策。况且从前图谋西域，制服车师国，设置三十六国城郭都护，每年花费都以万为单位计算，哪里是为了防备康居国、乌孙国能越过白龙堆沙漠来侵犯我西部边境呢？而是为了制服匈奴啊！百年辛劳的成果，一天之间就失去，当初开支了十分费用，而今却只为了爱惜一分费用而激发匈奴背叛，臣私下深为国家感到不安。希望陛下在还未乱、

遏边萌之祸[600]！”书奏，天子寤焉，召还匈奴使者，更报单于书而许之。赐雄帛五十匹，黄金十斤。单于未发[601]，会病，复遣使愿朝明年，上许之。

【段旨】

以上为第六段，写汉哀帝朝议匈奴单于请求入朝事宜，公卿大臣主张拒绝，黄门郎扬雄独持异议，不可疏远匈奴，接受入朝，哀帝裁决可，虽在病中，头脑还算清醒。

【注释】

[499]愿朝五年：愿于建平五年来朝贡。[500]被疾：患病。[501]或言：有人说。[502]厌人：压人。厌，镇压；抑制。[503]黄龙、竟宁时：宣帝、元帝时。黄龙是汉宣帝年号，竟宁是汉元帝年号。[504]大故：指国丧。[505]难之：难决断此事。[506]虚费府帑：白白浪费国家钱财。[507]未发：还没有出发。[508]贵于未乱：贵在祸乱未发生就治理好。[509]兵家之胜二句：兵家的胜利，贵在未战之前。[510]微：精妙。[511]本：根本。[512]隙：嫌隙。指汉匈从此加深了裂痕。[513]五帝：说法多种。《史记·五帝本纪》以黄帝、颛顼、帝喾、唐尧、虞舜为五帝。[514]不能臣：不能使匈奴臣服。[515]三王：夏禹、商汤、周文王和周武王。[516]不能制：无法控制。[517]使隙：使出现嫌隙。[518]明：说明；证明。[519]蒙恬（？至公元前二一〇年）：秦名将，曾率兵三十万防匈奴。[520]西河：指汉武威、张掖、敦煌、酒泉一带。[521]界之：作为边界，防卫匈奴。[522]平城：汉高帝七年（公元前二〇〇年），汉高祖刘邦率三十万众击匈奴不利，被困平城，七日乃得出。平城在今山西大同北。[523]奇谲之士、石画之臣：善于出奇计、善于谋略的臣子。石，通“硕”。大也。[524]脱：指高帝脱离危险，从匈奴包围中脱身而出。[525]世莫得而言：当世没有留传下来，不得而知。[526]悖慢：蛮横傲慢。高后时，匈奴冒顿单于写信说，汉匈两国和好，要娶高后为妻，言辞极为狂悖。载《汉书·匈奴传》。[527]权书遗之：权宜作书来应答。[528]侵暴北边：侵犯北部边境。[529]候骑：侦察的骑兵。[530]雍甘泉：指雍县、甘泉宫。两地均皇帝行宫。雍县在今陕西凤翔西，甘泉宫在今陕西淳化东北。[531]细柳、棘门、霸上：三地名，均拱卫京师长安的重镇。细柳，在今陕西咸阳西南。棘门，在今陕西咸阳东北。霸上，在今陕西长安东北。[532]马邑之权：指汉武帝元光二年（公元前一三三年），设谋马邑击匈奴单于事件。于此拉开了汉匈战争的序幕。马邑，郡名，郡治朔县，在今山西朔州。[533]深惟：深思熟虑。[534]规恢万载之策：规划长久之计。[535]卫青（？至公元前一〇六年）：字仲卿，河东平阳（今山西

未战之时稍加注意，以遏制北边战祸的萌生！”奏书呈上，天子醒悟，召回匈奴使节，更改给单于的书信，答应单于朝见的要求。赐给扬雄绸缎五十匹、黄金十斤。单于尚未启程，就刚好生病，就又派遣使节表示希望明年入朝，皇上同意了。

临汾西南）人，西汉名将，官至大将军，封长平侯。先后七次出击匈奴。传见《汉书》卷五十五。㊱霍去病（公元前一四〇至前一一七年）：河东平阳（今山西临汾西南）人，西汉名将，官至骠骑将军，封冠军侯。六次出击匈奴，解除了匈奴对汉朝的威胁。传见《汉书》卷五十五。㊲绝大幕：度过大漠。指汉武帝元狩四年（公元前一一九年），卫青、霍去病两路汉军度过大沙漠出击匈奴。此次是汉匈两国主力决战，汉胜匈败，匈奴远遁，此后漠南无王庭。㊳窴颜：山名，在今蒙古国境内杭爱山南，卫青曾破匈奴兵于此。㊴王庭：匈奴单于王庭。㊵狼居胥山：山名，约在今内蒙古自治区克什克腾旗西北至阿巴嘎旗一带。㊶姑衍：山名，在今内蒙古自治区境内。㊷瀚海：指今内蒙古自治区北部及蒙古国南部一带。㊸乐倾：愿意耗费。㊹狼望：狼烟候望之地。㊺壹劳：一次辛劳。指征伐匈奴。㊻忍百万之师以摧饿虎之喙：忍心以百万军队纳于饿虎之口。㊼卢山：地名，单于南庭。㊽桀心：狼子野心。㊾公主：指江都王刘建女细君，时为乌孙昆莫右夫人。㊿五将：指田广明、赵充国、田顺、范明友、韩增。(551)空行空反：徒劳往返。指未取胜，空手而归。(552)尚诛两将军：汉宣帝本始三年（公元前七一年），五将军出击匈奴，田顺先期而退，田广明畏敌不进，宣帝下令治罪，二人自杀。(553)北狄：指匈奴。(554)元康、神爵：均为汉宣帝年号。(555)大化神明二句：朝政清明，皇恩浩荡。(556)日逐：匈奴日逐王先贤掸。(557)呼韩邪：匈奴呼韩邪单于稽侯狦。(558)携国归死：举国归死命于汉朝。(559)扶伏：同“匍匐”。(560)羁縻：笼络。(561)计不颛制：没有完全控制。颛，同“专”。(562)距：通“拒”。(563)忿鸷：凶狠。(564)负力怙气：依恃胆力。(565)易肄以恶：习惯于作恶。(566)诎：屈。(567)倾国殚货：费尽国力。(568)慰荐抚循：安慰抚勉。(569)赂遗：赠送财物。(570)威仪：接待的礼仪。(571)屠大宛之城：武帝太初三年（公元前一〇二年），贰师将军李广利为取汗血马攻大宛之事。(572)蹈乌桓之垒：昭帝元凤三年（公元前七八年），中郎将范明友击乌桓，获三王首，斩六千余级。(573)探姑缯之壁：昭帝始元四年（公元前八三年），西南姑缯族反，水衡都尉吕辟胡与大鸿胪田广明先后击之。壁，营垒。(574)藉荡姐之场：汉元帝永光二年（公元前四二年）右将军冯奉世征陇西羌荡姐事。藉，扫荡；踏平。场，疆场。(575)艾朝鲜之旃：汉武帝元封三年（公元前一〇八年），左将军荀彘与楼船将军杨仆攻灭朝鲜。艾，通“刈”。砍倒。旃，红色的曲柄旗。(576)拔两越之旗：指汉武帝元鼎六年（公元前一一一年）至元封元年（公元前一一〇年），楼船将军杨仆等先后攻灭南越、东越事。(577)旬月：满一个月。(578)二时：半年。三月为一时。(579)犁其庭：平定

王庭。谓取得决定性胜利，把匈奴的王庭犁为耕地。580 扫其闾：解散其原来建制。581 云彻：扫净乌云。582 三垂：指东、南、西三方。583 悬：差别很大。584 重之兹甚：对匈奴十分重视。585 款诚：真诚。586 陈见于前：来长安朝见。587 遗策：遗留下来的计策。588 来厌之辞：指上述“匈奴从上游来厌人”等话。589 疏以无日之期：指疏远匈奴，说一句没有确切日期的空话。590 负前言二句：指若匈奴怀恨，将背负与汉朝和好的承诺，而仗恃以往的和好与今日拒绝来朝的言辞，把怨恨和责任归罪于汉朝。591 北面之心：臣服汉朝之心。592 威之不可二句：出兵讨伐不可以，好言开导也不可以。威，示威，指以武力相向。谕，晓谕，指通使安抚。593 明者视于无形：明智者能于无形中发现苗头。594 聪者听于无声：聪明的人能于无声中察到声息。595 先于未然：料事于事发之前。596 毂击于外：指使者乘车频相往来。毂，车毂。597 车师：西域国名，原名姑师，汉分其地为二部，前部治

【原文】

董贤贵幸日盛[602]，丁、傅害其宠[603]，孔乡侯晏与息夫躬谋欲求居位辅政[604]。会单于以病未朝，躬因是而上奏，以为：“单于当以十一月入塞，后以病为解[605]，疑有他变[606]。乌孙两昆弥[607]弱，卑爰疐强盛，东结单于，遣子往侍[608]，恐其合势以并乌孙。乌孙并，则匈奴盛而西域危矣。可令降胡诈为卑爰疐使者来上书，欲因天子威告单于归臣侍子，因下其章[609]，令匈奴客[610]闻焉，则是所谓‘上兵伐谋，其次伐交[611]’者也。”

书奏，上引见躬，召公卿、将军大议。左将军公孙禄以为：“中国常以威信怀伏夷狄，躬欲逆诈[612]，进不信之谋[613]，不可许。且匈奴赖先帝之德，保塞称藩；今单于以疾病不任[21]奉朝贺[614]，遣使自陈[615]，不失臣子之礼。臣禄自保没身不见匈奴为边竟忧也[616]！”躬掎[617]禄曰：“臣为国家计，冀先谋将然[618]，豫图未形[619]，为万世虑[620]，而禄欲以其犬马齿保目所见[621]。臣与禄异议，未可同日语也。”上曰：“善！”乃罢群臣，独与躬议。

躬因建言[622]：“灾异屡见，恐必有非常之变[623]，可遣大将军行边兵[624]，敕武备[625]，斩一郡守以立威，震四夷，因以厌应变异[626]。”上然

交河城，在今新疆吐鲁番西。后部治务涂谷，在今新疆吉木萨尔南山中。⑤⑨⑧白龙堆：地名，在今新疆库木塔格。⑤⑨⑨费十而爱一：花费十分气力取得的成果，却因惜一分而葬送。爱，惜。⑥⓪⓪边萌之祸：边疆发生战祸。⑥⓪①未发：没有出发。

【校记】

［17］高皇后：原作“高后”。据章钰校，乙十一行本、孔天胤本皆作“高皇后”，今据补。［18］细柳、棘门：原作“棘门细柳”。据章钰校，乙十一行本、孔天胤本皆作“细柳棘门”，今据改。［19］于：原无此字。据章钰校，乙十一行本有此字，今据补。［20］费岁以大万计者：原无此七字。据章钰校，乙十一行本、孔天胤本皆有此七字，张敦仁《通鉴刊本识误》、张瑛《通鉴校勘记》同，今据补。

【语译】

董贤的宠幸显贵日益隆盛，丁氏、傅氏两家外戚嫉妒董贤受宠，孔乡侯傅晏与息夫躬谋划想要获得辅政大臣的官位。正好赶上匈奴单于因生病未能入朝，息夫躬趁机上奏，认为：“单于应在十一月入关，后来借口生病没有来，疑有其他变故。乌孙两位昆弥势弱，卑爰疐势力强盛，与东方匈奴交结，派遣儿子入匈奴为人质，恐怕他们要联合起来吞并乌孙。乌孙被吞并，那么匈奴就强盛而西域就危险了。可以派归降的乌孙人假扮成卑爰疐的使者来长安上书，请求借中国天子的权威施压匈奴，归还乌孙入侍匈奴的质子，皇上把奏章交给朝臣廷议，让匈奴的使臣知道，这就是所谓‘用兵的最好策略是运用谋略取胜，其次是使用外交手段制胜’”。

奏书呈上，皇上召见息夫躬，又召集公卿、将军大规模讨论。左将军公孙禄认为：“中国一贯以威望和信义安抚夷狄，息夫躬主观臆想敌人欺诈，进献不讲信用的计谋，不能允许。况且，匈奴依赖先帝的恩德，保卫边塞，自称藩国；如今单于因病不能胜任来京师朝贺，派使者来自为说明，没有失去臣子的礼节。臣公孙禄敢于担保，在臣的有生之年都不会有匈奴为患边界!”息夫躬接着公孙禄的话说：“臣为国家安危考虑，希望事先谋划敌人可能的行动，防患于未然，为万世太平着想，而公孙禄只考虑到自己有生之年这眼前的安危。臣与公孙禄意见不同，不可同日而语。”皇上说：“说得好!”于是让群臣退朝，单独与息夫躬商议。

息夫躬建议说：“灾异多次出现，恐怕一定有非常的事变，可派大将军巡视边境，整顿军备，斩一个边郡的太守以树威，震惊四方蛮族，以此来镇妖异应天变。”

之，以问丞相嘉，对曰：“臣闻动民以行不以言㉗，应天以实不以文㉘，下民微细，犹不可诈，况于上天神明而可欺哉！天之见异㉙，所以敕戒人君㉚，欲令觉悟反正㉛，推诚行善，民心说而天意得矣㉜。辩士见一端㉝，或妄以意傅著㉞星历，虚造匈奴、乌孙[22]、西羌之难，谋动干戈，设为权变㉟，非应天之道㊱也。守相有罪，车驰诣阙㊲，交臂就死㊳，恐惧如此。而谈说者欲动安之危㊴，辩口快耳㊵，其实未可从。夫议政者，苦其谄谀、倾险、辩惠、深刻㊶也。昔秦缪公㊷不从百里奚㊸、蹇叔㊹之言，以败其师㊺，其悔过自责，疾诖误之臣㊻，思黄发之言㊼，名垂于后世。愿陛下观览古戒㊽，反覆参考，无以先入之语为主㊾！”上不听。

【段旨】

以上为第七段，写邪恶佞臣息夫躬策划挑起人为的边患，侥幸立功封侯，独揽朝政大权。息夫躬很不高明的诈计，竟然蛊惑了汉哀帝。

【注释】

⑫贵幸日盛：日益得到皇帝宠信。⑬害其宠：嫉妒董贤得宠。⑭居位辅政：担任丞相。⑮为解：作解释。⑯他变：其他的变故。⑰昆弥：乌孙国主名。⑱遣子往侍：哀帝建平二年（公元前五年），乌孙卑爰疐为结好匈奴，送子趋逯到匈奴为人质。⑲下其章：把奏章交臣下讨论。⑳匈奴客：匈奴使者。㉑上兵伐谋二句：最好的用兵办法是以计谋伐敌，其次是通过外交手段使敌屈服。语出《孙子·谋攻》。㉒逆诈：指主观臆想敌人之诈谋。㉓不信之谋：不讲信用的计策。㉔以疾病不任奉朝贺：因病不能来长安朝贺。㉕自陈：自己说明情况。㉖臣禄自保句：公孙禄敢保证他有生之年匈奴都不会为患边境。㉗掎：接着公孙禄的话说。㉘冀先谋将然：希望事先设谋破坏敌人可能的行动。㉙豫图未形：即防患于未然。㉚虑：打算。㉛以其犬马齿保目所见：指公孙禄只考虑有生之年自己所能见到的。即说公孙禄只有短见，不为长远着想。㉜建言：建议。㉝非常之变：异乎寻常的变化。指可能发生边患。㉞行边兵：引兵巡边。㉟敕武备：命令做好战斗准备。㊱因以厌应变异：用这种方法来镇妖异应天变。㊲动民以行

皇上认为有道理，就拿这个建议去询问丞相王嘉，王嘉回答说："臣听说引导百姓要靠实际行动，不能靠言辞，顺应天命要靠切合实际的内容，而不能靠表面文章，下民微小，尚且不能欺骗，更何况上天神明，难道是可以欺骗的吗！上天出现变异，是用来警戒君王，想使君王觉悟，回到正路，推诚心，施善政，民心喜悦，也就得到了天意。能说会道的人只看见事物的一个方面，有的就随意用自己的想法去附会星辰，凭空捏造匈奴、乌孙、西羌将要发难，想大动干戈，预设下应变的策略，这不是应对上天的办法。太守、国相有罪，应当用囚车迅速地押赴皇帝的殿庭，反缚双臂，接受死刑，岂可如此制造恐怖。而那些善于言谈的人想动摇国家的安定局面，走向危亡之途，能言善辩，让人爱听，其实是不能采纳的。商议国家大事，最可恨的就是那些阿谀奉承、阴险狡诈、花言巧语、用心恶毒的人。从前，秦穆公不听百里奚、蹇叔的劝告，以致丧师辱国，后来悔恨自责，痛恨那些贻误大事的大臣，思念黄发老人的诤言，得以名垂后世。希望陛下观览古代的戒鉴，反复考虑，不要以先入之言为主！"皇上没有听从。

不以言：引导百姓靠行动而不是言论。㉘应天以实不以文：用实际行动应天变而不重表面。㉙见异：出现变异。见，通"现"。㉚敕戒人君：警告皇帝。㉛觉悟反正：觉醒回到正路。㉜民心说而天意得矣：百姓欢悦也就得到了天意。㉝一端：一个方面；一点迹象。㉞傅著：附会。㉟设为权变：假设应变的谋略。㊱非应天之道：不是应对天变的正道。㊲车驰诣阙：乘车到朝廷。㊳交臂就死：束手受死。㊴欲动安之危：想动摇安定局面，让危险发生。㊵辩口快耳：能言善辩让人爱听。㊶苦其谄谀、倾险、辩惠、深刻：最恨阿谀奉承、阴险狡诈、花言巧语、用心恶毒的人。㊷秦缪公（公元前六五九至前六二〇年在位）：秦国国君，春秋五霸之一。㊸百里奚：春秋时秦贤大夫，曾助穆公建立霸业。㊹蹇叔：亦为春秋时秦穆公之贤大夫。㊺以败其师：致使军队失败。指秦晋崤之战。㊻疾诖误之臣：痛恨贻误的大臣。㊼思黄发之言：想起白发老人的忠告。指秦穆公在秦师败后，想起百里奚、蹇叔之言，而后悔莫及。㊽古戒：古来的历史教训。㊾无以先入之语为主：不要为先入之言所左右。指不要听从息夫躬的建议。

【校记】

［21］任：章钰校云："不仕，乙十一行本'仕'作'任'，熊校同。"是章钰所据胡克家刻本作"仕"，与校者所见不同。〖按〗胡三省注云："'任'音'壬'。"可见原当作"任"。［22］乌孙：原无此二字。据章钰校，乙十一行本、孔天胤本皆有此二字，今据补。

【研析】

哀帝入宫继位大统，效法成帝荒淫，年纪轻轻患上沉重的风流病，又受制于祖母傅太后，被丁氏、傅氏，以及息夫躬、董贤之流等一帮群小包围，整天稀里糊涂，浑浑噩噩，不知所为。匈奴单于来朝，朝议拒绝，扬雄上书陈说利害，哀帝有所醒悟，做出了正确的决策，息夫躬一番巧言，哀帝又改变了主意，做出错误的决定。绝对权威的皇权，掌握在如此一个人的手中，国运还能昌盛吗？集权制度使国家安危系于一个人的智愚与精神状态，实在是太危险了。儒家学者制造天人感应理论来制约皇权，利用天象说事，所以昏暗之朝，天象变异不绝于书。没有制度的约束，靠虚无的理论维系政治天平，可收一时之效，绝无长远之福。天人感应是古代的一种意识形态。意识形态代表不了善政，更代表不了合理的制度，而且荒唐的意识形态还要靠强权维护，它更是一把双刃剑。本来借天象说事，是用来限制恶性皇权的，其结果往往是大臣受祸，翟方进之死，不就是这样的吗！

成帝纵淫，天象变异不断；哀帝步尘，变异天象更是层出不穷，好像天人真有感应似的。皇帝英明，为政不恶，自然天象不为人注意，就好像是正面的感应。一样的自然灾害，水患天旱，在圣明之朝，国家有备，应对有序，不会为民害；若发生在昏暗之朝，政府不管，人民流离，社会就要动乱。古代圣哲荀子早有警言："天行有常，不为尧存，不为桀亡。应之以治则吉，应之以乱则凶。"吉凶善恶，在人不在天。成帝、哀帝朝的天象变异，都是人为说事，并不是真有什么感应。

本卷所载谏大夫鲍宣上书，是一个亮点。鲍宣，字子都，渤海郡高城县人。鲍宣明经好学，为官清廉。他从基层一步一步上来，了解民生疾苦。鲍宣为县乡啬夫，代理束州丞，为郡功曹，举孝廉为郎，历官议郎、大司空府西曹掾、丞相司直等职，几起几落，复为谏大夫，名重当时。鲍宣上书，把人民的疾苦和官吏的暴虐，描写得历历如画。他列举人民有七种苦难和七种死亡。水旱灾害、沉重赋税、贪官勒索、土地兼并、差役不断、社会不宁、强盗横行，是为七苦。陷入法网、入狱受虐、无处申冤、落入贼手、雪恨仇杀、荒年饿死、瘟疫传染，是为七死。人民处于七苦七死的水深火热之中。鲍宣认为，民有七苦七死，完全是朝廷高官、地方郡县官吏贪赃枉法的结果。他为民呼喊："陛下不救，将安所归命乎！"两千年后，再读此文，忍不住动容落泪。可是哀帝看了奏章，无动于衷，还想惩治鲍宣，慑于他的声望，又是为民代言，没有触及统治集团的罪恶，没有犯颜冒昧，置之不理作罢。西汉王朝在哀帝带领之下，向着死亡之门加速前进。

卷第三十五　汉纪二十七

起屠维协洽（己未，公元前二年），尽玄黓阉茂（壬戌，公元二年），凡四年。

【题解】

本卷记事起公元前二年，迄公元二年，凡四年史事，当哀帝元寿元年，至平帝元始二年。两代皇帝交接，权臣大换班，王莽乱中取势，西汉实际已名存实亡，只待举行禅让仪式了。元寿元年，挟制哀帝的祖母傅太后死，丁、傅外戚集团立即失势，嬖佞董贤贵盛，哀帝赏赐违礼过制，丞相王嘉犯颜直谏，蒙冤下狱，绝食而死。元寿二年匈奴单于来朝。六月二十六日，哀帝死于未央宫，太皇太后王政君当天赶到未央宫，收了皇帝印玺，夺回权力，立即起用王莽。经过多年伏蛰韬晦获得的虚誉，以及果决毒辣的手段，王莽迅速攫取了汉家政权。元始元年，王莽给自己加上了安汉公，又夺了太皇太后王政君垂帘的权力，为自己逼宫篡位铺平了道路。元始二年，王莽送女入宫，备位皇后，还要了一番权术，表演推让屈从的政治秀，没有一个敢于直言的人上奏，西汉国祚，走到了尽头。

【原文】

孝哀皇帝下

元寿元年（己未，公元前二年）

春，正月辛丑朔①，诏将军、中二千石举②明习兵法者③各一人，因就拜孔乡侯傅晏为大司马、卫将军，阳安侯丁明为大司马、票骑将军。

是日，日有食之。上诏公卿大夫悉心陈过失④，又令举贤良方正能直言者⑤各一人。大赦天下。

丞相嘉奏封事曰："孝元皇帝奉承大业⑥，温恭少欲⑦，都内⑧钱四十万万。尝幸上林⑨，后宫⑩冯贵人从临兽圈，猛兽惊出，贵人前当之⑪，元帝嘉美其义，赐钱五万。掖庭见亲⑫，有加赏赐，属其人勿众谢⑬。示平恶偏⑭，重失人心⑮，赏赐节约。是时外戚赀⑯千万者少耳，故少府⑰、水衡⑱见钱多也。虽遭初元、永光凶年饥馑，

【语译】

孝哀皇帝下

元寿元年（己未，公元前二年）

春，正月初一日辛丑，皇上诏将军、中二千石官，每人各自举荐一位明习兵法的人，借此任命孔乡侯傅晏为大司马、卫将军，阳安侯丁明为大司马、骠骑将军。

这一天，发生日食。皇上诏公卿大夫尽心陈述朝廷过失，又命令各自举荐一位敢于直言的贤良方正。大赦天下。

丞相王嘉上密封奏书说："孝元皇帝承继帝位，温良恭俭，很少有个人欲望，都内存钱达四十亿。曾经游幸上林苑，后宫官冯贵人侍从皇上到兽圈，猛兽受惊突然跳出兽圈，冯贵人挺身上前挡住猛兽，汉元帝嘉奖她的义勇，赏赐五万钱。深宫中被亲幸的嫔妃，有时给予赏赐，便嘱咐受赏的人不要在众人面前谢恩。他显示公平，厌恶偏心，很重视人的心理平衡，而且赏赐也很节省。当时外戚的资产达到一千万的人很少，所以少府、水衡两部门现钱很多。国家虽然遭遇初元、永光年间的荒年

加有[1]西羌之变⑲，外奉⑳师旅，内振㉑贫民，终无倾危之忧，以府臧内充实也。孝成皇帝时，谏臣多言燕出㉒之害，及女宠专爱，耽㉓于酒色，损德伤年㉔，其言甚切，然终不怨怒也。宠臣淳于长㉕、张放㉖、史育㉗，育数贬退，家赀不满千万，放斥逐就国。长榜死㉘于狱，不以私爱害公义，故虽多内讥㉙，朝廷安平，传业陛下。

"陛下在国之时㉚，好㉛《诗》《书》，上㉜俭节，征来，所过道上称诵德美，此天下所以回心㉝也。初即位，易帷帐，去锦绣㉞，乘舆席缘绨缯㉟而已。共皇寝庙比当作㊱，忧闵元元㊲，惟用度不足，以义割恩㊳，辄且止息㊴，今始作治㊵。而驸马都尉董贤亦起官寺㊶上林中㊷，又为贤治大第㊸，开门乡北阙㊹，引王渠㊺灌园池，使者护作㊻，赏赐吏卒，甚于治宗庙。贤母病，长安厨㊼给祠具㊽，道中过者皆饮食㊾。为贤治器㊿，器成，奏御乃行(51)。或物好，特赐其工(52)，自贡献宗庙、三宫(53)，犹不至此。贤家有宾婚及见亲(54)，诸官并共(55)，赐及仓头(56)、奴婢人十万钱。使者护视、发取市物(57)，百贾(58)震动，道路讙哗(59)，群臣惶惑。诏书罢苑(60)，而以赐贤二千余顷，均田之制(61)从此堕坏。奢僭放纵(62)，变乱阴阳，灾异众多，百姓讹言，持筹相惊(63)，天惑其意，不能自止(64)。陛下素仁智慎事，今而有此大讥(65)。

"孔子曰：'危而不持，颠而不扶，则将安用彼相矣(66)！'臣嘉幸得备位(67)，窃内悲伤不能通愚忠之信(68)，身死有益于国，不敢自惜。唯陛下慎己之所独乡(69)，察众人之所共疑(70)。往者宠臣[2]邓通、韩嫣(71)，骄贵失度，逸豫(72)无厌，小人不胜情欲(73)，卒陷罪辜(74)，乱国亡躯(75)，不终其禄，所谓'爱之适足以害之(76)'者也！宜深览前世，以节贤宠(77)，全安其命。"上由是于嘉浸不说(78)。

前凉州(79)刺史杜邺(80)以方正对策曰："臣闻阳尊阴卑，天之道也。是以男虽贱，各为其家阳；女虽贵，犹为其国阴。故礼明三从之义(81)，虽有文母(82)之德，必系于子(83)。昔郑伯随姜氏之欲(84)，终有叔段篡国之祸(85)；

饥馑，加上发生了西羌叛变，对外要供给军队的费用，对内要救济贫民，但始终没有倾覆的忧虑，因为国库储备充实。孝成皇帝时，谏臣们都指出微服出行的危害，以及专爱女宠，沉迷于酒色，损害品德，减少寿命，这些言辞恳切激烈，但成帝始终不怨恨，不发怒。宠臣淳于长、张放、史育三人，史育多次遭到贬斥降职，家产不满千万，张放被放逐回到封国。淳于长被拷打死狱中，没有以私情伤害公义，所以，成帝虽然在朝内受到许多讥评，而朝廷平安无事，把帝业传给了陛下。

“陛下在定陶封国的时候，喜爱《诗经》《书经》，崇尚俭朴节约，被征召来京师任皇太子时，沿途经过的道路上，人们都称颂陛下的美德，这正是天下人民把爱戴成帝之心转移到陛下身上的原因。陛下刚即位时，更换帷帐，撤去锦绣的服饰，车马和座位的靠垫只不过用粗厚的绨缯包边作为装饰而已。共皇寝庙每次应当兴建，都因怜悯百姓，念及国家经费不足，为公义割舍恩情，便暂停修建，直到现在才开始建造。而驸马都尉董贤却在上林苑里盖了官府，陛下还为他修建高大的邸宅，邸宅的正门正面向皇宫北门，引导御渠的水来灌溉园林水池，由皇上使者监督施工，对吏卒的赏赐，超出了修建宗庙。董贤的母亲生病，由长安的厨官供给她祈祷施舍用具和食品，道路过往行人都可获得饮食。陛下还为董贤制造器具，器具制成，呈奏陛下过目后才使用。有的器物好，还特地赏赐匠工，即使奉献宗庙以及皇帝、太后、皇后三宫，都没有达到这程度。董贤家有宾客、办婚礼，或接待亲戚，各官府共同供奉财物，赏赐给奴仆、婢女的钱，每人达十万。在皇帝使者的监护下，董贤家人强行用低价购买货物，各行各业的商人震惊恐惧，道路行人哗然，群臣惶惑。诏书裁撤皇家园林，却把两千多顷田地赐给董贤，限制官员占田的制度从此被破坏。奢侈僭制，肆无忌惮，阴阳错乱，灾异众多，百姓听信谣言，手持禾稼麻秆，互相惊恐奔走，是上天迷惑他们，自己不能停止下来。陛下一向仁慈智慧，谨慎行事，如今却蒙受这样大的讥讽。

“孔子说：‘盲人遇到危险不去扶助，将要跌倒不去扶持，要这样的助手有什么用！’臣王嘉侥幸得任丞相之位，内心经常暗自悲伤，无法在陛下面前表达受信任的愚忠，如果我身死有益于国家，绝不敢吝惜。希望陛下能审慎地对待自己偏爱宠臣，明白大家共同的疑虑。从前的宠臣邓通、韩嫣，骄横显贵没有限度，安逸享乐永无满足，这些小人不能摆脱心中的私欲，最终犯下大罪，扰乱了国家，自己也丧生，不能终身享受荣华富贵，正所谓‘本是爱护他，反而是害了他’！应当深入观览前代的教训，节制对董贤的宠爱，以保全他的生命。”皇上从此对王嘉渐渐不喜欢。

前凉州刺史杜邺以方正身份对策说：“臣听说阳尊阴卑，是上天的规则。所以男子即使卑贱，仍然是各家之阳；女子即使尊贵，仍是国中之阴。所以礼教阐明女子在家从父、出嫁从夫、夫死从子的道理，即使有周文王母亲的德行，也必须依从于儿子。从前郑庄公顺从母亲姜氏的意愿，以致酿成共叔段篡国的大祸；周襄王迫于

周襄王内迫惠后之难⑯，而遭居郑之危⑰。汉兴，吕太后⑱权私亲属，几危社稷。窃见陛下约俭正身，欲与天下更始⑲，然嘉瑞未应⑳，而日食、地震。案《春秋》灾异，以指象为言语㉑。日食，明阳为阴所临㉒。坤以法地㉓，为土，为母㉔，以安静为德；震，不阴之效也㉕。占象甚明㉖，臣敢不直言其事！昔曾子㉗问从令之义㉘，孔子曰：'是何言与㉙！'善闵子骞㉚守礼不苟从亲㉛，所行无非理[3]者，故无可间也。今诸外家昆弟㉜，无贤不肖㉝，并侍帷幄㉞，布在列位㉟，或典兵卫，或将军屯，宠意并于一家，积贵之势，世所希见、所希闻也。至乃并置㊱大司马、将军之官，皇甫㊲虽盛，三桓㊳虽隆，鲁为作三军㊴，无以甚此㊵！当拜之日㊶，暗然㊷日食。不在前后㊸，临事而发㊹者，明陛下谦逊无专㊺，承指非一㊻，所言辄听，所欲辄随，有罪恶者不坐辜罚㊼，无功能者毕受㊽官爵。流渐积猥㊾，过在于是㊿，欲令昭昭[121]以觉圣朝[122]。昔诗人所刺[123]，《春秋》所讥[124]，指象[125]如此，殆不在它[126]。由后视前，忿邑非之[127]，逮身所行[128]，不自镜见[129]，则以为可，计之过者[130]。愿陛下加致精诚，思承始初[131]，事稽诸古[132]，以厌[133]下心，则黎庶群生无不说喜[134]，上帝百神收还威怒[135]，祯祥福禄，何嫌[136]不报！"

上又征孔光诣公车[137]，问以日食事，拜为光禄大夫，秩中二千石，给事中，位次丞相[138]。

初，王莽既就国[139]，杜门自守[140]。其中子获杀奴[141]，莽切责获，令自杀。在国三岁，吏民上书冤讼莽者[142]百数。至是，贤良[143]周护、宋崇等对策，复深讼[144]莽功德，上于是征莽及平阿侯仁还京师，侍太后[145]。

董贤因日食之变以沮[146]傅晏、息夫躬之策，辛亥[147][4]，上收晏印绶，罢就第。

丁巳[148]，皇太太后傅氏崩，合葬渭陵[149]，称孝元傅皇后。

丞相、御史奏息夫躬、孙宠等罪过，上乃免躬、宠官，遣就国，又罢侍中、诸曹、黄门郎数十人。

鲍宣上书曰："陛下父事天，母事地[150]，子养黎民[151]。即位以来，父

其母惠后的责难，遭遇逃亡到郑国的危难。汉朝兴起后，吕太后把朝廷大权私自交给她的亲属，几乎断送了汉王朝。臣看到陛下节俭修身，想重新开创国家新局面，但祥瑞没有回应，反而降临日食、地震。查阅《春秋》记载的灾变，那是上天用显示灾异发出警告。日食，表明阳被阴侵犯。坤效法地，象征土、象征母，以安静为美德；地震，是大地没有遵循阴道的效验。占卜的卦象也十分明显，臣怎敢不直率地据实报告！从前曾子曾经询问孔子，听从父命是否就是孝顺，孔子说：'这是什么话！'孔子称赞闵子骞谨守礼仪，不随便盲从父母，但他的所作所为没有不合乎道理的，因此别人也就无法离间他和父母的关系。如今这些外戚子弟，不管是贤能的还是不贤的，一律侍奉皇上，分布在重要的岗位上，有的掌握了禁兵，有的统率驻防军队，宠爱集中于一家，权力迅速膨胀，是世上很少见到，也很少听说过的。甚至同时设置两个大司马、将军，周代皇甫卿士虽然强盛，鲁国三桓势力虽然隆贵，鲁国替他们建置了三军，也无法超过傅氏、丁氏！就在任命两个大司马、将军的当天，天空昏暗，发生日食。不前不后，就在授官拜职的时候发生，表明陛下谦虚不敢专断，秉承傅太后的旨意不止一次，她说的话就听，想要的就给，外戚中犯有罪过的不按罪惩处，无功无能的都授官拜爵。这类事情逐渐发展，越积越多。过错就在上述这些地方，皇天明明白白地发出警告，以此来唤醒陛下。从前诗人的讽刺，《春秋》中的讥刺，所指正是今天的现象，恐怕不是其他方面。从后世人来看前代人的过失行为，会愤懑、忧郁地加以非议，但想想自身所作所为，不拿前人作镜子照一照，还以为自己正确，那就大错特错了。希望陛下精诚治国，想一想刚即位之时，每件事都要考察古人的事例做借鉴，用以满足人民的心愿，那么，黎民大众没有不喜悦的，上帝百神也都收回威怒，不用怀疑吉祥福禄不降临！"

皇上又征召孔光到公车府，询问日食的事，任命他为光禄大夫，秩中二千石，给事中，列位次于丞相。

当初，王莽回到封国后，闭门自守。他的第二个儿子王获杀死家奴，王莽痛斥王获，命他自杀。在封国三年，数百官吏、百姓上奏为王莽申冤。直到此时，贤良周护、宋崇等应对策问，又大加赞颂王莽的功德，皇上于是征召王莽和平阿侯王仁回到京师，侍奉太皇太后。

董贤利用日食的变异反击傅晏、息夫躬，说日食是因为两人挑动对匈奴的战争引起的，正月十一日辛亥，皇上收缴傅晏印信绶带，免职回家。

正月十七日丁巳，皇太太后傅氏去世，和元帝合葬于渭陵，称为"孝元傅皇后"。

丞相、御史上奏息夫躬、孙宠等人的罪过，皇上便罢免了息夫躬、孙宠的官职，责令回到封国，又罢免了侍中、诸曹、黄门郎数十人。

鲍宣上书说："陛下把天地当做父母来侍奉，把黎民百姓当做子女来抚养。而

亏明⑮，母震动⑮，子讹言相惊恐⑮。今日食于三始⑮，诚可畏惧。小民正朔日⑮尚恐毁败器物⑮，何况于日亏⑮乎！陛下深内自责⑮，避正殿，举直言，求过失，罢退外亲及旁仄素餐之人⑯，征拜孔光为光禄大夫，发觉孙宠、息夫躬过恶，免官遣就国，众庶歙然⑯，莫不说喜⑯。天人同心，人心说则天意解⑯矣。乃二月丙戌⑯，白虹干日⑯，连阴不雨，此天下[5]忧结未解⑯，民有怨望未塞⑯者也。侍中、驸马都尉董贤，本无葭莩之亲⑯，但以令色⑯、谀言自进，赏赐无度⑰，竭尽府臧⑰，并合三第⑰，尚以为小，复坏暴室⑰。贤父、子坐使⑰天子使者，将作治第⑰，行夜吏卒⑰[6]皆得[7]赏赐，上冢有会⑰，辄太官⑰为供。海内贡献，当养一君，今反尽之贤家，岂天意与民意邪！天不可久负⑰，厚之如此，反所以害之也！诚欲哀⑱贤，宜为谢过天地⑱，解仇海内⑱，免遣就国，收乘舆器物还之县官⑱，如此[8]可以父子终其性命。不者，海内之所仇⑱，未有得久安者也。孙宠、息夫躬不宜居国，可皆免，以视⑱天下。复征何武⑱、师丹、彭宣、傅喜，旷然⑱使民易视⑱，以应天心，建立大政，兴太平之端⑱。”上感大异，纳宣言，征何武、彭宣，拜鲍宣为司隶。

上托⑲傅太后遗诏，令太皇太后下丞相、御史，益封董贤二千户，及[9]赐孔乡侯、汝昌侯、阳新侯国⑲。王嘉封还诏书⑲，因奏封事谏曰：“臣闻爵禄、土地，天之有也。《书》云：‘天命有德，五服五章哉⑲！’王者代天爵人⑲，尤宜慎之。裂地⑲而封，不得其宜，则众庶不服，感动阴阳，其害疾⑲自深。今圣体久不平，此臣嘉所内惧也。高安侯贤，佞幸之臣，陛下倾爵位以贵之，单⑲货财以富之，损至尊⑲以宠之，主威已黜⑲，府臧已竭，唯恐不足。财皆民力所为，孝文皇帝[10]欲起露台，重百金之费，克己不作⑳。今贤散公赋以施私惠，一家至受千金，往古以来，贵臣未尝有此，流闻四方，皆同怨之。里谚曰：‘千人所指，无病而死。’臣常为之寒心。今太皇太后以永信太后

即位以来，上天日食，大地震动，黎民百姓讹言流传，互相惊恐。现在日食又发生在正月初一，实在令人畏惧。小民们在正月初一这天尚且怕损坏一件器具，更何况日食发生在这一天呢！陛下在内心深刻地责备自己，避开在正殿听政，选拔直言的人，寻找过失，罢免斥退外戚以及身边不称职之人，征召任命孔光为光禄大夫，察觉孙宠、息夫躬的罪过，把他们罢官遣送回封国，众人和洽一致，没有一个不高兴的。天人同心，人心喜悦，那么上天的愤怒就自然消解了。但是在二月十六日丙戌，白虹侵犯太阳，又连阴不雨，这表示国家重大的忧虑纠结还没有化解，百姓有怨恨没有平息。侍中、驸马都尉董贤，原本和陛下毫无亲戚关系，仅凭他的媚态和奉承，皇上就对他赏赐没有限度，竭尽了府库钱财，合并三座上等房屋为一座赐给他，他还嫌太小，又拆除暴室来扩充面积。董贤父子可以随意呼唤天子的使者，皇上派将作大匠为他修建宅第，连夜间巡逻的吏卒都得到赏赐，董贤上坟祭奠祖先和会见宾客，皇家御厨房供应所需。全国各地进献的财物本当是奉养天子一人，如今反而都到了董贤家里，这难道是天心和民意吗！上天是不可以长久背弃的，对董贤如此厚待，反而会因此害了他！假使真心爱董贤，就应当为他向天地承认过错，解除天下人对他的仇视，罢免他的官职，遣送回封国，收回所赐御用的器物，还给官府，这样可以让董贤父子保全性命。不这样，全国民众仇恨的他，是不可能有长久平安的。孙宠、息夫躬不应当封侯，都应免除爵位，以告示天下。重新起用何武、师丹、彭宣、傅喜，使百姓改变看法，以顺天心，那么治国大政得到重建，这是太平盛世的开始。”皇上览奏，感到灾异之事严重，就采纳鲍宣的建议，征召何武、彭宣，并任命鲍宣为司隶。

皇上假称傅太后的遗诏，让太皇太后交代丞相、御史大夫，给董贤增加食邑二千户，并且赐孔乡侯傅晏、汝昌侯傅商、阳新侯郑业三人侯国封邑。王嘉把诏书封起来还给天子，并呈上密封奏书谏阻说：“我听说爵位、俸禄、土地，都是上天所拥有的。《书经》说：‘上天命有德的人为天子、诸侯、公卿、大夫、士五个等级，有五种显示尊卑的衣服，五种衣服的色彩、原料、图案都不相同！’天子代表上天授爵位给人，应该特别慎重。裂地封国，处理不当，人心不服，触动阴阳，就会使天子的病情加重。现在圣体长期未能平安，这是臣王嘉内心深感不安的原因。高安侯董贤，是个靠巧言谄媚而受宠的臣子，陛下恨不得把所有爵位都封给他，使他显贵，竭尽所有钱财都赐给他，使他大富，损害皇帝的利益去宠爱他，君王权威已经降低，国库所藏已被耗尽，而仍唯恐不能满足。财富都是民力创造的，孝文皇帝想修建露台，因吝惜那百金的兴建费而克制自己没去兴建。如今董贤散发国家的赋税来布施他个人恩惠，甚至一家可得千金的赏赐，自古以来，显贵大臣未曾有这样的。董贤所为，流闻全国，人们共同怨恨他。里巷流行的谚语说：‘千人所指，无病而死。’臣常为此而寒心。如今太皇太后拿永信太后的遗诏命令丞相、御史，增加董贤采邑人

遗诏诏丞相、御史，益贤户，赐三侯国，臣嘉窃惑。山崩、地动、日食于三朝，皆阴侵阳之戒也。前贤已再封[201]，晏、商再易邑[202]，业[203]缘私横求，恩已过厚，求索自恣，不知厌足，甚伤尊尊之义[204]，不可以示天下，为害痛矣！臣骄侵罔[205]，阴阳失节，气感相动，害及身体[206]。陛下寝疾久不平，继嗣未立，宜思正万事，顺天人之心，以求福祐，奈何[11]轻身肆意[207]，不念高祖之勤苦，垂立[208]制度，欲传之于无穷哉！臣谨封上诏书，不敢露见[209]，非爱死而不自法[210]，恐天下闻之，故不敢自劾[211]。”

初，廷尉[212]梁相治东平王云狱[213]时，冬月未尽二旬，而相心疑云冤狱，有饰辞[214]，奏欲传[215]之长安，更下公卿覆治[216]。尚书令鞫谭、仆射宗伯凤以为可许。天子以为相等皆见上体不平[217]，外内顾望[218]，操持两心[219]，幸云逾冬[220]，无讨贼疾恶主仇[221]之意，免相等皆为庶人。后数月，大赦，嘉荐“相等皆有材行[222]，圣王有计功除过[223]，臣窃为朝廷惜此三人”。书奏，上不能平[224]。后二十余日，嘉封还益董贤户事[225]，上乃发怒，召嘉诣尚书[226]，责问以“相等前坐不忠，罪恶著闻，君时辄[227]已自劾，今又称誉，云‘为朝廷惜之’，何也”？嘉免冠谢罪[228]。

事下将军中[12]朝者[229]，光禄大夫孔光等劾“嘉迷国罔上[230]，不道，请谒者召嘉诣廷尉诏狱[231]”。议郎龚等以为“嘉言事前后相违[232]，宜夺爵土，免为庶人”。永信少府猛等以为“嘉罪名虽应法，大臣括发关械[233]，裸躬就笞[234]，非所以重国[235]、褒宗庙[236]也”。上不听，三月[13]，诏“假谒者节[237]，召丞相诣廷尉诏狱”。

使者既到，府掾、史涕泣，共和药进嘉[238]，嘉不肯服。主簿曰：“将相不对理陈冤，相踵以为故事[239]，君侯宜引决[240]！”使者危坐[241]府门上，主簿[242]复前进药。嘉引药杯[243]以击地，谓官属曰：“丞相幸得备位三公，奉职负国[244]，当伏刑都市，以示万众。丞相岂儿女子邪？何谓咀[245]药而死！”嘉遂装，出见使者，再拜受诏。乘吏小车，去盖，不冠，随使者诣廷尉。廷尉收嘉丞相、新甫侯印绶，缚嘉载致都船诏狱[246]。上闻嘉生自诣吏，大怒，使将军以下与五二千石杂治[247]。吏诘问

户，赐给三个侯国，臣王嘉私下感到很迷惑。山崩、地震、日食同时发生在正月初一，这都是上天因为阴侵阳而显示的警告。前不久，董贤已经两次封爵，傅晏、傅商也两次改换封国采邑，郑业因私宠而贪求无度，恩惠已很优厚了，他们仍恣意求索，不知满足，如此则深深伤害尊崇尊者的本义，不可向天下公布，为害深切！臣属骄横，侵害欺蒙，阴阳失调，两气互相冲动，害及身体。陛下久病不愈，继承人尚未确定，应当考虑把万事纳入正轨，顺应天心人心，以求上天的保佑，岂能轻视自身健康，随意而为，不念及高祖辛劳艰苦，创立制度，想让它传之无穷呢！臣特地将诏书封还，不敢拆开来看，并非怕死不敢承认违抗诏旨，实在是怕天下人知道诏书的内容，因此不敢自我弹劾。”

当初，廷尉梁相审理东平王刘云一案时，冬季还剩二十天，梁相疑心刘云一案是冤案，有不实的供词，因而上奏，想把案犯解到长安，改由公卿再加重审。尚书令鞠谭、仆射宗伯凤认为可以答应。天子却认为梁相等人看到皇上身体不适，别有居心，内外观望，两面讨好，企图把刘云一案拖过冬季，就可减刑免死，毫无讨伐贼寇、痛恨恶行、为主上复仇的心意，因此罢免了梁相等人的官职，都贬为平民。几个月后，大赦，王嘉又推荐“梁相等都有才能德行，圣明的君王对臣下总是录其功，免其过，臣私下为朝廷惋惜这三个人”。书奏呈上，皇上的怒气不能平复。过了二十多天，王嘉又把增封董贤食邑的诏书封还，皇上便怒气大发，召王嘉到尚书台，责问他“梁相等人从前犯了不忠之罪，罪恶昭著，当时你便自我弹劾，现在你又加称誉，说什么‘为朝廷惋惜他们’，这是为什么”？王嘉脱帽谢罪。

皇上把王嘉一案交由内朝将军议定，光禄大夫孔光等人弹劾“王嘉迷乱国家，蒙蔽圣上，犯不道之罪，请皇上派谒者宣召王嘉到廷尉诏狱”。议郎龚等认为“王嘉奏言之事，前后互相矛盾，应当剥夺爵位食邑，免去官职，贬为平民”。永信少府猛等认为“王嘉的罪名虽然应当依法处治，但把国家大臣束结其发，戴上刑具，裸露身体受拷打，这不是尊重国家、褒扬宗庙社稷的做法”。皇上不听猛等的劝告，三月，下诏“令谒者持节，召丞相王嘉入廷尉诏狱”。

使者到了丞相府，相府的掾、史等官吏流泪哭泣，一起把毒药调好送给王嘉，王嘉不肯喝。主簿说：“将相犯罪，不和执法官面对审理冤屈，世代相沿而成惯例，君侯应该自杀！”使者直身端正地坐在府门，主簿又上前去把毒药送给王嘉。王嘉接过药杯掷在地上，对相府的官吏说：“丞相我有幸地位居三公，如果履行职责背负了国家，应该在都市公开服刑受死，以昭示百姓。丞相难道是小儿妇女吗？为何要喝毒药而死！”王嘉于是穿上朝服，出来见使者，再次接受诏书。然后乘坐吏员小车，去掉车篷，不戴官帽，随着使者前往廷尉。廷尉收缴了王嘉的丞相印绶和新甫侯印绶，捆绑王嘉载至都船诏狱。皇上听到王嘉活着自己前往狱吏，大怒，派出将军与

嘉，嘉对曰："案事者㉔⁸思得实。窃见相等前治㉔⁹东平王狱，不以云为不当死，欲关㉕⁰公卿，示重慎，诚不见其外内顾望、阿附为云验㉕¹，复幸得蒙大赦。相等皆良善吏，臣窃为国惜贤，不私㉕²此三人。"狱吏曰："苟如此，则君何以为罪？犹当有以负国，不空入狱矣。"吏稍侵辱㉕³嘉，嘉喟然㉕⁴仰天叹曰："幸得充备宰相，不能进贤、退不肖，以是负国，死有余责。"吏问贤、不肖主名㉕⁵。嘉曰："贤故丞相孔光、故大司空何武，不能进；恶高安侯董贤父、子佞邪[14]乱朝，而不能退。罪当死，死无所恨！"嘉系狱二十余日，不食，欧血㉕⁶而死。

【段旨】

以上为第一段，写哀帝贵宠董贤，违礼过制，大失君德。丞相王嘉犯颜直谏，蒙冤而死。

【注释】

①辛丑朔：正月初一日。②举：察举。③明习兵法者：通晓兵法的人。④悉心陈过失：尽心述说朝廷的过失。⑤贤良方正能直言者：汉代察举中的一个科目，称举贤良方正，能直言，敢于说话的人是入选条件。由郡国举荐，皇帝亲自策问，然后任官。⑥孝元皇帝奉承大业：汉元帝继位。⑦温恭少欲：温良恭俭，很少有不良的欲望。⑧都内：官署名，属大司农，长官为都内令、丞，掌财政。⑨上林：上林苑，皇帝的御苑。⑩后官：后宫官。汉制，后宫嫔妃，均有官爵。⑪贵人前当之：此指建昭元年（公元前三八年），元帝在虎圈观兽斗，突然一只熊跳出圈外，众官、嫔妃纷纷逃窜，冯倢伃却挺身上前遮挡。当，通"挡"。⑫掖庭见亲：宫廷中被亲幸的嫔妃。⑬勿众谢：不要当众谢恩。⑭示平恶偏：以此表示公平，厌恶偏颇。⑮重失人心：着重人心的得失。⑯赀：钱财。⑰少府：汉官署名，掌皇室财政，其长官少府，为九卿之一。⑱水衡：汉官署名，其长官为水衡都尉，掌铸钱。⑲西羌之变：永光二年（公元前四二年），西羌彡姐叛汉。⑳奉：供给。㉑振：赈济。㉒燕出：指皇帝微服私行。㉓耽：沉湎。㉔损德伤年：有损德行，伤害寿命。㉕淳于长：字子孺，魏郡元城（今河北大名）人，少以太后姐子为黄门郎，因立赵飞燕为皇后得宠，封定陵侯。传见《汉书》卷九十三。㉖张放：成帝宠臣，常与成帝外出私行，封富平侯。㉗史育：人名，成帝宠臣之一，事迹不详。㉘榜死：拷打致死。㉙内讥：朝廷内对成帝多有讥讽。㉚在国之时：指在定陶王封

五位二千石的官员会审。狱吏讯问王嘉，王嘉回答说："负责审案的人要的是实情。我看到梁相等人前些时候审理东平王案件，不是认为刘云没有犯死罪，想的是知会公卿，表示慎重，实在看不出他们对朝廷内外有所顾虑和观望，阿谀攀附刘云的证据，更谈不上企图侥幸大赦。梁相他们都是善良官吏，臣只是为国惜才，不是偏袒他们三人。"狱吏说："若是这样，那么，凭什么给你定罪呢？必定是犯了背负国家的罪，不会凭空把你关进监狱的。"狱吏开始施刑凌辱王嘉，王嘉喟然仰天长叹说："臣有幸能充任丞相，却不能引进贤才，斥退不正派的人，因此背负了国家，死有余辜。"狱吏问谁是贤才，谁是不正派的人，王嘉说："贤能的前丞相孔光、前大司空何武，却不能进用；恶者高安侯董贤父子奸佞妄邪扰乱朝政，却不能斥退。罪当处死，死而无恨！"王嘉关押在监狱二十多天，不进饮食，吐血而死。

国之时。㉛ 好：喜欢。㉜ 上：通"尚"。崇尚。㉝ 回心：指臣民将拥戴成帝之心，移到了现在的哀帝身上。㉞ 易帷帐二句：换掉高贵的帐子，去掉锦绣等装饰。㉟ 乘舆席缘绨缯：皇帝所乘车的席垫仅用粗厚的丝织品包边。㊱ 比当作：每次应当兴建。㊲ 元元：老百姓。㊳ 以义割恩：为公义舍弃恩情。㊴ 辄且止息：指因财政困难而一直不肯修建共皇寝庙。㊵ 今始作治：现在才开始兴建。㊶ 官寺：官署。㊷ 上林中：上林苑中。㊸ 大第：高大宽敞的府第。㊹ 开门乡北阙：府第的大门向北方开。乡，通"向"。㊺ 王渠：即御渠。㊻ 使者护作：皇帝特别派使者监督施工。㊼ 长安厨：长安厨官。㊽ 祠具：这里指祈祷用具及餐具。㊾ 道中过者皆饮食：在道中祈祷，过往行人均可获得饮食。㊿ 治器：制造用具。51 奏御乃行：呈奏皇帝过目后才使用。52 特赐其工：对制作好的工匠还特别赏赐。53 三宫：指长信、永信二太后及赵太后宫。54 宾婚及见亲：有来宾、举办婚礼或接待亲戚。55 诸官并共：百官共同供奉财物等。共，通"供"。56 仓头：仆人。57 使者护视、发取市物：董贤家人到市场购物，皇帝也派使者专门监护，巧取豪夺。58 百贾：各行各业的商人。59 道路谨哗：舆论哗然。60 罢苑：裁撤皇家园林。61 均田之制：从公卿到吏民，按品制规定占田限额，谓之均田，并不是每人占田数额相等。哀帝绥和二年（公元前七年）削减占田限额，却无法实行。62 奢僭放纵：奢侈僭制，肆无忌惮。63 百姓讹言二句：指前述百姓持西王母筹转相奔走之事。64 不能自止：指百姓听谣言，思想被上天迷惑，不能停止持筹相惊的行动。65 大讥：指皇帝因董贤事受到朝野人士的讥讽。66 危而不持三句：语出《论语·季氏》孔子之言，意为盲人遇到危险，不去扶持；将要跌倒了，不去搀扶，那么要你这助手还有什么用处呢。67 备位：担任宰相的委婉说法。68 窃内悲伤不能通愚忠之信：私下常常因为自己的忠信未能表达而感到悲伤。69 慎己之所独乡：谨慎对待自己与所专宠的人（指董贤）。70 察众人之所共疑：明

白大家所共同怀疑的对象（亦指董贤）。㉛邓通、韩嫣：邓通，汉文帝幸臣。传见《汉书》卷九十三。韩嫣，汉武帝弄臣。传见《汉书》卷九十三。文帝宠任邓通，赐铜山一座，允许他自己铸钱，结果邓氏钱遍天下。景帝即位，没收了邓通家产，邓通饿死。汉武帝宠韩嫣，共起共卧，随意出入皇宫，因淫乱后宫被皇太后处死。两人过分受宠，其身必危。⑫逸豫：贪图安逸享乐。⑬不胜情欲：不能摆脱心中的私欲。⑭卒陷罪辜：终究获罪。⑮亡躯：邓通最终在景帝时饿死，韩嫣被武帝赐死。⑯爱之适足以害之：本是爱护他，反而是害了他。⑰以节贤宠：对董贤的宠爱应有所节制。⑱浸不说：逐渐不喜欢。⑲凉州：州名，汉武帝置十三部州之一，州治在今甘肃武威。⑳杜邺：字子夏，少孤，以孝廉为郎，官凉州刺史。传见《汉书》卷八十五。㉑三从之义：即所谓妇女应在家从父，出嫁从夫，夫死从子的道理。㉒文母：周文王之母。㉓必系于子：指周文王母必须联属依附其子。㉔郑伯随姜氏之欲：郑伯之母姜氏喜郑伯弟共叔段，为叔段请大邑京居之，郑伯答应了这一请求。㉕叔段篡国之祸：共叔段得到京邑，野心大增，欲袭郑，郑伯击灭了共叔段。㉖周襄王内迫惠后之难：周襄王之母惠后喜其弟叔带，周襄王即位后，受到惠后的强大压力。㉗居郑之危：叔带在母后的偏袒下引狄人伐周，周襄王避难奔至郑国。㉘吕太后：即汉高后吕雉。刘邦死后，吕太后积极培植诸吕势力，几乎颠覆了刘氏政权。㉙更始：开创新局面。㉚嘉瑞未应：没有祥瑞出现。㉛以指象为言语：指天以显示灾异表示其警戒。㉜明阳为阴所临：表明阳被阴侵犯。㉝坤以法地：坤象征地。㉞为土二句：大地是土，是母。天为父，地为母。㉟震二句：发生地震，是不遵阴道的效验。㊱占象甚明：占卜的卦象十分明白。㊲曾子：曾参，孔子弟子。㊳从令之义：听从父命是否就是孝的道理。㊴是何言与：这是什么话。此事见《孝经》。与，同“欤”。⑩闵子骞：孔子弟子，以孝著称。⑩守礼不苟从亲：遵守礼仪，不苟且听从父母之命。⑩诸外家昆弟：众多外戚子弟。⑩无贤不肖：无论是贤者或是不肖之徒。⑩并侍帷幄：同入宫廷，侍奉皇上。帷幄，本指军中帐幕，此代宫廷。⑩布在列位：分布在重要岗位上。⑩并置：指同时设置两个大司马、将军。傅晏为大司马、大将军，丁明为大司马、骠骑将军。⑩皇甫：周之卿士。⑩三桓：指春秋时鲁国之孟孙、仲孙、季孙氏，曾三分公室。⑩鲁为作三军：鲁国曾为三桓分设三军。⑩无以甚此：指今日之外戚丁氏、傅氏等较皇甫、三桓之势，有过之无不及。⑪当拜之日：拜官的那天。⑫暗然：昏暗。⑬不在前后：不前不后。⑭临事而发：即正好在拜官那日发生。⑮无专：不敢专断。⑯承指非一：顺承傅太后的旨意办事不止一次。⑰辜罚：按罪处罚。⑱毕受：全部授予。受，同“授”。⑲流渐积猥：逐渐发展，越积越多。⑳过在于是：过错就在上述这些地方。㉑昭昭：明白。㉒圣朝：指哀帝。㉓诗人所刺：诗中所讽刺的。㉔讥：讥讽。㉕指象：指天变灾异等。㉖殆不在它：恐怕不是其他方面。㉗忿邑非之：愤懑、忧郁地非议。邑，通“悒”。㉘逮身所行：亲身施行。㉙不自镜见：不能对照镜子看到自己的行为。㉚计之过者：计谋之失误。㉛思承始初：回顾刚开始即位初期。㉜事稽诸古：每事均考察古代的做法。⑬ 厌：满足。⑬ 说喜：高兴喜欢。说，通“悦”。⑬ 威怒：指日食、地震等。⑬ 嫌：疑。⑬ 诣公车：到未央宫司马门。公车，官署名，掌司马门警卫、天下上事及征召等。⑬ 位次丞相：地位低于丞相。⑬ 就国：回到封国。王莽就国在建平二年（公元前五年）。⑭ 杜门自守：闭门不出。⑭ 中子获杀奴：王莽的次子王获杀死奴婢。中子，即仲子、次子。⑭ 冤讼莽者：为王莽鸣冤的人。⑭ 贤良：即贤良方正。⑭ 深讼：大加歌颂。⑭ 太后：指太皇太后王政君。⑭ 沮：阻止；取消。⑭ 辛亥：正月十一日。⑭ 丁巳：正月十七日。⑭ 渭陵：汉元帝陵。⑮ 父事天二句：以天为父，地为母。⑮ 子养黎民：抚育百姓像对待儿子一样。⑮ 父亏明：指日食。⑮ 母震动：指地震。⑮ 子讹言相惊恐：指民奔走行西王母筹事。⑮ 日食于三始：日食发生在正月初一。正月初一为岁之始，月之始，日之始，故称三始。⑮ 正朔日：正月初一。⑮ 毁败器物：民俗以正月初一损毁器物为不吉利。⑮ 日亏：指日食。⑮ 深内自责：内心深刻地责备自己。⑯ 旁仄素餐之人：身旁混饭吃的人。⑯ 众庶歙然：民众和洽。⑯ 说喜：欢欣。说，通“悦”。⑯ 人心说则天意解：人心欢悦，则天怒自解。⑯ 丙戌：二月十六日。⑯ 白虹干日：一股白气冲犯太阳。本是一种天文现象，古代人却认为是一种预兆。⑯ 忧结未解：忧愁纠结尚未化解。⑯ 未塞：没有平息。⑯ 葭莩之亲：疏远的亲戚。葭莩，本是芦苇中的薄膜，用以比喻关系疏远的亲戚。⑯ 令色：媚态。⑰ 无度：没有限度。⑰ 府臧：内府储存。臧，通“藏”。⑰ 三第：三座府第。⑰ 暴室：官署名，长官为暴室丞。掌织作染色等事。宫中妇人有病或犯罪时居此室。⑰ 使：指挥。⑰ 将作治第：将作大匠为董贤造府第。⑰ 行夜吏卒：夜间巡逻值更者。⑰ 上冢有会：举行祭礼和会见宾客。⑰ 太官：宫官名，掌御膳。⑰ 负：辜负。⑱ 哀：怜爱。⑱ 谢过天地：向天地承认过错。⑱ 解仇海内：解除全国百姓对董贤的痛恨。⑱ 县官：指官府。⑱ 海内之所仇：全国百姓的仇敌。⑱ 视：昭示。⑱ 何武（？至公元三年）：字君公，蜀郡郫县（今四川成都市郫州区）人，善治《易经》，为人仁厚，官至大司空，封氾乡侯。传见《汉书》卷八十六。⑱ 旷然：开阔的样子。⑱ 使民易视：让民众改变看法。⑱ 端：开始。⑲ 托：假托。⑲ 国：指国邑，即封地。孔乡侯傅晏、汝昌侯傅商、阳新侯郑业三人原来虽封侯，但未有国邑。⑲ 封还诏书：丞相将皇帝诏书原封退回，表示拒绝执行。⑲ 天命有德二句：源自《尚书·皋陶谟》。意谓上天将有德之人分为天子、诸侯、卿、大夫、士五等，故这五等人的服装色彩、图案也有所不同。⑲ 代天爵人：皇帝代天授爵位给人。⑲ 裂地：指分封国邑。⑲ 害疾：染病。⑲ 单：通“殚”。尽。⑲ 损至尊：损害皇帝的利益。⑲ 黜：降低。⑳ 克己不作：文帝因听说修露台需百金，值中等人家十户的产业，故罢而不建。⑳ 再封：指董贤先封为关内侯，又封为高安侯。⑳ 晏、商再易邑：指傅晏封孔乡侯，食邑三千户，后又增二千户。傅商先嗣封崇祖侯，后改封汝昌侯。⑳ 业：阳新侯郑业。⑳ 尊尊之义：指尊重傅太后。⑳ 侵罔：侵害欺蒙。⑳ 害及身体：危害及于皇帝身体。⑳ 轻身肆意：不注意自己身体而放纵。⑳ 垂立：创立。⑳ 不敢露见：指不敢拆封。⑳ 不自法：不以抗旨之法自

劾。㉑自劾：上章弹劾自己。㉑廷尉：官名，九卿之一，掌刑狱。㉑东平王云狱：指前东平王刘云与后谒祠瓠山石而引发的大案一事。㉑饰辞：掩饰的假话。㉑传：指将此案移长安审理。㉑覆治：重审。㉑不平：不安。指患病。㉑顾望：观望。㉑操持两心：两面讨好，即不按皇帝的意图办事。㉒幸云逾冬：想侥幸让刘云的案子拖过冬天。汉制，立春以后不再行刑。㉒疾恶主仇：痛恨恶行，为主上报仇。㉒材行：才能和德行。㉒计功除过：计其功劳，免除过失。㉒上不能平：哀帝内心的恼怒不能平复。㉒益董贤户事：给董贤增加封地之事。㉒诣尚书：到尚书台。㉒辄：便；就。㉒免冠谢罪：脱帽表示歉意。其实这是哀帝为董贤事有意找王嘉的过失，王嘉并没有什么过错。㉒事下将军中朝者：将王嘉案交给中朝将军议定。㉓迷国罔上：蒙蔽国民，欺骗皇帝。孔光弹劾王嘉，必欲置之死地，似有夺相权之嫌。㉓诣廷尉诏狱：到廷尉所属诏狱。诏狱，奉皇帝诏令关押犯人的牢狱。㉓相违：不一致。㉓括发关械：结发，上刑具。㉓裸躬就笞：赤着身子受鞭打。㉓重国：尊重国威。㉓褒宗庙：褒扬宗庙社稷。㉓假谒者节：让谒者持符节。㉓和药进嘉：调毒药给王嘉吃。汉制，丞相有罪，一般不到廷尉处对质，而应服毒自尽。㉓相踵以为故事：相沿成为惯例。㉔引决：饮药自杀。㉔危坐：直身端坐。㉔主簿：丞相府属官，掌具体事物。㉔柸：同“杯”。㉔奉职负国：履行职责，辜负了国家。㉔咀：嚼。㉔都船诏狱：汉执金吾属下，有中垒、寺户、武库、都船四令丞，此谓都船令所辖诏狱。㉔使将军以下与五二千石杂治：派将军与五位二千石官员组成合议庭共同审理王嘉一案。汉治大臣案，一般派五位二千石官员参与，今加派将军，此哀帝必欲置王嘉于死地。㉔案事者：负责审案的人。㉔治：审理。㉕关：知会；关照。㉕验：指梁相等心怀二致，阿附刘云等指责得不到验证。㉕私：偏私。㉕侵辱：加刑凌辱。㉕喟然：叹息声。㉕主名：具体人名。㉕欧血：吐血。欧，同“呕”。

【原文】

已而[257]上览其对，思嘉言，会御史大夫贾延免，夏，五月乙卯[258]，以孔光为御史大夫。秋，七月丙午[259]，以光为丞相，复故国博山侯[260]，又以汜乡侯何武为御史大夫。上乃知孔光前免非其罪[261]，以过近臣毁短光者[262]，曰：“傅嘉前为侍中，毁谮仁贤，诬诉[263]大臣，令俊艾[264]者久失其位，其免嘉为庶人，归故郡。”

八月，何武徙为前将军。辛卯[265]，光禄大夫彭宣为御史大夫。

司隶鲍宣坐摧辱丞相[266]，拒闭使者[267]，无人臣礼，减死髡钳[268]。

【校记】

［1］有：原作“以”。据章钰校，甲十六行本、乙十一行本皆作“有”，今据改。［2］宠臣：原无此二字。据章钰校，甲十六行本、乙十一行本皆有此二字，张敦仁《通鉴刊本识误》同，今据补。［3］理：张敦仁《通鉴刊本识误》认为当作“礼”。［4］辛亥：原作“辛卯”。据章钰校，甲十六行本、乙十一行本皆作“辛亥”，张瑛《通鉴校勘记》同，今据改。〖按〗正月辛丑朔，无辛卯。［5］下：张敦仁《通鉴刊本识误》认为当作“有”。［6］吏卒：原作“使卒”，今据严衍《通鉴补》改作“吏卒”。［7］得：原作“上”，今据严衍《通鉴补》改作“得”。［8］如此：原无此二字。据章钰校，甲十六行本、乙十一行本、孔天胤本皆有此二字，张敦仁《通鉴刊本识误》同，今据补。［9］及：原无此字。据章钰校，甲十六行本、孔天胤本皆有此字，今据补。［10］皇帝：原无此二字。据章钰校，甲十六行本、乙十一行本、孔天胤本皆有此二字，张敦仁《通鉴刊本识误》同，今据补。［11］奈何：原作“乃何”。据章钰校，甲十六行本、乙十一行本、孔天胤本皆作“奈何”，张敦仁《通鉴刊本识误》同，今据改。［12］中：原无此字。据章钰校，乙十一行本、孔天胤本皆有此字，今据补。［13］三月：原无此二字。据章钰校，甲十六行本、乙十一行本、孔天胤本皆有此二字，张敦仁《通鉴刊本识误》同，今据补。［14］佞邪：原无此二字。据章钰校，甲十六行本、乙十一行本、孔天胤本皆有此二字，张敦仁《通鉴刊本识误》同，今据补。

【语译】

不久，皇上看到王嘉的供词，考虑王嘉的话，正好御史大夫贾延被免职，夏，五月十七日乙卯，任命孔光为御史大夫。秋，七月初九日丙午，任命孔光为丞相，恢复他原先的博山侯封国，又任用汜乡侯何武为御史大夫。这时皇上才知道孔光从前被免职，并非他真的有罪，就斥责诋毁孔光的近臣，说：“傅嘉从前为侍中，谗言诽谤仁贤，诬陷大臣，以致杰出的人才长久失去他的职位，现在免除傅嘉的官职，贬为平民，回到原籍去。”

八月，何武徙任前将军。二十四日辛卯，光禄大夫彭宣为御史大夫。

司隶鲍宣犯了侮辱丞相，闭门拒绝使者逮捕，丧失臣子礼仪之罪，免除死刑，判处髡刑。

大司马丁明素重王嘉，以其死而怜之。九月乙卯[269]，册免明，使就第。

冬，十一月[270]壬午[271]，以故定陶太傅、光禄大夫韦赏[272]为大司马、车骑将军。己丑[273]，赏卒。

十二月庚子[274]，以侍中、驸马都尉董贤为大司马、卫将军，册[275]曰："建尔于公，以为汉辅！往悉尔心，匡正庶事，允执其中[276]！"是时贤年二十二，虽为三公，常给事中，领尚书[277][15]，百官因贤奏事。以父卫尉恭不宜在卿位，徙为光禄大夫、秩中二千石，弟宽信代贤为驸马都尉。董氏亲属皆侍中、诸曹、奉朝请，宠在丁、傅之右[278]矣。

初，丞相孔光为御史大夫，贤父恭为御史，事光[279]。及贤为大司马，与光并为三公，上故令贤私过光[280]。光雅[281]恭谨，知上欲尊宠贤。及闻贤当来也，光警戒衣冠出门待[282]，望见贤车乃却入[283]。贤至中门[284]，光入阁[285]，既下车，乃出，拜谒、送迎甚谨[286]，不敢以宾客钧敌之礼[287]。上闻之，喜，立拜光两兄子为谏大夫、常侍[288]。贤由[16]是权与人主侔[289]矣。

是时，成帝外家王氏衰废，唯平阿侯谭子去疾为侍中，弟闳为中常侍。闳妻父中郎将萧咸[290]，前将军望之子也，贤父恭慕之，欲为子宽信求咸女为妇，使闳言之。咸惶恐不敢当，私谓闳曰："董公为大司马，册文言'允执其中'，此乃尧禅舜[17]之文[291]，非三公故事[292]，长老[293]见者莫不心惧。此岂家人子所能堪邪[294]！"闳性有知略[295]，闻咸言，心[18]亦悟[296]，乃还报恭，深达[297]咸自谦薄之意[298]。恭叹曰："我家何用负天下[299]，而为人所畏如是！"意不说。后上置酒麒麟殿[300]，贤父子、亲属宴饮，侍中、中常侍皆在侧，上有[19]酒所[301]，从容视贤笑曰："吾欲法尧禅舜[302]，何如？"王闳进曰："天下乃高皇帝天下，非陛下之[20]有也！陛下承宗庙，当传子孙于亡穷[303]，统业至重[304]，天子亡戏言[305]！"上默然不说[306]，左右皆恐。于是遣闳出归郎署[307]。

久之，太皇太后为闳谢[308]，复召闳还。闳遂上书谏曰："臣闻王者立三公，法三光[309]，居之者当得贤人。《易》曰：'鼎折足，覆公餗[310]。'喻三公非其人也。昔孝文皇帝幸邓通，不过中大夫[311]，武皇帝[21]幸韩

大司马丁明一向尊重王嘉，对王嘉的死，十分痛惜。九月十九日乙卯，丁明被罢官，让他回到侯爵府第。

冬，闰十一月十七日壬午，任命前定陶王国太傅、光禄大夫韦赏为大司马、车骑将军。二十四日己丑，韦赏去世。

十二月初六日庚子，任命侍中、驸马都尉董贤为大司马、卫将军，封册诏书说："封立你为三公，作为汉朝的辅佐大臣！今后要竭尽全力，匡正国家众事，专心处理政务恰到好处！"当时董贤二十二岁，虽然位在三公，却常在皇帝左右侍奉，主管尚书台，百官通过董贤奏事。因董贤的父亲卫尉董恭不再适宜处在卿的位置，调任光禄大夫、官秩中二千石，董贤的弟弟董宽信接替董贤为驸马都尉。董氏亲属都被任命为侍中、诸曹、奉朝请，所受宠幸在丁、傅两家之上。

当初，丞相孔光为御史大夫时，董贤的父亲董恭为御史，侍奉孔光。等到董贤做大司马，与孔光并列三公，皇上特意让董贤私下去拜访孔光。孔光素来恭敬谨慎，知道皇上想尊宠董贤。听说董贤快到了，孔光整理好衣冠出门等待，看到了董贤的车驾就退入门内。董贤车驾到了中门，孔光退到客厅旁的小门，等候董贤下车后，孔光马上出来，拜见迎送之礼非常恭敬，不敢把董贤看成与自己是同等地位的宾客，使用平等的礼节相待。皇上知道后，非常高兴，立即任命孔光两个侄儿为谏大夫、常侍。从此董贤的权势与皇帝相当了。

此时，成帝的外祖父母和舅舅家王氏已经衰落，只剩下平阿侯王谭的儿子王去疾做侍中，弟弟王闳做中常侍。王闳的岳父中郎将萧咸，是故将军萧望之的儿子，董贤的父亲董恭很仰慕萧咸，想为儿子董宽信求娶萧咸的女儿为妻，就请王闳去说和。萧咸恐惧不敢答应，私下对王闳说："董贤为大司马，策书中说'允执其中'，这是唐尧让位给虞舜时所说的话，而不是册封三公所惯用的话，长老们看到的人无不感到恐惧。这岂是我们普通人家的女儿能够承受得起的！"王闳原本有智谋才略，听了萧咸的话，心里也明白了，因此就回复董恭，诚恳转达了萧咸谦逊又自觉卑微的意思。董恭叹息说："我家有什么地方得罪了天下，而竟被人们如此地畏惧！"内心很不高兴。后来，皇上在麒麟殿设置酒宴，董贤父子、亲属都参加了宴会，侍中、中常侍都在旁边侍候，皇上有醉意，闲谈时看着董贤，笑着说："我想效法唐尧让位给虞舜，你看怎么样？"王闳进言说："天下是高皇帝的天下，并非陛下的独有！陛下承继了宗庙，就应该传给子孙万代，继承天下大业，至关重要，天子没有开玩笑的话！"皇上默然不悦，身旁的人都很害怕。因此，就命王闳出宫，回到郎署。

很久以后，太皇太后替王闳向皇帝谢罪，又把王闳召回。王闳于是上奏劝谏说："臣听说帝王设立三公，是效法日、月、星，身居三公的人必须是贤德的人。《易经》说：'鼎的脚如果被折断，里面的食物就会倾倒出来。'这是比喻三公人选不当将导致倾覆的后果。过去孝文皇帝宠爱邓通，只不过让他做中大夫，武皇帝宠爱韩嫣，只是

嫣[312]，赏赐而已，皆不在大位。今大司马、卫将军董贤，无功于汉朝，又无肺腑之连[313]，复无名迹高行以矫世[314]，升擢数年，列备鼎足[315]，典卫禁兵，无功封爵，父子、兄弟横蒙拔擢[316]，赏赐空竭帑藏[317]，万民喧哗，偶言[318]道路，诚不当天心也！昔褒神蚖[319]变化为人，实生褒姒[320]，乱周国，恐陛下有过失之讥[22]，贤有小人不知进退之祸，非所以垂法[321]后世也！”上虽不从闳言，多[322]其年少志强，亦不罪也。

【段旨】

以上为第二段，写哀帝朝嬖宠董贤贵盛，取代傅氏、丁氏，更有过之，汉室朝政，一片昏暗。

【注释】

㉕⑦已而：不久。㉕⑧乙卯：五月十七日。㉕⑨丙午：七月初九日。㉖⓪复故国博山侯：恢复孔光原来所封博山侯的封国。㉖①免非其罪：无罪不该免职。㉖②过近臣毁短光者：责备诋毁孔光的近臣。㉖③诬诉：诬告。㉖④俊艾：贤能之人。艾，同“乂”。㉖⑤辛卯：八月二十四日。㉖⑥摧辱丞相：指丞相孔光车马在驰道中行，违制，遇鲍宣，鲍宣没收了孔光的车马之事。㉖⑦拒闭使者：使者欲捕鲍宣，鲍宣闭门拒捕。㉖⑧减死髡钳：减去死罪，改判剃发、束颈之刑罚。㉖⑨乙卯：九月十九日。㉗⓪十一月：闰十一月。㉗①壬午：闰十一月十七日。㉗②韦赏（？至公元前二年）：韦弘之子，明《诗经》，哀帝时为大司马、车骑将军，赐爵关内侯。传附《汉书》卷七十三《韦贤传》。㉗③己丑：闰十一月二十四日。㉗④庚子：十二月初六日。㉗⑤册：封策诏书。㉗⑥允执其中：一心一意处理政务恰到好处。允，诚也。真诚；专心。这句话是尧禅位舜，舜禅位禹说的话，哀帝在封策董贤诏书中也用了这句话，像是要禅位给董贤，是天子失言。㉗⑦领尚书：主管尚书台。㉗⑧右：上。指董家之荣宠超过了外戚丁氏和傅氏。㉗⑨事光：侍奉孔光。㉘⓪上故令贤私过光：哀帝故意让董贤私下到孔光家去，以观察孔光对董贤的态度。㉘①雅：平素；素常。㉘②警戒衣冠出门待：整理好衣冠出门等待。㉘③却入：退到屋里。㉘④中门：内门。㉘⑤阁：通“阁”。门边的小屋。㉘⑥谨：恭谨有礼。㉘⑦钧敌之礼：对等之礼。㉘⑧谏大夫、常侍：谏大夫、掌论议。常侍乃加官，可出入禁中。㉘⑨与人主侔：指董贤的权势简直与皇帝相等。侔，相等。㉙⓪萧咸：萧望之之子，字仲，举茂材，官至大司农。传见《汉书》卷七十八。㉙①尧禅舜之文：据《论语·尧曰》载，“允执其中”是尧禅位于舜、舜禅位于禹时册文中的一句。㉙②非三公故事：不是册封三公旧例中所有的。㉙③长老：德高望重的长者。㉙④此岂家

赏赐而已，两人都不居高位。如今大司马、卫将军董贤，既无功于汉朝，更不是皇上的近亲，也没有著名的事迹、崇高的德行可以纠正世风，却连年擢升，位居三公，掌管禁卫军队，无功而受封爵位，父子、兄弟意外地蒙受提拔，赏赐之多，使国库虚空，万民为之喧哗，路上行人窃窃私语，实在不合天意！从前褒神的毒蛇变化为人，生下褒姒，大乱周王朝，臣恐惧陛下有过失而被讥讽，董贤有小人不知进退之祸，这可不是用来垂法后世的！”皇上虽然不采纳王闳的劝谏，但赞赏他年少志壮，也就未加罪于他。

人子所能堪邪：这哪是我们普通人家的孩子能够承当的呢。㉙⑤知略：智慧和谋略。㉙⑥悟：省悟。㉙⑦深达：诚恳地转达。㉙⑧谦薄之意：即萧咸不敢高攀之意。㉙⑨何用负天下：什么地方得罪了天下。㉚⓪麒麟殿：宫殿名，在未央宫中。㉚①上有酒所：皇帝有醉意。㉚②吾欲法尧禅舜：哀帝欲效法尧禅舜，将帝位传与董贤。㉚③亡穷：无穷。亡，通“无”。㉚④统业至重：国统之事至关重大。㉚⑤天子亡戏言：皇帝没有开玩笑的话。㉚⑥不说：不高兴。说，通“悦”。㉚⑦遣闳出归郎署：命王闳回自己的署所，不得再随侍禁中。㉚⑧谢：表示歉意。㉚⑨法三光：效法日、月、星三光。㉛⓪鼎折足二句：语出《易经·鼎卦·爻辞》，意谓鼎折了脚，鼎里装的食物就会倾倒出来。㉛①不过中大夫：指邓通官位只不过是中大夫。㉛②武皇帝幸韩嫣：武皇帝宠幸韩嫣，韩嫣官位也只是上大夫。㉛③肺腑之连：骨肉之亲。㉛④矫世：纠正世风。㉛⑤鼎足：指董贤位列三公。㉛⑥横蒙拔擢：意外被提拔。㉛⑦空竭帑藏：虚耗国库资财。㉛⑧偶言：私下相语。㉛⑨褒神蚖：相传褒神以蝮蛇变化为人。蚖，蝮蛇。㉜⓪褒姒：周幽王妃，美貌无比，幽王绝爱，想要逗她大笑，于是点燃烽火台，诸侯发兵救驾，刀光剑影，褒姒认为好玩而大笑。等到犬戎真正兵围西周，幽王再点燃烽火，诸侯不救，西周于是灭亡。㉜①垂法：效法。㉜②多：赏识。

【校记】

[15] 尚书：原作“尚书事”。据章钰校，甲十六行本、乙十一行本、孔天胤本皆无“事”字，今据删。〖按〗《汉书·董贤传》作“尚书”。[16] 由：原作“自”。据章钰校，甲十六行本、乙十一行本、孔天胤本皆作“由”，今据改。[17] 舜：据章钰校，孔天胤本作“受”。[18] 心：原无此字。据章钰校，甲十六行本、乙十一行本、孔天胤本皆有此字，张敦仁《通鉴刊本识误》同，今据补。[19] 有：据章钰校，甲十六行本、乙十一行本皆作“在”，张敦仁《通鉴刊本识误》同。〖按〗《汉书·董贤传》作“有”。[20] 之：原无此字。据章钰校，甲十六行本、乙十一行本、孔天胤本皆有此字，今据补。[21] 武皇帝：原作“武帝”。据章钰校，甲十六行本、乙十一行本、孔天胤本皆作“武皇帝”，今据补。[22] 讥：据章钰校，甲十六行本作“机”。

【原文】

二年（庚申，公元前一年）

春，正月，匈奴单于及乌孙大昆弥伊秩靡皆来朝，汉以为荣。是时西域凡五十国，自译长[323]至将、相、侯、王皆佩汉印绶凡三百七十六人。而康居、大月氏、安息、罽宾、乌弋[324]之属，皆以绝远[325]，不在数中，其来贡献，则相与报[326]，不督录总领也[327]。自黄龙[328]以来，单于每入朝，其赏赐锦绣、缯絮辄加厚于前[329]，以慰接[330]之。单于宴见[331]，群臣在前，单于怪董贤年少，以问译[332]。上令译报[333]曰："大司马年少，以大贤居位[334]。"单于乃起，拜贺汉得贤臣。是时上以太岁厌胜[335]所在，舍单于上林苑蒲陶宫[336]，告之以加敬[337]于单于，单于知之[338]，不悦。

夏，四月[339]壬辰晦[340]，日有食之。

五月甲子[341]，正三公官分职[342]。大司马、卫将军董贤为大司马，丞相孔光为大司徒，御史大夫[23]彭宣为大司空，封长平侯[343]。

六月戊午[344]，帝崩于未央宫。

帝睹孝成之世禄去王室[345]，及即位，屡诛大臣[346]，欲强主威以则武、宣[347]。然而宠信谗谄[348]，憎疾忠直[349]，汉业由是遂衰。

太皇太后闻帝崩，即日驾之未央宫，收取玺绶。太后召大司马贤，引见东箱[350]，问以丧事调度[351]。贤内忧，不能对，免冠谢。太后曰："新都侯莽，前以大司马奉送先帝大行[352]，晓习故事[353]，吾令莽佐君。"贤顿首："幸甚！"太后遣使者驰召莽，诏尚书诸发兵符节、百官奏事、中黄门、期门兵皆属莽。莽以太后指[354]，使尚书劾贤帝病不亲医药，禁止贤不得入宫殿司马中[355]。贤不知所为，诣阙免冠徒跣谢[356]。己未[357]，莽使谒者以太后诏即阙下册贤曰："贤年少，未更事理[358]，为大司马，不合众心，其收大司马印绶，罢归第！"即日，贤与妻皆自杀，家惶恐，夜葬。莽疑其诈死，有司奏请发贤棺，至狱诊视[359]，因埋狱中。太皇太后诏公卿举可大司马者。莽故大司马，辞位避丁、傅，众庶称以为贤。又太皇太后近亲，自大司徒孔光以下，举朝[360]皆举莽。独前将军何武、左将军

【语译】

二年（庚申，公元前一年）

春，正月，匈奴乌珠留若鞮单于栾提囊知牙斯以及乌孙大昆弥伊秩靡都来汉朝见，汉朝感到很荣耀。当时，西域共有五十国，从翻译官到将军、丞相、侯、王都佩戴汉朝印绶，总计三百七十六人。并且康居、大月氏、安息、罽宾、乌弋等国，都因极为遥远，不包括在五十国之内，他们来进贡时，汉朝才给予回报，但不属西域都护管辖。自黄龙年间以来，单于每次来朝，所赏赐锦绣、缯絮等都比从前丰厚，用以慰劳接待他们。有一次设宴招待单于并会见，群臣们在殿前作陪，单于见董贤那么年轻感到惊奇，就询问翻译官。皇上命翻译官回答说："大司马年轻，是因十分贤能而居高位。"单于便起身，跪拜恭贺汉朝得此贤臣。这时皇上因太岁在申，申为南向，为了能以诅咒之术制服煞神，将单于安排住在上林苑蒲陶宫，告知单于这是对他的特别礼待，后来单于知道汉朝把他视为煞神，就十分不满。

夏，四月壬辰晦，发生日食。

五月初二日甲子，确定三公官名和各自的职权。任命大司马、卫将军董贤为大司马，丞相孔光为大司徒，御史大夫彭宣为大司空，封为长平侯。

六月二十六日戊午，哀帝在未央宫去世。

哀帝亲眼看到孝成皇帝时代政权旁落，等到自己即位后，屡次诛罚大臣，想效法汉武帝、宣帝以加强国君的权威。但是宠任奸佞，听信谗言，憎恨忠心耿直的大臣，汉朝的大业因此开始衰落。

太皇太后听说哀帝去世，当天驾临未央宫，收取皇帝印玺。太皇太后召大司马董贤，在未央宫东厢房接见，询问皇上丧葬如何安排。董贤内心忧虑，不能回答，脱帽谢罪。太皇太后说："新都侯王莽从前任大司马，办理过先帝的丧事，熟悉旧制，我命王莽协助你。"董贤磕头说："这太好了！"太皇太后派使者飞驰征召王莽，下诏尚书，所有征调发兵的虎符、节信、百官奏事、中黄门、期门武士都归属王莽掌管。王莽按太后的旨意，让尚书弹劾董贤，称在哀帝生病时没有亲自侍奉医药，禁止董贤进入宫殿司马门内。董贤不知如何是好，前往宫门前脱帽光脚请罪。六月二十七日己未，王莽派谒者拿着太皇太后的诏书，在宫门前给董贤颁发免职策书，说："董贤年轻，未经事理，担任大司马不合民心，应当收回大司马印绶，免职回家！"当天，董贤和他的妻子都自杀了，董贤家惶恐，连夜下葬。王莽怀疑董贤诈死，主管部门上奏请求打开董贤的棺材，把尸体抬到监狱查验，就埋在狱中。太皇太后下诏，命公卿大臣推举可以担任大司马的人选。王莽曾经担任过大司马，为了避让丁、傅两家而辞退职位，大家都称赞他贤德。又是太皇太后的近亲，从大司徒孔光以下，满朝文武官员全都推举王莽。只有前将军何武和左将军公孙禄二人相互商议，认为

公孙禄二人相与谋，以为“往时惠、昭之世[361]，外戚吕、霍、上官[362]持权，几危社稷。今孝成、孝哀比世无嗣[363]，方当选立近亲辅[24]幼主，不宜令外戚大臣[364]持权，亲疏相错[365]，为国计便[366]”。于是武举公孙禄可大司马，而禄亦举武。庚申[367]，太皇太后自用莽为大司马、领尚书事。

太皇太后与莽议立嗣[368]。安阳侯王舜[369]，莽之从弟，其人修饬[370]，太皇太后所信爱也，莽白以舜为车骑将军。秋，七月，遣舜与大鸿胪[371]左咸使持节迎中山王箕子[372]以为嗣。

莽又白太皇太后，诏有司以皇太后[373]前[25]与女弟昭仪[374]专宠锢寝[375]，残灭继嗣[376]，贬为孝成皇后，徙居北宫。又以定陶共王太后与孔乡侯晏同心合谋，背恩忘本，专恣不轨[377]，徙孝哀皇后退就桂宫，傅氏、丁氏皆免官爵归故郡，傅晏将妻子徙合浦[378]。独下诏褒扬傅喜曰：“高武侯喜，姿性端悫[379]，论议忠直，虽与故定陶太后有属，终不顺指从邪，介然守节，以故斥逐就国。《传》不云乎：‘岁寒然后知松柏之后凋也[380]。’其还喜长安，位特进[381]，奉朝请。”喜虽外见褒赏，孤立忧惧，后复遣就国，以寿终[382]。莽又贬傅太后号为定陶共王母，丁太后号曰丁姬。莽又奏董贤父子骄恣奢僭，请收没入财物县官[383]，诸以贤为官者皆免。父恭、弟宽信与家属徙合浦，母别归故郡钜鹿[384]。长安中小民讙哗，向其第哭，几获盗之[385]。县官斥卖[386]董氏财，凡四十三万万。贤所厚吏沛朱诩自劾去大司马府[387]，买棺衣，收贤尸葬之。莽闻之，以它罪击杀诩。莽以大司徒孔光名儒，相三主[388]，太后所敬，天下信之，于是盛尊事光，引光女婿甄邯为侍中、奉车都尉[389]。诸素所不说者，莽皆傅致[390]其罪，为请奏草[391]，令邯持与光，以太后指风光[392]。光素畏慎，不敢不上之，莽白太后，辄[393]可其奏。于是劾奏何武、公孙禄互相称举[394]，皆免官，武就国。又奏董宏子高昌侯武父为佞邪[395]，夺爵。又奏南郡太守毋将隆前为冀州牧，治中山冯太后狱[396]，冤陷无辜；关内侯张由诬告骨肉；中太仆史立、泰山太守丁玄陷人入大辟[397]；河内太守赵昌谮害郑崇[398]，幸逢赦令，皆不宜处位在中土[399]，免为庶人，徙合浦。中山之狱，本立、玄自典考之[400]，但与隆连名奏事，莽少时慕与隆交，隆不甚附，故因事挤之[401]。

“先前惠帝、昭帝时代，外戚吕氏、霍氏、上官氏把持朝政，几乎危及刘家天下。现今孝成、孝哀连续两代没有后嗣，正应选立刘氏近亲辅佐幼主，不应再让外戚大臣把持朝政，应当让外戚与异姓大臣互相掺杂，为国家考虑，这样最合适”。因此何武推举公孙禄为大司马人选，而公孙禄也推举何武为大司马。二十八日庚申，太皇太后亲自决定任用王莽为大司马，主管尚书事。

太皇太后与王莽商议皇位继承人选。安阳侯王舜，是王莽的堂弟，其人仪容端正，为人谨慎，是太皇太后宠爱和信任的人，王莽禀告任命王舜为车骑将军。秋，七月，派王舜和大鸿胪左咸持着符节迎接中山王刘箕子进京，立为皇位的继承人。

王莽又奏请太皇太后，下诏主管官员因皇太后赵飞燕之前与妹妹赵昭仪专宠恃爱，堵塞后宫侍寝之路，残害灭绝成帝后代，将她贬为孝成皇后，迁住到北宫去。又因为定陶共王太后傅氏和孔乡侯傅晏同心合谋，背恩忘本，专横放肆，图谋不轨，将孝哀皇后贬居桂宫，傅氏、丁氏两家都免除官职，剥夺爵位，遣回原郡，傅晏和妻子全家流放到合浦。唯独下诏嘉奖表扬傅喜说：“高武侯傅喜，生性端正笃诚，议论忠正耿直，尽管跟已故定陶太后有亲属关系，但始终不肯顺从旨意，依附邪恶，坚定不移地坚守名节，因此被斥逐回到封国。古书不是说：‘岁寒然后知松柏之后凋也。’令傅喜返回长安，官位特进，参加朝会。”傅喜尽管表面被褒赏，但深感孤立和忧惧，后来又被遣回封国，终其天年。王莽又把傅太后号贬为定陶共王母，丁太后贬为丁姬。王莽又上奏说董贤父子骄横放纵，挥霍无度，请求将财物没入官府，所有依靠董贤而做官的人全都免职。他的父亲董恭、弟弟董宽信及其家属流放合浦，他母亲另外遣归故郡钜鹿。长安城内的市民喧哗，向着董家府第哭泣，实际是希望偷点东西。官府卖掉董家的财物，共得钱四十三亿之多。董贤从前厚待的官吏沛郡人朱诩自我弹劾，辞去大司马府的官职，买了棺材、寿衣等，收殓董贤的尸体安葬。王莽知道后，借口其他的罪名把朱诩处死。王莽因为大司徒孔光是著名的儒家学者，辅助过成帝、哀帝、平帝三位君主，为太皇太后所尊敬，天下人都信赖他，于是非常推崇尊重孔光，擢升孔光的女婿甄邯为侍中、奉车都尉。平日所不喜欢的人，王莽就都罗织罪名，请人写弹劾奏章，让甄邯拿给孔光，暗示孔光这是太皇太后的旨意。孔光素来胆小谨慎，不敢不呈上去，王莽向太后禀告，太皇太后就同意孔光送上的奏章。于是弹劾何武、公孙禄互相荐举之罪，都免除官职，何武遣回封国。又上奏说高昌侯董武的父亲董宏奸佞邪恶，剥夺了董宏爵位。又上奏说南郡太守毋将隆从前担任冀州牧时，审理中山王冯太后一案，冤枉陷害无辜；关内侯张由诬陷皇帝骨肉之亲，中太仆史立、泰山太守丁玄陷害人致死；河内郡太守赵昌诬陷郑崇，这些人幸运地遇上大赦令，但都不应再留居中原地区，免职，成为平民，流放合浦。中山王一案，原是史立、丁玄亲自审理的，只是与毋将隆联名上奏，王莽年轻时渴望和他结交，毋将隆不是十分依附他，所以王莽借故把他排挤掉。

红阳侯立㊷，太后亲弟，虽不居位，莽以诸父㊸内敬惮之，畏立从容言太后，令己不得肆意㊹，复令光奏立罪恶："前知定陵侯淳于长㊺[26]犯大逆罪，多受其赂[27]，为言误朝㊻。后白以官婢杨寄私子为皇子㊼，众言曰：'吕氏少帝复出㊽'，纷纷为天下所疑，难以示来世，成襁褓之功㊾，请遣立就国㊿。"太后不听。莽曰："今汉家衰，比世无嗣(411)，太后独代幼主统政(412)，诚可畏惧。力用公正先天下(413)，尚恐不从，今以私恩逆(414)大臣议，如此，群下倾邪，乱从此起。宜可且遣就国，安后复征召之(415)。"太后不得已，遣立就国。莽之所以胁持上下(416)，皆此类也。

于是附顺莽者拔擢，忤恨者诛灭，以王舜、王邑(417)为腹心，甄丰(418)、甄邯(419)主击断(420)，平晏(421)领机事，刘秀(422)典文章，孙建(423)为爪牙。丰子寻(424)、秀子棻(425)、涿郡(426)崔发、南阳陈崇(427)皆以材能幸于莽(428)。莽色厉而言方(429)，欲有所为，微见风采(430)，党与(431)承其指意而显奏之。莽稽首涕泣(432)，固推让，上以惑(433)太后，下用示信(434)于众庶焉。

八月，莽复白太皇太后，废孝成皇后、孝哀皇后为庶人，就其园(435)。是日，皆自杀。

大司空彭宣以王莽专权，乃上书言："三公鼎足承君(436)，一足不任(437)，则覆乱美实(438)。臣资性浅薄，年齿老眊(439)，数伏疾病，昏乱遗忘，愿上大司空、长平侯印绶，乞骸骨归乡里，俟窴沟壑(440)。"莽白太后策免宣，使就国。莽恨宣求退，故不赐黄金、安车、驷马(441)。宣居国数年，薨。

班固赞曰："薛广德保县车之荣(442)，平当逡巡有耻(443)，彭宣见险而止(444)，异乎苟患失之者(445)矣！"

戊午(446)，右将军王崇(447)为大司空，光禄勋东海马宫(448)为右将军，左曹、中郎将甄丰为光禄勋。

九月辛酉(449)，中山王即皇帝位，大赦天下。

平帝年九岁，太皇太后临朝，大司马莽秉政，百官总己以听于莽(450)。莽权日盛，孔光忧惧，不知所出(451)，上书乞骸骨。莽白太后，帝

红阳侯王立是太皇太后的亲弟弟，虽然不居官位，王莽因为他是叔父的关系，内心对他既敬重又畏惧，担心王立闲暇时在太皇太后面前说长道短，使自己不能为所欲为，就又命孔光弹劾王立的罪状，说："以前王立知道定陵侯淳于长犯了大逆的罪行，因为接受了他很多贿赂，于是为淳于长说情，贻误朝廷。此后又建议将婢女杨寄的私生子当做皇子，大家都说'吕氏和少帝的局面再度出现'，天下人纷纷质疑问难，无法垂示后世，实现辅佐幼主的功绩，请求遣送王立回封国。"太皇太后没有听从。王莽说："现在汉家衰落，接连两代皇帝都没有嗣子，太皇太后独自代替幼主执政，实在令人畏惧。就算努力做到公正，首先为天下着想，尚怕人心不服，现在因私人的恩情而拒绝大臣们的公议，这样一来，恐怕在下面的人互相倾轧，祸乱自此而起。应当暂且派人送他回封国，等局势安定之后，再征召他回来。"太皇太后无奈，只好遣送王立回封国。王莽用来强迫上下听从他的办法，都类似于此。

于是，附会顺从王莽的人被擢升，违背他怨恨他的人就被诛杀。任用王舜、王邑为心腹；甄丰、甄邯主管举劾断狱，平晏主管机要，刘秀掌管礼乐法度，孙建任武臣。甄丰的儿子甄寻、刘秀的儿子刘棻、涿郡人崔发、南阳人陈崇，都因有才能而受到王莽的信任。王莽表情严厉，说话端庄，他想要做什么，仅略微有点表示，他的同党就能承其旨意公开上奏。王莽却叩首哭泣，坚决辞让，对上迷惑太后，对下显示诚信于民众。

八月，王莽又奏报太皇太后，废黜孝成皇后赵飞燕、孝哀皇后傅氏为平民，遣送到成帝、哀帝的陵园守墓。当天，她们都自杀了。

大司空彭宣因为王莽专权，就上书说："三公好比鼎的三只脚共同辅助国君，一只脚不能胜任，就会使鼎中美食倒出。臣资质浅薄，年老糊涂，屡次患病卧床，头脑昏乱，记忆不好，愿奉上大司空、长平侯印绶，请求批准我辞职，归回乡里，以待死去。"王莽告诉太皇太后下诏罢免彭宣，让他回到封国。王莽憎恨彭宣请求辞职，因而不按惯例赐给他黄金、安车、驷马。彭宣在封国数年后去世。

班固评论说："薛广德能保住悬车的荣耀，平当不受封侯，明礼知耻，彭宣看到险境而中止做官，他们实在与患得患失之辈截然不同！"

八月二十七日戊午，任命右将军王崇为大司空，光禄勋东海人马宫被任命为右将军，左曹、中郎将甄丰被任命为光禄勋。

九月初一日辛酉，中山王刘箕子即帝位，大赦天下。

平帝时年九岁，太皇太后临朝听政，大司马王莽主持朝政，百官完全听命于王莽。王莽的权势日益壮大，孔光忧虑惧怕，不知如何是好，上书请求辞职。王莽告

幼少，宜置师傅，徙光为帝太傅，位四辅[452]，给事中，领宿卫、供养，行内署门户[453]，省服御食物[454]。以马宫为大司徒，甄丰为右将军。

冬，十月壬寅[455]，葬孝哀皇帝于义陵[456]。

【段旨】

以上为第三段，写哀帝之死，王莽复职为大司马，挟太皇太后之威，持多年韬晦赢得的虚誉，以及果决毒辣的手段，迅速攫取汉家政权，百官自己以听，汉室已名存实亡。

【注释】

㉓译长：翻译官。㉔康居、大月氏、安息、罽宾、乌弋：康居，古西域国名，约在今巴尔喀什湖和咸海之间。大月氏，古族名，曾建贵霜王国。安息，亚洲西部古国，在伊朗高原和两河流域，处于丝绸之路必经之地。罽宾，古西域国名，汉时在喀布尔河下游及克什米尔一带。乌弋，乌弋山离国，西域古国，在今阿富汗西部之赫拉特。㉕绝远：非常远。㉖相与报：指来贡则有回报。㉗不督录总领也：不属于西域都护管辖。㉘黄龙：汉宣帝年号。㉙加厚于前：较前丰厚。㉚慰接：接待并抚慰。㉛单于宴见：设宴招待单于并会见。㉜译：指翻译员。㉝报：回答。㉞以大贤居位：因十分贤能因而官居高位。㉟太岁厌胜：太岁即木星。是年太岁在申，申为南向，按照迷信说法，要依据方向镇压煞神。㊱蒲陶宫：宫名，武帝伐大宛，采葡萄种此。蒲陶，即葡萄。㊲加敬：欺骗匈奴单于说，让他住在蒲陶宫是更敬重他。㊳知之：单于知道了真相。㊴四月：应为三月。㊵壬辰晦：三月三十日。㊶甲子：五月初二日。㊷三公官分职：大司马掌军事，大司徒掌民事，大司空掌农事。㊸长平侯：封国在济南（今山东济南）。㊹戊午：六月二十六日。㊺禄去王室：指政权掌握在外戚王氏手中。㊻屡诛大臣：指杀朱博、王嘉等。㊼欲强主威以则武、宣：欲效法武帝、宣帝，加强皇帝的威信。㊽宠信谗谄：指宠信赵昌、董贤、息夫躬等。㊾憎疾忠直：憎恶直臣师丹、傅喜、郑崇等。㊿东箱：东边厢房。箱，通“厢”。[351]丧事调度：即丧事的安排。[352]大行：指皇帝之丧。[353]晓习故事：熟悉旧例。[354]指：通“旨”。[355]司马中：即司马门内，禁军屯兵处。[356]免冠徒跣谢：脱帽、赤脚请罪。[357]己未：六月二十七日。[358]未更事理：未经事理。[359]诊视：查验。[360]举朝：满朝文武百官。[361]惠、昭之世：惠帝、昭帝之时。[362]吕、霍、上官：指外戚吕台、吕禄、吕产，以及霍光、上官桀、上官安等。[363]比世无嗣：几代都没有后嗣。[364]外戚大臣：指王莽。[365]亲疏相错：外戚和异姓大臣互相掺杂。[366]为国计便：为国

诉太皇太后，皇帝年幼，应当为他设置师傅。于是调孔光为平帝的太傅，位居四辅，兼给事中，管理皇宫宿卫、供养，掌禁中侍卫，察看御用服饰、车马、食物。任命马宫为大司徒，甄丰为右将军。

冬，十月十二日壬寅，葬孝哀帝于义陵。

家打算，这是最合适的。㊳⑯⑦ 庚申：六月二十八日。368 立嗣：指立帝。369 王舜：王音子，永始二年（公元前一五年）袭封。王莽堂弟。王莽篡位后，封为安新公。370 修饬：仪容端正，为人谨慎。371 大鸿胪：官名，九卿之一，掌民族事务。372 中山王箕子：即汉平帝刘衎（公元前八至公元五年），公元一五年在位。373 皇太后：此皇太后指赵飞燕。374 女弟昭仪：赵飞燕妹赵昭仪。375 专宠锢寝：意谓成帝只宠爱赵飞燕姐妹，从而杜塞后宫其他嫔妃与成帝接近。376 残灭继嗣：建平元年（公元前六年），中宫史曹宫和许美人先后生子，都因赵昭仪的吵闹而最后不知所终。377 专恣不轨：恣意专权，行为不轨。378 合浦：郡名，郡治合浦，在今广西合浦东北。汉代官员犯罪，多流放合浦。379 端悫：端正笃诚。380 岁寒然后知松柏之后凋也:《论语·子罕》孔子之言。比喻道德高尚、有节操的人。381 特进：加官。汉制，凡诸侯功德优异者，赐位特进，位在三公下。382 以寿终：以天年而终。383 收没入财物县官：将董贤家财没收归官府。384 钜鹿：郡名，治所钜鹿，在今河北平乡。385 向其第哭二句：明里佯装吊丧，向着董贤的府第哭，暗里图谋偷盗董家的财物。几，通“冀”。386 县官斥卖：官府卖掉。387 自劾去大司马府：朱诩自动辞去大司马府的职务。388 相三主：辅佐三个皇帝，即成帝、哀帝、平帝。389 奉车都尉：官名，掌皇帝乘舆车，秩比二千石。390 傅致：罗织罪名。傅，通“附”。391 为请奏草：请人写弹劾奏章。392 以太后指风光：用太后的旨意暗示孔光。风，通“讽”。393 辄：总是。394 互相称举：指前何武、公孙禄互相举荐之事。395 父为佞邪：指董宏首请立丁姬为帝太后，傅氏为帝太太后。396 中山冯太后狱：中山王箕子祖母，元帝昭仪，被张由诬告祝诅哀帝及傅太后，饮药自杀，牵连而死者十七人。397 陷人入大辟：即冯太后等被诬致死事。398 赵昌谮害郑崇：建平四年（公元前三年），赵昌诬告郑崇勾结刘氏宗族为奸，郑崇下狱死。399 中土：中原地区。400 本立、玄自典考之：本来是史立、丁玄亲自主持审理的。401 挤之：排挤毋将隆。402 红阳侯立：王立（？至公元四年），河平二年六月十二日以皇太后弟关内侯封。传见《汉书》卷十八。403 诸父：叔父。404 肆意：为所欲为。405 定陵侯淳于长：淳于长以皇太后姐子封，绥和元年（公元前八年），因罪下狱死。传见《汉书》卷十八。406 为言误朝：指绥和元年，王立为淳于长说情之事。407 白以官婢杨寄私子为皇子：王立曾建议立官婢杨寄所生子为皇子。408 吕氏少帝复出：吕后和少帝的局面再

次出现。吕后曾名他人子为惠帝子，引起猜疑。⑨襁褓之功：指辅立幼主之功。⑩遣立就国：将王立遣回封国。⑪比世无嗣：累世无继承人。如成帝、哀帝均无子。⑫统政：执政。⑬力用公正先天下：努力做到公正，先为天下着想。⑭逆：违背。⑮安后复征召之：局势安定后可重新征召回来。⑯胁持上下：胁持太后和群臣。⑰王邑（？至公元二三年）：王商子，建平元年（公元前六年）封成都侯。王莽篡位，为隆兴公。传见《汉书》卷十八。⑱甄丰：元始元年为左将军、光禄勋，以定策安宗庙功封广阳侯。⑲甄邯：元始元年为侍中、奉车都尉，以定策安宗庙功封承阳侯。与甄丰传均见《汉书》卷十八。⑳主击断：主管举劾、断狱。㉑平晏：平当之子，元始五年封防乡侯。传见《汉书》卷十八。㉒刘秀：即刘歆（？至公元二三年），字子骏，后改名秀。刘向之子，沛（今江苏沛县）人，西汉末年的古文经学家、目录学家、天文学家。元始五年封红休侯。传见《汉书》卷三十六。㉓孙建：元始五年封成武侯。传见《汉书》卷十八。㉔丰子寻：甄丰子甄寻。㉕秀子棻：刘歆子刘棻。㉖涿郡：郡名，治所涿县（今河北涿州），汉高祖置。㉗陈崇：元始五年封南乡侯。传见《汉书》卷十八。㉘幸于莽：得到王莽的信任。㉙色厉而言方：表情严厉，说话端庄。㉚微见风采：稍微暗示一下。见，同"现"。显现。㉛党与：同党之人。㉜稽首涕泣：磕头哭泣。㉝惑：迷惑。㉞示信：取信。㉟就其园：回到成帝、哀帝的陵邑去。㊱鼎足承君：三公一起辅佐皇帝。㊲一足不任：一只鼎足不能胜任。㊳覆乱美实：鼎翻倒，倒出鼎中的美食。㊴年齿老眊：年老糊涂。眊，通"耄"。㊵俟寘沟壑：等待身死填埋深沟，即等死之意。㊶黄金、安车、驷马：大臣退休，例赐黄金、安车、驷马，今不赐给彭宣，表示王莽对彭宣辞退的不满。㊷薛广德保县车之荣：永光元年，御史大夫薛广德退休，元帝赐安车、驷马等。广

【原文】

孝平皇帝上

元始元年（辛酉，公元一年）

春，正月，王莽风[457]益州[458]，令塞外蛮夷自称越裳氏[459]重译[460]献白雉一、黑雉二。莽白太后下诏，以白雉荐宗庙[461]。于是群臣盛陈莽功德，"致周成白雉之瑞[462]，周公及身在而托号于周[463]，莽宜赐号曰安汉公，益户畴爵邑[464]"。太后诏尚书具其事[465]。莽上书言："臣与孔光、王舜、甄丰、甄邯共定策[466]，今愿独条光等功赏[467]，寝置臣莽，勿随辈列[468]。"甄邯白太后下诏曰："'无偏无党，王道荡荡[469]。'君有安宗庙之

德归，悬其安车，以传示子孙为荣。县，同“悬”。㊸平当逡巡有耻：建平三年，宰相平当临死前不愿封侯。㊹彭宣见险而止：大司空彭宣发现王莽有野心，便主动辞去了大司空之职，回归故里。㊺异乎苟患失之者：他们和患得患失者截然不同。㊻戊午：八月二十七日。㊼王崇（？至公元四年）：元始元年封扶平侯。传见《汉书》卷十八。㊽马宫：字游卿，东海戚（今河南濮阳）人，以射策甲科为郎，官大司徒，封扶德侯。传见《汉书》卷八十一。㊾辛酉：九月初一日。㊿总己以听于莽：政事完全听命于王莽。㊿不知所出：不知如何是好。㊿四辅：四辅为闲散官，名重权轻，用以尊礼德高望重的老臣。虞、夏、商、周时以前丞、后丞、左辅、右相为四辅。王莽以孔光为太傅，位四辅，明尊荣之，而不给予实权。㊿行内署门户：加官名，掌禁中侍卫。㊿省服御食物：察看御用服饰、车马、食物。㊿壬寅：十月十二日。㊿义陵：汉哀帝陵。

【校记】

［23］御史大夫：原无此四字。据章钰校，甲十六行本、乙十一行本、孔天胤本皆有此四字，张敦仁《通鉴刊本识误》同，今据补。〖按〗《汉书·哀帝纪》亦有此四字。［24］辅：原无此字。张敦仁《通鉴刊本识误》认为“亲”下脱此字，当是，今据补。［25］前：原无此字。据章钰校，甲十六行本、乙十一行本、孔天胤本皆有此字，今据补。［26］淳于长：原作“长”。据章钰校，甲十六行本、乙十一行本、孔天胤本皆作“淳于长”，张瑛《通鉴校勘记》同，今据补。［27］多受其赂：原无此四字。据章钰校，甲十六行本、乙十一行本、孔天胤本皆有此四字，张敦仁《通鉴刊本识误》、张瑛《通鉴校勘记》同，今据补。

【语译】

孝平皇帝上

元始元年（辛酉，公元一年）

春，正月，王莽暗示益州刺史，命令边塞外的蛮族自称越裳氏部落，通过几重翻译才语言相通，向中国献上一只白色的野鸡、两只黑色的野鸡。王莽禀报太后，请她下诏令，把白色野鸡献祭宗庙。因此，群臣极力赞美王莽的功德，说他“招来周成王获得白色野鸡的祥瑞，周公在世时，就赐号为周公，现在王莽应赐号为安汉公，增加封邑人户，以与爵号相称”。太皇太后下诏，令尚书详细报告这件事。王莽上书说：“臣和孔光、王舜、甄丰、甄邯共同决策拥立当今皇帝，现在希望只条列孔光等人的功绩行赏，将臣的一点贡献放下，就不要和他们一起列举。”甄邯奏请太皇太后下诏说：“‘不偏私，不偏袒，王道坦荡。’你有安邦定国的大功，不能因为你

功，不可以骨肉[470]故蔽隐不扬，君其勿辞！”莽复上书固让数四，称疾不起，左右白太后，“宜勿夺莽意，但条孔光等”，莽乃肯起。二月丙辰[471]，太后下诏：“以太傅、博山侯光为太师，车骑将军、安阳侯舜为太保，皆益封万户；左将军、光禄勋丰为少傅，封广阳侯；皆授四辅之职。侍中、奉车都尉邯封承阳侯。”四人既受赏，莽尚未起[472]。群臣复上言：“莽虽克让[473]，朝所宜章[474]，以时加赏，明重元功[475]，无使百僚元元[476]失望！”太后乃下诏：“以大司马、新都侯莽为太傅，干[477]四辅之事，号曰安汉公，益封二万八千户。”于是莽为惶恐，不得已而起，受太傅、安汉公号，让还[478]益封事，云：“愿须百姓家给[479]，然后加赏。”群臣复争，太后诏曰：“公自期百姓家给，是以听之，其令公奉赐皆倍故[480]。百姓家给人足，大司徒、大司空以闻[481]。”莽复让不受，而建言[482]褒赏宗室群臣，立故东平王云太子开明为王[483]；又以故东平思王孙成都为中山王[484]，奉孝王后；封宣帝耳孙[485]信等三十六人皆为列侯；太仆王恽等二十五人皆赐爵关内侯。又令诸侯王公、列侯、关内侯无子而有孙若同产子[486]者，皆得以为嗣；宗室属未尽而以罪绝者，复其属[487]；天下吏比二千石以上年老致仕[488]者，参分故禄[489]，以一与之，终其身[490]。下及庶民鳏寡，恩泽之政[491]，无所不施。

莽既媚说[492]吏民，又欲专断，知太后老，厌政[493]，乃风公卿奏言：“往者吏以功次迁[494]至二千石，及[28]州部所举茂材异等吏[495]，率多不称[496]，宜皆见安汉公[497]。又，太后春秋高[498]，不宜亲省[499]小事。”令太后下诏曰：“自今以来，唯封爵乃以闻，他事安汉公、四辅平决[500]。州牧、二千石及茂材吏初除奏事者，辄引入，至近署对[501]安汉公，考故官[502]，问新职[503]，以知其称否[504]。”于是莽人人延问，密致恩意[505]，厚加赠送，其不合指，显奏免之，权与人主侔[506]矣。

置羲和[507]官，秩二千石。

夏，五月丁巳朔[508]，日有食之。大赦天下。公卿以下举敦厚能直言者[509]各一人。

王莽恐帝外家卫氏[510]夺其权，白太后：“前哀帝立，背恩义，自贵外家[511]丁、傅，挠乱[512]国家，几危社稷。今帝以幼年复奉大宗为成帝

是我的骨肉亲戚，就遮盖隐瞒起来而不宣扬，你不要推辞！”王莽又多次上奏坚决推辞，甚至称病不视事，左右大臣禀报太皇太后，“最好不要强夺王莽的心意，只给孔光等人论功行赏”，王莽才肯起身入朝视事。二月二十八日丙辰，太皇太后下诏：“任命太傅、博山侯孔光为太师，车骑将军、安阳侯王舜为太保，都增为万户侯；又任命左将军、光禄勋甄丰为少傅，封为广阳侯；他们三人都授予四辅的职位。封侍中、奉车都尉甄邯为承阳侯。”四人接受了封赏后，而王莽还没有上朝理事。群臣又上奏说：“王莽虽然谦让，但朝廷应当彰显他的功绩，及时予以奖赏，明白地宣示尊重首功，不要使百官和民众感到失望！”太皇太后就下诏：“任命大司马、新都侯王莽为太傅，主管四辅之事，号为安汉公，增加封邑二万八千户。”于是，王莽假装感到惶恐，不得已而起身视事，接受太傅、安汉公的称号，退还增加封邑的赏赐，说：“臣希望等待天下百姓都能丰足之后接受加赏。”群臣又替王莽力争，太后下诏说：“安汉公自己期望天下百姓都丰足，这可以听从他，只有他的俸禄和岁时常赐着明在令，应当比往常增加一倍。等到天下百姓都能自给自足时，大司徒、大司空再行奏报。”王莽还是推辞不肯接受，并建议表扬奖赏宗室群臣，册立已故东平王刘云的太子刘开明为东平王；又册立已故东平思王刘宇的孙子刘成都为中山王，承奉中山孝王之后；封宣帝的曾孙刘信等三十六人都为列侯；又封太仆王恽等二十五人为关内侯。又命诸侯王公、列侯、关内侯，凡没有儿子而有孙子或同母兄弟的儿子的，都可承继王侯爵位；皇宗近亲关系未应断绝，因犯罪而被断绝的，恢复其属籍；全国俸禄比二千石以上的官吏因年老退休的，以原俸禄的三分之一作为退休金，直至死为止。下至平民百姓、鳏夫寡妇，有关恩德之政，无所不施。

王莽已讨好了全国的官员和民众，又想独断权力，他知道太后年老，厌恶政事，就示意公卿上奏说：“从前官吏因功绩按顺序逐渐升到二千石的高官，以及部刺史所推荐的茂材异等的人，为官大多数不称职，应当让他们都去见安汉公，由安汉公亲自考察。此外，太后年事已高，不适宜再亲自过问小事。”让太皇太后下诏说：“从今以后，只有封爵之事奏报，其他事情安汉公、四辅决定处理。州牧、二千石以及茂材出身的，第一次任职和上疏奏事的，应该引进召见，到大内的官署接受安汉公问答，由安汉公考核他们任前职的治绩，询问新上任后如何施政，从而了解他们是否称职。”于是王莽对官员一一召见询问，私送恩情，赠送丰厚礼品，其中不合他旨意的人，公开奏报，予以免职，王莽的权势与皇帝相当了。

设置羲和官职，官秩二千石。

夏，五月初一日丁巳，发生日食。大赦天下。公卿以下官员各举荐一位敦厚能直言的人。

王莽怕平帝外戚卫氏夺去他的权力，就禀告太后说：“先前哀帝登基，背离恩义，致使自己外戚丁、傅二家显贵，扰乱了国家，几乎使国家处于危险境地。如今

后，宜[29]明一统之义⑬，以戒前事，为后代法。”六月，遣甄丰奉玺绶，即拜帝母卫姬为中山孝王后。赐帝舅卫宝、宝弟玄爵关内侯。赐帝女弟三人号曰君⑭，皆留中山，不得至京师。

扶风⑮功曹申屠刚以直言对策曰：“臣闻成王幼少，周公摄政，听言下贤⑯，均权布宠⑰，动顺天地，举措不失，然近则召公⑱不说，远则四国流言⑲。今圣主始免襁褓⑳，即位以来，至亲分离，外戚杜隔，恩不得通。且汉家之制，虽任英贤，犹援姻戚㉑，亲疏相错㉒，杜塞间隙，诚所以安宗庙，重社稷也。宜亟遣使者征中山太后，置之别宫，令时朝见，又召冯、卫二族，裁与冗职㉓，使得执戟亲奉宿卫，以抑患祸之端，上安社稷，下全保傅。”莽令太后下诏曰：“刚所言僻经妄说㉔，违背大义！”罢归田里。

丙午㉕，封鲁顷公㉖之八世孙公子宽㉗为褒鲁侯，奉周公祀；封褒成君孔霸曾孙均为褒成侯㉘，奉孔子祀。

诏“天下女徒㉙已论㉚，归家，出雇山钱㉛，月三百。复贞妇，乡一人㉜。大司农部丞十三人，人部一州㉝，劝农桑”。

秋，九月，赦天下徒。

【段旨】

以上为第四段，写王莽运用权术，给自己加号安汉公，又直接代替太皇太后主宰朝政，铺平了逼宫篡位的道路。

【注释】

㊼风：暗示。㊽益州：汉十三部州之一。治所洛，在今四川广汉北。此代指益州刺史。㊾越裳氏：南方越族一支。这是王莽让人假托为越裳氏。㊿重译：形容路远，民族众多，语言不通，须多次翻译才能通达。(461)荐宗庙：献祭宗庙。(462)周成白雉之瑞：周成王曾获白雉，朝野以为祥瑞。(463)周公及身在而托号于周：周公因有大功，在他活着的时候便被授予尊号。(464)益户畴爵邑：增加王莽封邑人户，以使与爵号相称。畴，等。(465)具其事：详细报告事情的始末。(466)定策：指立平帝。(467)独条光等功赏：单独条列孔光等人

平帝年幼，又继承大宗而成为成帝之后，应当明示正统相承的大义，以防备再次出现从前的事情，并为后代所效法。”六月，派遣甄丰捧着玺绶，在中山国拜平帝的母亲卫姬为中山孝王后，赐平帝舅父卫宝、卫玄为关内侯。赐给平帝的三个妹妹尊号为君，都留在中山国，不得到京师。

扶风郡功曹申屠刚用正直之言对策说：“臣听说周成王年幼，周公旦摄政，听取直言，礼贤下士，均衡权力，广施恩宠，行动都顺应天地之心意，举措没有过失，然而近处召公不满，远处管、蔡、商、奄四国散布流言蜚语。如今皇上刚离襁褓，即位以来，与亲骨肉分离，外戚隔绝，恩情不能相通。况且汉朝制度，即使任用优秀贤良人才，仍然要引进姻亲，亲疏交错，堵塞空隙，这是用来安定宗庙，巩固社稷的良策。应当赶快派遣使者征召中山太后进京，安置于别宫，让母子按时相见，再征召冯、卫两家来京，仅给予散职，让他们手持武器，亲自担任宫中的警卫，以抑制祸患的发生，上安国家社稷，下保师傅。”王莽让太皇太后下诏说：“申屠刚的话，是离经叛道的邪说，违背大义！”罢免申屠刚的官职，返回乡里。

六月二十日丙午，封鲁顷公的八世孙公子姬宽为褒鲁侯，承奉周公的祭祀；又封褒成君孔霸的曾孙孔均为褒成侯，承奉孔子的祭祀。

太皇太后下诏“天下凡是已判刑的女子，准予回家，出雇人上山伐木之钱，每人每月三百。恢复表扬贞妇的制度，每乡推荐一名贞妇。大司农部丞十三人，每人负责一州，前往鼓励农妇耕织”。

秋，九月，赦免天下囚犯。

的功绩进行奖赏。㊻寝置臣莽二句：把我王莽搁置一旁，不要和孔光等人列在一起受封赏。㊼无偏无党二句：语出《尚书·洪范》，意谓公正无私，王道坦荡。㊽骨肉：指王莽与太皇太后有亲。㊾丙辰：二月二十八日。㊿莽尚未起：指上文王莽称病不理朝政，至此四人已受封赏之际，仍未上朝理事。⑰③克让：克己而退让。⑰④朝所宜章：朝廷还是应当表彰。章，通“彰”。⑰⑤明重元功：明白地宣示尊重首功。⑰⑥元元：老百姓。⑰⑦干：主管。⑰⑧让还：退回。⑰⑨家给：家家丰足。⑱⓪奉赐皆倍故：俸禄与赏赐都比过去多一倍。⑱①以闻：再加以报告。⑱②建言：建议。⑱③开明为王：建平二年，刘云死，封国除，今以刘云子刘开明继为东平王。⑱④成都为中山王：东平思王刘宇乃汉宣帝之子，宣帝继承帝位，今以刘宇孙刘成都为中山王，以奉中山孝王之后。⑱⑤耳孙：曾孙。⑱⑥同产子：同母兄弟之子。⑱⑦宗室属未尽而以罪绝者二句：宗室亲属因罪而被除宗属籍者，恢复其宗属的身份。⑱⑧致仕：退休。⑱⑨参分故禄：将其原来享受的俸禄分成三份。⑲⓪终其身：享受原俸禄三分之一，到死为止。⑲①恩泽之政：优惠的政策。⑲②媚说：献媚取悦。说，

通“悦”。㊾厌政：厌恶政事。⑭以功次迁：按照功劳或资历升迁。⑮及州部所举茂材异等吏：指州刺史以“茂材异等”之名而举荐为吏的人。⑯多不称：多数不称职。⑰宜皆见安汉公：应该都先去晋见王莽。⑱春秋高：年纪大了。⑲亲省：亲自过问。㊿平决：评议决定。㉛对：答问。㊲考故官：考核其任前职的政绩。㊳问新职：问其任新职的打算。㊴称否：称职与否。㊵密致恩意：私送恩情。㊶侔：相等。㊷羲和：官名，王莽篡位后改大司农为羲和。㊸丁巳朔：五月初一日。㊹敦厚能直言者：汉代察举中的科目名。㊺卫氏：平帝乃中山卫姬所生。㊻自贵外家：使外家尊贵。㊼挠乱：扰乱。㊽一统之义：指既承帝统，不得再顾私亲。㊾赐帝女弟三人号曰君：以太皇太后诏赐平帝的三个妹妹谒臣、皮、鬲子都为封君。女弟，妹。号曰君，即封谒臣号修义君，皮为承礼君，鬲子号尊德君。㊿扶风：郡名，治所内右史地，在今陕西咸阳东。⑯听言下贤：听取直言，礼贤下士。⑰均权布宠：均衡权力，广布恩宠。⑱召公：与周公同为西周成王辅政大臣。⑲四国流言：四方对周公摄政均有流言蜚语，认为将不利于成王。⑳始免襁

【原文】

二年（壬戌，公元二年）

春，黄支国[534]献犀牛。黄支在南海中，去京师三万里。王莽欲耀威德，故厚遗其王，令遣使贡献。

越巂郡[535]上黄龙游江中，太师光、大司徒宫等咸称“莽功德比[536]周公，宜告祠宗庙”。大司农孙宝曰：“周公上圣，召公大贤，尚犹有不相说，著于经典，两不相损。今风雨未时[537]，百姓不足，每有一事，群臣同声[538]，得无非其美者[539]！”时大臣皆失色，甄邯实时承制罢议者[540]。会宝遣吏迎母，母道病，留弟家，独遣妻子。司直陈崇劾奏宝，事下三公即讯[541]。宝对曰：“年七十，悖眊[542]，恩衰共养，营妻子，如章[543]。”宝坐免，终于家。

帝更名衎。

三月癸酉[544]，大司空王崇谢病[545]免，以避王莽。

夏，四月丁酉[546]，左将军甄丰为大司空，右将军孙建为左将军，光禄勋甄邯为右将军。

褓：刚离开童年。时平帝年仅十岁。㉑犹援姻戚：还要靠亲戚做外援。㉒亲疏相错：亲戚与贤臣并用。㉓裁与冗职：安排给与散职。㉔僻经妄说：离经叛道的邪说。㉕丙午：六月二十日。㉖鲁顷公：名雠，鲁国末世君。鲁国于秦孝文王元年（公元前二五〇年）为楚所灭。㉗公子宽：封褒鲁侯后即死，十一月由相如嗣爵，更姓公孙氏，后又更为姬氏。封国在南阳（今河南南阳）。㉘褒成侯：孔均，孔霸曾孙。封国在瑕丘（今山东兖州东北）。㉙女徒：女犯人。㉚已论：已定过罪。㉛归家二句：按汉制，女子犯罪，要进山砍柴六月，今诏令归家，只出一些钱，名义上雇人代役，故称雇山钱。㉜复贞妇二句：恢复表彰贞妇，每乡一人。㉝人部一州：每人管一州。

【校记】

［28］及：原无此字。据章钰校，甲十六行本、乙十一行本、孔天胤本皆有此字，张敦仁《通鉴刊本识误》同，今据补。［29］宜：据章钰校，甲十六行本作“宣”。

【语译】

二年（壬戌，公元二年）

春，黄支国进贡犀牛。黄支国在南海中，距离京师三万里。王莽想要炫耀威德，所以送给黄支国王以厚礼，让黄支国王派使臣进贡。

越巂郡报告黄龙在长江中游动，太师孔光、大司徒马宫等都认为“王莽的功德可以与周公相比，应该告祭宗庙”。大司农孙宝说：“周公是最高的圣人，召公是最大的贤人，他们两人尚有不和睦，明显地记载在经典，但对两人的声誉并没有损害。现在风雨失调，百姓贫困，每有一件事情，群臣异口同声赞扬，恐怕不是什么好事！”当时大臣们都惊恐变色，甄邯立即宣布奉旨停止议论。适逢孙宝派遣府吏迎接母亲，母亲在途中患病，就留住在孙宝弟弟的家中，只送孙宝的妻子到京师。司直陈崇藉此事弹劾孙宝，事情交由三公立即审讯。孙宝回答说：“我年已七十，老迈糊涂，供养母亲的恩情衰退，只照顾妻子，和奏章所说的一样。”孙宝获罪免职，病死家中。

平帝更名为刘衎。

三月二十一日癸酉，大司空王崇称病免职，以此来避让王莽。

夏，四月十六日丁酉，任命左将军甄丰为大司空，右将军孙建为左将军，光禄勋甄邯为右将军。

立代孝王[547]玄孙之子如意为广宗王，江都易王[548]孙盱台侯宫为广川王，广川惠王[549]曾孙伦为广德王。绍封汉兴以来大功臣之后周共[550]等皆为列侯及关内侯，凡百一十七人。

郡国大旱、蝗，青州[551]尤甚，民流亡。王莽白太后：宜衣缯练[552]，颇损膳[553]，以示天下。莽因上书愿出钱百万，献田三十[30]顷，付大司农助给贫民。于是公卿皆慕效[554]焉，凡献田宅者二百三十人，以口赋贫民[555]。又起五里[556]于长安城中，宅二百区[557]，以居贫民。莽帅群臣奏太后言："幸赖陛下德泽，间者风雨时[558]，甘露降，神芝生[559]，蓂荚[560]、朱草[561]、嘉禾[562]，休征[563]同时并至。愿陛下遵帝王之常服[564]，复太官之法膳[565]，使臣子各得尽欢心，备共养！"莽又令太后下诏，不许。每有水旱，莽辄素食，左右以白太后。太后遣使者诏莽曰："闻公菜食，忧民深矣。今秋幸孰[566]，公以时[567]食肉，爱身为国！"

六月，陨石于钜鹿二。

光禄大夫楚国龚胜、太中大夫琅邪[568]邴汉以王莽专政，皆乞骸骨。莽令太后策诏之曰："朕愍[569]以官职之事烦大夫，大夫其修身守道，以终高年。"皆加优礼[570]而遣之。

梅福知王莽必篡汉祚，一朝弃妻子去，不知所之。其后，人有见福于会稽[571]者，变姓名为吴市门卒[572]云。

秋，九月戊申晦[573]，日有食之，赦天下徒。

遣执金吾候陈茂谕说江湖贼成重等二百余人皆自出[574]，送家在所收事[575]。重徙云阳，赐公田宅[576]。

王莽欲悦[577]太后以威德至盛，异于前，乃风单于令遣王昭君[578]女须卜居次云入侍太后，所以赏赐之甚厚。

车师后王国[579]有新道通玉门关，往来差近[580]，戊己校尉[581]徐普欲开之。车师后王姑句[582]以当道供给使者[583]，心不便[584]也。普欲分明其界[585]，然后奏之，召姑句使证[586]之，不肯，系之[587]。其妻股紫陬谓姑句曰："前车师前王为都护司马所杀，今久系必死，不如降匈奴！"即驰突[588]出高昌壁[589]，入匈奴。又去胡来王[590]唐兜与赤水羌[591]数相寇，不胜，告急都护，都护但钦不以时[592]救助。唐兜困急，怨钦，东守玉门关。玉门

封立代孝王刘参玄孙的儿子刘如意为广宗王，江都易王刘非的孙子盱台侯刘宫为广世王，广川惠王刘越的曾孙刘伦为广德王。续封汉兴以来大功臣的后代周共等为列侯或关内侯，共一百一十七人。

郡国大旱，发生蝗灾，青州尤为严重，百姓流散逃亡。王莽禀报太后：宫中应该改穿没有文采的丝服，大大减少膳食费用，向天下人表示皇室节俭。王莽乘机上书，愿意捐钱一百万，献田三十顷，交归大司农以赈济贫民。于是，公卿大臣全都仿效，共有二百三十人捐献田宅，依照贫民人数而分给田宅。又在长安城里建了五个里坊，共有住宅二百所，用以安置贫民。王莽率领群臣上奏太后说："有幸仰赖陛下的恩德，近来风雨适时，甘露下降，神异灵芝出现，蓂荚、朱草、嘉禾，祥瑞嘉兆同时并至。希望陛下仍穿帝王的正常服装，恢复供应正常的膳食，使臣子各能竭尽欢心，精心供养!"王莽又让太皇太后下诏，表示不同意。每逢有水、旱灾害，王莽就吃素食，左右近臣就把这事禀报太皇太后。太皇太后派使臣诏令王莽说："听说安汉公只吃素食，为人民忧心太深了。今年秋天庄稼幸而丰收，你应当按时吃肉，为国家爱护自己的身体!"

六月，有两颗陨石坠落在钜鹿县。

光禄大夫楚国人龚胜、太中大夫琅邪人邴汉因王莽专权，都请求辞职。王莽让太皇太后下策书说："朕很可怜以官职之事烦劳两位大夫，你们可以修身守道，以终天年。"都给予优厚的赐赏，遣送回乡。

梅福知道王莽必定会篡夺汉朝政权，有一天抛弃妻子出走，不知去向。后来，有人在会稽郡看到梅福，说是已更名换姓，在吴县守门。

秋，九月最后一天三十日戊申，发生日食，赦免天下囚犯。

派遣执金吾侯陈茂去劝说江湖盗贼成重，成重等二百余人都出来自首，把他们各自送回原籍安置。成重则迁到云阳县安顿，并赐给他公田和住宅。

王莽想让太皇太后高兴，说她的威望和恩德已达到顶点，不同于先前，就暗示单于，让他派遣王昭君的女儿须卜居次云入宫奉侍太后，所以对单于的赏赐非常丰厚。

车师后王国有一条新道直通玉门关，往来比较近，戊己校尉徐普想拓宽成大道。车师后王姑句认为他们正处于西域前往中国的要冲，担心汉朝派往西域使者的供给全落在他们身上，心里不愿意。徐普想要勘明新道的路线分界，然后上奏朝廷，就招来姑句，让他证明新道的确较旧道为近，姑句不肯证实，徐普便将姑句扣押了。姑句的妻子股紫陬对姑句说："从前车师前王被都护司马所杀，现在你长久囚禁必死，不如投降匈奴!"当即疾驰奔突，出了高昌壁，逃入匈奴。婼羌国的去胡来王唐兜与相邻的赤水羌多次互相攻击，唐兜不能取胜，向西域都护告急，都护但钦没有及时援助。唐兜被困危急，怨恨但钦，想向东进入玉门关。而玉门关守将又不让他进关，

关不内[593]，即将妻子、人民千余人亡[594]降匈奴。单于受置左谷蠡地[595]，遣使上书言状[596]曰："臣谨已受。"诏遣中郎将韩隆等使匈奴，责让[597]单于。单于叩头谢罪，执二虏[598]还付使者。诏使中郎将王萌待于西域恶都奴[599]界上。单于遣使送，因请其罪[600]，使者以闻。莽不听，诏会西域诸国王，陈军[601]斩姑句、唐兜以示之。乃造设四条，中国人亡入匈奴者，乌孙亡降匈奴者，西域诸国佩中国印绶降匈奴者，乌桓降匈奴者，皆不得受[602]。遣中郎将王骏、王昌、副校尉甄阜、王寻使匈奴，班四条与单于[603]，杂函封[604]，付单于，令奉行，因收故宣帝所为约束[605]封函还。时莽奏令中国不得有二名[606]，因使使者以风单于，宜上书慕化[607]，为一名，汉必加厚赏。单于从之，上书言："幸得备藩臣，窃乐太平圣制。臣故名囊知牙斯，今谨更名曰知。"莽大说，白太后，遣使者答谕，厚赏赐焉。

莽欲以女配帝为皇后以固其权，奏言："皇帝即位三年，长秋宫[608]未建，掖庭媵未充[609]。乃者国家之难，本从无嗣，配取不正[610]，请考论"五经"，定取后礼[611]，正十二女之义[612]，以广继嗣，博采二王后[613]及周公、孔子世[614]、列侯在长安者適子女[615]。"事下有司，上众女名[616]，王氏女多在选中者，莽恐其与己女争，即上言："身无德，子材下[617]，不宜与众女并采[618]。"太后以为至诚，乃下诏曰："王氏女，朕之外家，其勿采。"庶民、诸生、郎吏以上守阙上书者日千余人，公卿大夫或诣[619]廷中，或伏省户下[620]，咸言："安汉公盛勋堂堂[621]若此，今当立后，独奈何废公女[622]，天下安所归命[623]？愿得公女为天下母[624]！"莽遣长史以下分部[625]晓止公卿及诸生，而上书者愈甚。太后不得已，听[626]公卿采莽女。莽复自白："宜博选众女。"公卿争曰："不宜采诸女以贰正统[627]。"莽乃白："愿见女[628]。"

他只好率领妻子、百姓千余人逃亡投降匈奴。单于收容他们后，安置在左谷蠡王所居住的地方，派出使臣到汉朝把收容姑句、唐兜两人的情况据实上奏，说:“我已接受他们来降。”朝廷下诏遣中郎将韩隆等出使匈奴，指责单于。单于磕头谢罪，拘捕姑句、唐兜交给使者。汉朝下诏派遣中郎将王萌在西域恶都奴的边界上等待。单于派遣使者护送汉使押解姑句、唐兜到恶都奴，借机请朝廷宽恕他两人的罪过，汉朝使节回到长安，向王莽转告了单于的请求。王莽不理会，下诏召集西域各国国王来长安，陈列军队，当众将姑句、唐兜斩首。还制定了四项条例：中国人逃亡到匈奴的，乌孙逃亡投降匈奴的，西域诸国佩戴中国印绶投降匈奴的，乌桓投降匈奴的，都不能接纳。派遣中郎将王骏、王昌，副校尉甄阜、王寻出使匈奴，向单于颁布四条规定，将它与玺书同函封好，交付单于，命令单于遵照执行，就此机会将过去宣帝所制定的约束匈奴的诏令加封收回。这时王莽上奏命令中国人不准取两个字的名字，因而让使节暗示单于，应当上书表示向往并接受教化，改为一个字的名字，汉朝一定加以优厚的赏赐。单于同意了，上奏说:“臣单于有幸能充当汉朝的藩国臣属，私下为太平圣制而高兴。臣原名囊知牙斯，现在恭敬更名为知。”王莽大为高兴，禀报太皇太后，派遣使节到匈奴答复知晓，对单于厚加奖赏。

王莽想把女儿嫁给平帝成为皇后，借以巩固自己的权力，就上奏说:“皇帝即位已有三年，皇后尚未确定，掖庭陪嫁的女子也不够数。以往国家的危难，在于皇帝无子，皇后的来路不正。请查考“五经”，制定聘娶皇后的礼仪，使天子一娶十二人的规定纳入正轨，以广求继嗣，多方采纳殷、周二王的后裔，周公、孔子的后代，以及列侯在长安的嫡女。”太皇太后把此事交由主管官吏办理，主管官吏呈上众女名单，王氏的女子多数在被选的名册里，王莽害怕她们和自己的女儿竞争，就上奏说：“我没有高尚品德，女儿才能低下，因此她不适宜与众女子一起参加挑选。”太后以为王莽是诚心实意，就下诏说:“王氏女子，是我的娘家人，就不必参加挑选。”庶民、诸生、郎吏以上官吏守候在皇宫大门前上奏的，每天有一千多人，公卿、大夫有的来到殿廷之中，有的俯伏在省门之下，一致请求说:“安汉公有如此高显盛大的功德，如今立皇后，为什么偏偏要排除王莽的女儿，天下人怎能归心呢？臣等都希望安汉公的女儿做国母!”王莽派遣长史以下官员分别布置劝阻公卿及诸生的请愿，但上书的人更多了。太皇太后不得已，就听任公卿挑选王莽的女儿。王莽又为自己辩白说:“应当广选众女。”公卿们争辩说:“不应当采纳其他女子而有失正统。”王莽就说:“好吧，让我女儿接受朝廷的考察。”

【段旨】

以上为第五段，写王莽上欺太皇太后，下压群臣，耍尽权术表演政治秀，没有一个敢于直言的人劝阻，西汉国祚，走到了尽头。

【注释】

㉞黄支国：古国名，在今印尼苏门答腊西北部亚齐附近。传见《汉书》卷二十八下。㉟越巂郡：郡名，在今四川西昌东南。㊱比：相当于。㊲风雨未时：风不调雨不顺。㊳同声：众口一辞。㊴得无非其美者：恐怕不是什么好事。㊵罢议者：停止争议。㊶即讯：立即讯问。㊷悖眊：年老糊涂。㊸恩衰共养三句：母亲供养较差，只知照顾妻子，像奏章所说的那样。共，通"供"。㊹癸酉：三月二十一日。㊺谢病：称病。㊻丁酉：四月十六日。㊼代孝王：文帝子刘参，封代王。今以代孝王玄孙之子刘如意封为广宗王以继。传见《汉书》卷十四。㊽江都易王：刘非，景帝子，封江都王，今以其孙刘宫继爵为广川王。广川王，为广世王之误。传见《汉书》卷十四。㊾广川惠王：刘越，景帝子。现以惠王曾孙刘伦继封。传见《汉书》卷十四。㊿周共：人名，绛侯周勃玄孙。551青州：州名，治所临淄，在今山东淄博市临淄区。552缯练：无花纹的丝织品。553损膳：减少膳食费用。554慕效：仿效。555以口赋贫民：将田宅按人口数分给贫民。556五里：五个里（居住区）。里，里坊。557宅二百区：建民宅二百所。558风雨时：风调雨顺。559神芝生：神异灵芝出现。古人认为灵芝是瑞草。560蓂荚：甜菜。古人认为是瑞草。561朱草：红草，也是瑞草。562嘉禾：特别粗壮的稻禾，古人视为祥瑞。563休征：嘉兆祥瑞。564遵帝王之常服：按规定穿皇帝的正常服装。565复太官之法膳：恢复太官正常的膳食供应。566孰：通"熟"。指丰收。567以时：按时。568琅邪：郡名，治所东武，在今山东诸城。569愍：怜惜。570加优礼：给予优厚的待遇。571会稽：郡名，治所吴县，在今江苏苏州。572吴市门卒：吴县市场之守门卒。573戊申晦：九月三十日。574皆自出：都出来自首。575送家在所收事：送至家庭所在地收留安排。576赐公田宅：赐给他公田和屋宅。577悦：取悦。578王昭君：名嫱，元帝时被选入宫，自请嫁匈奴呼韩邪单于，对促进汉匈友好关系，起了一定的作用。579车师后王国：治务涂谷，在今新疆吉木萨尔南山中。传见《汉书》卷九十六下。580差近：比较近。581戊己校尉：官名，元帝初元元年（公元前四八年）置，掌管西域事务。582姑句：车师后王国国王。583当道供给使者：正当新路，要承担供给过往使者的负担。584心不便：心里不愿意。585分明其界：划清界线。586证：确认。587系之：囚禁起来。588驰突：骑马奔突。589高昌壁：高昌乃古城名，故址在今新疆吐鲁番东，城墙乃夯土筑成，汉称高昌壁或高昌垒，是为防卫匈奴而建。590去胡来王：婼羌国王号，意谓去胡归汉之意。婼羌，在今新疆巴音郭楞蒙古自治州南部。591赤水羌：居住在赤水的羌族的一支，故地在今青海兴海县境内。592不以

时：不按时；不及时。593 不内：不接纳。内，通“纳”。594 亡：出走。595 受置左谷蠡地：匈奴接受唐兜等并将其安置在左谷蠡王所辖地。596 言状：报告当时状况。597 责让：责备。598 二虏：指车师后王姑句与去胡来王唐兜。599 恶都奴：谷名，位于汉时西域与中原地区的边界地区。600 单于遣使送二句：匈奴单于派使者将姑句与唐兜交给汉使，并向汉廷请求宽恕他们的罪过。601 陈军：军队列成阵势。602 受：接受。603 班四条与单于：汉匈以长城为界，互不犯边，互不接受对方的降人。匈奴还受四条约束：一、逃亡到匈奴的中国人；二、逃亡到匈奴的乌孙王国人；三、逃亡到匈奴的西域各国接受中国封爵的人；四、逃亡到匈奴的乌桓族人。这四种人匈奴均不得收纳。604 杂函封：将四条约束与玺书同封一函。605 宣帝所为约束：汉宣帝甘露四年（公元前五〇年），汉匈两国约定，长城以南汉有之，长城以北匈奴有之，有降者不得受。现在，王莽收回原来宣帝所订约束，而以新的四条约束来代替。606 二名：两个字的名字。607 慕化：向往并接受教化。608 长秋宫：皇后宫名。长秋，即年年丰收之意。609 掖庭媵未充：后宫嫔妃未充实（指未达到规定限额）。610 本从无嗣二句：因没有固定的继承人，后妃的来路又不正所造成的。611 取后礼：迎娶皇后的礼仪。取，通“娶”。612 十二女之义：此沿用古礼，据《公羊传》载，周天子有十二位后妃。613 二王后：商、周天子的后裔。614 周公、孔子世：周公、孔子的后裔。615 適子女：古代宗法制度确定只有嫡妻（正妻）所生子女才有继承权。616 上众女名：上报众女子的名单。617 身无德二句：我自身无德，女儿材行也不高。此王莽自谦之词。618 并采：和其他女子一起选拔。619 诣：往。620 伏省户下：指到政府各部门。621 盛勋堂堂：功业盛大的样子。622 独奈何废公女：为什么偏要排除王莽的女儿。623 天下安所归命：怎能使天下归心呢。624 天下母：即皇后。625 分部：分别。626 听：任凭；听任。627 以贰正统：指皇后应选王莽女，否则便会出现两个正统。628 愿见女：愿意让宫廷来考察自己的女儿。

【校记】

［30］十：据章钰校，孔天胤本作“千”。

【研析】

本卷有三大事件值得研析。其一，哀帝嬖幸董贤；其二，丞相王嘉之冤死；其三，王莽诈伪之术。分层讨论如次。

第一，哀帝嬖幸董贤。董贤是一个美男子，又天生一副媚骨，因其父董恭为御史，董贤得以为太子舍人，侍从哀帝刘欣。但直到哀帝即位两年之后，董贤在殿下值班报时刻，才被哀帝发现，真是一见钟情，立即升迁董贤，拜为黄门郎，不久又升为驸马都尉侍中，出入宫禁，陪伴哀帝卧起，宠爱无比，董氏一门贵幸。哀帝升迁董贤之父为少府，赐爵关内侯。立董贤妹为昭仪，位次皇后。任命董贤弟为执金

吾，董贤妻父为将作大匠。哀帝又诏令将作大匠用国家公款在皇家上林苑中给董贤盖豪华宅第，董贤家中日用器物，乃至祭祀祖先器物费用，也由皇家供给。封董贤为高安侯，竟然在封策文中使用皇帝禅让的命辞“允执其中”，而且哀帝也竟然在一次宴会上因醉酒说出禅位给董贤的话。哀帝昏愦到“不爱江山爱男宠”的地步。西汉国祚弄到这个地步，不亡何待。柏杨读史至此深深长叹，写下一段精彩评论，摘载以供欣赏。柏杨说：“刘欣先生跟董贤先生之间，是一种狂热的同性恋。中国君王群中，刘欣不是唯一搞同性恋的君王，但他却是为了同性恋，而把政府体制全部摧毁的君王。刘奭、刘骜，已把汉王朝蹂躏得奄奄一息，但官员人民效忠的惯性，仍在继续，刘欣先生如果稍微有一点点正常，小心翼翼，收拾残局，汉政府仍有维持下去的可能。然而，刘欣先生却是个败家子。任何一个富贵太久的家庭，最后必然要出个败家子，把家产一扫而光。皇家的家产就是政权，这是中国传统政治的悲剧君王是一个拥有无限权威的司机，他如果决心把车开进万丈深谷，谁都挡不住，谁都救不了。”西汉灭亡，社会阶级矛盾还未到对立阶级总爆发的程度，也就是爆发农民大起义的条件尚未成熟，而是统治阶级自身腐朽，皇位继承人一代不如一代，败家子一个接一个，刘氏自毁江山，这叫做“自作孽，不可活”。阴谋家王莽应运而生。

第二，丞相王嘉之冤死。汉哀帝昏庸误国，亲近小人，远离君子。哀帝滥赏滥杀，群臣恐惧，噤若寒蝉。自元帝、成帝以来，长时期的是非颠倒，黑白混淆，正气衰弱，邪气狂炽，到哀帝一朝，满朝文武，鲜有直言者。丞相王嘉，虽然才干平庸，尚保持一丝正气，他仅仅两次上奏密封奏折，劝谏哀帝不要过分宠信董贤，拒绝执行给董贤、傅晏、傅商、郑业增加采邑，既非国家大政，又非当朝直谏，仅仅是提了一点正确建议，哀帝就要赐死王嘉。王嘉拒绝服毒自杀，拍案而起，对部属说：“我王嘉有幸位居三公，如果奉职不谨慎，辜负了国家的重托，应该在都市公开服刑受死，用以昭示百姓。我身为丞相，难道要像一个妇女服毒自尽吗？”何等慷慨，何等自信，正气冲牛斗。王嘉理直气壮接受审判，是对昏庸哀帝权威的挑战。王嘉知道必死，但他要死个明白，让天下人知道他的冤。于是哀帝更加愤恨，立即组织五位大臣会审，成立特别法庭，定要把王嘉打成铁案，给他罗织罪状。光禄大夫孔光指控“王嘉背叛国家，欺骗主上，大逆不道”，享有一代贤才美誉的孔光，原是一个伪君子，他是无限上纲。五大臣合议庭据此审问王嘉，王嘉一一驳斥。所谓“叛国罪”，指的是梁相等三人在审理东平王刘云案件时，没有按照哀帝旨意诬枉刘云，王嘉替三人说了几句公道话，被孔光上纲上线为不与哀帝同一条心，就是“背叛国家、欺骗主上”，自然是“大逆不道”之罪。议郎龚、永信少府猛认为罢官就够了。五大臣只能按孔光定的调子判王嘉大逆之罪，却又说不出道理。于是问王嘉：“照你的说法，我们如何定你的罪？”然后就刑讯逼供。王嘉自己认罪说：“我身为丞相，不能除掉奸邪，进用贤才，这就是辜负国家的罪。”五大臣问：“奸臣是谁？贤才是谁？”

王嘉说："奸臣是董贤，贤臣是孔光、何武。"说完绝食二十余日而死狱中。

王嘉经过堂堂正正的五大臣会审，但没有讨回清白，仍然是蒙冤而死。这说明专制集权制度下的司法，权大于法，没有公正可言。只要比你权大的人要你死，你就得死，你没有罪，司法给你定罪。王嘉身为丞相，为百官之长，但他的权力大不过皇上，皇上要他死，他就得死，他不服毒好好死，就叫他皮开肉绽横死、饿死。权臣专政，奸佞当道，当官的贪赃，那老百姓就没活头了。这是审理王嘉这场滑稽戏带给人们的思考。

此外，相映成趣的是，王嘉说孔光是一代贤才，而恰恰是这个享有虚誉的贤才说话最毒，他揣摩哀帝心思，为哀帝代言，必置王嘉于死地。后来孔光又阿附王莽，分享了一杯篡国残羹。那么王嘉为何又说孔光是一代贤才呢？主要原因有二。一是孔光虽然虚伪奸猾，但还不是奸险阴毒之人。孔光圆滑世故，是根墙头草，哪边风大，就往风吹的方向倒，他只是苟且偷生要自保。孔光给王嘉上纲上线，阴暗心理是要夺他的相位。孔光损人利己，当然是坏；奸险阴毒之人，损人不利己，坏中之坏。二是，当时贤人隐蔽，孔光虽坏，当不是坏中之坏。王嘉直臣，在矮子里拔将军，为国家惜才，美言孔光，可以说是以德报怨了。

孔光可鄙，王嘉可嘉。王嘉之死，惜哉！冤哉！

第三，王莽诈伪之术。元、成、哀三代昏君，把个西汉王朝弄得国将不国。恰好王莽姑母王政君为汉元帝皇后，生子成帝刘骜，她又高寿，经历元、成、哀、平四朝，身份屡变，皇后、皇太后、太皇太后。皇帝死后，皇后、皇太后、太皇太后就成为皇室政权的象征，享有极高的威望，在新旧两君交替之际代掌皇权。王政君生性贤淑，才能平庸，不喜好专权，这一切为王莽篡汉铺平了道路。王莽是一个野心家和政治家，他的才干当世莫及。王莽类似曹操，从小就有心眼，成年后深谋远虑，每下一步棋都有精确计算。王莽对上讨好王政君，对下沽名钓誉，获取好名声，待士卑恭谦让，在朝中有好人缘。王莽兄早死，有子名王光，王莽恩养视为己出。王光为博士弟子，王莽在休息日亲自带上羊肉美酒慰问王光的老师，一并慰问王光的同学，博取好名声。哀帝即位，王莽受到哀帝外戚傅氏集团的排挤，一度罢官归第。王莽闭门谢客，韬光养晦。他的中子王获杀奴，王莽令其子偿命自杀，表示王子犯法与庶民同罪。王莽这样做，就事件本身无可指责，但他作为攫取政权的手段，不仅残忍，而且狡诈。当哀帝死后，王政君立即召王莽入京，官复大司马，夺了董贤的权，王莽的凶残本性立刻暴露无遗。王莽立即报复，逼杀董贤，打击政敌，诛杀斥逐傅氏、丁氏外戚集团及废皇后赵飞燕等。这些乱国嬖幸和外戚，应当铲除，不过王莽是带着报复心理，手段残忍。对潜在政敌也毫不手软。红阳侯王立是太皇太后王政君亲弟，并无过错，王莽担心王立说他坏话，把他排斥出京。大司徒何武、大司空彭宣、大司农孙宝稍有不满，王莽罢了他们的官。丞相孔光，原本是见风使舵之徒，由于他的名声高，王莽也要排斥，让他去做小皇帝的师傅，明升暗降，夺其实权。王莽在排斥异己的同时，安插私党，王舜、王邑、甄丰、甄邯、崔发、陈崇等碌庸小人受到重用。王莽还利用王政君依赖他的心理，动不动就称病不办公，让群臣三请，王政君迁就，冠冕堂皇地达到私欲的目的。王莽送女儿入宫是一个最典型的例证。本来王莽有绝对权威让太皇太后王政君出面给小皇帝平帝指婚，直选王莽之女。王莽不这样做，他要发令公选，太后、大臣来评论选一个最优秀的女子。王莽自知他的女儿不够条件，却偏要用这样的方式把女儿送进宫中，既捞取公正之名，又宣扬了他的女儿是绝对的天下第一。王莽的办法是，自己的女儿不参选，闹得大臣不干，三番五次上书太皇太后要求王莽之女参选。如此一番折腾，谁还敢送女参选。于是王莽之女大摇大摆以天下第一优秀女子堂皇入宫为皇后。王莽明明是自己要做安汉公，却也是群臣三请，自己多次谦让才肯俯允。王莽每谦让一次，就向篡国地位前进了一步，谦让得越厉害，夺取的权力就越多。如此诈伪之术在中国历史上，除了曹操，没有第二个人可与王莽相比。

卷第三十六　汉纪二十八

起昭阳大渊献（癸亥，公元三年），尽著雍执徐（戊辰，公元八年），凡六年。

【题解】

本卷记事起公元三年，迄公元八年，凡六年史事，当汉平帝元始三年，至孺子婴王莽居摄三年。本卷详载王莽代汉的过程。元始三年，王莽借吕宽事件兴大狱，进行大屠杀，消灭政敌，王政君太皇太后被王莽玩于股掌之上，既是护身符，又是挡箭牌。元始四年，王莽称宰衡，狂妄地比德伊尹、周公。元始五年加九锡。元始六年，王莽称“摄皇帝”，并毒死平帝，改立幼君孺子婴。王莽篡国夺位之心，已是路人皆知。接着，王莽当了三年代理皇帝，镇压了宗室刘崇等人，以及地方的反抗。王莽认为篡国条件成熟，借口天降祥瑞，万民请愿，他顺天应人即真称皇帝，改国号为新。王莽玩弄政治权术，一步一步问鼎，堪称旷世奸雄。

【原文】

孝平皇帝下

元始三年（癸亥，公元三年）

春，太后①遣长乐少府②夏侯藩、宗正③刘宏、尚书令平晏纳采④见女。还，奏言：“公女渐渍德化⑤，有窈窕⑥之容，宜承天序⑦，奉祭祀。”太师光，大司徒宫，大司空丰，左将军孙建，执金吾⑧尹赏⑨，行⑩太常⑪事、太[1]中大夫刘秀及太卜⑫，太史令⑬服皮弁⑭、素积⑮，以礼杂⑯卜筮⑰，皆曰：“兆⑱遇金水⑲王相⑳，卦㉑遇父母得位㉒，所谓康强之占，逢吉之符也㉓。”又以太牢㉔策告㉕宗庙。有司㉖奏：“故事㉗：聘㉘皇后，黄金二万斤，为钱二万万㉙。”莽深辞让，受六千三百万，而以其四千三百万分予十一媵㉚家及九族㉛贫者。

【语译】

孝平皇帝下

元始三年（癸亥，公元三年）

春，太皇太后派长乐少府夏侯藩、宗正刘宏、尚书令平晏到王莽家下聘礼，并面见他的女儿。夏侯藩等回到长乐宫，上奏说："安汉公的女儿受德教感化，有美丽的容貌，适宜继承帝王的世系，承奉祭祀。"太师孔光、大司徒马宫、大司空甄丰、左将军孙建、执金吾尹赏、行太常事兼太中大夫刘秀，以及太卜、太史令等众官员，都戴鹿皮帽，穿细褶白布衫，按照礼仪一起占兆和占卦，然后，众官员一起把占兆和占卦的结果上奏说："龟兆显示金生水，王生相，卦相显示父母各得其位，可以说是本身安康强健，子孙大吉大利的征兆。"又用太牢和策书祭告宗庙。主管官吏奏报说："依照先例，皇后的聘礼，黄金二万斤，折合钱是二万万。"王莽执意推让，接受钱六千三百万，而把其中四千三百万分给十一个被选为陪嫁女子的家人和王氏九族中的贫苦人。

夏，安汉公奏车服制度㉜，吏民养生、送终、嫁娶，奴婢、田宅、器械之品㉝，立官稷㉞，及郡国、县邑㉟、乡㊱聚㊲皆置学官㊳。

大司徒司直陈崇使张敞孙竦㊴草奏，盛称安汉公功德，以为宜恢㊵公国令如周公，建立㊶公子令如伯禽㊷，所赐之品亦皆如之，诸子之封皆如六子㊸。太后以示群公。群公方议其事，会㊹吕宽事起。

初，莽长子宇非㊺莽隔绝卫氏㊻，恐久后受祸，即私与卫宝通书，教卫后上书谢恩，因陈丁、傅旧恶㊼，冀得至京师。莽白太皇太后，诏有司褒赏中山孝王后，益汤沐邑㊽七千户。卫后日夜啼泣，思见帝面，而但益户邑。宇复教令上书求至京师。莽不听。宇与师吴章及妇兄吕宽议其故，章以为[2]莽不可谏而好鬼神，可为变怪以惊惧之，章因推类㊾说令归政卫氏。宇即使宽夜持血洒莽第，门吏发觉之。莽执宇送狱，饮药死。宇妻焉㊿怀子，系狱，须产子已(51)，杀之。甄邯等白太后，下诏曰："公居周公之位，辅成王之主，而行管、蔡之诛(52)，不以亲亲害尊尊(53)，朕甚嘉之！"莽尽灭卫氏支属(54)，唯卫后在。吴章要斩(55)，磔尸东市门(56)。

初，章为当世名儒(57)，教授尤盛，弟子千余人。莽以为恶人党，皆当禁锢(58)不得仕宦，门人(59)尽更名他师(60)。平陵云敞(61)时为大司徒掾(62)，自劾(63)吴章弟子，收抱章尸归，棺敛葬之，京师称焉。

莽于是因吕宽之狱，遂穷治党与(64)，连引素所恶者悉诛之(65)。元帝女弟敬武长公主(66)素附丁、傅，及莽专政，复非议莽。红阳侯王立，莽之尊属(67)。平阿侯王仁，素刚直。莽皆以太皇太后诏，遣使者[3]迫守(68)，令自杀。莽白太后，主暴病薨(69)。太后欲临(70)其丧，莽固争而止。甄丰遣使者乘传(71)案治(72)卫氏党与，郡国豪桀及汉忠直臣不附莽者[4]，皆诬以罪法(73)而杀之。何武、鲍宣及王商子乐昌侯安(74)、辛庆忌(75)三子护羌校尉(76)通、函谷都尉(77)遵、水衡都尉(78)茂、南郡太守辛伯(79)等[5]皆坐死(80)。凡死者数百人，海内震焉。北海逢萌(81)谓友人曰：

夏，安汉公王莽上奏乘车及衣冠服饰的礼仪等级制度，以及全国官吏平民有关养生、送终、嫁娶和奴婢、田宅、器械等方面的等级，又设置祭祀五谷稷神的神庙，还在各郡国、县邑、乡聚都设置学官。

大司徒司直陈崇命张敞的孙儿张竦起草奏章，盛赞王莽的功德，认为应当增加王莽的封国采邑，使其像周公当年一样，分封王莽的长子，也应当像周公的儿子伯禽一样，所赏赐之物的数量和品级，也都要比照他们，其他儿子的封赐也应当像周公的六个儿子一样。太后把奏章交给大臣们看。大臣们正在商议这件事时，正好遇上发生了吕宽事件。

当初，王莽长子王宇不赞成王莽隔离卫氏，害怕以后要受到报复，就私下与卫宝通信，让卫后上书谢恩，捎带着陈述丁、傅两家从前的罪恶，希望能召到京师。王莽禀报太皇太后，下诏让主管官员褒扬赏赐中山孝王后，增加汤沐邑七千户。卫后日夜哭泣，想和平帝见面，却只是增加封邑的户数。王宇又怂恿她上书，请求来京师。王莽不听从。王宇又和老师吴章以及内兄吕宽商议其中的缘故，吴章认为王莽不能劝谏，但他喜好鬼神，可用灾异变怪之事来惊吓他，吴章就根据灾异变怪而类推，劝说王莽将政权交给卫氏。王宇就让吕宽在夜里拿血涂洒王莽的住宅，看门的官吏发觉了此事。王莽逮捕了王宇送进监狱，王宇服毒药而死。王宇的妻子吕焉怀有身孕，被关进监狱，应等生了孩子后杀掉她。甄邯等禀报太皇太后，太皇太后下诏说："安汉公身处周公的地位，辅佐像周成王这样的幼主，而施行周公对管叔、蔡叔那样的诛杀，不因为骨肉私情而损伤君臣的大义，朕很赞赏他！"于是王莽把卫氏亲属全部处死，只留下卫后。腰斩了吴章，在东市门分尸。

当初，吴章是当代名儒，传授学业很盛，学生千余人。王莽认为他们都是恶人的党徒，都应该禁锢起来，不得做官。因此，学生们都改称他人为师。平陵人云敞当时任大司徒掾，上书弹劾自己是吴章的学生，替吴章收尸回来，用棺材收殓埋葬，京师人都称赞他。

王莽于是利用吕宽狱事，就彻底追查吕宽的同党，杀害了他平素所厌恶的人。汉元帝的妹妹敬武长公主一向依附丁、傅两家，王莽专政后，又不满意王莽。红阳侯王立，是王莽的亲叔父。平阿侯王仁一向刚强正直。王莽都以太皇太后的名义颁下诏书，派使者监督逼迫，让他们自杀。王莽禀报太皇太后，说敬武长公主暴病身亡。太皇太后要亲临她家祭吊，因王莽竭力阻止而作罢。甄丰派使者乘驿马车前往各地清查处理卫氏同党，郡国的豪杰以及仍效忠汉朝的忠直之臣，凡不依从王莽的人，都被诬陷有罪而遭杀害。前任前将军何武、前任司隶校尉鲍宣，以及王商的儿子乐昌侯王安、前任左将军辛庆忌的三个儿子：护羌校尉辛通、函谷都尉辛遵、水衡都尉辛茂，以及南郡太守辛伯等人，全都因罪处死。此次共计杀死数百人，天下震惊。北海人逄萌对朋友说："君臣、父子、夫妇的伦常都已丧尽，若再不离开，大

"三纲[82]绝矣，不去，祸将及人！"即解冠挂东都城门[83]，归，将家属浮海[84]，客于辽东[85]。

莽召明礼[86]少府宗伯凤[87]入说为人后之谊[88]，白令公卿、将军、侍中、朝臣并听，欲以内厉[89]天子而外塞[90]百姓之议。先是，秺侯金日磾[91]子赏[92]、都成侯金安上[93]子常皆以无子国绝，莽以日磾[6]曾孙当及安上孙京兆尹[94]钦绍其封[95]。钦谓"当宜为其父、祖立庙，而使大夫主赏祭也[96][7]"。甄邯时在旁，廷叱[97]钦，因劾奏[98]钦"诬祖不孝，大不敬"。下狱，自杀。邯以纲纪国体[99]，无所阿私[100]，忠孝尤著，益封千户。更封安上曾孙汤[101]为都成侯。汤受封日，不敢还归家，以明为人后之谊。

是岁，尚书令颍川锺元为大理[102]。颍川太守陵阳[103]严诩本以孝行为官，谓掾史[104]为师友，有过辄闭阁自责[105]，终不大言。郡中乱。王莽遣使征诩，官属数百人为设祖道[106]，诩据地[107]哭。掾史曰："明府吉征[108]，不宜若此！"诩曰："吾哀颍川士，身岂有忧哉！我以柔弱征，必选刚猛代。代到，将有僵仆[109]者，故相吊[110]耳！"诩至，拜为美俗使者[111]，徙陇西太守[112]。平陵[8]何并[113]为颍川太守。并到郡，捕锺元弟威[114]及阳翟[115]轻侠[116]赵季、李款，皆杀之。郡中震栗[117]。

【段旨】

以上为第一段，写王莽巩固权势后，借吕宽事件兴大狱，进行大屠杀，排除政敌。太皇太后被王莽玩弄于股掌之上，既是护身符，又是挡箭牌。

【注释】

①太后：指元帝王皇后政君。王莽的姑母，今为太皇太后。②长乐少府：官名，执掌太皇太后所居长乐宫的事务。③宗正：官名，执掌皇族事务。由宗室充任，秩中二千石。④纳采：男家备礼到女家求婚称纳采，为古代婚姻六礼之一。古代在确定婚姻关系的过程中，有六种礼仪程序，即纳采、问名、纳吉、纳征、请期、亲迎，称为"六礼"。⑤渐渍德化：此言莽女日受德教感化，有良好的道德修养。渐渍，沾染；感化。德

祸就要临头!”说完后，就脱下官帽悬挂在东都城门上，回家后，携带家属乘船过渤海，客居辽东。

王莽召通晓礼仪制度的少府宗伯凤入宫向平帝讲述为人后者不得顾及私亲的道理，并禀报太皇太后令公卿、将军、侍中及朝廷文武百官都来听讲，王莽是想借此对内劝勉天子，对外遏止百姓的议论。在此之前，秺侯金日磾的儿子金赏、都成侯金安上的儿子金常，都因为没有儿子而封国被废除，王莽就让金日磾的曾孙金当和金安上的孙儿京兆尹金钦分别继承他们的爵位。金钦说:“金当应当给他父亲、祖父建立祭庙，而派大夫主持伯祖父金赏的祭祀。”甄邯当时正在旁边，当庭叱责金钦，于是上奏弹劾金钦“欺骗祖先不孝，犯了大不敬之罪”。金钦被关进监狱，在狱中自杀了。甄邯因为维护国家纲纪，不徇私情，忠孝特别突出，因此增封邑一千户。另封金安上的曾孙金汤为都成侯。金汤受封的当天，不敢回家，以明为人后的道义。

这一年，尚书令颍川人锺元改任大理之职。颍川郡太守陵阳人严诩当初因为对父母孝顺而被举荐做官，他把掾、吏等属官当作老师和朋友，遇有过失，就闭门自责，从来不说夸大的话。郡中骚乱。王莽派遣使臣征召严诩，郡府官吏数百人，设宴为严诩饯行，严诩两手按地哭泣。掾、吏说:“朝廷征召您，这是美好的征召，不应当这样!”严诩说:“我是为颍川人悲伤，我自身哪有忧愁啊！我因柔弱被征召，一定会选派一位刚猛的人来接替。接替的人到任，必定会有人死亡，所以悲伤啊!”严诩到了京师，被任命为美俗使者；改任陇西太守。平陵人何并为颍川太守。何并到任后，当即逮捕锺元的弟弟锺威以及阳翟侠士赵季、李款，将他们都杀掉了。全郡人恐惧颤抖。

化，德教。⑥窈窕：美好。⑦天序：帝王的世系。⑧执金吾：官名，执掌警卫京师。皇帝出行时，则掌护卫和仪仗。⑨尹赏：字子心，钜鹿郡杨氏县（今河北宁晋）人，历任长安令、江夏太守、右辅都尉、执金吾等。传见《汉书》卷九十《酷吏传》。⑩行：暂时兼任或代理。⑪太常：官名，执掌礼乐、宗庙、祭祀及文化教育等事。⑫太卜：官名，太常属官，执掌卜筮。⑬太史令：官名，太常属官，执掌天时历法。⑭皮弁：冠名，用白鹿皮制作的礼帽。⑮素积：细褶白布衫。⑯杂：共同。⑰卜筮：古时预测吉凶，用龟甲求兆称卜，用蓍草求卦称筮，合称卜筮。⑱兆：用龟甲占卜时，烧灼龟甲后呈现出的裂纹，叫作兆。古人用兆象判断吉凶。⑲金水：我国古代把构成各种物质的复杂成分概括为金、木、水、火、土五种元素，并用生、克来说明它们之间互相转化和制约的关系，称为五行。依五行相生说，金生水，故以“金水”喻指交情深厚。⑳王相：阴阳家以王、相、胎、没、死、囚、废、休八字与五行、四时、八卦等递相搭配，以表示

事物的消长更迭。兆遇五行当其时者为王，王所生为相，故王相表示物得其时。王，通“旺”，兴盛。此言卜得正值两情交厚之时的吉兆。㉑卦：用蓍草秆依照一定的规则排列组合所成的形状，叫作卦。古人用卦象判断吉凶。㉒父母得位：依《周易》，乾为天、为君、为父，坤为地、为后、为母。《周易·泰卦》下乾上坤，表明天下行而就地，地上行而就天，“上下交而其志同”。君、后，即天下的父、母。此言筮得上下交和，父母各得其位，两情交融，志同道合的吉卦。㉓康强之占二句：康强、逢吉，语出《尚书·洪范》：“汝则在有大疑，谋及乃心，谋及卿士，谋及庶人，谋及卜筮。汝则从，龟从，筮从，卿士从，庶民从，是之谓大同。身其康强，子孙其逢吉。”是说你若有重大疑难问题，首先要自己认真考虑，然后与卿士商议，再后听取庶民意见，最后进行卜筮。如果意见皆同，则自身安康强健，后世子孙大吉大利。占、符，征兆。逢，大。㉔太牢：古代祭祀，以牛、羊、豕三牲皆备为太牢。㉕策告：焚策书祭告宗庙。㉖有司：主管部门的官吏。㉗故事：先例；旧日的办事成例。西汉吕太后规定，皇后聘礼，黄金二百斤，马十二匹；夫人聘礼，黄金五十斤，马四匹。吕太后自己打破了规定，为儿子惠帝刘盈下聘财礼用黄金二万斤，折合钱为两亿。王莽所依旧例，即吕太后逾制之例。㉘聘：确定婚姻关系，此指行聘礼。㉙为钱二万万：汉代一金折值万钱，黄金二万斤则正好折值二万万钱。㉚媵：陪嫁女子。㉛九族：以自己为本位，上推至四世高祖，下推至四世玄孙，称九族。此言王莽接受六千三百万钱，用其中的四千三百万钱分给随其女入宫的十一个女子之家和家族中的贫困人家，自己仅受钱二千万。㉜车服制度：车乘及衣冠服饰的礼仪等级制度。㉝品：等级。㉞官稷：天子祭祀五谷神的场所。历代王朝建国后必先立社稷以祭土、谷之神。刘邦建汉，立社稷，又单立官社以祭土神。至此，经王莽奏请，始立官稷。㉟邑：皇太后、皇后、公主的封地。㊱乡：县下行政区域单位。汉承秦制，大致十里一亭，十亭一乡。㊲聚：村镇。㊳学官：学校。㊴孙竦：张敞孙张竦。官至丹阳太守，封侯。莽败，为农民军所杀。㊵恢：扩大。此言应该扩大王莽的封国，使其如同西周初年周公姬旦的封国一样大小。㊶建立：指封侯立国。㊷伯禽：周公子。周初分封，封周公于鲁。周公留京师，辅佐周王治理天下，长子伯禽就封于鲁，为鲁公。此言分封王莽之子，使其如同周公之子伯禽一样享有封国。㊸六子：周公的其他六个儿子。周公六子分别封于凡、蒋、邢、茅、胙、祭。㊹会：正好遇上。㊺非：不赞成；批评。㊻卫氏：指平帝生母中山孝王后卫姬及卫氏亲族。哀帝死，无嗣，迎中山王刘衎入继帝位，是为平帝。王莽专国政，恐帝外家夺其权，于是拜帝母卫姬为中山孝王后，帝舅卫宝、卫玄赐爵关内侯，帝女弟三人赐号曰君，使其皆留居中山，不得至京师与帝相见。隔绝卫氏，即指此。㊼丁、傅旧恶：丁指哀帝生母丁太后，傅指哀帝祖母傅太后。哀帝时，外戚丁氏、傅氏势盛，傅太后兴狱迫害中山王冯太后（平帝祖母），冯太后自杀。㊽汤沐邑：收取赋税以供个人奉养的封邑。㊾推类：犹“类推”，即比照同类事物来推究事理。此言因变怪而推言归政卫氏的道理。㊿焉：王宇妻名。51须产子已：等待生完孩子。怀孕期间不执行死刑。㊾管、蔡之诛：西周初年，武王死，成王幼，武王弟周公辅佐成王治理天下。武王弟管叔、蔡叔勾结殷纣之子武庚叛乱，于是周公东征，杀武庚，诛管叔，放蔡叔。㊿亲亲害尊尊：亲爱亲人而损害尊奉尊贵的人。此谓以骨肉之情而损害君臣大义。第一个亲字、尊字，作动词用。(51)支属：亲属。(52)要斩：古代酷刑名，将犯人肢体从腰部砍断为两截。要，古“腰”字。(53)磔尸东市门：将吴章之尸在东市门分裂示众。磔，分切成块。东市，长安九市之一。市有门，按时启闭，供出入市场。此言将吴章腰斩后，在东市门陈尸示众。(54)当世名儒：吴章研治《尚书》，为博士。(55)禁锢：禁闭，勒令不准做官。(56)门人：弟子；学生。(57)更名他师：改称他人为师。(58)云敞：字幼孺，右扶风平陵县（今陕西咸阳西北）人，以大司徒掾收章尸归葬，人高其节。后为中郎谏大夫。王莽建新，官鲁郡大尹。传见《汉书》卷六十七。(59)掾：官府中佐吏的通称。(60)劾：揭发过失或罪行。此言云敞自劾为吴章弟子之罪。(61)穷治党与：彻底追查惩治同党的人。(62)连引素所恶者悉诛之：把一向厌恶的人都株连到案中全部杀掉。连引，株连。(63)敬武长公主：元帝妹。原配张汤玄孙张临，临死后改嫁薛宣。哀帝时，公主依附外戚丁、傅二家，疏远王氏，并出言指责王莽专权。如今王莽借治理吕宽事件株连公主，公主服毒自杀。(64)尊属：辈分高的亲属。王立是王莽的亲叔父，故称“尊属”。(65)迫守：逼迫监督。(66)主暴病薨：公主突然得病死了。主，指敬武长公主。暴病，突然发病。古代害人至死，称暴病薨，多发生在政治谋杀事件中。(67)临：哭吊。(68)传：驿站的马车。(69)案治：查办。(70)法：依法惩处。(71)王商子乐昌侯安：王商，字子威，涿郡蠡吾县（今河北博野西南）人，父王武为宣帝舅，封乐昌侯。父死，商袭侯。成帝时官至丞相，因不依附外戚王氏，而为王凤诬奏淫乱事免官，发病呕血死。传见《汉书》卷八十二。乐昌侯安，王商死，长子王安袭爵为乐昌侯，官至长乐卫尉、光禄勋。王莽借吕宽事件诛杀异己，株连王安，安自杀。(72)辛庆忌（？至公元前一二年）：字子真，陇西郡狄道县（今甘肃临洮）人，元帝时任张掖、酒泉太守，成帝时官至执金吾、左将军。因不依附王莽，三子皆在吕宽事件中被杀。传见《汉书》卷六十九。(73)护羌校尉：官名，负责对羌族的监护防卫。(74)函谷都尉：官名。函谷，关名，在今河南新安东北。都尉为武职，汉于扼塞关隘设关都尉，率兵把守。(75)水衡都尉：官名，执掌上林苑。(76)辛伯：辛氏族人。(77)坐死：坐罪处死。(78)逢萌：字子康，北海郡都昌县（今山东昌邑西）人，明阴阳，通《春秋》，一生隐而不仕。传见《后汉书》卷八十三。(79)三纲：即君为臣纲，父为子纲，夫为妇纲。(80)东都城门：西汉长安每面三门，共十二城门，东面最北的城门叫宣平门，又叫东都门。东都门外是出城东行的交通要道。(81)将家属浮海：带上家属渡海。将，携带。浮海，渡海。浮，水上航行。(82)客于辽东：客居于辽东。客，寄居。辽东，郡名，治所在今辽宁辽阳。(83)明礼：通晓礼仪制度。(84)宗伯凤：人名，时任少府。(85)入说为人后之谊：入宫为平帝讲解一个人过继给别人为继承人的道理。按宗法制度，若小宗支子立为大宗的继承人，称“为人后”。谊，同“义”。所谓为人后之谊，指支子立为大宗的继承人以后，当尊事大宗之亲，不得再顾念小宗的私亲。[89]厉：同“砺”，劝勉。[90]塞：遏止。[91]金日磾（公元前一三四至前八六年）：字翁叔，本为匈奴休屠王子，汉武帝时归汉，赐姓金，官侍中、驸马都尉、光禄大夫。忠诚笃实，为武帝宠信。武帝崩，与霍光同受遗诏辅幼主，为光副，封秺侯。传见《汉书》卷六十八。[92]子赏：金日磾子金赏。日磾死，赏嗣侯。昭帝时为奉车都尉，宣帝时为太仆，元帝时为光禄勋。赏死无子，国除。至此，王莽封金日磾曾孙金当为秺侯。[93]金安上：字子侯，金日磾的弟弟金伦之子。宣帝时官至建章卫尉，封都成侯。安上死，子金常嗣侯。常死无子，国除。至此，王莽封安上孙金钦为都成侯。金钦，为金常三弟金岑之子。[94]京兆尹：官名，汉代京畿地区的行政区域，分为左冯翊、右扶风、京兆尹三个部分，合称三辅。管辖京兆尹地区的行政长官也叫京兆尹，职权相当于郡太守。[95]钦绍其封：金安上之孙金钦承继了都成侯。绍，继承。[96]当宜为其父、祖立庙二句：当是赏弟金建之孙，钦是安上子金明之子。当、钦都是以支子继大宗，为赏、常之后。钦欲尊其私亲，就先借金当为话题，提出应在封国为其私亲父、祖立庙，而大宗之庙由封国的大夫负责祭事。此违支子继大宗为人后者不得顾念私亲之义，遭甄邯叱斥。[97]廷叱：在朝廷当众大声斥责。[98]劾奏：上奏弹劾。[99]纲纪国体：维护国家体制；维护国家纲纪。[100]阿私：徇私。[101]曾孙汤：金安上的曾孙。金汤父金涉，涉父金敞，敞为金安上次子。[102]大理：官名，原名廷尉，哀帝时改称大理，执掌刑法。[103]陵阳：县名，县治在今安徽青阳南。[104]掾史：官府中分曹治事的属吏。[105]闭閤自责：此言严诩视属吏为师友，属吏有过，则诩闭门自我反省，始终不大声指斥属吏。閤，小门。此指门。[106]祖道：饯行。祖，原来是祭祀名，人出行前祭祀路神称祖道，后因称人外出前饯行为祖道。此言属吏为诩设宴饯行。[107]据地：以手按地。古人席

【原文】

四年（甲子，公元四年）

春，正月，郊祀[118]高祖以配天[119]，宗祀[120]孝文以配上帝。

改殷绍嘉公[121]曰宋公，周承休公[122]曰郑公。

诏：“妇女非身犯法，及男子年八十以上、七岁已下，家非坐不道[123]、诏所名捕[124]，他皆无得系[125]。其当验者即验问[126]。定著令[127]！”

二月丁未[128]，遣大司徒宫、大司空丰等奉乘舆法驾[129]迎皇后于安汉公第[130]，授皇后玺绂[131]，入未央宫。大赦天下。

遣太仆王恽等八人各置副假节[132]，分行天下，览观风俗。

地而坐。此言诩身体前俯，两手按地，俯伏而哭。⑩⑧吉征：美好的征召，意指征调回京，升迁官职。⑩⑨僵仆：倒下。此指死亡。⑪⑩吊：伤痛。⑪⑪美俗使者：官名，执掌宣扬教化，使风俗淳美。⑪⑫徙陇西太守：调任陇西太守。徙，调迁。陇西，郡名，治所在今甘肃临洮。⑪⑬何并：字子廉，右扶风平陵县（今陕西咸阳西北）人，初为长陵县令，后升任陇西太守。并任地方官，不畏豪强，严明法度，人高其志节。严诩治颍川不力，调何并改任颍川太守。卒于官。传见《汉书》卷七十七。⑪⑭威：钟元弟钟威。郡属吏，贪赃值千金。钟元求情减其死罪，并不从，派吏追至洛阳杀之。⑪⑮阳翟：县名，县治在今河南禹州。⑪⑯轻侠：轻财重义、舍命勇为的人。⑪⑰震栗：恐惧颤抖。

【校记】

[1] 太：据章钰校，乙十一行本作“大”。[2] 为：原无此字。据章钰校，甲十六行本、乙十一行本皆有此字，今据补。[3] 者：原无此字。据章钰校，甲十六行本、乙十一行本、孔天胤本皆有此字，今据补。[4] 者：原无此字。据章钰校，甲十六行本、乙十一行本、孔天胤本皆有此字，今据补。[5] 等：原无此字。据章钰校，甲十六行本、乙十一行本、孔天胤本皆有此字，张敦仁《通鉴刊本识误》同，今据补。[6] 日磾：原无此二字。张敦仁《通鉴刊本识误》以为当有此二字，今据补。[7] 也：据章钰校，甲十六行本、乙十一行本无此字；孔天胤本作“事”字，张敦仁《通鉴刊本识误》同。[8] 平陵：原无此二字。据章钰校，甲十六行本、乙十一行本、孔天胤本皆有此字，张敦仁《通鉴刊本识误》同，今据补。

【语译】

四年（甲子，公元四年）

春，正月，平帝在郊外祭祀汉高祖，让他与上天同享；在明堂祭祀孝文帝，使他与上帝同享。

改封殷绍嘉公叫宋公，周承休公叫郑公。

平帝下诏：“妇女不是亲身犯法，以及八十岁以上的男子、七岁以下的小孩，如果家庭没有犯不道之罪，或皇帝下诏指名逮捕的罪犯，其他都不准逮捕。其中需要审问取证的到他家里验问。这些规定为法令！”

二月初七日丁未，派大司徒马宫、大司空甄丰等带着皇帝的乘舆和皇家法驾仪仗队到安汉公府第迎接皇后，送上皇后印玺，迎入未央宫。大赦天下。

派遣太仆王恽等八人为钦差大臣，各又设置副使，凭朝廷的符节，分别巡视全国各地，考察社会风俗。

夏，太保舜等及吏民上书者八千余人，咸请“如陈崇言，加赏于安汉公”。章下有司，有司请“益封公以新息[133]、召陵[134][9]二县及黄邮聚[135]、新野[136]田。采伊尹、周公称号，加公为宰衡[137]，位上公，三公言事称‘敢言之’。赐公太夫人[138]号曰功显君，封公子男二人安为褒新侯，临为赏都侯[139]，加后聘三千七百万，合为一万万，以明大礼。太后临前殿亲封拜[140]，安汉公拜前，二子拜后，如周公故事[141]”。莽稽首辞让，出奏封事[142]：“愿独受母号，还安、临印韨[143]及号位户邑。”事下，太师光等皆曰：“赏未足以直[144]功，谦约退让，公之常节，终不可听。忠臣之节亦宜自屈，而伸主上之义。宜遣大司徒、大司空持节承制[145]诏公亟[146]入视事[147]，诏尚书勿复受公之让奏。”奏可[148]。莽乃起视事，止减召陵、黄邮、新野之田而已。

莽复以所益纳征[149]钱千万遗[150]太后左右奉共[151]养者。莽虽专权，然所以诳耀[152]媚事太后，下至旁侧长御[153]，方故[154]万端，赂遗[155]以千万数。白[156]尊太后姊、妹号皆为君[157]，食汤沐邑。以故左右日夜共誉[158]莽。莽又知太后妇人，厌居深宫中，莽欲虞乐以市其权[159]，乃令太后四时车驾巡狩[160]四郊，存见[161]孤、寡、贞妇，所至属县，辄施恩惠，赐民钱帛、牛酒，岁以为常。太后旁弄儿[162]病，在外舍，莽自亲候之[163]。其欲得太后意如此。

太保舜奏言：“天下闻公不受千乘之土[164]，辞万金之币，莫不乡化[165]。蜀郡[166]男子路建等辍讼[167]，惭怍[168]而退，虽文王却虞、芮何以加[169]！宜报告天下。”奏可[10]。于是孔光愈恐，固称疾辞位。太后诏：“太师毋朝，十日一入省中[170]，置几杖[171]，赐餐十七物[172]，然后归。官属按职如故[173]。”

莽奏起明堂、辟雍、灵台[174]，为学者筑舍万区[175]，制度甚盛。立《乐经》[176]；益博士员，经各五人。征天下通一艺[177]、教授十一人以上，及有《逸礼》[178]、古书[179]、天文、图谶[180]、钟律[181]、《月令》[182]、兵法、《史篇》[183]文字，通知[184]其意者，皆诣公车[185]。网罗天下异能之士，至者前后[11]千数，皆令记说廷中，将令正乖谬，壹异说[186]云。

夏，太保王舜等率领官民八千余人上书，一致请愿“如大司徒司直陈崇建议的那样，重赏安汉公王莽”。奏章交由主管官吏，主管官吏请求“将新息、召陵二县以及黄邮聚、新野县的耕田加封安汉公王莽。合并伊尹、周公的称号，尊称安汉公为‘宰衡’，位列上公，三公与安汉公论事，须称‘敢言之’。封王莽母亲为功显君，封王莽的两个儿子王安为褒新侯，王临为赏都侯，增加皇后聘礼三千七百万，前后合计是一万万，以用以表明盛大典礼。太皇太后亲临前殿拜官授爵，安汉公王莽跪拜在前，两个儿子跪拜在后，依照周公的先例”。王莽叩首谦让，出宫后上奏密封奏章：“我只愿接受对母亲的封号，而归还王安、王临的封爵和采邑。”此事交由大臣们商议，太师孔光等都说：“赏赐未能与功劳相当，谦逊退让是安汉公一贯的节操，皇上绝不可听从他的请求。因为，忠臣的气节，有时也应自屈，而伸张主上的大义。应当派遣大司徒、大司空持节，秉承皇上旨意，征召安汉公尽快入朝理政，并诏令尚书不得再接受安汉公的谦让奏章。”奏章被批准。王莽这才出来视事，只是减少召陵、黄邮、新野等三县的封田罢了。

王莽又在所增加的聘礼中拿出一千万给予太皇太后左右侍从人员。王莽虽然独揽大权，但仍炫耀假象逢迎取悦太皇太后，下至太皇太后身边长期侍奉的人，寻找各种理由，馈送财物以千万计。禀告尊崇太皇太后的姐姐、妹妹封号全都为君，赐汤沐邑。因而，太皇太后身边的人员就日夜在太皇太后身边赞誉王莽。王莽知道太皇太后是个妇人，厌恶居处深宫，就想用娱乐来换取她手里的权力，于是一年四季都请太皇太后坐车到长安四郊巡行视察，探望慰问孤儿、寡妇、贞妇，所到各处，都施布恩惠，赐给平民钱、帛、牛肉、酒，每年都是如此。太后身旁的弄儿有病，住在外舍，王莽亲自探望。王莽就是这样想得到太皇太后欢心的。

太保王舜奏请说：“天下百姓听说安汉公王莽不接受侯国采邑，拒收黄金万两的聘礼，所有的人都仰慕而向往教化。蜀郡男子路建等人停止诉讼，惭愧地回去了，即使周文王使虞、芮二国国君感化而停止争地也没法比！这事应当布告天下。”章奏被批准了。于是，孔光更加惧怕，坚决说是有病辞去职位。太皇太后下诏：“太师不必上朝，每十天入朝一次就可以了。朝廷为你置备几案和手杖，赐给十七种食物，然后再回家。太师府的属官按照各自职掌办理政事。”

王莽上奏建议兴建明堂、辟雍、灵台，给学员建房一万间，规模非常盛大。在太学设立《乐经》课程；增加博士名额，每经各五人。征召全国精通《六经》中某一经而又传授弟子十一人以上的经师，凡收藏有《逸礼》、古书、天文、图谶、钟律、《月令》、兵法、《史篇》文字，能通晓其意义的人，都请到公交车署来。召集全国奇才异士，来到京师的前后数以千计，都让他们在宫廷内把学说记录下来，想用他们来改正谬误，统一歧异学说。

【段旨】

以上为第二段，写王莽进一步扩张权势，自称“宰衡”，夸耀德比伊尹、周公。迷惑太皇太后以固其权位，施小恩小惠以取虚誉，王莽确是一个玩弄政治的高手。

【注释】

⑱郊祀：在郊外祭祀天地。⑲配天：祭天时以祖先配享。⑳宗祀：对祖先的祭祀。宗祀在明堂举行，又称庙祭。为显示祖先的尊严，宗祀祖先以配上帝。㉑殷绍嘉公：成帝绥和元年（公元前八年），封孔吉为殷绍嘉侯，不久晋爵为公，以为殷后，奉殷祀。至此，改爵号为宋公。㉒周承休公：武帝元鼎四年（公元前一一三年），封姬嘉为周子南君，以为周后，奉周祀。元帝初元五年（公元前四四年），以周子南君为周承休侯。成帝绥和元年三月，与殷绍嘉侯同时晋爵为公。至此，改爵号为郑公。㉓坐不道：犯了不道之罪。坐，犯罪。不道，刑律名，汉律，杀不辜一家三人为不道。㉔诏所名捕：皇帝诏书指名逮捕。㉕系：囚禁。㉖即验问：到他家中拷问。即，到。验，拷问。㉗定著令：此言将诏书内容写定在律令中，此后即作为律令条款依照执行。定著，审定著录。㉘丁未：二月初七日。㉙乘舆法驾：皇帝所坐车子的一种。汉制，皇帝车驾出行，依扈从仪仗的繁简，分为大驾、法驾、小驾三种。法驾，皇帝乘金根车，驾六马，京兆尹奉引，侍中参乘，奉车郎御，另有五时副车各一辆，皆驾四马，侍从车三十六辆。㉚第：府第。㉛玺绂：印玺上所系的彩色丝带。此指印玺。㉜副假节：副大使。副，副使。假节，假之以节；持节。节是古时使臣出行持以示信之物。此言王恽等人代表朝廷巡视天下风俗，持节作为凭证。㉝新息：县名，县治在今河南息县。㉞召陵：县名，县治在今河南郾城东。㉟黄邮聚：村镇名，属新野县。㊱新野：县名，县治在今河南新野。㊲采伊尹、周公称号二句：伊尹，商汤大臣，助汤灭夏建商，尊为阿衡。周公，周武王弟，助武王灭商建周，武王死后又辅佐成王治理天下，位冢宰。现将伊、周官号各取一字作为王莽的官号，称“宰衡”，以此显示王莽兼有伊、周二人的功德。㊳公太夫人：指王莽的母亲。汉制，列侯之母称太夫人。㊴封公子男二人安为褒新侯二句：王莽封新都侯，现将其封国名所用的“新”“都”二字分开，分别加一“褒”字和“赏”字，作为侯爵名号，封其二子，封王安为褒新侯，王临为赏都侯。㊵封拜：封爵授官。㊶周公故事：据记载，周成王封周公之子伯禽于鲁为诸侯，周公拜前，伯禽拜后。㊷封事：密封的奏章。㊸韨：同“绂”。印玺上所系的彩色丝带。㊹直：抵；相当。㊺承制：大臣以皇帝名义办事。此指秉承皇帝旨意。㊻亟：疾速。㊼视事：治事；办理政事。㊽奏可：奏请之事得到批准。㊾纳征：古婚礼六礼之一，又称“纳币”，纳币以成婚礼。所以纳征

钱，指上文所说“加后聘三千七百万”。⑮遗：给予。⑮共：通“供”。⑮诳耀：炫耀假象。诳，欺骗。⑮旁侧长御：长期在太后身边侍奉的人。⑮方故：道理。此言寻找众多理由向人馈送财物。⑮赂遗：以财物送人。⑮白：禀告。⑮太后姊、妹号皆为君：太后姐妹四人，尊其姐王君挟为广恩君，妹王君力为广惠君，妹王君弟为广施君。⑮誉：称赞；颂扬。⑮莽欲虞乐以市其权：此言王莽想通过采取一些使太后欢乐的做法换取她手中的权力，以达到自己总揽大权的目的。虞，通“娱”。市，换取。⑯巡狩：巡行视察。⑯存见：探望慰问。⑯弄儿：供人狎弄逗耍的童子。⑯莽自亲候之：王莽亲自去探望生病的弄儿。王莽此举以讨好王政君太皇太后。⑯千乘之土：指诸侯国的土地。乘，车子。上古分封诸侯，大国兵车万乘，小国兵车千乘。战国时期，便称诸侯国小者为千乘，大者为万乘。⑯乡化：向往教化。乡，通“向”。⑯蜀郡：郡名，治所在今四川成都。⑯辍讼：停止诉讼。⑯惭怍：惭愧。⑯虽文王却虞、芮何以加：即使当年周文王使虞国、芮国两国君感动而停止争讼的事，也不超过今天的王莽。虽，即使。文王，指周文王。却，退回，此言使其退回。虞，古国名，其地在今山西平陆。芮，古国名，其地在今陕西大荔。据记载，周文王时，虞、芮二国之君争田，久而不决，认为文王是仁义之君，即入周，想请文王评定是非。入周境，看到耕者互让田界，行者互让道路。入其朝，士让为大夫，大夫让为卿。二国之君羞愧而回，互让所争之地以为闲院。加，超过。⑰省中：宫廷内。⑰几杖：几，古人坐时凭依的小桌。杖，手杖。坐几和手杖皆老者所用，设之以示敬。⑰物：指食物。⑰按职如故：像往常一样按照各自的职掌办理政事。⑰明堂、辟雍、灵台：西周王室开展施政、教化、观天的三大建筑，王莽复古，着手修建这些建筑，以此拟圣王。明堂，古代帝王宣明政教的地方。凡朝会、祭祀、庆赏、选士、养老、教学等大典，都在这里举行。辟雍，周王朝设立的大学。灵台，西周台名，用以观测天象。⑰区：所。⑰立《乐经》：王莽在太学，增加设置《乐经》博士。《乐经》，儒家经典中原有《乐经》，秦代焚书后亡佚。王莽所立《乐经》，不知何书。此言把《乐经》作为学校设置的儒家经典，设博士教授。⑰一艺：一经。儒家经典《六经》又称“六艺”。⑰《逸礼》:《仪礼》十七篇以外的古文《礼经》。汉初，鲁高堂生传《士礼》十七篇，即《仪礼》。汉武帝末年，鲁恭王坏孔子宅，得先秦古文书多种，其中有《逸礼》三十九篇。今佚。⑰古书：古文《尚书》。⑱图谶：古代方士或儒生编造的关于帝王受命征验一类的书。⑱钟律：乐律；音律。古人按音阶高低分为六律和六吕，合称十二律。⑱《月令》：排列一年十二个月的时令和节气的历书。⑱《史篇》:《史籀篇》的省称。周宣王太史籀所作大篆书。周代用以教授学童识字。⑱通知：通晓。⑱诣公车：送到公车官署。公车，即公车府，卫尉的下属机构，执掌宫殿司马门的警卫及天下上书及征召等事宜。⑱壹异说：此言令异能之士在宫廷内将其学说记录下来，欲借以纠正谬误之论，统一歧异之说。壹，统一。

【校记】

［9］新息召陵：原作“召陵新息”。据章钰校，甲十六行本、乙十一行本、孔天胤本二词皆互乙，今据改。［10］奏可：原无此二字。据章钰校，甲十六行本、乙十一行本、孔天胤本皆有此二字，张敦仁《通鉴刊本识误》同，今据补。［11］至者前后：原作“前后至者”。据章钰校，甲十六行本、乙十一行本、孔天胤本皆作“至者前后”，今据改。

【原文】

又征能治河者以百数，其大略⑱⑦异者，长水校尉⑱⑧平陵关并⑱⑨言：“河决率常⑲⓪于平原、东郡⑲①左右，其地形下⑲②而土疏恶⑲③。闻禹治河时，本空此地，以为水猥盛⑲④则放溢⑲⑤，少稍自索⑲⑥，虽时易处⑲⑦，犹不能离此。上古难识。近察秦、汉以来，河决曹、卫之域⑲⑧，其南北不过百八十里。可空此地，勿以为官亭⑲⑨、民室而已。”御史临淮⑳⓪韩牧以为：“可略于《禹贡》⑳①九河⑳②处穿⑳③之，纵不能为九，但为四五，宜有益。”大司空掾王横言：“河入勃海⑳④地，高于韩牧所欲穿处。往者天常连雨，东北风，海水溢，西南出，浸⑳⑤数百里，九河之地已为海所渐⑳⑥矣。禹之行⑳⑦河水，本随西山⑳⑧下东北去。《周谱》⑳⑨云：‘定王五年⑳⑩，河徙。’则今所行非禹之所穿也。又秦攻魏，决河灌其都㉑①，决处遂大，不可复补。宜却徙完平处更开空㉑②，使缘西山足㉑③，乘高地而东北入海，乃无水灾。”司空掾沛国桓谭㉑④典㉑⑤其议，为甄丰言：“凡此数者，必有一是，宜详考验，皆可豫见。计定然后举事，费不过数亿万，亦可以事㉑⑥诸浮食㉑⑦无产业民。空居与行役，同当衣食，衣食县官㉑⑧而为之作，乃两便，可以上继禹功，下除民疾㉑⑨。”时莽但崇空语㉒⓪，无施行者。

群臣奏言：“昔周公摄政㉒①七年，制度乃定。今安汉公辅政四年，营作二旬㉒②，大功毕成，宜升宰衡位在诸侯王上。”诏曰：“可。”仍㉒③令议九锡㉒④之法。

莽奏尊孝宣庙为中宗，孝元庙为高宗。又奏毁孝宣皇考庙㉒⑤勿修。

【语译】

王莽又征召能治理黄河的人才一百多名，各人的治河方案并不相同，长水校尉平陵人关并说："黄河溃决通常是在平原郡、东郡一带，此地地势低下，土地瘠薄。听说夏禹治理黄河时，原本就把这一带空出来，认为水多了就泛滥，水少了就逐渐干涸。虽然溃决之处有时改变，但仍不离开这个范围。上古时代的事情难以知道。考察近代秦、汉以来的状况，黄河总在曹、卫地域决口，其南北相距不过一百八十里。可以让这块地方空出来，不在此修建官亭、民宅就可以了。"御史临淮人韩牧认为："可以大致从《禹贡》所记载的九条河流的故道上略加疏通，即使不能疏通九条河流，只要疏通四五条河，应该是大有好处的。"大司空掾王横说："黄河流入渤海地区，地势高于韩牧主张要疏通的河道。过去阴雨连绵，东北风起，海水倒灌，以致黄河水向西南倒流，淹没数百里，古代九河的故道，已被海水淹没了。夏禹当初疏导黄河，原本是顺着太行山向东北流去。《周谱》说'周定王五年，黄河改道'，现在黄河所经的河道，并不是当年夏禹所挖掘的河道。此外，过去秦国灭亡魏国时，决黄河堤，用黄河水灌入魏国国都大梁，决口地方便扩大了，无法进行堵塞。应当迁走人户，在宽平地另行开通河道，使黄河水顺着太行山的山麓，居高临下向东北流入渤海，才能避免水灾。"司空掾沛国人桓谭主持这次商讨，他对少傅甄丰说："这些不同的方案，一定有一种方案是正确的，应当详细考察，就能预知得失。计划选定后开始行动，费用不过几亿万，也可以使用一些无业游民。这些人闲着与役使，同样都是穿衣吃饭，现在由县官供给他们的衣服和饮食，而让他们修治黄河，于公于私双方都有好处，上可以继承夏禹的功绩，下可以解除百姓的痛苦。"当时王莽只是崇尚空话，没有具体加以施行。

文武大臣上奏说："以前周公代周成王处理国政七年，国家制度才制定下来。现在安汉公辅助国政四年，建造明堂、辟雍不过两旬，就大功告成，应该把宰衡的地位升高在诸侯王之上。"平帝下诏说："可以。"于是下令商议九锡的法规。

王莽奏请：尊孝宣庙为中宗，孝元庙为高宗。又奏请：被毁的孝宣皇考庙不要

罢南陵[226]、云陵[227]为县。奏可。

莽自以北化[228]匈奴，东致[229]海外，南怀[230]黄支，唯西方未有加[231]，乃遣中郎将平宪等多持金币诱塞外羌，使献地愿内属。宪等奏言：“羌豪良愿等种可万二千人[232]，愿为内臣，献鲜水海[233]、允谷、盐池[234]，平地美草，皆与汉民；自居险阻处为藩蔽。问良愿降意，对曰：‘太皇太后圣明，安汉公至仁，天下太平，五谷成孰[235]，或禾长丈余，或一粟三米，或不种自生，或茧不蚕自成；甘露从天下，醴泉[236]自地出；凤皇来仪[237]，神爵降集[238]。从四岁以来[239]，羌人无所疾苦，故思乐内属。’宜以时处业[240]，置属国[241]领护[242]。”事下莽，莽复奏：“今已有东海、南海、北海郡[243]，请受良愿等所献地为西海郡。分天下为十二州[244]，应古制。”奏可。冬，置西海郡[245]。又增法五十条，犯者徙之西海。徙者以千万数，民始怨矣。

梁王立[246]坐与卫氏交通[247]，废[248]，徙南郑[249]。自杀。

分京师置前辉光、后丞烈二郡[250]。更公卿、大夫、八十一元士官名、位次及十二州名、分界[251]。郡国所属，罢置改易，天下多事，吏不能纪矣。

【段旨】

以上为第三段，写王莽好大喜功，却不恤民生，修治黄河议而不决，只是空喊口号给自己增添光环。王莽又讽谕四夷来朝，更改官名、地名，凡此，表现自己的绝对权威，为加号九锡铺平道路。

【注释】

⑱⑦ 大略：大要。此指治水大体方案。⑱⑧ 长水校尉：官名，武帝时所建置的八校尉之一，执掌屯驻长水的胡骑。⑱⑨ 关并：人名，平陵人，任职长水校尉。⑲⑩ 率常：通常。⑲① 平原、东郡：皆郡名。平原郡，治所在今山东平原县南。东郡，治所在今河南濮阳西南。⑲② 地形下：指地处黄河下游，地势低洼。⑲③ 土疏恶：指土地瘠薄。⑲④ 猥盛：多。⑲⑤ 放溢：泛滥。⑲⑥ 少稍自索：水少则逐渐干涸。少，水少。稍，逐渐。索，尽，指河水干涸。⑲⑦ 虽时易处：虽然有时溃决之处有改变。⑲⑧ 曹、卫之域：指古曹、卫两

修理。撤销南陵、云陵而改称为县。奏请被批准。

王莽自认向北感化了匈奴，向东招致了海外之人，向南招抚了黄支国，唯有西边还没有施加影响，于是派遣中郎将平宪等人携带很多金币礼物去引诱塞外的羌人，使他们献出土地，愿意归属汉朝。平宪等人上奏说："羌人首领良愿等部落人口约一万二千，愿为汉朝的属国，献出鲜水海、允谷、盐池，平原美草，都给汉民；自已居处险峻地区作为汉朝的屏障。询问良愿归降的意愿，他回答说：'太皇太后英明，安汉公最仁慈，天下太平，五谷丰收，禾苗有的长一丈多高，一粟有的包含三粒米，有的不种植而自己生长，不要养蚕而茧可以自结而成；甘露自天而降，甘美的泉水从地下涌出；凤凰来舞，神雀降落树上栖息。自从安汉公辅政四年以来，羌人没有痛苦，因而很乐意归属汉朝。'应该及时安排他们的生业，设置属国领护。"事情交由王莽处理，王莽再次上奏说："如今已有东海、南海、北海三个郡，请求接受良愿等所献的土地设立为西海郡。请将全国分为十二州，和古代的制度相应合。"上奏被批准。冬，设置西海郡。又增订法律五十条，犯法的就流放到西海郡。被流放的人，数以千万计，百姓开始怨恨了。

梁王刘立犯了与卫氏往来的罪，废除封国，放逐到南郑县。刘立自杀。

划分京师长安为前辉光、后丞烈两个郡。更改公卿、大夫、八十一元士的官名、等级以及十二州名、分界线。更改各郡、各国的管辖区域，采取撤除、新置、改动、变更等办法，天下多事，官吏难以记载。

国地区。曹，古国名，其地在今山东曹县一带。卫，古国名，其地在今河南北部地区。域，地区。⑲⑨ 官亭：供过往官吏食宿的处所。⑳⓪ 临淮：郡名，治所在今江苏泗洪县南。⑳①《禹贡》:《尚书》篇名，大约写成于战国时期，是我国古代文献的地理专篇。《禹贡》把古代中国划分为九州，记述各州的山河分布、物产、交通、贡赋等情况。⑳② 九河：指《禹贡》记载的黄河下游的九条支流。一说，"九"为泛指，"九河"为黄河下游许多支流的总称。⑳③ 穿：凿通。⑳④ 勃海：郡名，治所在河北沧州东南。⑳⑤ 浸：渗透。勃海郡地处渤海西岸，所以在雨天海水涨满时，遇有东北风，海水便向西南溢出，漫淹数百里的土地。⑳⑥ 渐：淹没。⑳⑦ 行：流。此言使河水畅流。⑳⑧ 西山：指太行山。⑳⑨《周谱》：周朝王室记述宗室世系的书。㉑⓪ 定王五年：周定王，周顷王子，继兄匡王立，在位二十一年（公元前六〇六至前五八六年）。其五年为公元前六〇二年。㉑① 都：指战国后期魏国都城大梁（今河南开封）。秦决河灌魏都大梁，事见本书卷七始皇帝二十二年（公元前二二五年）。㉑② 宜却徙完平处更开空：应该回转到黄河上游宽平处，凿开黄河改道。却，回转。徙，改道。完平，宽阔平坦。完，古"宽"字。空，通"孔"，凿通。㉑③ 足：山

麓。㉔桓谭（？至公元五〇年）：字君山，沛郡相县（今安徽濉溪县西北）人，西汉末官议郎，王莽建新，为掌乐大夫。东汉初官议郎给事中，因极言谶纬之非，激怒光武帝，出为六安郡丞，在赴任道中病故，享年七十余。著《新论》二十九篇，今佚。传见《后汉书》卷二十八上。㉕典：主持。㉖事：役使；使用。㉗浮食：不从事耕作而食。㉘衣食县官：由官府供给衣食。县官，官府。㉙疾：痛苦。㉚崇空语：只是唱高调，说空话。崇，重视，此指唱高调。㉛摄政：代国君处理国政。㉜营作二旬：建造才二十天。旬，十天。此言明堂、辟雍二旬建成。㉝仍：于是。㉞九锡：古代天子赐给诸侯、大臣的九种器物，是天子对臣下的一种最高礼遇。九锡名目，有多种说法，大同小异。《公羊传》庄公元年汉何休注："礼有九锡：一曰车马，二曰衣服，三曰乐则，四曰朱户，五曰纳陛，六曰虎贲，七曰弓矢，八曰斧钺，九曰秬鬯。"王莽欲篡汉建新，先求九锡。㉟孝宣皇考庙：宣帝为戾太子孙，史皇孙子。武帝末年，在巫蛊事件中，戾太子自杀，史皇孙遇害。宣帝继昭帝为帝，为尊其生父，于元康元年（公元前六五年）为史皇孙立皇考庙。㊱南陵：汉文帝母亲薄太后的陵墓。㊲云陵：汉昭帝母亲赵太后的陵墓。汉代帝、后陵皆置陵邑，用以供奉陵园。王莽提出撤销文帝母南陵和昭帝母云陵的陵邑。㊳化：感化。㊴致：招致。㊵怀：安抚；招抚。㊶加：施加影响。㊷羌豪良愿等种可万二千人：羌人首领良愿等部落约一万二千人。豪，首领。良愿，羌豪名。种，部族。可，大约。㊸鲜水海：地名，即今青海湖。㊹允谷、盐池：地名，今地不详，当在青海湖附近。㊺孰：同

【原文】

五年（乙丑，公元五年）

春，正月，祫[252]祭明堂。诸侯王二十八人，列侯百二十人，宗室子九百余人，征助祭[253]。礼毕，皆益户[254]、赐爵及金帛、增秩[255]、补吏[256]各有差[257]。

安汉公又奏复长安南、北郊[258]。三十余年间，天地之祠凡五徙[259]焉。

诏曰："宗室子自汉元[260]至今十有[12]余万人，其令郡国各置宗师[261]以纠之，致教训焉。"

夏，四月乙未[262]，博山简烈侯孔光薨，赠赐、葬送甚盛，车万余两[263]。以马宫为太师。

“熟”。㊱醴泉：甘美的泉水。㊲凤皇来仪：谓凤凰来舞而有容仪。古人以为祥瑞征兆。语出《尚书·益稷》。㊳神爵降集：神爵，鸟名。爵，通“雀”。集，群鸟栖止树上。神雀降集也作为祥瑞征兆。㊴四岁以来：指王莽辅政以来。平帝九岁即位，王莽辅政，至今四年。㊵以时处业：及时安置生业。㊶属国：汉代于蛮夷降服内属之地设属国，由属国都尉总领其事。㊷领护：管理；统领。㊸东海、南海、北海郡：三郡名，所缺西海郡，王莽欲纳西羌良愿部置西海郡。东海郡，治所郯县，在今山东郯城西北。南海郡，治所番禺，在今广东广州。北海郡，治所营陵县，在今山东昌乐东。㊹十二州：相传禹治水后，分中国为九州，即冀、兖、青、徐、荆、扬、豫、梁、雍。舜以冀州分出幽、并二州，从青州分出营州，共为十二州。㊺西海郡：良愿所献地属金城郡，现依莽奏，改金城郡为西海郡，治所在今甘肃兰州西北。㊻梁王立：文帝子梁孝王刘武之后代刘立。成帝阳朔元年（公元前二四年）嗣侯。荒淫残暴，竟至一日十一犯法。后因与平帝外家中山卫氏交往，夺其爵位，废为平民，贬谪到汉中南郑，自杀。传附见《汉书》卷四十七《文三王传》。㊼交通：交往；勾结。㊽废：指免去爵位。㊾徙南郑：将梁王刘立流放到南郑。徙，贬谪。南郑，县名，县治在今陕西汉中。㊿分京师句：王莽分京师地区设置二郡，以其郡名分称“前”“后”推之，前辉光盖治长安以南诸县，后丞烈盖治长安以北诸县。(251)更公卿句：更，改。改变官制，事详本书卷三十五始建国元年；正十二州之州名、分界，为今年事。然正如史文所云：“郡国所属，罢置改易，天下多事，吏不能纪。”所以，后人无以详知。

【语译】

五年（乙丑，公元五年）

春，正月，平帝在明堂举行合祭；诸侯王二十八人，列侯一百二十人，宗室子弟九百多人受征召来助祭。祭礼完毕，都增加采邑户数，赐给爵位，以及赏赐金钱、丝绸，有官职的增加秩禄，无官的任命官职，各有等级。

安汉公王莽又奏请恢复在长安南郊祭天、北郊祭地的典礼。三十多年以来，祭祀天地的祠堂一共迁徙了五次。

平帝下诏说：“皇家宗室子弟从汉朝建立至今有十多万人，现敕令郡国各自设置宗师督导他们，对他们进行教育。”

夏，四月初一日乙未，博山简烈侯孔光去世，赐赠丰厚，葬礼隆重，送葬的车有一万余辆。任命马宫为太师。

吏民以莽不受新野田而上书者前后四十八万七千五百七十二人，及诸侯王公、列侯、宗室见者皆叩头言："宜亟加赏于安汉公。"于是莽上书言："诸臣民所上章下议㉖④者，事[13]皆寝㉖⑤勿上，使臣莽得尽力毕㉖⑥制礼作乐事。事[14]成，愿赐骸骨㉖⑦归家，避㉖⑧贤者路。"甄邯等白太后，诏曰："公每见辄流涕叩头言，愿不受赏；赏即加，不敢当位。方制作未定，事须公而决，故且听公制作。毕成，群公以闻，究㉖⑨于前议。其九锡礼仪亟奏！"

五月，策命㉗⑩安汉公莽以九锡，莽稽首再拜，受绿韨㉗①、衮冕㉗②、衣裳㉗③，玚琫㉗④、玚珌㉗⑤，句履㉗⑥，鸾路㉗⑦、乘马㉗⑧，龙旂九旒㉗⑨，皮弁㉘⓪、素积㉘①，戎路㉘②、乘马㉘③，彤㉘④弓矢、卢㉘⑤弓矢，左建朱钺㉘⑥，右建金戚㉘⑦，甲、胄㉘⑧一具，秬鬯㉘⑨二卣㉙⓪，圭瓒㉙①二，九命㉙②青玉珪二，朱户㉙③，纳陛㉙④，署㉙⑤宗官㉙⑥、祝官㉙⑦、卜官㉙⑧、史官㉙⑨，虎贲㉚⓪三百人。

【段旨】

以上为第四段，写王莽加号九锡，逼近篡夺帝位，只有一步之遥了。

【注释】

㉕②祫：祭名，集合远近祖先神主于太庙合祭。通常三年举行一次。㉕③助祭：臣属以出资、陪位或献乐等方式佐助君主祭祀。㉕④益户：有封邑者增加封邑户数。㉕⑤增秩：增加俸禄。㉕⑥补吏：指给未有官职的人补官，即给候补官待诏转为实官。㉕⑦差：等级；次第。㉕⑧南、北郊：南郊与北郊，是天子分别祭祀天、地的地方，南郊祭天，北郊祭地。㉕⑨五徙：汉武帝时，于甘泉宫立泰畤以祭天，于汾阴立后土祠以祭地。成帝建始元年（公元前三二年）罢甘泉泰畤、汾阴后土祠而作长安南、北郊，永始三年（公元前一四年）罢长安南、北郊而复甘泉泰畤、汾阴后土祠，哀帝初罢甘泉泰畤、汾阴后土祠而复长安南、北郊，建平三年（公元前四年）罢长安南、北郊而复甘泉泰畤、汾阴后土祠，今又罢甘泉泰畤、汾阴后土祠而复长安南、北郊。自成帝建始元年至今三十七年，五次变移。㉖⓪汉元：汉初。㉖①宗师：官名，执掌宗室亲族的考察和教育。㉖②乙未：四月初一日。㉖③两：古"辆"字。㉖④下议：交给下面讨论。㉖⑤寝：搁置。㉖⑥毕：完成。㉖⑦赐骸

因为王莽不接受新野县为采邑而上奏请愿的全国吏民前后有四十八万七千五百七十二人，以及被召见的诸侯王、公卿、列侯、宗室都磕头说：“应当赶快增加赏赐给安汉公。”于是王莽上书说：“全国臣民所上奏章而交下商议的，其中有关赏赐之事都搁置不要呈上，使我王莽能竭尽全力来完成制礼作乐。事情完成后，希望准许辞职回家，给贤能人才让路。”右将军甄邯等禀报太皇太后，太皇太后下诏说：“安汉公每次进见，都流着眼泪磕头说，希望不接受赏赐；若一定要给予赏赐，他就辞位。现在制礼作乐的任务尚未完成，这事必须由安汉公自己决定，暂且听从安汉公专心制礼作乐之事。等任务完成，群公告知，再商定大家从前的建议。但关于九锡礼仪须尽快制定上奏！”

五月，策书任命安汉公王莽，赐给九锡。王莽再次叩首下拜，接受绿色祭服的蔽膝，礼服、礼帽，家常便服，用玉石装饰刀柄的佩刀，用玉璧装饰的刀鞘，尖端上翘的御鞋，带铃御车，御车马匹，悬垂九个尾梢的龙旗，白鹿皮制作的盔帽，白色的锦制战袍，战车和拉车的四匹马，朱红色的弓、箭，黑色的弓、箭各一副，大门外左边竖着红色大斧，右边竖着金色大斧，一套铠甲、头盔，两樽香酒，两个用玉石做的酒器，两枚上公举行隆重仪式时用的青色玉珪，朱红色府第大门，厅堂有纳陛台阶，可以设置宗官、祝官、卜官、史官，以及护卫勇士三百人。

骨：允准官吏辞职回乡。意谓出仕者身许国家，请朝廷允准官吏辞职，得以使骸骨归葬故乡。古时大臣辞职的习用语、套话。㉖㉘避：回避；让开。此言己辞大位，让开贤者进用之路。㉖㉙究：商定。㉗⓪策命：用策书命令。策书是皇帝命令的一种，多用于封土授爵、任免三公等。㉗①绿韨：祭服的绿色蔽膝。用熟皮制作。㉗②衮冕：衮，古代帝王及上公祭宗庙所穿的礼服。冕，古代帝王、诸侯、卿大夫所戴的礼帽。㉗③衣裳：衣服。此指家常便服。古人之服，上叫衣，下叫裳。㉗④玚琫：玚，玉名。琫，佩刀鞘上近口处的饰物。此言赐莽的佩刀，用玚琫装饰。㉗⑤珌：佩刀鞘上末端的饰物。此言赐莽刀鞘用玚珌装饰。㉗⑥句履：鞋名。句，通“絇”。鞋头尖形上翘的装饰品。履，鞋。㉗⑦鸾路：带铃的御车。鸾，通“銮”，铃。路，通“辂”，车。㉗⑧乘马：四马。此言赐王莽套鸾路车用的四匹御马。㉗⑨龙旂九旒：天子之旗。龙旂，绘交龙图纹的旗。旒，旗帜下边悬垂的条状丝织装饰物。㉘⓪皮弁：皮制盔帽。㉘①素积：用白色绵绸制作的战袍。㉘②戎路：兵车。㉘③乘马：又赐套戎车的御马四匹。㉘④彤：红色。㉘⑤卢：黑色。㉘⑥钺：兵器，形如大斧。㉘⑦戚：斧类兵器。㉘⑧甲胄：甲，铠甲。胄，头盔。㉘⑨秬鬯：用黑黍和郁金香草酿造的香酒。㉙⓪卣：酒器名。㉙①圭瓒：一种玉制酒器。形状如勺，其柄似圭。圭，古代帝王、诸侯举行隆重仪式时所用玉制礼器，长条形，上尖下方。瓒，玉制酒勺。㉙②九命：周代

的官爵分为九个等级，称九命。他们的官室、车旗、衣服、礼仪等，都按等级做相应规定。九命为最高一级。㉓朱户：红色大门。㉔纳陛：凿殿基为登升的台阶，使台阶置于屋檐下，称纳陛。陛，殿堂的台阶。㉕署：设置。㉖宗官：执掌礼乐的官吏。㉗祝官：执掌祠庙中祭礼的官吏。㉘卜官：职司卜筮的官。㉙史官：记帝王言行，并掌图籍的职官。㉚虎贲：勇士。指戍卫兵卒。

【原文】

王恽等八人使行[301]风俗还，言天下风俗齐同，诈为郡国造歌谣[302]、颂功德，凡三万言。闰月丁酉[303]，诏以羲和刘秀等四人使治明堂、辟雍，令汉与文王灵台、周公作洛同符[304]。太仆王恽等八人使行风俗，宣明德化，万国齐同，皆封为列侯[305]。

时广平[306]相[307]班稚[308]独不上嘉瑞及歌谣。琅邪[309]太守公孙闳言灾害于公府[310]。甄丰遣属[311]驰至两郡，讽[312]吏民，而劾“闳空造不祥，稚绝嘉应，嫉害圣政，皆不道”。稚，班倢伃弟也。太后曰：“不宣德美，宜与言灾[15]者异罚。且班稚后宫贤家[313]，我所哀[314]也。”闳独下狱，诛。稚惧，上书陈恩谢罪[315]，愿归相印，入补延陵园郎[316]。太后许焉。

莽又奏为市无二贾[317]，官无狱讼，邑无盗贼，野无饥民，道不拾遗，男女异路之制。犯者象刑[318]。

莽复奏言：“共王母[319]、丁姬，前不臣妾[320]，冢高与元帝山齐[321]，怀帝太后、皇太太后玺绶以葬。请发共王母及丁姬冢，取其玺绶；徙共王母归定陶，葬共王冢次。”太后以为既已[322]之事，不须复发。莽固争之，太后诏因故棺改葬之。莽奏：“共王母及丁姬棺皆名梓宫[323]，珠玉之衣[324]，非藩妾[325]服。请更以木棺代，去珠玉衣；葬丁姬媵妾之次[326]。”奏可。公卿在位皆阿莽指，入钱帛，遣子弟及诸生、四夷凡十余万人，操持作具，助将作[327]掘平共王母、丁姬故冢。二旬间，皆平。莽又周

【校记】

［12］有：原无此字。据章钰校，甲十六行本、乙十一行本、孔天胤本皆有此字，今据补。［13］事：据章钰校，甲十六行本作“以”，乙十一行本、孔天胤本皆作“愿”，未知孰是。［14］事事：“事”字原不重。据章钰校，甲十六行本、乙十一行本、孔天胤本“事”字皆重，今据补。

【语译】

王恽等八人奉命巡视风俗回京，说全国风俗齐同美好，伪造郡、国歌谣，歌功颂德，共三万字。闰五月初四日丁酉，皇上下诏派羲和刘秀等四人兴建明堂、辟雍，使汉朝土木工程与周文王建筑灵台、周公建筑洛邑能相符合。太仆王恽等八人奉命巡视风俗，宣扬朝廷的德治教化，使全国风俗一致，刘秀等四人、王恽等八人都册封为列侯。

此时唯有广平国相班稚没有进献祥瑞和民歌童谣。琅邪郡太守公孙闳在三公府陈述民间灾害。御史大夫甄丰派遣属官驰马到达广平国、琅邪郡，婉言劝说官吏和百姓进献祥瑞而隐瞒灾害，并上奏弹劾“公孙闳捏造灾害，班稚拒绝反映祥瑞的征兆，嫉恨朝廷的圣政，都犯有不道之罪”。班稚，是班婕妤的弟弟。太皇太后说：“不宣扬美德，应当和捏造灾害的处罚不同。况且班稚是后宫有贤德的班婕妤的弟弟，我很哀怜婕妤的家人。”公孙闳单独被关进监狱，诛杀。班稚很害怕，上书陈述世受国恩，请求恕罪，愿意归还相印，到延陵补个掌守园寝门户的园郎。太皇太后同意了他的请求。

王莽又上奏制定全国买卖只有一个价格，官府没有诉讼案件，城邑没有盗贼，乡村没有饥民，路不拾遗，以及男女分路行走的制度。违犯了的，仅在服装上加以象征刑罚的标志。

王莽又上奏说：“定陶共王的母亲傅太后、王后丁姬，从前不遵守臣妾之道，坟墓高度和元帝一样，怀抱着帝太后、皇太太后的印玺埋葬。请求挖掘定陶共王的母亲以及丁姬的坟墓，取出印玺；将定陶共王母的遗体迁往定陶国，葬在定陶共王的墓园。”太皇太后认为这都是了结了的事情，不必再提起。王莽坚持己见，太皇太后下诏用她们原来的棺木改葬。王莽又奏说：“定陶共王母亲和丁姬的棺材，皆名梓宫，穿着金缕玉衣的殓服，这不是诸侯王姬妾应服用的。请求改用木棺代替，去掉金缕玉衣，将丁姬按陪嫁女子的等级安葬。”上奏被批准。在位的公卿大臣都迎合王莽的旨意，捐献钱帛，各家都派出子弟，以及众儒生、东夷、西戎、南蛮、北狄四夷之人共十余万人，拿着工具，帮助将作大匠挖掘定陶共王母亲、丁姬的旧时坟墓。二十天左右，全都

棘㉘其处，以为世戒云。又隳坏㉙共皇庙㉚，诸造议㉛者泠褒、段犹等[16]皆徙合浦㉜。

征师丹诣公车，赐爵关内侯，食故邑。数月，更封丹为义阳侯。月余，薨。

初，哀帝时，马宫为光禄勋，与丞相、御史杂议傅太后谥曰孝元傅皇后。及莽追诛前议者，宫为莽所厚㉝，独不及。宫内惭惧，上书言："臣前议定陶共王母谥，希指㉞雷同㉟，诡经僻说㊱，以惑误主上，为臣不忠。幸蒙洒心㊲自新㊳，诚无颜复望阙庭，无心复居官府，无宜复食国邑。愿上㊴太师、大司徒、扶德侯印绶，避贤者路。"秋[17]，八月壬午㊵，莽以太后诏赐宫策曰："四辅㊶之职，为国维纲；三公之任，鼎足承君。不有鲜明㊷固守㊸，无以居位。君[18]言至诚，不敢文过，朕甚多㊹之。不夺君之爵邑，其上太师、大司徒印绶使者㊺，以侯就第㊻。"

莽以皇后有子孙瑞㊼，通子午道㊽，从杜陵直绝南山㊾，径汉中㊿。

泉陵侯刘庆上书言："周成王幼少，称孺子(351)[19]，周公居摄(352)。今帝富于春秋(353)，宜令安汉公行天子事，如周公。"群臣皆曰："宜如庆言。"

时帝春秋益壮，以卫后故，怨不悦。冬，十二月，莽因腊日上椒酒(354)，置毒酒中。帝有疾。莽作策(355)，请命于泰畤(356)，愿以身代，藏策金縢(357)，置于前殿，敕(358)诸公勿敢言。丙午(359)，帝崩于未央宫。大赦天下。莽令天下吏六百石以上皆服丧三年。奏尊孝成庙曰统宗；孝平庙曰元宗。敛(360)孝平，加元服(361)，葬康陵(362)。

班固赞曰："孝平之世，政自莽出，褒善显功，以自尊盛。观其文辞，方外(363)百蛮，无思不服，休征(364)嘉应(365)，颂声并作。至于[20]变异见于上，民怨于下，莽亦不能文(366)也。"

以长乐少府平晏(367)为大司徒。

太后与群臣议立嗣。时元帝世绝，而宣帝曾孙有见王(368)五人，列侯四十八人。莽恶其长大，曰："兄弟不得相为后(369)。"乃悉征宣帝玄孙，选立之。

铲平。王莽又用荆棘把原地围起来，作为世人的鉴戒。又毁坏共皇的陵庙，当初提议造庙的泠褒、段犹等人都被流放到合浦。

征召师丹到公交车府，赐给关内侯的爵位，恢复他从前封邑。数月后，改封师丹为义阳侯。一个多月后，师丹去世。

当初哀帝时，马宫为光禄勋，和丞相、御史合议傅太后的谥号为孝元傅皇后。等到王莽追究诛杀从前参与会议的人，马宫被王莽看重，唯独没有被杀。马宫内心惭愧害怕，上书说："臣从前在商议定陶共王母的谥号时，迎合上面的旨意，随声附和，离经叛道，造作邪僻之说，迷惑皇上，为臣不忠。有幸洗心自新，实在无颜面再在朝廷议政，也没有心思再留居官府，更不应当再享有封爵食邑。臣愿上缴太师、大司徒、扶德侯的官印，给贤能的人让路。"秋，八月二十日壬午，王莽以太皇太后的名义下诏赐马宫策书说："四辅的职务是维护国家的法度；三公的责任，就像鼎的三足支撑君王。不能精明干练处世和坚持节操，就无法居于高位。但你的陈述十分诚恳，不敢文饰错误，朕非常欣赏。不剥夺你的爵位食邑，可上缴太师、大司徒的官印给使者，以侯爵身份回家。"

王莽认为皇后有多子的祥瑞，于是开通子午道，从杜陵县径直跨过终南山，直达汉中郡。

泉陵侯刘庆上奏说："周成王年幼，号称'孺子'，由周公居位摄政。如今皇帝年幼，应该让安汉公王莽代理天子执政，就像周公一样。"群臣都说："应当如刘庆所言。"

此时平帝年龄益长，因为自己母亲卫后不能到京城的缘故，心怀怨恨，郁郁不乐。冬，十二月，王莽趁腊日大祭向平帝进献椒酒，将毒药放入酒中。平帝有了病。王莽写下祷文策书，到泰畤替平帝向天神祈求，愿用自己的生命代替平帝去死，并把策书藏在金縢柜里，放置前殿，告诫文武大臣不要言语。丙午日，平帝在未央宫去世。大赦天下。王莽命令全国年俸六百石以上官吏都要居丧三年。上奏太皇太后，尊称孝成庙为统宗；孝平庙为元宗。将平帝收殓，穿戴成人的衣冠，葬在康陵。

班固评论说："孝平帝之世，政令出自王莽，褒扬善德、宣扬功绩，用以显示他自己的威严尊贵。察看那些文章记载，边远地区的蛮夷，没有一个不归顺的，吉兆祥瑞，颂扬之声四起。事实上，至于上天显现变异，下面黎民百姓的怨恨，王莽也是无法掩饰的。"

任命长乐少府平晏为大司徒。

太皇太后和文武大臣商议册立皇帝继承人。当时元帝的后代已断绝，而宣帝的曾孙中现今为诸侯王的有五人，为列侯的四十八人。王莽嫌他们长大成人，就说："兄弟不能相继为后代。"于是就将宣帝玄孙都征召来，选拔一人立为皇帝。

是月，前辉光谢嚣奏武功长㊵孟通浚井得白石，上圆下方，有丹书㊶著石，文曰“告安汉公莽为皇帝”。符命㊷之起，自此始矣。莽使群公以白太后，太后曰：“此诬罔天下，不可施行！”太保舜谓太后[21]：“事已如此，无可奈何，沮㊸之，力不能止。又莽非敢有他，但欲称摄以重其权，填㊹服天下耳！”太后心不以为可，然力不能制，乃听许。舜等即共令太后下诏曰：“孝平皇帝短命而崩，已使有司征孝宣皇帝玄孙二十三人，差度㊺宜者，以嗣孝平皇帝之后。玄孙年在襁褓，不得至德㊻君子，孰能安之！安汉公莽，辅政三世，与周公异世同符。今前辉光嚣、武功长通上言丹石之符，朕深思厥意，云‘为皇帝’者，乃摄行皇帝之事也。其令安汉公居摄践祚㊼，如周公故事，具礼仪奏！”于是群臣奏言：“太后圣德昭然，深见天意，诏令安汉公居摄。臣请安汉公践祚，服天子韨冕，背斧依立于户牖之间㊽，南面朝群臣，听政事。车服出入警跸㊾，民臣称臣妾，皆如天子之制。郊祀天地，宗祀明堂，共祀㊿宗庙，享祭(381)群神，赞曰‘假皇帝’(382)，民臣谓之‘摄皇帝’，自称曰‘予’。平决(383)朝事，常以皇帝之诏称‘制’。以奉顺皇天之心，辅翼汉室，保安孝平皇帝之幼嗣，遂寄托之义(384)，隆治平(385)之化(386)。其朝见太皇太后、帝皇后皆复臣节(387)。自施政教于其[22]宫家国采(388)，如诸侯礼仪故事。”太后诏曰：“可。”

【段旨】

以上为第五段，写王莽毒死平帝，加号“摄皇帝”，其篡国夺位之心，已是路人皆知。

【注释】

(301)行：巡视。(302)诈为郡国造歌谣：伪造郡国歌颂王莽的民歌、民谣。诈，欺诈；蒙骗。(303)丁酉：闰五月初四日。(304)同符：相合。符，符合。相传周文王时建造灵台，没有多少日子便已建成。周公旦营建洛邑，亲自去视察情况。(305)皆封为列侯：刘秀等四人、王恽等八人都被封侯。刘秀为红休侯，平晏为防乡侯，孔永为宁乡侯，孙迁为定乡侯，王恽为

这一月，前辉光人谢嚣上奏说，武功县令孟通在掘井时得到一块白色的石头，上圆而下方，有丹书写在石头上，文曰“告安汉公莽为皇帝”。关于帝王符命之事，从此兴起了。王莽指使诸大臣将这件事禀报太皇太后，太皇太后说：“这是在欺骗天下的人，不能实行！”太保王舜对太皇太后说：“事情已经这样，无可奈何，要阻止它，无力可止。再说王莽不敢有别的企图，只是想公开摄政来加强自己的权势，征服天下人心而已！”太皇太后心里知道不可以这样做，但无力制止，便听从了。王舜等人就一同让太皇太后下诏说：“孝平皇帝短命逝世，已命主管官吏征召孝宣皇帝玄孙二十三人，选择其中适宜的，承继孝平皇帝。可是，玄孙年龄幼小，若得不到德高望重的君子来辅弼，谁能保护小皇帝的安全呢！安汉公王莽，辅政已经三世，和周公的时代尽管不同，但符命却相同。现在前辉光人谢嚣、武功县令孟通上奏说红字白石的符命，朕深思其意，所说‘为皇帝’的意思，就是代理皇帝的职权。那就让安汉公为代理皇帝，如同周公的成例，准备行礼的仪式上奏！”于是大臣们上奏说：“太皇太后圣德昭明，深深知道天意，下诏让安汉公代行天子之政。臣等请求安汉公即天子之位，穿着天子的礼服，背后是画着斧形图案的屏风，立在门窗之间，面向南方接受群臣朝拜，处理政务。乘车进出要清道戒备，臣下和平民要向他自称臣妾，全都与天子的礼仪制度一样。郊祭天地，明堂祭祖，恭祭宗庙，祭祀群神，司仪祝词称安汉公为‘假皇帝’，平民和臣下称其为‘摄皇帝’，自称为‘予’。裁决朝中大事，常把皇帝之诏称作‘制’。以此来顺应上天的心意，辅佐汉室，保护孝平皇帝的幼小继承人，完成受托付的大义，弘扬天下太平的风尚。代理皇帝朝见太皇太后、帝皇后，仍然都用臣子的礼节。安汉公在自己的官邸、家中、封国、采邑自己施行政教，仍依照诸侯礼仪的往例。”太皇太后下诏说：“可。”

常乡侯，阎迁为望乡侯，陈崇为南乡侯，李翕为邑乡侯，郝党为亭乡侯，谢殷为章乡侯，逯普为蒙乡侯，陈凤为卢乡侯。㉖广平：王国名，治所在今河北鸡泽东南。㉗相：王国行政长官，如郡守。汉制，诸侯王不得治国事，由朝廷派任官吏治理王国各种事务。㉘班稚：成帝班婕妤弟，《汉书》作者班固的祖父。稚少为黄门郎中常侍。哀帝即位，出为西河属国都尉，迁广平相。平帝时，因不上嘉瑞颂扬王莽功德，免相，入补延陵园郎。事详《汉书》卷一百上。㉙琅邪：郡名，治所在今山东诸城。㉚公府：三公府。㉛遣属：派遣部属。㉜讽：婉言劝说。㉝后宫贤家：谓班婕妤有贤德。㉞哀：指哀怜婕妤之家。㉟陈恩谢罪：陈述世受国恩，请求恕罪。㊱入补延陵园郎：调班稚入京降职为延陵郎官。补，委任官职。此指降职任用。延陵，汉成帝陵墓名，其地在今陕西咸阳北。园郎，官名，汉制，

凡近臣皆随陵为园郎。稚为成帝班婕妤之弟，所以委任为延陵园郎。⑰为市无二贾：制定统一的市场价格，不准商品有两种价格。为，制定。贾，同“价”。⑱象刑：刑罚名，相传古无肉刑，而是采用区别罪犯衣帽服饰的形、色、质的方法，使见者知是受了某种刑的惩罚，以此作为象征性的刑罚，称象刑。⑲共王母：指定陶共王的母亲傅太后。⑳不臣妾：不遵守臣妾之道。㉑冢高与元帝山齐：指傅太后的墓冢与汉元帝的陵墓一样高。山，此指陵墓。冢是垒土为山，高凸于地面，故称陵墓为山。㉒既已：已经完结。㉓梓宫：帝、后的棺材名。帝、后所居称宫，棺用梓木制作，故称梓宫。㉔珠玉之衣：汉代帝、后葬服，上身穿用金丝线连缀珍珠做成的短衣，称珠襦。腰部以下至脚，穿用金丝线连缀玉片做成的玉衣，称玉匣（匣又作“柙”）。这里所说的“珠玉之衣”，即指“珠襦玉柙”，俗称金缕玉衣。㉕藩妾：诸侯王的姬妾。㉖媵妾之次：此言按一般姬妾的等级改葬丁姬。媵妾，陪嫁的姬妾，即一般姬妾。次，位次；等级。㉗将作：指将作大匠。官名，执掌营建宫室、宗庙、陵园等土木工程。㉘周棘：种棘环绕。周，环绕。棘，有刺的草木。㉙隳坏：毁坏。㉚共皇庙：哀帝的父亲定陶共王之庙。哀帝建平二年（公元前五年），在京师立共皇庙。㉛造议：提议。㉜徙合浦：流放到合浦。合浦，郡名，治所在今广东海康。㉝厚：看重；优待。㉞希指：迎合在上者的旨意。㉟雷同：随声附和。㊱诡经僻说：离经叛道，造作邪僻之说。㊲洒心：洗心。㊳自新：自己重新做人。㊴上：上缴。㊵壬午：八月二十日。㊶四辅：王莽托古改制，设立太师、太傅、国师、国将为四辅，位上公。㊷鲜明：指精明干练。㊸固守：坚持节操。㊹多：推重；欣赏。㊺其上太师句：此言把太师、大司徒印绶上缴给朝廷派去的使臣。㊻就第：指免职回家。㊼皇后有子孙瑞：皇后有多子的祥瑞。皇后，王莽女。子孙瑞，子孙繁衍昌盛的祥兆。莽女壬子年（公元前九年）生，依五行阴阳说，子为水，为阴极。阴极则有皇后之贵，属子则有子孙繁衍昌盛之瑞。㊽通子午道：开通子午道。子午道是由关中到汉中的南北通道之一。以十二地支表方位，子是北方，午是南方；依五行阴阳说，子为水，为阴极，午为火，为阳极。所以，开通此南北隘道名为子午道，以取阴阳沟通相谐之义。㊾从杜陵直绝南山：指开子午道，从杜陵县径直跨过终南山。杜陵，县名，县治在今陕西西安东南。绝，跨越。南山，指终南山。属秦岭山脉，在今陕西西安南。㊿径汉中：直达汉中郡。径，直达。汉中，郡名，治所在今陕西安康西北。(351)孺子：王莽为夺取汉室政权，恶立长君，选立宣帝玄孙中年仅二岁的刘婴，号为孺子。在位二年，王莽建新，废为定安公。刘玄更始三年（公元二五年），平陵人方望等起事，拥立刘婴为帝，为刘玄击破，被杀。(352)居摄：因皇帝年幼不能亲自治理政事，由大臣代居其位处理政事，称居摄。(353)富于春秋：指年少、年轻。春秋，指年龄。(354)莽因腊日上椒酒：腊日，腊祭之日，即农历十二月初八日。椒酒，用花椒浸制的酒。此言王莽于腊日向平帝奉献椒酒以示祝贺。(355)作策：编写策文。策，一作“册”，古代帝王祭告天地神祇的文书。(356)请命于泰畤：泰畤，古代天子祭天神的处所。此言王莽祭天祷告，愿以自身代帝死。(357)金縢：用金属绳子捆束的匣子。縢，封缄。(358)敕：告诫。据

《尚书·金縢》记载，周武王有疾，周公祭告三王（太王、王季、文王）的在天之灵，请求自身代武王死。祭毕，册文收藏在金縢的匣子中，且告诫知情官吏保密，不要外言。此言王莽依仿周公的做法，制作金縢之书，借以邀信于朝廷。㉟丙午：十二月辛酉朔，无丙午日。“丙午”误。该月为一年之末月，王莽初八日献毒酒，帝有疾，莽祭祷，则帝崩日自当在腊日后至月底的二十天中。㊱敛：通“殓”，给死者穿衣、入棺。㊲元服：指冠。元，头。冠戴于头，故称元服。古时举行加冠礼称加元服。平帝九岁即位，在位五年，死年十四，尚未举行冠礼，帝死，不得以孩童殓，故加元服。㊳康陵：平帝陵墓名，其地在今陕西咸阳西北。㊴方外：指边远地区。㊵休征：吉祥的征兆。休，美好。㊶嘉应：祥瑞。㊷文：粉饰；掩饰。㊸平晏：右扶风平陵县（今陕西咸阳西北）人，父平当，哀帝时官至丞相。晏依附王莽，于平帝元始五年与刘歆等治明堂、辟雍，封防乡侯，官至大司徒。王莽建新，为太傅，即新公，位上公。㊹见王：现今的诸侯王。见，“现”本字。㊺兄弟不得相为后：平帝是宣帝曾孙，所以说与现今为诸侯王、列侯的宣帝曾孙辈为兄弟。兄弟不得相为后，此为王莽恶立长君，而立幼小的借口。㊻武功长：武功，县名，县治在今陕西眉县东。长，县的行政长官。汉制，县有万户以上者称令，万户以下者称长。武功原为右扶风属县，现分出划归前辉光。㊼丹书：古代方士用红笔书写符书，托言天命，称为丹书。丹，红色。㊽符命：上天把祥瑞赐给人君，作为人君接受天命治理天下的凭证，称符命。㊾沮：阻止。㊿填：通“镇”，安定。375差度：衡量选择。376至德：最高尚的道德。377践祚：登帝位。祚，皇位。378背斧依立于户牖之间：背，背后靠着。斧依，又作“斧扆”，绘有斧形图案的屏风。这是古代专供帝王朝堂设置的器具，以深红色作为底色，上面绘斧形图案，高八尺，东西向挡在门窗之间。天子背靠斧依，南面而立，朝见诸侯，治理政事。相传周成王幼，周公践祚代成王摄行政事，即背靠斧依，南面而立，以朝诸侯。户牖，门窗。379警跸：古代帝王出入称警跸。警，言左右侍卫高度戒备。跸，言清理道路，禁止行人。380共祀：恭敬庄严地祭祀。共，通“恭”，恭敬。381享祭：祭祀。382赞曰假皇帝：赞，指祝词，即祭时祷告之辞。假皇帝，意谓暂时代理皇帝。假，非正式；代理。383平决：判断处理。384遂寄托之义：完成受托付的大义。遂，成就；完成。寄托，托付。385治平：国治天下太平。386化：风尚。387复臣节：仍用作臣的礼节。388宫家国采：指王莽的官邸、家中、封国、采地。既居摄称“假皇帝”，故称其官邸为宫。本月，武功长孟通上丹石之符，于是诏以武功县为王莽采地，改名汉光邑。

【校记】

［15］灾：原作“灾害”。据章钰校，甲十六行本、乙十一行本皆无“害”字，今据删。［16］等：原无此字。据章钰校，甲十六行本、乙十一行本、孔天胤本皆有此字，今据补。［17］秋：原无此字。据章钰校，甲十六行本、乙十一行本、孔天胤本皆有此字，张敦仁《通鉴刊本识误》同，今据补。［18］君：张敦仁《通鉴刊本识误》以为“君”上

脱“但”字。[19]少称孺子：原作“小”。据章钰校，甲十六行本、乙十一行本、孔天胤本皆作“少称孺子”，张敦仁《通鉴刊本识误》同，今据改。[20]于：据章钰校，甲十六行本、乙十一行本、孔天胤本皆作“乎”。[21]后：原作“后曰”。据章钰校，甲十六行本、乙十一行本、孔天胤本皆无“曰”，今据删。[22]其：原无此字。据章钰校，甲十六行本、乙十一行本、孔天胤本皆有此字，今据补。

【原文】

王莽上[389]

居摄元年（丙寅，公元六年）

春，正月，王莽祀上帝于南郊，又行迎春[390]、大射[391]、养老[392]之礼。

三月己丑[393]，立宣帝玄孙婴为皇[23]太子，号曰孺子。婴，广戚侯显之子也。年二岁，托[394]以为[24]卜相[395]最吉，立之。尊皇后曰皇太后。

以王舜为太傅、左辅[396]，甄丰为太阿[397]、右拂[398]，甄邯为太保、后承。又置四少[399]，秩皆二千石。

四月，安众侯刘崇[400]与相[401]张绍谋曰：“安汉公莽必危刘氏，天下非之，莫敢先举，此乃宗室之耻也。吾帅宗族为先，海内必和[402]。”绍等从者百余人遂进攻宛[403]。不得入而败。

绍从弟竦与崇族父嘉诣阙自归[404]。莽赦弗罪。竦因为[405]嘉作奏[406]，称莽德美，罪状刘崇：“愿为宗室倡始，父子兄弟负笼荷锸[407]，驰之南阳[408]，猪崇宫室[409]，令如古制[410]。及崇社[411]宜如亳社[412]，以赐诸侯，用永监戒[413]！”于是莽大说，封嘉为率礼侯，嘉子七人皆赐爵关内侯，后又封竦为淑德侯。长安为之语曰：“欲求封，过张伯松[414]。力战斗，不如巧为奏。”自后谋反者[25]皆污池[26]云。

群臣复白：“刘崇等谋逆者，以莽权轻也，宜尊重以填[415]海内。”五月甲辰[416]，太后诏莽朝见太后称“假皇帝”。

冬，十月丙辰朔[417]，日有食之。

十二月，群臣奏请以安汉公庐[418]为摄省，府[419]为摄殿，第[420]为摄宫。奏可。是岁，西羌庞恬、傅幡等怨莽夺其地，反攻西海太守程永。永奔走。莽诛永，遣护羌校尉窦况击之。

【语译】

王莽上

居摄元年（丙寅，公元六年）

春，正月，王莽在南郊祭祀上帝，又举行迎春、大射、养老的典礼。

三月初一日己丑，册立宣帝玄孙刘婴为皇太子，号曰“孺子”。刘婴，是广戚侯刘显的儿子。时年两岁，假托占卜和看相册立他最吉利，因此册立他。尊皇后为皇太后。

任命王舜为太傅、左辅，甄丰为太阿、右拂，甄邯为太保、后承。又设置四少，秩禄都是二千石。

四月，安众侯刘崇与侯国相张绍谋议说：“安汉公王莽一定会危害刘氏，全天下的人都指责他，但没有人敢带头举事，这是皇室的耻辱。我率领宗族首先起来，天下一定响应。”张绍等随从的有一百多人，于是进攻宛城。没有攻破就失败了。

张绍堂弟张竦与刘崇堂叔刘嘉到朝廷自首请罪。王莽赦免他们没有治罪。张竦于是替刘嘉写奏书，称颂王莽的美德，斥责刘崇的罪状，声称：“愿意作为宗室的带头人，父子兄弟背着土笼，扛着铁锹，驰往南阳，捣毁刘崇的宫室，使其变成污水池，让它合于古制。还要拆毁刘崇的祖庙，如同当年周朝拆毁殷商的祭坛亳社一样，把祭器分赐诸侯，永远作为鉴戒!”于是王莽大为高兴，封刘嘉为率礼侯，刘嘉的七个儿子全都赐爵关内侯，后来又封张竦为淑德侯。长安城内因此流传歌谣说：“要想封，找张伯松。拼命斗，不如巧为奏。”从这以后，谋反的人，家宅都被拆毁变为污水池。

群臣又建议：“刘崇等人敢于阴谋造反，是因为王莽的权力还轻，应当加重王莽的权力来征服天下。”五月十七日甲辰，太皇太后下诏，王莽朝见太皇太后自称“假皇帝”。

冬，十月初一日丙辰，发生日食。

十二月，群臣上奏请求把安汉公在宫中值宿所住的房舍称为摄省，办公地称为摄殿，住宅称为摄宫。这个奏章被太皇太后批准。这一年，西羌人庞恬、傅幡等人怨恨王莽掠夺他们的土地，反叛，攻打西海郡太守程永，程永逃走。王莽杀了程永，派护羌校尉窦况进攻西羌。

【段旨】

以上为第六段，写孺子婴即位，王莽居摄为代理皇帝。宗室刘崇反抗，昙花一现。

【注释】

㊳㊈王莽上:《通鉴》不以新朝、新皇纪年，径称王莽，附于《汉纪》，乃封建史家不承认新朝为一个王朝。王莽（公元前四五至公元二三年），字巨君，魏郡元城县（今河北大名东）人，自谓黄帝、虞舜之后。曾祖贺，武帝时为绣衣御史。祖父王禁，有四女八男，次女政君即元帝王皇后，次男王曼即莽父。父曼早死，莽以元后侄封新都侯，后官大司马，总揽朝政。平帝死，立孺子婴为帝，自称“假皇帝”。三年后即真，改国号为新。托古改制，众事纷扰；连年征战，民不聊生。地皇四年（公元二三年），义军攻进长安，在渐台被杀。传见《汉书》卷九十九。㊳㊉迎春：祭礼名，古代于每年立春日，天子亲率群臣于东郊行迎春祭礼。㊴㊀大射：古代帝王为选择参加郊、庙祭祀活动的人而举行的射礼。古代帝王在举行郊、庙祭祀以前，先举行大射礼，选其射中多者参加祭祀活动。㊴㊁养老：古代对年老而有贤德的人，按时设宴款待酒食以示敬重，谓之养老。㊴㊂己丑：三月初一日。㊴㊃托：假托。㊴㊄卜相：占卜和看相。㊴㊅左辅：官名，相传古代君王身边有四位辅佐大臣，即前疑、后承、左辅、右弼，称为“四邻”。王莽托古改制，设左辅、右弼、前后承等官职。㊴㊆太阿：官名，商初，伊尹辅佐汤灭夏建商，而后又曾辅佐太甲，为阿衡，所以史称太阿。王莽以甄丰为太阿，义取伊尹辅佐太甲之事。㊴㊇右拂：即“右弼”，官名。拂，通“弼”。㊴㊈四少：即少师、少傅、少阿、少保。㊵㊉刘崇：汉景帝之子长沙定王刘发之后。刘发的儿子刘丹始封安众侯，刘崇是刘丹玄孙之子。㊶㊀相：

【原文】

二年（丁卯，公元七年）

春，窦况等击破西羌。

五月，更造货[421]：错刀[422]，一直[423]五千；契刀[424]，一直五百；大钱[425]，一直五十；与五铢钱[426]并行，民多盗铸者。禁列侯以下不得挟黄金，输御府[427]受直，然卒[428]不与直。

东郡太守翟义[429]，方进之子也，与姊子上蔡陈丰谋曰：“新都侯摄

官名，此指侯国的相。列侯所食县称国，而行政长官改令、长为相，职掌如同令、长，治理侯国政事。㊵和：响应。㊶宛：县名，宛县为南阳郡治所，县治在今河南南阳。㊷绍从弟竦与崇族父嘉诣阙自归：张绍堂弟张竦与刘崇堂叔刘嘉，到京师宫门前自首请罪。从弟，堂弟。族父，同族兄弟之父。诣阙，到朝廷。自归，自首。㊸因为：于是替。㊹作奏：写作奏章。㊺负笼荷锸：负，用背驮。笼，用竹片编织的盛土器。荷，用肩扛。锸，即锹，挖土工具。㊻驰之南阳：刘崇封国属南阳郡，刘嘉要捣毁刘崇宫室，所以率家人飞速奔赴南阳。之，往。㊼猪崇宫室：猪，通"潴"，水的停聚处，此处用为动词。本句意谓捣毁刘崇宫室，并使其地变为污水池。㊽古制：据说古代讨平叛逆之国以后，使其宫室之地变为藏污纳垢的污水池，名为凶墟。㊾社：指祭祀土神的社宫。古代诸侯国皆立社以祭土神。㊿亳社：即殷社。周灭殷后，命各诸侯国皆建亡国之社亳社以为鉴戒。此言应该像周王朝让诸侯国都建亳社那样，让各诸侯国都立崇社，以为叛逆亡国的鉴戒。⑬监戒：即"鉴戒"。监，通"鉴"。⑭张伯松：即张竦，字伯松。⑮填：通"镇"，安定。⑯甲辰：五月十七日。⑰丙辰朔：十月初一日。⑱庐：官员值宿所住的房舍。⑲府：指治事之所，汉代高级官员的治事之所称府。⑳第：指所居住的宅第。

【校记】

［23］皇：原误作"老"，今据严衍《通鉴补》改作"皇"。［24］为：原无此字。据章钰校，甲十六行本、乙十一行本、孔天胤本皆有此字，今据补。［25］者：原无此字。据章钰校，甲十六行本、乙十一行本、孔天胤本皆有此字，张敦仁《通鉴刊本识误》同，今据补。［26］池：据章钰校，甲十六行本作"地"，张敦仁《通鉴刊本识误》同，张瑛《通鉴校勘记》作"潴"。

【语译】

二年（丁卯，公元七年）

春，窦况等人大败西羌。

五月，改铸新货币：错刀，一枚值五千钱；契刀，一枚值五百钱；大钱，一枚值五十钱；这些货币和五铢钱同时流通，很多百姓盗铸货币。王莽禁令列侯以下不得挟有黄金，私人黄金应送缴御府按市值兑换现钱，可是上缴黄金的人最终没有得到价款。

东郡太守翟义，是翟方进的儿子，和姐姐的儿子上蔡人陈丰谋划说："新都侯王

天子位，号令天下，故[430]择宗室幼稚者以为孺子，依托周公辅成王之义，且以观望[431]，必代汉家，其渐[432]可见。方今宗室衰弱，外无强蕃[433]，天下倾首[434]服从，莫能亢捍[435]国难。吾幸得备宰相子，身守大郡，父子受汉厚恩，义当为国讨贼，以安社稷；欲举兵西，诛不当摄者，选宗室子孙辅而立之。设令[436]时命不成，死国埋名[437]，犹可以不惭于先帝。今欲发之，汝肯从我乎？”丰年十八，勇壮，许诺。义遂与东郡都尉[438]刘宇、严乡侯刘信[439]、信弟武平侯刘璜结谋，以九月都试[440]日斩观[441]令，因勒[442]其车骑、材官士[443]，募郡中勇敢，部署将帅。信子匡时为东平王，乃并东平兵，立信为天子。义自号大司马、柱天大将军。移檄郡国[444]，言“莽鸩杀[445]孝平皇帝，摄天子位，欲绝汉室。今天子已立，共行天罚[446]”！郡国皆震。比[447]至山阳[448]，众十余万。

莽闻之，惶惧不能食。太皇太后谓左右曰：“人心[449]不相远也。我虽妇人，亦知莽必以是[27]自危。”莽乃拜其党、亲轻车将军、成武侯孙建为奋武将军，光禄勋、成都侯王邑为虎牙将军，明义侯王骏为强弩将军，春王[450]城门校尉[451]王况为震威将军，宗伯[452]、忠孝侯刘宏为奋冲将军，中少府[453]、建威侯王昌为中坚将军，中郎将、震羌侯窦况为奋威将军，凡七人[454]，自择除[455]关西[456]人为校尉、军吏，将[457]关东[458]甲卒，发奔命[459]以击义焉。复以太仆武让[28]为积弩将军，屯[460]函谷关。将作大匠蒙乡侯逯并[461]为横壄将军，屯武关[462]。羲和、红休侯刘秀为扬武将军，屯宛[463]。

三辅[464]闻翟义起，自茂陵[465]以西至汧[466]二十三[29]县，盗贼并发。槐里[467]男子赵朋[30]、霍鸿等自称将军，攻烧官寺[468]，杀右辅都尉[469]及斄[470]令，相与谋曰：“诸将精兵悉东，京师空，可攻长安！”众稍[471]多至十余万，火见未央宫前殿。莽复拜卫尉[472]王级为虎贲将军，大鸿胪[473]望乡侯阎迁为折冲将军，西击朋等。以常乡侯王恽为车骑将军，屯平乐馆[474]；骑都尉王晏为建威将军，屯城北；城门校尉赵恢为城门将军，皆勒兵自备。以太保、后承、承阳侯甄邯为大将军，受钺[475]高庙，领天下兵，左杖节，右把钺，屯城外。王舜、甄丰昼夜循行[476]殿中。

莽日抱孺子祷郊庙，会群臣而[31]称曰：“昔成王幼，周公摄政，

莽代理皇帝，号令天下，故意选择宗族中幼小的称之为孺子，假托周公辅助成王之义，用以窥测人心，他必定要取代汉朝，它的迹象是可以看到的。如今皇族衰弱，地方上没有强大的藩国，天下人俯首顺从，没有人能抵御国家的灾难。我有幸备位宰相之子，自己守护大郡，父子秉受汉朝的厚恩，有义务为国家讨伐叛贼，使国家安定。我想兴兵西进，诛灭那不应代理皇帝的人，选择宗室子孙辅助他当皇帝。如果使命不能完成，为国难而死，埋没姓名，还可以不愧于先帝。我将起兵，你肯跟从我吗?”陈丰时年十八岁，勇武雄壮，答应了。翟义于是与东郡都尉刘宇、严乡侯刘信、刘信的弟弟武平侯刘璜商定，在九月考试骑射的那天，斩杀观县县令，收编他的骑兵和射击手，招募郡中勇士，委派将领。刘信的儿子刘匡当时是东平王，因此就联合东平国的军队，拥立刘信为皇帝。翟义自称大司马、柱天大将军。传檄各郡、国，说“王莽用鸩酒毒死孝平皇帝，代理天子，想断绝汉室。如今天子已经即位，当恭敬地代天行罚”！郡、国全都大为震动。等到大军抵达山阳郡时，部众有十余万。

王莽听到这个消息，惊慌恐惧，吃不下饭。太皇太后对她的近臣说:“人心都差不多。我虽是妇人，也知道王莽一定会因此招致危难。”王莽于是任命他的党羽和亲属轻车将军成武侯孙建为奋武将军，光禄勋成都侯王邑为虎牙将军，明义侯王骏为强弩将军，春王城门校尉王况为震威将军，宗伯忠孝侯刘宏为奋冲将军，中少府建威侯王昌为中坚将军，中郎将震羌侯窦况为奋威将军，共七人，由各人自己选择任命关西人做校尉、军吏，率领关东士兵，调派奔命部队去攻打翟义。又任命太仆武让为积弩将军，驻防函谷关。命将作大匠、蒙乡侯逯并为横野将军，驻防武关。羲和、红休侯刘秀为扬武将军，驻防宛县。

京畿附近的三辅地区得知翟义起兵，东自茂陵县，西到汧县，共二十三县，盗贼一哄而起。槐里县男子赵朋、霍鸿等自称将军，攻打并焚烧官衙，杀死右扶风都尉以及斄县县令，他们相互商议说:“各将领都率领精锐部队去了东边，京师空虚，我们可以攻打长安!”这时人数渐渐增多到十多万，火光出现在未央宫前殿。王莽又命卫尉王级为虎贲将军，大鸿胪望乡侯阎迁为折冲将军，向西攻击赵朋等。任命常乡侯王恽为车骑将军，驻防平乐馆；骑都尉王晏为建威将军，驻防城北。城门校尉赵恢为城门将军，各位将军都指挥军队备战。任命太保、后承、承阳侯甄邯为大将军，在高庙接受象征专断诛杀的钺，统率天下的军队，在军帐左边执持符节，右边把握钺，驻扎在京师城外。王舜、甄丰昼夜在宫殿里巡视。

王莽每天抱着孺子在郊庙祈祷，集合文武百官然后声称:“过去周成王年幼，周

而管、蔡挟禄父[477]以畔[478]。今翟义亦挟刘信而作乱。自古大圣犹惧此，况臣莽之斗筲[479]！”群臣皆曰：“不遭此变，不章圣德！”冬，十月甲子[480]，莽依《周书》[481]作《大诰》[482]曰：“粤其闻日[483]，宗室之俊有四百人，民献仪[484]九万夫，予[485]敬以终于此谋继嗣图功[486]。”遣大夫桓谭等班行[487]谕告天下，以当反位孺子[488]之意。

诸将东至陈留[489]菑[490]，与翟义会战，破之，斩刘璜首。莽大喜，复下诏先封车骑都尉孙贤等五十五人皆为列侯，即[491]军中拜授。因大赦天下。于是吏士精锐遂攻围义于圉[492]城，十二月，大破之。义与刘信弃军亡，至固始[493]界中，捕得义，尸磔陈[494]都市。卒不得信。

【段旨】

以上为第七段，写王莽大规模镇压拥汉派的地方起兵。

【注释】

㉑更造货：重新铸造钱币。[422]错刀：货币名，长两寸，身形如刀，首有环。刀上有文“一刀直五千”五字。因用黄金错（涂饰）其字，所以称“错刀”，又叫“金错刀”。一错刀值五千钱。[423]直：通“值”。价值。[424]契刀：货币名，长两寸，身形如刀，首有环。刀上有文“契刀五百”四字。一契刀值五百钱。[425]大钱：货币名，直径一寸二分，重十二铢。上有文“大钱五十”四字。一大钱值五十钱。[426]五铢钱：货币名，汉武帝始铸五铢钱。一五铢钱值一钱。铢，重量名，一两等于二十四铢。[427]输御府：上交御府。帝王储藏财物的府库称御府。[428]卒：最终。[429]翟义（？至公元七年）：字文仲，汝南郡上蔡县（今河南上蔡西南）人，翟方进之子。年二十为南阳都尉，后历任弘农、河内太守、青州牧、东郡太守。平帝死，王莽居摄称“摄皇帝”，义起兵讨莽，众达十余万。后为莽军击败被杀。传附见《汉书》卷八十四《翟方进传》。[430]故：故意。[431]观望：谓窥测人心。[432]渐：迹象。[433]蕃：通“藩”，指诸侯国。此言分封在各地的宗室王侯力量衰弱，不能护卫朝廷。[434]倾首：低头，表示屈服。[435]亢捍：抵御；捍卫。[436]设令：假使。[437]死国埋名：为国难而死，姓名不被人知。[438]都尉：官名，佐太守执掌一郡的军事，又称郡尉。[439]刘信：宣帝曾孙，东平王刘云之子。翟义讨莽，立信为天子。事败亡匿，不知所终。[440]都试：考试。汉制，以立秋日总试骑射。[441]观：东郡属县名，县治在今河南清丰东南。[442]勒：统率。[443]材官士：汉时选拔勇武之士建置的一种善射的兵种。[444]移檄郡国：

公摄理国事，而管叔、蔡叔挟持武庚禄父叛变。现在翟义也挟持刘信而作乱。自古以来伟大的圣人都惧怕发生这种事，何况才识短浅的我王莽呢！”群臣都说：“不遭遇这样的变乱，就不能显示您的圣德！”冬，十月十五日甲子，王莽按照《周书·大诰》而作《大诰》，说：“听到翟义反叛之日，刘家宗室才俊之士有四百人，民众中贤德模范之士有九万人，我恭敬地依靠这些人，完成治国计划，续成功业。”王莽派遣大夫桓谭等颁行，告谕天下，表明把帝位归还孺子之意。

各路将领东进抵达陈留郡菑县，与翟义的军队交战，打败了翟义，杀了刘璜。王莽非常高兴，又下诏先赐封车骑都尉孙贤等五十五人为列侯，到军中颁授爵位。接着大赦天下。于是，精锐的部队围攻翟义于圉城。十二月，攻下圉城。翟义与刘信丢弃军队逃亡，逃到固始县的边界，翟义被捕，在陈县将翟义分尸，放在闹市示众。始终没有抓到刘信。

发送声讨文书到各个郡国。檄，声讨文书。㊹鸩杀：用毒酒杀害。鸩，用鸩羽泡制毒酒。㊻共行天罚：王莽违背天意，天欲罚之，但是天不能自行征伐，所以现在代天行罚。古人常用“恭行天罚”来说明自己军事行动的正义性。共，通“恭”。㊼比：等到。㊽山阳：郡名，治所在今山东金乡西北。㊾人心：指人的想法。㊿春王：长安城门名，西汉长安每面三门，共十二门，东面最北的城门叫宣平门，又叫东都门，王莽改名春王门。此门是出城东行的交通要道。451城门校尉：官名，执掌城门的戍卫。452宗伯：官名，原名宗正，平帝时改称宗伯，执掌皇族事务。453中少府：指长乐少府。长乐少府的职掌在宫中，所以称中少府。454凡七人：孙建、刘宏、窦况，王莽的党羽；王邑、王骏、王况、王昌，王莽的宗亲。455择除：选任。456关西：指函谷关以西地区。457将：率领。458关东：指函谷关以东地区。459奔命：军队名，这种军队由骁勇者组成，常在遇有紧急情况时调发作战。460屯：驻扎。461逯并：人名，西汉末年，历任骑都尉、将作大匠等职。平帝元始元年（公元一年），巡视各地风俗，称颂王莽功德，封蒙乡侯。王莽建新，官至大司马，封同风侯。462武关：关名，在今陕西商南县西南。463宛：县名，南阳郡治，古时是军事重镇。今属河南。464三辅：西汉京畿地区，划为京兆尹、左冯翊、右扶风三个行政地区，治所皆在长安城中，渭城以西属右扶风，长安以东属京兆尹，长陵以北属左冯翊，合称三辅。465茂陵：县名，县治在今陕西兴平东北。466汧：县名，县治在今陕西陇县南。467槐里：县名，县治在今陕西兴平东南。468官寺：官署。寺，衙署。469右辅都尉：即右扶风都尉，治所在今陕西眉县东。汉制，郡设都尉，佐太守执掌军事。太守的治所在首县，而尉有独自的治所。三辅建置犹郡，所以也设有都尉。470斄：县名，县治

在今陕西武功西。⑪稍：逐渐。⑫卫尉：官名，执掌宫门警卫。⑬大鸿胪：官名，九卿之一。执掌接待宾客等事。⑭平乐馆：又作"平乐观"，宫观名，汉高祖时始建，武帝增修，在长安上林苑（今陕西西安）中。⑮受钺：古代大将出征，接受天子所授予的符节与斧钺，作为握有征伐权力的象征，称"受钺"。⑯循行：巡视。循，通"巡"。⑰禄父：即殷纣王之子武庚。⑱畔：通"叛"。⑲斗筲：指才识短浅，器量狭小。斗，量器，容十升。筲，竹器，容一斗二升。因斗筲都是容量很小的量器，所以常用来喻指人的才识短浅，器量狭小。⑳甲子：十月十五日。㉑《周书》：《尚书》分为《虞书》《夏书》《商书》《周书》四个部分，分别编次记述虞、夏、商、周时期的文章。㉒《大诰》：《周书》中有《大诰》篇，记述周公在东征平定三监勾结禄父叛乱之前的一次谈话，申明大义以谕告天下。王莽托古，自比周公，所以也作《大诰》之文。㉓粤其闻日：听到翟义反叛之日。粤，句首语气词，无义。㉔民献仪：人民中贤而可为表率的。献，贤。㉕予：我。王莽自称"予"。㉖终于此谋继嗣图功：此言我要恭敬地依靠宗室中的优秀分子和人

【原文】

始初元年（戊辰，公元八年）

春，地震。大赦天下。

诏[32]王邑[33]等还京师，西与王级等合击赵朋、霍鸿。二月，朋等殄灭㊽，诸县息平。还师振旅㊾，莽乃置酒白虎殿，劳飨[34]将帅。诏陈崇治校㊿军功，第(498)其高下，依周制爵五等(499)，以封功臣为侯、伯、子、男，凡三百九十五人，曰"皆以奋怒，东指西击，羌寇、蛮盗，反虏、逆贼，不得旋踵(500)，应时(501)殄灭，天下咸服"之功封云。其当赐爵关内侯者，更名曰附城(502)，又数百人。莽发翟义父方进及先祖冢在汝南(503)者，烧其棺柩，夷灭三族(504)，诛及种嗣(505)，至(506)皆同坑，以棘五毒(507)并葬之。又取义及赵朋、霍鸿党众之尸，聚之通路之旁，濮阳(508)、无盐(509)、圉、槐里、盩厔(510)凡五所(511)，建表木(512)于其上，书曰"反虏、逆贼、鳢鲵(513)"。义等既败，莽于是自谓威德日盛，大获天人之助[35]，遂谋即真(514)之事矣。

群臣复奏：进摄皇帝子安、临爵为公(515)，封兄子光(516)为衍功侯。是时莽还归(517)新都国，群臣复白以封莽孙宗(518)为新都侯。

民中贤而可为表率者，完成治国计划，续成功业。终，完成。继嗣，继续。⑱ 班行：颁行。⑱ 当反位孺子：把治理天下的职权归还孺子。反，同“返”，归还。⑲ 陈留：郡名，治所在今河南开封东南。⑲ 菑：县名，县治在今河南兰考东南。菑县原属梁国，后改属陈留郡。⑲ 即：到。⑲ 圉：县名，县治在今河南杞县南。⑲ 固始：县名，县治在今河南太康南。⑲ 陈：县名，淮阳国治所，县治在今河南周口市淮阳区。

【校记】

［27］是：原作“此”。据章钰校，甲十六行本、乙十一行本皆作“是”，今据改。［28］武让：据章钰校，甲十六行本作“武护”。［29］三：原作“二”。据章钰校，甲十六行本作“三”，严衍《通鉴补》亦作“三”，今据改。［30］赵朋：据章钰校，乙十一行本作“赵明”。下同。［31］而：原无此字。据章钰校，甲十六行本、乙十一行本、孔天胤本皆有此字，今据补。

【语译】

始初元年（戊辰，公元八年）

春，发生地震。大赦天下。

诏王邑等人从前线回到京师，又向西和王级等人合力攻击赵朋、霍鸿。二月，赵朋等人被消灭，各县之乱平息。军队回京休整，王莽便在未央宫白虎殿设置酒宴，慰劳犒赏将帅。诏令陈崇考核军功，排列他们的高下，按照周朝的制度把爵位分为五等，分封功臣为侯、伯、子、男四等，共三百九十五人，说“你们都发泄愤怒的心情，东征西讨，羌寇、蛮盗、反虏、逆贼，尚未转过脚后跟，他们就立即被消灭，天下人人敬服”。所有人的封爵都用这个理由。应当封关内侯的，改称为附城，又有数百人。王莽挖掘翟义父亲翟方进，以及在汝南的翟氏祖先坟墓，烧掉棺柩，诛杀翟氏三族，连幼儿都不放过。甚至斩杀之后，将男女老少的尸体都堆到一个大坑中，再放入荆棘、五毒一起埋葬。又取翟义、赵朋、霍鸿同党的尸体，堆集在大路旁，共有濮阳、无盐、圉、槐里、盩厔五处，立木作为标志，上面写有“反虏、逆贼、鲸鲵”。翟义等人失败后，王莽自认为他的声威德行日益兴盛，获得了天人极大的帮助，就密谋当真皇帝之事了。

群臣们又上奏：晋升代理皇帝王莽的儿子王安、王临为公爵，封王莽哥哥王永的儿子王光为衍功侯。这时，王莽交还了自己的封国新都国，群臣们又上奏赐封王莽的孙子王宗为新都侯。

九月，莽母功显君死。莽自以居摄践阼[519]，奉汉大宗[520]之后，为功显君缌缞[521]弁而加麻环绖[522]，如天子吊诸侯服。凡壹吊再会[523]，而令新都侯宗为主[524]，服丧三年云。

司威[525]陈崇奏：莽兄子衍功侯光私报[526]执金吾窦况，令杀人。况为收系[527]，致其法[528]。莽大怒，切责光。光母曰："汝自视孰与长孙、中孙[529]？"长孙、中孙者，宇及获之字也。遂母子自杀，及况皆死。初，莽以事母、养嫂、抚兄子为名，及后悖虐[530]，复以示公义[531]焉。令光子嘉嗣爵为侯。

是岁，广饶侯刘京言齐郡[532]新井，车骑将军千人[533]扈云言巴郡[534]石牛，太保属[535]臧鸿言扶风雍[536]石。莽皆迎受。十一月甲子[537]，莽奏太后曰："陛下遇汉十二世三七之厄[538]，承天威命[539]，诏臣莽居摄。广饶侯刘京上书言：'七月中，齐郡临淄县[540]昌兴亭长[541]辛当一暮数梦，曰："吾，天公使也。天公使我告亭长曰[36]：'摄皇帝当为真。'即不信我，此亭中当有新井。"亭长晨起视亭中，诚[542]有新井，入地且[543]百尺。'十一月壬子[544]，直建冬至[545]，巴郡石牛，戊午[546]，雍石文，皆到于未央宫之前殿。臣与太保安阳侯舜等视，天风起，尘冥[547]，风止，得铜符帛图于石前，文曰：'天告帝符，献者封侯。'骑都尉崔发[548]等视说。孔子曰：'畏天命，畏大人[549]，畏圣人[550]之言。'臣莽敢不承用！臣请共事神祇[551]、宗庙，奏言太皇太后、孝平皇后，皆称'假皇帝'。其号令天下，天下奏言事，毋言'摄'。以居摄三年为始初元年。漏刻[552]以百二十为度，用应天命。臣莽夙夜[553]养育隆就[554]孺子，令与周之成王比德，宣明太皇太后威德于万方，期于富而教之。孺子加元服，复子明辟[555]，如周公故事。"奏可。众庶知其奉符命，指意群臣[556][37]博议[557]别奏，以示即真之渐矣。

期门郎[558]张充等六人谋共劫莽，立楚王[559]。发觉，诛死。

九月，王莽的母亲功显君去世。王莽自认为是代理帝位，继承汉朝大宗之后，因此为功显君穿用细麻布制作的丧服，帽子上环绕着麻带，和天子吊唁诸侯的丧服一样。王莽到灵前做一次吊唁，集合众人两次祭拜，由孙儿新都侯王宗主祭当丧主，服丧三年。

司威陈崇上奏说：王莽的侄儿衍功侯王光私下告诉执金吾窦况，命窦况代他杀人。窦况便为他拘禁了那个人，将其送交执法部门依法处置。王莽大怒，严厉地责备了王光。王光的母亲说："你看看自己和长孙、中孙相比哪一个亲？"长孙、中孙，是王莽之子王宇、王获的字。于是王光母子就自杀了，连窦况也都死了。当初，王莽因服事母亲、供养嫂嫂、抚育侄儿而出名，到后来悖逆暴虐，又利用骨肉之亲显示公正无私。命王光的儿子王嘉继承衍功侯的爵位。

这一年，广饶侯刘京说齐郡出现一口新井，车骑将军下属千人名叫扈云的人说巴郡发现一头石牛，太保属臧鸿说扶风郡雍县发现石文。王莽都接受了。十一月二十一日甲子，王莽向太皇太后奏报说："陛下正遇到汉朝十二代三七厄运，接受上天威严的命令，下诏让我王莽代理皇帝之位。广饶侯刘京上书说：'七月中，齐郡临淄县昌兴亭长辛当一夜做了几次梦，梦中有人对他说："我是天公的使者。天公让我告诉亭长说：'代理皇帝应当做真皇帝。'若不相信我，这个亭中应当有口新井。"亭长早晨起来，到亭里去看，确实有口新井，井深将近一百尺。'初九日壬子，这一天正当冬至，巴郡出现石牛，十五日戊午，雍县发现石文，都运送到未央宫的前殿。臣和太保安阳侯王舜等前去看时，天空刮起大风，尘土飞扬，天色昏暗，当大风停这时，在石头面前得到铜符帛图，上面的文字是说：'天告帝符，献者封侯'，骑都尉崔发等人看了这些文字并能说出它的意思。孔子说：'敬服天命，敬服高位之人，敬服圣人的话。'臣王莽不敢不接受这种推崇！臣请求让臣在祭祀天神地祇、宗庙，以及向太皇太后、孝平皇后奏报时，都自称'代理皇帝'。至于向全国发号施令，全国臣民向臣奏报事情，都不再称'摄政'。把本年居摄三年改为始初元年。将计时的漏刻改为一百二十刻，用来顺应上天的旨意。臣王莽日夜培养教育使孺子健康地成长，使他能与周成王的德行相媲美，宣扬彰明太皇太后威德，传播万国，期待孺子在年幼成长中受到良好的教育。等到孺子加冕后，臣再把明君的权力归还给他，与周公当初所做的一样。"太皇太后同意了。众人知道王莽信奉符命，指示群臣广泛详细讨论，另外奏报太皇太后，以表明当真皇帝已逐渐开始了。

期门郎张充等六人筹划一起劫持王莽，拥立楚王刘纡为皇帝。结果被察觉而处死。

【段旨】

以上为第八段，写王莽借口天降符瑞，蚕食汉家国祚，由居摄皇帝再进一步称假皇帝，即代理皇帝。

【注释】

㊾殄灭：消灭。㊾振旅：整军。㊾治校：负责考核。㊾第：排列次序。㊾五等：公、侯、伯、子、男。㊿旋踵：掉转脚跟，意指时间极其短促。踵，脚后跟。㊿应时：实时。㊿附城：爵位名，周代分封，封地不到方圆五十里的小国附属于大的诸侯国，称附庸。王莽托古改制，建附城爵号，以比周代的附庸。㊿汝南：郡名，治所在今河南平舆北。㊿夷灭三族：夷灭，诛杀。三族，所指有几说：一、父母、兄弟、妻子；二、父族、母族、妻族；三、父之兄弟、己之兄弟、子之兄弟；四、父、子、孙。㊿种嗣：后嗣。指婴儿。㊿至：甚至。㊿五毒：五种有毒昆虫和动物，五毒为蝎子、蜈蚣、蛇、马蜂、蟾蜍。㊿濮阳：县名，东郡治所，县治在今河南濮阳西南。㊿无盐：县名，东平国治所，县治在今山东东平东。㊿盩厔：县名，县治在今陕西周至东。㊿凡五所：濮阳、无盐、圉三所聚翟义同党之尸，槐里、盩厔二所聚赵朋、霍鸿同党之尸。㊿建表木：立木作为标志。㊿鳣鲵：鲸鱼。此喻指凶恶之人。鳣，同“鲸”，鲸鱼雄称鲸，雌称鲵。㊿即真：正式即皇帝位。㊿进摄皇帝子安、临爵为公：平帝元始四年（公元四年），安封褒新侯，临封赏都侯，今由侯爵进为公爵。㊿兄子光：指王莽之兄王永的儿子王光。㊿还归：交还。㊿莽孙宗：王莽孙王宗，为王莽长子王宇之子，是王莽的嫡孙，所以封宗为新都侯。㊿践阼：同“践祚”。㊿大宗：宗法社会以嫡系长房为大宗，余子为小宗。此指汉朝皇统。㊿缌缞：细麻布制作的丧服。缌，细麻布。缞，丧服。㊿环经：古代丧期结在头上和腰间的麻带叫作经。将经（麻带）缠绕成环状，戴在头上，叫作环经。《周礼·春官·司服》：“凡丧，王为诸侯缌衰，首服弁经。”㊿壹吊再会：做一次吊唁，集合众人两次祭拜。㊿主：指丧主，即主持丧事的人。依丧礼，以嫡长子为丧主，如无嫡长子，则以嫡长孙为宗主。㊿司威：官名，王莽建置，执掌督察百官。㊿私报：私下嘱告。㊿况为收系：窦况为了王光拘禁了他人。㊿致其法：将其送交执法部门依法处置。㊿汝自视孰与长孙、中孙：你看看自己，与长孙、中孙比，谁更亲。孰与，与……相比怎么样。长孙、中孙，指王莽的长子、次子。长子王宇，字长孙；次子王获，字次孙。两子均被王莽所杀，王宇死于平帝元始三年，王获死于哀帝元寿元年。㊿悖虐：逆乱暴虐。㊿公义：公正的义理。㊿齐郡：郡名，治所在今山东淄博东北。㊿千人：官

名，属车骑将军。㉞巴郡：郡名，治所在今重庆市北。㉟属：官名，汉代三公府及郡县等官府各曹副主管。㊱雍：右扶风属县名，县治在今陕西凤翔南。㊲甲子：十一月二十一日。㊳十二世三七之厄：十二世，指自建汉至今十二帝，即高祖、惠、文、景、武、昭、宣、元、成、哀、平、孺子。三七，指自建汉至今三七二百一十年。实际年数是二百一十四年（公元前二〇六至公元八年），此言其整数。厄，厄运。㊴承天威命：接受上天威严的命令。王莽奏称加号"假皇帝"是上天的命令。㊵临淄县：齐郡治所，县治在今山东淄博东北。㊶亭长：官名，汉时，县下设乡，乡下设亭，亭下设里。大致十里一亭，十亭一乡。亭设亭长，执掌治安，捕盗贼，理民事，并供公差食宿。㊷诚：确实。㊸且：将近。㊹壬子：十一月初九日。㊺直建冬至：这一天正当冬至日。直，正当。建，古代天文学称北斗星斗柄所指为建。一年之中，斗柄旋转而依次指向十二辰，称为十二月建。阴历的月份即由此而定。十一月斗柄指子，所以十一月为建子之月。此言正当月建的地支日（子）是冬至。㊻戊午：十一月十五日。㊼尘冥：因尘土飞扬而天色昏暗。㊽崔发：涿郡人，官骑都尉，依附王莽，编造符命，封说符侯。王莽建新，官至大司空。莽败，为农民军所杀。㊾大人：指在高位的人。㊿圣人：指有道德的人。语出《论语·季氏》。551神祇：天地之神。552漏刻：计时器。古代利用滴水多少来计量时间的一种壶状仪器，叫作漏壶。漏壶中插入一根标杆，称为箭，箭上刻符号表时间，所以叫作漏刻。553夙夜：日夜。554隆就：使其健康地成长。隆，隆盛；健康，使动用法。就，成就；成长。555复子明辟：归还孺子明君之位。子，指孺子。明辟，明君，语出《尚书·洛诰》。556指意群臣：向群臣指其意向。557博议：广泛详尽地讨论。558期门郎：官名，执掌执兵扈从护卫。559楚王：指楚王刘纡。宣帝子，楚孝王刘嚣之孙，哀帝元寿元年（公元前二年）嗣侯。王莽建新，贬为公，第二年废为平民。

【校记】

［32］诏：原无此字。据章钰校，孔天胤本有此字，今据补。［33］王邑：据章钰校，孔天胤本作"王恽"。〖按〗翟义谋反，王莽拜其亲党王邑为虎牙将军，发卒以击翟义，故当作"王邑"。［34］飨：原作"赐"。据章钰校，甲十六行本、乙十一行本皆作"飨"，今据改。［35］大获天人之助：原无此六字。据章钰校，甲十六行本、乙十一行本、孔天胤本皆有此六字，张敦仁《通鉴刊本识误》、张瑛《通鉴校勘记》同，今据补。［36］曰：原无此字。据章钰校，甲十六行本、乙十一行本、孔天胤本皆有此字，今据补。［37］臣：原作"公"。据章钰校，甲十六行本、乙十一行本皆作"臣"，今据改。

【原文】

梓潼[560]人哀章[561]学问[562]长安，素无行，好为大言，见莽居摄，即作铜匮，为两检[563]，署[564]其[38]一曰“天帝行玺金匮图”，其一署曰“赤帝[565]玺某传予皇[39]帝金策书”。某者，高皇帝名也。书言王莽为真天子，皇太后如[566]天命。图书皆书莽大臣八人，又取令名王兴、王盛[567]，章因自窜姓名[568]，凡十一人，皆署官爵，为辅佐。章闻齐井、石牛事下，即日昏时[569]，衣黄衣，持匮至高庙，以付仆射[570]。仆射以闻。戊辰[571]，莽至高庙拜受金匮神禅[572]，御王冠[573]，谒[574]太后，还坐未央宫前殿，下书曰：“予以不德，托于皇初祖考黄帝之后[575]，皇始[576]祖考虞帝之苗裔，而太皇太后之末属。皇天上帝隆显大佑，成命[577]统序[578]，符契、图文、金匮策书，神明诏告，属予以天下兆民[579]。赤帝汉氏高皇帝之灵，承天命，传国[40]金策之书，予甚祗畏[580]，敢不钦受[581]！以戊辰直定[582]，御王冠，即真天子位，定有天下之号曰新。其改正朔，易服色[583]，变牺牲，殊徽帜[584]，异器制。以十二月朔癸酉为始建国元年正月之朔[585]，以鸡鸣为时[586]。服色配德上黄[587]，牺牲应正用白[588]，使节之旄幡[589]皆纯黄，其署曰‘新使五威节[590]’，以承皇天上帝威命也。”

莽将即真，先奉诸符瑞以白太后，太后大惊。是时以孺子未立，玺藏[41]长乐宫[591]。及莽即位，请玺，太后不肯授莽。莽使安阳侯舜谕指。舜素谨敕[592]，太后雅[593]爱信之。舜既见太后，太后知其为莽求玺，怒骂之曰：“而属[594]父子宗族，蒙汉家力，富贵累世，既无以报，受人孤寄[595]，乘便利时夺取其国，不复顾恩义。人如此者，狗猪不食其余[596]，天下岂有而兄弟邪[597]！且若[598]自以金匮符命为新皇帝，变更正朔、服制，亦当自更作玺，传之万世，何用此亡国不祥玺为，而欲求之！我汉家老寡妇，旦暮且死，欲与此玺俱葬，终不可得！”太后因涕泣而言，旁侧长御以下皆垂涕。舜亦悲不能自止，良久，乃仰谓太后：“臣等已无可言者。莽必欲得传国玺，太后宁[599]能终不与邪！”太后闻舜语切，恐莽欲胁[600]之，乃出汉传国玺投之地，以授舜曰：

【语译】

梓潼县人哀章在长安求学，品行一向不好，好说大话，看到王莽代理皇帝，就制作一只铜匮，又制作两道封缄，一道上写的是“天帝行玺金匮图”，另一道写的是“赤帝玺某传予皇帝金策书”。所谓某，就是高皇帝的名字。策书说王莽是真天子，太皇太后顺从天命。图和书都写有王莽的八个大臣，又取美名王兴、王盛，把自己哀章的名字也列入里面，共十一人，都写明了官职和爵位，作为辅佐。哀章听说齐郡新井、巴郡石牛事件已交由下面有关部门办理，就在当天黄昏的时候，穿着黄色的衣服，拿着铜匮到高庙去，把它交给了仆射。仆射就向上奏报。十一月二十五日戊辰，王莽驾临高庙下拜接受铜匮中天神关于禅位的指令，戴上王者之冠，拜谒太皇太后，返回后坐在未央宫前殿，颁布文告说：“我以不德之身，有幸是皇初祖黄帝的后代，皇始祖考虞帝的后裔，又是太皇太后的亲族。皇天上帝大显神佑，命臣继承皇帝大统，符契、图文、铜匮策书，都是在明显指示，把天下人民托付给臣。赤帝汉朝高祖皇帝的神灵，谨遵天命，用铜匮传下了旨意，臣十分敬畏，怎敢不恭敬地接受！十一月二十五日戊辰，应当是接受天命的吉日，臣戴上王者之冠，登上真天子之位，确定有天下之号为‘新’。更改历法，变易服色，改变祭祀用的牲畜，旗帜不同于前朝，器具与以前相异。以汉十二月初一日癸酉为始建国元年正月初一日，以鸡鸣丑时作为十二时的开始。服装的颜色与五行之德相配合尊尚黄色，祭祀用的牲畜全是白色，使节所持旗帜都是纯黄色，上面书写着‘新使五威节’，用以顺承皇天上帝威严的命令。”

王莽将当真皇帝，就先捧上那些符命祥瑞，向太皇太后禀报，太皇太后大惊。此时因为孺子刘婴还没有即位，皇帝御印收藏在太皇太后住的长乐宫里。等到王莽即位，请太皇太后交出御印，太皇太后不肯给王莽。王莽让安阳侯王舜说明旨意。王舜一向谨慎而整饬，太后向来宠爱和信任他。王舜见了太皇太后，太皇太后知道他来为王莽索取御印，十分生气地骂王舜说：“你们父子兄弟、家庭宗族，蒙受汉家的恩惠，几代享受荣华富贵，不仅没有报答，反而利用别人托孤寄国的时机，夺取别人的政权，不顾念恩德情义。如此之人，连猪狗都不吃他剩余的东西，天下怎么会有像你们兄弟这样的人！况且王莽自认为凭着铜匮符命当上新皇帝，改变历法、服饰制度，就应当自己另外刻一枚御印，让它传之万世，为什么要用这颗亡国的不祥之物，还一定要讨取它呢！我是汉家的一个老寡妇，早晚就要死了，想要跟这块御玺一同埋葬，你们最后也得不到！”太皇太后一边说，一边流泪，身旁的侍从人员也都流泪，王舜也悲痛不能自止。过了很久，王舜才抬头对太皇太后说：“臣已没有话可说了。只是王莽一定要得到传国御印，太皇太后难道能始终不给他吗！”太皇太后听王舜的话很重，又担心王莽要逼迫她，就把御印投掷在地上，给了王舜，说：

“我老已死[601]，知[42]而兄弟今族灭[602]也!”舜既得传国玺，奏之。莽大说，乃为太后置酒未央宫渐台[603]，大纵众乐。

莽又欲改太后汉家旧号，易其玺绶，恐不见听。而莽疏属[604]王谏欲谄[605]莽，上书言:“皇天废去汉而命立新室，太皇太后不宜称尊号，当随汉废，以奉天命。”莽以其书白太后，太后曰:“此言是也[606]!”莽因曰:“此悖德[607]之臣也，罪当诛!”于是冠军[608]张永献符命铜璧文[609]，言太皇太后当为新室文母太皇太后。莽乃下诏从之。于是鸩杀王谏而封张永为贡符子。

> 班彪[610]赞曰:“三代以来，王公失世，稀[611]不以女宠[612]。及王莽之兴，由孝元后历汉四世[613]为天下母，飨国[614]六十余载，群弟[43]世权[615]，更持国柄[616]。五将[617]、十侯[618]，卒成新都。位号已移于天下，而元后卷卷[619]犹握一玺，不欲以授莽，妇人之仁，悲矣[44]!”

【段旨】

以上为第九段，写王莽完成篡国夺取皇帝大位最后冲刺的过程。玩弄政治权术，王莽堪称旷世奸雄。

【注释】

[560]梓潼：县名，广汉郡治所，县治在今四川梓潼。[561]哀章：人名，王莽建新，以编造铜匮符命任国将，封美新公，为四辅之一，位上公。莽败，为农民军所杀。[562]学问：学习和询问；求学。[563]检：封缄。古书用竹木简书写，书成，上面加盖一条简，然后书与盖简用皮条或丝绳捆束，于绳结处封泥，在泥上钤印，谓之检。此言铜匮外面用两道封检。[564]署：题字。[565]赤帝：传说汉高祖刘邦为赤帝子。[566]如：顺从；遵依。[567]令名王兴、王盛：令名，美好的名字。王兴、王盛，此二名，分言则为王者兴、王者盛，合言则为王者兴盛，所以视为令名。[568]自窜姓名：把自己哀章的名字也列入其中。窜，列入。[569]即日昏时：当日傍晚。[570]仆射：官名，太常属官，执掌管理和供奉高庙。[571]戊辰：十一月二十五日。[572]神禅：言神命汉禅位于莽。禅，以帝王之位让人。[573]御王冠：戴王者之冠。御，

"我老了，不久就要死去，也知道你们兄弟全族将要灭亡！"王舜得到传国的御印后，进呈给王莽。王莽非常高兴，就在未央宫渐台宴请太皇太后，让大家纵情作乐。

王莽又想要改太皇太后在汉朝原有的称号，更换她的印信，又怕太皇太后不听从。而王莽的远房亲属王谏想讨好王莽，就上奏说："皇天废除汉朝而命令建立新朝，太皇太后不应仍称尊号，应该随着汉朝一同废除，以顺应天命。"王莽把这奏书禀报太皇太后，太皇太后说："这话说得对呀！"王莽乘机说："这是个违背道德的人，其罪当杀！"这时，冠军人张永献上书写在璧形铜器上的文字，说太皇太后应当称"新室文母太皇太后"。王莽就下诏采纳。于是王莽便用鸩酒毒死王谏而封张永为贡符子。

班彪评论说："三代以来，君王或诸侯失去政权，很少不是由于宠爱的女人。到了王莽兴起，从孝元帝皇后王政君经历四代皇帝为天下国母，享受朝廷奉养六十余年，王氏一群弟弟们世代把持政权，轮番掌握国家权柄。总计出现五个大将军，十个侯爵，最后终于促成王莽篡汉。君王的名位、尊号都已转移他人，而太皇太后还恋恋不舍地紧握一颗御印，不想交给王莽，这种妇人的仁慈之心，多么可悲！"

戴。⑰④谒：拜见。⑰⑤托于皇初祖考黄帝之后：有幸为皇初祖黄帝的后代子孙。托，寄身。皇初，初祖。祖考，祖先。⑰⑥皇始：始祖。王莽自谓是黄帝、虞舜之后。黄帝是初祖，虞舜是始祖。⑰⑦成命：既定的天命。⑰⑧统序：世代相继的帝王世系。⑰⑨属予以天下兆民：将众民托付给我。属，托付。予，我，王莽自称。兆民，众民。⑱⓪祗畏：敬畏。⑱①钦受：恭敬地接受。⑱②以戊辰直定：因为戊辰日应当决定受命为天子事。直，应当。⑱③改正朔二句：改正朔，指谓帝王新颁布的历法。正朔，指历法。正是一年的始月，朔是一月的始日。古代帝王新得天下，必改正朔。易服色，各种礼仪典制改故用新，表示治理天下从我开始更新。服色，指车马祭牲的颜色。⑱④殊徽帜：使旌旗等物特别地不同于前朝。殊，人为地使其特别不同。⑱⑤以十二月朔句：此言以汉十二月为新之正月，初一日为癸酉。⑱⑥以鸡鸣为时：鸡鸣，时辰名，古代分一昼夜为十二时辰，鸡鸣为其一。与今天的二十四小时对照，鸡鸣相当于早上三点至四点。与干支纪时对照，相当于丑时。时，开始的时辰。此言以丑时为一天十二时辰的开始。⑱⑦服色配德上黄：德，指五行之德。上，通"尚"。尊崇；推重。古代阴阳家把金、木、水、火、土五行称为五德，即五行之德。每德配一种颜色，即以一色为主色。认为历代王朝各代表一德，按照五行相生或相克的顺序，交互更替，周而复始。汉为火德，依五行相生说，火生土，所以代汉者为土德。土主黄色，所以服色

以黄为尊。⑱ 牺牲应正用白：王莽以汉十二月为正，则为建丑之月。人们认为万物始发于丑，其色白，所以说与正相应牺牲用白色。⑲ 旄幡：用牦牛尾作为旗杆装饰的旗帜。⑳ 五威节：五威，威镇前、后、左、右、中五方。王莽改制，设置五威将帅，使节也用“五威”称之。㉑ 玺藏长乐宫：皇帝玉玺收藏在长乐宫。长乐宫，太皇太后所居之宫。㉒ 谨敕：谨慎整饬。㉓ 雅：向来。㉔ 而属：你辈；你们这些人。㉕ 孤寄：以孤儿相托付。㉖ 其余：剩下的，此言狗猪耻于食其所食。㉗ 天下岂有而兄弟邪：此言普天之下难道有像你们兄弟一样的人吗。㉘ 若：你，此指王莽。㉙ 宁：岂；难道。⑥⓪ 胁：逼迫。⑥① 已死：不久即死。已，旋即；不久。⑥② 族灭：灭族，即整个家族被诛灭。⑥③ 渐台：台名，在未央宫沧池中。地皇四年（公元二三年），农民军攻进长安，王莽逃至渐台被杀，即此。⑥④ 疏属：远支的族人。⑥⑤ 谄：奉承；献媚。⑥⑥ 此言是也：这是愤怒之下的反语。⑥⑦ 悖德：违背道德。⑥⑧ 冠军：县名，县治在今河南邓州西北。⑥⑨ 铜璧文：书写在璧形铜器上的文字。璧，中心有孔的扁平圆形玉器。⑥⑩ 班彪（公元三至五四年）：字叔皮，右扶风安陵县（今陕西咸阳东北）人，东汉史学家。早年避难于天水，依隗嚣。后至河西为窦融从事。东汉初，为徐令，后因病免官。好著述，作《西汉史后传》六十五篇，以补《史记》之阙，后来其子班固据以写成《汉书》。⑥⑪ 稀：很少。⑥⑫ 女宠：指帝王宠爱的女子。⑥⑬ 历汉四世：孝元皇后王政君历元、成、哀、平四代皇帝。世，代。⑥⑭ 飨国：享有国家。飨，通“享”。⑥⑮ 世权：世代掌权。⑥⑯ 更持国柄：指王政君群弟轮流掌握汉朝国家权柄。更，轮流。国柄，国家权柄。⑥⑰ 五将：指王凤、王音、王商、王根、王莽，皆为大司马。⑥⑱ 十侯：指阳平顷侯王禁、阳平敬侯王凤、安成侯王崇、平阿侯王谭、成都侯王商、红阳侯王立、曲阳侯王根、高平侯王逢时、安阳侯王音、新都侯王莽。⑥⑲ 卷卷：通“拳拳”，眷恋不舍的样子。

【校记】

［38］其：据章钰校，甲十六行本无此字。［39］皇：张敦仁《通鉴刊本识误》作“黄”。［40］国：原无此字。据章钰校，甲十六行本、乙十一行本、孔天胤本皆有此字，今据补。［41］藏：原作“臧”。据章钰校，甲十六行本作“藏”，今据改。［42］知：据章钰校，甲十六行本、乙十一行本皆作“如”。［43］弟：原作“小”。据章钰校，甲十六行本、乙十一行本皆作“弟”，张敦仁《通鉴刊本识误》、张瑛《通鉴校勘记》同，今据改。［44］矣：原作“夫”。据章钰校，甲十六行本、乙十一行本皆作“矣”，今据改。

【研析】

本卷详载王莽篡汉的全过程，生动地揭示了专制政体下野心家是怎样进行政治暗箱操作的，给人们留下深刻的历史教训。

王莽篡汉分为五个步骤，一点一点蚕食汉家政权。第一步，王莽晋爵安汉公，位在四辅之上。第二步，改爵号为“宰衡”，意思是王莽德高无比，享有西周冢宰周公和商朝伊尹阿衡之德。第三步，加赐九锡。第四步，居摄为代理皇帝。第五步，即真篡位为新朝皇帝，西汉终结。

王莽是中国古代第一个懂得大搞政治运动树立个人崇拜的野心家。王莽搞的政治运动有两手，一手正面宣传，大搞造神运动，要全国万众庶民齐呼王莽得了天命，是全民的代表。一手负面打压，运用各种暴力运动，颠倒黑白，不准官民有反对意见，制造万马齐喑的政治局面。野心家得逞，黑箱政治一路绿灯，这两手缺一不可。

王莽大搞个人崇拜手法诡谲而变化多端。一、拉大旗作虎皮，他的意志总是通过太皇太后王政君下诏来实施，这比假手傀儡皇帝平帝更为有效。当然，平帝、孺子婴更是王莽的虎皮。王莽辞封、少要赏赐，甚至捐钱百万，都要太皇太后下诏褒扬。二、讽谕公卿大臣上疏颂扬王莽。例如大司徒司直陈崇命张竦上疏歌颂王莽功德，提议加封采邑。三、发动成千上万官民上疏，集体颂扬王莽。太保王舜就率领官民八千余人请愿太皇太后加封王莽。王莽装腔作势辞让，全国官民有四十八万多人请愿加封王莽采邑。四、由亲信或投机家在全国范围制造符瑞，说齐郡临淄县有位亭长夜梦神人授命王莽应做真皇帝，是上天的意志。巴郡出现石牛，有石文曰“天告帝符，献者封侯”。于是在京师有个叫哀章的人，狂妄地制作了一个铜匮，又制作两道封书题签，说什么“天帝行玺金匮图”“赤帝玺某传予皇帝金策书”。所有上天降下的符契、图文、铜匮、策书，无一不是人为制作。五、宣传洗脑。王莽命少府宗伯凤入宫给太皇太后讲宗法正统的大义，朝廷大臣也要听讲。王莽还派王恽等八位大臣巡行全国考察风俗，实质是对天下万民洗脑，伪造郡国民谣，对王莽歌功颂德。六、建造形象工程，明堂、辟雍、灵台，以及皇家宗庙祭祀大搞排场等。

造神运动必须在高压政治气氛下进行，不然就会被人识破。对造神运动不力，甚至敢于揭露的人，王莽就用暴力打杀。王莽借吕宽事件，杀了自己的长子王宇，杀灭卫氏家族，杀灭王宇的妻族吕氏宗姓，又借机把事件扩大成为全国性的政治运动，排除政敌。汉元帝的妹妹敬武长公主，王莽的诸父红阳侯王立、平阿侯王仁，以及效忠汉室的大臣、地方官吏，有前将军何武、前司隶校尉鲍宣、前丞相王商之子乐昌侯王安、前左将军辛庆忌的三个儿子：护羌校尉辛通、函谷都尉辛遵、水衡都尉辛茂，以及南阳太守辛伯等数百人全都被处死刑。太学博士大儒王宇的老师吴章被腰斩分尸。王莽打压不同的声音，制造舆论一律，甚至抛弃假面具，赤裸裸地镇压。广平国宰相班稚、琅邪太守公孙闳，不附和王莽，不制造民谣祥瑞，如实报告民间灾情，遭到指控，说二人不与中央朝廷保持一致，是痛恨“圣政”。公孙闳被杀头，班稚受到王政君的保护得免一死，被罢官回家。

在王莽的高压政治下，不肯说假话的官僚士大夫采取了回避策略，如逢萌赶快辞官回家，深恐避祸不及。明哲保身的大臣孔光、平当、马宫，以及平当的儿子平晏、平咸等都阿顺苟容，一个个成了谄媚拍马之士。班固批评他们不配任职宰辅。

王莽篡汉，大树特树个人权威，对此，柏杨先生在他的现代语文版《资治通鉴》中做了可圈可点的精彩评论。柏杨说：王莽先生的个人崇拜运动，如火如荼，这正是王氏集团大显身手的良机，一面是寡廉鲜耻的歌功和颂德，一面是动刀动枪的监狱和诛杀，二者结合成一种狂热，在这狂热之中，上位的人为了夺权，下位的人为了夺利，纯洁的青年群众，则被拨弄成一群疯狗，理性全失。白的变成黑的，黑的变成白的，是非忠奸，完全颠倒。于是，道德崩溃。

奸险诈伪，放到政治天平上，也是一种成熟。王莽巴结王政君身边的侍从、宫女，花了上千万的赏钱，人人替他唱赞歌。王莽倡导太学，为士子盖了一万间房舍。王莽征召全国几千名知识分子到公车府，让他们口述著述，确实笼络了许多士人。像扬雄、刘歆这样的大儒，也俯首帖耳服务于新朝。

王莽的黑箱政治操作，之所以能够得手，是因为他挂着王政君这块招牌。于是班彪把西汉之亡归咎于女人当政，说什么自从三代以来，国君失去权势，无不中因于女宠。于是女人是祸水就成为一种封建意识。不错，外戚干政是来自女宠。没有王政君，就没有王莽。但这只是一种表面现象，当然，这也是原因之一。但更深层的原因，是皇权制度这一固有的弊端，正如柏杨先生的比喻，专制君王就像“一个拥有无限权威的司机，他如果决心把车开进万丈深谷，谁都挡不住，谁都救不了”。王莽打了王政君这块招牌，他假了皇权，于是王莽就成了这个开向深渊的“一个拥有无限权威的司机”，王莽的种种倒行逆施，谁又能阻挡得了呢！杜绝王莽的产生，就要铲除专制皇权，让人民当家作主，让舆论监督，使王莽的政治黑箱暴露在光天化日之下。其次的原因，是汉家皇帝连续几代是败家子，女人专宠，首要的也是男性败家子。这样说来，王政君的责任，充其量是第三位，所以班固的评论颠倒了是非，这个案要翻过来。此外，还有一个社会原因，由于专制政治的高压，更由于汉家几代败家子皇帝，以及王莽的诛杀，讨伐异己，舆论一律，士人丢了气节，官吏丢了职守，皇室宗姓忘了祖宗创业之艰难，全都投入造神运动之中，不识王莽庐山真面目，或有识之，为了明哲保身，而远离是非，如梅福、逢萌等，辞职归隐，鲜有反抗王莽者。如果个人崇拜成为一种社会时尚，识者钳口，于是群众成了群氓，是非颠倒，黑白混淆，理性全失，道德崩溃，这时，一场社会的浩劫就不可避免了。在一个道德崩溃的社会中，谁能振臂一呼，大声说：“王莽是个骗子，他不是真命天子。”这个人就是发难者，因为他的一声吼唤醒了人民。这个人粉身碎骨了，但他的精神却永远长存。王莽居摄，宗室刘崇、刘快，名臣之子东郡太守翟义，他是前丞相翟方进之子，他们起兵反抗王莽，就是这样振臂一呼的人。他们明知力量小弱，反抗王莽，等于飞蛾扑火，但他们肩负正义，带笑走向死亡，却给王莽敲响了丧钟，得到了王夫之的高度评价。王夫之在《读通鉴论》中说：“二刘、翟义不忍国仇，而奋不顾身，以与逆贼争存亡之命，非天也，其志然也；而义尤烈矣。义知事不成而忘其死，智不逮子房而勇倍之矣。”又说：“当莽之篡，天下如狂而奔赴之，孔光、刘歆之徒，援经术以导谀，上天之神，虞舜之圣，周公之忠，且为群不逞所诬而不能白。义正名其贼，以号召天下于魔魅之中，故南阳诸刘一起，而莽之首早陨于渐台。……义也，崇也，快也，自输其肝脑以拯天之衰而伸莽之诛者也。不走而死，义尤烈哉!”翟义不逃，赴义而死，两千年后的知音当数戊戌变法中的谭嗣同，以血警世，悲夫！壮哉！

卷第三十七　汉纪二十九

起屠维大荒落（己巳，公元九年），尽阏逢阉茂（甲戌，公元一四年），凡六年。

【题解】

本卷记事起公元九年，迄公元一四年，凡六年史事，当王莽始建国元年，至天凤元年，新朝前半期，王莽推行改朝换代的大规模改制。始建国元年，王莽首先推行官制改革，用新官名、新爵号，目的是用新朝制度取代汉家制度，用以消除汉朝的影响。后来王莽改地名，重构行政区划，贬低周边民族的封爵地位，都是如此。这种毫无实际意义的理念改革，旨在消除旧朝观念，却适得其反，打乱了人们的生活习惯与语言，只能招来人民怨恨。接着推行井田制度，改革土地制度，禁止买卖，以抑制兼并。始建国二年，设置五均六筦，用以平抑物价。王莽由于用人不当，推行急迫，违背社会的发展，均遭失败。王莽改革货币，目的就是用通货膨胀的手法巧取民财，根本得不到推行。王莽贬低周边民族封爵地位，轻启边患，连年征伐，骚动天下，数年之间，边境地区成了无人区。王莽的改革可以说是自掘坟墓。清流士大夫，大多归隐山林，拒绝与新朝合作。龚胜绝食而死，是威武不屈的榜样。

【原文】

王莽中

始建国元年（己巳，公元九年）

春，正月[①]朔，莽帅公侯卿士奉皇太后玺韨[②]上太皇太后，顺符命，去汉号焉。

初，莽娶故丞相王䜣[③]孙宜春侯咸[④]女为妻，立以为皇后。生四男，宇、获前诛死，安颇荒忽[⑤]，乃以临为皇太子，安为新嘉辟[⑥]。封宇子六人皆为公[⑦]。大赦天下。

莽乃策命[⑧]孺子为定安公，封以万户[⑨]，地方百里；立汉祖宗之庙于其国，与周后[⑩]并行其正朔、服色[⑪]；以孝平皇后为定安太后。读策毕，莽亲执孺子手，流涕歔欷[⑫]曰："昔周公摄位，终得复子明辟。今予独迫皇天威命，不得如意！"哀叹良久。中傅[⑬]将孺子下殿，北面而称臣。百僚陪位，莫不感动。

【语译】

王莽中

始建国元年（己巳，公元九年）

春，正月初一日，王莽率领公侯卿士捧着皇太后御印献给太皇太后，顺从上天的符命，除去了汉朝的尊号。

当初，王莽娶前丞相王䜣的孙子宜春侯王咸的女儿为妻，册立为皇后。生有四个儿子，王宇、王获以前被诛死，三子王安神志不清，于是册立小儿子王临为皇太子，封王安为新嘉辟。册封王宇的六个儿子都为公爵。大赦天下。

王莽策命封汉王朝的孺子刘婴为定安公，赐食邑一万户，土地方圆一百里；在封国内建立汉朝祖宗祭庙，和周朝的后代一样沿用本朝原有的历法、服饰和颜色；将孝平皇后改称为定安太后。宣读策书完毕，王莽亲自握着孺子刘婴的手，流泪叹息说："过去周公摄政，最后还是把明君的王位归还给成王。现今我偏偏迫于上天威严的命令，而不能按自己的意思去做！"悲伤叹息许久。中傅带着孺子刘婴下殿，面向北称臣。百官列位作陪，没有人不感伤。

又按金匮⑭封拜⑮辅臣：以太傅、左辅王舜为太师，封安新公。大司徒平晏为太傅，就新公。少阿、羲和刘秀为国师，嘉新公。广汉梓潼哀章为国将，美新公。是为四辅，位上公。太保、后承甄邯为大司马，承新公。丕进侯王寻为大司徒，章新公。步兵将军王邑为大司空，隆新公。是为三公。大[1]阿、右拂、大司空甄丰为更始将军，广新公。京兆王兴为卫将军，奉新公。轻车将军孙建为立国将军，成新公。京兆王盛为前将军，崇新公。是为四将。凡十一公。王兴者，故城门令史⑯；王盛者，卖饼。莽按符命求得此姓名十余人，两人容貌应卜相⑰，径从布衣登用⑱，以示神⑲焉。

是日，封拜卿大夫、侍中、尚书官凡数百人，诸刘⑳为郡守者皆徙为谏大夫㉑。改明光宫㉒为定安馆，定安太后居之。以大鸿胪府为定安公第，皆置门卫使者㉓监领㉔。敕㉕阿乳母㉖不得与婴语，常在四壁中㉗，至于长大，不能名㉘六畜㉙。后莽以女孙宇子妻之㉚。

莽策命群司㉛各以其职，如典诰之文㉜。置大司马司允、大司徒司直、大司空司若，位皆孤卿㉝。更名大司农㉞曰羲和，后更为纳言；大理曰作士㉟；太常曰秩宗；大鸿胪曰典乐；少府曰共工㊱；水衡都尉曰予虞，与三公司卿㊲分属三公。置二十七大夫，八十一元士㊳，分主中都官㊴诸职。又更光禄勋等名为六监㊵，皆上卿。改郡太守曰大尹，都尉曰大尉，县令、长曰宰。长乐宫曰常乐室，长安曰常安。其余百官、宫室、郡县尽易其名，不可胜纪。

封王氏齐缞之属㊶为侯，大功㊷为伯，小功㊸为子，缌麻㊹为男。其女皆为任㊺。男以“睦”，女以“隆”为号㊻焉。

又曰：“汉氏诸侯或称王，至于四夷亦如之，违于古典㊼，缪㊽于一统。其定诸侯王之号皆称公，及四夷僭号㊾称王者皆更为侯。”于是汉诸侯王三十二[2]人皆降为公，王子侯者㊿百八十一人皆降为子，其后皆夺爵(51)焉。

莽又封黄帝(52)、少昊(53)、颛顼(54)、帝喾(55)、尧(56)、舜(57)、夏(58)、商(59)、周(60)及皋陶(61)、伊尹(62)之后皆为公、侯，使各奉其祭祀。

王莽又按照金匮图、金策书上的人名，封授辅政大臣：任命太傅、左辅王舜为太师，封安新公。大司徒平晏为太傅，封就新公。少阿、羲和刘秀为国师，封嘉新公。广汉郡梓潼人哀章为国将，封美新公。这是四辅，位列上公。又任命太保、后承甄邯为大司马，封承新公。丕进侯王寻为大司徒，封章新公。步兵将军王邑为大司空，封隆新公。这是三公。另外，大阿、右拂、大司空甄丰为更始将军，封广新公。京兆人王兴为卫将军，封奉新公。轻车将军孙建为立国将军，封为成新公。京兆人王盛为前将军，封崇新公。这是四将。共十一公。王兴是原城门令史，王盛是个卖饼的。王莽按照符命预言的姓名，找到十多个同此姓名的人，其中这两人相貌符合占卜和看相的要求，就直接从一介平民提升到高位，用以向天下显示神意。

这一天，任命卿大夫、侍中、尚书官共几百人。所有刘氏皇族担任郡太守的全都调任谏大夫。把明光宫改为定安馆，让定安太后居住。把大鸿胪府作为定安公住宅，都设置门卫使者负责监督管理。告诫刘婴的乳母不准跟定安公说话，让他经常处在四壁之中，直到长大成人，叫不出六畜的名称。后来王莽把孙女也就是王宇的女儿嫁给他。

王莽用策书规定百官的职责，都依照《尚书》典、诰的文章。设置大司马司允、大司徒司直、大司空司若，位皆孤卿。把大司农改名为羲和，后来又改称纳言；大理改称作士；太常改称秩宗；大鸿胪改称典乐；少府改称共工；水衡都尉改称予虞，和司允、司直、司若三公司卿分别归三公管辖。设置大夫二十七，元士八十一，分别担任京师各官府中的各种职务。又把光禄勋等改名为六监，都是上卿。郡太守改称大尹，都尉改称大尉，县令、长改称宰。长乐宫改称常乐室，长安改称常安。其余百官、宫室、郡县全部换了名称，无法完全记录下来。

封王氏齐缞之属为侯爵，大功之属为伯爵，小功之属为子爵，缌麻之属为男爵。其中女的都封为任爵。男的用“睦”字、女的用“隆”字作称号。

王莽又说：“汉朝有的诸侯称王，甚至四方夷族也称王，这和古代典制相违背，背离了大一统的原则。现在规定诸侯王的称号都称公，还有，四方夷族僭越称王的都改为侯。”因此汉朝诸侯称王的三十二人都降为公，王的子弟称侯的一百八十一人都降为子，后来他们的爵位都被削夺。

王莽又封黄帝、少昊、颛顼、帝喾、尧、舜、夏、商、周及皋陶、伊尹的后代都为公、侯，让他们分别供奉自己祖先的祭祀。

莽因汉承平⑥³之业，府库⑥⁴百官之富，百蛮宾服⑥⁵，天下晏然⑥⁶，莽一朝有之，其心意未满，狭小⑥⁷汉家制度，欲更为疏阔⑥⁸。乃自谓黄帝、虞舜之后，至齐王建⑥⁹孙济北王安⑦⁰失国，齐人谓之王家，因以为氏⑦¹。故以黄帝为初祖，虞帝为始祖。追尊陈胡公⑦²曰[3]陈胡王，田敬仲⑦³曰齐敬王[4]，济北王安曰[5]济北愍王。立祖庙五⑦⁴，亲庙四⑦⁵。天下姚、妫、陈、田、王五姓皆为宗室，世世复⑦⁶，无有[6]所与⑦⁷。封陈崇、田丰为侯，以奉胡王、敬王后。

天下牧、守皆以前有翟义、赵朋等作乱，领州郡，怀忠孝，封牧为男，守为附城。

以汉高庙为文祖庙⑦⁸。汉氏园寝庙⑦⁹在京师者，勿罢，祠荐⑧⁰如故。诸刘勿解⑧¹其复，各终厥⑧²身。州牧数存问⑧³，勿令有侵冤⑧⁴。

莽以劉之为字"卯、金、刀"⑧⁵也，诏正月刚卯⑧⁶、金刀⑧⁷之利皆不得行，乃罢错刀、契刀及五铢钱，更作小钱，径六分，重一铢，文曰"小钱直一"，与前"大钱五十"者为二品，并行。欲防民盗铸，乃禁不得挟铜、炭。

夏，四月，徐乡侯刘快⑧⁸结党数千人起兵于其国⑧⁹。快兄殷⑨⁰，故汉胶东王，时为扶崇公。快举兵攻即墨⑨¹，殷闭城门，自系狱。吏民距快⑨²。快败走，至长广⑨³死。莽赦殷，益其国满万户，地方百里。

【段旨】

以上为第一段，写王莽改官制、改封爵，推行一套新朝制度，以此消除汉朝的影响。

【注释】

①正月：汉武帝时颁行《太初历》，以建寅之月为正。王莽建新，改以建丑之月为正。这里的正月为丑正，即寅正的十二月。②皇太后玺韨：即张永所献符命铜璧文，称号为"新室文母太皇太后"。③王䜣：济南郡（治所在今山东章丘西北）人，武帝时任被阳令，征为右辅都尉、右扶风。昭帝时为御史大夫、丞相，封宜春侯。传见《汉书》卷六十六。④咸：

王莽继承了汉王朝太平之世的基业，官府仓库和文武百官丰裕的财富，四方夷族都归附依从，天下安定。王莽一下占有了这一切，他的心意仍不满足，认为汉朝的制度格局太小，而想改得简略宏阔。于是王莽自称是黄帝、虞舜的后裔，到齐王田建的孙子济北王田安才失去政权，齐人称田氏是“王家”，就以“王”为氏。所以把黄帝作为王氏的初祖，虞舜作为始祖。王莽下诏追封陈胡公叫作陈胡王，田敬仲叫作齐敬王，济北王田安叫作济北愍王。还建立五座祖宗祭庙，四座皇亲祭庙。天下姚、妫、陈、田、王五姓都是宗室，世世代代免除赋税、徭役，享有宗室优待，凡事不受牵连。赐封陈崇、田丰二人为侯爵，让他们分别做陈胡王妫满、田敬王田完的后代。

全国州牧、太守都因在翟义、赵朋等人造反时，能掌领州郡，心怀忠孝，因此王莽把州牧封为男爵，太守封为附城。

王莽把汉高庙作为文祖庙。在京师的刘家皇帝陵园寝庙，都不罢除，祭祀和原来一样。不解除刘氏皇族免除赋税徭役的优惠，直到本人去世。各州州牧要多次去慰问安抚，不要使他们遭受侵辱和冤屈。

王莽认为劉字是由“卯、金、刀”组成的，因此下诏禁止正月刚卯和钱币金刀的通行，于是废除错刀币、契刀币和五铢钱，另制小钱，直径六分，重量一铢，上面文字为“小钱直一”，与以前“大钱五十”的货币为两类，同时通行。为了防止民间私自铸造，就下令禁止私人拥有铜、炭。

夏，四月，徐乡侯刘快集结党羽数千人在他的封国起兵。刘快的哥哥刘殷，是从前汉朝的胶东王，当时已改为扶崇公。刘快兴兵攻打即墨城，刘殷关闭城门，把自己关进监狱。官民合力抵抗刘快。刘快战败逃亡，到了长广县就死了。王莽赦免刘殷，还增加他的封国满一万户，面积方圆一百里。

王䜣孙王咸，继其父王谭袭爵为宜春侯。⑤荒忽：犹“恍惚”，神志不清。⑥辟：君。此为王莽改定的爵位名号，位在公上。⑦封宇子六人皆为公：封王千为功隆公，王寿为功明公，王吉为功成公，王宗为功崇公，王世为功昭公，王利为功著公。⑧策命：用策书命令。汉制，皇帝命书有四：一曰策书，二曰制书，三曰诏书，四曰戒书。策书以命诸侯王与三公。⑨封以万户：以平原郡的平原、安德、漯阴、鬲、重丘等五县封孺子，为定安公国，其地在今山东平原、陵县、临邑、禹城等县一带。⑩周后：周朝的后代。武帝元鼎四年（公元前一一三年），封周后姬嘉于长社（今河南长葛东北），为周子南君，以奉周祀。其后子孙袭爵。元帝初元五年（公元前四四年），改封为周承休侯。成帝绥和元年（公元前八年），晋爵为公。王莽建新，以时公姬当为章牟公。古代新王朝建立后，常封前两代王朝的后代，汉

否定秦继周后的正统地位，封殷、周之后；王莽废汉建新，则以周、汉为前代二王，所以封其后代以奉周、汉之祀。⑪并行其正朔、服色：都在封国内沿用各自朝代所施行的历法及车马、服饰、颜色等各种礼仪制度。⑫歔欷：叹息抽泣声。⑬中傅：汉代诸侯王国设太傅、中傅以辅诸侯王；中傅在宫中辅王，由宦者担任。⑭金匮：指哀章所献铜匮所署金匮图、金策书。⑮封拜：封爵授官。⑯城门令史：城门校尉属官，掌管文书。⑰应卜相：符合占卜中的相貌。⑱径从布衣登用：直接进用平民。径，直接。布衣，指平民。登用，进用。⑲以示神：以此显示神灵的意愿。⑳诸刘：指汉朝刘氏皇族。㉑谏大夫：官名，掌谏议，闲散官员。王莽不让刘姓皇室的人掌握地方实权任郡守，安置在京师为闲职。㉒明光宫：汉宫名，武帝太初四年（公元前一〇一年）建造，南与长乐宫相联属。㉓门卫使者：官名，执掌定安公府第的护卫。㉔监领：监督管理。㉕敕：告诫。㉖阿乳母：乳母。阿，词头语助词。㉗常在四壁中：意谓令定安公独居室内，不与外界接触。㉘名：作动词，叫出名字。㉙六畜：指牛、马、羊、犬、豕、鸡。㉚女孙宇子妻之：王莽将孙女，即莽子王宇的女儿嫁给孺子刘婴为妻。㉛群司：百官。㉜典诰之文：典诰，本指《尚书》中《尧典》《汤诰》等篇，因其皆为记述帝王典制之文，所以后世用以指称典章诏令一类的文字。《汉书·王莽传》于本句上载有王莽对百官发布的策书，以天文对应人事，规定了百官的职责。这里所说的“典诰之文”，即指《汉书》所载策书。㉝孤卿：官名，官位次于三公而高于卿。司允、司直、司若为王莽新设置的官名。㉞大司农：官名，主管国家钱谷租税等财政经济事务。王莽改名为羲和。㉟大理曰作士：大理，官名，秦置廷尉，执掌刑法。汉景帝时改称大理，武帝时复为廷尉，哀帝时又改称大理。今王莽改定官制，称作士。㊱少府曰共工：少府，执掌山海湖泽的税收，以供皇帝享用。王莽改名为共工。㊲司卿：指司允、司直、司若。㊳二十七大夫二句：王莽改定官制，以羲和、作士、秩宗、典乐、共工、予虞与三公司卿为九卿，每卿置大夫三人，共二十七大夫；每大夫置元士三人，共八十一元士。㊴中都官：京师各官府。㊵六监：王莽改光禄勋为司中，太仆为太御，卫尉为太卫，执金吾为奋武，中尉为军正，又置大赘官（主乘舆服御物，后又典兵秩），位皆上卿，称为六监。㊶齐缞之属：齐缞，丧服名，为五服之一。齐，衣服的下边。缞，丧服。古代五服中最重的丧服为斩缞，用粗麻布做成，不缝衣边。齐缞次于斩缞，用粗麻布做成，缝衣边。服齐缞者服期分为三年、一年、三月等不同的时间。属，亲属。㊷大功：丧服名，为五服之一。其服用熟麻布做成，较齐缞稍细，较小功为粗。服大功者服期为九个月。㊸小功：丧服名，五服的第四等。其服用熟麻布做成，比大功较细，比缌麻为粗。服小功者服期为五个月。㊹缌麻：丧服名，为五服中最轻的一种。其服用疏织细麻布做成。服缌麻者服期为三个月。㊺任：王莽新置女爵位名，犹公主、翁主等名号。上言凡五服内的亲属，男者依亲疏关系封予不同的爵位，女者皆封为任。㊻为号：作为封邑称号。㊼违于古典：违背古代的典章制度。㊽缪：通“谬”，乖误。㊾僭号：冒用帝王的称号。㊿王子侯者：诸侯王之子封为侯的人。(51)夺爵：削除爵位。(52)黄帝：王莽以黄帝为初祖，舜为始祖。相传舜为黄帝九世孙，舜生于姚墟，姓姚，所以王莽封姚恂为初睦侯，为黄帝后。⑬ 少昊：传说中原始社会的部落首领，为黄帝之子。梁氏乃嬴姓，相传嬴姓为少昊之后，所以王莽封梁护为修远伯，为少昊后。⑭ 颛顼：传说中原始社会的部落首领，为黄帝之孙，昌意之子，号高阳氏。汉代以刘氏为尧的后代，而以尧出自颛顼，所以王莽封刘歆为初烈伯，为颛顼后。⑮ 帝喾：传说中原始社会的部落首领，为黄帝曾孙，颛顼的族子，号高辛氏。王莽自认是舜的后代，而以舜出自帝喾，所以以其孙功隆公王千为帝喾后。⑯ 尧：汉代以刘氏为尧的后代，所以王莽封刘歆之子刘叠为伊休侯，为尧后。⑰ 舜：相传舜居妫汭，舜的后代以妫为氏，所以王莽封妫昌为始睦侯，为舜后。⑱ 夏：相传夏禹姓姒，所以王莽封姒丰为章功侯，为夏后。⑲ 商：孔氏为商的后代，所以王莽封孔弘为章昭侯，为商后。⑳ 周：周代王室姓姬，所以王莽封姬党为章平公，为周后。㉑ 皋陶：传说为舜臣，执掌刑法。王莽封山遵为褒谋子，作为皋陶后。㉒ 伊尹：商汤大臣，助汤灭夏建商，尊为阿衡。王莽封伊玄为褒衡子，为伊尹后。㉓ 承平：太平。㉔ 府库：国家贮藏财物、兵甲的处所。㉕ 宾服：归顺；臣服。㉖ 晏然：安定。㉗ 狭小：意动用法。此言认为汉代制度狭隘简陋。㉘ 疏阔：简略，宏大。㉙ 齐王建：战国末期齐国国王田建，在位四十四年（公元前二六四至前二二一年）。秦兵攻齐，听相后胜计，不战而降，齐亡。⑦⓪ 济北王安：公元前二〇六年，秦亡，项羽分封诸侯，以原齐王田建之孙田安为济北王，都博阳（今山东泰安东南）。同年，被田荣杀死。⑦① 以为氏：以王为氏。⑦② 陈胡公：即妫满。舜后，西周初年封之于陈，以奉舜祀。⑦③ 田敬仲：即陈完。公元前六七二年，陈国内乱，陈厉公之子公子完奔齐。在齐为田氏，死后谥敬仲，史称田敬仲。田氏在齐势力日强，终于公元前三八六年代姜氏为齐侯。事见《史记》卷四十六《田敬仲完世家》。⑦④ 祖庙五：即黄帝、舜、陈胡公、田敬仲、济北王安之庙。王莽自认黄帝为初祖，自己是济北王安的七世孙。⑦⑤ 亲庙四：即高祖王遂、曾祖王贺、祖王禁、父王曼之庙。⑦⑥ 复：免除赋税、徭役。⑦⑦ 无有所与：意谓享受宗室优待，凡事不要有所牵涉。与，干预。⑦⑧ 文祖庙：尧的始祖庙，后世泛指太祖庙。⑦⑨ 园寝庙：陵墓和宗庙。⑧⓪ 祠荐：以祭品祀神灵祖先。⑧① 解：解除。⑧② 厥：其。⑧③ 数存问：多次慰问、问候。⑧④ 侵冤：被欺凌、受冤屈。⑧⑤ 劉之为字“卯、金、刀”：繁体“劉”字形体有“卯、金、刀”三个部分。⑧⑥ 刚卯：汉代人用以避邪的佩饰，正月卯日制成，以金、玉或桃木为材料，长条四方形，上面刻有避邪内容的文字。中间有孔，以便穿绳佩戴。⑧⑦ 金刀：指王莽所铸钱币错刀、契刀等。此言王莽十分惧怕刘汉势力，因为刚卯的“卯”字与同错刀、契刀有关的“金”“刀”二字可以拼联成“劉”字，为消除刘汉政权对人们的影响，便将刚卯与错刀、契刀都作为忌讳，不准使用。⑧⑧ 刘快：一作“刘炔”，汉景帝七世孙，胶东恭王刘授之子。汉成帝元延元年（公元前一二年）封徐乡侯。起兵反莽，事败身死。⑧⑨ 其国：指刘快的封地徐乡侯国，治所在今山东黄县西北。⑨⓪ 快兄殷：刘快的哥哥刘殷。刘殷于汉成帝永始三年（公元前一四年）嗣爵为胶东王。王莽建新，贬爵号为公，为扶崇公，仍拥有原来的封地。今因拒纳其弟，增其封邑。⑨① 即墨：县名，扶崇公国治所。县治在今山东平度东南。⑨② 距快：抗拒刘快。距，通“拒”，抵御。⑨③ 长广：县名，县治在今山东莱阳东。

【校记】

［1］大：原作“太”。据章钰校，十二行本、乙十一行本皆作“大”，今据改。［2］二：原作“三”。据章钰校，十二行本、乙十一行本皆作“二”，张瑛《通鉴校勘记》同，今据改。［3］曰：原作“为”。据章钰校，十二行本、乙十一行本、孔天胤本皆作“曰”，今据

【原文】

莽曰：“古者一夫田百亩⑭，什一而税⑮，则国给民富而颂声作。秦坏圣制，废井田，是以兼并起，贪鄙生，强者规田⑯以千数，弱者曾⑰无立锥之居。又置奴婢之市，与牛马同阑⑱，制于民臣，颛断⑲其命，缪于‘天地之性人为贵⑩’之义。汉氏[7]减轻田租⑩，三十而税一，常有更赋⑩，罢癃⑩咸出。而豪民侵陵，分田劫假⑩。厥名三十税一，实什税五也。故富者犬马余菽粟⑩，骄而为邪；贫者不厌⑩糟糠，穷而为奸。俱陷于辜⑩，刑用不错⑩。

“今更名天下田曰‘王田’，奴婢曰‘私属’，皆不得卖买。其男口不盈八而田过一井者，分余田予九族、邻里、乡党⑩。故⑩无田、今当受田者，如制度⑩。敢有非⑩井田圣制、无法⑩惑众者，投诸四裔⑩，以御魑魅⑩，如皇始祖考虞帝故事⑩！”

秋，遣五威将⑩王奇等十二人班⑩符命四十二篇于天下：德祥⑩五事，符命二十五，福应⑩十二。五威将奉符命，赍⑩印绶，王侯以下及吏官名更⑩者，外及匈奴、西域、徼⑩外蛮夷，皆即授新室印绶，因收故汉印绶。大赦天下。

五威将乘乾文车⑩，驾坤六马⑩，背负⑩鹫鸟⑩之毛，服饰甚伟。每一将各置五帅，将持节⑩，帅持幢⑩。其东出者至玄菟⑩、乐浪⑩、高句骊⑩、夫馀⑩；南出者隃⑩徼外，历⑩益州⑩，改句町王为侯⑩；西出者[8]至西域，尽改其王为侯；北出者[9]至匈奴庭⑩，授单于印，改汉印文，去玺曰[10]章⑩。

改。[4]曰齐敬王：原作“为田敬王”。据章钰校，十二行本、乙十一行本、孔天胤本皆作“曰齐敬王”，今据改。[5]曰：原作“为”。据章钰校，十二行本、乙十一行本、孔天胤本皆作“曰”，今据改。[6]有：原无此字。据章钰校，十二行本、乙十一行本、孔天胤本皆有此字，张敦仁《通鉴刊本识误》同，今据补。

【语译】

王莽说：“古代一个成年男子耕田一百亩，按十分之一交租税，因此国家丰裕，百姓富足，颂扬之声兴起。秦朝破坏了圣人的制度，废除井田，所以土地兼并之风兴起，贪婪卑鄙的行为发生，强者占田以千亩计算，弱者却没有立锥之地。还设置买卖奴婢的市场，和牛马同栏，被主人控制，独自决定他们的性命，违背了‘天地之性人为贵’的大义。汉朝减轻田租，以三十分之一征税，但是经常有更赋，衰老多病的人都要承担。而豪强侵犯欺凌，把土地分租给佃农，劫夺土地上的收获物。名义上是以三十分之一征税，实际上十税五。因此富人犬马有吃不完的粮食，骄纵而为恶；穷人连糟糠都不能吃饱，因贫困而做邪恶，都沦陷为罪人，刑罚不能搁置。

“现在把天下的田地改名为‘王田’，奴婢为‘私属’，都不准买卖。那些家庭男子人数不满八人，而占有田亩超过九百亩的，把多余的田地分给亲属、邻里和同乡。原来没有田地，现在应当接受田地的人，依照限定的标准办理。若有敢于指摘井田圣制，无视法纪，蛊惑民众的人，就把他流放到四方边远的地方，去抵御妖怪，就像朕的始祖虞舜惩罚四凶的成例！”

秋，派五威将王奇等十二人到全国各地颁行四十二篇符命：德祥类五篇、符命类二十五篇、福应类十二篇。五威将捧着符命，手持着印信，凡是王侯以下和官吏更改名称的，还有境外匈奴、西域和远方的异族，都就地授予新朝的印信，并且收缴原来汉朝的印信。大赦天下。

五威将乘坐绘有天文图像的车子，套着六匹母马，背上插着锦鸡的翎羽，服装配饰很雄伟。每一位五威将都在下面设置五个元帅，由五威将手持符节，五帅举着旌旗。向东去的到达玄菟、乐浪、高句丽、夫馀；向南去的越过边塞之外，经过益州郡，将句町王改为句町侯；向西去的则到达西域，将那里所有国王都改为侯；向北方去的到匈奴王庭，授予单于印信，改换汉朝印信的文字，废除“玺”字，称为“章”。

冬，雷，桐华[140]。

以统睦侯陈崇为司命[141]，主司察上公以下。又以说符侯崔发等为中城[142]、四关将军[143]，主十二城门及绕霤[144]、羊头[145]、肴黾[146]、汧陇[147]之固，皆以五威冠其号。

又遣谏大夫五十人分铸钱于郡国。

是岁，真定[148]、常山[149]大雨雹[150]。

【段旨】

以上为第二段，写王莽内政推行复古的井田制度，骚动全国；对外推行大汉族主义，贬低四夷属国的封号，激化了民族矛盾。王莽建国伊始，就开始了自掘坟墓。

【注释】

⑭古者一夫田百亩：指古代实行的井田制。据记载，我国奴隶社会的土地制度为井田制。一方里划为一井，共有土地九百亩，平分为九块，每块百亩。其间百亩为公田，周围八块为私田。私田分给八家农户耕种，每家百亩。从公田中划出二十亩作为八家庐舍用地，每户二亩半，其余八十亩公田由八家共同耕种。私田收获物归耕者所有，公田收获物归奴隶主贵族。⑮什一而税：征收十分之一的税。⑯规田：分割田地，占有田地。⑰曾：竟；却。⑱阑：通"栏"，饲养家畜的圈。⑲颛断：独自决断。颛，通"专"。⑳天地之性人为贵：此言天地所生育的生命中，人是最宝贵的。引文见《孝经·圣治》。性，生命。⑪减轻田租：古代什一而税，汉初，减为十五税一，汉文帝再减为三十税一。⑫更赋：汉代以纳钱代更役的赋税。汉制，男子年二十三至五十六岁，按规定轮番戍边服兵役，称为更役，以钱代役称为更赋。赋，税。⑬罢癃：衰老多病。罢，通"疲"。⑭分田劫假：地主将土地分租给佃农，劫夺土地上的收获物。⑮故富者犬马余菽粟：此句言富者所养犬马有吃不完的粮食。菽，豆类粮食。粟，小米。⑯厌：通"餍"，吃饱。⑰辜：罪。⑱刑用不错：刑法不能搁置。错，通"措"，搁置；停止。⑲乡党：周制，五百家一党，五党一州，五州一乡。后世用以泛指乡里。⑳故：原来。㉑如制度：按规定授予田地。㉒非：指摘；诋毁。㉓无法：无视法纪。㉔投诸四裔：流放到四方边远地方。投，迁置。诸，"之于"的合音词。四裔，四方边远地区。㉕魑魅：传

冬，打雷，桐树开花。

任命统睦侯陈崇为司命，负责监督三公以下的朝廷官员。又任命说符侯崔发等人为中城、四关将军，负责京城十二城门和绕霤、羊头、肴黾、汧陇的防务，在陈崇、崔发两人的官衔上增加“五威”两个字。

王莽又遣谏大夫五十人分别到各郡、国铸造钱币。

这一年，真定县、常山郡降下大冰雹。

说中能害人的怪物，此喻指恶人。⑯ 如皇始祖考虞帝故事：依照始祖考虞舜的原有做法。《左传》文公十八年：“舜臣尧，宾于四门，流四凶族浑敦、穷奇、梼杌、饕餮，投诸四裔，以御螭魅。”⑰ 五威将：官名，王莽建新，置五威将，每一将置左、右、前、后、中五帅，各着方色〔左（东）青、右（西）白、前（南）赤、后（北）黑、中黄〕衣冠。将持节，称太一之使；帅持幢，称五帝之使。五威将帅周行各方，威震天下，故称“五威”。⑱ 班：颁布。⑲ 德祥：因德行而获得的祥瑞。⑳ 福应：靠福气而获得的报应。㉑ 贲：带着。㉒ 更：改。㉓ 徼：边界。㉔ 乾文车：绘有天文图像的车。乾文，即天文。《乾》为八卦之一，以卦象物，乾为阳，为天。㉕ 坤六马：六匹母马。坤马，即母马；以数言，六为阴。《坤》为八卦之一，以卦象物，坤为阴，为地。㉖ 背负：以背载物。㉗ 鷩鸟：鸟名，俗称锦鸡，似山鸡而小，胸腹皆赤，冠羽尤其美丽。此言五威将背上插着鷩鸟的羽毛。㉘ 节：符节。古代奉朝廷之命出行完成某种使命之臣，必执符节以为凭证。㉙ 幢：一种旌旗。垂筒形，上饰羽毛、锦绣。此以持节、持幢作为将、帅的区别。㉚ 玄菟：郡名，治所在今辽宁新宾西南。㉛ 乐浪：郡名，治所在今朝鲜平壤南。㉜ 高句丽：古国名，其地在今辽宁新宾以东。㉝ 夫馀：即扶余，古国名。其地在今吉林松花江流域及其以西地区。㉞ 隃：越过。㉟ 历：经过。㊱ 益州：郡名，治所在今云南晋宁东。㊲ 改句町王为侯：句町为西南夷地，在今云南广南。汉昭帝始元六年（公元前八一年），句町侯毋波以击杀反叛汉廷的部族有功，朝廷立其为句町王。王莽建新，贬句町王为侯，时王邯怨恨，被杀死。㊳ 匈奴庭：单于设幕立朝的地方。㊴ 去玺曰章：废除“玺”名，称为“章”。㊵ 冬三句：此言自然界的异常现象，冬季响雷，桐树开花。华，花。㊶ 司命：即五威司命。王莽新设置的官名。㊷ 中城：即五威中城将军。中城，京城。京城长安东西南北四面每面三门，共十二门。以崔发为五威中城将军，执掌长安十二城门。㊸ 四关将军：即五威前关将军、五威后关将军、五威左关将军、五威右关将军。四关，指京城长安前、后、左、右四面的四个关隘，即绕溜、羊头、肴黾、汧陇。㊹ 绕雷：地名，在今陕西丹凤西北。其地四面险阻，道路弯曲，溪谷回绕。绕雷作为长安南面的要塞，以明威侯王级为五威前关将军，率军扼守。㊺ 羊头：山名，在

今山西长子东南。羊头山作为长安北面的要塞，以尉睦侯王嘉为五威后关将军，率军扼守。⑭⑥肴黾：即崤黾。崤指崤山，在今河南洛宁北。黾指黾池，在今河南渑池县西。黾池位于崤山的北面，在崤山山谷的底部，古代曾于此设崤底关。肴黾作为长安东面的要塞，以掌威侯王奇为五威左关将军，率军扼守。⑭⑦汧陇：汧，水名，在今陕西陇县西南。陇，山名，在今陕西陇县西北至甘肃平凉一带。汧陇作为长安西面的要塞，以怀羌子王福为五威右关将军，率军扼守。⑭⑧真定：国名，治所在今河北正定南。⑭⑨常山：郡名，治所在今河北元氏西北。⑮⓪雨雹：下冰雹。

【原文】

二年（庚午，公元一〇年）

春，二月，赦天下。

五威将帅七十二人还奏事，汉诸侯王为公者悉上玺绶为民，无违命者。独故广阳王嘉[151]以献符命，鲁王闵[152]以献神书，中山王成都[153]以献书言莽德，皆封列侯。

班固[154]论曰："昔周封国八百，同姓五十有余，所以亲亲贤贤[155]，关诸盛衰，深根固本，为不可拔者也。故盛则周、召[156]相[157]其治，致刑错[158]；衰则五伯[159]扶其弱，与共守[160]，天下谓之共主[161]，强大弗之敢倾[162]。历载八百余年[163]，数极[164]德尽，降为庶人，用天年终[165]。秦讪笑[166]三代[167]，窃自[168]号为皇帝，而子弟为匹夫，内无骨肉本根之辅[169]，外无尺土藩翼之卫[170]。陈、吴[171]奋其白梃[172]，刘、项[173]随而毙之[174]。故曰：周过其历[175]，秦不及期[176]，国势然也。

"汉兴之初，惩戒亡秦孤立之败，于是尊王[177]子弟，大启九国[178]。自雁门[179]以东尽辽阳[180]，为燕[181]、代[182]；常山[183]以南，太行[184]左转[185]，渡河、济[186]，渐[187]于海，为齐[188]、赵[189]；谷[190]、泗[191]以往，奄有龟、蒙[192]，为梁[193]、楚[194]；东带江、湖[195]，薄[196]会稽[197]，为荆、吴[198]；北界淮濒[199]，略[200]庐、衡[201]，为淮南[202]；波汉之阳[203]，亘

【校记】

［7］汉氏：原无此二字。据章钰校，十二行本、乙十一行本、孔天胤本皆有此二字，张敦仁《通鉴刊本识误》、张瑛《通鉴校勘记》同，今据补。［8］者：原无此字。据章钰校，十二行本、乙十一行本、孔天胤本皆有此字，今据补。［9］者：原无此字。据章钰校，十二行本、乙十一行本、孔天胤本皆有此字，今据补。［10］曰：原作“言”。据章钰校，十二行本、乙十一行本皆作“曰”，今据改。

【语译】

二年（庚午，公元一〇年）

春，二月，赦免天下。

五威将与所属的五威帅七十二人回到京师奏事，说：改称为公的汉室诸侯王全都缴还公爵印信，自愿为平民，没有违抗命令的。只有原广阳王刘嘉因呈献过符命，鲁王刘闵因呈献过神书，中山王刘成都因呈献过颂德文章，三人都改封列侯。

班固评论说：“从前周王朝分封了八百个诸侯国，同姓封国五十多个，这就是友爱亲人，尊重贤人，它关乎国家盛衰，深根固本，成为不可摇动的基础。所以，西周的强盛，有周公、召公共同辅政治理，达到了刑罚停止不用的境界；西周衰落时，又有五霸来扶持西周的弱势，共同守护王室，天下称之为共主，尽管诸侯势力强大，但都不敢颠覆周朝。周朝历经了八百多年，运数尽了，德行没了，降为平民，尽天年而终。秦王朝讥笑夏、商周、三代，私自号称‘皇帝’，而皇室子弟为匹夫，在内没有骨肉之亲的辅佐，在外没有微小藩属封国的护卫。陈胜、吴广揭竿而起，刘邦、项羽继而灭了秦朝。所以说，周王朝超过了国运的年数，而秦王朝没有达到期限，这是封藩建属的形势不同所使然。

“汉朝建立初期，鉴于秦王朝孤立而失败的教训，因此大封刘姓宗室子弟为王，大封九个同姓诸侯王国。从雁门郡以东到辽阳，是燕国、代国；从恒山以南到太行山折向东，渡黄河，过济水，一直延伸到渤海，是齐国、赵国；从谷水、泗水以南包括整个龟山、蒙山地区，是梁国、楚国；从东边连接长江、太湖，临近会稽山，为荆国、吴国；北边以淮河为界，经过庐山、衡山，是淮南

九嶷[204]，为长沙[205]。诸侯比境[206]，周匝[207]三垂[208]，外接胡、越[209]。天子自有三河[210]、东郡[211]、颍川[212]、南阳[213]，自江陵[214]以西至巴、蜀[215]，北自云中[216]至陇西[217]，与京师、内史[218]，凡十五郡[219]。公主、列侯颇邑其中[220]。而藩国[221]大者夸州兼郡[222]，连城数十，宫室、百官同制京师[223]，可谓矫枉过其正[224]矣。虽然[225]，高祖创业，日不暇给，孝惠享国又浅，高后女主摄位，而海内晏如[226]，亡狂狡之忧[227]，卒折诸吕之难[228]，成太宗[229]之业者，亦赖[11]之于诸侯也。

"然诸侯原本以[230]大，末流[231]滥以致溢[232]，小者淫荒[233]越法[234]，大者睽孤[235]横逆[236]以害身丧国，故文帝分齐、赵[237]，景帝削吴、楚[238]，武帝下推恩之令而藩国自析[239]。自此而[12]来，齐分为七[240]，赵分为六[241]，梁分为五[242]，淮南分为三[243]。皇子始立者，大国不过十余城。长沙、燕、代虽有旧名，皆亡南北边矣[244]。景遭七国之难[245]，抑损诸侯[246]，减黜其官[247]。武有衡山、淮南之谋[248]，作左官[249]之律。设附益之法[250]。诸侯惟得衣食税租，不与政事。至于哀、平之际，皆继体苗裔[251]，亲属疏远[252]，生于帷墙之中[253]，不为士民所尊，势与富室亡异[254]。而本朝短祚[255][13]，国统三绝[256]。是故王莽知汉中外殚微[257]，本末俱弱，无所忌惮[258]，生其奸心，因母后之权，假伊、周之称，颛作威福庙堂[259]之上，不降阶序[260]而运天下。诈谋既成，遂据南面之尊，分遣五威之吏，驰传[261]天下，班行符命。汉诸侯王厥角[262]稽首[263]，奉上玺韨，惟恐在后，或乃称美颂德以求容媚[264]，岂不哀哉！"

【段旨】

以上为第三段，以班固评论为中心，论说封建诸侯与国运盛衰的关系。汉初封国过大而有吴楚七国之乱，其后贬抑诸侯过甚，导致王莽篡国。

国；沿着汉水而下，直到九嶷山一带，为长沙国。各封国边界相接，环绕东、南、北三面边疆，北面连接匈奴，南边连接南越。皇帝直接控制的地区，只有河东郡、河南郡、河内郡、东郡、颍川郡、南阳郡，东起江陵县，西到巴郡、蜀郡，北自云中郡，南到陇西郡，加上京师、内史，共十五个郡。其中又有许多公主、列侯的食邑。大的藩国跨州兼郡，连城数十，封国的宫室、百官制度和朝廷完全相同，可以说是矫枉过正了。即使如此，高祖创建大业，忙得没有空闲，孝惠帝在位的时间又短，高后吕雉代居帝位临朝执政，而全国安定，没有叛乱的忧虑，终于挫败了诸吕之难，成就了太宗的功业，这也是仰赖诸侯的力量。

"但是，封国的诸侯原本势力就已太大，后代子孙如同水流的下游泛滥，以致外溢，危害小的纵欲放荡，触犯法律，大的悖谬横行为逆，结果为害自身，丧失封国，因此文帝分割齐国、赵国，景帝削弱吴国、楚国，武帝颁布推恩令，而让封国自行分解。自此以后，齐国分为七国，赵国分为六国，梁国分为五国，淮南国分为三国。皇子开始受封的，大的封国不过十几个城邑。长沙、燕、代等国，尽管仍保留原有名称，已不再紧邻南北边塞。景帝遭遇吴、楚等七国之乱，贬抑诸侯王，减少封国官员的编制。武帝时有衡山王刘赐、淮南王刘安谋反，就制定了诸侯国置官的法律。又设置附益之法；封国诸侯只能获得供穿衣吃饭的租税，不能参与政事。到了哀帝、平帝时代，那些诸侯都是后代子孙，与皇帝的血缘关系疏远，生长在王宫之中，不被士民尊敬，地位和富有人家没有什么不同。而本朝皇帝在位年限短促，成帝、哀帝、平帝接连三代没有继嗣。因此王莽知道汉室内外彻底衰微，本末俱弱，故而肆无忌惮，产生邪恶之心，凭借太皇太后的权势，假托伊尹、周公之名，在朝廷上独自作威作福，不用走下台阶就将汉朝政权转移到自己手中。诈谋成功以后，就凭借皇帝的权势，分派五威将、帅，驾驿站车马疾驰全国，颁行符命。而汉家的诸侯王磕头跪拜，双手捧上印信，唯恐落在人后，有些人还歌颂王莽功德，以求取王莽的好脸色，难道不令人悲哀吗！"

【注释】

⑮广阳王嘉：汉武帝子燕刺王刘旦之后刘嘉。哀帝建平四年（公元前三年），嗣爵为广阳王。王莽建新，贬为公。今削除刘氏王侯的爵位，刘嘉因献符命而封扶美侯，赐姓王。⑯鲁王闵：汉景帝子鲁恭王刘余之后刘闵。原封郡乡侯，哀帝建平三年（公元前四年）嗣爵为鲁王。王莽建新，贬为公。今削除刘氏王侯的爵位，刘闵因献神书言莽德，

封列侯，赐姓王。⑮中山王成都：汉宣帝子东平思王刘宇之孙刘成都。平帝以中山王入继帝位，于是立刘成都为中山王。王莽建新，贬为公。今削除刘氏王侯的爵位，刘成都因献书言莽德，封列侯，赐姓王。⑯班固（公元三二至九二年）：字孟坚，汉扶风安陵县（今陕西咸阳东北）人，父班彪撰后传数十篇，以补《史记》于西汉史未及记载武帝以后事之缺，书未成而卒。班固继承父业，撰成《汉书》。后因在外戚窦宪事件中受牵连，被洛阳令逮捕，死于狱中。传见《后汉书》卷四十。此下所录班固的评论，为《汉书》卷十四《诸侯王表》的序文。⑮亲亲贤贤：亲爱亲人，尊重贤者。第一个亲字、贤字，作动词用。⑯周召：周公与召公。周公旦与召公奭是辅佐周武王灭殷建周的两位政治家。周公旦封于鲁，召公奭封于燕。二人皆未就封，而仍留京师辅佐周成王治理天下，由长子就封国，次子的后世子孙世世为周公、召公。⑰相：辅佐。⑱致刑错：达到刑罚搁置不用。错，通“措”。⑲五伯：指春秋五霸。具体所指，有几说：一说指齐桓公、晋文公、宋襄公、楚庄王、秦穆公；一说指齐桓公、晋文公、楚庄王、吴王阖闾、越王勾践；一说指齐桓公、宋襄公、晋文公、秦穆公、吴王夫差。伯，通“霸”。⑯守：维持。⑯共主：共同尊奉的君主。周王室天子为天下众诸侯的共主。⑯弗之敢倾：即“弗敢倾之”。倾，覆灭。此言诸侯虽然势力强大，不敢灭周。⑯历载八百余年：约公元前十一世纪周武王灭殷建周；战国后期周室分为东、西周，公元前二五六年周赧王死，次年秦灭西周，公元前二四九年秦灭东周，周朝亡。周朝历西周、东周（春秋、战国），共八百多年。⑯极：尽。⑯用天年终：指周赧王尽天年而终。赧王在位五十九年。天年，自然的岁数。⑯讪笑：讥笑。⑯三代：夏、商、周三朝，史并称为三代。⑯窃自：独自；私自。⑯内无骨肉本根之辅：指朝中辅佐大臣不用宗亲。骨肉本根，指用宗亲为辅佐以固根本。⑰外无尺土藩翼之卫：此指废除分封诸侯之制。外无尺土，指皇室宗亲在朝外没有一尺土地的分封。藩翼，护卫；屏蔽。⑰陈、吴：陈胜、吴广，是秦末农民起义的领袖。事见《史记》卷四十八《陈涉世家》与《汉书》卷三十一《陈胜传》。⑰白梃：光秃秃的棍棒。⑰刘、项：刘邦、项羽。⑰毙之：使秦败亡。毙，使动用法。之，指秦。⑰周过其历：历，年数。相传周武王灭殷，卜世三十，卜年七百，而周朝实际经历三十七世，八百多年，所以说“过其历”。⑰秦不及期：秦王嬴政于公元前二二一年灭六国，完成统一后，废除谥法，以自己为始皇帝，后世要以数计算，二世三世至于万世，世代相传没有穷尽。而秦朝实际只经历秦始皇和秦二世两代，仅十五年，所以说“不及期”。⑰王：作动词，封为王。尊王，封为诸侯王，使之地位尊贵。⑰大启九国：汉初大封九个同姓诸侯国：楚、齐、荆、燕、淮南、赵、梁、淮阳、代。大启，指扩大分封诸侯王国的土地。启，开拓。⑰雁门：郡名，治所在今山西右玉南。⑱辽阳：县名，县治在今辽宁辽阳西北。⑱燕：王国名，高祖十二年（公元前一九五年），封子刘建为燕王，都蓟（今北京市西南）。⑱代：王国名，高祖六年（公元前二〇一年），封兄刘喜为代王。七年，废喜为侯，立子刘如意为代王。九年，徙如意为赵王。十一年，封子刘恒为代王，都晋阳（今山西太原西南）。⑱常山：山名，即恒山。五岳中的北岳，主峰在今河北曲阳西北。⑱太行：山名，南起黄河北岸，南北走向，绵延于今山西、河北两省之间。⑱左转：向东。⑱河、济：黄河、济水。济水源出今河南济源王屋山，其故道本自黄河以北横过黄河而南，然后东流，至今山东与黄河平行东北流入海。后来，济水下游河道为黄河夺占。⑱渐：至。⑱齐：王国名，高祖六年，封子刘肥为齐王，都临淄（今山东淄博东北）。⑱赵：王国名，高祖九年，封子刘如意为赵王，都邯郸（今河北邯郸）。⑲谷：谷水，又名“砀水”，河流名，在今安徽砀山县南，为睢水支流。⑲泗：泗水，河流名，源出今山东泗水县陪尾山，南流入淮。⑲奄有龟、蒙：《诗·鲁颂·閟宫》：“奄有龟蒙，遂荒大东。”奄有，意谓尽有、全部拥有。龟，山名，在今山东泗水县东北。蒙，山名，在今山东蒙阴南。龟山与蒙山绵延相连，实为同一山系。⑲梁：王国名，高祖十一年（公元前一九六年），封子刘恢为梁王，都定陶（今山东菏泽市定陶区）。⑲楚：王国名，高祖六年，封弟刘交为楚王，都彭城（今江苏徐州）。⑲东带江湖：东边连接长江、太湖。带，连接。湖，指具区泽，又称“五湖”，今名“太湖”。在今江苏、浙江两省交界处。⑲薄：靠近。⑲会稽：山名，在今浙江绍兴东南。⑲荆、吴：皆王国名，高祖六年，立堂兄刘贾为荆王，都吴县（今江苏苏州）。十一年，淮南王黥布反，进攻荆国，杀贾。贾无后，国除为郡。十二年，以荆故地封兄刘仲之子刘濞为吴王。所以，荆、吴二国实为一地。⑲濒：水边。⑳略：疆界，此作动词，作为疆界。⑳庐、衡：皆山名。庐山，在今江西九江市南。衡山，指今安徽境内之霍山。⑳淮南：王国名，高祖十一年，封子刘长为淮南王，都寿春（今安徽寿县）。⑳波汉之阳：沿着汉水北岸。波，沿循；顺着。汉，汉水，河流名，发源于今陕西宁强，流经湖北，在武汉入长江，是长江的最大支流。阳，水北为阳。⑳亘九嶷：亘，穷尽；终极。九嶷，山名，又作“九疑”，在今湖南宁远南。⑳长沙：王国名，灭秦后，项羽分封诸侯，封吴芮为衡山王。刘邦称帝，徙芮为长沙王，都临湘（今湖南长沙）。刘邦初为笼络异姓功臣，分封了八个异姓诸侯王。当全国统一后，认为异姓王不利于巩固刘氏统治，便先后将其中七国消灭，只有长沙王吴芮，因忠于汉廷，且国势孤弱，得以保全传世。⑳诸侯比境：诸侯国的疆域互相连成一片。⑳周匝：环绕。⑳三垂：指东、北、南三面边地。垂，通“陲”，边疆。⑳外接胡、越：北边与匈奴相连，南边与南越接壤。胡，指居住在我国北方的少数民族，主要指匈奴。越，指居住在我国南方的少数民族，主要指南越。㉑三河：汉以河内、河南、河东三郡合称三河。河内郡治所在今河南武陟西南，河南郡治所在今河南洛阳，河东郡治所在今山西夏县西北。㉑东郡：郡名，治所濮阳，在今河南濮阳西。㉑颍川：郡名，治所在今河南禹州。㉑南阳：郡名，治所在今河南南阳。㉑江陵：县名，为南郡治所，县治在今湖北江陵。㉑巴、蜀：皆郡名。巴郡，治所在今重庆市北。蜀郡，治所在今四川成都。㉑云中：郡名，治所在今内蒙古托克托东北。㉑陇西：郡名，治所狄道县，在今甘肃临洮。㉑内史：官名，掌治京师及其周围附近地区，治所在京师长安县（今陕西西安西北)。(219)凡十五郡：总共十五个郡。汉初设郡的具体数目，缺乏记载，综合文献资料，有五十余郡，其中大部分封给了诸侯王国，中央直接管辖的只有十五郡，据清代学者钱大昕考证，为河内、河南、河东、东郡、颍川、南阳、南郡、汉中、巴郡、蜀郡、陇西、北地、上郡、云中与内史。但是郡的隶属关系并不是固定不变的，如东郡、颍川二郡，据《汉书·高帝纪》，高祖十一年，“立子恢为梁王，子友为淮阳王。罢东郡，颇益梁；罢颍川郡，颇益淮阳”。(220)颇邑其中：此言公主、列侯的封地都在这十五郡之内。颇，都。(221)藩国：诸侯国。(222)夸州兼郡：言诸侯国封地大，连着几个州，多个郡。夸，通“跨”，跨越。(223)同制京师：与朝廷同制。指诸侯国所属百官，有丞相、御史大夫等官，与中央朝廷官制相同，言其权力过大，拟于皇室。(224)矫枉过其正：此言意欲纠正秦朝不行分封的弊端而大封子弟，结果造成诸侯过于强盛、尾大不掉的失误。矫，纠正。枉，邪曲不正。(225)虽然：尽管如此。(226)晏如：安定。(227)亡狂狡之忧：没有异姓叛乱的忧虑。亡，通“无”。狂狡，狂妄狡诈，此指叛乱者。(228)卒折诸吕之难：卒，终于。折，挫败。诸吕之难，汉惠帝死后，吕后称制，诸吕专权。吕后死，诸吕惧为人制，欲为乱，太尉周勃、丞相陈平等诛杀诸吕，迎立高祖子代王刘恒为帝，是为文帝。事详本书卷十三高后八年。(229)太宗：指汉文帝。文帝庙号太宗。(230)以：同“已”。(231)末流：水流的下游。(232)滥以致溢：此喻言到其后期势力过于强盛，致使向外发展，图谋不轨。滥，泛滥。溢，水满外流。(233)淫荒：纵欲放荡。(234)越法：犯法。(235)睽孤：悖谬。(236)横逆：横暴而不顺情理。(237)文帝分齐、赵：文帝即位，分赵国为二，立赵幽王刘友之子为王。后采纳贾谊“众建诸侯而少其力”的建议，实行“剖分”政策，分齐国为六，尽立齐悼惠王刘肥之子为王；分淮南国为三，尽立淮南厉王刘长之子为王。(238)景帝削吴、楚：景帝时，采纳晁错削减王国封地的“削藩”政策，先后削去楚之东海郡，吴之豫章郡、会稽郡，赵之常山郡，胶西之六县归属朝廷。(239)下推恩之令而藩国自析：武帝时，采纳主父偃提出的诸侯王可推恩子弟，将王国的部分土地分给子弟为侯的建议，实行“推恩”政策，以分削王国。推恩，推广恩惠。析，分。(240)齐分为七：即城阳、济北、济南、菑川、胶西、胶东、齐七国。(241)赵分为六：即河间、广川、中山、常山、清河、赵六国。(242)梁分为五：即济川、济东、山阳、济阴、梁五国。(243)淮南分为三：即庐江、衡山、淮南三

【原文】

国师公刘秀言：“周有泉府[265]之官，收不售[266]，与欲得[267]，即《易》所谓‘理财正辞，禁民为非[268]’者也。”莽乃下诏曰：“《周礼》有赊贷[269]，《乐语》[270]有五均[271]，传记[272]各有筦[273]焉。今开[274]赊贷、张五均、设诸

国。㉔皆亡南北边矣：原来，长沙国的南面，燕、代二国的北面，分别外与越、胡相接。如今王国土地削小，边地之郡已归朝廷，所以说它们都已失去南北的边境之地。㉕七国之难：指景帝三年（公元前一五四年）吴、楚、赵、胶西、济南、菑川、胶东等七国发动的武装叛乱。事详本书卷十六景帝三年。㉖抑损诸侯：原来诸侯王亲自治理其国，官吏除丞相外皆由诸侯王自行任免，王国的财政收入全部归王国支配。平定七国之乱后，令诸侯王不得治其国，王国官吏由朝廷任免，王国只能享用其租税收入，王国的行政权、官吏任免权及财政权皆收归朝廷。㉗减黜其官：原来，王国设置官吏如朝廷之制，景帝中五年（公元前一四五年），改丞相曰相，省御史大夫、廷尉、少府、宗正、博士官，大夫、谒者、郎诸官长、丞皆减其员。㉘武有衡山、淮南之谋：淮南王刘安与弟衡山王刘赐是淮南厉王刘长之子，武帝时安、赐皆与臣下谋划反叛朝廷，元狩元年（公元前一二二年）事情败露，安、赐自杀，国除为郡。事详本书卷十九元朔五年至元狩元年。武，指汉武帝时。㉙左官：诸侯之官。㉚附益之法：有几说，一说为限制诸侯封地过限之法，一说为重惩阿媚王侯之法，一说为惩处违背汉法而厚于王侯之法。㉛苗裔：后代。㉜亲属疏远：此言诸侯国已非始封之君，与天子关系愈加疏远。㉝帷墙之中：指王宫。㉞势与富室亡异：意谓诸侯王在经济上享有优厚的物质生活，而在政治上已失去民众的拥戴，与一个富家翁没有什么区别。㉟本朝短祚：指平帝在位年限很短。祚，君位。㊱国统三绝：国统，君主一脉相传的统绪。三绝，指成、哀、平三帝皆无继嗣。㊲殚微：彻底衰落。㊳忌惮：惧怕。㊴庙堂：朝廷。㊵阶序：正房两旁的东西厢房。㊶驰传：驾驶驿站车马急行。㊷厥角：其角。本指兽之角，后世多用其喻指人畏惧之时以额触地之状。㊸稽首：磕头至地。一说磕头时，两手拱至地，头至手，不触及地。㊹容媚：奉承谄媚。

【校记】

［11］赖：据章钰校，十二行本作“辅”。［12］而：原作“以”。据章钰校，十二行本、乙十一行本皆作“而”，今据改。［13］祚：据章钰校，十二行本、乙十一行本、孔天胤本皆作“世”。〖按〗作“祚”字义长。

【语译】

国师公刘秀建言说：“周朝设置泉府的官职，收购民间卖不出去的物品，供给想得到的人，也就是《易经》所说的‘治理国家，社会财物分配的法令公正，就能禁止人民为非作歹。’”王莽于是下诏说：“《周礼》记载有赊欠贷款的方法，《乐语》载有调节物资的五均官，古书记载了前代各种财政的主管制度。如今要开办信贷，设

筦[275]者，所以齐众庶，抑并兼也。”遂于长安及洛阳、邯郸[276]、临淄、宛、成都立五均司市、钱府官。司市常以四时仲月定物上中下之贾[277]，各为其市平[278]。民卖五谷、布帛、丝绵之物不售者，均官考检厥实，用其本贾[279]取之。物贵过平一钱，则以平贾卖与民[280]；贱减平者，听民自相与市。又民[14]有乏绝欲赊贷者，钱府予之，每月百钱收息三钱。

又以《周官》[281]税民[282]，凡田不耕为不殖[283]，出三夫之税[284]。城郭中宅不树艺[285]者为不毛[286]，出三夫之布。民浮游无事，出夫布一匹。其不能出布者冗作[287]，县官衣食之[288]。诸取金、银、连[289]、锡、鸟、兽、鱼、鳖于山林、水泽及畜牧者，嫔妇[290]桑蚕、织纴、纺绩、补缝，工匠、医、巫、卜、祝及他方技[291]，商贩、贾人，皆各自占所为于其所之[292]，县官除其本，计其利十[15]分之，而以其一为贡[293]。敢不自占、自占不以实者，尽没入所采取而作县官一岁[294]。

羲和鲁匡复奏请榷酒酤[295]，莽从之。又禁民不得挟弩、铠[296]，犯者徙西海[16]。

【段旨】

以上为第四段，写王莽改制，设置五均、六筦，用以平抑物价，延缓兼并。

【注释】

㉖⑤泉府：官名，据《周礼》，为司徒属官，掌管国家税收及收购市场上的滞销物资等。㉖⑥收不售：收购卖不出去的物资。售，卖出，即收购民间卖不出去的物资。㉖⑦与欲得：卖给想得到的人。㉖⑧理财正辞二句：治理国家，使财物分配的法令公正，就能禁止人民做坏事。理财，治理国家财物。正辞，使辞正确。辞，言辞，此指制度、法令。此处引文，见《周易·系辞下》。㉖⑨赊贷：赊，买物缓偿其价。贷，借。据《周礼·地官·司徒》，泉府之官掌赊贷。赊谓卖物给人从事祭祀或丧事之用，不收现钱，赊欠的期限，祭祀者不过十天，丧事者不过三月，赊欠的货值不计利息。贷谓借钱给人，先由主管部门审查批准，方可借给，借贷要计利息，利率以借贷者用来经营的行业应向国家交纳的税率为标准。㉗⓪《乐语》：又名《乐元语》，古书名，久佚。㉗①五均：官名，掌管均

置五均官，建立六筦的制度，目的是帮助平民，抑制兼并。”于是在长安以及洛阳、邯郸、临淄、南阳、成都六大城市设置五均官司市和钱府官。司市官在春、夏、秋、冬每个季度的第二个月确定上、中、下三等物价，各作为市场的标准价格。民间卖不出去的五谷、布帛、丝绵等物品，由均官调查核实，按照本身的价格收购。当物价上涨超过平价一钱时，那么均官就以平价卖给平民百姓；物价低落在平价之下时，就任由百姓自由买卖。百姓如果缺乏资金需要借贷，就由钱府官贷出，每月百钱收息三钱。

同时，王莽又按照《周官》征税的办法向民众征税：凡是田地不耕种就叫作“不殖”，缴纳三个人的税。城市住宅不种植果木、蔬菜的叫作“不毛”，一个人要缴纳三个人的布匹。百姓游手好闲无所事事，缴纳布一匹。不能缴纳一匹布的，为官府做杂役，由官府供给衣食。所有在山林、水泽获取金矿、银矿、铅矿、锡矿、鸟、兽、鱼、鳖以及从事畜牧业的人，妇女养蚕、种桑、纺织、缝纫，工匠、医生、巫师、算卦、祭祀以及其他技能的人，摊贩、商人，全都各自在经营地申报职业及资产，地方官府扣除他们的成本，计算利润，分为十份，拿出其中的一份作为贡税。胆敢拒绝申报或申报不实的，就没收其全部资产，还要处罚为官府服役一年。

羲和鲁匡又上奏请求酒类由官府专卖，王莽听从这一建议。还下令禁止民间携带弩弓、铠甲，违反者流放到西海郡。

平市场物价。㉗²传记：记载文字。㉗³筦：同“管”，主管；管理。此言根据记载，前代皆有主管财政之官。㉗⁴开：与“张”“设”同义，设置。㉗⁵诸筦：各种管理制度。王莽改制，实行的经济管制措施，主要有六项，称六筦，即盐、酒、铁专卖，改革币制，山林、湖泽资源的管理等。㉗⁶邯郸：县名，赵国治所，县治在今河北邯郸。㉗⁷四时仲月定物上中下之贾：在春、夏、秋、冬四季每季的第二个月，即二、五、八、十一四个月定出货物每季上中下三等价格。贾，同“价”。㉗⁸市平：市场的标准价格。㉗⁹本贾：本身的价格。㉘⁰物贵过平一钱二句：意谓市场物价超过标准价格时，司市官将其掌握的货物以标准价格卖出，以控制物价上涨。㉘¹《周官》：即《周礼》。㉘²税民：向民征税。㉘³不殖：不耕种。㉘⁴出三夫之税：汉制，民年十五至五十六，每年缴纳一百二十钱人头税，叫作算赋。出，缴纳。三夫之税，一人缴三人的税，每人一百二十钱，三人则三百六十钱。㉘⁵不树艺：不种植果木桑树及蔬菜等。㉘⁶不毛：没有种植。㉘⁷冗作：从事繁杂的徭役。㉘⁸县官衣食之：由政府供给服役人以衣食。衣食，作动词用，供给衣食。㉘⁹连：通“链”，铅。㉙⁰嫔妇：妇女。㉙¹工匠、医、巫、卜、祝及他方技：工匠，百工艺人。医，中医。巫，以降神事鬼为职业的人。祝，祭祀时主持礼仪的人。他，其他；别的。方技，

技术。㉒各自占所为于其所之：工商之人，各自在经营地申报自己的职业及资产。占，计数上报。所为，从事的职业。所之，所到的地方，即所在地。之，作动词，往。㉓而以其一为贡：言凡从事以上诸类职业者皆须向所在地官府申报所从事的职业及其拥有的资产，官府除去其成本，经营所得须交纳十分之一的所得税，称为贡。㉔尽没入句：没收全部收入，并罚其为官府从事一年劳役。㉕榷酒酤：政府实行酒专卖制度。㉖弩、铠：弩，用机械发箭的弓。铠，护身铁甲。

【原文】

初，莽既班四条㉗于匈奴，后护乌桓使者㉘告乌桓民，毋得复与匈奴皮布税㉙。匈奴遣使者责税，收乌桓酋豪㉚，缚，倒悬之。酋豪昆[17]弟怒，共杀匈奴使。单于闻之，发左贤王㉛兵入乌桓，攻击之，颇杀人民，驱妇女弱小且千人去，置左地㉜，告乌桓曰："持马畜皮布来赎之！"乌桓持财畜往赎，匈奴受，留不遣㉝。

及五威将帅[18]王骏㉞等六人㉟至匈奴，重遗单于金帛，谕晓以受命代汉状，因易单于故印。故印文曰"匈奴单于玺"，莽更曰"新匈奴单于章"。将率既至，授单于印绂，诏令上故印绂[19]。单于再拜受诏。译㊱前，欲解取故印绂，单于举掖㊲授之。左姑夕侯苏㊳从旁谓单于曰："未见新印文，宜且勿与。"单于止，不肯与。请使者坐穹庐㊴，单于欲前为寿㊵。五威将曰："故印绂当以时上。"单于曰："诺。"复举掖授译，苏复曰："未见印文，且勿与。"单于曰："印文何由变更！"遂解故印绂奉上将帅，受著新绂，不解㊶视印。饮食至夜，乃罢。右帅陈饶谓诸将帅曰："向者㊷姑夕侯疑印文，几令单于不与人。如令视印，见其变改，必求故印，此非辞说所能距也㊸。既得而复失之，辱命莫大焉㊹！不如椎破㊺故印以绝祸根。"将帅犹与㊻，莫有应者。饶，燕士，果悍㊼，即引斧椎坏之。明日，单于果遣右骨都侯当㊽白将帅曰："汉单于印言'玺'不言'章'，又无'汉'字。诸王已下乃有'汉'，言'章'。今即[20]去'玺'加'新'，与臣下无别。愿得故印。"将帅示以故印，谓曰："新室顺天制作，故印随将帅

【校记】

［14］民：据章钰校，十二行本作“以”。［15］十：据章钰校，“十”下有“一”字。〖按〗商贾等人之利分为十，其一为贡。若其利之十分之一，再分其一为贡，则实收百分之一利。汉代十税一为常法，故无“一”为是。［16］西海：据章钰校，十二行本作“四海”。

【语译】

当初，王莽向匈奴颁布了关于处理归降匈奴者的四条规定，后来，护乌桓使者告诉乌桓民众，不要再给予匈奴皮布税。匈奴派遣使者向乌桓催税，拘捕了乌桓国的酋长，捆绑着，把他倒挂起来。酋长的兄弟非常愤怒，共同杀死匈奴的使者。匈奴单于知道这件事后，调发左贤王的军队侵入乌桓，进行攻击，大量屠杀人民，驱赶妇女儿童近千人离开乌桓，安置在东部，告诉乌桓说：“拿马匹牲畜和皮布来赎人！”乌桓拿着财物牲畜前去赎人，匈奴收下了实物，却仍扣留被掳人众不肯放还。

等到五威将帅王骏等六人到达匈奴，赠送单于大量黄金、丝帛，说明新朝接受天命取替汉朝的情况，因此须收换单于的旧印信。旧印字是“匈奴单于玺”，王莽更改为“新匈奴单于章”。王莽的将帅到达后，授予单于新印信，诏令交回旧印信。单于拜谢，接受诏书。翻译人员走上前去，想从单于身上解取旧印信，单于抬起手臂向使者送交旧印信。匈奴左姑夕侯苏从旁边对单于说：“没有看到新印文，暂且不要交给他们。”单于停了下来，不肯给予旧印信。单于请使者坐在帐幕里，准备上前敬酒。五威将说：“旧的印信应当按时上交。”单于说：“好。”又举起手臂想把旧印信交给翻译人员，苏又说：“没有看到印章的文字，暂且不能给他们。”单于说：“印文怎会变更！”于是解下旧印呈交五威将帅，接受新印，没有打开包裹看印章的文字。饮食直至午夜才散。右帅陈饶对将帅们说：“刚才姑夕侯怀疑印文，差点使单于不交出旧印。假如让他看到印章，发现印文变改，一定要求拿回旧印，这不是用话语所能阻挡得了的。旧印已经到手而又失去，是对我们的使命最大的侮辱！不如打破旧印，以断绝祸根。”五威将帅犹豫不定，没有一人响应。陈饶是燕人，果敢而勇悍，当即举起斧头将旧印劈坏。第二天，单于果真派遣右骨都侯当告诉五威将帅说：“汉朝发给单于的印信是‘玺’而不是‘章’，又没有‘汉’字。各王以下的官员的印文有‘汉’字，最后一个字也是‘章’。现在去掉了‘玺’字加上了‘新’字，这样使单于和臣属没有分别。希望得到旧印章。”五威将帅拿出击破的旧印给他看，向他解释说：“新朝顺应天命，制定新的印章，旧印携带在将帅身边，却自行损坏。单于应接

所自为破坏。单于宜承天命，奉新室之制！”当还白，单于知已无可奈何[21]，又多得赂遗，即遣弟右贤王舆奉马牛随将帅入谢，因上书求故印。将帅还到[22]左犁污王[319]咸[320]所居地，见乌桓民多，以问咸。咸具言状[321]。将帅曰：“前封四条，不得受乌桓降者。亟[322]还之！”咸曰：“请密与单于相闻，得语，归之。”单于使咸报曰：“当从塞内还之邪，从塞外还之邪？”将帅不敢颛决，以闻。诏报：“从塞外还之。”莽悉封五威将为子，帅为男[323]。独陈饶以破玺之功，封威德子。

单于始用[324]夏侯藩求地，有拒汉语，后以求税乌桓不得，因寇掠其人民，衅[325]由是生，重以印文改易，故怨恨。乃遣右大且渠[326]蒲呼卢訾[327]等十余人将兵众万骑，以护送乌桓为名，勒兵朔方[328]塞下，朔方太守以闻。莽以广新公甄丰为右伯[329]，当出西域。车师后王[330]须置离[331]闻之，惮于供给烦费，谋亡入匈奴。都护[332]但钦召置离，斩之。置离兄辅国侯[333]狐兰支[334]将置离众二千余人，亡降匈奴。单于受之，遣兵与狐兰支共[23]入寇，击车师，杀后城[335]长，伤都护司马，及狐兰兵复还入匈奴。

时戊己校尉[336]刁护病，史陈良、终带、司马丞韩玄、右曲候任商相与谋曰：“西域诸国颇[337]背叛，匈奴欲[24]大侵，要死[338]，可杀校尉，将[25]人众降匈奴。”遂杀护及其子男、昆弟，尽胁略[339]戊己校尉吏士男女二千余人入匈奴。单于号良、带曰乌贲都尉。

冬，十一月，立国将军孙建奏：“九月辛巳[340]，陈良、终带自称废汉大将军[341]，亡入匈奴。又今月癸酉[342]，不知何一男子遮[343]臣建车前，自称‘汉氏刘子舆，成帝下妻[344]子也。刘氏当复[345]，趣空宫[346]！’收系[347]男子，即常安姓武字仲。皆逆天违命，大逆无道。汉氏宗庙不当在常安城中，及诸刘当与汉俱废。陛下至仁，久未定，前故安众侯刘崇等更聚众谋反，令狂狡之虏复依托亡汉，至犯夷灭连[348]未止者，此圣恩不蚤绝其萌芽故也。臣请汉氏诸庙在京师者皆罢。诸刘为吏者皆罢[26]，待除于家[349]。”莽曰：“可。嘉新公、国师以符命为予四辅，明德侯刘龚[350]、率礼侯刘嘉等凡三十二人，皆知天命，或献天符，或贡昌言[351]，或捕告反虏，厥功茂[352]焉。诸刘与三十二人同宗共祖者，

受天命，奉行新朝的制度！”右骨都侯当回去报告单于，单于知道事已无可奈何，况且又得到新朝许多馈赠，就派他的弟弟右贤王舆带着进贡的牛马，随从五威将帅到新朝谢恩，仍上书请求袭用旧印。五威将帅回国到达左犁汙王咸管辖的地区，见到许多乌桓人，就询问咸。咸就把从前掠夺乌桓的情况详细告诉他们。五威将帅说：“从前中国对匈奴曾有四条规定，其中有一条就是不能接受逃亡投降的乌桓人。请立刻放他们回去！”左犁汙王咸说：“请允许我暗中报告单于，得到单于的话，就让他们回去。”单于让左犁汙王咸回话：“应当在塞内遣回他们，还是在塞外遣回他们？”五威将帅不敢擅作决定，就禀报朝廷。王莽下诏回答说：“从塞外放回。”王莽将出使匈奴的五威将都封为子爵，帅都封为男爵。唯独右帅陈饶因立下击坏单于旧印玺的功劳，特封为威德子。

单于当初因为汉朝中郎将夏侯藩向匈奴求取土地时，有拒绝汉朝的话，后来匈奴因为向乌桓索取赋税而没有得到，就掠夺乌桓百姓，与中国的矛盾由此产生，再加上这次印文的改变，所以怨恨中国。于是派遣右大且渠蒲呼卢訾等十多人率领一万多名骑兵，以护送乌桓人众回国的名义，在朔方郡边塞附近部署军队，朔方郡的太守把此事奏报朝廷。王莽任命广新公甄丰为右伯，准备出使西域。车师后王须置离听到这个消息，害怕供给的费用庞大，就计划逃亡到匈奴。西域都护但钦召见须置离，将他斩首。须置离的哥哥辅国侯狐兰支率领须置离的部属二千多人，逃跑投降匈奴。匈奴单于接受了他们，派兵和狐兰支一起入境寇掠，攻打车师，杀了车师后城长，击伤西域都护司马，和狐兰支一起撤回匈奴。

此时，戊己校尉刁护生病，校尉之史陈良、终带、司马丞韩玄、右曲候任商共同商量说：“西域各国大多背叛，匈奴想要大举入侵，我们会死的，可以杀掉校尉，率领大家投降匈奴。”于是，杀了校尉刁护和他的儿子、兄弟，挟持戊己校尉所属的吏士二千余名男女投奔匈奴。单于任命陈良、终带为乌贲都尉。

冬，十一月，立国将军孙建上奏：“九月十八日辛巳，陈良、终带自称废汉大将军，逃入匈奴。此外，本月十二日癸酉，不知道从何处闯出一名男子，阻拦在我的车前，自称‘汉氏刘子舆，是成帝小妻的儿子。刘氏要重新登基，快去把宫殿空出来’！当时收押了这名男子，原来是常安人，姓武名仲。这些人都是逆天行事，违背符命，大逆不道。所以，汉朝的宗庙不应当在常安城里，刘姓家族为官者应当全都罢免。陛下仁德之至，长期不做决定，从前原安众侯刘崇等聚众谋反，以致一些狂妄狡猾之徒又依托已亡的汉朝，使得犯杀身灭族大罪的事件接连不断发生，这就是圣上一味开恩未及早杜绝邪恶苗头的缘故。臣请求凡是在京师的汉朝君王祠庙全部废除。凡是为官的刘氏宗室全都免官，待在家中。”王莽说：“可以。嘉新公、国师刘秀响应符命任我的四辅，明德侯刘龚、率礼侯刘嘉等三十二人，都听从上天符命，有的进献天符，有的献上善言，有的拘捕或告发反贼，他们的功劳都很大。与

勿罢，赐姓㉝曰王。”唯国师[27]以女配莽子㉞，故不赐姓。

定安公太后自刘氏之废，常称疾不朝会。时年未二十，莽敬惮伤哀，欲嫁之，乃更号为[28]黄皇室主㉟，欲绝之于汉。令孙建世子㊱盛饰，将医往问疾。后大怒，笞鞭[29]其傍侍御，因发病，不肯起。莽遂不复强也。

十二月，雷。

莽恃府库之富，欲立威匈奴，乃更名匈奴单于曰“降奴服于”，下诏遣立国将军孙建等率十二将分道并出：五威将军苗䜣㊲、虎贲将军王况㊳出五原㊴；厌难将军陈钦㊵、震狄将军王巡㊶出云中；振武将军王嘉㊷、平狄将军王萌出代郡㊸；相威将军李棽㊹、镇远将军李翁出西河㊺；诛貉将军杨俊㊻、讨秽将军严尤㊼出渔阳㊽；奋武将军王骏、定胡将军王晏出张掖㊾。及偏裨㊿以下百八十人，募天下囚徒、丁男(371)、甲卒(372)三十万人，转输(373)衣裘、兵器、粮食，自负海(374)江、淮至北边，使者驰传督趣，以军兴法(375)从事(376)。先至者屯(377)边郡，须毕具(378)乃同时出，穷追匈奴，内(379)之丁令(380)。分其国土人民以为十五，立呼韩邪子孙十五人皆为单于。

【段旨】

以上为第五段，写王莽立威四夷，贬抑匈奴单于爵号，挑起边患。

【注释】

(297)四条：平帝元始二年（公元二年），王莽遣使向匈奴单于颁布四条，即，中国人亡入匈奴者，乌孙亡降匈奴者，西域诸国佩中国印绶降匈奴者，乌桓降匈奴者，皆不得受。见本书卷三十五。(298)护乌桓使者：即护乌桓校尉，官名，执掌监督管理有关乌桓事务。(299)与匈奴皮布税：乌桓为东胡的一支。汉初，东胡被匈奴冒顿击破，其一支退居乌桓山，因以为号。因势力孤弱，所以常臣服匈奴，每年向匈奴输纳牛马羊皮等。与，给予。(300)收乌桓酋豪：拘捕了乌桓的部族酋长。(301)左贤王：匈奴官号，有左、右贤王，是位在单于以下的最高官职。(302)左地：左方之地，即东部。(303)留不遣：扣留而不放

三十二人同宗共祖的刘姓皇族都不免职，赐姓为王。”只有国师因为将女儿许配给王莽的儿子王临，因此不赐姓。

定安公太后自从刘氏被废以后，常常假称有病，不去朝见。此时她还不满二十岁，王莽对她既尊敬害怕，又忧伤哀怜，想让她改嫁，便改称号为黄皇室主，想以此与汉朝断绝关系。命孙建的嫡长子身着华美的服饰，带着御医前去请安问疾。定安公太后大怒，鞭打她身边的侍从官。因而发病，卧床不肯起。王莽便不再勉强她。

十二月，打雷。

王莽自恃国库储存丰厚，想在匈奴面前树立国威，就将匈奴单于改称“降奴服于”，下诏征伐，派遣立国将军孙建等率领十二个将领，分路并进：五威将军苗䜣、虎贲将军王况从五原郡出发；厌难将军陈钦、震狄将军王巡从云中郡出发；振武将军王嘉、平狄将军王萌从代郡出发；相威将军李棽、镇远将军李翁从西河郡出发；诛貉将军杨俊、讨秽将军严尤从渔阳郡出发；奋武将军王骏、定胡将军王晏从张掖郡出发。还有偏将和裨将以下一百八十人，招募天下囚犯、壮丁、甲士三十万人，运输军衣皮服、兵器、粮食，从沿海、长江、淮河流域直到北部边郡，使者驾驿站车马急行监督敦促，依照军兴法处置。先到达的部队驻扎在边郡，等大军全部结集后才同时出动，穷追匈奴，使他进入丁令。把匈奴的国土和百姓分成十五个部分，立呼韩邪单于的十五个子孙做单于。

还。㉚④ 王骏：西汉末年，为中郎将、强弩将军，封明义侯。新朝官奋武将军、五威将。天凤三年（公元一六年），在西域遭焉耆伏击死。㉚⑤ 六人：指一将五帅。五帅为甄阜、王飒、陈饶、帛敞、丁业。㉚⑥ 译：负责翻译的官员。㉚⑦ 掖：通“腋”，手臂。㉚⑧ 左姑夕侯苏：左姑夕侯，匈奴官号名。苏，左姑夕侯之名。㉚⑨ 穹庐：毡帐。㉛⓪ 为寿：奉酒祝人长寿，敬颂之词。㉛① 解：打开包裹。㉛② 向者：前不久；往日。此指刚才。㉛③ 非辞说所能距也：不是话语所能阻挡的事。辞说，言词。距，通“拒”，拒绝。㉛④ 辱命莫大焉：辱命，玷辱、辜负君命。莫，无定指代词，没有什么。焉，于此。此言没有什么比这更为玷辱使命的。㉛⑤ 椎破：用椎击坏。㉛⑥ 犹与：即“犹豫”。㉛⑦ 果悍：果断勇敢。㉛⑧ 右骨都侯当：右骨都侯，匈奴官号。当，右骨都侯之名。㉛⑨ 左犁污王：匈奴官号。㉜⓪ 咸：呼韩邪单于之子，先后为左、右犁污王。始建国三年（公元一一年），王莽拜咸为孝单于；五年，乌珠留单于死，继立为单于，即乌累单于。㉜① 言状：说明情况。此指劫掠乌桓民众一事的情况。㉜② 亟：疾速。㉜③ 封五威将为子二句：封五威将为子爵，五威帅为男爵。㉜④ 用：以；因为。㉜⑤ 衅：仇怨。㉜⑥ 右大且渠：匈奴官号。㉜⑦ 蒲呼卢訾：右大且渠之名。㉜⑧ 朔方：郡名，治所在今内蒙古杭锦旗北。㉜⑨ 右伯：王莽根据甄丰之子甄寻所造符命，分陕而立

左、右二伯，以甄丰为右伯，以太傅平晏为左伯。(330)车师后王：车师后国之王。车师后国，西域国名，治所在务涂谷（今新疆吉木萨尔南）。(331)须置离：王名。(332)都护：即西域都护，官名。宣帝时，始于西域设都护，治乌垒城（今新疆轮台东北），执掌监督管理西域事务。(333)辅国侯：车师国官号，相当于汉朝的丞相。(334)狐兰支：辅国侯之名。(335)后城：城名，车师后城长国治所，在今新疆吉木萨尔北。(336)戊己校尉：官名，元帝时始于西域设戊己校尉，治高昌壁（今新疆吐鲁番东南），掌管西域屯田事务。其属官有丞、司马、史、候等。(337)颇：大多。(338)要死：会被杀死。要，会。(339)胁略：劫持。(340)辛巳：九月十八日。(341)废汉大将军：意谓自己是被王莽废灭的汉朝的大将军。(342)今月癸酉：癸酉为寅正十一月十二日，丑正则为十二月十二日。“今月”当指丑正十二月。(343)遮：阻拦。(344)下妻：小妻；妾。(345)复：复兴。(346)趣空宫：赶快把宫室空出来。(347)收系：拘禁。(348)连：接连不断。(349)皆罢二句：全都罢免官职，待在家中。(350)刘龚：刘向曾孙，刘秀（歆）之孙。(351)昌言：善言。(352)茂：盛大。(353)赐姓：古代帝王常赐姓功臣以示褒宠。(354)以女配莽子：刘秀之女刘愔，配王莽之子王临。(355)黄皇室主：犹称新朝未嫁公主。王莽建新，自以为土德，色尚黄，故称黄皇。室主，意谓在室未嫁的公主。主，犹公主。(356)世子：太子；嫡长子。(357)苗䜣：仕新朝，历任五威将军、大司马、国师等职。地皇四年（公元二三年），与王莽等同于渐台被农民军杀死。(358)王况：王商之子。成帝时曾嗣爵成都侯，后因罪免为庶人。新朝官虎贲将军。地皇四年，在与农民军作战中战败，归朝自杀。(359)五原：郡名，治所在今内蒙古包头西。(360)陈钦：研治《左传》，以之授王莽。仕新朝，官厌难将军。天凤二年（公元一五年），王莽借故将其逮捕下狱，钦自杀。(361)王巡：仕新朝，历任震狄将军、车骑将军等。地皇四年，农民军攻入皇宫，巡被杀死。(362)王嘉：王莽兄王永之孙，王光之子。居摄三年（公元八年），嗣爵为衍功侯。新朝历任五威后关将军、振武将军、保拂等职，封尉睦侯。(363)代郡：郡名，治所在今河北蔚县东北。(364)李棽：居摄年间曾为厌难将军。新朝赐名圣，官大将军、扬州牧。地皇四年，在山东被义军杀死。(365)西河：郡名，治所在今内蒙古鄂尔多斯市东胜区。(366)杨俊:《汉书·王莽传》作“阳俊”。(367)严

【原文】

莽以钱币讫不行[381]，复下书曰:“宝货[382]皆重[383]则小用不给[384]，皆轻则僦载[385]烦费。轻重大小各有差品[386]，则用便而民乐。”于是更作金、银、龟、贝、钱、布之品[387]，名曰宝货。钱货六品[388]，金货一品[389]，银货二品[390]，龟货四品[391]，贝货五品[392]，布货十品[393]，凡宝货五物[394]、六名[395]、

尤：仕新朝，任大司马、讨涉将军、纳言将军等，封武建伯。地皇四年于昆阳战败后降刘望，望于汝南称帝，以尤为大司马。更始军破汝南，尤被杀。㊳㊽渔阳：郡名，治所在今北京市密云。㊳㊾张掖：郡名，治所在今甘肃张掖西北。㊳㊿偏裨：偏将和裨将。古代对将佐的通称。(371)丁男：成年男子。(372)甲卒：披甲持械的兵士。(373)转输：运输。(374)负海：沿海。(375)军兴法：朝廷关于征集军用物资的法令。汉制，朝廷征集财物以供军用，谓之军兴。(376)从事：处置；处理。(377)屯：驻扎。(378)毕具：全部来到。(379)内：同"纳"，放入；使进入。(380)丁令：又作"丁零""丁灵"，古代极北方民族名。汉时分布于匈奴之北，在今俄罗斯贝加尔湖一带，服属于匈奴。此言将匈奴逐入丁令地区。

【校记】

［17］昆：原作"兄"。据章钰校，乙十一行本、孔天胤本皆作"昆"，今据改。［18］帅：原无此字。据章钰校，十二行本、乙十一行本、孔天胤本皆有此字，张瑛《通鉴校勘记》同，今据补。［19］绂：原作"绶"。据章钰校，十二行本、孔天胤本皆作"绂"，今据改。［20］即：原无此字。据章钰校，十二行本、乙十一行本皆有此字，今据补。［21］何：据章钰校，十二行本、乙十一行本、孔天胤本皆无此字。［22］到：原无此字。据章钰校，十二行本、乙十一行本、孔天胤本皆有此字，张敦仁《通鉴刊本识误》同，今据补。［23］共：据章钰校，十二行本作"兵"。［24］欲：原无此字。据章钰校，十二行本、乙十一行本、孔天胤本皆有此字，今据补。［25］将：原作"帅"。据章钰校，十二行本、乙十一行本、孔天胤本皆作"将"，今据改。［26］罢：原无此字。据章钰校，十二行本、乙十一行本、孔天胤本皆有此字，张敦仁《通鉴刊本识误》、张瑛《通鉴校勘记》同，今据补。［27］国师：原作"国师公"。据章钰校，十二行本、乙十一行本皆无"公"字，今据删。［28］为：原作"曰"。据章钰校，十二行本、乙十一行本、孔天胤本皆作"为"，今据改。［29］笞鞭：原作"鞭笞"。据章钰校，十二行本、乙十一行本、孔天胤本二字皆互乙，今据改。

【语译】

王莽因为新朝钱币始终不能流通，再次下诏说："货币面额都过大，就不能满足小的交易，如果都是小面额，雇用车装船载搬运就很麻烦。货币的面额有大有小，各有等级，那才使用方便，人民乐意。"于是改制金、银、龟、贝、铜钱、布货等六种货币，名称叫宝货。其中钱币六种，金币一种，银币二种，龟币四种，贝币五种，布币十种。总计，宝货用五种材料制成，有六种名称，共二十八个品种币值。

二十八品[396]。铸作钱布，皆用铜，殽[397]以连、锡。百姓愦[30]乱，其货不行。莽知民愁，乃但行小钱直一与大钱五十，二品并行。龟、贝、布属且寝[398]。盗铸钱者不可禁，乃重其法，一家铸钱，五家坐之，没入为奴婢[399]。吏民出入持钱，以副符传[400]，不持者，厨传[401]勿舍[402]，关津[403]苛留[404]。公卿皆持以入宫殿门，欲以重而行之[405]。是时百姓便安汉五铢钱，以莽钱大小两行[406]，难知，又数变改，不信，皆私以五铢钱市买；讹言大钱当罢，莫肯挟。莽患之，复下书："诸挟五铢钱、言大钱当罢者，比非井田制[407]，投四裔！"及坐[408]卖买田宅、奴婢、铸钱，自诸侯、卿大夫至于庶民，抵罪[409]者不可胜数。于是农商失业，食货俱废，民人至涕泣于市道。

莽之谋篡也，吏民争为符命，皆得封侯。其不为者相戏曰："独无天帝除书[410]乎？"司命陈崇白莽曰："此开奸臣作福之路[411]而乱天命，宜绝其原。"莽亦厌[412]之，遂使尚书大夫赵并验治，非五威将帅所班，皆下狱。

初，甄丰、刘秀、王舜为莽腹心，唱导[413]在位，褒扬功德。安汉、宰衡之号及封莽母、两子、兄子，皆丰等所共谋，而丰、舜、秀亦受其赐，并富贵矣，非复欲令莽居摄也[414]。居摄之萌，出于泉陵侯刘庆、前辉光谢嚣、长安令田终术[415]。莽羽翼已成，意欲称摄，丰等承顺其意。莽辄复封舜、秀、丰等子孙以报之。丰等爵位已盛，心意既满，又实畏汉宗室、天下豪杰，而疏远[416]欲进者并作符命，莽遂据以即真，舜、秀内惧而已。丰素刚强，莽觉其不说，故托符命文，徙丰为更始将军，与卖饼儿王盛同列。丰父子默默。时子寻为侍中、京兆大尹、茂德侯，即作符命：新室当分陕[417]，立二伯，以丰为右伯，太傅平晏为左伯，如周、召故事[418]。莽即从之，拜丰为右伯。当述职[419]西出，未行，寻复作符命，言故汉氏平帝后黄皇室主为寻之妻。莽以诈立，心疑大臣怨谤，欲震威以惧下，因是发怒曰："黄皇室主天下母，此何谓也！"收捕寻。寻亡，丰自杀。寻随方士[420]入华山[421]，岁余，捕得，辞连[422]国师公秀子侍中[31]隆威侯棻，棻弟右曹、长水校尉、伐虏侯泳，

铸造钱币、布币，全都使用铜，其中混杂铅、锡。百姓认为混乱，货币不能流通。王莽知道民众怨愁，于是只流通值一钱的小钱和值五十的大钱两种。龟币、贝币、布币等暂时停止使用。私铸货币不能禁止，就加重刑罚力度，一家私铸货币，五家连坐，没入官府做奴婢。官民外出必须携带货币，作符传通行证的附带物，不持货币的人，路途住宿、饮食之处不准住宿，关卡和渡口要盘查扣留。公卿大夫都要带着货币才能进入宫殿之门，想用这样的办法使人重视货币促进流通。当时百姓认为汉铸的五铢钱使用方便习惯，而王莽铸的大小钱两种同时流通，不容易分辨，又经常变动，不可信任，都私下用五铢钱在市场上购买物品；讹传大钱将被废除，都不肯携带。王莽忧虑，又下诏书："凡携带五铢钱，传言大钱要废除的人，罪同诽谤井田制度，放逐到四方极远的地方去！"因买卖田宅、奴婢、私自铸钱而获罪，从诸侯、卿大夫到庶民，受到惩处的人多得难以计算。因而，农民、商人失业，经济崩溃，以致百姓在街市路边哭泣。

王莽阴谋篡位时，官民争先恐后地伪造符命，都获得封侯。那些没有伪造符命的人互相戏言说："难道你没有接到上帝的任命书吗？"司命陈崇禀报王莽说："这是为奸臣开辟谋求利禄的途径而扰乱天命，应当断绝其源。"王莽也厌恶伪造符命的人，于是便派尚书大夫赵并负责查处，只要不是五威将、帅所颁布的符命，而自行制造的人都逮捕入狱。

当初，甄丰、刘秀、王舜都是王莽的心腹，他们带头提议王莽夺取大权，给王莽歌功颂德。安汉公和宰衡的称号以及赐封王莽的母亲、两个儿子、侄子，都是由甄丰等人所共同谋划的，而甄丰、王舜、刘秀也得到王莽的恩赐，都富贵了，但并不想让王莽居位摄政。王莽居位摄政的初谋，出自泉陵侯刘庆、前辉光人谢嚣和长安令田终术。王莽的羽毛已经丰满，想要当代理皇帝，甄丰等人就顺从他的旨意。王莽就又封王舜、刘秀、甄丰等人的子孙加以报答。甄丰等人爵位已显赫，心意得到了满足后，又生怕刘氏宗室和天下豪杰，而那些与王莽关系疏远又想升官的人，就都造作符命，王莽便依据这些符命而正式登上帝位，王舜、刘秀只是在心里恐惧罢了。甄丰一向刚毅强硬，王莽发觉甄丰不高兴，因此就假借符命的文字，将他调任更始将军，和卖饼儿王盛地位相当。甄丰父子默默无言。此时，甄丰的儿子甄寻任侍中、京兆大尹、茂德侯，就制造符命：说新朝应该把京师附近地区以陕县为界分开治理，设置两个地区长官，任命甄丰为右伯，太傅平晏为左伯，依照周公、召公的先例。王莽当即听从，任命甄丰为右伯。甄丰上任履职向西出发，尚未动身，甄寻又制造符命，称原汉平帝的皇后黄皇室主是甄寻的妻子。王莽凭借骗术登上帝位，心里疑虑大臣怨恨指责，想要显示威严来慑服臣下，于是生气地说："黄皇室主是天下人之母，甄寻说的是什么话！"就下令拘捕甄寻。甄寻逃跑了，甄丰自杀。甄寻跟着江湖术士躲进了华山，过了一年多，抓到了，供词牵涉到国师公刘秀的儿子侍中隆威侯刘棻，刘棻的弟弟右曹、长水校尉、伐虏侯刘泳，

大司空邑弟左关将军、掌威侯奇，及秀门人侍中、骑都尉丁隆等，牵引公卿党、亲、列侯以下，死者数百人。乃流棻于幽州㊿423，放寻于三危㊿424，殛㊿425隆于羽山㊿426，皆驿车载[32]其尸传致㊿427[33]云。

是岁，莽始兴神仙事，以方士苏乐言，起八风台，台成万金㊿428。又种五粱禾㊿429于殿中，先以宝玉渍种㊿430，计粟斛成一金㊿431。

【段旨】

以上为第六段，写王莽改革币制，以及制造符命引发的内部矛盾。币制改革，由于新币种类面额极其复杂，难以通行，旧币、私铸货币通行，于是犯法者重，天下骚动。王莽诡称符命，暗箱操作政治，死党甄丰等如法炮制，引发矛盾。

【注释】

㊿381钱币讫不行：指钱币始终不能很好地在社会生活中流通。讫，始终；一直。㊿382宝货：指货币。㊿383重：指价值贵重。㊿384小用不给：指大钱不能满足小的交易。㊿385僦载：雇车船运载。㊿386差品：等级；品级。㊿387钱、布之品：钱，铜制钱币。布，一种货币名称。品，种类。㊿388钱货六品：一名小钱，值一；二名幺钱，值十；三名幼钱，值二十；四名中钱，值三十；五名壮钱，值四十；六名大钱，值五十。㊿389金货一品：黄金一斤，值万钱。㊿390银货二品：一名朱提银，值一千五百八十钱；二名他银，值千钱。㊿391龟货四品：一名元龟，值二千六百一十钱；二名公龟，值五百钱；三名侯龟，值三百钱；四名子龟，值百钱。㊿392贝货五品：一名大贝，二枚为一朋，值二百一十六钱；二名壮贝，一朋值五十钱；三名幺贝，一朋值三十钱；四名小贝，一朋值十钱；五品不足一朋，一枚值三钱。㊿393布货十品：一名大布，值千钱；二名次布，值九百钱；三名弟布，值八百钱；四名壮布，值七百钱；五名中布，值六百钱；六名差布，值五百钱；七名厚布，值四百钱；八名幼布，值三百钱；九名幺布，值二百钱；十名小布，值百钱。㊿394五物：五种材料，指金、银、龟、贝、铜。㊿395六名：六种名称。即金、银、龟、贝、钱、布。㊿396二十八品：前述钱六品、金一品、银二品、龟四品、贝五品、布十品，总共二十八品。㊿397殽：混杂。㊿398且寝：暂停使用。㊿399没入为奴婢：没收财物，家人也收归官府为奴婢。㊿400副符传：以钱作为符传之副。符传，通行证，此言官民出入，皆须携带钱作为通行的辅助凭证物。㊿401厨传：供应过客食宿、车马的处所。㊿402勿舍：不让住宿。舍，住宿，使动用法。㊿403关津：关卡和渡口。㊿404苛留：盘查扣留。苛，通“呵”，责问。㊿405重而行之：此言想要通过这种做法，提高钱币的身价，而使之得以流通。重，使人们重视。㊿406大小两

大司空王邑的弟弟左关将军、掌威侯王奇和刘秀的学生侍中、骑都尉丁隆等人，牵引公卿、乡党、亲戚、列侯以下，被处死的有数百人。因此刘棻被流放到幽州，甄寻被流放到三危山，在羽山杀死丁隆，都用驿车装运他们的尸体，递送到放逐地。

这一年，王莽开始迷信神仙，因为方士苏乐的话，兴建八风台，修成此台耗费万金。又在宫殿里种植五种颜色的谷物，播种之前先用煮宝玉的水浸润种子，计算产一斛粟的成本需要黄金一斤。

行：大钱和小钱两种同时流通。⑰比非井田制：等同反对井田制治罪。比，等同。⑱坐：获罪。⑲抵罪：因犯罪而受到相应的处罚。⑳除书：授予官爵的文书。㉑作福之路：谋求利禄的门路。㉒厌：厌恶。㉓唱导：带头提倡。此言首先提议让王莽居高位。㉔非复欲令莽居摄也：意谓并非还想让王莽代居天子之位以治天下。㉕田终术：田终术之说，史无载。㉖疏远：指非亲幸近臣。㉗陕：县名，县治在今河南三门峡市西。㉘周、召故事：相传西周初年，周公旦和召公奭分陕而治，自陕而东由周公主持治理，自陕而西由召公主持治理。㉙述职：上任履行职责。⑳方士：方术之士，即自称能访仙炼丹以求长生不老的人。㉑华山：山名，五岳中的西岳，主峰在今陕西华阴南。㉒辞连：口供牵连。㉓流棻于幽州：将刘棻流放到幽州。幽州，州名，其地辖有今河北北部、辽宁大部及朝鲜半岛的北部地区。㉔三危：山名，在今甘肃敦煌东南。㉕殛：诛戮。㉖羽山：山名，在今江苏赣榆西南。《尚书·尧典》记载舜“流共工于幽州，放谨兜于崇山，窜三苗于三危，殛鲧于羽山，四罪而天下咸服”。王莽托古而治，所以学着舜的样子，把这些人分别放逐、诛杀于幽州、三危、羽山等地。㉗皆驿车载其尸传致：此言刘棻、甄寻、丁隆三人皆先杀死，然后用驿车装载着他们的尸体，分别递送到放逐地点。㉘台成万金：修成此台，费资万金。㉙五粱禾：五种谷物。王莽于殿中种植五种颜色不同的谷物，各种于与其色相应的方位，即东青、南赤、西白、北黑、中黄，表示自己在耕耘五德。㉚宝玉渍种：此言先用煮玉的水汁浸润种子。渍，浸润。㉛计粟斛成一金：计算产一斛的成本，要黄金一斤。斛，量器名，十斗为一斛。

【校记】

[30]愦：原作“溃”。胡三省注云：“‘溃’，《汉书》作‘愦’。”据章钰校，十二行本、孔天胤本皆作“愦”，今据改。[31]侍中：原无此二字。据章钰校，十二行本、乙十一行本、孔天胤本皆有此二字，今据补。[32]载：原无此字。据章钰校，乙十一行本、孔天胤本皆有此字，今据补。[33]其尸传致：原作“传致其尸”。据章钰校，十二行本、乙十一行本、孔天胤本皆作“其尸传致”，今据改。

【原文】

三年（辛未，公元一一年）

遣田禾将军赵并发戍卒屯田㊱五原、北假㊲，以助军粮。

莽遣中郎将蔺苞、副校尉戴级㉞将兵万骑，多赍㊴珍宝至云中塞下，招诱呼韩邪单于[35]诸子，欲以次拜为十五单于。苞、级使译出塞，诱呼右[36]犁污王咸、咸子登、助三人至，则[37]胁拜㊵咸为孝单于，助为顺单于，皆厚加赏赐。传送助、登长安。莽封苞为宣威公，拜为虎牙将军；封级为扬威公，拜为虎贲将军。单于闻之，怒曰："先单于受汉宣帝恩，不可负也。今天子非宣帝子孙，何以得立！"遣左骨都侯、右伊秩訾王呼卢訾㊶及左贤王乐㊷将兵入云中益寿塞㊸，大杀吏民。是后，单于历告㊹左右部都尉㊺、诸边王㊻入塞寇盗，大辈万余，中辈数千，少者数百，杀雁门、朔方太守、郡尉，略吏民畜产，不可胜数，缘边虚耗。

是时诸将在边，以大众未集，未敢出击匈奴。讨濊将军严尤谏曰："臣闻匈奴为害，所从来久矣，未闻上世有必征之者也。后世三家周、秦、汉征之，然皆未有得上策者也。周得中策，汉得下策，秦无策焉。当周宣王㊼时，猃狁㊽内侵，至于泾阳㊾，命将征之，尽境㊿而还。其视戎狄之侵，譬犹蚊虻，驱之而已，故天下称明，是为中策。汉武帝选将练兵，约赍轻粮(446)，深入远戍，虽有克获之功，胡辄(447)报之。兵连祸结(448)三十余年，中国罢耗(449)，匈奴亦创艾(450)，而天下称武，是为下策。秦始皇不忍小耻而轻民力，筑长城之固，延袤(451)万里，转输之行，起于负海。疆境既完(452)，中国内竭，以丧社稷，是为无策。今天下遭阳九之厄(453)，比年(454)饥馑，西北边尤甚。发三十万众，具三百日粮，东援(455)海、代[38]，南取江、淮，然后乃备。计其道里，一年尚未集合(456)，兵先至者聚居暴露(457)，师老(458)械弊，势不可用，此一难也。边既空虚，不能奉军粮，内调郡国，不相及属(459)，此二难也。计一人三百日食，用糒(460)十八斛，非牛力不能胜。牛又当自[39]赍食，加二十斛，重矣。胡地沙卤(461)，多乏水草，以往事揆(462)之，军出未满百日，牛必物故且尽(463)，

【语译】

三年（辛未，公元一一年）

派遣田禾将军赵并征发戍守边防的士兵在五原、北假屯田，用以补充军粮。

王莽派遣中郎将蔺苞、副校尉戴级率一万余名骑兵，携带大量金银财物到云中郡的边塞附近，招诱匈奴呼韩邪单于的几个儿子，打算按照顺序任命为十五个单于。蔺苞、戴级派翻译人员出塞，引诱右犁污王栾提咸和他的儿子栾提登、栾提助三人来到云中郡的边塞，然后用威胁手段任命栾提咸为孝单于，栾提助为顺单于，都给予丰厚的赏赐。并用驿车将栾提助、栾提登兄弟二人递送到京师长安。王莽封蔺苞为宣威公、虎牙将军；封戴级为扬威公、虎贲将军。匈奴单于栾提知听说这个消息，生气地说："呼韩邪单于所受汉宣帝的恩德，不能辜负。如今的皇帝不是宣帝的子孙，凭什么做皇帝！"因此派遣左骨都侯、右伊秩訾王呼卢訾和左贤王乐率领军队入侵云中郡益寿塞，大肆屠杀官民。从此以后，匈奴单于栾提知逐一告诉左右大都尉、靠近汉朝边界的那些王侯，让他们入侵边塞，抢劫掠夺，大规模的一次有一万多人，中等规模的一次有数千人，规模最小的一次数百人，他们杀死雁门郡、朔方郡太守、郡尉，掠夺官民畜产，不可胜数，边境空虚。

这时，将领们都在边塞，因大量兵马没有结集，不敢出击匈奴。讨濊将军严尤劝谏说："臣听说匈奴侵害中国，由来已久，从未听说上古之时有必须征讨他们的先例。后来，周、秦、汉三代才征讨他们，但是都没有找到上策。周朝用的是中策，汉朝用的是下策，秦朝则是无策可言。周宣王的时候，猃狁部落入侵，到达泾阳，周朝命令将领率兵征伐，到达边境就返回。周宣王视夷狄的入侵，如同蚊子、虱子一般，赶走他们而已，因此天下都称赞他英明，这是中策。汉武帝挑选将领，训练军队，携带少量衣装粮米，深入远地戍守，虽然有克敌制胜的功绩，但是匈奴往往回击。兵连祸结三十多年，中国疲惫空虚，匈奴也受到惩戒，但是天下人都称赞他勇武，这是下策。秦始皇忍不住小的耻辱，轻率地浪费民力，修筑坚固结实的长城，绵延万里，运输的通道，从海滨开始。疆界保全了，国内却告枯竭，终于丧失了国家政权，这是没有策略。现在天下正遭受灾荒厄运，连年饥馑，西北边境尤其严重。朝廷发动三十万大军，储备三百天粮食，东方牵动海滨、代山，南方取自长江、淮河，然后才齐备。计算它的路程，耗时一年兵马还不能集合完成，军队先到达边塞的，聚集而居，露天而宿，士气疲惫，武器损坏，这情势必不可以作战，这是困难之一。边塞已经空虚，无力供应军粮，从内地各郡国征集，不能连续不断地供应，这是困难之二。估计一个士兵三百天的吃食，需要粮米十八斛，不用牛力运输是不能胜任的。牛本身也要携带饲料，再加上二十斛，牛的负担太重了。匈奴境内都是沙碱地，大多缺乏水草，按照以往的经验推测，军队出发不到一百天，牛必定死亡殆尽，

余粮尚多，人不能负，此三难也。胡地秋冬甚寒，春夏甚风，多赍釜镀[464]、薪炭，重不可胜，食糒饮水，以历四时，师有疾疫之忧，是故前世伐胡不过百日，非不欲久，势力不能，此四难也。辎重[465]自随，则轻锐者少，不得疾行，虏徐[466]遁逃，势不能及。幸而逢虏，又累辎重。如遇险阻，衔尾相随[467]，虏要遮[468]前后，危殆不测，此五难也。大用民力，功不可必立，臣伏忧之！今既发兵，宜纵先至者[469]，令臣尤等深入霆击[470]，且以创艾胡虏。”莽不听尤言，转兵谷如故，天下骚动。

咸既受莽孝单于之号，驰出塞归庭，具以见胁状白单于。单于更以为于栗置支侯[471]，匈奴贱官也。后助病死，莽以登代助为顺单于。

吏士屯边者所在放纵，而内郡愁于征发，民弃城郭，始流亡为盗贼，并州[472]、平州[473]尤甚。莽令七公[474]、六卿[475]号皆兼称将军，遣著武将军逯并等镇名都，中郎将、绣衣执法[476]各五十五人，分镇缘边大郡。督大奸猾擅弄兵者[477]，皆乘便为奸于外，挠乱州郡，货赂为市[478]，侵渔[479]百姓。莽下书切责之曰：“自今以来，敢犯此者，辄捕系，以名闻！”然犹放纵自若。北边自宣帝以来，数世不见烟火之警，人民炽盛，牛马布野。及莽挠乱匈奴，与之构难[480]，边民死亡系获[481]，数年之间，北边虚空，野有暴骨矣。

【段旨】

以上为第七段，写王莽构难匈奴，大发兵征讨，骚动天下。数年之间，边境地区成了无人区。

【注释】

㊲屯田：政府利用军队、农民或商人垦种荒废田地，征取收获物以充军饷，叫作屯田。根据屯田人员的不同，分别称为军屯、民屯、商屯。㊳北假：地名，在今内蒙古河套以北、阴山以南一带。㊴赍：携带。㊵胁拜：强迫授予。㊶右伊秩訾王呼卢訾：右伊秩訾王，匈奴官名。呼卢訾，右伊秩訾王之名。㊷乐：左贤王之名。㊸益寿塞：塞名。

剩下的粮草却很多，人又不能背负，这是困难之三。匈奴境内秋冬天气严寒，春夏风大，行军要携带很多炊具、柴炭，重得背不动，吃干粮喝水，一年四季如此，使军队有发生疾病的忧虑，所以前世讨伐匈奴都不超过一百天，不是不想久战，而是势力不行，这是困难之四。部队随身携带供给物资，轻装精锐的部队很少，部队不能快速行军，即使敌人缓慢逃跑，也无法追上。偶然遇上敌军，又被携带物资所累。如果遇到险阻，队伍前后单行相随，敌人若在前后拦截，危险不能预测，这是困难之五。大规模动用民力，功劳又未必能建立，这是臣所担心的！现在既然派出军队，就应该发动先到边塞的军队进攻，让臣严尤等深入敌境，进行迅速猛烈的攻击，暂且用以惩戒敌人。”王莽不听从严尤的谏言，照从前一样运输兵器粮物，因此天下动乱不安。

栾提咸接受了王莽孝单于的封号后，纵马飞驰出边塞，回到匈奴王庭，把自己被胁迫的情况详细向单于栾提知报告。单于便改封他为于栗置支侯，这是匈奴低贱的官职。后来，栾提助病死，王莽就让栾提登代为顺单于。

在边塞集结的军士到处放任骚扰，而关内诸郡又为征兵催税而发愁，百姓离乡背井，开始逃亡做盗贼，并州、平州最为严重。王莽命令七公、六卿都兼称将军，派遣著武将军逯并等镇守各地重镇名都，派中郎将、绣衣执法各五十五人，分别镇守边境大郡。这些监察大奸巨猾和擅动干戈生事的人，自己都趁机在各地作奸犯科，扰乱州郡，贿赂像做买卖一样公开，还侵夺百姓财物。王莽下诏书严厉指责他们说：“从今以后，胆敢再犯此法的，就逮捕入狱，把名字报上来！”但是他们还是照样放纵胡作非为。北部边境从汉宣帝以来，几代看不见烟火警报，人民旺盛，牛马遍野。到王莽扰乱匈奴，和匈奴结仇交战，边境人民或死亡，或被抓，几年之间，北方边境空虚，野外已有无人掩埋的白骨。

塞，构筑城垒扼守要道的处所。㊴历告：逐一告诉；遍告。㊵左右部都尉：即左、右大都尉，匈奴官名。㊶诸边王：匈奴与汉边靠近的各王庭。㊷周宣王：西周后期周王，公元前八二七至前七八二年在位。㊸猃狁：即匈奴。匈奴于战国前称猃狁、荤粥、獯鬻等，战国后期始称匈奴。㊹泾阳：地名，其地在今陕西泾阳。㊺尽境：到达边境尽头。㊻约赍轻粮：此言少带行装，轻兵进击。约，少。轻，分量小。㊼辄：往往；总是。㊽兵连祸结：战争、灾祸连续不断。㊾罢耗：指人民疲困，资财耗尽。罢，通“疲”。㊿创艾：惩戒。51延袤：绵亘；绵延伸展。52完：保全。53阳九之厄：术数家以四千六百一十七岁为一元。初入元一百零六岁，内有旱灾九年，旱灾为阳，所以谓之阳九。此言阳九之

厄，意谓遭遇诸如灾荒年景等厄运。㊹比年：连年。㊺援：牵带。㊻一年尚未集合：意谓有的地方道路遥远，一年时间还不能到达边境地区。㊼暴露：置于露天之下，日晒雨淋，无所遮蔽。㊽师老：军队疲惫。㊾不相及属：不能连续不断地供应。及属，相接；连续不断。㊿糒：干粮。461沙卤：指含沙多而碱性重的土质。462揆：揣度；推测。463物故且尽：死亡殆尽。物故，死亡。且，将要。464釜鍑：烹饪器皿。有足为锅，无足称釜。鍑，形似釜而口大的器皿。465辎重：行者携载的物资，常指军用物资。466徐：缓慢。467衔尾相随：衔，马嚼子。铜制或铁制，放在马口内，用以勒马，控制其行止。尾，指马尾，此言险隘路狭，人马单行行进，前后相接。468要遮：拦截。469宜纵先至者：应发动先到边境的部队攻击敌人。470霆击：喻指迅猛的打击。471于栗置支侯：匈奴官名，《汉书·匈奴传》“栗”作“粟”。472并州：州名，其地辖有今内蒙古自治区南部、山西大部和河北西部等地区。473平州：西汉无平州。有人提出王莽分幽州部分地区新设，在今辽宁东部，然而缺乏文献根据；胡三省认为“‘平’字误”。474七公：四辅与三公。475六卿：羲和、作士、秩宗、典乐、共工、予虞。476绣衣执法：官名，汉武帝时，置御史大

【原文】

太师王舜自莽篡位后，病悸浸剧482，死。

莽为太子置师、友各四人，秩483以大夫。以故大司徒马宫等为师疑、傅丞、阿辅、保拂，是为四师484。故尚书令唐林485等为胥附、奔走、先后、御侮，是为四友486。又置师友、侍中、谏议、六经祭酒各一人，凡九祭酒487，秩皆上卿。

遣使者奉玺书、印绶、安车、驷马488迎龚胜489，即拜490为师友祭酒。使者与郡太守、县长吏491、三老492、官属493、行义494、诸生495千人以上入胜里致诏496。使者欲令胜起迎，久立门外。胜称病笃497，为498床室中户西499、南牖500下，东首，加朝服拖绅501。使者付玺书，奉502印绶，内503安车、驷马，进谓胜曰504：“圣朝未尝忘君，制作505未定，待君为政506，思闻所欲施行，以安海内。”胜对曰：“素愚，加以年老被507病，命在朝夕，随使君508上道，必死道路，无益万分！”使者即[40]要说509，至以印绶就加胜身。胜辄推不受。使者上言：“方盛夏暑热，胜病少

夫属官绣衣御史，执掌逐捕盗贼，审理重大案件。王莽改制，改御史为执法，所以绣衣御史改称绣衣执法。㊼⑦督大奸猾擅弄兵者：督，监视。奸猾，指奸诈狡猾的人。擅，擅自。弄兵，轻率动兵，此指滋事骚扰，兴兵作乱。㊼⑧货赂为市：贿赂像做买卖一样公开进行。货赂，以财物贿赂人。为市，意谓像市场一样公开交易。㊼⑨侵渔：侵夺。㊽⓪构难：结仇交战。㊽①系获：抓获；俘虏。此言边民或死亡，或被抓。

【校记】

［34］戴级：张敦仁《通鉴刊本识误》作“戴伋”。［35］单于：原无此二字。据章钰校，十二行本、乙十一行本、孔天胤本皆有此二字，今据补。［36］右：原作“左”。据章钰校，十二行本、乙十一行本、孔天胤本皆作“右”，张瑛《通鉴校勘记》同，今据改。［37］则：原作“至则”。据章钰校，十二行本、乙十一行本皆无“至”字，今据删。［38］代：严衍《通鉴补》改作“岱”。［39］当自：原作“自当”。据章钰校，十二行本、乙十一行本二字皆互乙，今据改。

【语译】

太师王舜从王莽篡位以后，患了心悸，日益加重而死。

王莽为太子设置师、友各四人，俸禄比照大夫。任命原大司徒马宫等人为师疑、傅丞、阿辅、保拂，这是四师。任命原尚书令唐林等人为胥附、奔走、先后、御侮，这是四友。又设置师友、侍中、谏议、六经祭酒各一人，共有九位祭酒，秩禄都同上卿。

王莽派遣使者带上加盖皇帝印玺的诏书、官印、安车、驷马迎接龚胜，就家任命为师友祭酒。使者和郡太守、县长吏、三老、官属、行义、诸生共一千多人到龚胜的乡里转达诏书。使者想让龚胜起身出门迎接，长时间站立在龚胜家门外。龚胜说是病情危重，就在卧室西侧南窗之下安置床，头向东方，把朝服披盖在身上，拖着大带。使者送上诏书，呈上官印，献上安车、驷马，上前对龚胜说：“圣朝没有忘记您，典章制度尚未完备，等待您执掌国政，想听听您打算施政的意见，以便安定天下。”龚胜回答说：“臣向来愚昧，加之年老病重，命在旦夕，如果随您上路，必定死在途中，没有一点好处！”使臣便强行劝说，甚至把印绶佩戴在龚胜身上。龚胜推辞不接受。使臣上奏说：“正值盛夏炎热，龚胜生病，力气不足，可否等到秋凉时再

气[510]，可须秋凉乃发[511]？”有诏许之。使者五日壹与太守俱问起居[512]，为胜两子及门人高晖等言：“朝廷虚心待君以茅土之封[513]，虽疾病，宜动移[41]至传舍[514]，示有行意，必为子孙遗大业[515]。”晖等白使者语，胜自知不见听，即谓晖等：“吾受汉家厚恩，无以报。今年老矣，旦暮入地，谊[516]岂以一身事二姓，下见故主哉！”胜因敕[517]以棺敛丧事：“衣周于身，棺周于衣[518]。勿随俗动吾冢、种柏、作祠堂！”语毕，遂不复开口饮食。积十四日死。死时七十九矣。

是时清名[519]之士，又有琅琊纪逡[520]、齐薛方[521]、太原[522]郇越、郇相、沛[523]唐林、唐尊[524]，皆以明经[525]饬行[526]显名于世。纪逡、两唐皆仕莽，封侯，贵重，历公卿位。唐林数上疏谏正，有忠直节。唐尊衣敝、履空[527]，被虚伪名。郇相为莽太子四友，病死，莽太子遣使裞[528]以衣衾[529]，其子攀[530]棺不听，曰：“死父遗言：‘师友之送，勿有所受！’今于皇太子得托友官[531]，故不受也。”京师称之。莽以安车迎薛方，方因[532]使者辞谢曰：“尧、舜在上，下有巢、由[533]。今明主方隆唐、虞之德，小臣欲守箕山之节[534]。”使者以闻。莽说[535]其言，不强致[536]。

初，隃麋郭钦[537]为南郡[538]太守，杜陵蒋诩[539]为兖州[540]刺史，亦以廉直为名。莽居摄，钦、诩皆以病免官，归乡里，卧不出户，卒于家。哀、平之际，沛国[541]陈咸[542]以律令[543]为尚书。莽辅政，多改汉制，咸心非之。及何武、鲍宣死，咸叹曰：“《易》称‘见几而作，不俟终日’[544]，吾可以逝[545]矣！”即乞骸骨[546]去职。及莽篡位，召咸为掌寇大夫[547]。咸谢病[548]不肯应。时三子参、丰、钦[42]皆在位，咸悉令解官[549]归乡里，闭门不出入，犹用汉家祖腊[550]。人问其故，咸曰：“我先人岂知王氏腊乎！”悉收敛其家律令、书文，壁藏之。又，齐栗融、北海[551]禽庆、苏章、山阳[552]曹竟，皆儒生，去官，不仕于莽。

班固赞[553]曰：“春秋列国卿大夫及至汉兴将相名臣，怀禄[43]耽宠以失其世者多矣[554]，是故清节[555]之士，于是为贵。然大率[556]多能自治而不能治人。王、贡[557]之材，优于龚、鲍[558]。守死善

动身?”王莽下诏同意。使臣每隔五天就与太守一起去问候龚胜起居饮食，并向龚胜的两个儿子以及学生高晖等人说:“朝廷虚心地以封侯的礼仪对待龚老先生，他虽然身患疾病，也应当移动至旅店，显示有启程的意思；这样一定可为子孙后代留下爵邑。”高晖等人将使臣的话转告给龚胜，龚胜自己知道身不由己，就对高晖等人说:“我受汉家的厚恩，无以报答。现今年已衰老，早晚就要死了，在道义上，岂能以一身而侍奉两个不同姓的君王，这样到地府去见故主呢!”于是吩咐准备棺木、殡殓后事:“衣服只要包住身体就够了，棺材只要包住衣服就可。葬后，不可随俗动我的坟墓、种植柏树、修建祠堂!”说完话，便不再开口喝水吃饭，历时十四天而死。死时七十九岁。

当时的清名人士，又有琅琊人纪逡、齐郡人薛方、太原人郇越、郇相、沛人唐林、唐尊，都以通晓经学，谨慎行事而闻名于世。纪逡、唐林、唐尊都在新朝为官，被封侯爵，地位尊贵，深受敬重，历任公卿之职。唐林屡次上奏直言规劝，有忠直的节操。唐尊则身着破衣，脚穿破鞋，假冒俭朴，享受虚名。郇相是王莽太子王临的四友之一，病死后，太子派使臣赠送寿衣、寿被，郇相的儿子手扶着棺材拒绝接受，说:“父亲死前留有遗言:‘师友的馈赠，不可接受!’父亲对皇太子来说，居四友之官，故而不能接受。”京师人们称赞他。王莽用安车迎接薛方，薛方通过使臣婉谢说:“唐尧、虞舜在上位，下面就有巢父、许由。现在圣明的君主正在光大唐尧、虞舜的美德，小臣我想坚守许由隐居箕山那样的节操。”使臣禀报王莽。王莽很喜欢薛方的话，不再勉强征召来京。

当初，隃麋人郭钦任南郡太守，杜陵人蒋诩任兖州刺史，也以廉洁正直而闻名。王莽摄政时，郭钦、蒋诩都因病免除官职，回到家乡，卧病闭门不出，在家去世。在哀帝、平帝的时候，沛郡人陈咸因为通晓律令而被任命为尚书。王莽辅佐朝政，大量更改汉朝制度，陈咸内心很不满。等到何武、鲍宣死去，陈咸叹息说:“《易经》说:‘抓住时机，立即行动，不要错过时机。’我应该离开了!”就请求辞职退休。等到王莽篡位，征召陈咸任掌寇大夫。陈咸就称病谢绝，不肯答应。这时，他的三个儿子陈参、陈丰、陈钦都在当朝做官，陈咸命令他们都辞官回家，闭门不出，年终祭祀，还是沿用汉家祖腊。别人问他这样做的缘故，陈咸说:“我的祖先岂能知道王氏年终的腊祭呢!”他把家中所有的律令、书籍都藏在墙壁里。还有齐郡人栗融，北海郡人禽庆，苏章、山阳人曹竟，全是儒生，辞去官职，不仕于王莽。

班固评论说:“从春秋列国卿大夫一直到汉朝的将相名臣，留恋爵禄、沉迷于受宠而丧失自己的世代爵位继承的举不胜举，因而具有高洁节操的士人极为可贵。但是，大体上多数人能约束自己，而不能影响别人。王吉、贡禹的才能，

道[559]，胜实蹈焉[560]。贞而不谅[561]，薛方近之[562]。郭钦、蒋诩，好遁不污[563]，绝纪、唐矣[564]。”

是岁，濒河郡蝗生。

河决魏郡[565]，泛[566]清河[567]以东数郡。先是，莽恐河决为元城[568]冢墓害。及决东去，元城不忧水，故遂不堤塞[569]。

【段旨】

以上为第八段，写情操高洁的士人，拒绝出仕新朝，龚胜绝食而死，是威武不屈的榜样。也有一些士人，如纪逡、唐林、唐尊之流，入仕新朝。

【注释】

[482]病悸浸剧：得了心跳病，日益加重。病，作动词，患病。悸，心跳。浸，逐渐。剧，加剧，指病情恶化。[483]秩：俸禄。[484]是为四师：王莽为太子设置四师。以故大司徒马宫为师疑，故少府宗伯凤为傅丞，博士袁圣为阿辅，京兆尹王嘉为保拂。[485]唐林：字子高，西汉末曾为尚书令。新朝官至保成师友祭酒，封建德侯。[486]四友：王莽以故尚书令唐林为胥附，博士李充为奔走，谏大夫赵襄为先后，中郎将廉丹为御侮，这叫四友。[487]九祭酒：师友、侍中、谏议三祭酒与六经六祭酒，凡九祭酒。[488]奉玺书、印绶、安车、驷马：奉，捧着，此言手持。玺书，皇帝的文书。安车，可以坐乘的车。古车立乘，此车坐乘，故称安车。驷马，一车套四马。安车一般情况驾一马，对乘者以示优礼尊崇时用四马驾车，所谓安车驷马。[489]龚胜（公元前六八至公元一一年）：字君宾，楚国彭城（今江苏徐州）人，哀帝时征为谏大夫，后出任勃海太守。王莽秉政，归隐乡里。今征授师友祭酒，誓不仕二姓，不食而死。传见《汉书》卷七十二。[490]即拜：就家授予官职。即，作动词，就地。[491]县长吏：县的行政长官称令、长，其重要佐吏丞、尉等为长吏。[492]三老：乡官名，执掌一乡教化。[493]官属：主要官员的属吏。[494]行义：指有德行道义的人。[495]诸生：众儒生。[496]入胜里致诏：进入龚胜的住地乡里传达诏命。致，传达。[497]病笃：病情危重。[498]为：设置。[499]户西：门的西侧。[500]牖：窗。[501]东首加朝服拖绅：东首，头向东。加朝服，是说人躺卧在床上，把朝服披在身子上面。朝服，君臣朝会时或举行隆重典礼时所穿的礼服。拖绅，把束腰大带引拉到朝服上面。拖，引。绅，束在腰间的大带。《论语·乡党》：“（孔子）疾，君视之，东首，加朝服，拖绅。”龚胜仿

强过龚胜、鲍宣。坚守死节，弘扬正道，龚胜确实践行了。坚守正道，而不拘泥小信，薛方很接近。郭钦、蒋诩遁世归隐，不污志节，和纪逡、唐林、唐尊又完全不同。”

这一年，黄河旁边的各郡发生蝗灾。

黄河在魏郡决口，清河以东数郡泛滥成灾。在此之前，王莽生怕黄河决口给元城的祖坟造成危害。等到黄河决口，水向东泛滥，元城不担心水灾，因此决定不筑堤堵塞。

照孔子的做法应付王莽派来的使臣。㊿②奉：献上。㊿③内：通“纳”，进献。㊿④进谓胜曰：上前对龚胜说。㊿⑤制作：指礼乐等典章制度。㊿⑥为政：执掌国政。㊿⑦被：遭受。㊿⑧使君：对郡太守的尊称。㊿⑨要说：强行劝说。此言既逼迫，又劝说。要，逼迫。510少气：气不足。511可须秋凉乃发：等到秋天凉爽了，才可能动身。须，等待。512问起居：指问候身体安否。513茅土之封：指封为诸侯。古代天子社祭之坛以五色土建成，分封诸侯时，按封地所在方位，在天子社坛上取该方色土用白茅草包裹，谓之茅土，授予新封诸侯，带到封国立社。514传舍：供行人休息住宿的处所。即今之所谓旅馆。515遗大业：留下大产业，指爵位与封地。516谊：同“义”，道义。517敕：告诫。518衣周于身二句：此言衣不露身，棺不露衣。周，环绕。519清名：清美的声誉。520纪逡：字王思，新朝任谏议祭酒，封封德侯。521薛方：字子容，西汉末曾为郡掾祭酒。新朝隐居不仕，以经教授弟子。522太原：郡名，治所在今山西太原西南。523沛：郡名，治所在今安徽淮北市西北。524唐尊：字伯高，沛郡人，新朝任予虞、太傅，封平化侯。地皇四年，与王莽等同在渐台被农民军杀死。525明经：通晓经术。526饬行：行为谨慎。527衣敝、履空：身着破衣，脚穿破鞋。衣、履，均作动词用。敝，指破旧衣服。空，通“孔”，洞。528祱：赠给死者的衣被。529衾：被。530攀：抓住。531托友官：托身居四友之官。532因：通过。533巢、由：指巢父、许由。相传尧让天下给巢父，巢父不受；又让许由，许由也不接受，且逃隐箕山之下。尧又召许由为九州长，许由听后，感到这话脏了自己的耳朵，于是到颍水河边去洗耳。534箕山之节：指归隐的节操。箕山，山名，在今河南登封东南。相传巢父、许由隐居于此。535说：通“悦”。536不强致：不强行召辟。537郭钦：右扶风隃麋县（今陕西千阳东）人，哀帝时为丞相司直，平帝时迁南郡太守。王莽居摄，以病免官，卒于家。538南郡：郡名，治所在今湖北江陵。539蒋诩：字符卿，京兆尹杜陵县（今陕西西安东南）人，汉末为兖州刺史。王莽居摄，以病免官，卒于家。540兖州：州名，其地辖有今山东西南部和河南北部地区。541沛国：即沛郡。沛，西汉为郡，王莽时改称吾符郡，

东汉才为沛国。㊷陈咸：字子康，沛郡相县（今安徽淮北市西北）人，历任郡守，后征为少府。传附见《汉书》卷六十六《陈万年传》。㊸律令：法令。此指通晓法令。㊹易称二句：此指事物刚显示出的某种迹象。几，隐微。作，行动。俟，等待。终日，一天。此处引文，见《周易·系辞下》。㊺逝：离开。㊻乞骸骨：古代官吏自请退职称乞骸骨，意谓使骸骨得归葬故乡。㊼掌寇大夫：王莽新设官名，王莽设九卿，其中作士掌司法。每卿设三大夫，掌寇大夫当为作士属官。㊽谢病：以有病为由谢绝。㊾解官：辞去官职。㊿祖腊：祭名。祖，祭祀路神。腊，年终大祭。上古年终祭祀百神为蜡，祭祖先为腊。秦、汉以后，统称腊。[551]北海：郡名，治所在今山东安丘西北。[552]山阳：郡名，治所在今山东金乡西北。[553]赞：班固写《汉书》，于每篇纪、传、志之后有一段评论文字，称为"赞"。此下所录，为《汉书》卷七十二《王贡两龚鲍传》的赞语。[554]怀禄耽宠以失其世者多矣：此言很多人因为留恋爵禄、沉溺于恩宠，反而丧失了得到的地位，使其官位爵禄未能世代继承下去。耽宠，沉溺于受到的恩宠。世，继承。[555]清节：高洁的节操。[556]大率：大致。[557]王、贡：指王吉、贡禹。两人齐名，并称。[558]龚、鲍：龚有二人。《汉书》卷七十二记述两龚：一为龚胜，字君宾；一为龚舍，字君倩，皆通晓经术，有名节。鲍，指鲍宣。[559]守死善道：指坚持到死而不改变，使正道完善。语出《论语·泰伯》："子曰：笃信好学，守死善道。危邦不入，乱邦不居。"[560]胜实蹈焉：龚胜确是实际践行了。蹈，实践。

【原文】

四年（壬申，公元一二年）

春，二月，赦天下。

厌难将军陈钦、震狄将军王巡上言："捕得虏生口验问，言虏犯边者皆孝单于咸子角所为。"莽乃会诸夷，斩咸子登于长安市。

大司马甄邯死。

莽至明堂，下书："以洛阳为东都，常安为西都。邦畿连体[570]，各有采、任[571]。州从《禹贡》为九[572]。爵从周氏为五[573]。诸侯之员千有八百，附城[574]之数亦如之，以俟有功[575]。诸公一同[576]，有众万户，其余以是为差[577]。今已受封者，公侯以下凡七百九十六人，附城千五百一[44]十一人。以图簿[578]未定，未授国邑，且令受奉都内[579]，月钱数千。"诸侯皆困乏，至有佣作[580]者。

龚胜不受莽官，所以说他用行动实践了这些话。561 贞而不谅：语出《论语·卫灵公》："子曰：'君子贞而不谅。'" 意谓君子坚守节操，而不必拘泥于小信。贞，正直而有操守。谅，诚信。562 薛方近之：薛方实为坚守汉臣之节，口头上却誉莽为尧舜之君，说自己要效法巢、由守箕山之节。所以说他的行为接近于"贞而不谅"之义。563 好遁不污：意谓善于逃避，退归乡里，不仕莽朝，不使自己的节操被玷污。564 绝纪、唐矣：绝，超越。纪、唐，纪逡和唐林、唐尊。三人都是有清名而仕于莽朝的人。565 魏郡：郡名，治所在今河北临漳西南。566 泛：漫溢；泛滥。567 清河：郡名，治所在今河北清河县东南。568 元城：县名，县治在今河北大名东。王莽是魏郡元城县人。元城在黄河东岸，清河郡在其北面。河泛清河郡以东，所以元城王莽的祖坟未遭水害。569 堤塞：筑堤堵塞。

【校记】

[40] 即：原无此字。据章钰校，十二行本、乙十一行本皆有此字，今据补。[41] 动移：原作"移动"。据章钰校，十二行本、乙十一行本二字皆互乙，今据改。[42] 丰钦：原作"钦丰"。据章钰校，十二行本、乙十一行本、孔天胤本二字皆互乙，今据改。[43] 怀禄：原无此二字。据章钰校，十二行本、乙十一行本、孔天胤本皆有此二字，张敦仁《通鉴刊本识误》、张瑛《通鉴校勘记》同，今据补。

【语译】

四年（壬申，公元一二年）

春，二月，赦免天下。

厌难将军陈钦、震狄将军王巡上奏说："抓捕匈奴俘虏，经过审问，供认匈奴多次侵犯边境，都是孝单于栾提咸的儿子栾提角所为。"王莽于是召集在京的各族夷人，在长安闹市斩了栾提咸的儿子栾提登。

大司马甄邯去世。

王莽来到明堂，下诏书说："将洛阳定为东都，常安定为西都。邦畿相连为一体，受封的男女各有食邑。按照《禹贡》将全国分为九州。爵位依照周代分为公、侯、伯、子、男五等。诸侯的人数为一千八百名，附城的人数也是如此，以等待有功之人。所有公爵都是地方百里，一万户人家，其他爵位以此为等差。现在已经受封的，公侯以下共七百九十六人，附城一千五百一十一人。因为户籍地簿还没有确定，无法授给封国食邑，暂且向大司农所属都内府领受俸禄，每月支钱数千。"诸侯们都很贫困，甚至有替人帮工的。

莽性躁扰[581]，不能无为，每有所兴造，动欲慕古，不度[582]时宜，制度又不定。吏缘为奸，天下謷謷[583]，陷刑者众。莽知民愁怨，乃下诏："诸食王田，皆得卖之，勿拘以法[584]。犯私买卖庶人者，且一切[585]勿治。"然他政悖乱[586]，刑罚深刻[587]，赋敛重数[588]，犹如故焉。

初，五威将帅出西南夷[589]，改句町王为侯，王邯[590]怨怒不附[591]。莽讽牂柯[592]大尹周歆诈杀邯。邯弟承[593]起兵杀歆，州郡击之，不能服。莽又发高句骊兵击匈奴。高句骊不欲行，郡强迫之[45]，皆亡出塞，因犯法为寇。辽西[594]大尹田谭追击之，为所杀。州郡归咎[595]于高句骊侯驺[596]，严尤奏言："貊[597]人犯法，不从驺起，正有他心[598]，宜令州郡且尉[599]安之。今猥被[600]以大罪，恐其遂畔[601]，夫馀之属必有和[602]者。匈奴未克，夫馀、濊貊[603]复起，此大忧也。"莽不尉安，濊貊遂反。诏尤击之。尤诱高句骊侯驺至而斩焉，传首[604]长安。莽大说，下书[46]更名高句骊为下句骊。于是貊人愈犯边，东、北与西南夷皆乱。莽志方盛，以为四夷不足吞灭，专念稽古[605]之事，复下书："以此年二月东巡狩，具礼仪调度[606]。"既而以文母太后体不安，且止待后。

初，莽为安汉公时，欲谄太皇太后，以斩郅支[607]功奏尊元帝庙为高宗，太后晏驾[608]后，当以礼配食[609]云。及莽改号太后为新室文母，绝之于汉，不令得体元帝[610]，隳[611]坏孝元庙，更为文母太后起庙。独置孝元庙故殿以为文母篹食堂[612]，既成，名曰长寿宫，以太后在，故未谓之庙。莽置酒长寿宫，请太后。既至，见孝元庙废彻涂地[613]，太后惊泣曰："此汉家宗庙，皆有神灵，与何[614]治而坏之！且使鬼神无知，又何用庙为[615]！如令有知，我乃人之妃妾，岂宜辱帝之堂以陈馈食哉！"私谓左右曰："此人慢[616]神多矣，能久得祐[617]乎！"饮酒不乐而罢。自莽篡位后，知太后怨恨，求所以媚太后[47]，无不为，然愈不说。莽更[618]汉家黑貂著黄貂[619]。又改汉正朔、伏腊日[620]。太后令其官属黑貂。至汉家正、腊日，独与其左右相对饮食。

王莽性情急躁好动，不能无所作为，每做一件事，总是仰慕古代，不考虑是否适合当时的需要，而制度又不能确定。贪官污吏加以利用，为非作歹，天下怨声载道，犯罪的人很多。王莽知道百姓愁苦怨恨，便下诏说："国家土地，都可以变卖，不要受法律约束。违法私自买卖平民的，一律暂且不追究。"但是，其他政令混乱，刑罚严苛，赋税繁重，还是和过去一样。

当初，五威将帅出使西南夷，将句町王改为侯，句町王邯怨恨愤怒而不服从。王莽示意牂柯郡大尹周歆采取欺骗手段杀死了句町王邯。邯的弟弟承起兵杀死周歆，新室州郡发兵攻打承，未能降服。王莽又征调高句丽的军队进攻匈奴。高句丽不愿去，由于郡府强迫，全都逃出边界，乘机犯法为寇。辽西大尹田谭追击他们，被他们杀害。州郡官府把罪责归在高句丽侯驺的身上，严尤上奏说："貊人犯法，不是从驺开始的，即使驺别有用心，也应当命令州郡暂且去安抚他们。现在突然加以重大罪名，恐怕促成他们叛变，而夫馀等部族一定会有附和的。匈奴没有平定，夫馀、濊貊又兴起，这是很大的忧患。"王莽不加安抚，濊貊于是反叛。王莽下诏令严尤攻打他们。严尤引诱高句丽侯驺到来，将他斩首，将首级传送到长安。王莽很高兴，下诏书将高句丽改名为下句骊。如此一来，貊人更加侵犯边境，东部、北部和西南的各蛮夷都作乱了。王莽开始得意起来，认为四方蛮夷不值得去并吞消灭，专心考究古事，又下诏说："在本年二月，我要到东方巡视，有关部门需把礼仪程序开列安排出来。"不久，因为文母太后身体不适，暂缓出发。

当初，王莽为安汉公时，想讨好太皇太后，借口斩杀匈奴郅支单于的功劳，上奏尊称汉元帝庙为高宗，太皇太后去世后，祭祀时应依礼配享。等到王莽将太后的名号改为新室文母，表示与汉朝断绝关系以后，不让她跟元帝为一体享受汉王朝的祭祀，毁坏孝元庙，另为文母太后建庙。仅保留孝元庙的一个旧殿作为文母放置膳具之堂，建成之后，称为长寿宫，因为太后健在，所以没有称为庙。王莽在长寿宫设置酒会，宴请太后。太后到了之后，看到孝元庙彻底损毁，散落于地，她大为惊骇，哭着说："这是汉家宗庙，都有神灵，为什么定要毁坏它！假若鬼神无知，又何必要建庙呢！若鬼神有知，我是他的妻子，岂能侮辱元帝的庙堂用来陈设祭食呢！"她私下对侍从说："这个人轻慢神灵多了，能长久获得神灵的保佑吗！"酒宴在不愉快中结束。王莽从篡权后，知道太后心怀怨恨，因此用尽一切可以讨好太后的手段，然而太后更加不高兴。王莽改汉家宫廷黑貂服装为黄貂服装。又更改了汉朝历法，以及伏祭、腊祭的日期。太后命令她的下属仍旧穿黑貂服装。甚至在汉朝元旦和祭祀百神之日，独自和身旁的侍从聚餐。

【段旨】

以上为第九段，写王莽复古，倒行逆施，好大喜功而又轻狂，边衅四起。又贬损汉家，触怒太皇太后王政君。

【注释】

⑰0 邦畿连体：指两京西京长安、东都洛阳连片成一整体。邦畿，王畿，指东、西都地区。连体，连成一个整体。⑰1 采、任：采，男性在王畿内的封地。任，女性在王畿内的封地。⑰2 州从《禹贡》为九：州的设置仿照《禹贡》的记载分为九州。《尚书·禹贡》记载的九州为：冀、兖、青、徐、扬、荆、豫、梁、雍。⑰3 爵从周氏为五：封爵依照周代分封诸侯，分为公、侯、伯、子、男五等。⑰4 附城：爵位名。王莽改关内侯名为附城。⑰5 以俟有功：意谓目前未足其数，等待着有功的人享受封爵。⑰6 同：土地纵横各一百里为同。⑰7 其余以是为差：指侯、伯、子、男等爵位以此为差等。侯、伯有众五千户，土地纵横各七十里；子、男有众二千五百户，土地纵横各五十里。附城也分为五等，大者有众九百户，土地九成（土地纵横各十里为一成）；每降一等，减众二百户，减土地二成。⑰8 图簿：地图和户籍。⑰9 受奉都内：此言暂从朝廷国库领取俸禄。奉，通“俸”，俸禄。都内，都城的内库。⑱0 佣作：受雇为人工作。⑱1 躁扰：急躁好动。⑱2 度：考虑；估量。⑱3 謷謷：众人愁怨的声音。⑱4 勿拘以法：不要受法令的约束。实际是宣布废除不准买卖王田的法令。拘，拘泥。⑱5 一切：一概；一律。⑱6 悖乱：混乱。⑱7 深刻：严峻苛刻。⑱8 赋敛重数：赋税沉重频繁。⑱9 西南夷：秦、汉时期对居住在巴郡、蜀郡以西以南地区，当今四川成都西北、西南，以及云南、贵州两省，广西西部等广大地区各少数民族的总称。⑲0 王邯：句町王名叫邯。⑲1 附：归服；顺从。⑲2 牂柯：郡名，治所在今贵州

【原文】

五年（癸酉，公元一三年）

春，二月，文母皇太后崩，年八十四，葬渭陵[621]，与元帝合[622]，而沟绝之[623]。新室世世献祭其庙，元帝配食，坐于床下[624]。莽为太后服丧三年。

乌孙[625]大、小昆弥[626]遣使贡献。莽以乌孙国人多亲附小昆弥，见匈奴诸边并侵，意欲得乌孙心，乃遣使者引小昆弥使坐大昆弥使上。师友祭酒满昌[627]劾奏使者曰：“夷狄以中国有礼谊，故诎[628]而服从。大

凯里西。593 承：邯弟名。594 辽西：郡名，治所在今辽宁义县西南。595 归咎：归罪。596 驺：人名，高句丽侯王。597 貊：通“貊”。古称居于东北地区的民族。598 正有他心：即使有二心。正，即使。599 尉：通“慰”，安抚。600 猥被：多加。601 畔：通“叛”，反叛。602 和：响应。603 濊貊：亦作“秽貊”，我国古代东北地区少数民族名。604 传首：传送首级。605 稽古：稽考古道。606 具礼仪调度：开列礼仪程序和具体安排。具，陈述；开列。调度，指具体安排。607 郅支：匈奴单于名号，匈奴呼韩邪单于之兄，名呼屠吾斯。汉宣帝五凤元年（公元前五七年），匈奴五单于争立，呼屠吾斯时为左贤王，于东部地区自立为郅支骨都侯单于。后来西走西域，侵扰汉之西陲。元帝建昭三年（公元前三六年），为西域都护所杀。608 晏驾：车驾晚出。古为帝王死亡的讳称。609 配食：祭祀时配享。610 不令得体元帝：此言不使元后能与元帝一体享受汉王朝的祭祀。体，一体。指夫妇关系密切，犹如一个整体。611 隳：毁坏；拆毁。612 篹食堂：陈设餐具食品的厅堂。613 废彻涂地：指彻底毁坏不可收拾。废彻，损毁。614 与何：为什么。与，为。615 为：语气助词。用于句末，表示疑问或反诘语气。616 慢：轻慢。617 祐：神灵保佑。618 更：改变。619 貂：动物名，皮毛极为轻暖，为贵重裘料。汉制，侍中、宦官之冠皆以黑貂尾为装饰物。620 伏腊日：伏祭和腊祭的日期。伏祭在夏天伏日，腊祭在农历十二月。

【校记】

［44］一：原作“五”。据章钰校，十二行本、乙十一行本、孔天胤本皆作“一”，今据改。［45］之：原无此字。据章钰校，十二行本、乙十一行本、孔天胤本皆有此字，张敦仁《通鉴刊本识误》、张瑛《通鉴校勘记》同，今据补。［46］下书：原无此二字。据章钰校，十二行本、乙十一行本、孔天胤本皆有此二字，张瑛《通鉴校勘记》同，今据补。［47］后：此下原有“者”字。据章钰校，十二行本、乙十一行本皆无“者”字，今据删。

【语译】

五年（癸酉，公元一三年）

春，二月，文母皇太后王政君去世，享年八十四岁，安葬在渭陵，与汉元帝合葬，中间用一条沟分开。规定新朝世世代代祭奠文母寝庙，汉元帝配享，汉元帝的牌位安放在太后神主几案下面。王莽为太后守丧三年。

乌孙国大、小昆弥派使者来朝贡。王莽认为乌孙国的人大多亲附小昆弥，又看到匈奴的那些边境都受到侵掠，就想博得乌孙人的欢心，于是派使臣带领小昆弥的使者坐在大昆弥使者的上位。师友祭酒满昌上奏弹劾使臣说：“夷狄因为中国具有礼

昆弥，君也。今序㉙臣使于君使㉚之上，非所以有㉛夷狄也。奉使大不敬㉜！”莽怒，免昌官。

西域诸国以莽积失㉝恩信，焉耆㉞先叛，杀都护但钦。西域遂瓦解。

十一月，彗星出。二十余日，不见。

是岁，以犯[48]挟铜炭者多，除其法。

匈奴乌珠留单于㉟死，用事大臣右骨都侯须卜当㊱，即王昭君女伊墨居次㊲云㊳之婿也。云常欲与中国和亲，又素㊴与于[49]栗置支侯㊵咸厚善，见咸前后为莽所拜，故遂立咸为乌累若鞮单于。乌累单于咸立，以弟舆㊶为左[50]谷蠡王㊷。乌珠留单于子苏屠胡㊸本为左贤王，后更谓之护于㊹，欲传以国。咸怨乌珠留单于贬己号㊺，乃贬护于为左屠耆王㊻。

【段旨】

以上为第十段，写汉太皇太后逝世，西域背叛新朝。

【注释】

㉑渭陵：元帝墓地，在今陕西西安西北。㉒与元帝合：把王政君与元帝合葬在一起。合，合葬。㉓沟绝之：挖沟把元帝冢与王政君冢隔开。王莽不欲王政君与元帝合葬，故有此恶行。㉔坐于床下：王莽把汉元帝的神主放在王政君神主的几案下为陪衬。坐，放置。床，放置神主的几案。㉕乌孙：西域国名，其地在今新疆西部伊犁河一带。㉖昆弥：又作“昆莫”，乌孙王的名号。汉宣帝时始立大、小两昆弥，分治乌孙地。㉗满昌：颍川郡人，成、哀时为詹事。新朝为师友祭酒。㉘诎：屈服。㉙序：排列次序。㉚臣使于君使：〖按〗大昆弥、小昆弥，犹称大王、小王，大、小昆弥分治乌孙地，并非一君一臣。㉛有：通“友”，友好。㉜大不敬：重罪名。臣民不敬皇帝为大不敬。㉝积失：多失。㉞焉耆：西域国名，其地在今新疆焉耆回族自治县一带。㉟乌珠留单于：呼韩

义，因此委屈服从。大昆弥是国君。现在把臣子使者排列在国君使者之上，这不是与夷狄友好的做法。接待的使臣犯了大不敬之罪！”王莽大怒，罢免了满昌的官职。

西域各国因为王莽多次失去恩德信义，焉耆国首先背叛，杀死西域都护但钦。西域和新室的关系便瓦解了。

十一月，出现彗星。二十余天后，没有出现。

这一年，因为犯了私藏铜、炭的人太多，就废除了这项法令。

匈奴乌珠留单于去世，执事大臣右骨都侯须卜当，是王昭君的女儿伊墨居次云的丈夫。云常想与中国和亲相好，又一向和于栗置支侯咸很友好，看到咸被王莽前后任官，所以就立咸为乌累若鞮单于。乌累单于咸即位后，任命弟弟舆为左谷蠡王。乌珠留单于的儿子苏屠胡原是左贤王，后来改称为护于，想把国政传给他。咸怨恨乌珠留单于贬低自己的称号，就将护于苏屠胡贬为左屠耆王。

邪子，名囊知牙斯。成帝绥和元年（公元前八年）立为单于。636 须卜当：右骨都侯之名。637 居次：女子名号，犹汉人所称公主。638 云：王昭君之女名。639 素：一向。640 于栗置支侯：匈奴官号名。641 舆：乌累单于之弟名，全称为栾提舆。642 左谷蠡王：匈奴官号名。643 苏屠胡：乌珠留单于子之名。644 护于：匈奴官号名，乌珠留单于在位时，先后死了几位左贤王，乌珠留单于以为其号不祥，便把左贤王改名为护于。护于为最尊贵官职，日后将继任单于之位。645 贬己号：始建国三年，咸由右犁污王降为低级之官于栗置支侯。646 左屠耆王：匈奴官名，即左贤王。匈奴称贤为屠耆。

【校记】

［48］犯：原无此字。据章钰校，十二行本、乙十一行本、孔天胤本皆有此字，今据补。［49］于：原作“伊”。据章钰校，十二行本、乙十一行本皆作“于”，张瑛《通鉴校勘记》同，今据改。［50］左：原作“右”。据章钰校，十二行本、乙十一行本皆作“左”，今据改。

【原文】

天凤元年（甲戌，公元一四年）

春，正月，赦天下。

莽下诏："将以是岁四仲月遍行巡狩之礼，太官[647]赍糒、干肉，内者行张坐卧[648]，所过毋得有所给[649]。俟毕北巡狩之礼，即于土中[650]居洛阳之都。"群公奏言："皇帝至孝，新遭文母之丧，颜色未复[651]，饮食损少。今一岁四巡，道路万里，春秋尊[652]，非糒、干肉之所能堪。且无巡狩，须阕大服[653]，以安圣体。"莽从之，要期[654]以天凤七年巡狩。厥明年，即土之中，遣太傅平晏、大司空王邑之洛阳营相宅兆[655]，图起宗庙、社稷[656]、郊兆[657]云。

三月壬申晦[658]，日有食之。大赦天下。以灾异策大司马逯并就侯氏朝位[659]，太傅平晏勿领[660]尚书事。以利苗男䜣[661]为大司马。莽即真，尤备大臣[662]，抑夺下权[663]，朝臣有言其过失者，辄拔擢。孔仁[664]、赵博[665]、费兴[666]等以敢击大臣[667]，故见信任，择名官而居之。国将哀章颇不清[668]，莽为选置和叔[669]。敕曰："非但保国将闺门[670]，当保亲属在西州[671]者。"诸公皆轻贱[672]，而章尤甚[673]。

夏，四月，陨霜[674]杀草木，海濒尤甚[675]。六月，黄雾四塞[676]。秋，七月，大风拔树，飞北阙直城门[677]屋瓦。雨雹，杀牛羊。

莽以《周官》[678]《王制》[679]之文，置卒正、连率、大尹，职如太守。又置州牧[680]、部监[681]二十五人[682]。分长安城旁六乡，置帅各一人。分三辅为六尉郡[683]。河内、河东、弘农[684]、河南、颍川、南阳为六队郡[685]。更名河南大尹曰保忠信卿。益河南属县满三十，置六郊州长各一人，人主五县。及他官名悉改。大郡至分为五，合百二十有五郡。九州之内，县二千二百有三。又仿古六服[686]为惟城、惟宁、惟翰、惟屏、惟垣、惟藩，各以其方[687]为称，总为万国[688]焉。其后，岁复变更，一郡至五易名，而还复其故。吏民不能纪，每下诏书，辄系其故名[689]云。

匈奴右骨都侯须卜当、伊墨居次云劝单于和亲，遣人之西河[51]虎猛制虏塞[690]下，告塞吏曰[52]："欲见和亲侯。"和亲侯者，王昭君兄子

【语译】

天凤元年（甲戌，公元一四年）

春，正月，赦免天下。

王莽下诏说："将在今年四个季度的第二个月周游天下，行巡狩之礼，太官准备干粮干肉，内者令准备帐篷及坐卧用具，巡狩经过的地方不准提供供给。等到结束北方巡视之礼，就停留在四方之中的洛阳都城。"众大臣上奏说："皇帝非常孝顺，最近又逢文母的丧事，容颜没有恢复，饮食减少。现在一年四次巡行，路程万里，年岁已高，不是干粮干肉所能支持得了的。暂且不要巡狩，待三年丧服期满，以保重身体。"王莽同意了，约定时间在天凤七年巡狩。第二年，在全国四方的中心洛阳城，派遣太傅平晏、大司空王邑前往勘察基地区域，绘图建造宗庙、社稷、祭坛。

三月三十日壬申，发生日食。大赦天下。因为灾异之故，王莽下策书命大司马逯并以侯爵就朝位，太傅平晏不再兼尚书事。任命利苗人王祈为大司马。王莽正式登上帝位后，尤为防备大臣，限制、剥夺臣下的权力，朝中之臣有说大臣过失的，就加以提拔。孔仁、赵博、费兴等人由于敢于攻击大臣，因而获得信任，选择名声大的官职让他们担任。国将哀章很不清廉，王莽特意为他设置了和叔的官位。敕令说："不但要保住国将的家门，还要护住他在西州的亲属。"诸公都被王莽轻视，哀章更被瞧不起。

夏，四月，降霜冻死了草木，沿海格外厉害。六月，黄雾弥漫。秋，七月，大风将树连根拔起，刮走了北阙直城门屋上的瓦。下冰雹，击死牛羊。

王莽按照《周官》《王制》的文字，设置卒正、连率、大尹，职务如同太守。又设置州牧、部监二十五人。把长安城郊划分为六个乡，每乡设置乡帅一人。把三辅划分为六个尉郡。把河内郡、河东郡、弘农郡、河南郡、颍川郡、南阳郡作为六个队郡。改称河南大尹为保忠信卿。把河南郡属县增加到三十个，设置六郊州长各一人，每人管辖五个县。还有别的官名也全都更改。大的郡甚至分为五个郡，全国共计一百二十五个郡。九州之内，共有二千二百零三县。又仿照古制六服，将国土分为惟城、惟宁、惟翰、惟屏、惟垣、惟藩等六个区域，各自按其方位称呼，总计是一万封国。此后，每年又有变动，一个郡甚至改了五次名称，最后，又回复它原来的名称。官民不能记住，每次下诏书，总要在新名之下加上旧名。

匈奴右骨都侯须卜当、伊墨居次云鼓动单于栾提咸与中国和亲，栾提咸派人到西河郡虎猛县制虏塞下，告诉边塞官吏说："匈奴单于想见和亲侯。"和亲侯，就是王

歙[691]也。中部都尉[692]以闻，莽遣歙、歙弟骑都尉、展德侯飒使匈奴，贺单于初立，赐黄金、衣被、缯帛。绐言侍子登在[693]，因购求陈良、终带等。单于尽收陈良等二十七人，皆械槛[694]付使者，遣厨唯姑夕王富[695]等四十人送歙、飒。莽作焚如之刑[696]，烧杀陈良等。

缘边大饥，人相食，谏大夫[697]如普行边兵还[698]，言“军士久屯寒苦，边郡无以相赡[699]。今单于新和，宜因是罢兵。”校尉韩威进曰：“以新室之威而吞胡虏，无异口中蚤[700]虱。臣愿得勇敢之士五千人，不赍斗粮，饥食虏肉，渴饮其血，可以横行！”莽壮[701]其言，以威为将军。然采普言，征还诸将在边者，免陈钦等十八人，又罢四关镇都尉诸屯兵。

单于贪莽赂遗，故外不失汉故事，然内利寇掠[702]。又使还，知子登前死，怨恨，寇虏[703]从左地入不绝。使者问单于，辄曰：“乌桓与匈奴无状黠民[704]共为寇入塞，譬如中国有盗贼耳！咸初立持国[705]，威信尚浅，尽力禁止，不敢有二心！”莽复发军屯。

益州蛮夷愁扰，尽反，复杀益州大尹程隆[53]。莽遣平蛮将军冯茂发巴、蜀、犍为[706]吏士，赋敛取足于民，以击之。

莽复申下[707]金、银、龟、贝之货，颇增减其贾直，而罢大、小钱，改作货布、货泉[708]二品并行。又以大钱行久，罢之恐民挟不止，乃令民且独行大钱。尽六年，毋得复挟大钱矣。每壹[54]易钱，民用[709]破业而大陷刑。

【段旨】

以上为第十一段，写王莽随意更改制度，变更官名、行政区划，屡变货币，民不堪命。对外四夷也无诚信，边患不断。新朝内外交困。

昭君的侄子王歙。中部都尉奏报朝廷，王莽派王歙与王歙的弟弟骑都尉、展德侯王飒出使匈奴，恭贺栾提咸登基，赏赐黄金、衣服、被褥、缯帛。欺骗说侍子栾提登还在世，并趁机悬赏寻找陈良、终带等人。单于栾提咸就把陈良等二十七人全部逮捕，都拘系于囚车，交给中国使者，派遣厨唯姑夕王栾提富等四十人护送王歙、王飒回国。王莽制造烧死人的刑罚，烧死了陈良等人。

北方边境地区发生严重饥荒，人吃人。谏大夫如普巡察边境部队回到京师，建议说："军士长期在寒苦的边境戍守，边郡没有办法供应。现单于刚刚与我们和好，应当趁此机会撤军。"校尉韩威进言说："以新朝的威严，吞并匈奴，就如同吃掉口里的跳蚤虱子一样。臣愿意求得勇敢的士兵五千人，不携带一斗粮食，饿了就吃胡虏的肉，渴了就喝胡虏的血，能在匈奴境内横冲直撞！"王莽觉得他的话很豪壮，任命韩威为将军。然而，王莽采纳了如普的建议，调回在边境的将士，免去陈钦等十八人的职务，又撤回四关镇都尉的那些屯兵。

匈奴单于贪图王莽赠送的财物，因此在表面上仍保持对汉朝原有的礼节，但是心里却以侵掠为利。同时，匈奴使者从中国回去后，知道单于的儿子栾提登早已死去，栾提咸单于十分怨恨，便不断地从左地一带入侵边境。王莽使者质问栾提咸单于，单于就回答说："乌桓勾结匈奴中的无赖奸猾入盗边境，就同中国有强盗一样！我栾提咸刚刚即位主持国政，威信尚浅，尽力禁止，不敢有二心！"王莽重新派军队到边地驻守。

益州蛮夷因为愁苦困扰，全都反叛，又把益州大尹程隆杀了。王莽派平蛮将军冯茂征发巴郡、蜀郡、犍为等郡地方的官兵，就地从民间征收粮饷，用来攻击叛乱的蛮夷。

王莽重新申令推行金、银、龟、贝等货币，仅仅调整了大小的价值，废除了大钱、小钱，更改为货布、货泉两种货币一并流通。又因为大钱流通已久，一旦废除又担心无法禁止人民携带，就允许大钱暂时通用。以六年为期，六年以后禁止使用。每改变一次货币，百姓便因此而破产，大批民众陷于刑狱。

【注释】

⑥⑦太官：官名，太官令的省称。属少府，执掌皇帝膳食及燕享等事。⑥⑧内者行张坐卧：内者令准备帐篷及坐卧用具。内者，官名，内者令的省称。属少府，执掌宫廷所需被褥席帐等物。行，指在巡狩途中。张，陈设。坐卧，指坐卧之具。⑥⑨所过毋得有所给：沿途经过的地方不要供给费用。⑥⑩土中：四方之中。古以洛阳为天下之中。王莽诏书所述巡狩四方的顺序，是东、南、西、北。所以结束北方巡狩之后，即停留在中土东都洛

阳。⑥⑤①颜色未复：谓王莽忧伤，脸色戚容仍在，没有恢复。复，恢复。⑥⑤②春秋尊：指年纪大。⑥⑤③阕大服：指为王太后服丧三年事毕。阕，事毕。⑥⑤④要期：约定日期。⑥⑤⑤王邑之洛阳营相宅兆：王邑前往洛阳，选择兴建宫殿的基地。之，作动词，往。营，办理。相，勘察。宅，指宫殿、宗庙、陵墓等的用地。兆，区域。⑥⑤⑥社稷：土神和谷神。此指社稷坛，即祭祀土神和谷神的处所。⑥⑤⑦郊兆：祭祀天地的地方。古于京城郊外祭祀天地，所以称祭祀天地为郊。⑥⑤⑧壬申晦：三月三十日。⑥⑤⑨就侯氏朝位：意谓免去其大司马之职，按照侯爵的身份参加朝会。当时，逯并为同风侯。⑥⑥⓪领：以高级官职兼任低级官职。领尚书事，兼任尚书事务。⑥⑥①䜣：王䜣。⑥⑥②莽即真二句：王莽正式即位为真皇帝，尤其防备大臣，忧心步自己的后尘。备，防备。⑥⑥③抑夺下权：限制、剥夺臣下之权。⑥⑥④孔仁：后任捕盗将军、司命。地皇四年（公元二三年），被农民军打败后自杀。⑥⑥⑤赵博：所任官职不详。地皇四年，与王莽等同在渐台被农民军杀死。⑥⑥⑥费兴：后任大司马司允、荆州牧。因触怒王莽被免官。⑥⑥⑦击大臣：弹劾、揭发大臣。⑥⑥⑧颇不清：很不清廉、清白。⑥⑥⑨和叔：王莽新设官名。⑥⑦⓪闺门：内室之门，此指家门。⑥⑦①西州：指哀章的家乡广汉郡（治所在今四川广汉北）。⑥⑦②轻贱：轻视；瞧不起，此为被动用法。⑥⑦③章尤甚：哀章最被王莽轻视。⑥⑦④陨霜：降霜。⑥⑦⑤海濒尤甚：沿海地区降霜尤其严重。⑥⑦⑥四塞：到处充塞。塞，充塞；充满。⑥⑦⑦北阙直城门：未央宫北面的正门。长安城十二门，每面三门。西面三门，自南向北依次为章城门、直城门、雍门。⑥⑦⑧《周官》：即《周礼》。⑥⑦⑨《王制》：《礼记》篇名。⑥⑧⓪州牧：官名，州的最高行政长官。⑥⑧①部监：官名，即州部刺史。西汉地方行政区划分为郡（国）、县两级。全国郡县分隶十三州，但州不是一级行政机构，只是由中央派遣监察御史与丞相史行郡监察。武帝时，改置十三部州刺史，每州刺史一人，上受中央御史中丞领导，负责监察一州郡国。后曾改刺史为州牧，又曾改州牧为刺史。王莽托古改制，同时并置州牧和刺史（称部监）。⑥⑧②二十五人：部监员数。部监每人负责五郡，全国共计一百二十五郡。⑥⑧③六尉郡：京尉郡辖渭城等十县，其地在今陕西西安西北。师尉郡辖高陵等十县，其地在今西安东北。翊尉郡辖新丰等十县，其地在今西安东。光尉郡辖霸陵等十县，其地在今西安南。扶尉郡辖茂陵等十县，其地在今西安西。列尉郡辖长陵等十县，其地在今西安北。⑥⑧④弘农：郡名，治所在今河南灵宝北。⑥⑧⑤六队郡：王莽所设的六个行政区，改郡称队，分为前、后、左、右、兆、祈六队。南阳为前队，河内为后队，颍川为左队，弘农为右队，河东为兆队，荥阳为祈队。队置大夫，职如郡太守；置属正，职如郡都尉。⑥⑧⑥六服：周代王畿以外的诸侯邦国，依其距京师远近，分为六个等次，称六服，由近而远为侯、甸、男、采、卫、蛮。王莽托古改制，也行六服之制。《汉书·王莽传》："公作甸服，是为惟城；诸在侯服，是为惟宁；在采、任诸侯，是为惟翰；在宾服，是为惟屏；在揆文教，奋武卫，是为惟垣；在九州之外，是为惟藩。"王莽所制名仍据《诗经·板》："介人惟藩，大师惟垣。大邦惟屏，大宗惟翰。怀德惟宁，宗子惟城。"⑥⑧⑦方：地区。此言各服都按它的所在地区确定名称。⑱ 万国：意为天下。⑲ 系其故名：如说“新平，故淮阳”“陈定，故梁都”“治亭，故东郡”等。系，附带。⑳ 西河虎猛制虏塞：西河，郡名。虎猛，县名，属西河郡。县治在今内蒙古伊金霍洛旗西南。制虏塞，塞名，属虎猛县。㉑ 歙：王歙，汉末官长水校尉，曾几次出使匈奴。㉒ 中部都尉：都尉为郡的武职，执掌一郡军事。武帝以后，为加强对新辟地区少数民族的统治，往往于边郡分部设置都尉。据《汉书·地理志》，西河郡设有南、北、西三部都尉和属国都尉，未设中部都尉。此中部都尉，或王莽所设。㉓ 绐言侍子登在：欺骗匈奴单于说作为质子的栾提登还活着，栾提登是匈奴单于栾提咸的儿子。绐，欺骗。侍子，古代属国之王或诸侯遣子入朝陪侍天子，所遣之子称侍子。㉔ 槭槛：拘系于囚车。㉕ 厨唯姑夕王富：厨唯姑夕王，匈奴官号名。富，人名，厨唯姑夕王之名。㉖ 作焚如之刑：制作用火将人烧死的酷刑。焚如，语出《周易·离卦》。㉗ 谏大夫：官名，光禄勋属官，执掌论谏。㉘ 如普行边兵还：如普巡视边兵回到京城。如普，人名，时任谏大夫。行，巡视。㉙ 相赡：供给。㉚ 蚤：跳蚤。㉛ 壮：意动用法，认为豪壮。㉜ 利寇掠：贪图侵犯劫掠。㉝ 寇虏：犹“寇掠”。㉞ 无状黠民：指行为丑恶不善的狡猾之民。㉟ 持国：主持国政。㊱ 犍为：郡名，治所在今四川宜宾西南。㊲ 复申下：重申推行新朝货币。下，推行。㊳ 货布、货泉：两种货币名，货布重二十五铢，值二十五钱，其文右为“货”，左为“布”。货泉重五铢，值一钱，其文右为“货”，左为“泉”。㊴ 用：因此。

【校记】

［51］西河：原作“西”，今据严衍《通鉴补》改作“西河”。［52］曰：原作“云”。据章钰校，十二行本、乙十一行本、孔天胤本皆作“曰”，今据改。［53］程隆：原作“程降”。据章钰校，十二行本、乙十一行本、孔天胤本皆作“程隆”，张瑛《通鉴校勘记》同，今据改。［54］壹：原作“一”。据章钰校，十二行本、乙十一行本、孔天胤本皆作“壹”，今据改。按，二字通。

【研析】

本卷集中载述王莽前期统治，推行改革的闹剧，给全社会带来混乱与灾难，导致新朝短命灭亡。王莽改革，分为政治、经济、文化三个层面来说。

王莽的政治改革。王莽出于“革汉立新，废刘兴王”的目的，大肆更张汉朝制度，大力推行新朝制度。但王莽的改革既没有整顿吏治，更没有创建新的国家制度，也没有起用贤人治国，有何善政可言？王莽的政治改革，只是改官名、地名、变更周边民族归附汉朝的封章和名号，这样的三大改革内容，完全是在形式上玩文字游戏，生事扰民的一场闹剧。王莽改变原有的官名，如大司农称羲和、纳言，少府称共工，太守称大尹，县令县长称宰等，名称极为复杂，而职能仍是汉制，没有丝毫触动。王莽改地名，重新划分行政区，改汉十三州为九州，增设郡、县，全国共九个州，一百二十五个郡，一千二百零三个县，比西汉增加二十二个郡，增加六百一十五个县。王莽又恢复古代周制的五等封爵，滥加封赏，设立一千八百个封国。有的地名年年变更，甚至一郡五易其名，最后又回到了原来的名称。

王莽改官名、地名，要消除一切带汉的字眼，想要以这种方式强制人民忘掉汉朝，一下子弄得语言很混乱，全社会各阶层的人都感到很不方便。在改变官名和改变行政区划的过程中，王莽滥用无行无德的歌功颂德之徒，打击忠于汉朝和反对新政权的官吏。所以王莽的政治改革只是一场权力的重新分配，没有一丝治国爱民、整顿官吏、淳化风俗的内容，除了扰民乱政外，没有任何积极意义，完全失败了。

王莽对周边民族，改变他们的王号名称，用新印换旧印，消除汉朝的痕迹，又带上一层大汉族沙文主义色彩，虚张新朝国威的声势。结果引起周边各民族的反感。王莽改制彻底失败了，已到不可收拾的地步，他为了挽回面子，转移国内尖锐的社会矛盾，找借口挑起边患，大力征讨匈奴、乌桓、西南夷和西域各国，导致四边告急，几十万名士兵出征，骚动天下，府库空虚，物价飞涨，米价高达五千到一万钱一石。人祸加上旱、蝗、水灾，民不聊生，而爆发农民大起义。

王莽的经济改革。计有三大内容，即王田私属、币制改革与五均六筦。分述如次。

第一，王田私属。始建国元年（公元九年），王莽下诏，历数西汉社会土地兼并之弊，以及奴婢盛行的问题。王莽认为井田制瓦解和土地买卖是造成社会危机的根源。王莽运用行政命令宣布天下土地一律改称王田，天下奴婢一律改称私属，都不许买卖。命令规定，男口不足八人而土地超过一井，即九百亩土地的，要把多出的部分分给九族、邻里、乡党。无田者按一夫百亩的制度授田，违令者处罪。王莽不懂土地私有和买卖是社会的进步，他要复古回到井田制根本办不到。高官、豪强地主多占的土地没法征收，全国几十万流民和更多无地的农民也没有授田。王莽推行井田制的结果，只是形式上禁止买卖，而走投无路还在手中有几亩薄田的农民，出卖土地反而是犯罪。出卖子女或出卖自身也是犯罪。当贫民只有出卖土地或出卖自身为奴才能多存活几天的路都被堵死，那真是没有活路了。王莽试图解决土地、奴婢的问题，用心应该是好的，王莽的主观意图无可厚非。但他的方法不对，也无解决问题的综合措施和政策，只是强制禁止买卖，更沉重地打击了贫困的农民。始建国四年，王莽被迫宣布王田可以买卖，触犯奴婢买卖的也不治罪。王田私属的改革彻底失败。

第二，币制改革。王莽从居摄二年至天凤元年，即公元七年至一四年，八年间进行了币制改革。居摄二年，王莽新铸错刀、契刀、大钱等三种钱币，规定错刀一枚值五千，契刀一枚值五百，大钱一枚值五十，与汉朝的旧币五铢钱同时流通。显然王莽是在制造大额币值，实际上就是政府无限制发行大额货币，用通货膨胀的办法，巧取民财。这种不等值的大额货币带动了全社会的人都起来私铸货币。王莽下令，私铸货币判重刑，甚至不允许铜和炭的交易，也不准人民携带铜和炭，违令者判罪。于是成千上万的人被判罪，重者被杀，轻者入狱。大额货币不便交易，又不保值，人民不用新币，王莽下令，不用新币也要判罪。

始建国元年，王莽发现，汉皇帝姓刘，而“劉”字由“卯、金、刀”三字组成，于是又禁止错刀、契刀流通。这更是荒唐。王莽的币制改革，带来了社会的大混乱，简直是一场浩劫。

第三,五均六筦。始建国二年，王莽推行对工商业和市场的改革，有两项措施，一是五均，二是六筦。五均，又称五均赊贷。五均是指在当时全国六大工商城市，即长安、洛阳、邯郸、临淄、宛、成都设置五均司市平，目的是平抑物价。司市管理人员，管理市场，每季的中月评估本地物价，叫作“市平”。物价低于市平，司市买进，物价高过市平，司市卖出。赊贷，指由五均官下属的泉府，即国家银行向急需用钱的民众放贷，不取利息。六筦，指盐、铁、酒、铸钱、名山大泽、五均赊贷六项事业统由国家掌管，不许私人经营。

王莽施行五均六筦的目的是“齐众庶，抑并兼”，主观用心还是好的，但实际推行仍是害民政策。王莽的五均六筦，并没有多少新鲜东西，是汉武帝筹措战争经费实施平准、均输和盐铁专卖政策的继续，只是多了一项赊贷，即国家放债。汉武帝的平准、均输、盐铁专卖，目的既不是发展经济，也不是消除两极分化，改善人民生活，而是筹措战争经费。汉武帝的经济政策，沉重地打击了工商自由市场，遏制了社会经济发展，受到太史公司马迁，以及昭帝时始元六年（公元前八一年）贤良文学的严厉批判。汉武帝的经济政策，可以说是为了抗击匈奴推行的战时经济体制，集中全社会的财富服务于战争，有它存在的理由。加上汉武帝的雄才大略，强有力的控制，国家得到了资财。王莽的五均六筦，也效法汉武帝，起用富商大贾来管理，而王莽没有力量来控制他们，所以掌管五均六筦的商贾官吏借机与郡县贪官污吏勾结，盘剥人民，损公肥私，给广大人民带来了深重的灾难。

王莽的文化改革。文化改革主要指统一意识形态和大力办教育。汉武帝“罢黜百家，独尊儒术”，要用崇儒来取代黄老。汉武帝大办教育，兴学校，置博士弟子员，培养有文化的治国人才，都取得了很大的成功。王莽在新朝的教育上没有什么成就，而在统一意识形态上不遗余力，措施最笨拙，内容极荒唐。统一意识形态最核心的内容就是为新王朝制造合理存在的理论依据。王莽改正朔，易服色，这是改朝换代最基本最正常的行政措施，无须多谈。王莽独创了一套国家机器大力宣传说谎话的愚民运动，既笨拙，又荒诞。说谎运动就是用各种手段在全国范围宣传符瑞，制造符瑞，要人民相信王莽是真命天子。王莽篡位的过程，就是一个说谎逐步升级的过程。王莽即真，篡了皇位以后，正式建立国家机构，向全国派出“五威将”来宣传符瑞，迫使地方政府官员动员人民，集体上奏章，歌颂王莽，献民歌民谣，献符瑞，闹出许多笑话，司马光详载于史册，这里不一一细述。

综上，王莽的改革就是一场闹剧。《汉书》的《王莽传》和司马光的《通鉴》，生动翔实载于史册，很快新朝完蛋，王莽身首异处。汉朝的班固和宋朝的司马光两位古代的史学大家，用历史事实否定了王莽的改革。

本卷最大事件是集中载述王莽的改革，所以这里集中研讨王莽的改革问题。其他值得研讨的史事，有的已在注文中做了评议，兹不赘。

卷第三十八　汉纪三十

起旃蒙大渊献（乙亥，公元一五年），尽玄黓敦牂（壬午，公元二二年），凡八年。

【题解】

本卷记事起公元一五年，迄公元二二年，凡八年史事，当新朝天凤二年至地皇三年，是王莽执政的后期。史载王莽是怎样违众施政，从内外交困到社会各种矛盾总爆发的过程。重大事件有七个方面。其一，王莽由擅权篡位而得天下，为了防止臣下效法自己，走上极端揽权自毙的道路，变乱官制及名称以削弱臣下之权，而自己事无巨细都要亲躬，结果是大权旁落，臣下舞弊，荒废政务，举国不宁。其二，官吏无俸，层层贿赂自供，导致政府机构、大小臣工全面腐败，民不堪命。其三，王莽新政全面失败，五均六筦扰民，币制屡变，通货膨胀，人民犯法者众。其四，王莽对周边少数民族政策失误，运用不诚信的诈计挑动民族之间的矛盾，企图渔利，或用金钱外交羁縻，而常常重兵征讨吓阻，这是下下策，结

【原文】

王莽下

天凤二年（乙亥，公元一五年）

春，二月，大赦天下。

民讹言①黄龙堕死黄山宫②中，百姓奔走往观者有万数。莽恶之③，捕系，问语[1]所从起④，不能得。

单于咸既和亲，求其子登尸。莽欲遣使送致，恐咸怨恨，害使者，乃收前言当诛侍子者故将军陈钦，以他罪杀之。莽选辩士⑤济南⑥王咸为大使。夏，五月，莽复遣和亲侯歙与咸等送右厨唯姑夕王，因奉归前所斩侍子登及诸贵人从者丧。单于遣云、当子男大且渠奢⑦等至塞迎之。咸到单于庭，陈莽威德，莽亦多遗单于金珍，因谕说改其号，号匈奴曰“恭奴”，单于曰“善于”，赐印绶，封骨都侯当为后安公，

果北方匈奴全线侵扰，又用兵西域、西南夷均遭失败。其五，百姓受苛暴政治压迫，赋役繁重，经不起天旱、水灾、瘟疫、蝗灾的打击，流民四起，聚众为盗，终于酿成绿林、赤眉大起义。其六，王莽拒谏，日听谄媚之言，直臣隐退，群小得进。平定民变，王莽不用公孙禄之言，不听大司马士的下情上达，不用贤将，田况有功而生猜忌，用兵如儿戏，庸将征讨，屡遭败绩而不悟，以致事不可为。其七，地皇二年，太子王临谋诛王莽，发动了一场未遂的宫廷政变，统治集团上层分崩离析。地皇三年，南阳刘氏起兵，与绿林各军联合反对王莽，新朝已面临崩溃边缘。

【语译】

王莽下

天凤二年（乙亥，公元一五年）

春，二月，大赦天下。

民间谣传黄龙摔死在黄山宫中，跑去观看的老百姓有上万人。王莽讨厌这件事，下令逮捕人，追查谣言的来源。但没有找到。

匈奴单于栾提咸与中国和亲后，向新朝索要他儿子栾提登的尸体。王莽想派使者送到匈奴，又担心栾提咸怨恨，杀害使者，就逮捕先前建议诛杀质子栾提登的将军陈钦，用别的罪名杀了他。王莽挑选善于言辞的济南人王咸任大使。夏，五月，王莽又派和亲侯王歙和王咸等人护送右厨唯姑夕王，趁便归还先前被斩首的质子栾提登和各位侍从贵人的尸体。单于派伊墨居次云、右骨都侯须卜当的儿子大且渠奢等人到边境迎接。王咸到了单于王庭，陈述王莽的声威德行，王莽也向单于馈赠了很多金银珍宝，趁机劝说单于改变称号，改匈奴叫“恭奴”，单于叫“善于”，赐给印信，

当子男奢为后安侯。单于贪莽金币，故曲听[8]之。然寇盗如故。

莽意[9]以为制定[10]则天下自平，故锐思[11]于地理[12]，制礼，作乐[13]，讲合“六经”之说[14]。公卿旦入暮出，论议连年不决，不暇省狱讼冤结[15]、民之急务。县宰缺者数年守兼[16]，一切贪残[17]日甚。中郎将、绣衣执法在郡国者，并乘权势，传[18]相举奏。又十一公士[19]分布劝农桑，班时令[20]，按诸章[21]，冠盖相望[22]，交错道路，召会[23]吏民，逮捕证左[24]，郡县赋敛，递相赇赂[25]，白黑纷然[26]，守阙告诉[27]者多。莽自见前颛权以得汉政，故务[28]自揽[29]众事，有司受成苟免[30]。诸宝物名、帑藏[31]、钱谷官皆宦者领[32]之。吏民上封事，宦官、左右开发，尚书不得知[33]，其畏备[34]臣下如此。又好变改制度，政令烦多，当奉行者，辄质问[35]乃以从事[36]，前后相乘[37]，愦眊不渫[38]。莽常御灯火[39]至明，犹不能胜[40]。尚书因是为奸[41]，寝事[42]，上书待报[43]者连年不得去，拘系郡县者逢赦而后出，卫卒不交代[44]者至三岁。谷籴常贵，边兵二十余万人，仰衣食县官[45]。五原、代郡尤被其毒，起为盗贼，数千人为辈，转入旁郡。莽遣捕盗将军孔仁将兵与郡县合击，岁余乃定。

邯郸以北大雨，水出，深者数丈，流杀[46]数千人。

【段旨】

以上为第一段，写王莽惧怕臣下专权，自己总揽朝政，事无巨细亲理，结果荒废政务，臣下舞弊，举国不宁。

【注释】

①讹言：谣言。②黄山宫：宫名，其址在今陕西兴平西南。③莽恶之：王莽自谓以黄德得天下，则黄龙坠死乃不祥之兆，故恶之。④问语所从起：追查谣言的来源。⑤辩士：能言善辩的人。⑥济南：郡名，治所在今山东章丘西北。⑦云、当子男大且渠奢：大且渠奢是居次云与须卜当两人的儿子，单于派他们迎接汉使。子男，儿子。大且渠，匈奴官名。奢，大且渠之名。⑧曲听：曲意听从。⑨意：思量；猜想。⑩制定：制度确

封骨都侯须卜当为后安公，须卜当的儿子奢为后安侯。匈奴单于栾提咸贪图王莽的金币，所以曲意听从。但是，寇掠依然如故。

王莽思量制度确定以后，天下就自然太平，所以精心思考划分地域，制定礼仪，创作乐曲，考证符合“六经”的理论。公卿大臣早上入朝，晚上退朝，议论了几年没有定论，没有时间审理狱讼和冤屈，以及处理民众的急迫事务。空缺的县长职位，好几年仍由别官代理，各种贪赃凶暴日益严重。在各郡和诸侯国的中郎将、绣衣执法，都凭借自己的权势，互相检举奏报。还有十一个公士分布各地，劝课农桑，颁布各季节有关农事的时令，考核各种规章制度，使者往来不断，交错道路，他们集合官民，逮捕证人，郡县官府苛征暴敛，层层贿赂，黑白混淆，守在宫门申冤告状的人很多。王莽自己清楚先前因为专权才取得汉朝政权，所以一定要亲自总揽各种事务，主管部门执行既定的政令，敷衍应付，以求免除罪责。各种珍宝名器、钱库、谷粮等主管官吏，均由宦官充任。官民奏上的密封奏章，由宦官、身边的近臣拆封，尚书不得参与，王莽提防害怕臣下到如此地步。又喜欢改变制度，政令繁多，原本奉命执行的事，也要多次请示询问确认后才去办理，造成前一件事没办完，后一件事又接上来，以致昏乱糊涂不能理事。王莽经常点灯办公直到天亮，仍不能办完。尚书趁机舞弊，压下事务不报，上奏等待回报的地方使者连年得不到回答不能离去，关押在郡县监狱的人只有等到大赦才能出去，役期一年的京城卫兵，过了三年还没人来交替。粮谷经常是高价，二十多万名戍边的士兵都靠官府供给衣食。五原、代郡的戍兵尤其遭殃，他们群起为盗，几千人为一伙，转入邻近各郡。王莽派遣捕盗将军孔仁领兵与郡县官兵联合攻击，经过一年多才平定。

邯郸以北地区下大雨，大水涌出，深的地方有几丈，冲走淹死了几千人。

定了。⑪锐思：精心思考。⑫地理：指全国地域的行政区划。⑬制礼二句：制定礼、乐制度。⑭讲合“六经”之说：考证符合“六经”的理论。说，理论。⑮不暇省狱讼冤结：暇，空闲。省，察看，此指治理、审理。狱讼，诉讼案件。冤结，冤屈。⑯守兼：正职缺，由他官暂时代理。⑰贪残：贪婪凶暴。⑱传：通“转”。辗转。⑲公士：官名，公府掾属。⑳班时令：颁行各季节有关农事的政令。班，同“颁”。㉑按诸章：此言考察各种规章制度的执行情况。按，考核。㉒冠盖相望：指使者一路上往来不断。冠，礼帽。盖，车盖。㉓召会：召集。㉔证左：证人。㉕递相赇赂：层层贿赂。㉖白黑纷然：谓清浊不分，是非混淆。㉗守阙告诉：守在宫门申冤告状。㉘务：务必；一定。㉙揽：总掌。㉚受成苟免：受成，执行既定的政令。苟免，敷衍应付，以求免除罪责。㉛帑藏：国库。㉜领：统领；主管。㉝尚书不得知：原来上封事通过尚书上奏，如今王莽担

心受尚书蒙蔽，令宦官与左右近侍之臣拆阅所上封事。㉞畏备：惧怕和防范。㉟质问：请示、询问以正是非。㊱乃以从事：这才办理。㊲相乘：相继。㊳愦眊不渫：昏乱糊涂不能办事。渫，治。㊴御灯火：指点燃灯火。㊵犹不能胜：此言王莽时常夜以继日地治理政事，还是不能把事情办完。胜，尽。㊶因是为奸：因此作假、舞弊。㊷寝事：把事情压下来不上报。㊸报：回答。㊹交代：前后任事者相接替。汉制，京师卫戍士卒的期限为一年。㊺仰衣食县官：指戍边兵靠政府供给衣食。㊻流杀：淹死。

【原文】

三年（丙子，公元一六年）

春，二月乙酉㊼，地震，大雨雪。关东尤甚，深者二[2]丈，竹柏或枯。大司空王邑上书，以地震乞骸骨。莽不许，曰："夫地有动有震，震者有害，动者不害。《春秋》记地震，《易系》㊽坤动。动静辟翕㊾，万物生焉。"其好自诬饰㊿，皆此类也。

先是，莽以制作未定，上自公侯，下至小吏，皆不得俸禄。夏，五月，莽下书曰："予遭阳九之厄，百六之会(51)，国用不足，民人骚动，自公卿以下，一月之禄十緵布(52)二匹(53)，或帛一匹。予每念之，未尝不戚(54)焉。今厄会已度，府帑(55)虽未能充(56)，略颇稍给(57)。其以六月朔庚寅始，赋(58)吏禄皆如制度。"四辅、公卿、大夫、士下至舆、僚，凡十五等。僚禄一岁六十六斛，稍(59)以差增[3]，上至四辅而为万斛云。莽又曰："古者岁丰穰(60)则充其礼，有灾害则有所损，与百姓同忧喜也。其用上计(61)时通计(62)，天下幸无灾害者，太官膳羞(63)备其品矣。即(64)有灾害，以什率(65)多少而损膳焉。自十一公、六司、六卿以下，各分州郡、国邑保其灾害(66)，亦以十率多少而损其禄。郎、从官、中都官吏食禄都内之委(67)者，以太官膳羞备损而为节(68)。冀(69)上下同心，劝进(70)农业，安元元(71)焉。"莽之制度烦碎如此，课计不可理(72)，吏终不得禄，各因官职为奸，受取赇赂以自共给(73)焉。

戊辰(74)，长平馆(75)西岸崩，壅(76)泾水不流，毁(77)而北行。群臣上

【校记】

［1］语：原无此字。据章钰校，十二行本、乙十一行本、孔天胤本皆有此字，张敦仁《通鉴刊本识误》同，今据补。

【语译】

三年（丙子，公元一六年）

春，二月二十四日乙酉，发生地震，下大雪。关东地区尤其严重，积雪厚达二丈，有的竹子、柏树都枯死了。大司空王邑上书，因为地震请求辞职退休。王莽不批准，说："大地有动有震，'震'有害而'动'无害。《春秋》记载地震，《易·系辞》说地动。大地动时张开，静时闭合，因而万物滋生。"王莽喜欢自我欺骗粉饰自己，都是这一类。

此前，王莽借口制度还没有确定，上自公卿，下至小吏，都拿不到俸禄。夏，五月，王莽下诏书说："我因遭遇阳九百六的厄运，国家用度不足，百姓骚动，从公卿以下，一个月的俸禄只有十緵布两匹，或者帛一匹。我一想到这事，未曾不悲伤。如今厄运已经渡过，国库虽然还不充足，但稍微宽裕。将从六月一日庚寅开始，按照制度发给官吏俸禄。"从四辅、公卿、大夫、士，下至舆、僚共分十五个等级。僚吏的俸禄每年六十六斛，按照等级逐渐增加，到四辅每年一万斛。王莽又下诏说："古时候，年岁丰收俸禄按全额发放，年岁歉收就有所减少，与百姓同忧苦共欢乐。所需费用，是每年郡国上计京师的总额，天下没有灾害，太官供应的美食品类齐备。如果有了灾害，按照灾害的轻重以十为比率而减少膳食供应。从十一公、六司、六卿以下，分别到各州、郡、国去负责减灾保护，也以十为比率而减少俸禄。在京仓储积粮领取俸禄的郎官、侍从官、政府各部门的官吏，依照太官供应膳食齐备还是减少为标准决定俸禄的高低。希望上下同心同德，勉励农业生产，安定百姓。"王莽的制度烦琐细碎到这地步。由于年岁丰歉等级难以确定，无法计算考核清楚，所以官吏始终得不到俸禄，各级官吏就利用自己的职权做不法之事，靠收取贿赂来供养自己。

闰五月初八日戊辰，长平馆西岸坍塌，阻塞了泾河水不能流通，冲毁河堤向北

寿，以为《河图》⑱所谓“以土填水”，匈奴灭亡之祥⑲也。莽乃遣并州牧宋弘⑳、游击都尉任萌等将兵击匈奴，至边上[4]屯㉑。

秋，七月辛酉㉒，霸城门㉓灾。

戊子㉔晦，日有食之。大赦天下。

平蛮将军冯茂击句町，士卒疾疫死者什六七，赋敛民财什取五，益州㉕虚耗而不克㉖。征还，下狱死。冬，更遣宁始将军廉丹㉗与庸部㉘牧史熊㉙，大发天水㉚、陇西骑士，广汉、巴、蜀、犍为吏民十万人、转输者合二十万人击之。始至，颇斩首数千，其后军粮前后不相及，士卒饥疫㉛。莽征㉜丹、熊，丹、熊愿益调度㉝，必克乃还，复大赋敛。就都㉞大尹冯英不肯给，上言：“自西南夷反叛以来，积且十年㉟，郡县距击不已，续用冯茂，苟施㊱一切之政㊲。僰道㊳以南，山险高深茂，多驱众远居，费以亿计，吏士罹㊴毒气死者什七。今丹、熊惧于自诡㊵，期会㊶调发诸郡兵谷，复訾㊷民取其什四，空破㊸梁州㊹，功终不遂㊺。宜罢兵屯田，明设购赏㊻。”莽怒，免英官，后颇觉寤，曰：“英亦未可厚非㊼。”复以英为长沙㊽连率㊾。越嶲㊿蛮夷任贵⑪亦杀太守枚根⑫，自立为邛谷王[5]。

翟义党王孙庆⑬捕得，莽使太医⑭、尚方⑮与巧屠⑯共刳剥⑰之，量度⑱五臧⑲，以竹筳⑳导㉑其脉，知所终始㉒，云可以治病。

是岁，遣大使五威将王骏、西域都护李崇、戊己校尉郭钦㉓出西域。诸国皆郊迎㉔，送兵谷。骏欲袭击之，焉耆㉕诈降而聚兵自备，骏等将莎车㉖、龟兹㉗兵七千余人分为数部，命郭钦及佐帅㉘何封别将㉙居后㉚。骏等入焉耆，焉耆伏兵要遮㉛骏，及姑墨㉜、封犁㉝、危须㉞国兵为反间，还共袭骏等[6]，皆杀之。钦、封[7]后至焉耆，焉耆兵未还，钦袭击，杀其老弱，从车师㉟还入塞。莽拜钦为填外将军，封剿胡子；何封为集胡男。李崇收余士，还保龟兹。及莽败，崇没，西域遂绝。

横流。大臣们向王莽祝贺，认为《河图》说的“用土填塞水流”，正是匈奴灭亡的吉兆。王莽于是就派并州牧宋弘、游击都尉任萌等领兵出击匈奴，到达北方边境驻扎下来。

秋，七月初二日辛酉，霸城门发生火灾。

最后一天二十九日戊子，发生日食。大赦天下。

平蛮将军冯茂讨伐句町国，士兵染上瘟疫而死亡的就有十分之六七，赋敛百姓财产十分之五，益州民穷财尽，而战争仍然没有取得胜利。王莽把冯茂召回，投进监狱而死。冬，王莽另派宁始将军廉丹和庸部牧史熊，大举征调天水、陇西的骑兵，以及广汉、巴、蜀、犍为等郡官民十万人，加上负责粮草运输的人共二十万人，攻打句町。大军刚到达句町，斩杀数千名敌人，后来军粮供应不上，士兵饥寒，染上瘟疫。王莽召回廉丹、史熊，廉丹、史熊要求增加兵员，重新部署，一定要取胜才班师还朝，于是又大举征收赋税。就都大尹冯英不肯供给，上奏说：“自从西南夷叛变以来，连续将近十年，郡、县不停地出兵抗击，接着派出冯茂，随心所欲地使用一切手段。僰道县以南，山高水险，谷深林茂，冯茂将百姓赶到远地居住，耗费以亿计算，官兵中毒气而死的十分之七。现在廉丹、史熊害怕追究自己的责任，就约定期限调用各郡的士兵、粮秣，又搜刮民财的十分之四，以致耗尽梁州地方的财力，但始终没有取得成功。应当停止战争实行驻兵屯田，明令悬赏，征求建功的军民。”王莽大怒，免除冯英的官职，后来他有点醒悟，说：“对冯英不应该这么深责。”重新任命冯英为长沙郡连率。越巂郡蛮夷酋长任贵杀死了太守枚根，自立为邛谷王。

翟义的党羽王孙庆被抓获，王莽命令太医、尚方和技术高超的屠夫一同把王孙庆剥皮剖腹，测量五脏，用小竹枝贯通他的经脉，弄清来龙去脉，据说可以研治病患。

这一年，王莽派大使五威将王骏、西域都护李崇、戊己校尉郭钦出使西域。各国都到郊外迎接，送给士兵和粮谷。王骏打算袭击焉耆国，焉耆国假装投降，却秘密集结军队自卫，王骏等人率领莎车国、龟兹国的军队七千多人，分为几个部分，命令郭钦和佐帅何封另率一支军队作为后卫。王骏等人进入焉耆国，焉耆国的伏兵拦截王骏等人，还有姑墨、封犁、危须等国军队被策反，掉头和焉耆军队一起袭击王骏等人，把他们全部斩杀。郭钦、封犁后到焉耆国，焉耆国军队还没有回来，郭钦发动袭击，屠杀老弱，取道车师国返回进入边塞。王莽任命郭钦为填外将军，封为剿胡子；封何封为集胡男。李崇集结残余的军队，退还护卫龟兹国。等到王莽新王朝覆灭，李崇去世，西域就跟中国隔绝。

【段旨】

以上为第二段，写王莽内外交困。内政繁苛，官吏无俸，盘剥民众，靠层层贿赂自供。外交与周边民族交恶，北拒匈奴侵扰，用兵西域与西南，均遭败绩。

【注释】

㊼乙酉：二月二十四日。㊽《易系》：指《周易·系辞》。㊾辟翕：开启、闭合。《周易·系辞上》："夫坤，其静也翕，其动也辟，是以广生焉。"意谓大地静时闭合，动时张开，因此能够广生万物。㊿诬饰：欺骗性粉饰。51阳九之厄二句：术数家以四千六百一十七岁为一元。初入元一百零六岁，内有旱灾九年。年数为一百零六，故称百六；旱灾为阳，故称阳九。会，指适遇灾厄之期。后世以百六、阳九指遭遇厄运。52十緵布：一种质地较粗的布。古代布幅宽度在二尺二寸之内，以经线数的多少衡量布质地的粗细。以八十根经线为一緵，最粗的布为七緵布。53匹：量词，长四丈为一匹。54戚：忧愁；悲伤。55府帑：国库。56充：足。57略颇稍给：能稍微宽裕。58赋：给予。59稍：逐渐。60丰穰：丰收。61上计：地方官于年终将境内户口、赋税、盗贼、狱讼等项编造计簿，遣吏逐级上报，奏呈朝廷，借以考核地方官吏的政绩。62通计：总计。63膳羞：美味的食物。64即：如果。65以什率：用十作为比率。66保其灾害：此言公卿各负责若干州郡、国邑，保证这些地区不受灾害。如遭灾害，也要以十为比率，根据灾减多少的比例数减少他们的俸禄。保，保证。67都内之委：京城仓库的储积粮。委，积聚。68节：尺度；标准。此言从京仓储积粮领取俸禄的官吏，俸禄是领取足数还是减少多少，以皇帝进膳是齐备还是减少多少为标准。假如宫廷膳食供应减少到正常供应的百分之六十，那么百官的俸禄也减少到百分之六十。69冀：希望。70劝进：鼓励促进。71元元：百姓。72课计不可理：课，考核。计，计簿。不可理，无法考核清楚。73共给：即"供给"。74戊辰：应为闰五月初八日戊辰。75长平馆：宫观名，其址位于泾河南岸，在今陕西泾阳南。76壅：堵塞。77毁：冲毁河堤。78《河图》：谶纬书名，相传出自西汉，隋时焚毁。79祥：吉兆。中国在匈奴之南，王莽自谓得土德；匈奴在北，以五行配方位，北方为水。故云"以土填水"为匈奴灭亡之吉兆。80宋弘：字仲子，京兆尹长安县人，哀、平时为侍中，新朝为共工、并州牧。建武年间，历任太中大夫、大司空等，封栒邑侯。传见《后汉书》卷二十六。81至边止屯：到达边境驻扎下来。82辛酉：七月初二。83霸城门：城门名，长安每面三门，共十二门。东面三门，自南而北为霸城门、清明门、宣平门。84戊子：七月二十九日。85益州：州名，其地辖有今陕西南部、甘肃东南部与四川、云南、贵州三省大部分地区。86克：战胜。87廉丹：先后为平蛮将军、宁始将军、大司马，封平均侯。后被赤眉军杀死。88庸部：即益州。王莽改益州为庸部。89史熊：先后为庸部牧、九虎将军。地皇四年（公元二三年），在与农民军作战中战

败自杀。⑨⓪ 天水：郡名，治所在今甘肃通渭西。⑨① 饥疫：挨饿患病。⑨② 征：召回。⑨③ 益调度：增加兵员，重新部署。⑨④ 就都：即广汉郡。王莽改广汉为就都。⑨⑤ 积且十年：谓西南夷连续反叛将近十年。积，连续。且，将近。⑨⑥ 苟施：随意施行。⑨⑦ 一切之政：使用一切手段、各种方法。一切，各种各样。⑨⑧ 僰道：县名，犍为郡治所。县治在今四川宜宾西南。⑨⑨ 罹：遭遇。⑩⓪ 自诡：自己承担责任。诡，责成。⑩① 期会：约定时间集中。⑩② 訾：民财。⑩③ 空破：财力空竭凋敝，使动用法。⑩④ 梁州：指益州。益州为古梁州地。⑩⑤ 遂：成。⑩⑥ 购赏：悬赏，即出钱物公开征求人帮助做某一件事。⑩⑦ 厚非：过分责备。⑩⑧ 长沙：郡名，治所在今湖南长沙。⑩⑨ 连率：即郡守。王莽改郡守为连率。⑪⓪ 越巂：郡名，治所在今四川西昌东南。⑪① 任贵（？至公元四三年）：一名长贵。杀太守自立为邛谷王，领太守事。后降公孙述，述败又降光武，光武封贵邛谷王，命为越巂太守。建武十九年因谋袭汉军，被杀。⑪② 枚根：太守姓名。据《后汉书·西南夷传》记载，任贵杀越巂太守枚根在更始二年。⑪③ 王孙庆：东郡人，有勇略，明兵法。居摄二年（公元七年）参加翟义的反莽斗争，事败潜匿。今被抓获，遭残杀。⑪④ 太医：官名，执掌皇家医疗。⑪⑤ 尚方：官名，执掌方药。⑪⑥ 巧屠：技术高超的屠宰手。⑪⑦ 刳剥：剖腹剥皮。⑪⑧ 量度：测量；计算。⑪⑨ 臧：通“脏”。五臧，指心、肺、肝、脾、肾。⑫⓪ 竹筳：小竹枝。⑫① 导：贯通。⑫② 知所终始：弄清来龙去脉。⑫③ 郭钦：先后为戊己校尉、填外将军、九虎将军，封剿胡子。地皇四年（公元二三年），被反莽军队战败后投降更始。⑫④ 郊迎：到郊外迎接，表示敬重。⑫⑤ 焉耆：西域国名，国都在今新疆焉耆回族自治县。⑫⑥ 莎车：西域国名，治所在今新疆莎车。⑫⑦ 龟兹：西域国名，治所在今新疆库车。⑫⑧ 佐帅：副帅，此指五威帅的副职。⑫⑨ 别将：另率部队。⑬⓪ 居后：在王骏所率部队的后面。⑬① 要遮：拦截。⑬② 姑墨：西域国名，治所在今新疆阿克苏。⑬③ 封犁：即尉犁，西域国名，治所在今新疆库尔勒东北。⑬④ 危须：西域国名，治所在今新疆焉耆回族自治县东北。⑬⑤ 车师：西域国名，分为前后二国，车师前国治所在今新疆吐鲁番西北，车师后国治所在今新疆奇台西南。

【校记】

［2］二：原作“一”。据章钰校，孔天胤本作“二”，张敦仁《通鉴刊本识误》同，今据改。［3］增：原作“称”。据章钰校，十二行本、乙十一行本、孔天胤本皆作“增”，今据改。［4］上：原作“止”。据章钰校，十二行本、乙十一行本、孔天胤本皆作“上”，张敦仁《通鉴刊本识误》、张瑛《通鉴校勘记》同，今据改。［5］自立为邛谷王：原无此六字。据章钰校，十二行本、乙十一行本、孔天胤本皆有此六字，张敦仁《通鉴刊本识误》、张瑛《通鉴校勘记》同，今据补。［6］等：原无此字。据章钰校，十二行本、乙十一行本、孔天胤本皆有此字，张敦仁《通鉴刊本识误》同，今据补。［7］封：原无此字。据章钰校，十二行本、乙十一行本、孔天胤本皆有此字，今据补。

【原文】

四年（丁丑，公元一七年）

夏，六月，莽更授诸侯[8]茅土于明堂[136]。亲设文石[137]之平，陈菁茅[138]四色之土[139]，告于岱宗[140]、泰社[141]、后土[142]、先祖[143]、先妣[144]以班授之。莽好空言，慕古法，多封爵人。性实吝啬，托以地理未定，故且先赋茅土，用慰喜封者。

秋，八月，莽亲之南郊，铸作威斗[145]，以五石铜为之，若北斗，长二尺[9]五寸，欲以厌[146]胜众兵。既成，令司命负之，莽出在前[147]，入在御旁[148]。

莽置羲和命士，以督[149]五均、六筦[150]。郡有数人，皆用富贾为之，乘传求利，交错天下。因与郡县通奸[151]，多张空簿[152]，府藏[153]不实[154]，百姓愈病。是岁，莽复下诏申明六莞，每一筦为设科条[155]防禁，犯者罪至死。奸吏猾民[10]并侵，众庶各不安生，又一切调[156]上公以下诸有奴婢者，率一口出钱[11]三千六百，天下愈愁。纳言冯常以六筦谏，莽大怒，免常官。法令烦苛[157]，民摇手触禁[158]，不得耕桑，徭役烦剧[159]，而枯旱、蝗虫相因，狱讼不决。吏用苛暴立威，旁缘[160]莽禁，侵刻小民，富者不[12]自保[13]，贫者无以自存，于是并起为盗贼，依阻[161]山泽，吏不能禽[162]而覆蔽[163]之，浸淫[164]日广。临淮[165]瓜田仪[166]等[14]依阻会稽[167]长州[168]；琅邪吕母[169]聚党数千人，杀海曲宰，入海中为盗，其众浸[170]多，至万数。荆州[171]饥馑，民众入野泽，掘凫茈[172]而食之，更相侵夺。新市[173]人王匡[174]、王凤[175]为平理[176]诤讼[177]，遂推为渠帅[178]，众数百人。于是诸亡命者南阳马武[179]、颍川王常[180]、成丹[181]等，皆往从之；共攻离乡聚[182]，臧[183]于绿林山[184]中，数月间至七八千人。又有南郡张霸、江夏[185]羊牧等与王匡俱起，众皆万人。莽遣使者即赦[186]盗贼，还言："盗贼解[187]辄复合。问其故，皆曰：'愁法禁烦苛，不得举手[188]，力作[189]所得，不足以给贡税[190]。闭门自守，又坐邻伍[191]铸钱挟铜，奸吏因以愁民。'民穷，悉起为盗贼。"莽大怒，免之。其或顺指[192]言"民骄黠[193]当诛"及言"时运适然，且灭不久[194]"，莽说，辄迁官。

【语译】

四年（丁丑，公元一七年）

夏，六月，王莽在明堂重新授予诸侯茅草和泥土，亲自砌平有纹理的石头坛位台阶，陈列菁茅和四色泥土，祭告泰山、泰社、后土、先祖、先妣，然后颁授诸侯。王莽喜好说空话，羡慕古代的法制，大量封爵给人。其实本性吝啬，推脱行政区域还没有划定，所以暂时授给茅土，用以安慰那些喜欢封爵的人。

秋，八月，王莽亲前往南郊，铸造威斗，用五色石和铜制作，像北斗，长二尺五寸，用来诅咒镇压所有叛乱的敌兵。铸成之后，命令司命背着它，王莽外出时威斗在前，王莽回宫时威斗放在座位旁边。

王莽设置羲和命士，督促实施五均六筦制度。每郡有数人，都用富商大贾担任，他们乘坐驿车，谋求私利，穿梭来往全国。乘机和郡县官吏串通为奸，设立假账，府库钱财都不真实，而百姓更加穷困。这一年，王莽又下诏重申六筦制度，每一筦都制定了法令条规，防止犯禁，触犯的人最高处以死刑。奸恶官吏与狡猾之人共同侵害百姓，黎民大众的生活都不得安宁，此外一律征收公爵以下拥有奴婢的人头税，每一个奴婢每人平均要缴纳三千六百钱的税金，全天下的人更加愁苦。纳言冯常谏阻六筦制度，王莽大怒，罢免了冯常的官职。新朝的法令琐碎苛刻，百姓动辄触犯法令，无法耕田纺织，徭役繁重，旱灾、蝗灾接连发生，诉讼案子久拖不决。官吏用苛刻残暴的手段建立威势，依靠王莽的禁令，掠夺百姓，富人不能自保，穷人无法活命，因此一同起来做强盗，依恃高山大湖，官吏无法捕捉，就加以掩盖，盗贼逐渐蔓延。临淮人瓜田仪等人依恃会稽郡的长州苑；琅邪人吕母聚集党徒数千人，杀死海曲县宰，进入海中做海盗，部众渐多，达到一万人。荆州发生大饥荒，人们逃入山林沼泽，挖荸荠为食，以致互相抢夺。新市人王匡、王凤因为处理民间纠纷公正，而被推举为首领，有众数百人。于是逃亡在外的南阳人马武，颍川人王常、成丹等，都去跟随王匡、王凤；他们一同攻打离乡聚，躲藏在绿林山中，数月之间集结七八千人。还有南郡人张霸、江夏人羊牧等，和王匡同时起事，人数都达上万人。王莽派出使臣，就地赦免这些盗贼，使臣回到京都上奏说："盗贼解散之后，很快就又聚集一起。问他们原因，都说：'苦于法令烦琐而苛刻，手脚动弹不得，努力劳作所得，尚不足以缴纳赋税。闭门自守，又因邻居私自铸钱币或携带铜器而要连坐入狱，贪官污吏趁机害苦民众。'百姓走投无路，就都起来做强盗。"王莽大怒，罢了使臣的官职。有的顺着王莽的心意说"老百姓傲慢狡猾，应该诛杀"，或者说"时运注定，盗贼不久当灭"，王莽高兴，就会被升官。

【段旨】

以上为第三段，写王莽五均、六筦政策扰民，赋役苛重，民变四起，绿林起义爆发。

【注释】

⑬⑥授诸侯茅土于明堂：明堂，举行大政的议事之堂。古代诸侯受封，在明堂举行隆重的授封典礼。祭坛陈设五色土，东方青色土，南方红色土，西方白色土，北方黑色土，中央黄色土。受封诸侯按其受封土地的方位，对应受封的色土。天子用菁茅包土授予诸侯。⑬⑦文石：有纹理的石头。此言王莽亲自砌平用文石砌成的坛位台阶。⑬⑧菁茅：精良的茅草。⑬⑨四色之土：古代天子社祭之坛以五色土建成，东、南、西、北、中各方各有方色：东方青土，南方赤土，西方白土，北方黑土，中央黄土。分封诸侯时，按封地所在方位，在天子社坛上取该方色土用白茅包裹，谓之茅土，授予新封诸侯，带到封国立社。因为中央的色土不用来分封诸侯，所以只陈列东、南、西、北四方的色土。⑭⓪岱宗：泰山。⑭①泰社：又作“太社”，天子的宗庙社稷。⑭②后土：地神。⑭③先祖：祖先。⑭④先妣：先母；女祖。⑭⑤威斗：为显示威严而制作的器物，故名威斗。用铜掺杂五色石铸成，长二尺五寸，形如北斗。⑭⑥厌：古代一种巫术，谓能以诅咒或某种器物制胜、镇服人或事、物。⑭⑦莽出在前：王莽外出时，司命背着威斗走在前面。⑭⑧入在御旁：王莽入宫，把威斗放在座位旁边。⑭⑨督：统领。⑮⓪六筦：王莽改制，实行的经济管制措施，主要有六项，称六筦，即盐、酒、铁专卖，改革币制，山林、湖泽资源的管理等。⑮①通奸：串通一气干违法邪恶之事。⑮②张空簿：犹今所谓造假账。张，设。空簿，不实的计簿。簿，簿册。⑮③府藏：府库钱财。⑮④不实：不真实。⑮⑤科条：法令条规。⑮⑥调：征收。⑮⑦烦苛：繁多苛刻。⑮⑧摇手触禁：此言民众稍一动弹就触犯了禁令。摇手，动一动手。⑮⑨烦剧：繁重。⑯⓪旁缘：依仗。⑯①依阻：依恃；凭借。⑯②禽：通“擒”，捉拿。⑯③覆蔽：遮掩；掩盖。⑯④浸淫：逐渐蔓延、扩展。⑯⑤临淮：郡名，治所在今江苏泗洪县南。⑯⑥瓜田仪：人名，复姓瓜田，名仪。⑯⑦会稽：郡名，治所在今江苏苏州。⑯⑧长州：古苑名，其址在今江苏苏州西南太湖北。⑯⑨吕母：琅邪郡海曲县（今山东日照西南）人，其子被县宰

【原文】

五年（戊寅，公元一八年）

春，正月朔，北军南门[195]灾[196]。

以大司马司允费兴为荆州牧。见，问到部方略[197]，兴对曰：“荆、

杀死，吕母聚众起事，杀宰报仇，活动于海上。后病死。⑰浸：逐渐。⑱荆州：州名，其地辖有今河南南部，湖北、湖南二省，贵州东部及广东、广西二省区的北部等地区。⑫凫茈：即荸荠。⑬新市：地名，其地在今湖北京山市东北。⑭王匡：新朝末年绿林军领袖。王莽政权被推翻后，刘玄封其为比阳王。后降刘秀，为刘秀部将所杀。⑮王凤：新朝末年绿林军领袖。王莽政权被推翻后，刘玄封其为宜城王。⑯平理：评断。⑰诤讼：因争论而诉讼。诤，通“争”，争论。讼，诉讼，即告于官府，评判是非曲直。⑱渠帅：首领。⑲马武（？至公元六一年）：字子张，南阳郡湖阳县（今河南唐河县南）人，绿林军重要将领。后归刘秀，屡建战功。刘秀称帝，历任侍中、捕虏将军、中郎将等，封杨虚侯。传见《后汉书》卷二十二。⑱王常（？至公元三六年）：字颜卿，颍川郡舞阳县（今河南舞阳西北）人，绿林军重要将领。刘秀称帝，历任左曹、横野大将军，封山桑侯。传见《后汉书》卷十五。⑱成丹（？至公元二五年）：绿林军重要将领。王莽政权被推翻后，刘玄以其为水衡大将军，封襄邑王。后因被刘玄所疑而遭杀害。⑱离乡聚：村镇名，其地位于新市西北，在今湖北京山市东北。⑱臧：通“藏”。⑱绿林山：山名，旧说在今湖北当阳市东北；经近人考证，当即湖北的大洪山，主峰在京山市西北。⑱江夏：郡名，治所在今湖北武汉市新洲区西。⑱即赦：到其所在之地宣布赦免。⑱解：分散。⑱举手：犹“摇手”。⑱力作：努力劳作。⑲贡税：即贡赋。下之所供为贡，上之所取为赋。⑲邻伍：邻居。⑲顺指：迎合旨意。⑲骄黠：骄横狡诈。⑲且灭不久：不久将灭。

【校记】

［8］诸侯：原作“诸侯王”。据章钰校，十二行本、乙十一行本皆无“王”字，今据删。［9］尺：张敦仁《通鉴刊本识误》作“丈”。［10］奸吏猾民：原作“奸民猾吏”。据章钰校，十二行本、乙十一行本、孔天胤本皆作“奸吏猾民”，张敦仁《通鉴刊本识误》同，今据改。［11］钱：原无此字。据章钰校，十二行本、乙十一行本、孔天胤本皆有此字，今据补。［12］不：原作“不能”。据章钰校，十二行本、乙十一行本、孔天胤本皆无“能”字，今据删。［13］保：原作“别”。据章钰校，十二行本、乙十一行本、孔天胤本皆作“保”，张敦仁《通鉴刊本识误》同，今据改。［14］等：原无此字。据章钰校，十二行本、乙十一行本、孔天胤本皆有此字，张敦仁《通鉴刊本识误》同，今据补。

【语译】

五年（戊寅，公元一八年）

春，正月初一日，北军营南门发生火灾。

任命大司马司允费兴为荆州牧。王莽接见费兴，询问他到任后的施政方针，费

扬[198]之民，率依阻山泽，以渔采[199]为业。间者[200]国张六筦，税山泽，妨夺民之利，连年久旱，百姓饥穷，故为盗贼。兴到部，欲令明晓告盗贼归田里，假贷[201]犁牛、种食，阔[202]其租赋，冀可以解释安集[203]。”莽怒，免兴官。

天下吏以不得俸禄，并为奸利[204]，郡尹、县宰家累千金。莽乃考始建国二年胡虏猾夏[205]以来诸军吏及缘边吏大夫以上为奸利增产致富者，收其家所有财产五分之四以助边急[206]。公府士驰传天下，考覆[207]贪饕[208]，开[209]吏告其将、奴婢告其主，冀以禁奸，而奸愈甚。

莽孙功崇公宗坐自画容貌被服[210]天子衣冠、刻三印[211]，发觉，自杀。宗姊妨[212]为卫将军王兴夫人，坐祝诅[213]姑[214]，杀婢以绝口，与兴皆自杀。

是岁，扬雄[215]卒。初，成帝之世，雄为郎，给事[216]黄门[217]，与莽及刘秀并列。哀帝之初，又与董贤同官。莽、贤为三公，权倾人主，所荐莫不拔擢，而雄三世[218]不徙官。及莽篡位，雄以耆老[219]久次[220]，转[221]为大夫。恬[222]于势利，好古乐道，欲以文章成名于后世，乃作《太玄》[223]以综天、地、人之道。又见诸子各以其智舛驰[224]，大抵[225]诋訾[226]圣人，即为怪迂[227]、析辩诡辞[228]以挠世事，虽小辩[229]，终破大道而惑众，使溺[230]于所闻而不自知其非也，故人时有问雄者，常用法应之，号曰《法言》[231]。用心于内，不求于外，于时人皆忽[232]之，唯刘秀及范逡敬焉，而桓谭以为绝伦[233]，钜鹿侯芭师事[234]焉。大司空王邑、纳言严尤闻雄死，谓桓谭曰：“子常称扬雄书，岂能传于后世乎？”谭曰：“必传，顾[235]君与谭不及见也。凡人贱近而贵远[236]，亲见扬子云禄位容貌不能动人，故轻其书。昔老聃著虚无之言两篇[237]，薄[238]仁义，非礼学，然后[239]好之者尚以为过于“五经”，自汉文、景之君及司马迁皆有是言。今扬子之书文义至深，而论不诡[240]于圣人，则必度越[241]诸子矣！”

琅邪樊崇[242]起兵于莒[243]，众百余人，转入太山[244]。群盗以崇勇猛，皆附之，一岁间至万余人。崇同郡人逄安[245]、东海人徐宣[246]、谢禄[247]、杨音[248]各起兵，合数万人，复引[249]从崇，共还攻莒，不能下，转掠青、徐[250]间。又有东海刁子都[251][15]，亦起兵钞击[252]徐、兖。莽遣使者

兴回答说："荆、扬二州的百姓，大都依靠山林湖沼，以捕鱼、采樵为业。近来国家设置六筦制度，征收山林湖沼税，损害剥夺了百姓的利益，连年久旱，百姓饥饿走投无路，所以做了盗贼。我费兴到任后，想要明令晓谕盗贼返回乡里，贷放农具、耕牛、种子和粮食，放宽他们的租税，希望能使他们各自归家，安居乐业。"王莽很生气，罢了费兴的官。

全国的官吏由于得不到俸禄，都靠贪赃枉法牟取私利，郡尹、县宰家里，都积累上千斤黄金。王莽于是调查从始建国二年匈奴扰乱中国以来，因非法牟取利益而增加产业发了财的军吏和大夫以上的边境官吏，下令没收他们全部财产的五分之四，用以资助边防急需。各公府官吏乘坐驿车跑遍全国，调查审核贪官污吏，启发士兵控告自己的将领、奴婢告发自己的主人，希望以此来禁止奸邪，而奸邪反而越发严重。

王莽的孙子功崇公王宗，自画了一幅穿戴皇帝衣服的画像，且私刻三枚印章，事情败露，王宗自杀。王宗的姐姐王妨是卫将军王兴的夫人，犯了诅咒婆母的罪，为了灭口又杀死婢女，王妨、王兴都自杀了。

这一年，扬雄去世。当初，汉成帝时，扬雄为郎官，供职于黄门，和王莽、刘秀官位并列。哀帝初期，又与董贤官位相同。王莽、董贤当了三公，权力超过皇帝，他们推荐的人没有不被提拔的，但是扬雄历经了三任皇帝没有迁升官职。等到王莽篡夺帝位，扬雄因年老久居原职，调任为大夫。扬雄把势利看得很淡漠，好古乐道，想以文章成名传于后世，于是撰写《太玄》一书，以综合天、地、人三方面的道理。扬雄又发现先秦诸子的学说，各自凭借其智慧之言，相互背道而驰，要旨是诋毁儒家学派的圣人，编造怪异迂阔、巧言邪说以扰乱时政，虽然是辩论琐碎小事，但终究可能破坏儒家学派的大道而迷惑群众，让人们沉溺于所闻而不知道它是不对的，因此当时有人询问扬雄，扬雄都用合乎礼法的言论回答，成书后名曰《法言》。只是自己用心，不向外宣扬，当时人都轻视他，唯有刘秀和范逡尊敬他，而桓谭认为他无与伦比，钜鹿人侯芭拜扬雄为师。大司空王邑、纳言严尤听说扬雄去世，对桓谭说："先生经常称赞扬雄的著作，难道能流传后世吗？"桓谭说："必然能留传，只可惜你和我都看不到罢了。人大都轻视近人、崇敬古人，看见扬雄官职地位容貌都没有动人之处，因此瞧不起他的著作。从前老聃著虚无之说两篇，轻视仁义，非议礼学，但是，后世喜欢它的人还认为它的价值超过"五经"，从汉文帝、汉景帝到司马迁，都有这样的说法。现在扬雄的著作，文章的内容和含义都十分深刻，所发议论不违背儒家学说，将来必定超过其他学派的学说！"

琅邪人樊崇在莒城起兵，部众有一百余人，辗转进入泰山。群盗因樊崇勇猛，全都依附他，一年之间达到万余人。樊崇同郡人逄安，东海人徐宣、谢禄、杨音各自起兵，总共达数万人，又都带兵跟随樊崇，一同回军进攻莒城，没有攻下，转移到青、徐二州一带抢劫。还有东海人刁子都，也起兵在徐、兖二州一带抄掠。王莽发郡国兵击之，不能克。

乌累单于死，弟左贤王舆立，为呼都而尸道皋若鞮单于。舆既立，贪利赏赐，遣大且渠奢㉕³与伊墨居次云女弟之子醯椟王㉕⁴俱奉献㉕⁵至长安。莽遣和亲侯歙与奢等俱至制虏塞下，与云及须卜当会。因以兵迫胁㉕⁶云、当，将至㉕⁷长安。云、当小男从塞下得脱，归匈奴。当至长安，莽拜为须卜单于，欲出大兵以辅立之，兵调度亦不合。而匈奴愈怒，并入北边为寇。

【段旨】

以上为第四段，写扬雄之死和山东赤眉起义。匈奴怒恨新朝，大举扰乱北边。

【注释】

⑲⁵北军南门：北军军垒的南出营门。北军，汉代守卫京师的部队。未央宫在京城西南，其卫戍部队称南军；长乐宫在京城东面偏北，其卫戍部队称北军。⑲⁶灾：发生火灾。⑲⁷到部方略：到任后治理荆州的施政方针。到部，到任。部，署衙。⑲⁸扬：州名，扬州。其地辖有今江苏、安徽二省淮河以南及浙江、福建、江西三省等地区。⑲⁹渔采：渔，捕捞水产。采，指采伐木材及采集果蔬等。⑳⁰间者：近来。⑳¹假贷：借贷。⑳²阔：放宽。⑳³解释安集：解释，解散。安集，安抚。⑳⁴并为奸利：全都用不正当手段谋取利益。并，都。⑳⁵猾夏：侵犯我夏族。猾，扰乱。夏，古代汉民族称夏，又称诸夏、华夏。⑳⁶边急：边防的急用。⑳⁷考覆：考察、审核。⑳⁸贪饕：贪婪；贪得无厌。此言公府官员乘坐驿站提供的快车到全国各地调查审核贪官污吏。⑳⁹开：启发。㉑⁰被服：穿着。被，通“披”。㉑¹刻三印：其印文一为“维祉冠存已夏处南山臧薄冰”，二为“肃圣宝继”，三为“德封昌图”。㉑²妨：王宗姐名，王妨。㉑³祝诅：诅咒，祝告鬼神，使嫁祸于别人。㉑⁴姑：婆母。㉑⁵扬雄（公元前五三至公元一八年）：字子云，蜀郡成都人，擅长辞赋，博通经籍，西汉末年著名文学家。传见《汉书》卷八十七。㉑⁶给事：供职。㉑⁷黄门：官署名，黄门是宫廷的门，汉设黄门官供职于黄门之内。㉑⁸三世：成、哀、平三世。㉑⁹耆老：年老。㉒⁰久次：长期居于原来的官职。㉒¹转：调任。㉒²恬：淡漠；不热衷于。㉒³《太玄》：又称《太玄经》，扬雄撰。其书体裁模拟《周易》，分为一玄、三方、九州、二十七部、八十一家、七百二十九赞，以仿《周易》的两仪、四象、八卦、六十四卦、三百八十四爻等；内容以“玄”为中心思想，相当于《老子》的“道”和《周易》

派遣使臣征调各郡国的军队攻打他们，不能取胜。

匈奴乌累单于去世，他的弟弟左贤王栾提舆继位，称为呼都而尸道皋若鞮单于。栾提舆即位后，贪恋赏赐，就派遣大且渠奢和伊墨居次云妹妹的儿子醯椟王一起到长安进贡。王莽派遣和亲侯王歙与大且渠奢等人一起到制虏塞，和伊墨居次云、须卜当会面。趁机用兵将伊墨居次云、须卜当二人胁迫到长安。伊墨居次云、须卜当的小儿子从塞下逃脱，回到匈奴。须卜当到长安后，王莽任命他为须卜单于，想派出大军帮助他在匈奴登位，而大军一时难以集结。匈奴因此而更加愤怒，在北边全线侵扰抢劫。

的“易”，是儒、道、阴阳三家的混合体。共十卷。㉔ 舛驰：异道相背而驰，指诸子百家与儒家相违背。㉕ 大抵：大要；要旨。㉖ 诋訾：诋毁；毁谤。㉗ 即为怪迂：即，便。为，编造。怪迂，怪异迂阔。㉘ 析辩诡辞：指巧言邪说。㉙ 小辩：辩论琐碎小事。㉚ 溺：沉溺。㉛《法言》：扬雄撰。其书体裁仿照《论语》，内容尊圣人，谈王道，宣扬儒家传统思想。因都是合乎儒家礼法的言论，故名《法言》。㉜ 忽：轻视。㉝ 绝伦：超群；无与伦比。㉞ 师事：拜为老师。㉟ 顾：只是。㊱ 贱近而贵远：看不起今人而推崇古人。贱，轻视。贵，重视。㊲ 老聃著虚无之言两篇：老聃，即老子。著虚无之言两篇指《老子》，即《道德经》，分为上下两篇，五千余字。书中主张自然无为。㊳ 薄：鄙薄；轻视。㊴ 后：后世。㊵ 诡：违反。㊶ 度越：超过。㊷ 樊崇（？至公元二七年）：字细君，琅邪郡人，天凤五年（公元一八年）在莒县起义。所部皆涂抹朱眉，号赤眉军。后拥立刘盆子为帝，崇为御史大夫。建武三年（公元二七年），投降刘秀，不久被杀。㊸ 莒：县名，县治在今山东莒县。㊹ 太山：即泰山。㊺ 逄安（？至公元二七年）：字少子，琅邪郡东莞县（今山东沂水）人，赤眉军重要将领。拥立刘盆子为帝，安为左大司马。建武三年投降刘秀，不久被杀。㊻ 徐宣：字骄稚，东海郡临沂县（今山东临沂西北）人，赤眉军重要将领。拥立刘盆子为帝，宣为丞相。建武三年，投降刘秀。后归乡里，卒于家。㊼ 谢禄：字子奇，东海郡临沂县人，赤眉军重要将领。拥立刘盆子为帝，禄为右大司马。建武三年投降刘秀，被杀。㊽ 杨音：东海郡人，赤眉军重要将领。拥立刘盆子为帝，音为大司农。建武三年投降刘秀。后赐爵关内侯，归乡里，卒于家。㊾ 引：带领。㊿ 青、徐：皆州名。青州，其地辖有今山东北部及山东半岛等地区。徐州，其地辖有今山东东部、南部及江苏长江以北等地区。(251) 刁子都：东海郡人，率部活动于今山东、河南、江苏等省，发展到六七万人。后归刘玄，为徐州牧，不久为部下所杀。余部在兖州瑕丘县东北檀乡（今山东济宁市兖州区东北）重新集结，联合其他义军坚持斗争，号称檀乡兵。(252) 钞击：抄掠。(253) 奢：大且渠之名。(254) 醯椟王：匈奴官名。(255) 奉献：进贡。(256) 迫胁：威逼。(257) 将至：送到。

【校记】

［15］刁子都：原作“刀子都”。据章钰校，十二行本、乙十一行本皆作“刁子都”，今据改。

【原文】

六年（己卯，公元一九年）

春，莽见盗贼多，乃令太史推[258]三万六千岁历纪[259]，六岁一改元，布天下。下书自言“已当如黄帝仙[260]升天”，欲以诳耀百姓，销解[261]盗贼。众皆笑之。

初献《新乐》[262]于明堂、太庙。

更始将军廉丹击益州，不能克。益州夷栋蚕、若豆等起兵杀郡守。越嶲夷人大牟亦叛，杀略吏人。莽召丹还，更遣大司马护军郭兴、庸部牧李晔击蛮夷若豆等、太傅羲叔[263]士孙喜[264]清洁江湖[265]之盗贼。而匈奴寇边甚，莽乃大募天下丁男及死罪囚[266]、吏民奴[267]，名曰猪突、豨勇，以为锐卒。一切税天下吏民，訾三十取一，缣帛[268]皆输长安。令公卿以下至郡县黄绶[269]皆保养军马，多少各以秩为差，吏尽复以与民[270]。又博募有奇技术可以攻匈奴者，将待以不次之位[271]，言便宜[272]者以万数。或言能度水不用舟楫[273]，连马接骑，济百万师；或言不持斗粮，服食药物，三军不饥；或言能飞，一日千里，可窥[274]匈奴。莽辄试之，取大鸟翮[275]为两翼[276]，头与身皆着毛，通引环纽[277]，飞数百步堕。莽知其不可用，苟欲获其名[278]，皆拜为理军[279]，赐以车马，待发。

初，莽之欲诱迎须卜当也，大司马严尤谏曰：“当在匈奴右部，兵不侵边，单于动静辄语[280]中国，此方面[281]之大助也。于今迎当置长安槁街[282]，一胡人耳，不如在匈奴有益。”莽不听。既得当，欲遣尤与廉丹击匈奴，皆赐姓徵氏，号二徵将军，令诛单于舆而立当代之。出车城西横厩[283]，未发。尤素有智略，非[284]莽攻伐四夷，数谏不从。及当

【语译】

六年（己卯，公元一九年）

春，王莽看见全国盗贼很多，就命令太史推算三万六千年的日历，每六年改元一次，布告天下。王莽下诏书自称“我当像轩辕黄帝一样成仙升天”，想用这办法欺骗迷惑老百姓，消除盗贼。人们都笑话他。

王莽首次将他御制的《新乐》呈献于明堂、太庙。

更始将军廉丹攻击益州郡叛乱的蛮族，不能取胜。益州蛮族栋蚕、若豆等部落起兵杀死郡太守。越嶲郡夷人大牟也起兵谋反，屠杀官民。王莽召廉丹回来，另派大司马护军郭兴、庸部牧李晔去攻打蛮夷若豆等部落，派太傅羲叔士孙喜去清除各地的盗贼。而匈奴侵犯边境，形势更为严峻，王莽就大举招募全国壮丁以及死罪囚犯、官吏及平民的家奴，起名为猪突、豨勇，作为精锐部队。向全国所有官民开征赋税，收取财产的三十分之一，绸绢全部运送到长安。又下令公卿以下直到郡县最低级官员，都要负责饲养并保护军马，其数目根据各人的俸禄规定等级，而官吏又都把军马转给百姓饲养。还广泛招募有可以攻击匈奴的奇巧技术的人才，对他们破格越级提升，于是上书陈述方略的数以万计。有的声称渡过江河可以不用舟船，只要将战马首尾相接，就可运送百万雄师；有的声称不用携带军粮，只要服一种药物，军队就不会饥饿；有的声称能够飞行，一日千里，可以侦察匈奴。王莽就当场让他们试验，他们拿大鸟羽毛做成两个大翅膀，头上和全身都插着羽毛，全身用环形扣结缠绕，飞行几百步就落下来了。王莽知道这种技术不能用，又想博取珍惜人才的名声，都任命为理军，赐给车马，等候出发。

当初，王莽想引诱须卜当来长安的时候，大司马严尤劝谏说：“须卜当在匈奴右部，他的部众没有侵犯过边境，匈奴单于的一举一动，他都常常告诉中国，这对中国当地长官有很大的帮助。现今把须卜当迎来安置在长安槁街，那就是一个普通的匈奴人而已，不如让他在匈奴更有益。”王莽不听。把须卜当召诱来后，王莽想派严尤和廉丹去攻打匈奴，特赐姓徵氏，号称二徵将军，要他们杀死单于栾提舆，然后用须卜当去代替他。从长安车城西横厩出发，尚未动身。严尤一向很有智谋和才干，反对王莽攻打四方夷族，屡次谏阻，王莽不肯听从。此次出征时，举行廷议，严尤

出，廷议[285]，尤固言[286]：“匈奴可且以为后，先忧山东盗贼。”莽大怒，策免尤。

大司空议曹史[287]代郡范升[288]奏记[289]王邑曰：“升闻子以人不间[290]于其父母为孝，臣以下不非其君上为忠。今众人咸称朝圣，皆曰公明。盖明者无不见，圣者无不闻。今天下之事，昭昭[291]于日月，震震[292]于雷霆，而朝云不见，公云不闻，则元元焉所呼天[293]！公以为是而不言，则过小矣。知而从令，则过大矣。二者于公无可以免，宜乎天下归怨于公矣。朝以远者[294]不服为至念[295]，升以近者不悦为重忧[296]。今动与时戾[297]，事与道反，驰骛[298]覆车之辙，踵循[299]败事之后，后出益可怪，晚发愈可惧耳。方春岁首而动发远役，藜藿[300]不充，田荒不耕，谷价腾跃，斛至数千，吏民陷于汤火[301]之中，非国家之民也[302]。如此，则胡、貊守阙[303]，青、徐之寇在于帷帐[304]矣。升有一言，可以解[305]天下倒悬[306]，免元元之急，不可书传[307]，愿蒙引见，极陈所怀。”邑不听。

翼平[308]连率田况奏郡县赀[16]民不实，莽复三十取一。以况忠言忧国，进爵为伯，赐钱二百万，众庶皆詈[309]之。青、徐民多弃乡里流亡，老弱死道路，壮者入贼中。

夙夜[310]连率韩博上言：“有奇士，长丈，大十围[311]，来至臣府，曰[17]欲奋击胡虏，自谓巨毋霸[312]，出于蓬莱[313]东南五城[314]西北昭如海濒[315]，轺车[316]不能载，三马不能胜。即日以大车四马，建虎旗，载霸诣阙。霸卧则枕鼓，以铁箸[317]食，此皇天所以辅新室也！愿陛下作大甲、高车、贲、育[318]之衣，遣大将一人与虎贲百人迎之于道，京师门户不容者，开高大之，以示百蛮，镇安天下。”博意欲以风[319]莽。莽闻，恶之，留霸在所[320]新丰[321]，更其姓曰巨母氏，谓因文母太后而霸王符也[322]。征博，下狱，以非所宜言，弃市[323]。

关东饥旱连年，刁子都等党众浸多，至六七万。

坚持说："匈奴可以暂且放在以后考虑，我们应该先忧虑山东地区的盗贼。"王莽大怒，下策书罢免严尤。

大司空议曹史代郡人范升向大司空王邑提出书面建议，说："我范升听说，对儿子来说，让别人不批评他的父母，就是孝，对臣子来说，君主有过则谏，使在下位的人不诋毁君主，就是忠。现今，人们都歌颂朝廷神圣，赞扬你英明。但是，英明就是无所不见，神圣就是无所不闻。现今天下大事，比日月还昭明，比雷霆还震撼，然而朝廷说看不见，你说听不到，那么天下黎民到哪里去呼喊苍天！你认为是对的而不说，过错就小。明知是错的却仍听命执行，那么过失就大了。这两种情况，你都不可能避免，天下人将所有的怨恨都集中在你的身上也就是应该的了。朝廷以为四夷不服是最大的忧虑，我范升则认为国内人民不满意，才是最大的忧虑。如今举措不合时宜，所办事情与常规相背，在翻车的道路上疾驰，紧跟在失败的事情后面，往后降临的灾祸越发令人震惊，爆发得越晚就越可怕。如今正逢一年开始的春天，却兴兵远征，野菜都不够吃，田地荒芜无人耕种，谷价猛涨，一斛达到数千钱，官吏和百姓都陷于水深火热之中，已不再是国家的人民了。如此，就好比胡人、貊人把守未央宫宫门，青州、徐州的贼寇处在帐幕之内。我范升有一句话，可以解除天下危急，免除百姓的急难，我不能书面表达，希望承蒙你引见皇帝，尽力陈述我所想说的话。"王邑没有听从。

翼平郡连率田况奏报郡县所报百姓的财产不属实，王莽又按三十分之一征税。王莽认为田况进呈忠言，为国家忧虑，晋升为伯爵，赐给两百万钱，百姓都咒骂田况。青、徐二州的百姓大多背井离乡逃亡，老弱死于道路，年轻力壮的则加入盗贼。

夙夜郡连率韩博奏报说："有一个奇士，身高一丈，腰粗十围，来到臣的官府，说想要奋击匈奴，自称名叫巨毋霸，出自蓬莱山东南、五城西北的昭如海边，轺车无法载他，三匹马拖不动他。当天我用四匹马的大车，竖立虎旗，载着巨毋霸前来京师。巨毋霸躺着就用鼓做枕头，用铁筷子吃饭，这是皇天派他来辅助新朝的。希望陛下能为他特制大铠甲、高车和勇士孟贲、夏育穿的衣服，派遣一员大将、勇士百人，在道路上迎接他，京师门户若不能容纳，就增高加大，用以展示给所有蛮族看看，以镇服天下。"韩博意在讽谏王莽。王莽听说了，很厌恶，命巨毋霸留在所到达的新丰县，把他的姓改为巨母氏，说这个人是因文母太后而使自己成为霸王的符命。然后，征召韩博，关进监狱，以说话不当为由，将他在闹市处死。

函谷关以东连年饥馑荒旱，刁子都等党羽日渐增多，已达六七万人。

【段旨】

以上为第五段，写王莽拒谏，施政屡失，横征无已，民怨沸腾，与匈奴交恶，全线告警。

【注释】

㉕⑧推：推算。㉕⑨历纪：纪年的历法。纪，古代纪年单位。㉖⓪仙：成仙。相传黄帝在荆山铸成鼎后，有龙下迎黄帝，黄帝乘龙升天而去。㉖①销解：消除。㉖②《新乐》：新朝之乐。王莽主持创作的乐曲。㉖③羲叔：官名，王莽所设，为太傅副职。㉖④士孙喜：复姓士孙，名喜。㉖⑤清洁江湖：指清除四方各地的叛乱。㉖⑥死罪囚：死刑罪犯。㉖⑦吏民奴：官吏及平民的家奴。㉖⑧缣帛：质地细薄的丝织品。㉖⑨黄绶：汉制，官吏级别为四百石、三百石与二百石的，皆铜印黄绶。此指郡县官署中印用黄绶的官吏。㉗⓪吏尽复以与民：意谓官吏又全将马交百姓喂养。㉗①不次之位：不按一般的次序，意谓可以越级提升。㉗②便宜：指有利国家、合乎事宜之事。㉗③楫：船桨。㉗④窥：侦察。㉗⑤翮：羽毛。㉗⑥翼：翅膀。㉗⑦通引环纽：此言全身用连环扣结缠绕。通，全身。引，取用。环纽，连环扣结。㉗⑧苟欲获其名：此言不顾一切地想要取得重视人才的好名声。苟，苟且。㉗⑨理军：军官名。㉘⓪语：告诉。㉘①方面：指一个地方的军政要职或其长官。㉘②槁街：长安街名，四方边远部族在长安的住所皆在此街。㉘③横厩：厩名。厩，马房。㉘④非：批评；反对。㉘⑤廷议：在朝廷上商议。㉘⑥固言：坚持说。㉘⑦议曹史：大司空属官名。㉘⑧范升：字辩卿，代郡人，通经术，新朝为大司空议曹史。光武帝时为博士，明帝时任聊城令。后因事免官，卒于家。传见《后汉书》卷三十六。㉘⑨奏记：书面向长官陈述意见。㉙⓪间：责备；批评。㉙①昭昭：明白；显著。㉙②震震：巨大的声音。㉙③焉所呼天：到哪里呼天

【原文】

地皇元年（庚辰，公元二〇年）

春，正月乙未㉜④，赦天下。改元曰地皇，从三万六千岁历号㉜⑤也。

莽下书曰："方出军行师，敢有趋讙犯法者辄论斩㉜⑥，毋须时㉜⑦！"于是春、夏斩人都市，百姓震惧，道路仄[18]目㉜⑧。

莽见四方盗贼多，复欲厌之，又下书曰[19]："予之皇初祖考黄帝定天下，将兵为上[20]将军，内设大将，外置大司马五人，大将军

求救。㉔远者：指四夷。㉕至念：最忧虑的。㉖重忧：严重的忧患。㉗戾：乖戾；不合。㉘驰骛：奔走。㉙踵循：紧跟。㉚藜藿：泛指野菜。藜，草名，叶可食。藿，豆类作物的叶子。㉛汤火：滚烫的水和炽热的火，此喻指处境的极端险恶。㉜非国家之民也：意谓将铤而走险，反叛朝廷。㉝守阙：守候在宫门。此指逼近京师。㉞帷帐：帷幔床帐。㉟解：解除；消除。㊱倒悬：指极其艰难与危急的处境。㊲书传：书面表达。㊳翼平：王莽新设郡名。王莽改北海郡寿光县为翼平，以此设郡，治所在今山东寿光东北。㊴詈：骂。㊵夙夜：王莽新设郡名。王莽改东莱郡不夜县为夙夜，以此设郡，治所在今山东文登东北。㊶围：计量周长的约略单位。其长度尺寸其说不一，一般用来指两手或两臂之间合拱的长度。㊷巨毋霸：此人身高一丈，腰粗十围。地皇四年（公元二三年），巨毋霸任垒尉，驱赶着猛兽参加昆阳之战，以助军威。㊸蓬莱：地名，在今山东蓬莱。㊹五城：地名，汉武帝在此登望海中蓬莱仙山，因以蓬莱作为此地的名字，筑有五城、十二楼。㊺昭如海濒：昭如海边。濒，水边。㊻轺车：一匹马驾的轻便车。㊼箸：筷子。㊽贲、育：指孟贲、夏育，相传为古代二位勇士。㊾风：通“讽”，微言劝告。王莽字巨君，韩博之意，盖谓巨君不得篡位称霸。㊿所：处所；地方。321新丰：县名，县治在今陕西西安市临潼区东北。此言让巨毋霸停留在所在的地方新丰县。322谓因文母太后句：巨毋霸改称巨母霸，则“巨母霸”这个名字就成为说明巨君通过文母太后而称霸称王的符命。323弃市：死刑名，在闹市处死，并把尸体弃置街头示众。

【校记】

［16］赀：原作“訾”。胡三省注云：“‘訾’与‘赀’同。”据章钰校，十二行本、孔天胤本皆作“赀”，今据改。［17］曰：原无此字。据章钰校，十二行本、乙十一行本、孔天胤本皆有此字，今据补。

【语译】

地皇元年（庚辰，公元二〇年）

春，正月二十七日乙未，赦免天下。改年号为地皇，是根据三万六千年历法六年一改的理论。

王莽下诏书说：“正当大军出征，敢在大街奔跑、号叫，触犯法令的人，立即判处斩首，不必等到行刑的季节！”于是春、夏季节也在街市杀人，百姓震惊害怕，路上行人斜眼示意，不敢说话。

王莽看到四面八方盗贼很多，再次想用诅咒妖术镇服盗贼，又下诏书说：“我的皇初祖黄帝平定天下，统领军队任上将军，内设大将，外置大司马五人，从大将军

至士吏凡七十三万八千九百人，士千三百五十万人。予受符命之文，稽[329]前人，将条备[330]焉。”于是置前、后、左、右、中大司马之位，赐诸州牧至县宰皆有大将军、偏、裨、校尉之号焉[331]。乘传使者经历郡国，日且十辈，仓无见谷[332]以给，传车马不能足，赋取[333]道中车马，取办[334]于民。

秋，七月，大风毁王路堂[335]。莽下书曰：“乃壬午[336]餔时[337]，有烈风[338]雷雨发屋折木[339]之变[340]，予甚恐焉。伏念一旬，迷乃解矣。昔符命文[21]立安为新迁王，临国洛阳[341]，为统义阳王，议者皆曰：‘临国洛阳为统[342]，谓据土中[343]为新室统[344]也，宜为皇太子。’自此后，临久病，虽瘳不平[345]。临有兄而称太子，名不正。惟即位以来，阴阳未和，谷稼鲜耗[346]，蛮夷猾夏，寇贼奸宄[347]，人民征营[348]，无所错手足[349]。深惟厥咎[350]，在名不正焉。其立安为新迁王，临为统义阳王。”

莽又下书曰：“宝黄厮赤[351]。其令郎从官皆衣绛[352]。”

望气[353]为数[354]者多言有土功[355]象[356]。九月甲申[357]，莽起九庙[358]于长安城南，黄帝庙方四十丈，高十七丈，余庙半之，制度甚盛。博征[359]天下工匠及吏民以义入钱谷助作[360]者，骆驿[361]道路。穷极[362]百工之巧，功费数百余万，卒徒[363]死者万数。

是月，大雨六十余日。

钜鹿[364]男子马适求等谋举燕、赵兵以诛莽。大司空士王丹[365]发觉，以闻。莽遣三公大夫逮治[366]党与，连及郡国豪桀数千人，皆诛死。封丹为辅国侯。

莽以私铸钱死[367]及非沮[368]宝货投四裔，犯法者多，不可胜行。乃更轻其法，私铸作泉布者与妻子没入为官奴婢，吏及比伍[369]知而不举告[370]，与同罪。非沮宝货，民罚作[371]一岁，吏免官。

太傅平晏死。以予虞唐尊为太傅。尊曰：“国虚民贫，咎在奢泰[372]。”乃身短衣小袖[373]，乘牝马[374]、柴车[375]，藉稿[376]，以瓦器饮食，又以历遗[377]公卿。出，见男女不异路者，尊自下车，以象刑赭幡污染其衣[378]。莽闻而说之，下诏申敕公卿：“思与厥齐。”封尊为平化侯。

到士吏，总计七十三万八千九百人，士兵一千三百五十万人。我接受符命的文字，与古人相同，将逐项设置齐备。”于是设置前、后、左、右、中五个大司马的职位，各地州牧至县宰，都具有大将军、偏将军、裨将军、校尉的称号。乘着驿车的使者，经过各郡、国传达诏命，每天将近十批，仓库没有现粮供给，驿站车马不能满足，就征用路途中所见车马，或者向民间取用。

秋，七月，狂风摧毁未央宫的王路堂。王莽下诏书说：“在七月十六日壬午下午三至五时，有狂风雷雨摧毁房屋、折断树木的变异，我内心十分担忧。沉思十天之久，迷惑才终于解开。先前上天下降符命文说要立王安为新迁王，王临的封国在洛阳，为统义阳王，参与封王讨论的人都说：‘王临封国洛阳，又有统字为称号，是说他居于全国的中心，是新室的正统，应当做皇太子。’王临为皇太子以后，长久生病，后来虽然痊愈，但身体尚未恢复健康。王临上有兄长而称皇太子，名分不正。我从即位以来，阴阳不能调和，粮食减产，蛮夷侵犯中国，盗贼违法作乱，百姓惶恐不安，手足无措。深思其过错，在于名分不正。应当按符命立王安为新迁王，王临为统义阳王。”

王莽又下诏书说：“黄色尊贵，红色轻贱。应让郎官、侍从官都穿深红色的衣服。”

以观察天象为技能的人很多都说出现了大兴土木工程的征象。九月十九日甲申，王莽于是在长安城的南面建筑九座祭庙，其中轩辕黄帝的祭庙方圆四十丈，高十七丈，其他祭庙是它的一半大，规模极为壮观。广泛征召全国工匠和义务捐粮赞助兴建的官民，人员和物资在路上络绎不绝。整个工程极尽百工精巧之能事，耗费数百万钱，服劳役而死的人以万计。

九月份开始，大雨一连下了六十多天。

钜鹿郡男子马适求等人商议发动燕、赵地区的士兵讨伐王莽。大司空的属吏王丹发现后，向上禀报。王莽派遣三公大夫逮捕查办他们的党羽，牵连地方绅士豪杰数千人，全都处死。封王丹为辅国侯。

王莽因所有私自铸造钱币的处以死刑，诋毁、损坏宝货的一律流放到四方荒远的地方，以致犯法的人太多，法律无法执行。就把处罚的刑罚减轻，私自铸钱的，夫妻同时送进官府做奴婢，官吏和邻居知道而不检举告发的与私铸钱同罪。散布谣言破坏钱币流通的，如果是百姓就罚一年劳役，官吏就免职。

太傅平晏去世，任命予虞唐尊为太傅。唐尊说：“国家空虚，百姓贫穷，原因在于奢侈过甚。”因而身穿小袖短衣，骑母马，乘坐简陋无饰的车子，坐卧草垫，用瓦器作餐具，又将这些东西遍赠公卿。外出时，看到男女不分路而走，唐尊亲自下车，给予象征性的刑罚，用红土泥水弄脏他们的衣服。王莽听说后，很赞赏他的做法，下诏给所有文武官员：“你们要向唐尊看齐。”封唐尊为平化侯。

汝南郅恽[379]明天文历数[380]，以为汉必再受命[381]，上书说莽曰："上天垂戒[382]，欲悟[383]陛下，令就臣位。取之以天，还之以天，可谓知命矣！"莽大怒，系恽诏狱[384]，逾冬，会[385]赦得出。

【段旨】

以上为第六段，写王莽面对民变四起，不思抚恤，反而变本加厉横征暴敛，派出使者扰民，又用改封皇子的办法以应天变，自欺欺人，结果民变更加如火如荼发展。

【注释】

㉔乙未：正月二十七日。㉕从三万六千岁历号：依从三万六千岁历法，每六年改元一次，今年正值改元，故改元地皇。㉖趋讙犯法者辄论斩：趋讙，奔走号叫。论斩，判处死刑。论，定罪。㉗毋须时：不必等到执行死刑的季节。古代处决死刑，一般在秋、冬二季执行。㉘道路仄目：路上行人斜眼示意，不敢交谈。仄目，斜着眼看。㉙稽：相同。㉚条备：逐项设置齐备。㉛赐诸句：州牧号为大将军，郡卒正、连率、大尹为偏将军，属令、长为裨将军，县宰为校尉。㉜见谷：现成的粮食。见，同"现"。㉝赋取：征用。㉞取办：取用与办理。㉟王路堂：宫殿名，王莽改未央宫前殿为王路堂。㊱壬午：七月十六日。㊲铺时：即申时，午后三时至五时。㊳烈风：暴风。㊴发屋折木：指掀掉屋顶，折断树木。㊵变：指异常的自然现象。㊶临国洛阳：以洛阳作为王临的封国。临，王临。㊷为统：指王号称"统"，叫统义阳王。㊸据土中：拥有天下中心地区。㊹统：世代相继的系统；正统。㊺虽瘳不平：病虽然好了，健康尚未恢复。瘳，病愈。平，康复。㊻谷稼鲜耗：粮食减产。鲜，少。耗，减。㊼奸宄：违法作乱。乱在外为奸，在内为宄。㊽征营：惶恐不安。㊾无所错手足：没有地方安放手足，常用以形容没有办法，不知如何是好。㊿深惟厥咎：深深思考过错在哪里。惟，思考。咎，过错。[351]宝黄厮赤：尊崇黄色，轻视红色。宝，尊崇。厮，轻视。[352]衣绛：穿深红色的衣服。衣，穿，作动词用。[353]望气：方士的一种占候术，通过观察天空的云气来预测吉凶。[354]数：技术；技能。[355]土功：指治水、筑城、建造宫殿等土木工程。[356]象：征象。[357]甲申：九月十九日。[358]九庙：王莽所建九庙：一为黄帝太初祖庙，二为帝虞始

汝南人郅恽知晓天文星象、历法，认为汉氏一定再受天命当皇帝，上书劝诫王莽说：“上天垂示警戒，是想使陛下醒悟，回到臣子的位置。陛下的帝位取之于天，应还之于天，可说是知道天命了！”王莽大怒，把郅恽拘禁诏狱，过了一个冬天，遇到赦免出狱。

祖昭庙，三为陈胡王统祖穆庙，四为齐敬王世祖昭庙，五为济北愍王王祖穆庙，六为济南伯王尊祢昭庙，七为元城孺王尊祢穆庙，八为阳平顷王戚祢昭庙，九为新都显王戚祢穆庙。㉟⑨博征：广泛征集。㊱⓪以义入钱谷助作：无私捐献钱粮资助建造。㊱①骆驿：同“络绎”。往来不断。㊱②穷极：极尽。㊱③卒徒：服劳役的人。㊱④钜鹿：郡名，治所在今河北平乡西南。㊱⑤王丹：王莽的叔父王立之子。西汉末曾官中山太守。新朝为大司空士，以马适求案封辅国侯。后降刘秀为将军，战死。㊱⑥逮治：逮捕查办。㊱⑦死：判处死刑。㊱⑧非沮：诋毁，破坏。㊱⑨比伍：比、伍都是古代居民基层组织的名称，即户籍五户编为一比，又称一伍。㊲⓪举告：检举告发。㊲①作：服劳役。㊲②奢泰：奢侈过度。㊲③袖：衣袖。㊲④牝马：母马。㊲⑤柴车：简陋无饰的车子。㊲⑥藉稿：坐卧用的草垫。㊲⑦历遗：遍送。此言又把用瓦器盛的饮食遍送公卿。㊲⑧以象刑赭幡污染其衣：用红土泥水弄脏犯人的衣服，表示象刑。赭，红土。幡，抹布。此言按照古代象刑的做法，拿用红土汁浸过的抹布将其衣服染脏。据《白虎通》的记载，犯劓刑（割掉鼻子）者以赭染其衣。㊲⑨郅恽：字君章，汝南郡西平县（今河南西平西）人，通经术，尤精天文历数。东汉初曾为长沙太守。传见《后汉书》卷二十九。㊳⓪历数：观测天象以推算年时节候的方法。㊳①受命：接受天命，指取得君位。古称帝王治理天下的权力是上天授予的。㊳②垂戒：显示警戒。㊳③悟：觉悟。使动用法。㊳④诏狱：奉诏令关押犯人的监狱。㊳⑤会：适逢。

【校记】

［18］仄：原作“以”。据章钰校，孔天胤本作“仄”，张敦仁《通鉴刊本识误》同，今据改。［19］又下书曰：原作“下书又曰”。据章钰校，十二行本、乙十一行本、孔天胤本皆作“又下书曰”，今据改。［20］上：原作“大”。据章钰校，十二行本、乙十一行本皆作“上”，今据改。［21］文：原无此字。据章钰校，十二行本、乙十一行本、孔天胤本皆有此字，张敦仁《通鉴刊本识误》、张瑛《通鉴校勘记》同，今据补。

【原文】

二年（辛巳，公元二一年）

春，正月，莽妻死，谥曰孝睦皇后。初，莽妻以莽数杀其子，涕泣失明，莽令太子临居中养焉。莽妻旁侍者原碧㊳⑧，莽幸㊳⑦之，后[22]临亦通㊳⑧焉。恐事泄，谋共杀莽。临妻愔㊳⑨，国师公女，能为星㊴⓪，语临宫中且有白衣会㊴①，临喜，以为所谋且成。后贬为统义阳王，出在外第，愈忧恐。会莽妻病困，临予书曰："上于子孙至严，前长孙、中孙年俱三十而死。今臣临复适㊴②三十，诚恐一旦不保中室㊴③，则不知死命所在㊴④！"莽候㊴⑤妻疾，见其书，大怒，疑临有恶意，不令得会丧㊴⑥。既葬，收原碧等考问，具服奸、谋杀状。莽欲秘㊴⑦之，使杀案㊴⑧事使者司命从事㊴⑨，埋狱中，家不知所在。赐临药，临不肯饮，自刺死。又诏国师公："临本不知星，事从愔起。"愔亦自杀。

是月，新迁王安病死。初，莽为侯就国时，幸侍者增秩、怀能[400]，生子兴、匡[401]，皆留新都国，以其不明[402]故也。及安死，莽乃以王车[403]遣使者迎兴、匡，封兴为功修公，匡为功建公。

卜者王况谓魏成[404]大尹李焉曰："汉家当复兴，李氏为辅。"因为焉作谶书[405]，合十余万言。事发，莽皆杀之。

莽遣太师羲仲[406]景尚、更始将军护军[407]王党将兵击青、徐贼，国师和仲[408]曹放助郭兴击句町，皆不能克。军师放纵，百姓重困。

莽又转[409]天下谷帛诣西河、五原、朔方、渔阳，每一郡以百万数，欲以击匈奴。须卜当病死，莽以庶女[410]妻[411]其子后安公奢，所以尊宠之甚厚，终为欲[23]出兵立之者。会莽败，云、奢亦死。

秋，陨霜杀菽[412]，关东大饥，蝗。

莽既轻私铸钱之法，犯者愈众，及伍人相坐，没入为官奴婢。其男子槛车[413]，女子步[414]，以铁琐琅当其颈[415]，传诣长安[24]钟官[416]以十万数。到者易其夫妇[417]。愁苦死者什六七。

上谷[418]储夏[419]自请说瓜田仪降之。仪未出而死。莽求其尸葬之，为起冢、祠室，谥曰瓜宁殇男。

【语译】

二年（辛巳，公元二一年）

春，正月，王莽妻子去世，谥号为孝睦皇后。当初，王莽妻子因为王莽多次杀死她的儿子，哭瞎了眼睛，王莽让太子王临住在宫中奉养母亲。王莽妻子身边有一个侍女叫原碧，王莽召幸了她，后来王临也和她私通。害怕事情败露，就共同商量杀死王莽。王临的妻子刘愔，是国师公刘歆的女儿，能观看星象，告诉王临说宫中将有丧事发生，王临高兴，认为谋划将会成功。后来贬为统义阳王，出宫住在自己的府第，更加忧愁恐惧。适逢王莽的妻子病重，王临给她写信说："皇上对子孙最为严厉，先前长孙王宇、中孙王获都是年三十岁被处死，如今臣王临年岁又恰好三十，生怕母后一旦有什么不幸，臣不知道命死何处！"王莽去探视妻子的病情，看到了这封信，大怒，疑心王临有恶意，妻子死后，不让王临参与丧礼。王莽把妻子安葬完毕，逮捕原碧等人拷打审问，原碧原原本本承认通奸，以及谋杀的事。王莽想掩盖这件丑闻，派人秘密杀死审问案件的司命从事，埋在监狱中，家里人不知道下落。王莽赐给王临毒药，王临不肯饮药，用剑自杀而死。王莽又下诏国师公说："王临原本不懂星象，事件由刘愔而起。"刘愔也自杀了。

这一月，新迁王王安病死。当初，王莽为侯回到封国时，宠幸侍女增秩、怀能，生子王兴、王匡，都留在新都国，因为两子身份不明的缘故。等到王安死了，王莽就用侯王的专车派使者迎接王兴、王匡，册封王兴为功修公，王匡为功建公。

卜卦算命的王况对魏成郡大尹李焉说："汉家会复兴，李氏为辅臣。"就替李焉编造谶书，合起来有十多万字。这件事暴露，王莽把两人都杀死了。

王莽派遣太师羲仲景尚、更始将军护军王党领兵攻打青、徐地区的贼寇，国师和仲曹放协助郭兴攻打句町国，两支部队都没有取胜。军队放纵，百姓深为困苦。

王莽又把全国的粮食、绢帛转运到西河、五原、朔方、渔阳等郡，每郡以百万计，想用以攻击匈奴。须卜当病死，王莽把庶女王捷嫁给须卜当的儿子后安公须卜奢，之所以对他尊荣赏赐都如此优厚，在于王莽始终要用武力送他回国即位。恰遇王莽失败，而栾提云、须卜奢也死了。

秋，霜冻伤害庄稼，函谷关以东大饥馑，蝗虫成灾。

王莽减轻私自铸钱的处罚后，犯法的人更多了，连及邻居坐罪，没入官府做奴婢。其中男子装入囚车，女子步行，都用铁锁链锁住他们的脖子，押解到长安铸钱官府，人数以十万计。到了那儿，就被改配夫妇，愁苦而死的十有六七。

上谷郡人储夏自己请求去说服瓜田仪投降。瓜田仪还没有出面就死了。王莽要来他的尸体，安葬了他，为他修墓与祠庙，谥号为瓜宁殇男。

闰月⑳丙辰㉑，大赦。

郎阳成修㉒献符命，言继立民母㉓。又曰："黄帝以百二十女㉔致㉕神仙。"莽于是遣中散大夫㉖、谒者各四十五人，分行天下，博采乡里所高有淑女者上名㉗。

莽恶汉高庙神灵，遣虎贲武士入高庙，拔剑[25]四面提击㉘，斧坏户牖，桃汤㉙、赭鞭㉚鞭洒屋壁㉛，令轻车校尉㉜居其中。

【段旨】

以上为第七段，写王莽皇后及太子王临之死。王临被王莽逼杀，因为他策划了一场未遂的宫廷政变。王莽的奸诈与猜忌，连儿子都看不惯而要背叛，王莽的下场可想而知。

【注释】

㊱原碧：旁侍者之名。㊲幸：古称帝王与女子同房为幸。㊳通：通奸。㊴愔：王临妻之名，刘歆之女。㊵星：指星相术，即通过观察天文星象推算吉凶的方术。㊶且有白衣会：谓将有丧事发生。且，将要。白衣会，指丧事的征兆。《史记·天官书》："昴曰髦头，胡星也，为白衣会。"白衣，丧服。会，指二星会合。古代星相家认为白衣会为凶象，主将死，人多疾疫。㊷适：恰好。㊸中室：中宫，指莽妻，即临母。㊹死命所在：命死何处。㊺候：探视。㊻会丧：参加丧礼。㊼秘：保密。㊽案：审理。㊾司命从事：官名，司命属官。王莽以司命从事为案事使者负责审理此事，事后派人将其杀死。㊿增秩、怀能：二侍者名。㊀生子兴、匡：怀能生了王兴，增秩生了王匡。㊁不明：意谓恐侍者另与其他男子私通，不清楚所生兴、匡是否确为己子。㊂王车：诸侯王的车乘。朱班轮、青盖、左右騑、驾三马。㊃魏成：郡名，王莽改魏郡为魏成。《汉书·地理志》作"魏城"。㊄谶书：预言吉凶的文字。㊅羲仲：官名，太师属官。㊆护军：军官名，更始将军属官。㊇和仲：官名，国师属官。㊈转：调运。㊉庶女：妾生之女。此指侍者

【原文】

是岁，南郡秦丰㉝聚众且万人，平原㉞女子迟昭平㉟亦聚数千人在河阻中㊱。莽召问群臣禽贼方略，皆曰："此天囚㊲行尸㊳，命在漏

闰九月二十七日丙辰，大赦天下。

郎官阳成修进献符命，称要继立皇后。又说："轩辕黄帝因后宫有一百二十个女子才成了神仙。"王莽于是派中散大夫、谒者各四十五人，分路到全国各地，广泛地挑选乡间大众赞许的美丽淑女，呈送她们的姓名。

王莽憎恶汉高祖庙的神灵，就派遣虎贲武士进入高庙，拔剑四面掷击，用斧头砍坏门窗，用桃木煮的水挥洒墙壁，又用红色鞭子乱抽乱打，命令轻车校尉住在庙中。

开明所生之女王捷。⑪ 妻：嫁给。⑫ 菽：豆类作物。⑬ 槛车：用栅栏封闭的车，用以囚禁犯人。⑭ 步：步行。⑮ 以铁琐琅当其颈：用铁锁链锁在犯人的脖子上。琐，通"锁"，锁链。琅当，用铁锁锁人。⑯ 钟官：官名，执掌铸造钱币。⑰ 易其夫妇：改换他们的配偶。⑱ 上谷：郡名，治所在今河北怀来东南。⑲ 储夏：人名。⑳ 闰月：该年寅正闰八月，王莽行丑正，则闰九月。㉑ 丙辰：闰九月二十七日。㉒ 阳成修：人名，复姓阳成，名修。㉓ 民母：指皇后。㉔ 百二十女：指有后妃姬妾一百二十人。㉕ 致：达到；求得。㉖ 中散大夫：官名，司中属官，参与论议政事。㉗ 博采乡里所高有淑女者上名：广泛地选择乡间大家赞许的漂亮淑女，呈送她们的名字。高，推崇；尊重。淑女，贤良美好的女子。上，呈报。㉘ 提击：掷击。㉙ 桃汤：古人认为桃木可驱鬼避邪，所以用桃木煮水挥洒。㉚ 赭鞭：红色鞭子。㉛ 鞭洒屋壁：在墙壁上用桃汤挥洒，用赭鞭抽打。㉜ 轻车校尉：官名，原名虎贲校尉，王莽改称轻车校尉，执掌轻车。

【校记】

［22］后：原无此字。据章钰校，十二行本、乙十一行本皆有此字，张敦仁《通鉴刊本识误》同，今据补。［23］为欲：原作"欲为"。据章钰校，十二行本、乙十一行本二字皆互乙，今据改。［24］长安：原无此二字。据章钰校，十二行本、乙十一行本、孔天胤本皆有此二字，张瑛《通鉴校勘记》同，今据补。［25］拔剑：原无此二字。据章钰校，十二行本、乙十一行本、孔天胤本皆有此二字，张敦仁《通鉴刊本识误》、张瑛《通鉴校勘记》同，今据补。

【语译】

这一年，南郡人秦丰聚众近万人，在黄河险要地带平原郡女子迟昭平也聚众几千人。王莽召集群臣询问剿拿动乱民众的策略，大家都说："这些人是获罪于天的囚

刻[439]。”故左将军公孙禄[440]征来与议[441]，禄曰：“太史令宗宣，典星历[442]，候气变[443]，以凶为吉，乱天文，误朝廷。太傅平化侯尊，饰虚伪以偷名位[444]，贼夫人之子[445]。国师嘉信公[26]秀，颠倒“五经”[446]，毁师法[447]，令学士疑惑。明学男张邯[448]、地理侯孙阳，造井田，使民弃土业[449]。羲和鲁匡，设六筦以穷[450]工商。说符侯崔发，阿谀取容，令下情不上通。宜诛此数子以慰天下！”又言：“匈奴不可攻，当与和亲。臣恐新室忧不在匈奴而在封域之中也。”莽怒，使虎贲扶禄出，然颇采其言，左迁[451]鲁匡为五原卒正，以百姓怨诽故也。六筦非匡所独造，莽厌[452]众意而出之。

初，四方皆以饥寒穷愁起为盗贼，稍稍[27]群聚，常思岁熟[453]得归乡里，众虽万数，不敢略有[454]城邑，转掠求食[28]，日阕而已[455]。诸长吏牧守皆自乱斗中兵[456]而死，贼非敢欲杀之也，而莽终不谕[457]其故。是岁，荆州牧发奔命二万人讨绿林贼。贼帅王匡等相率迎击于云杜[458]，大破牧军，杀数千人，尽获辎重。牧欲北归，贼[29]马武等复遮击[459]之，钩牧车屏泥[460]，刺杀其骖乘[461]，然终不敢杀牧。贼遂攻拔竟陵[462]，转击云杜、安陆[463]，多略妇女，还入绿林中，至有五万余口，州郡不能制。又，大司马士按章[464]豫州[465]，为贼所获，贼送付县。士还，上书具言状。莽大怒，下狱[30]，以为诬罔[466]，因下书责七公[467]曰：“夫吏者，理[468]也。宣德明恩[469]，以牧养[470]民，仁之道也[471]。抑强督奸[472]，捕诛盗贼，义之节也[473]。今则不然。盗发不辄得[474]，至成群党遮略乘传宰士。士得脱者又妄自言：‘我责数[475]贼：何故为是[31]？贼曰：以贫穷故耳。贼护出我。’今俗人议者率多若此。惟贫困饥寒犯法为非，大者群盗，小者偷穴[476]，不过二科[477]。今乃结谋连党[478]以千百数，是逆乱之大者，岂饥寒之谓邪！七公其严敕卿大夫、卒正、连率、庶尹，谨牧养善民，急捕殄盗贼！有不同心并力疾恶黠贼，而妄曰饥寒所为，辄捕系，请其罪[479]！”于是群下愈恐，莫敢言贼情者，州郡又不得擅发兵，贼由是遂不制[480]。

唯翼平连率田况素果敢，发民年十八以上四万余人，授以库兵[481]，与刻石为约[482]。樊崇等闻之，不敢入界。况自劾奏。莽让[483]况：“未赐虎

犯，行尸走肉，顷刻之间就将灭亡。”前左将军公孙禄被召来参与议事，公孙禄说：“太史令宗宣，主管星象历算，占候气节的变化，把凶险的征兆说成是吉祥的征兆，扰乱天文，贻误朝廷。太傅平化侯唐尊，用巧饰虚伪的言行窃取名誉地位，害了人家的子弟。国师嘉信公刘秀，颠倒“五经”，破坏师法，使学士们的思想混乱。明学男张邯、地理侯孙阳，造作井田制度，使农民丧失了土地产业。羲和鲁匡，设置六筦制度，使工商业陷入崩溃。说符侯崔发，阿谀拍马，使下情不能上达。应当处死这几个人，用来平息全国的民愤！”又说：“不能攻打匈奴，应当与其和亲。臣担心新朝的忧虑不在匈奴，而是在国内。”王莽大怒，命令虎贲郎将公孙禄扶出宫去，但采纳了他的一些建议，将鲁匡降职为五原卒正，因为老百姓怨恨抨击他。六筦制度不是鲁匡一个人所创造，王莽为了满足大家的愿望，把鲁匡外放。

当初，全国各地的百姓都因饥寒贫困群起为盗，逐渐聚集在一起，经常想待年岁丰收能回到乡里，人数尽管以万计，但不敢夺取城邑，而游击转战，掠夺粮食，所得粮食当日吃光。地方州牧、长吏都是自己乱撞乱斗被兵刃所伤而死，盗贼并不敢也不想攻杀他们，可是王莽始终不明白这其中原因。这一年，荆州牧调发奔命士兵两万人讨伐绿林军。绿林军帅王匡等领兵在云杜县迎战，大败荆州牧的军队，杀死几千人，缴获了全部军用物资。荆州牧打算向北撤退，贼人马武等又拦击他，用铁钩钩住了荆州牧座车的车前挡泥板，刺杀了荆州牧的陪乘，然而始终不敢杀荆州牧。贼众于是攻占了竟陵，转攻云杜、安陆，掳掠大量妇女，还归绿林山中，众达五万余人，州郡官府不能制服。又，大司马士到豫州按奏章进行查处，被贼军抓获，贼军将他送交县府。大司马士回到朝廷，上书详细报告他的经历。王莽大怒，将他下狱，认为他编瞎话骗人，便下诏书指责三公四辅，说：“吏的意思是治理。宣扬德政，彰显恩泽，用以管教养育人民，这就是仁的原则。压制豪强，督察奸邪，捕杀盗贼，这就是义的准则。如今却不是这样。盗贼出现却不及时捕拿，甚至到了成群结党劫掠乘坐驿车的政府官吏。官吏脱身后又胡言乱语，说：‘我斥责盗贼：为什么做强盗？盗贼回答说：因为贫困走投无路啊！盗贼还护送我出境。’如今平庸的人说起盗贼的事大多如此。试想因贫困饥寒就为非犯法，大群的一伙就去抢劫，小股的入室偷窃，不外就是这两种。如今却是结党合谋，人数成百上千，这是罪大恶极的叛乱，岂能用饥寒来解释呢！四辅、三公要严厉告诫卿大夫、卒正、连率、庶尹各级官吏，认真扶养善良的民众，紧急捕杀消灭盗贼！若有不同心合力痛恨狡猾的盗贼，反而胡说他们因饥寒才做盗贼的人，就把他逮捕入狱，请治他的罪！”于是群臣更加惶恐，没有人敢说盗贼的实情，州郡又不能擅自发兵，盗贼从此就不能禁止了。

只有翼平郡的连率田况一向果断勇敢，他调发十八岁以上的丁壮四万多人，发给他们府库的兵器，将纪律法令刻在石头上。樊崇等人听说了，不敢进入翼平郡界。田况上奏弹劾自己。王莽责备田况，说：“没有赐给虎符而擅自调发军队，这是玩弄

符[484]而擅发兵，此弄兵也，厥罪乏兴[485]。以况自诡[486]必禽灭贼，故且勿治。”后况自请出界击贼，所向皆破。莽以玺书[487]令况领[488]青、徐二州牧事，况上言：“盗贼始发，其原甚微，部吏[489]、伍人[490]所能禽也。咎在长吏不为意，县欺其郡，郡欺朝廷，实百言十，实千言百。朝廷忽略，不辄督责，遂至延蔓连州，乃遣将帅，多[32]使者，传相监趣[491]。郡县力事[492]上官[493]，应塞[494]诘对[495]，共[496]酒食，具资用，以救断斩[497]，不暇复忧盗贼、治官事。将帅又不能躬[498]率吏士，战则为贼所破，吏气浸伤，徒费百姓。前幸蒙赦令，贼欲解散，或反遮击，恐入山谷[499]，转相告语。故郡县降贼皆更惊骇，恐见诈灭[500]，因饥馑易动[501]，旬日之间更十余万人，此盗贼所以多之故也。今洛阳以东，米石二千，窃见诏书欲遣太师、更始将军。二人爪牙[502]重臣，多从人众，道上空竭，少则无以威示远方。宜急选牧、尹以下，明其赏罚，收合[503]离乡[504]。小国无城郭者，徙其老弱置大城中，积藏谷食，并力固守。贼来攻城，则不能下。所过无食，势不得群聚。如此，招之必降，击之则灭。今空复多出将帅，郡县苦之，反甚于贼。宜尽征还乘传诸使者，以休息[505]郡县。委任臣况以二州盗贼，必平定之。”莽畏恶[506]况，阴为发代[507]，遣使者赐况玺书。使者至，见况，因令代监[508]其兵，遣况西诣长安，拜为师尉大夫。况去，齐地遂败。

【段旨】

以上为第八段，写王莽刚愎自用，不听公孙禄之言，不纳大司马士的实情报告，不用田况有效的征抚方略，一切征剿措施都按错误的方向走，于是绿林、赤眉大起。

【注释】

[433]秦丰：南郡郡县黎丘乡（今湖北襄阳东南）人，地皇二年（公元二一年）起义，占据黎丘，自号楚黎王，设置相、将等官吏。建武五年（公元二九年）降刘秀，被杀于洛阳。[434]平原：郡名，治所在今山东平原县南。[435]迟昭平：农民起义军女领袖。地皇

兵权，与犯贻误军机的乏兴罪同等。由于田况自我责求一定擒灭盗贼，所以暂且不予治罪。”之后，田况自己请求出境击贼，所到之处，攻无不破。王莽便用玺书令田况代理青、徐两州的政务，田况上书说：“盗贼刚起来时，原本势力很小，地方治安官员和同伍的人就能擒拿。责任就是地方长官不放在心上，县欺骗郡，郡欺骗朝廷，实际盗贼一百人，只说十人，实际上一千人，只说一百人。朝廷忽视，不能及时督察问责，于是蔓延发展到连片几个州，这才派遣将帅和许多使臣，辗转督察。郡县尽力伺候上司，应付责问，供给酒饭，奉献财货，用以解救自己的死刑，没有工夫去考虑盗贼、办理公事。将帅又不能亲自为士卒做表率，一交战就被盗贼打败，官兵士气沮丧，白白地耗费了百姓的资财。前次幸而蒙受朝廷的赦免，盗贼想要解散，想不到有的遭到官兵伏击，他们因惊恐又逃入山谷，互相转告。以致各郡县已经投降的盗贼都更加惊骇，害怕受骗遭到消灭，趁着饥荒人心容易动摇，十天之间便又集聚了十多万人，这就是盗贼所以众多的缘故。如今洛阳以东，一石米售价二千，臣看到诏书打算派遣太师、更始将军出征。两人是朝廷的爪牙重臣，随从人员众多，道路之上供给空竭，随从人员少了又无法威震远方。应当赶快选拔州牧、大尹以下官员，申明赏罚，合并分散的村落。没有城郭的小封国，将其境内的老弱迁移安置到邻近的大城市中，积蓄粮谷，合力固守。盗贼来攻城，无法攻破。所经过的地方没有粮食，形势逼使盗贼不能大规模聚集。如果这样，招抚盗贼，一定会投降，进攻盗贼，一定可以歼灭。如今徒然派出许多将帅，困苦郡县，反而超过盗贼的骚扰。应当尽快召回乘驿车的使者，让郡县休养生息。委任我田况负责青、徐两州的盗贼事务，一定能够平定盗贼。”王莽害怕忌恨田况，暗中派遣前去取代他的人，派出使臣颁赐田况玺书。使者到达，召见田况，宣布接替他掌管兵权，送田况西去长安，被任命为师尉大夫。田况离开青、徐二州，齐地就败落了。

二年起义，活动于流经平原一带的黄河沿岸地区。㊱在河阻中：活动在黄河险要地带。河，黄河。阻，险要地区。㊲天囚：获罪于天的囚犯。㊳行尸：指徒具形骸，虽生犹死的人。㊴漏刻：顷刻。㊵公孙禄：哀帝世先后为右将军、左将军。哀帝崩，因朝举大司马人选事忤王莽，被免官。㊶与议：参加朝议。㊷典星历：主管天文历法。㊸候气变：候，占验；预测。气变，节气的变化。㊹饰虚伪以偷名位：巧用虚伪的言行，用来窃取名誉地位。饰，掩饰。窃取。㊺贼夫人之子：害了别人家的孩子。贼，害。夫人，别人。夫，指示词。㊻颠倒“五经”：西汉官学为今文经学，古文经学只在民间流传，不被官方重视。西汉末年，刘歆提倡古文经学，争立古文经博士，遭今文经学家反

对，没有成功。后因得王莽支持，为古文经学设立博士。所谓“颠倒《五经》”，是站在今文经学派的立场对刘歆提倡古文经学的指责。(447)毁师法：诽谤老师传授的学术。(448)张邯：通经学，新朝官大长秋、大司徒等职，封明学男。地皇四年（公元二三年），被农民军杀死。(449)弃土业：丧失土地产业。(450)穷：使困苦窘迫。(451)左迁：降官；贬职。(452)厌：满足。(453)岁熟：年成丰收。(454)略有：攻占。(455)日阕而已：所得粮食当日吃光。阕，尽。(456)中兵：被兵器所伤。(457)谕：知晓。(458)云杜：县名，县治在今湖北京山。(459)遮击：截击。(460)屏泥：古代车前有轼木，供人立乘时倚靠。屏泥是轼前的装饰物，同时用来遮挡泥土。(461)骖乘：陪乘。古代乘车之法，御者居中，尊者居左，另有一人居于车右，以备车乘倾倒，称骖乘。(462)竟陵：县名，县治在今湖北潜江市西北。(463)安陆：县名，县治在今湖北云梦。(464)按章：根据奏章提出的问题进行查处。(465)豫州：州名，其地辖有今河南中部、东部及安徽西北部等地区。治所谯县，在今安徽亳州。(466)诬罔：以不实之词欺骗人。(467)七公：指四辅、三公。(468)理：治理；管理。(469)宣德明恩：宣扬德政，彰显恩泽。(470)牧养：治理；统治。(471)仁之道也：这就是仁政的原则。仁，指仁政、善政。道，原则。(472)抑强督奸：压制强暴，督察奸邪。(473)义之节也：这就是义的标准。义，正义；正当的行为。节，法度；标准。(474)辄得：实时捕获。(475)责数：斥责。(476)偷穴：入室偷窃。(477)科：类；种。(478)结谋连党：合谋结成一伙。(479)请其罪：请治其罪。(480)不制：不能禁止。(481)库兵：库存兵器。(482)约：法令。(483)让：责备。(484)虎符：朝廷授予臣下兵权或调发军队权力的信物。符作虎形，故称虎符。铜铸，背有铭文。符分为两半，右半留存朝廷，左半交给臣下。调发军队时，持符验核方可。(485)乏兴：即乏军兴。耽误军事行动或军用物资的征集调拨，叫乏军兴。是一种违反军律的罪名。(486)自诡：自我责求。(487)玺

【原文】

三年（壬午，公元二二年）

春，正月，九庙[509]成，纳神主[510]，莽谒见[511]，大驾[512]乘六马[513]，以五采毛为龙文衣[514]，著角[515]，长三尺。又造华盖九重[516]，高八丈一尺，载以四轮车。挽[517]者皆呼“登仙[518]”，莽出，令在前。百官窃言[519]：“此似辆车[520]，非仙物也。”

二月，樊崇等杀景尚。

关东人相食。

夏，四月，遣太师王匡、更始将军廉丹东讨众贼。初，樊崇等众既

书：加盖皇帝印玺的诏书。⑱ 领：代理。⑲ 部吏：各级所属治安部门的官吏，如郡贼曹、县游徼、乡亭长等。⑳ 伍人：同伍之人。当时的军队基层编制，五人为一伍。㉑ 传相监趣：辗转督察。传，通"转"。监，督促。趣，催促。㉒ 力事：尽力服侍。㉓ 上官：上级官吏。㉔ 应塞：应付搪塞。㉕ 诘对：对责问的回答。㉖ 共：通"供"。㉗ 断斩：指死刑。此言郡县官吏以此求己免受死刑。㉘ 躬：亲自。㉙ 恐入山谷：因恐惧而进入山林。㉚ 恐见诈灭：此言怕受骗被消灭。见，被。㉛ 因饥馑易动：因为饥荒之年人心容易动摇。㉜ 爪牙：得力的助手；亲信。㉝ 收合：集聚；集中。㉞ 离乡：分散的村落。㉟ 休息：即休养生息，指在国家大动荡或大变革以后，减轻人民负担，安定生活，以恢复元气。㊱ 畏恶：害怕忌恨。㊲ 阴为发代：暗中派遣前去代替的人。阴，暗中。㊳ 监：掌管；率领。

【校记】

［26］嘉信公：严衍《通鉴补》改作"嘉新公"。［27］稍："稍"字原不重。据章钰校，十二行本、乙十一行本、孔天胤本"稍"字皆重，今据补。［28］转掠求食：原无此四字。据章钰校，十二行本、乙十一行本、孔天胤本皆有此四字，张敦仁《通鉴刊本识误》、张瑛《通鉴校勘记》同，今据补。［29］贼：原无此字。据章钰校，十二行本、乙十一行本皆有此字，张敦仁《通鉴刊本识误》、张瑛《通鉴校勘记》同，今据补。［30］下狱：原无此二字。据章钰校，十二行本、乙十一行本、孔天胤本皆有此二字，今据补。［31］何故为是：原作"何为如是"。据章钰校，十二行本、乙十一行本、孔天胤本皆作"何故为是"，今据改。［32］多：张敦仁《通鉴刊本识误》认为"多"下应有"发"字。

【语译】

三年（壬午，公元二二年）

春，正月，九庙落成，各庙安放了神主，王莽前去祭拜，乘坐六匹马拉的大驾，马身上披着用五色羽毛织成龙文图案的套子，马头上装饰假角，长三尺。还制造华丽的九层车盖，高八丈一尺，用四轮车装载。拉车的人高呼"登仙"的口号，王莽出行时，用这辆车在前开路。文武百官窃窃私语说："这像载着棺柩的丧车，不是仙物。"

二月，樊崇等人杀死了景尚。

函谷关以东地区人吃人。

夏，四月，王莽派太师王匡、更始将军廉丹东出讨伐盗贼。起初，樊崇等人的

浸盛，乃相与为约："杀人者死，伤人者偿创。"其中最尊号三老，次从事，次卒史。及闻太师、更始将讨之，恐其众与莽兵乱，乃皆朱其眉以相识别，由是号曰赤眉。匡、丹合将锐士十余万人，所过放纵。东方为之语曰："宁逢赤眉，不逢太师！太师尚可，更始杀我！"卒如田况之言。

莽又多遣大夫、谒者分教民煮草木为酪㉑，酪不可食，重为烦费㉒。

绿林贼遇疾疫，死者且半，乃各分散引去㉓。王常、成丹西入南郡，号"下江兵㉔"。王匡、王凤[33]、马武及其支党朱鲔㉕、张卬㉖等北入南阳，号"新市兵㉗"。皆自称将军。莽遣司命大将军孔仁部㉘豫州，纳言大将军严尤、秩宗大将军陈茂击荆州，各从吏士百余人，乘传到部募士。尤谓茂曰："遣将不与兵符，必先请而后动㉙，是犹绁㉚韩卢㉛而责之获也。"

蝗从东方来，飞蔽天。

流民入关者数十万人，乃置养赡官㉜禀食之㉝，使者监领，与小吏共盗其禀，饥死者什七八。

先是，莽使中黄门㉞王业领㉟长安市买㊱，贱取于民。民甚患之。业以省费㊲为功，赐爵附城。莽闻城中饥馑，以问业。业曰："皆流民也。"乃市所卖㊳粱饭㊴、肉羹，持入示莽曰："居民食咸如此。"莽信之。

秋，七月，新市贼王匡等进攻随㊵。平林㊶人陈牧㊷、廖湛㊸复聚众千余人，号"平林兵"，以应之。

莽以[34]诏书让廉丹㊹曰："仓廪㊺尽矣，府库空矣，可以怒矣，可以战矣！将军受国重任，不捐身于中野㊻，无以报恩塞责！"丹惶恐，夜，召其掾冯衍㊼，以书示之。衍因说丹曰："张良㊽以五世相韩㊾，椎秦始皇博浪之中㊿。将军之先[551]，为汉信臣[552]。新室之兴，英俊不附[553]。今海内溃乱[554]，人怀汉德，甚于诗[35]人思召公[555]也。人所歌舞[556]，天必从之[557]。今方[558]为将军计，莫若屯据[559]大郡，镇抚[560]吏士，砥厉[561]其节，纳[562]雄杰之士，询[563]忠智之谋，兴社稷之利，除万人之害，则福禄流[564]于无穷，功烈著于不灭。何与军覆于中原[565]，身膏[566]于草野，功败名丧，耻及先祖哉！"丹不听。衍，左将军奉世[567]曾孙也。

冬，无盐索卢恢[568]等举兵，反城[569]附贼，廉丹、王匡攻拔之，斩

部众逐渐强大，于是与众约定:“杀人的人抵命，伤人的人偿创。”其中，最高首领称号三老，其次叫从事，再次叫卒史。等到得知太师、更始将军将要来讨伐，担心自己的部众与王莽的官兵相混，就把部众的眉毛涂成红色相区别，因此称号叫赤眉军。王匡、廉丹合计率领精锐士兵十余万人，每经过一地，对士兵不加约束。东部地区因而流行歌谣说:“宁可遇上赤眉，不愿碰到太师！太师勉强过得去，更始来了就没命!”真的如同田况说的一样。

王莽又派出大批大夫、谒者到各地去教民众用草木煮成酪浆充饥，酪浆无法食用，更加重了百姓的烦扰和耗费。

绿林军染上了疫病，死亡将近半数，因而各自分散退去。王常、成丹向西进入南郡，称为“下江兵”。王匡、王凤、马武及其支党朱鲔、张卬等人，向北进入南阳，称为“新市兵”。各个首领都自称将军。王莽派司命大将军孔仁统领豫州，纳言大将军严尤、秩宗大将军陈茂出击荆州，各自带领随从官员一百多人，乘坐驿车到各自任所招募士兵。严尤对陈茂说:“派遣将领却不给发兵的兵符，一定要先请示然后才行动，这好比是用绳子拴住猎狗韩卢却要求它去捕获猎物啊。”

蝗虫从东方飞来，遮蔽了天空。

流亡进入函谷关的难民有几十万人，朝廷在各地设置养赡官供给食物，由使臣监管，他们却和小吏一起盗窃这些食物，以致流民饿死的十有七八。

此前，王莽派遣中黄门王业主管长安城市场贸易，用低价取民货物。百姓很憎恶。王业却因节省收购费用而立功，被赐爵为附城。王莽听说京城里发生饥荒，就询问王业。王业回答说:“这些都是流民。”于是买来售卖的好米饭、肉羹，呈送给王莽看，说:“本城居民吃的都是这样的东西。”王莽相信了他的话。

秋，七月，新市兵首领王匡等进攻随县。平林人陈牧、廖湛也聚众一千余人，称为“平林兵”，以响应王匡。

王莽以诏书斥责廉丹说:“仓库粮食光了，国库财物空了，应该大怒奋起了，应该出击交战了。将军身受朝廷的重任，若不能捐躯于战场，就无法报答朝廷的厚恩完成自己的职责!”廉丹恐惧，当晚就召唤他的属吏冯衍，将诏书拿给他看。冯衍趁机对廉丹说:“张良父祖五代辅佐韩王，在博浪沙用铁椎谋刺秦始皇。将军的祖先，是汉朝的忠诚之臣。新王朝兴起，英雄豪杰都不归附。如今全国溃散混乱，百姓怀念汉朝的恩德，超过诗人怀念召公。人们歌之舞之而颂扬的，上天一定顺从他。现今我替将军谋划，不如驻扎在一个大郡，安抚吏士，砥砺他们的志节，接纳英雄豪杰之士，咨询忠直智慧的谋略，为国家兴利，替万民除害，那么，你的福禄就会流传无穷，功业永垂青史。与军队覆灭战场，身死草野，功败名丧，使祖先蒙辱相比怎么样!”廉丹没有听冯衍的劝告。冯衍是左将军冯奉世的曾孙。

冬，无盐县索卢恢等人起兵，据城反叛，响应贼军，廉丹、王匡攻陷无盐县城，

首万余级。莽遣中郎将奉玺书劳⑰丹、匡，进爵为公，封吏士有功者十余人。

赤眉别校⑰董宪⑰等众数万人在梁郡⑰，王匡欲进击之。廉丹以为新拔城，罢⑰劳，当且休士养威。匡不听，引兵独进，丹随之。合战成昌⑰，兵败，匡走。丹使吏持其印、绂、节付匡曰："小儿可走，吾不可！"遂止，战死。校尉汝云、王隆等二十余人别斗⑰，闻之，皆曰："廉公已死，吾谁为⑰生！"驰奔贼⑰，皆战死。

国将哀章自请愿平山东，莽遣章驰东⑰与太师匡并力。又遣大将军阳浚守敖仓⑱。司徒王寻将十余万屯洛阳，镇南宫⑱。大司马董忠⑱养士习射北军中垒⑱[36]。大司空王邑兼三公之职。

【段旨】

以上为第九段，写王莽倾全力大规模镇压起义军，由于军纪败坏，更加使民众痛苦不堪，加上瘟疫、天灾，民变更加如火如荼，赤眉军、绿林军虽受挫折，却愈战愈强，新朝已呈溃败之势。

【注释】

⑤⑨九庙：天子祭祀祖宗，按传统的儒家理论是天子立七庙，而王莽自大，为新朝太庙立九庙，祭祀九位祖宗。⑤⑩纳神主：指接神主入庙。神主，为已死君主、诸侯做的牌位。用木或石制成。天子主长一尺二寸，诸侯主长一尺。⑤⑪谒见：前去拜见。⑤⑫大驾：皇帝出行，车乘仪仗按其规模分为大驾、小驾、法驾。大驾是规模最大的车乘仪仗形式，前由公卿引导，大将军陪乘，太仆驾车，后随车队由八十一辆车组成。⑤⑬乘六马：所乘之车驾着六匹马。⑤⑭龙文衣：编织成龙形图案的衣服。此言马身上披着有用五彩羽毛编织成的龙形图案的衣套。⑤⑮著角：意谓马的头上安着假角。⑤⑯华盖九重：华丽的车盖有九层。重，层。⑤⑰挽：拉车。⑤⑱登仙：成仙。相传黄帝建造华盖而登仙，所以王莽作此。⑤⑲窃言：私下说。⑤⑳辆车：拉载棺柩的丧车。⑤㉑酪：用草籽、树果熬煮而成的液体糊浆。⑤㉒重为烦费：又增加一层烦扰耗费。⑤㉓引去：退去。⑤㉔下江兵：古以南郡（今湖北西部）以下，地属长江下游，称下江。以王常、成丹为首的一支绿林军主要活动于南郡地区，故称下江兵。⑤㉕朱鲔：淮阳国（治所在今河南淮阳）人，绿林军重要将领。刘玄称帝，以鲔为大司马，封胶东王。建武元年（公元二五年）降刘秀，先后为平狄将

杀死一万多人。王莽派中郎将奉诏书慰劳廉丹、王匡，晋升二人为公爵，封有功官吏十多人。

赤眉别校董宪等数万名部众驻在梁郡，王匡想攻击董宪。廉丹认为刚攻下县城，军队疲劳，应当暂且休整，恢复军威。王匡不听，率领军队单独挺进，廉丹跟随着他。在成昌交战，王匡兵败逃走。廉丹派人拿着王匡的印信、绶带、符节全送交王匡说："小儿可以逃走，我却不能！"于是停下来，战死了。校尉汝云、王隆等二十余人正在别处作战，听说廉丹战死的消息，都说："廉将军已死，我们还为谁活！"驰马冲入敌阵，都战死。

国将哀章自己请求希望平定山东地区，王莽便派遣哀章飞快赶往东方和太师王匡会合。又派遣大将军阳浚防守敖仓。司徒王寻率领十余万人驻守洛阳，镇守南宫。大司马董忠在北军中垒营地训练士兵骑射。任命大司空王邑兼掌三公的职责。

军、少府，封扶沟侯。㉖张卬：绿林军重要将领。刘玄称帝，为卫尉大将军，封淮阳王。后被刘玄疑忌，卬归赤眉军。㉗新市兵：王匡、王凤为新市人，所以他们领导的一支绿林军称新市兵。㉘部：统率。㉙先请而后动：先向朝廷呈报请示，批准后，才能行动。㉚绁：用绳索拴住。㉛韩卢：战国时韩国的良犬名。㉜养赡官：负责供给流民吃喝的官吏。㉝禀食之：供给饥民食物。禀，供给食物。食，拿食物给人吃。㉞中黄门：官名。黄门，指宫廷之门。中黄门由宦者担任，执掌给事禁中。㉟领：主管。㊱市买：买卖；交易。㊲省费：节省收购费用。㊳市所卖：买市场上所卖食品。市，买。㊴梁饭：好米饭。㊵随：县名，县治在今湖北随州。㊶平林：随县村镇名，其地在今湖北随州东北。㊷陈牧：地皇三年（公元二二年）起事，号平林兵。刘玄称帝，为大司空，封阴平王。后为刘玄疑忌，被杀。㊸廖湛：地皇三年，与陈牧一起起事。刘玄称帝，廖湛为执金吾大将军，封穰王。后为刘玄疑忌，归赤眉军。建武二年（公元二六年），被刘嘉战败，被杀。㊹廉丹：新朝历官宁始将军、御侮等职。地皇三年，被赤眉军杀死。㊺仓廪：贮藏米谷的仓库。㊻捐身于中野：捐躯在战场。㊼冯衍：字敬通，京兆杜陵县人，新朝时廉丹召为属官。丹死，归刘玄，后降刘秀。东汉初为曲阳令，迁司隶从事。因交通外戚免官，卒于家。善辞赋，为东汉初年著名辞赋家。传见《后汉书》卷二十八。㊽张良（？至公元前一八九年）：字子房，西汉初年韩人，助刘邦灭秦、楚，建汉朝，封留侯。传见《史记》卷五十五与《汉书》卷四十。㊾五世相韩：据《史记》《汉书》，张良"大父开地，相韩昭侯、宣惠王、襄哀王。父平，相釐王、悼惠王"。㊿椎秦始皇博浪之中：椎，用椎击。博浪，即博浪沙，地名，其地在今河南原阳东南。秦灭韩，

张良得力士刺秦王。秦始皇东游，至博浪沙，以椎击之，误中副车。(551)先：先人；祖先。汉宣帝时，其先人廉褒为后将军。(552)信臣：忠诚可靠之臣。(553)附：归附；顺从。(554)溃乱：散乱。(555)诗人思召公：据记载，西周成王时，周、召二公分陕而治，自陕而东周公主之，自陕而西召公主之。召公巡视治理地区，常在一棵棠树下审断案件，处理政事，很得人们的拥戴。召公死后，人民怀念他，作《甘棠》之诗歌颂他。(556)歌舞：既歌又舞，此指颂扬。(557)从之：顺从民意。(558)今方：如今；现在。(559)屯据：驻扎据守。(560)镇抚：安抚。(561)砥厉：激励；勉励。(562)纳：接纳。(563)询：咨询；访问。(564)流：传布；流传。(565)何与军覆于中原：何与，与……相比怎么样；比……怎么样。覆，全数溃灭。中原，即原中，指战场。(566)膏：润溉，此借指死亡。(567)奉世：冯奉世，字子明，上党郡潞县（今山西长治市潞城区东北）人，后迁京兆杜陵县。汉武帝末年入仕，元帝永光年间病卒。官至左将军、光禄勋，赐爵关内侯。传见《汉书》卷七十九。(568)索卢恢：人名，姓索卢，名恢。(569)反城：占据城邑起来造反。(570)劳：慰劳。(571)别校：单独领军作战的中级军官。(572)董宪：东海郡（治所在今山东郯城西北）人，新朝末年在东海起事。刘玄称帝，封刘永为梁王。永占据梁地，自置官吏，拜宪为翼汉大将军，立为海西王。建武六年（公元三〇年），与刘秀军战，军败被杀。(573)梁郡：梁本为王国名，都睢阳县（今河南商丘南）。王莽建新，改国为

【原文】

初[37]，长沙定王发[584]生春陵节侯买，买生戴侯熊渠，熊渠生考侯[585]仁。仁以南方[586]卑湿[587]，徙封南阳之白水乡[588]，与宗族往家[589]焉。仁卒，子敞嗣，值莽篡位，国除。节侯少子外为郁林[590]太守，外生钜鹿都尉回，回生南顿[591]令钦。钦娶湖阳樊重[592]女，生三男：缜[593]，仲[594]，秀[595]，兄弟早孤[596]，养于叔父良[597]。缜性刚毅，慷慨有大节，自莽篡汉，常愤愤，怀复社稷之虑，不事家人居业[598]，倾身[599]破产，交结天下雄俊。秀隆准日角[600]，性勤稼穑[601]。缜常非笑[602]之，比于高祖[603]兄仲[604]。秀姊元[605]为新野邓晨[606]妻，秀尝与晨俱过穰[607]人蔡少公，少公颇学图谶，言“刘秀当为天子”。或曰：“是国师公刘秀乎？”秀戏曰：“何用[608]知非仆[609]邪！”坐者皆大笑。晨心独喜。

宛人李守，好星历、谶记，为莽宗卿师[610]，尝谓其子通[611]曰：“刘氏当兴，李氏为辅。”及新市、平林兵起，南阳骚动，通从弟[612]轶[613]谓通

郡。㉔罢：通“疲”。⑤⑤成昌：地名，今地不详。⑤⑥别斗：在别的地方作战。⑤⑦谁为：即“为谁”。⑤⑧驰奔贼：飞马冲向贼军。⑤⑨驰东：飞快赶往东方。⑤⑩敖仓：仓名，其地在今河南郑州西北邙山上，北临黄河。⑤⑪南宫：洛阳城内宫殿名，其址在今洛阳东北郊。⑤⑫董忠：人名，王莽建新，封降符伯。天凤六年（公元一九年），代严尤为大司马。地皇四年（公元二三年），与刘歆、王涉谋杀王莽，事泄被杀。⑤⑬北军中垒：汉代京师的卫戍部队分为南、北军。文帝时合南北军，其后南军名没，而北军名存。汉设中垒校尉，执掌北军营垒之事。此言大司马董忠率军驻扎在北军中垒营地，并在那里训练部队。

【校记】

[33] 王匡王凤：原作“王凤王匡”。据章钰校，十二行本、乙十一行本、孔天胤本皆作“王匡王凤”，今据改。[34] 以：原无此字。据章钰校，十二行本、孔天胤本皆有此字，张敦仁《通鉴刊本识误》同，今据补。[35] 诗：原作“周”。据章钰校，十二行本、乙十一行本、孔天胤本皆作“诗”，今据改。[36] 北军中垒：原误作“中军北垒”。严衍《通鉴补》改作“北军中垒”，今据以校正。

【语译】

起初，汉朝景帝子长沙定王刘发生春陵节侯刘买，刘买生戴侯刘熊渠，刘熊渠生考侯刘仁。刘仁因为南方地势低下，气候潮湿，改封到南阳郡的白水乡，与他的家族前往定居。刘仁死后，儿子刘敞继承爵位，正遇王莽篡夺帝位，封国被废除。节侯刘买的幼子刘外任郁林太守，刘外生钜鹿郡都尉刘回，刘回生南顿县令刘钦。刘钦娶湖阳县樊重的女儿为妻，生了三个儿子：刘縯、刘仲、刘秀，兄弟三人幼年丧父，由叔父刘良抚养成人。刘縯个性刚强坚毅，慷慨大度，自从王莽篡汉，常常愤愤不平，怀有光复汉朝的想法。他不经营家产，反而倾家荡产，结交天下英雄豪杰。刘秀的鼻子很高，额角中心隆起，形状如日，爱好农耕。刘縯经常讥笑他，把他比作汉高祖刘邦的兄长刘仲。刘秀的姐姐刘元是新野人邓晨的妻子，刘秀曾经与邓晨一起拜访穰县人蔡少公，蔡少公对图谶颇有研究，说“刘秀当为天子”。有人说：“是说国师公刘秀吗？”刘秀开玩笑说：“何以知道不是我呢！”在座的人全都大笑。邓晨心里独自高兴。

宛城人李守喜好星象、谶书，任王莽的宗卿师，曾对他的儿子李通说：“刘氏当复兴，李氏为辅佐。”等到新市兵、平林兵兴起，南阳郡人心骚动，李通的堂弟李轶

曰:“今四方扰乱，汉当复兴。南阳宗室，独刘伯升兄弟泛爱[614]容众[615]，可与谋大事。”通笑曰:“吾意也!”会秀卖谷于宛，通遣轶往迎秀，与相见，因具言谶文事，与相约结，定谋[38]议。通欲以立秋材官都试骑士日，劫前队大夫[616]甄阜及属正[617]梁丘赐，因以号令大众，使轶与秀归舂陵举兵以相应。于是缜召诸豪杰计议曰:“王莽暴虐，百姓分崩。今枯旱连年，兵革并起，此亦天亡之时，复高祖之业，定万世之秋[618]也!”众皆然之。于是分遣亲客于诸县起兵，缜自发舂陵子弟。诸家子弟恐惧，皆亡匿，曰:“伯升杀我!”及见秀绛衣大冠[619]，皆惊曰:“谨厚者亦复为之!”乃稍自安。凡得子弟七八千人，部署宾客，自称“柱天[620]都部[621]”。秀时年二十八。李通未发，事觉，亡走。父守及家属坐死者六十四人。

缜使族人嘉[622]招说新市、平林兵，与其帅王凤、陈牧西击长聚[623]。进屠[624]唐子乡[625]，又杀湖阳尉[626]。军中分财物不均，众恚恨[627]，欲反攻诸刘。秀[39]敛[628]宗人[629]所得物，悉以与之，众乃悦。进拔棘阳[630]，李轶、邓晨皆将宾客来会。

严尤、陈茂破下江兵。成丹、王常、张卬等收散卒入蒌溪[631]，略[632]钟、龙[633]间，众复振。引军与荆州牧战于上唐[634]，大破之。

十一月，有星孛于张[635]。

刘缜欲进攻宛，至小长安聚[636]，与甄阜、梁丘赐战。时天密雾，汉军大败。秀单马走，遇女弟伯姬，与共骑而奔。前行，复见姊元，趣[637]令上马，元以手挥曰:“行矣，不能相救，无为两没[638]也!”会追兵至，元及三女皆死，缜弟仲及宗从[639]死者数十人。

缜复收会兵众，还保棘阳。阜、赐乘胜留辎重于蓝乡[640]，引精兵十万南渡潢淳[641]，临沘水[642][40]，阻[643]两川[644]间为营，绝[645]后桥，示无还心。新市、平林见汉兵数败，阜、赐军大至，各欲解去，缜甚患之。会下江兵五千余人至宜秋[646]，缜即与秀及李通俱[41]造其壁[647]曰:“愿见下江一贤将，议大事。”众推王常。缜见常，说以合从[648]之利，常大悟曰:“王莽残虐，百姓思汉。今刘氏复兴，即真主也。诚思出身为用，辅成大功。”缜曰:“如事成，岂敢独飨[649]之哉!”遂与常深相结而

对李通说："如今天下混乱，汉王朝应当复兴。南阳郡刘家宗室，唯有刘縯兄弟博爱大众，容纳人才，可以与他们图谋国家大事。"李通笑着说："我正有此意！"恰好刘秀到宛城卖粮食，李通派李轶去迎接刘秀，与刘秀见面，趁机详细地将谶文上的事告诉刘秀，彼此盟誓结交，共同商定计谋。李通想在立秋那天，趁着骑士总考试时，劫持前队大夫甄阜和属正梁丘赐，趁此号令大众起兵，让李轶和刘秀回春陵县起兵响应。于是，刘縯召集当地豪杰计议说："王莽残暴酷虐，百姓分崩离析；如今连年旱灾，到处兵荒马乱，这是上天灭亡王莽之时，恢复汉高祖大业，奠定万世基业之秋！"大家一致赞同。于是，分别派出亲近宾客到各县策动兴兵起事，刘縯自己发动春陵县的子弟。各家子弟都很害怕，纷纷逃避，说："刘縯要害死我！"待见到刘秀身穿红衣，头戴武官的大帽，都吃惊地说："谨慎忠厚的人也都这样干了！"心里这才逐渐安定下来。刘縯他们一共集结子弟七八千人，把宾客加以调配安置，自称"柱天都部"。刘秀此时二十八岁。李通聚众起兵还没有行动就泄漏了，李通逃亡。他的父亲李守和被牵连犯罪的家属，一共死了六十四人。

刘縯派同族人刘嘉去招抚说服新市兵、平林兵，与他们的主帅王凤、陈牧联合西击长聚；进兵屠灭唐子乡，又杀死湖阳县尉。军中由于分配财物不均，大家都有怨气，想要反击刘縯的兵马。刘秀搜集同族人所得的财物，全部交给他们，大家才高兴。进兵攻取棘阳县，李轶、邓晨都率领宾客前来会合。

严尤、陈茂打败下江兵。成丹、王常、张卬等搜集散兵进入蒌溪，在钟山和龙山一带掳掠，部队又振作起来。带领军队在上唐乡和荆州牧作战，大破州府官军。

十一月，有彗星出现在南方张宿。

刘縯想进攻宛县，到达小长安聚，和甄阜、梁丘赐交战。当时大雾弥漫，汉军大败。刘秀单骑逃走，遇到妹妹刘伯姬，兄妹共乘一马逃跑。在向前行进时，又碰见姐姐刘元，刘秀催她赶快上马，刘元挥手说："快走，你们不能救我，不要彼此都死！"恰巧追兵已到，刘元和三个女儿都被杀害，刘縯的弟弟刘仲和宗族子弟死去的有几十人。

刘縯又集结部众，撤到棘阳县拒守。甄阜、梁丘赐乘胜把辎重装备留在蓝乡，率领十万名精兵南渡潢淳水，到达沘水，依托潢淳水和沘水两水之间的险要地区扎营，毁断了身后的水上桥梁，以示死也不后退的决心。新市兵、平林兵看到刘縯的汉军屡次失败，而甄阜、梁丘赐的军队大批到来，就打算脱离刘縯各自离去，刘縯深感忧虑。适逢下江兵五千余人到了宜秋聚，刘縯立即带领刘秀、李通一起到营寨拜访，说："我们想会见下江兵的一位贤明将领，商议大事。"下江兵推出王常。刘縯见到王常，向他说明联合作战的好处，王常大为醒悟，说："王莽残酷暴虐，百姓都思念汉朝。如今刘氏再次兴起，就是真命天子。我们真心想挺身而出为你所用，助你完成大业。"刘縯说："若大事成功，我岂敢独自享受！"于是与王常深相结交而后

去。常还，具为余将成丹、张印言之。丹、印负⑮其众曰："大丈夫既起，当各自为主⑯，何故受人制乎！"常乃徐晓说⑰其将帅曰："王莽苛酷，积失⑱百姓之心，民之讴吟⑲思汉，非一日也，故使吾属因此得起。夫民所怨者，天所去也；民所思者，天所与也。举大事，必当下顺民心，上合天意，功乃可成；若负强恃勇，触情恣欲⑳，虽得天下，必复失之。以秦、项之势，尚至夷覆㉑，况今布衣相聚草泽㉒，以此行之，灭亡之道也。今南阳诸刘举宗起[42]兵，观其来议者，皆有深计大虑，王公之才，与之并合，必成大功，此天所以祐吾属也！"下江诸将虽屈强㉓少识㉔，然素敬常，乃皆谢曰："无王将军，吾属几陷于不义！"即引兵与汉军、及[43]新市、平林合。于是诸部齐心同力，锐气益壮。縯大飨军士，设盟约，休卒三日，分为六部。十二月晦㉕，潜师㉖夜起，袭取蓝乡，尽获其辎重。

【段旨】

以上为第十段，写南阳刘氏起兵反对王莽，刘縯、刘秀兄弟说服各支绿林兵众将联合作战，初战告捷，起义兵士气大振。

【注释】

⑭发：刘发。汉景帝子。封长沙国，死后谥定，史称长沙定王。传见《史记》卷五十九与《汉书》卷五十三。⑮考侯：《汉书·王子侯表》作"孝侯"。⑯南方：指封地春陵。春陵，乡名，属零陵郡泠道县，在今湖南宁远西北，故称南方。⑰卑湿：地势低下潮湿。⑱白水乡：乡名，属南阳郡蔡阳县，在今湖北枣阳南。汉元帝时，春陵侯的封地徙移此地，把白水乡改名春陵。⑲家：作动词，安家；定居。⑳郁林：郡名，治所在今广西桂平西南。㉑南顿：县名，县治在今河南项城西。㉒樊重：字君云，南阳郡湖阳县（今河南唐河县西南）人，其女樊娴都就是光武帝刘秀之母。终年八十多岁。建武十八年（公元四二年），追爵谥为寿张敬侯。㉓縯：刘縯（？至公元二三年），字伯升，刘秀长兄。地皇三年（公元二二年）起兵反新。刘玄称帝，为大司徒，封汉信侯，不久被刘玄杀害。刘秀称帝，追爵谥为齐武王。传见《后汉书》卷十四。㉔仲：刘仲，刘秀次兄。地皇三年冬被王莽军杀死。建武十五年追爵谥为鲁哀王。㉕秀：刘秀（公元前六至公元五七年），字文叔。地皇三年随兄刘縯起事反莽。刘玄称帝，为太常偏将军，封武信侯。

离去。王常回到军营，就向其他将领成丹、张卬详细说明这件事情。成丹、张卬凭仗自己的兵力强大，说："大丈夫既然起事，就应当各自做主，为什么要受别人控制呢！"王常不慌不忙地劝说将帅们，说："王莽苛刻残酷，久失百姓之心，百姓讴歌思汉，不是一天了，所以促使我们能够乘机兴起。百姓所怨恨的人，就是上天要铲除的人；百姓所思念的人，就是上天要赞助的人。兴举大事，必须下顺民心，上合天意，功业才能告成；若只凭借自己强大勇猛，为所欲为，即便得到天下，必定还是要失去。以秦始皇、项羽的威势，尚且遭到覆灭，何况如今我们这些平民，相聚在山林水泽，按这样走下去，那是灭亡之路。现在，南阳郡刘氏所有的家族领头都起兵，观察他们派来跟我们商议的几位首领，都有深谋远虑，王公之才，和他们合作，大功必成，这正是上天派来保佑我们的啊！"下江兵的将领们尽管倔强，缺少见识，却素来尊敬王常，于是都道歉说："没有王将军，我们几乎成为不义之人！"立即率军和汉军与新市兵、平林兵会合。这样一来，各部同心合力，士气更高昂。刘縯大宴士卒，订立盟约，让士卒休息三天，分兵为六部。十二月最后一天，刘縯下令秘密拔营起寨，乘夜袭击蓝乡，全部获取了甄阜的军用物资。

后以破虏将军行大司马事，镇抚河北州郡。在河北发展势力，于更始三年（公元二五年）六月在常山郡鄗县（今河北高邑东南）称帝，年号建武。同年十月，定都洛阳，是为东汉。在位三十三年（公元二五至五七年），死后谥光武，庙号世祖，史称光武帝。传见《后汉书》卷一。⑸⑹早孤：刘秀九岁，父卒。孤，年幼失父。⑸⑺良：刘良，字次伯。刘秀的叔父。平帝时举孝廉，为萧县令。刘秀称帝，封王。传见《后汉书》卷十四。⑸⑻居业：产业。⑸⑼倾身：竭尽全力。⑹⑽隆准日角：高鼻梁，额角突起。隆，高。准，鼻子。日角，额角中央隆起，形状如日，旧时认为这是大贵的长相。⑹⑴稼穑：稼，播种农作物。穑，收获农作物。这里"稼穑"连言，泛指农业生产。⑹⑵非笑：讥笑。⑹⑶高祖：指刘邦。⑹⑷仲：刘邦兄，名喜。据《史记·高祖本纪》，刘邦称帝后，曾对他父亲说："始大人常以臣无赖，不能治产业，不如仲力，今某之业所就孰与仲多？"⑹⑸元：刘元。刘秀的次姐。地皇三年被莽军所杀。刘秀称帝，追爵为新野长公主。⑹⑹邓晨（？至公元四九年）：字伟卿，南阳郡新野县人，刘秀之姐刘元的丈夫。随刘秀兄弟起事反莽。刘秀称帝，历任郡守，定封西华侯。传见《后汉书》卷十五。⑹⑺穰：县名，县治在今河南邓州。⑹⑻何用：何以。⑹⑼仆：我，自称的谦辞。⑹⑽宗卿师：王莽所置官名，执掌宗室事务。⑹⑴通：李通（？至公元四二年），字次元，南阳郡宛县人，刘秀之妹刘伯姬（宁平公主）的丈夫。随刘秀兄弟起事反莽。刘玄称帝，为柱天大将军，封西平王。建武年间，历任大司农、前将军、大司空等职，封固始侯。传见《后汉书》卷十五。⑹⑵从

弟：堂弟。⑬轶：李轶。随刘秀兄弟起事。刘玄称帝，为五威中郎将，封舞阴王。后为刘玄的大司马朱鲔所杀。⑭泛爱：博爱；普遍地爱。⑮容众：谓心怀宽广，能宽容众人。⑯前队大夫：王莽于六队郡置大夫，职如太守。⑰属正：王莽所置官名，职如郡都尉。⑱定万世之秋：奠定千秋万世大业之时。⑲绛衣大冠：军官服装。绛衣，大红色的衣服。大冠，武冠。⑳柱天：若天之柱。㉑都部：统率。㉒嘉：刘嘉（？至公元三九年），字孝孙，刘秀族兄，随刘秀兄弟起事反莽。刘玄称帝，为扶威大将军，封汉中王。建武年间为千乘太守，封顺阳侯。㉓长聚：村镇名。㉔屠：破城屠灭。㉕唐子乡：乡名，属湖阳县。其地在今湖北枣阳北。㉖尉：县尉。执掌军事，负责治安。㉗恚恨：怨恨。㉘敛：收聚。㉙宗人：同族的人。㉚棘阳：县名，县治在今河南南阳南。㉛蒌溪：地名。㉜略：掳掠。㉝钟、龙：皆山名。钟山，在今湖北随州东北。龙山，在今湖北广水市东北。㉞上唐：乡名，属随县。其地在今湖北随州西北。㉟有星孛于张：星，指彗星。孛，指彗星出现时光芒四射的样子。张，星宿名，为二十八宿之一。古人用天上的二十八宿所处的方位与地上的州、国等区域相对应，叫作分野。张宿在地上的对应分野是周地。古人把彗星看作是预示兵乱的恶星，彗星出现在张宿，预示地上与张宿对应的分野周地将有兵乱。㊱小长安聚：村镇名，其地在今河南南阳南。㊲趣：催促。㊳没：通“殁”，死。㊴宗从：同族的人；本家。从，堂房亲属。㊵蓝乡：地名，其地在今河南泌阳境。㊶潢淳：河流名，黄水流经潢淳聚后又称潢淳水，在今河南唐河县境。㊷沘水：河流名，唐河的上游，古称“讹水”。在今河南泌阳境。㊸阻：阻隔。㊹两川：指潢淳和沘水。㊺绝：断。㊻宜秋：地名，其地在今河南唐河县东南。㊼造其壁：到刘縯的营垒。造，往。㊽合从：联合。㊾飨：享受。㊿负：仗恃。51为主：作为首领。52徐晓说：慢慢地劝说。53积失：久失。54讴吟：歌唱吟咏。55触情恣欲：任情纵欲。56夷覆：灭亡。57草泽：荒野。58屈强：倔强。屈，通“倔”。59少识：见识不广；缺乏知识。60晦：每月最后一日为晦，大月是三十日，小月是二十九日。地皇四年十二月丙子朔，三十晦为乙巳日。疑原文“晦字”上脱“乙巳”两字。61潜师：秘密出兵。

【校记】

［37］初：张敦仁《通鉴刊本识误》认为“初”下应有“景帝子”三字。［38］谋：原作“计”。据章钰校，十二行本、乙十一行本、孔天胤本皆作“谋”，今据改。［39］秀：原作“刘秀”。据章钰校，十二行本、乙十一行本、孔天胤本皆无“刘”字，今据删。［40］沘水：据章钰校，孔天胤本作“泚水”。［41］俱：原无此字。据章钰校，十二行本、乙十一行本、孔天胤本皆有此字，今据补。［42］宗起：原无此二字。据章钰校，十二行本、乙十一行本、孔天胤本皆有此二字，张敦仁《通鉴刊本识误》、张瑛《通鉴校勘记》同，今据补。［43］及：原无此字。据章钰校，十二行本、乙十一行本、孔天胤本皆有此字，张敦仁《通鉴刊本识误》同，今据补。

【研析】

这里着重研析王莽末年的农民大起义。

第一，起义的形成过程。王莽末年的农民大起义，首先发生在北方边郡地区。王莽改革失败，为了转移矛盾视线，人为地挑起边界事端，特别是出击匈奴，在北方沿边长年驻屯几十万大军，后勤供给不足，驻军大肆骚扰百姓，边民不堪其苦，有的流亡内地为人奴婢，有的铤而走险，聚众为盗，形成一股一股的民变起事。始建国三年（公元一一年）以后，并州、平州、五原、代郡不断发生农民起义。全国大乱后，河北为甚，有铜马、大彤、高湖、重连、铁胫、大枪、尤来、上江、青犊、五校、五幡、五楼、富平、获索等大小农民军数十支，大股的有数万、数十万，合计有几百万。天凤四年（公元一七年）南方民变四起，绿林、赤眉军起义，形成了全国农民大起义。绿林军活动在荆州，赤眉军活动在齐鲁，这两支是最大的农民起义军。

天凤四年，荆州一带发生严重饥荒，新市人王匡、王凤聚众起义，被推为首领，王常、成丹也聚众来附。他们隐蔽在今湖北京山市北的绿林山中，因而被称为绿林军。几个月后，绿林军发展到七八千人。地皇二年（公元二一年），绿林军打败荆州牧的镇压，发展到数万人。第二年，由于瘟疫流行，绿林军死亡过半，余下的不得不分兵活动，王常、成丹西入南郡，称下江兵；王匡、王凤、马武等北上南阳，称新市兵。这时，平林人陈牧、廖湛聚众响应，称平林兵。

沿海东部地区，也在绿林起义军的天凤四年发生民变。在琅邪海曲，今山东日照地区有吕母起义，在会稽长州，今江苏苏州地区有临淮人瓜田仪起义。第二年，即天凤五年，琅邪人樊崇率众在莒县起义。青、徐各地起义首领还有徐宣、逄安、谢禄、杨音等人，都率众归附樊崇。为了作战时与敌人相区别，起义军把眉毛涂红，因此号称赤眉军。地皇三年，赤眉军在成昌，今山东东平击败王莽军，杀王莽大将廉丹，人数达到数十万，势力扩展到黄河两岸、长江之北的华北、江淮两大平原。

南阳大地主集团的代表人物刘縯、刘秀兄弟在地皇三年也拉起队伍加入反对王莽的起义行列。刘氏兄弟居南阳舂陵，在今湖北枣阳，这一支地主武装史称舂陵军。舂陵军训练有素，目标明确，光复汉室。刘氏兄弟长期隐蔽活动，宣扬汉室复兴，于是掀起“人心思汉”的思潮。由于舂陵军与王莽军接战不利，刘氏兄弟游说下江兵合纵。在“人心思汉”思潮的影响下，各支绿林军与舂陵军联合，并正式建立汉家旗号，拥立刘姓宗室刘玄做皇帝，史称更始皇帝。更始旗号下的联军，史称汉军。

有了明确政治目标的汉军，成为反抗王莽的中坚和主力军，当然也是王莽的眼中钉。王莽进行全国总动员，集中了四十三万大军征讨，号称百万。地皇四年，王莽军和汉军在昆阳决战，这就是历史上有名的以少胜众的昆阳之战。刘秀率领的一万余人汉军，打败王莽的四十三万大军，不久新朝就灭亡了。刘秀一战成名，是人们心中的真龙天子，他就是中兴汉朝的光武帝。当然，这是后话，在后面的研析中详说。

第二，起义原因。王莽革新改制，不但没有解决社会问题，没有消除尖锐的社会矛盾，反而变本加厉扰民。因买卖王田、奴婢，私铸钱币，私带铜炭等罪，被诛杀的有几十万人。五均六筦，也引起愈来愈大的社会混乱。王莽为了挽回威信，拯救灭亡，一面继续玩弄符命把戏，欺骗人民；一面虚张声势，发动对匈奴、西南夷和西域的边境战争。结果，王莽军处处受挫，四边告急，物价暴涨，米价高达二千、五千、一万钱一石，甚至灾区人相食。战争的骚扰，加重了本就沉重的赋役，再加上残酷的刑法，使农民完全没有了活路。广大农民被王莽的改制新政弄得“摇手触禁，不得耕桑”，不得不起为盗贼。政治黑暗，加重天灾，旱灾、水灾、蝗灾不断。如果说北方农民起义由兵祸引起，南方绿林军起义，天凤四年的严重饥荒成为导火线，而山东吕母起义则是由吕母之子被冤杀引起。总之，天灾人祸逼得广大劳动人民无法再生活下去了，统治集团内部也不稳，全国人民推翻王莽政权的起义时机成熟了，于是全国农民起义大爆发。王莽后期，连儿子也起来反对，发动了未遂的宫廷政变。王莽末年的农民大起义是三分天灾，七分人祸。

第三，王莽违道施政，自掘坟墓。这里所说的道，既不是指抽象的天道，也不是指德义的人道，而特指一个正常人的常理人道。人道万端，内容很多。而作为君王的常理人道，一是要圣明，二是要用贤。君王不明，则政治昏乱；君王圣明，则政治清明。王莽聪明绝伦，是玩弄政治的高手，他完全有智慧有能力治理好西汉，而成为汉家周公、刘氏伊尹，不辜负自诩的“安汉公”和“宰衡”的称号。可惜王莽动了窃国之心，一念之差，一切都颠倒了。不能说王莽一登上政治舞台就有野心，王莽的野心，是成帝、哀帝的昏庸政治栽培的，是王政君的长寿搭建了平台。当王莽一旦有了野心，一切为了夺权窃国，他就要掩人耳目，走上了邪道，于是行为诡异，久而久之，他的心理被扭曲，人性被权力异化。王莽不遗余力宣扬符命，竟异想天开下诏书说自己要“成仙升天”，想用这个办法来欺骗人民，化解民变，岂不让人哑然失笑。王莽专权篡国，他害怕臣下效仿，成了他的一个心病。有了心病，王莽变得疯狂，他把事无巨细的一切权力揽在手里，原来奉命执行的事，臣下也要多次请求询问后才能办理。公卿大臣，入朝议事，敷衍搪塞，整天空谈，国家大政连续议论几年没有定论，地方奏报的紧急政务，久久不能上报，许多地方使者整年得不到回答。因为王莽白天黑夜，忙得晕头转向，竟致不能理事。尚书趁机舞弊，上下其手，王莽的大权实际旁落。上行下效，加之地方官吏，手脚被束，关押在郡县监狱的人，没有人审理，只有等到大赦才能出来。如此行政，国家还能治理得好吗？

第四，王莽不明，用人更是一团糟。阿谀逢迎之徒得到重用，巨毋霸、哀章之流盈于朝廷。王莽忌用贤人，眼见民变大起，王莽不听公孙禄之言，不纳大司马士

的实情报告，不用田况为将。一个效忠诚又懂军事的严尤，正面意见不被采纳，始终不用他独当一面，将百万大军交给王邑、王寻。田况早就指出，王邑、王寻辈不宜为将，王莽就是不听。

农民起义，为饥饿所迫，只是找一条活路，因此起义时往往为盗，掠取妇女财物，并无攻城略地的打算。绿林军打败荆州军，俘虏了荆州牧并不敢杀害，送还官军，赤眉军和绿林军一样，只盼望王莽换一个清官，年成丰收，他们好回乡归农。费兴被任命为荆州牧，王莽问他如何治理。费兴说：“明令晓谕盗贼，返回乡里，贷放农具、耕牛、种子和粮食，放宽他们的租税，希望能使他们消解愁怨，安于其业。”王莽听了大怒，罢了费兴的官。王莽要杀灭起义的农民，天下人都反，难道能把天下人杀光吗？

更为荒唐的事件，是王莽不给官吏俸禄，让官吏自己收取。有了俸禄还十官九贪，没有俸禄，不就是明目张胆给贿赂公行开绿灯吗！各级官吏，利用职权贪赃枉法。朝廷派出的各种各样的使者、公士，一到地方，公开扰民。王莽改革失败，也是败在贪官污吏之手。官逼民反，新朝最为典型。王莽末年的农民大起义，完全是王莽的诡异施政造成的。

卷第三十九　汉纪三十一

起昭阳协洽（癸未，公元二三年），尽阏逢涒滩（甲申，公元二四年），凡二年。

【题解】

本卷记事起公元二三年，迄公元二四年，凡两年史事，当淮阳王更始元年、二年。两年间历史发生大转折。更始元年二月，刘玄称帝，六月一日昆阳大战，汉兵大捷，刘秀建立殊功。九月新朝覆灭，王莽被斩首分尸。刘玄迁都洛阳，遣使巡行全国劝降，多不奉命，刘秀持节安抚河北，脱离更始，独当一面。更始二年，刘玄入关都长安，荒怠政事，官民离心。是年，刘秀在河北，历经艰险，平灭王郎，收编铜马，诛杀谢躬，与更始决裂。赤眉军西征，公孙述称帝于蜀，梁王刘永、邔县人秦丰、汝南人田戎各自起兵，更始帝号令不行，全国进入群雄纷争的局面。

【原文】

淮阳王[①]

更始元年（癸未，公元二三年）

春，正月甲子朔[②]，汉兵与下江兵共攻甄阜、梁丘赐，斩之，杀士卒二万余人。王莽纳言将军严尤、秩宗将军陈茂引兵欲据宛，刘縯与战于淯阳[③]下，大破之，遂围宛。先是，青、徐贼众虽数十万人，讫无文书[④]、号令、旌旗、部曲[⑤]，及汉兵起，皆称将军，攻城略地，移书称说[⑥]。莽闻之，始惧。

春陵戴侯曾孙玄在平林兵中，号更始将军。时汉兵已十余万，诸将议以兵多而无所统一，欲立刘氏以从人望。南阳豪桀及王常等皆欲立刘縯，而新市、平林将帅乐放纵，惮縯威明，贪玄懦弱，先共定策立之，然后召縯示其议。縯曰："诸将军幸欲尊立宗室，甚厚！然今赤眉起青、徐，众数十万，闻南阳立宗室[⑦]，恐赤眉复有所立，王莽未

【语译】

淮阳王

更始元年（癸未，公元二三年）

春，正月甲子朔，汉兵与下江兵一起攻打甄阜、梁丘赐，将二人斩首，杀死士卒二万多人。王莽手下的纳言将军严尤、秩宗将军陈茂率兵想据守宛城，刘縯与他们在淯阳县交战，大破严尤、陈茂军，于是包围宛城。此前，青、徐两州的起义军虽有数十万人，但始终没有公文、号令、旌旗、部曲编制，等到汉兵兴起，他们都自称号将军，攻城略地，到处张贴告示，数说王莽罪状。王莽听到消息，开始惧怕。

春陵戴侯曾孙刘玄在平林兵中，称更始将军。这时汉兵已有十多万人，众将领一同商议，认为军队众多，却没有统一，想拥立一个刘姓首领以顺从民望。南阳郡的豪杰和下江兵王常等都想拥立刘縯，而新市兵、平林兵的将领喜欢松散放纵，害怕刘縯威严明察，贪图刘玄懦弱，事先就商量好拥立刘玄，然后召来刘縯，向刘縯出示其商议的意见。刘縯说："蒙各位将军厚爱，想尊立刘氏宗室，很好！但是如今赤眉在青、徐二州兴起，有众数十万，一旦听说南阳拥立了宗室，恐怕赤眉军也要

灭而宗室相攻，是疑天下[8]而自损权，非所以破莽也。舂陵去宛三百里耳，遽自尊立，为天下准的[9]，使后人得承吾敝，非计之善者也。不如且称王以号令，王势亦足以斩诸将。若赤眉所立者贤，相率而往从之，必不夺吾爵位。若无所立，破莽，降赤眉，然后举尊号，亦未晚也。”诸将多曰：“善！”张卬拔剑击地曰：“疑事无功，今日之议，不得有二！”众皆从之。二月辛巳朔，设坛场[10]于淯水[11]上沙中，玄即皇帝位，南面立，朝群臣。羞愧流汗，举手不能言。于是大赦，改元，以族父[12]良为国三老[13]，王匡为定国[14]上公，王凤为成国上公，朱鲔为大司马，刘縯为大司徒，陈牧为大司空，余皆九卿将军[15]。由是豪桀失望，多不服。

【段旨】

以上为第一段，写绿林军拥立更始皇帝，表明起义军要消灭王莽，重建汉室。

【注释】

①淮阳王：指刘玄（？至公元二五年），字圣公，西汉宗室，光武帝刘秀的族兄。王莽地皇四年（公元二三年）二月，被绿林农民起义军拥立为帝，年号更始。当年六月都宛城，十月北都洛阳。次年二月，西都长安。更始三年（公元二五年）九月，赤眉军攻入长安，刘玄败降，被缢杀。刘秀于更始三年六月在河北称帝，九月闻赤眉攻入长安，刘玄败，

【原文】

王莽欲外示自安，乃染其须发，立杜陵史谌[16]女为皇后。置后宫，位号视公、卿、大夫、元士者凡百二十人[17]。

莽赦天下，诏：“王匡、哀章等讨青、徐盗贼，严尤、陈茂等讨前队丑虏[18]，明告以生活[19]丹青[20]之信。复迷惑不解散，将遣大司空、隆新公将百万之师劋绝[21]之矣。”

拥立一个宗室。王莽还没消灭而宗室互相攻击，这会使天下人迷惑，损害了自己的权力，这不是打败王莽的好办法。春陵县离宛城不过三百里，突然随意尊立皇帝，成为天下攻击的目标，使得后人跟着我们不好的行为做，这不是好的谋略。不如暂时称王以号令天下，而王的权力也足可以斩杀犯禁的诸将。如果赤眉拥立的人贤能，我们就相率前去依附他，他们一定不会不授给我们官爵。如果赤眉没有拥立皇帝，等消灭了王莽，降服了赤眉，然后再称皇帝，也不晚。”众将领大多数说：“好！”张卬抽出宝剑砍地，说：“做事疑惑就不能成功，今天有了决议，不能另有别的想法！”大家都听从了张卬的话。二月初一日辛巳，在淯水河岸沙滩设置坛场，刘玄登坛即皇帝位，面向南站立，接受群臣朝拜。刘玄羞愧流汗，举手说不出话。于是宣布大赦，改年号，任命族叔刘良为国三老，王匡为定国上公，王凤为成国上公，朱鲔为大司马，刘𬙂为大司徒，陈牧为大司空，其余将领都分任九卿将军。由此豪杰失望，大多内心不服。

诏封刘玄为淮阳王，故史称淮阳王。② 甲子朔：正月初一日。〖按〗更始元年正月壬子朔，非甲子，此处记载疑有误。③ 淯阳：又作“育阳”，县名，县治在今河南南阳南。④ 讫无文书：始终没有公文。⑤ 部曲：编制。⑥ 移书称说：指到处张贴告示，数说王莽罪状。⑦ 宗室：指西汉皇室之后。⑧ 疑天下：使天下人疑惑。⑨ 准的：标准。⑩ 坛场：古代设坛举行祭祀、即位、盟会、拜将等大典的场所。坛，高台。场，坛旁平地。⑪ 淯水：河流名，即今白河，发源于河南伏牛山，东南流至方城县西，而后南流，经南阳、新野入湖北，汇唐河后注入汉水。⑫ 族父：同族伯叔父。⑬ 国三老：官名，荣职，以年老望重者担任。⑭ 定国：尊美之号。⑮ 九卿将军：卿职带将军名号，是受了王莽官制的影响。

【语译】

王莽想对外显示镇定自若，就把自己的头发和胡须染黑，册立杜陵人史谌的女儿为皇后。设置后宫，嫔妇的封号地位，分等级比照公、卿、士大夫、元士待遇，共有一百二十人。

王莽大赦天下，下诏书说：“王匡、哀章等人讨伐青、徐二州的盗贼，严尤、陈茂等人讨伐前队的丑虏，公开把不杀降人明确不变的诚信进行告示。如果仍然执迷不悟，拒绝解散，将派大司空兼隆新公领兵百万大军剿灭叛乱。”

三月，王凤与太常偏将军刘秀等徇㉒昆阳㉓、定陵㉔、郾㉕，皆下之。

王莽闻严尤、陈茂败，乃遣司空王邑驰传㉖，与司徒王寻发兵平定山东。征诸明兵法六十三家以备军吏，以长人巨毋霸为垒尉㉗，又驱诸猛兽虎、豹、犀、象之属以助威武。邑至洛阳，州郡各选精兵，牧守自将，定会㉘者四十二[1]万人，号百万。余在道者，旌旗、辎重，千里不绝。夏，五月，寻、邑南出颍川，与严尤、陈茂合。

诸将见寻、邑兵盛，皆反走，入昆阳，惶怖，忧念妻孥㉙，欲散归诸城㉚。刘秀曰："今兵谷既少而外寇强大，并力御之，功庶可立。如欲分散，势无俱全。且宛城未拔，不能相救。昆阳即拔，一日之间，诸部亦灭矣。今不同心胆，共举㉛功名，又欲守妻子财物邪！"诸将怒曰："刘将军何敢如是！"秀笑而起。会候骑㉜还，言："大兵且㉝至城北，军陈㉞数百里，不见其后。"诸将素轻秀，及迫急，乃相谓曰："更请刘将军计之。"秀复为图画㉟成败，诸将皆曰："诺。"时城中唯有八九千人，秀使王凤与廷尉㊱大将军王常守昆阳，夜与五威将军李轶等十三骑出城南门，于外收兵㊲。

时莽兵到城下者且十万，秀等几不得出。寻、邑纵兵围昆阳，严尤说邑曰："昆阳城小而坚，今假号㊳者在宛，亟㊴进大兵，彼必奔走。宛败，昆阳自服。"邑曰："吾昔围翟义㊵，坐不生得以见责让㊶，今将百万之众，遇城而不能下，非所以示威也。当先屠此城，蹀血而进㊷，前歌后舞，顾㊸不快邪！"遂围之数十重，列营百数，钲㊹鼓之声闻数十里，或为地道、冲輣撞城㊺，积弩㊻乱发，矢下如雨，城中负户而汲㊼。王凤等乞降，不许。寻、邑自以[2]功在漏刻㊽，不以军事为忧。严尤曰："《兵法》：'围城为之阙㊾。'宜使得逸出㊿以怖宛下。"邑又不听。

棘阳(51)守长(52)岑彭(53)与前队贰严说(54)共守宛城，汉兵攻之数月，城中人相食，乃举城降。更始入都之。诸将欲杀彭，刘縯曰："彭，郡之大吏，执心坚[3]守，是其节也。今举大事，当表(55)义士，不如封之。"更始乃封彭为归德侯。

刘秀至郾、定陵，悉发诸营兵。诸将贪惜财物，欲分兵守之。秀

三月，王凤与太常偏将军刘秀等攻取昆阳、定陵、郾城三县，全都攻克。

王莽听说严尤、陈茂战败，就派司空王邑驾驿车飞驰前去，与司徒王寻发兵平定山东地区。征召六十三家懂得兵法的人以充军吏，用长人巨毋霸为垒尉，又驱赶各种猛兽虎、豹、犀牛、大象之类来壮军威。王邑到了洛阳，州郡各自选派精兵，由州牧、郡守自己率领，限期会合的已达四十二万人，号称百万。其余行进在道路上的，旌旗、辎重，络绎千里不绝。夏，五月，王寻、王邑向南出发到颍川，与严尤、陈茂会合。

起义军各个将领看到王寻、王邑军队声势浩大，全都退走，进入昆阳，惶恐不安，挂念妻子儿女，想分散兵力回到各城。刘秀说："如今兵粮既少，而城外的敌人又强大，合力抵御，或许可以立功。若想要分散，势必无法保全。况且宛城还没攻破，不能前来救援。昆阳若被敌人攻下，只要一天的时间，各路军队也就会被消灭。今天不同心共建功名，却想要守住妻子儿女和财物吗！"各位将领生气地说："刘将军怎么敢这样！"刘秀笑着站起身。正好侦察的骑兵回来，说："大兵即将到达城北，军阵长达数百里，不见尽头。"各位将领一向看不起刘秀，等到形势紧急，才互相说："再去请刘将军来商量！"刘秀再给大家筹划成败，各位将领都说："是。"此时城中只有八九千人，刘秀让王凤和廷尉大将军王常守昆阳，当夜自己和五威将军李轶等十三骑出昆阳城南门，在外边招收士兵。

此时王莽到达城下的军队已将近十万，刘秀等人差点出不去。王寻、王邑摆开兵马包围昆阳，严尤劝王邑说："昆阳城小而坚固，现在假立名号的人住在宛城，赶快把大军开过去，他们一定逃走。宛城那边溃败了，昆阳自然就会降服。"王邑说："我从前围攻翟义，因为没有活捉他而受到斥责，现在统率百万大军，碰上城池不把它攻克，不能显示军威。应该先屠灭此城，踏血前进，前歌后舞，岂不痛快！"于是就将昆阳城包围几十重，布列营垒数以百计，钲鼓的声音传出数十里，有的地段挖掘地道攻城，有的用冲车棚车撞城，弓箭乱发，矢如雨下，城中人背负门板取水。王凤等人乞求投降，没有被允许。王寻、王邑等自认为顷刻之间就可成功，不再为军事操心。严尤说："《兵法》上说：'围城要留有缺口。'应当让他们能够逃出去，使宛城外的敌人感到恐惧。"王邑又不听从。

棘阳县代理县长岑彭与前队副将严说共守宛城，汉军围攻了几个月，城中人吃人，于是全城投降。更始皇帝刘玄进入宛城，作为临时首都。各位将领都想杀岑彭，刘縯说："岑彭是一郡的长官，一心坚守城垣，这是他的节操。我们现在兴起大事，应当表扬义士，还不如封他官爵为好。"刘玄便封岑彭为归德侯。

刘秀到郾城、定陵，便征调各路军营里的兵马。各位将领贪恋财物，想要分兵

曰："今若破敌，珍宝万倍，大功可成；如为所败，首领无余[56]，何财物之有！"乃悉发之。六月己卯朔，秀与诸营俱进，自将步骑千余为前锋，去大军四五里而陈。寻、邑亦遣兵数千合战，秀奔[57]之，斩首数十级。诸将喜曰："刘将军平生见小敌怯，今见大敌勇，甚可怪也！且复居前，请助将军！"秀复进，寻、邑兵却，诸部共乘[58]之，斩首数百千级。连胜，遂前，诸将胆气益壮，无不一当百，秀乃与敢死者三千人从城西水[59]上冲其中坚[60]。寻、邑易之，自将万余人行陈[61]，敕诸营皆按部毋得动，独迎与汉兵战，不利，大军不敢擅相救。寻、邑陈乱，汉兵乘锐[62]崩[63]之，遂杀王寻。城中亦鼓噪[64]而出，中外合势，震呼动天地。莽兵大溃，走者相腾践[65]，伏尸百余里。会大雷、风，屋瓦皆飞，雨下如注，滍川[66]盛溢[67]，虎豹皆股战[68]，士卒赴水溺死者以万数，水为不流。王邑、严尤、陈茂轻骑乘死人渡水逃去，尽获其军实辎重，不可胜算，举之[69]连月不尽，或燔烧其余。士卒奔走，各还其郡，王邑独与所将长安勇敢数千人还洛阳，关中闻之震恐。于是海内豪桀翕然[70]响应，皆杀其牧守，自称将军，用汉年号以待诏命。旬月之间，遍于天下。

【段旨】

以上为第二段，写昆阳大战，刘秀建功，王莽军溃败，形势急转，新朝的灭亡进入倒计时。

【注释】

⑯史谌：以皇后父封和平侯，拜宁始将军。莽败，降刘玄，被杀。⑰置后宫二句：《汉书·王莽传》："备和嫔、美御、和人三，位视公；嫔人九，视卿；美人二十七，视大夫；御人八十一，视元士：凡百二十人。"⑱前队丑虏：指更始皇帝所在的南阳绿林军。前队，站在起义军前驱的位置。丑虏，指绿林军。⑲生活：指降者不杀。⑳丹青：红色和青色。丹青色艳而不易褪色，故用以比喻鲜明显著。㉑剿绝：杀绝。㉒徇：攻取。㉓昆阳：县名，县治在今河南叶县。㉔定陵：县名，县治在今河南漯河市郾城区西北。㉕郾：县名，县治在今河南漯河市郾城区南。㉖驰传：驾驿站车马急行。㉗垒尉：军官名，主管营垒之事。㉘定会：按照规定期限会合。㉙孥：儿女。㉚散归诸

看守。刘秀说："现在若能打败敌军，珍宝比这里多上万倍，大功也可告成；若被打败，脑袋都留不住，还能有什么财物！"因此就把军队全部调出来。六月初一日己卯，刘秀和诸营兵马一同进军，他亲自率领了一千多名步兵、骑兵充当前锋，在距敌军四五里处摆下阵势。王寻、王邑也派出几千名兵马来交战，刘秀带兵冲杀过去，斩杀数十个敌人。各位将领高兴地说："刘将军平日见到小敌胆怯，今天遇到大敌反而勇敢，真令人惊奇！将军再作前锋，请让我们帮助将军！"刘秀再次向前冲击，王寻、王邑的军队后退，各路兵马乘机一同冲杀上去，斩杀成百上千人首级。接连获胜，就乘势前进，各位将领的胆气更加旺盛，无不以一当百，刘秀就和三千名敢死队员从城西水边冲击敌军的主将营垒。王寻、王邑轻视汉军，亲自率领一万余人在阵前巡视，指示各营都控制部队不可妄动，单独迎战汉军，不利，大军又不敢擅自救援。王寻、王邑的军阵混乱，汉军乘着锐势击溃了他们，就此杀了王寻。城里也擂鼓呐喊而出，内外合势，杀声惊天动地。王莽军全线溃败，逃命的人相互践踏，长达百余里的路上躺满尸体。恰逢遇上巨雷响起，狂风大作，屋上的瓦片都被刮飞，暴雨倾盆而下，滍川的水涨溢出来，虎、豹都在颤抖着，跑到水里逃命被淹死的士卒数以万计，水被堵塞而不流动。王邑、严尤、陈茂率领轻装骑兵从死人尸体上渡水逃走，汉军缴获了王莽军的全部辎重，多得无法清点，连月搬运都没有运完，余下的东西有的被烧掉。王莽军溃散的士卒四处逃走，各自回到自己的郡邑，唯有王邑和他率领的长安勇士数千人返回洛阳，关中听到这个消息，大为震惊。因此海内豪杰一致响应，都杀死当地的州牧、太守，自称将军，改用汉朝的年号以等待诏命。不到一个月的时间，遍及全国。

城：分别回到各自驻守的城池。㉛举：立；建。㉜会候骑：会，适逢。候骑，巡逻侦察的骑兵。㉝且：将。㉞陈：同"阵"。㉟图画：谋划。㊱廷尉：官名，卿职，执掌刑狱司法。㊲收兵：招收士兵。㊳假号：指举兵起事者假立名号。㊴亟：急。㊵吾昔围翟义：翟义举兵讨莽，王邑以虎牙将军参加了镇压翟义的军事行动。事详本书卷三十六。㊶坐不生得以见责让：因没活捉翟义受到斥责。坐，因为。生得，活捉。见责让，被责备。㊷蹀血而进：踏着血迹前进。蹀，脚踩着。㊸顾：难道。㊹钲：打击乐器。有柄，形状像钟，而比钟狭长，铜制。行军时用以节止步伐。㊺冲輣撞城：冲，冲车，古代攻城用的战车。輣，輣车，车上设望楼作瞭望用，又称"楼车"。撞，冲击。㊻积弩：连射之弩。弩，用机械发箭的弓。㊼负户而汲：背着门板取水。负户以挡箭矢。汲，取水。㊽漏刻：本指古代计时器，即漏壶。这里用以指时间短暂，义犹"顷刻"。㊾阙：缺口。《孙子兵法·军争》："围师必阙。"㊿逸出：逃出。51棘阳：县名，县治在今河南南

阳南。52 守长：代理县长。守，多指官阶低而代理较高的官职。53 岑彭（？至公元三五年）：字君然，南阳郡棘阳县人，王莽时守棘阳长。初降刘玄，后归刘秀。刘秀称帝，以彭为廷尉，封舞阴侯。后率师入蜀伐公孙述，被述所遣刺客刺杀。传见《后汉书》卷十七。54 前队贰严说：前锋副将严说。贰，副职。55 表：表彰。56 首领无余：头颈都留不下。首，头。领，脖子。57 奔：冲杀。58 乘：乘机追杀。59 城西水：指昆水。昆水是颍水支流，由西向东流经昆阳城南。此言刘秀率敢死队从昆阳城西南北渡昆水攻击敌人的中坚部队。60 中坚：古代主将所在的中军部队，是全军的主力，称为中坚。61 行陈：巡视军阵。62 锐：锋利。此指锐不可当之势。63 崩：崩溃，使动用法，意谓摧毁。64 鼓噪：击鼓呐喊。65 腾践：奔驰践踏。66 滍川：河流名，颍水支流，由西向东流经昆阳城北。67 盛溢：指河水盛大涨满，向外漫溢。68 股战：大腿发抖。股，大腿。战，发抖。69 举之：指搬运战利品。举，取。70 翕然：形容一致的样子。

【原文】

莽闻汉兵言莽鸩杀孝平皇帝，乃会公卿于王路堂，开所为平帝请命金縢之策，泣以示群臣。

刘秀复徇颍川，攻父城[71]不下，屯兵巾车乡[72]。颍川郡掾冯异[73]监五县，为汉兵所获。异曰："异有老母在父城，愿归，据五城以效功报德！"秀许之。异归，谓父城长苗萌曰："诸将多暴横，独刘将军所到不虏略，观其言语举止，非庸人也！"遂与萌率五县以降。

新市、平林诸将以刘縯兄弟威名益盛，阴劝更始除之。秀谓縯曰："事欲不善。"縯笑曰："常如是耳。"更始大会诸将，取縯宝剑视之。绣衣御史[74]申徒建[75]随献玉玦[76]，更始不敢发。縯舅樊宏[77]谓縯曰："建得无有范增之意[78]乎？"縯不应。李轶初与縯兄弟善，后更谄事新贵[79]。秀戒縯曰："此人不可复信！"縯不从。縯部将刘稷，勇冠三军，闻更始立，怒曰："本起兵图大事者，伯升兄弟也。今更始何为者邪！"更始以稷为抗威将军，稷不肯拜[80]。更始乃与诸将陈兵数千人，先收稷，将诛之。縯固争。李轶、朱鲔因劝更始并执縯，即日杀之，以族兄光禄勋赐[81]为大司徒。秀闻之，自父城驰诣宛谢。司徒官属迎吊[82]秀，秀不与交私语，惟深引过[83]而已，

【校记】

［1］二：原作“三”。据章钰校，十二行本、乙十一行本、孔天胤本皆作“二”，张瑛《通鉴校勘记》同，今据改。［2］以：原作“以为”。据章钰校，十二行本、乙十一行本、孔天胤本皆无“为”字，今据删。［3］坚：原作“固”。据章钰校，十二行本、乙十一行本、孔天胤本皆作“坚”，今据改。

【语译】

王莽听到汉军说他用鸩酒毒杀了汉平帝，就在王路堂集会公卿，打开从前他藏于金縢柜中，为平帝向上天请命解除疾病的策书，哭着拿给大臣们看。

刘秀又略取颍川一带，进攻父城县没有攻克，屯兵巾车乡。颍川郡掾冯异督察五个县，被汉军抓获。冯异说：“我有老母在父城县，希望回去，用这五座县城来报答恩德！”刘秀答应了他。冯异回去后，对父城县长苗萌说：“刘玄的各位将领大多凶暴蛮横，唯独刘秀将军所到之处不抢劫，看他的言谈举止，不是庸碌之人！”就与苗萌一同率领五县的官民投降刘秀。

新市兵、平林兵的各位将领，因为刘縯兄弟威名日盛，暗中劝刘玄除掉他们。刘秀对刘縯说：“事情对我们不妙。”刘縯笑着说：“经常如此。”刘玄集合全体将领，取来刘縯的宝剑仔细观察。绣衣御史申徒建随即献上玉玦，刘玄不敢发令。刘縯的舅舅樊宏对刘縯说：“申徒建莫非有范增杀刘邦的意图？”刘縯不理。李轶最初与刘縯兄弟感情很好，后来转而谄媚有权柄的新贵。刘秀告诫刘縯说：“对这个人不能再信任了！”刘縯不听。刘縯的部将刘稷，勇冠三军，听说刘玄登皇位，就生气地说：“当初兴兵图谋大事的，是刘縯兄弟。现在刘玄算干什么的呢！”刘玄任命刘稷为抗威将军，刘稷不肯拜受。刘玄就与将领们布置数千名士兵，先逮捕刘稷，准备杀掉。刘縯坚决反对。李轶、朱鲔趁机劝刘玄把刘縯一起抓起来，当天就把他们二人杀了，刘玄任命堂兄光禄勋刘赐为大司徒。刘秀听说这个消息，当即从父城奔回宛城请罪。司徒所属官员迎接刘秀，表示哀悼，刘秀不和他们说一句私话，只是深切承担过错而已，

未尝自伐[84]昆阳之功。又不敢为缜服丧，饮食言笑如平常。更始以是惭，拜秀为破虏大将军，封武信侯。

道士[85]西门君惠[86]谓王莽卫将军王涉曰："谶文刘氏当复兴，国师公姓名是也。"涉遂与国师公刘秀、大司马董忠、司中[87]大赘[88]孙伋谋，以所部兵劫莽降汉，以全宗族。秋，七月，伋以其谋告莽，莽召忠诘责[89]，因格杀[90]之，使虎贲以斩马剑[91]剉[92]忠，收其宗族，以醇醯[93]、毒药、白刃、丛棘并一坎而埋之。秀、涉皆自杀。莽以其骨肉旧臣[94]，恶其内溃，故隐其诛。莽以军师外破，大臣内畔，左右亡所信，不能复远念郡国，乃召王邑还，为大司马，以大长秋张邯为大司徒，崔发为大司空，司中寿容苗䜣为国师。莽忧懑[95]不能食，但饮酒，啖[96]鳆鱼[97]，读军书倦，因冯几寐[98]，不复就枕矣。

成纪[99]隗崔、隗义、上邽[100]杨广、冀[101]人周宗同起兵以应汉，众数千人[4]，攻平襄[102]，杀莽镇戎[103]大尹李育。崔兄子嚣[104]，素有名，好经书，崔等共推为上将军。崔为白虎将军，义为左将军。嚣遣使聘平陵方望[105]，以为军师。望说嚣立高庙于邑东[106]。己巳[107]，祠高祖、太宗、世宗[108]，嚣等皆称臣执事，杀马同盟[109]，以兴辅刘宗[110]，移檄郡国，数莽罪恶。勒兵十万，击杀雍州[111]牧陈庆、安定[112]大尹王向[113]。分遣诸将徇陇西、武都、金城、武威、张掖、酒泉、敦煌[114]，皆下之。

【段旨】

以上为第三段，写昆阳之战后，敌对双方在新形势下均发生微妙变化。更始皇帝杀掉刘缜，为刘秀兴起留下伏笔。王莽内部分崩离析，再次发生宫廷未遂政变。新朝后院陇西反叛，王莽四面楚歌。

不曾自夸昆阳之战的功劳。又不敢为刘縯穿丧服，饮食说笑与平常一样。刘玄因此惭愧，任命刘秀为破虏大将军，封武信侯。

道士西门君惠对王莽卫将军王涉说：“谶书上说刘氏应当复兴，国师公的姓名就是。”王涉于是就和国师公刘秀、大司马董忠、司中大赘孙伋商议，用他们所统领的部队，劫持王莽，投降刘玄，以保全自己的家族。秋，七月，孙伋将所商议之事报告了王莽，王莽召见董忠责问，乘机击杀了他，命虎贲武士用斩马剑将董忠尸体剁成碎片，逮捕董忠的家族，与浓醋、毒药、利刃、荆棘混合放在一个坑里埋掉了。刘秀、王涉都自杀。王莽因为王涉是他的亲属，刘秀是他的旧臣，嫌恶他们从内部分裂，所以将诛杀他们之事隐瞒起来。王莽因为军队在外面吃了败仗，大臣们又在内部反叛，身边没有可以信任的人，无法再考虑远方的郡国，就把王邑召回，担任大司马，任命大长秋张邯为大司徒，崔发为大司空，司中寿容苗䜣为国师。王莽忧愁烦闷，吃不下饭，只是喝酒、吃鳆鱼，阅读军书疲倦了，就靠着几案打盹，不再上床睡觉。

成纪人隗崔与隗义、上邽人杨广、冀县人周宗同时起兵，响应刘玄的汉军，有数千人，攻打平襄县，杀死王莽的镇戎郡大尹李育。隗崔的侄儿隗嚣向来很有声望，喜好经书，隗崔等人共同推举隗嚣做上将军。隗崔为白虎将军，隗义为左将军。隗嚣派遣使者聘请平陵人方望担任军师。方望劝说隗嚣在平襄县东郊兴建汉高祖祭庙。七月二十一日己巳，祭祀汉高祖、太宗、世宗，隗嚣等人都称臣执事，杀马盟誓，同心合力以振兴辅佐刘氏宗亲，还向各郡国传递文告，声讨王莽罪行。统率十万军队，击杀雍州牧陈庆、安定大尹王向。又分别派遣将领进攻陇西、武都、金城、武威、张掖、酒泉、敦煌等郡，诸郡都投降了隗嚣。

【注释】

⑪父城：县名，县治在今河南平顶山市西北。⑫巾车乡：父城县乡名，其地在县治南。⑬冯异（？至公元三四年）：字公孙，颍川郡父城县人，王莽时为颍川郡掾。降刘秀，随定河北。刘秀称帝，进军河南，平定关中，战功卓著。封阳夏侯。传见《后汉书》卷十七。⑭绣衣御史：御史大夫属官，其职为逐捕盗贼，治理大狱。⑮申徒建：即申屠建。更始命为西屏大将军，封平氏王。后遭疑忌，于更始三年被杀。⑯玦：古时佩戴的玉器，环形，有缺口。古人常借用其音（决）、形（断缺）将其作为表示决断、决绝的象征物。⑰樊宏（？至公元五一年）：字靡卿。刘秀称帝，位特进，封寿张侯。传见《后汉书》卷三十二。⑱范增之意：范增为项羽谋臣，劝项羽杀死刘邦，在鸿门宴上几次举所

佩玉玦以示项羽。⑲新贵：指朱鲔等。⑳不肯拜：不肯拜受抗威将军的任命。㉑赐：刘赐（？至公元二五年），字子琴，刘秀族兄。更始时官至丞相，封宛王。刘秀称帝，封安成侯，奉朝请。传见《后汉书》卷十四。㉒吊：吊慰；吊问。㉓引过：承担过错。㉔伐：自我夸耀。㉕道士：方士。㉖西门君惠：人名，精天文，好图谶。预言刘氏当复兴，谋立刘歆（后改名秀）。事觉被杀。㉗司中：官名，王莽改光禄勋为司中。㉘大赘：官名，王莽新置，起初主管乘舆服饰等，后来有时也典领军队。㉙诘责：责问。㉚格杀：击杀。㉛斩马剑：汉宝剑名，其利可以斩马，所以称斩马剑。以其藏于尚方，后世俗称尚方宝剑。㉜剉：砍剁。㉝醇醯：浓醋。㉞骨肉旧臣：王涉是莽叔王根之子，于莽为骨肉之亲。刘歆是王莽多年的追随者，于莽是亲幸旧臣。㉟忧懑：愁闷。㊱啖：吃。㊲鳆鱼：海鱼名，又叫鲍鱼、石决明。㊳因冯几寐：便靠在几案上而睡。因，就；便。冯几，凭靠几案。冯，同“凭”。寐，睡。㊴成纪：县名，县治在今甘肃秦安北。㊵上邽：县名，县治在今甘肃天水市。㊶冀：县名，县治在今甘肃天水市西北。㊷平襄：县名，天水郡治所。县治在今甘肃通渭西。㊸镇戎：莽改天水郡为镇戎。㊹嚣：隗嚣（？至公元三三年），字季孟，天水郡成纪县人，王莽末年，起兵陇右。初附刘玄，为御史大夫。刘玄败，属光武，为西州大将军。后叛汉归公孙述，为朔宁王。光武帝率师西征，嚣奔西

【原文】

初，茂陵公孙述[115]为清水[116]长，有能名。迁导江卒正[117]，治临邛[118]。汉兵起，南阳宗成、商[119]人王岑起兵徇汉中以应汉，杀王莽庸部[120]牧宋遵，众合数万人。述遣使迎成等，成等至成都，虏掠暴横。述召郡中豪杰谓曰：“天下同苦新室，思刘氏久矣，故闻汉将军到，驰迎道路。今百姓无辜而妇子系获，此寇贼，非义兵也。”乃使人诈称汉使者，假[121]述辅汉将军、蜀郡太守兼益州牧印绶，选精兵西击[122]成等，杀之，并其众。

前钟武侯[5]刘望起兵汝南，严尤、陈茂往归之。八月，望即帝[6]位，以尤为大司马，茂为丞相。

王莽使太师王匡、国将哀章守洛阳。更始遣定国上公王匡攻洛阳，西屏大将军申屠建、丞相司直李松[123]攻武关，三辅震动。析[124]人邓晔[125]、于匡[126]起兵南乡[127]以应汉，攻武关都尉朱萌，萌降。进攻右队[128]大夫宋纲，杀之。西拔湖[129]。莽愈忧，不知所出。崔发言：“古者

县，恚愤而死。传见《后汉书》卷十三。⑯方望：右扶风平陵县（今陕西咸阳西北）人，更始元年，隗嚣于陇右起兵，聘为军师。二年，因劝阻嚣等赴长安未成则辞嚣而去。三年，于临泾立前孺子刘婴为天子，望为丞相。刘玄派兵击破，婴、望被杀。⑯邑东：指平襄之东。⑯己巳：七月二十一日。⑯祠高祖、太宗、世宗：祠，祭祀。高祖，汉高祖刘邦。太宗，指汉文帝。世宗，指汉武帝。⑯杀马同盟:《后汉书·隗嚣传》，"嚣等皆称臣执事，史奉璧而告。祝毕，有司穿坎于庭，牵马操刀，奉盘错鍉，遂割牲而盟"。⑪刘宗：西汉刘氏宗室。⑪雍州：州名，王莽改凉州为雍州。其地辖有今甘肃大部及青海东部、宁夏回族自治区南部等地区。⑪安定：郡名，治所高平县，在今宁夏固原。⑪王向：王谭之子，王莽堂弟。⑪陇西句：皆郡名，其治所，陇西郡在今甘肃临洮，武都郡在今甘肃西和西南，金城郡在今甘肃兰州西，武威郡在今甘肃武威，张掖郡在今甘肃张掖西北，酒泉郡在今甘肃酒泉，敦煌郡在今甘肃敦煌西。

【校记】

［4］众数千人：原无此四字。据章钰校，十二行本有此四字，张敦仁《通鉴刊本识误》同，今据补。

【语译】

起初，茂陵人公孙述任清水县长，有才干，闻名于世。调任导江卒正，郡城治所在临邛县。汉兵兴起，南阳人宗成、商县人王岑也起兵进攻汉中郡以响应汉军，杀死王莽委任的庸部牧宋遵，部众合计有数万人。公孙述派人迎请宗成等人，宗成等到了成都，抢劫暴虐。公孙述召集郡中豪杰，对他们说："天下的人都被新朝所害，想念汉朝很久了，所以听到汉室将军到来，都跑到路上迎接。如今百姓无罪，他们的妻子子女被抓捕，这是强盗，不是义军。"便派人假称汉室刘玄的使者，任命公孙述为辅汉将军、蜀郡太守兼益州牧，颁发印章绶带，公孙述挑选精兵西击宗成等人，杀了宗成、王岑，合并了他们的部众。

前钟武侯刘望在汝南起兵，严尤、陈茂前往归附。八月，刘望即帝位，任命严尤为大司马，陈茂为丞相。

王莽派太师王匡、国将哀章守卫洛阳。更始皇帝刘玄派定国上公王匡攻打洛阳，西屏大将军申屠建、丞相司直李松攻打武关，三辅震动。析县人邓晔、于匡在析县南乡起兵响应汉军，进攻武关都尉朱萌，朱萌投降。汉军进攻右队大夫宋纲，杀了宋纲。西进攻下湖县。王莽更加忧虑，不知道怎么办。崔发说："古时国家有了大灾

国有大灾，则哭以厌之。宜告天以求救！”莽乃率群臣至南郊，陈其符命本末，仰天大哭，气尽，伏而叩头。诸生、小民旦夕会哭，为设餐粥。甚悲哀者，除以为郎，郎至五千余人。

莽拜将军九人，皆以虎为号，将北军精兵数万人以东⑬⁰，内⑬¹其妻子宫中以为质⑬²。时省中黄金尚六十余万斤，他财物称是⑬³，莽愈爱⑬⁴之，赐九虎士人四千钱。众重怨，无斗意。九虎至华阴⑬⁵回溪⑬⁶，距隘自守。于匡、邓晔击之，六虎败走，二虎⑬⁷诣阙归死，莽使使责死者安在，皆自杀，其四虎⑬⁸亡。三虎⑬⁹收散卒保渭口⑭⁰京师仓。

邓晔开武关迎汉兵。李松将三千余人至湖，与晔等共攻京师仓，未下。晔以弘农掾王宪为校尉，将数百人北渡渭，入左冯翊界。李松遣偏将军韩臣等径西至新丰，击破[7]莽波水将军，追奔至长门宫⑭¹。王宪北至频阳⑭²，所过迎降。诸县大姓各起兵称汉将[8]，率众随宪。李松、邓晔引军至华阴，而长安旁兵四会城下。又闻天水隗氏方到，皆争欲先[9]入城，贪立大功、卤掠⑭³之利。莽赦城中囚徒，皆授兵，杀豨⑭⁴，饮其血，与誓曰：“有不为新室者，社鬼记之！”使更始将军史谌将之。渡渭桥⑭⁵，皆散走，谌空还。众兵发掘莽妻、子、父、祖冢，烧其棺椁及九庙、明堂、辟雍，火照城中。

九月戊申朔⑭⁶，兵从宣平城门入。张邯逢兵见杀，王邑、王林⑭⁷、王巡、𬟁恽⑭⁸等分将兵距击北阙下，会日暮，官府、邸第⑭⁹尽奔亡。己酉⑮⁰，城中少年朱弟、张鱼等恐见卤掠，趋讙并和⑮¹，烧作室门⑮²，斧敬法闼⑮³，呼曰：“反虏王莽，何不出降！”火及掖庭⑮⁴、承明⑮⁵，黄皇室主所居。黄皇室主曰：“何面目以见汉家！”自投火中而死。

莽避火宣室⑮⁶前殿，火辄随之。莽绀袀服⑮⁷，持虞帝匕首⑮⁸。天文郎⑮⁹按式⑯⁰于前，莽旋席⑯¹随斗柄⑯²而坐，曰：“天生德于予，汉兵其如予何⑯³！”庚戌⑯⁴，旦[10]明，群臣扶掖莽自前殿之渐台，欲阻池水[11]，公卿从官尚千余人随之。王邑昼夜战，罢⑯⁵极，士死伤略尽。驰入宫，间关⑯⁶至渐台，见其子侍中睦解衣冠欲逃，邑叱之，令还，父子共守莽。军人入殿中，闻莽在渐台，众共围之数百重。

难，可以用哭来压制。应该向上天祷告求救！”王莽于是率领群臣到南郊，陈述他得到符命的始末，仰天大哭，声嘶气绝，伏地磕头。众儒生与老百姓早晚聚集大哭，王莽为大哭的人准备稀饭。哭得十分悲哀的人，就任命为郎官，郎官达到五千多人。

王莽任命了九个将军，都用虎为称号，率领北军精兵数万人向东进发，把将官们的老婆孩子召入宫中为人质。当时宫中还有黄金六十多万斤，其他财宝也与此相当，王莽此时更加珍爱财物，赏赐给九虎战士每人四千钱。大家非常怨恨，毫无斗志。九虎将军行进到华阴县回溪阪，据守险要。于匡、邓晔攻击他们，六位虎将军败走，其中两位虎将军回到朝廷请罪，王莽派使者责问战死的人在哪里，两位虎将军都自杀了，其他四位逃走。还有三位虎将军搜集残兵败将，退入渭口保卫京师仓。

邓晔打开武关迎接汉兵。李松率领三千多人到达湖县，与邓晔等一起攻打京师仓，没有攻下。邓晔任命弘农掾王宪为校尉，率领几百名兵士向北渡过渭水，进入左冯翊郡界。李松派遣副将韩臣等人直接向西到达新丰县，击败王莽的波水将军窦融，追击窦融败兵到达长门宫。王宪北进到达频阳县，沿路招降。各县的大姓豪强各自起兵都称号汉将，率领部众追随王宪。李松、邓晔率众到达华阴县，而长安周围各路军队从四面八方会合于长安城下。又听说天水的隗氏军队刚抵达，大家都争着想先进入长安，贪图建立大功、抢掠财物之利。王莽赦免城中的囚徒，都发给兵器，杀猪饮血，与他们立誓说：“有不替新朝尽力的人，由土地神记住他！”派更始将军史谌率领他们。这些人渡过渭桥，全都逃散，史谌一人回来。很多汉兵挖掘王莽妻子、儿子、父亲、祖父的坟冢，烧掉棺椁以及九庙、明堂、辟雍，火光照亮了长安城。

九月初一日戊申，汉兵从宣平门攻入长安城。大司徒张邯遭遇汉兵被杀死，大司马王邑与王林、王巡、䡵恽等人分别率领军队在未央宫北门抵御汉兵，赶上天黑，官府、邸宅的人们全都逃亡了。初二日己酉，长安城中青年朱弟、张鱼等人担心被抢劫，就奔跑呼喊，互相应和，放火焚烧未央宫西北作室便门，砍开敬法殿的小门，大声叫喊：“反贼王莽，为何不出来投降！”大火延烧到掖庭后宫、承明殿。承明殿是黄皇室主的居所。黄皇室主说：“我有什么脸面去见汉家的人！”自己投入火中而死。

王莽逃到未央宫宣室前殿避火，大火随即烧过来。王莽穿着深青透红的衣服，拿着虞舜匕首。天文郎在前面持着星盘，拨动指针，王莽随着斗柄所指转动座席而坐，说：“上天降下大德在我王莽身上，汉军能把我怎样呢！”九月初三日庚戌，早晨天亮后，大臣们扶着王莽从前殿前往渐台，想借池水阻挡汉兵，此时公卿侍从还有一千多人跟着他。王邑日夜作战，疲倦至极，士兵死伤殆尽。王邑跑回皇宫，辗转进入渐台，遇见他儿子侍中王睦脱下官衣官帽准备逃跑，王邑大声斥责他，命令他回来，父子一起守卫王莽。汉兵进入殿中，听说王莽在渐台，就把渐台包围了数百层。

台上犹与相射，矢尽，短兵接。王邑父子、㤙恽、王巡战死，莽入室。下铺时⑯⑦，众兵上[12]台，苗䜣、唐尊、王盛等皆死。商人杜吴杀莽，校尉东海公宾就⑯⑧斩莽首。军人分莽身，节解脔分⑯⑨，争相杀者数十人。公宾就持莽首诣王宪。宪自称汉大将军，城中兵数十万皆属焉。舍⑰⓪东宫，妻⑰①莽后宫，乘其车服。癸丑⑰②，李松、邓晔入长安，将军赵萌⑰③、申屠建亦至。以王宪得玺绶不上，多挟宫女，建天子鼓旗，收斩之。传莽首诣宛，县于市。百姓共提击之，或切食其舌。

班固赞曰⑰④："王莽始起外戚，折节⑰⑤力行以要⑰⑥名誉，及居位辅政，勤劳国家，直道而行⑰⑦，岂所谓'色取仁而行违⑰⑧'者邪！莽既不仁而有佞邪⑰⑨之材，又乘四父⑱⓪历世之权，遭汉中微，国统三绝⑱①，而太后寿考⑱②，为之宗主⑱③，故得肆其奸慝⑱④以成篡盗之祸。推是言之，亦天时，非人力之致矣！及其窃位南面，颠覆之势险于桀、纣，而莽晏然自以黄、虞复出也，乃始恣睢⑱⑤，奋其威诈⑱⑥，毒流诸夏，乱延蛮貊⑱⑦，犹未足[13]逞其欲焉。是以四海之内嚣然⑱⑧，丧其乐生之心，中外愤怨，远近俱发⑱⑨，城池不守，支体分裂，遂令天下城邑为虚，害遍生民，自书传所载乱臣贼子，考其祸败，未有如莽之甚者也！昔秦燔《诗》《书》以立私议⑲⓪，莽诵'六艺'以文奸言⑲①，同归殊涂⑲②，俱用⑲③灭亡，皆圣王⑲④之驱除⑲⑤云尔。"

【段旨】

以上为第四段，写新朝的覆灭，王莽被砍头分尸而遗臭万年。

【注释】

⑪⑤公孙述（？至公元三六年）：字子阳，扶风茂陵县（今陕西兴平东北）人，王莽末年，占据益州（今四川一带），称蜀王。建武元年（公元二五年）称帝，十二年为汉军所破，被杀。传见《后汉书》卷十三。⑪⑥清水：县名，县治在今甘肃清水县西北。⑪⑦导江卒正：《后汉书·公孙述传》李贤注，"王莽改蜀郡曰导江，太守曰卒正"。⑪⑧临邛：蜀

渐台守军还在与对方互射，箭射光了，双方短兵相接。王邑父子、蕓恽、王巡战死，王莽逃入室内。申时过后，大批士兵登上渐台，国师苗䜣、太傅唐尊、王盛等全被杀死。商县人杜吴杀死王莽，校尉东海郡人公宾就砍下王莽人头。众兵士分解王莽的肢体，析骨割肉，争着砍杀的有几十人。公宾就拿着王莽人头进献给王宪。王宪自称汉室大将军，城里几十万士兵都归属他。王宪宿留长乐宫，把王莽的妃嫔都作为妻妾，乘坐王莽的车马、穿戴其衣服。初六日癸丑，李松、邓晔进入长安，将军赵萌、西屏大将军申屠建也到了。由于王宪缴获皇帝玉玺印信不肯上交，又挟持很多宫女，建立天子旗帜鼓号，就把他捉来杀掉了。把王莽的人头送到宛城，悬挂于街市。百姓一起投击王莽的人头，有人割食他的舌头。

班固评论说："王莽开始由外戚起家，屈己下人，尽力做事，以便博取声誉。等到位居辅政大臣，操劳国事，按照正道行事，哪里是孔子所说的'表面上爱好仁德，实际行动却违背仁德'的人呢！王莽既无仁德，却有奸邪巧佞的才干，又凭借四位伯父、叔父历代掌握的权势，适逢汉朝中途衰落，成帝、哀帝、平帝三代没有继嗣，而王政君太后长寿，成为王莽依靠的宗主，所以王莽能够肆行奸恶，造成窃国篡位的灾祸。按照这个历程说来，也是天道时势，不是人力能够做得到的！等到他窃取帝位，南面称尊，倾覆之势比夏桀王、殷纣王时还要危险，而王莽却安然自得，以为是黄帝、虞舜重新出世，便开始放纵暴戾，施展他的威势和奸诈，祸害流毒全国，混乱蔓延到周边蛮夷各族，还不足以表现他的欲望。因此全国之内人民愁苦，丧失了生存的乐趣，朝廷内外愤怨，远近四方同时奋起反叛，城池不能坚守，自身躯体被分裂，于是使天下城邑变为废墟，害苦了所有黎民苍生，自有书传记载以来的乱臣贼子，考察他们带来的失败与灾祸，没有一个能超过王莽！从前，秦朝烧毁《诗》《书》典籍，贯彻一己的主张，王莽诵读'六经'来文饰奸言，殊途同归，都因而灭亡，全是替圣明的君王开辟道路罢了。"

郡属县名，县治在今四川邛崃。⑲ 商：县名，县治在今陕西丹凤。⑳ 庸部：王莽改益州为庸部。㉑ 假：授以代理官职。㉒ 西击：《后汉书·公孙述传》："乃选精兵千余人，西击成等。比至成都，众数千人，遂攻成，大破之。成将垣副杀成，以其众降。"临邛在成都西南，自临邛攻成都，向东北出击，不当云"西击"。此盖《通鉴》袭用《后汉书》之文而致误。㉓ 李松：李通从弟。刘玄时官至丞相。后为赤眉俘虏。㉔ 析：县名，县治在

今河南西峡县。⑫⑤邓晔：刘玄时为执金吾、复汉将军。后降刘秀，仍为复汉将军。⑫⑥于匡：刘玄时为辅汉将军。后降刘秀，仍为辅汉将军。⑫⑦南乡：析县乡名，其地在县治南。东汉于此置县。⑫⑧右队：王莽改弘农郡为右队。⑫⑨湖：县名，县治在今河南灵宝西北。⑬⓪以东：向东出发。⑬①内：同"纳"。进入，使动用法。⑬②质：人质。⑬③称是：与此相当。⑬④爱：珍爱。⑬⑤华阴：县名，县治在今陕西华阴东。⑬⑥回溪：即回溪阪，又名"回坑"，山谷名。在今陕西华阴境内。⑬⑦二虎：指史熊、王况。⑬⑧四虎：史佚姓名。⑬⑨三虎：指郭钦、陈翚、成重。⑭⓪渭口：华阴市地名。⑭①长门宫：宫名。⑭②频阳：县名，县治在今陕西富平东北。⑭③卤掠：抢夺人和物。卤，通"掳"。⑭④豨：猪。⑭⑤渭桥：长安附近渭水上的桥。有三座：一名中渭桥，又名横桥，在今陕西西安北；二名东渭桥，在今西安东北；三名西渭桥，又名便桥、便门桥，在今陕西咸阳南。⑭⑥戊申朔：九月初一日。⑭⑦王林：王舜之子。王莽时为侍中、卫将军，封同说侯。后降刘玄，被杀。⑭⑧蔓恽：人名，王莽时为中常侍，后随莽败死渐台。⑭⑨邸第：官僚贵族的府第。⑮⓪己酉：九月初二日。⑮①趋谨并和：疾走喧哗，互相应和。⑮②作室门：供工徒出入之门，为未央宫的便门。作室，指尚方所属的工作室，在未央宫西北。⑮③斧敬法闼：用斧砍敬法殿的小门。斧，作动词用，用斧砍。敬法，殿名。闼，宫中小门。⑮④掖庭：宫中妃嫔居住的地方。⑮⑤承明：未央宫中的殿名。⑮⑥宣室：未央宫中的殿名。⑮⑦莽绀袀服：王莽穿上深青透红的衣服。绀，深青透红之色。袀服，纯一色的服装。⑮⑧虞帝匕首：舜时不可能制造金属匕首，大概是王莽时所造，而用舜的名义欺骗人。⑮⑨天文郎：观察天象、推算时日的官吏。⑯⓪式：通"栻"。古代占卜时日的器具，后来称为星盘。⑯①旋席：转动座席。⑯②斗柄：斗指北斗。北斗共七星，第一至第四星像斗，第五至第七星像柄。此指星盘上的斗柄。⑯③天生德于予二句：《论语·述而》论述孔子的话说，"天生德于予，桓魋其如予何"？莽引孔子之言以自况。⑯④庚戌：九月初三日。⑯⑤罢：通"疲"。⑯⑥间关：崎岖辗转。⑯⑦下铺时：铺为申时，即今十五时至十七时，铺后谓之下铺，指今十八时前后。铺也作"晡"。⑯⑧公宾就：复姓公宾，名就。⑯⑨节解脔分：分解肢体，割裂肌

【原文】

定国上公王匡拔洛阳，生缚莽太师王匡、哀章，皆斩之。冬，十月，奋威大将军刘信⑲⑥击杀刘望于汝南，并诛严尤、陈茂，郡县皆降。

更始将都洛阳，以刘秀行司隶校尉，使前⑲⑦整修宫府。秀乃置[14]僚属，作文移⑲⑧，从事⑲⑨司察⑳⓪，一如旧章。时三辅吏士东迎更始，见诸将

肉。⑰舍：留宿。⑰妻：以……为妻。⑰癸丑：九月初六日。⑰赵萌：南阳郡棘阳县人。刘玄纳萌女为夫人，以萌为右大司马，委政于萌，萌专权。⑰班固赞曰：此为《汉书·王莽传》末的赞语。⑰折节：屈己下人。⑰要：通“徼”，求取；博取。⑰直道而行：按照正道行事。⑰色取仁而行违：表面上爱好仁德，实际行为却违背仁德。语出《论语·颜渊》。⑰佞邪：奸佞。⑱四父：指相继秉政的王凤、王音、王商、王根。⑱国统三绝：指成帝、哀帝、平帝三世绝嗣。⑱寿考：长寿。⑱宗主：依恃的代表人物。⑱肆其奸慝：肆意行其奸恶。肆，放纵。奸慝，邪恶。⑱恣睢：放纵暴戾。⑱奋其威诈：施展他的威势和奸诈。⑱乱延蛮貉：祸乱延及周边民族。延，达到；及于。蛮貉，泛指少数民族。⑱嚣然：忧愁的样子。⑱发：奋起，此指起兵反莽。⑲立私议：确立自己一家的主张。⑲文奸言：粉饰谬论。⑲同归殊涂：为了同样的目标，却采用了不同的做法。涂，通“途”。⑲用：以；因。⑲圣王：指西汉的刘邦与建立东汉的刘秀。⑲驱除：此谓为圣王之起排除障碍。

【校记】

［5］钟武侯：原作“锺武侯”。据章钰校，十二行本、乙十一行本皆作“钟武侯”，今据改。［6］帝：原作“皇帝”。据章钰校，十二行本、乙十一行本皆无“皇”字，今据删。［7］破：原无此字。据章钰校，十二行本、乙十一行本、孔天胤本皆有此字，张敦仁《通鉴刊本识误》、张瑛《通鉴校勘记》同，今据补。［8］将：原作“将军”。据章钰校，十二行本、乙十一行本、孔天胤本皆无“军”字，今据删。［9］先：原无此字。据章钰校，十二行本、乙十一行本、孔天胤本皆有此字，张敦仁《通鉴刊本识误》同，今据补。［10］旦：原作“且”。据章钰校，乙十一行本、孔天胤本皆作“旦”，今据改。［11］欲阻池水：原无此四字。据章钰校，十二行本、乙十一行本、孔天胤本皆有此四字，张敦仁《通鉴刊本识误》、张瑛《通鉴校勘记》同，今据补。［12］上：据章钰校，乙十一行本作“出”。［13］足：原作“足以”。据章钰校，十二行本、乙十一行本皆无“以”字，今据删。

【语译】

定国上公王匡攻陷洛阳，活捉王莽的太师王匡、国将哀章，全都斩首。冬，十月，奋威大将军刘信在汝南击杀刘望，同时杀了大司马严尤、丞相陈茂，所属郡县全都投降。

更始皇帝刘玄准备建都洛阳，任命刘秀为代理司隶校尉，派他前去洛阳整修宫殿和府署。刘秀于是设置属官，用正式公文通知所属郡县，派从事去督察政务，一切按照西汉旧制。此时三辅吏士到洛阳迎接刘玄，看到各位将领路过，都用布包头，

过，皆冠帻[201]而服妇人衣，莫不笑之。及见司隶僚属，皆欢喜不自胜，老吏或垂涕曰："不图今日复见汉官威仪！"由是识者皆属心焉。

更始北都洛阳，分遣使者徇郡国，曰："先降者复爵位！"使者至上谷，上谷太守扶风耿况[202]迎，上印绶。使者纳之，一宿，无还意。功曹[203]寇恂[204]勒兵入见使者，请之，使者不与，曰："天王使者，功曹欲胁之邪！"恂曰："非敢胁使君，窃伤[205]计之不详也。今天下初定，使君建节[206]衔命[207]，郡国莫不延颈[208]倾耳。今始至上谷而先堕[209]大信，将复何以号令他郡乎！"使者不应。恂叱左右以使者命召况。况至，恂进取印绶带[210]况。使者不得已，乃承制诏之，况受而归。

宛人彭宠[211]、吴汉[212]亡命在渔阳，乡人韩鸿为更始使，徇北州[213]，承制拜宠偏将军，行渔阳太守事，以汉为安乐[214]令。

更始遣使降[215]赤眉。樊崇等闻汉室复兴，即留其兵，自[15]将渠帅二十余人随使者至洛阳，更始皆封为列侯。崇等既未有国邑，而留众稍有离叛者，乃复亡归其营。

王莽庐江[216]连率颍川李宪[217]据郡自守，称淮南王。

故梁王立之子永[218]诣洛阳，更始封为梁王，都睢阳[219]。

更始欲令亲近大将徇河北，大司徒赐言："诸家子[220]独有文叔可用。"朱鲔等以为不可，更始狐疑，赐深劝之。更始乃以刘秀行大司马事，持节北渡河，镇慰州郡。

以大司徒赐为丞相，令先入关修宗庙、宫室。

大司马秀至河北，所过郡县，考察官吏，黜陟能否[221]，平遣[222]囚徒，除王莽苛政，复汉官名。吏民喜悦，争持牛酒迎劳，秀皆不受。

南阳邓禹[223]杖策[224]追秀，及于邺[225]。秀曰："我得专封拜[226]，生远来，宁[227]欲仕乎？"禹曰："不愿也。"秀曰："即如是，何欲为？"禹曰："但愿明公[228]威德加于四海，禹得效其尺寸，垂功名于竹帛[229]耳！"秀笑，因留宿间语[230]。禹进说曰："今山东未安，赤眉、青犊[231]之属，动以万数。更始既是常才，而不自听断，诸将皆庸人屈起[232]，志在财币，争用威力，朝夕自快而已，非有忠良明智、深虑远图，欲尊主安民者也。历观往古圣人之兴，二科而已，天时与人事也。今以天时观之，

穿着女人的服装，没有不讥笑的。等到看见刘秀的下属官吏，都高兴得不能自已，年纪大的官吏有人流泪说:“想不到今天还能看到汉朝官员的威仪!”自此，有见识的人都心向着刘秀。

刘玄往北定都洛阳，分别派遣使臣巡视郡、国，宣布诏命说:“率先投降的，保持他的封爵官位!”使臣到达上谷郡，上谷郡太守扶风人耿况出城迎接，缴纳印信。使臣接受，过了一夜，并无发还的意思。功曹寇恂带兵去见使臣，请求发还印信，使臣不给，说:“我是天子的使臣，功曹想要威胁我吗!”寇恂说:“不敢威胁使君，只是忧愁使君的计谋不周全。现在天下刚平定，使君持节奉命，各郡、国没有一个不是伸长脖子洗耳恭听的。如今使君刚到上谷郡，便先自毁信誉，将拿什么再向其他的郡发号施令呢!”使臣不理。寇恂大声呵斥左右随从，让利用使臣的名义召耿况来。耿况来后，寇恂上前去拿印信佩带在耿况身上。使臣不得已，只好承奉天子的制命赐给他，耿况接受印信后告辞回府。

宛城人彭宠、吴汉逃亡到渔阳郡，同乡韩鸿为更始的使臣，巡视北方沿边郡县，秉承天子的制命，任命彭宠为偏将军，代理渔阳郡太守，任命吴汉为安乐县令。

更始皇帝刘玄派遣使臣招降赤眉。樊崇等人听说汉室复兴消息，就将部众留下，亲自率领二十余名将领随同使臣到洛阳，更始把他们全封为列侯。樊崇等人既无采邑，而且留在原地的部众，渐渐有叛离的人，樊崇等又逃回他们的营地。

王莽庐江连率颍川人李宪占据本郡，自称淮南王。

前梁王刘立的儿子刘永前往洛阳，更始皇帝封他为梁王，建都睢阳县。

更始皇帝想派亲信大将招抚河北地区，大司徒刘赐说:“南阳宗族子弟中，唯有刘秀可以胜任。”朱鲔等认为不可以，更始皇帝犹豫不定，刘赐恳切地规劝更始皇帝；这才任命刘秀兼任大司马之职，执持符节，北渡黄河，抚慰州郡。

刘玄任命大司徒刘赐为丞相，派他先进入函谷关，修建宗庙、宫室。

大司马刘秀到达河北，所经郡县，考察官吏政绩，有才能的晋升，无能的降职，平反冤案，遣归囚徒，废除王莽时代的暴政，恢复汉朝官名。官民一片欢欣，争先恐后地用牛肉、美酒来迎接慰劳，刘秀一律不接受。

南阳人邓禹策马追赶刘秀，在邺城追上了刘秀。刘秀说:“我独掌封爵任官的权力，先生从远方来，难道是想当官吗?”邓禹说:“不想做官。”刘秀说:“既然如此，你想干什么?”邓禹说:“只希望明公的威望与恩德普及全国，我能献出尺寸之力，使功业、名声流传在史册而已!”刘秀笑笑，就留邓禹住下，私下交谈。邓禹奉上建议说:“如今山东没有完全平定，赤眉、青犊的部队，都数以万计。更始刘玄既是一个平凡人物，又不能自己做主听取意见，做出决断，各位将领都是乘机崛起的平庸之辈，志向在于发财，卖弄权势，图眼前快乐罢了，没有忠良明智、深谋远虑，想尊主安民的人。历观古代圣明君主的兴起，只有两条：天时与人事。现今从天时来看，

更始既立，而灾变方兴；以人事观之，帝王大业，非凡夫所任，分崩离析，形势可见。明公虽建藩辅[233]之功，犹恐无所成立[234]也。况明公素有盛德大功，为天下所向服，军政齐肃，赏罚明信。为今之计，莫如延揽[235]英雄，务悦民心，立高祖之业，救万民之命，以公而虑，天下不足[236]定也！”秀大悦，因令禹常〔16〕宿止于中，与定计议。每任使诸将，多访于禹，皆当其才。

秀自兄縯之死，每独居辄不御[237]酒肉，枕席有涕泣处，主簿[238]冯异独叩头宽譬[239]。秀止之曰：“卿勿妄言！”异因进说曰：“更始政乱，百姓无所依戴。夫[240]人久饥渴，易为充饱。今公专命[241]方面[242]，宜分遣官属徇行郡县，宣布惠泽。”秀纳之。

骑都尉宋子耿纯[243]谒秀于邯郸，退，见官属将兵法度，不与他将同，遂自结纳[244]。

故赵缪王子林[245]说秀决列人[246]河水[247]以灌赤眉，秀不从。去之真定[248]。林素任侠[249]于赵、魏间，王莽时，长安中有自称成帝子子舆者，莽杀之。邯郸卜者王郎[250]，缘是诈称[251]真子舆，云“母故成帝讴者[252]，尝见黄气从上下，遂任身[253]。赵后[254]欲害之，伪易他人子，以故得全”。林等信之，与赵国大豪李育、张参等谋共立郎。会民间传赤眉将渡河，林等因此宣言“赤眉当立刘子舆”，以观众心，百姓多信之。十二月，林等率车骑数百晨入邯郸城，止于王宫，立郎为天子。分遣将帅徇下幽、冀，移檄州郡，赵国以北、辽东以西皆望风响应[255]。

【段旨】

以上为第五段，写更始皇帝刘玄迁都洛阳，分派使者巡行全国劝降，多不奉命。刘秀持节安抚河北，豪杰之士邓禹、耿纯等多从之。

更始即位之后，灾变更多；从人事来看，帝王大业，不是平凡人所能胜任的，分崩离析的形势可以看得见。明公尽管建立辅佐的功勋，恐怕也没有什么成就。何况明公一向具有盛大的德行与功业，为天下人心所向，治军理政，纪律严肃，赏罚明信。当今之计，莫如招揽英雄，使民心欢悦，创立汉高祖那样的功业，拯救万民的性命，以明公的远虑，天下不难平定！”刘秀非常高兴，因此常命邓禹在营中居住，与他商定计谋。刘秀每次任命将领，大多向邓禹征求意见，而所用的将领都与他们的才干相称。

刘秀自兄长刘縯死后，每逢独处之时就不吃酒肉，枕头上常有他想念哥哥的泪痕，主簿冯异独自叩首宽慰劝说。刘秀阻止他说：“你不要乱讲！”冯异趁机建议说：“更始政治混乱，百姓无所依从。人长久饥渴，就容易使他吃饱。现在明公独当一面，应当派遣部属巡行郡县，发布善政恩德。”刘秀采纳了他的建议。

骑都尉宋子县人耿纯在邯郸谒见刘秀，退出后，发现刘秀的属官带兵的方法，与其他的将领大不相同，就主动和刘秀结交。

原汉朝赵缪王的儿子刘林建议刘秀把漳水在列人县的那段堤防掘开，用以淹没赤眉军。刘秀没有听从。他离开列人县到了真定县。刘林在赵、魏一带素来仗义行侠，王莽时，长安城中有个自称是成帝的儿子刘子舆的人，王莽将他杀了。现在邯郸有一位占卜先生王郎，便借此谎称自己是真正的刘子舆，他说“母亲从前是成帝的歌女，曾见一股黄气从上面下到她的身上，就怀了孕。赵飞燕想谋害她，就假换别人的儿子顶替，因而才得以保全生命”。刘林等便信以为真，于是和赵国有影响力的豪绅李育、张参等人商议，共同立王郎做天子。正好这时民间传说赤眉将西渡黄河，刘林等趁机公开说“赤眉应立刘子舆做天子”，用以观察民心，百姓大多数相信这件事。十二月，刘林等率领车骑数百人，在凌晨进入邯郸城，停息在以前的赵王宫中，立王郎为天子。分别派遣将领攻下幽、冀二州，发送文告到各州郡，赵国以北，辽东以西都望风响应。

【注释】

⑯刘信：刘显之子。初随刘縯起兵反莽。刘玄命为奋威大将军，封汝阴王。⑰前：前去。⑱文移：文书；公文。⑲从事：司隶校尉属官名，执掌督促文书，察举非法。⑳司察：督察。㉑帻：古代包扎发髻的巾。㉒耿况（？至公元三六年）：字侠游，扶风茂陵县人，王莽时为上谷郡太守。后归刘秀，加大将军，封隃麋侯。传见《后汉书》卷十九。㉓功曹：官名，汉代郡守属官有功曹史，简称功曹，除掌人事外，得以参与一郡政务。㉔寇恂（？至公元三六年）：字子翼，上谷郡昌平县（今北京市昌平区东南）

人，历任河内、颍川、汝南太守及执金吾，封雍奴侯。传见《后汉书》卷十六。[205]伤：忧思。[206]建节：执持符节。古代使臣受命，建节以为凭信。[207]衔命：奉命；受命。[208]延颈：伸长脖子。[209]堕：败坏。[210]带：佩带。[211]彭宠（？至公元二九年）：字伯通，南阳郡宛县人，归刘玄，行渔阳太守事。刘秀至蓟，封建忠侯，赐号大将军。后反，自立燕王，为其奴所杀。传见《后汉书》卷十二。[212]吴汉（？至公元四四年）：字子颜，南阳郡宛县人，官至大司马，封广平侯。传见《后汉书》卷十八。[213]北州：北方之州，指幽州、并州等。[214]安乐：县名，县治在今北京市顺义区西北。[215]降：招降。[216]庐江：郡名，治所在今安徽庐江县西南。[217]李宪（？至公元三〇年）：颍川郡许县（今河南许昌东）人，王莽时为庐江连率。莽败，据郡自守，始称淮南王，继而自立为天子。后为部下所杀。传见《后汉书》卷十二。[218]永：刘永（？至公元二七年），故梁王刘立之子。刘玄以永绍封梁王，都睢阳。刘玄败，永自称天子。后为光武军击败，被部将所杀。传见《后汉书》卷十二。[219]睢阳：县名，县治在今河南商丘南。[220]诸家子：指南阳刘姓同族子弟。[221]黜陟能否：有才能的人升官，无能的降职。降官为黜，升官为陟。[222]平遣：平反遣归。[223]邓禹（公元二至五八年）：字仲华，南阳郡新野县人，早年受业长安。后赴河北从刘秀。刘秀称帝，官至大司徒，封高密侯。传见《后汉书》卷十六。[224]杖策：手执马鞭。意指策马而行。[225]邺：县名，县治在今河北临漳西南。[226]专封拜：独掌封爵授官。[227]宁：难道。[228]明公：旧时对有名位者的尊称。[229]竹帛：指史册。[230]间语：私语。[231]青犊：一支农民军的名号。[232]屈起：崛起。屈，通“崛”。[233]藩辅：屏卫佐助。[234]成

【原文】

二年（甲申，公元二四年）

春，正月，大司马秀以王郎新盛，乃北徇蓟[255]。

申屠建、李松自长安迎更始迁都。二月，更始发洛阳。初，三辅豪桀假号诛莽者，人人皆望封侯。申屠建既斩王宪，又扬言：“三辅儿大黠，共杀其主。”吏民惶恐，属县屯聚。建等不能下。更始至长安，乃下诏大赦，非王莽子，他皆除其罪，于是三辅悉平。

时长安唯未央宫被焚，其余宫室、供帐、仓库、官府皆按堵[257]如故，市里不改于旧。更始居长乐宫，升前殿，郎吏以次列庭中。更始羞怍[258]，俯首刮席[259]，不敢视。诸将后至者，更始问：“虏掠得几何？”左右侍官皆宫省[260]久吏，惊愕相视。

立：成就。㉟延揽：招揽。㊱不足：不难。㊲御：食用。㊳主簿：官名，执掌文书，办理事务。㊴宽譬：宽慰劝解。㊵夫：句首语气助词。㊶专命：不奉上命而自由行事。㊷方面：四方的一面，一个地区。㊸耿纯（？至公元三七年）：字伯山，钜鹿郡宋子县（今河北赵县东北）人，先归刘玄，为骑都尉。后归刘秀，为前将军、东郡太守等，封东光侯。传见《后汉书》卷二十一。㊹结纳：结交。㊺赵缪王子林：赵缪王，汉景帝七世孙，名元。其子刘林。㊻列人：县名，县治在今河北邯郸市肥乡区东北。㊼河水：漳水自西南入县境，经县南，东北流。当时，赤眉军在河东，刘林故进此策。㊽去之真定：刘秀离开列人县，到了真定县。去，离开。之，往。㊾任侠：仗义行侠。相与信为任，同是非为侠。㊿王郎（？至公元二四年）：一名王昌，赵国邯郸县人，诈称是汉成帝子刘子舆，在邯郸自称天子。后被刘秀击败，被杀。传见《后汉书》卷十二。(251)缘是诈称：借此谎称。缘是，借王莽杀刘子舆事件。(252)讴者：歌唱的女子。(253)任身：怀孕。任，通“妊”，妊娠。(254)赵后：指成帝皇后赵飞燕。(255)望风响应：听到风声，依据情势，就起来响应。

【校记】

［14］置：据章钰校，乙十一行本作“致”。［15］自：原无此字。据章钰校，十二行本、孔天胤本皆有此字，张敦仁《通鉴刊本识误》同，今据补。［16］常：原无此字。据章钰校，十二行本、乙十一行本、孔天胤本皆有此字，张敦仁《通鉴刊本识误》同，今据补。

【语译】

二年（甲申，公元二四年）

春，正月，大司马刘秀因为王郎新起兴盛，就向北攻占蓟县。

申屠建、李松从长安来迎请更始皇帝刘玄迁都。二月，更始从洛阳出发。当初，假称汉室将军而诛杀王莽的三辅豪杰，人人都盼望封侯。申屠建把王宪杀死后，又扬言说：“三辅的男子太狡猾，一起杀了自己的君主。”官民一片恐慌，所属各县屯聚自保。申屠建等人不能攻克。更始皇帝到了长安，就发布诏令大赦，只要不是王莽的子孙，其他人都免予治罪，于是三辅全部平定了。

此时长安只有未央宫被烧，其他宫室、供帐、仓库、官府都同过去一样完好，城里街市也与原来的一样没有改变。更始皇帝刘玄住在长乐宫，登上前殿，官员们依照次序，排列在殿庭中。更始一见这场面，羞愧变色，低着头，两手擦席，不敢看人。看到后到的将领，刘玄便问：“你掳掠所得有多少？”左右侍从官都是宫中的旧吏，惊愕相视。

李松与棘阳赵萌说更始宜悉王㉖诸功臣。朱鲔争之，以为高祖约，非刘氏不王㉖。更始乃先封诸宗室：祉㉖为定陶王，庆㉖为燕王，歙㉖为元氏王，嘉㉖为汉中王，赐为宛王，信为汝阴王。然后立王匡为泚阳王[17]，王凤为宜城王，朱鲔为胶东王，王常为邓王，申屠建为平氏王，陈牧为阴平王，卫尉大将军张卬为淮阳王，执金吾大将军廖湛为穰王，尚书胡殷为随王，柱天大将军李通为西平王，五威中郎将李轶为舞阴王，水衡大将军成丹为襄邑王，骠骑大将军宗佻㉖为颍阴王，尹尊㉖为郾王。唯朱鲔辞不受，乃以鲔为左大司马，宛王赐为前大司马，使与李轶等镇抚关东。又使李通镇荆州，王常行南阳太守事。以李松为丞相，赵萌为右大司马，共秉内任㉖。

更始纳㉗赵萌女为夫人，故委政㉗于萌，日夜饮宴㉗后庭。群臣欲言事，辄醉不能见。时㉗不得已，乃令侍中坐帷内[18]与语。韩夫人尤嗜酒，每侍饮㉗，见常侍㉗奏事，辄怒曰："帝方对我饮，正用此时持事来邪！"起，抵破书案㉗。赵萌专权，生杀自恣㉗。郎吏有说萌放纵者，更始怒，拔剑斩[19]之，自是无敢复言。以至群小、膳夫㉗皆滥授官爵，长安为之语曰："灶下养，中郎将；烂羊胃，骑都尉；烂羊头，关内侯㉗。"军师将军李淑上书谏曰："陛下定业，虽因下江、平林之势，斯盖临时济用㉘，不可施之既安㉘。唯名与器㉘，圣人所重㉘。今加非其人，望其裨益万分，犹缘木求鱼，升山采珠㉘。海内望此，有以窥度㉘汉祚！"更始怒，囚之。诸将在外者皆专行诛赏，各置牧守，州郡交错，不知所从。由是关中离心，四海怨叛。

更始征隗嚣及其叔父崔、义等。嚣将行，方望以为[20]更始成败未可知，固止之。嚣不听，望以书辞谢而去。嚣等至长安，更始以嚣为右将军，崔、义皆即旧号。

李松和棘阳人赵萌劝说更始应该将功臣都封为王。朱鲔不同意，认为汉高祖刘邦约定，不是姓刘的，不能封王。更始就先封刘氏宗室：刘祉为定陶王，刘庆为燕王，刘歙为元氏王，刘嘉为汉中王，刘赐为宛王，刘信为汝阴王。然后再封王匡为泚阳王，王凤为宜城王，朱鲔为胶东王，王常为邓王，申屠建为平氏王，陈牧为阴平王，卫尉大将军张卬为淮阳王，执金吾大将军廖湛为穰王，尚书胡殷为随王，柱天大将军李通为西平王，五威中郎将李轶为舞阴王，水衡大将军成丹为襄邑王，骠骑大将军宗佻为颍阴王，尹尊为郾王。只有朱鲔推辞不受，于是刘玄就任命朱鲔为左大司马，宛王刘赐为前大司马，让他们和李轶等人安抚函谷关以东地区。又派李通镇守荆州，王常代理南阳郡太守政务。任命李松为丞相，赵萌为右大司马，共同主持朝廷内政务。

更始皇帝刘玄娶赵萌女儿做夫人，因而将朝政大权都委托赵萌处理，他自己日夜在后宫欢宴。大臣们想奏请或议论政事，更始往往因醉酒而不能接见。有时推辞不掉，就命侍中坐帐幕内代替他回答。韩夫人尤其爱好喝酒，每当侍奉更始喝酒，看见中常侍前来奏事，就生气说："皇上正和我对饮，你为什么在这个时候来奏事！"站起来，击破书案。赵萌独揽大权，生杀随意。郎官中有人说赵萌恣意妄为，更始大怒，拔剑杀了那个郎官，从此之后，再没有人敢说话。以致成群的小人、厨子，都被随意授官封爵，长安街头因此流传歌谣："灶下会炊烹，可做中郎将；煮烂羊胃，可做骑都尉；煮烂羊头，可做关内侯。"军师将军李淑上奏规谏说："陛下完成大业，尽管是靠着下江兵、平林兵的势力，但这只能是临时利用一下，不能用在天下安定以后。只有名号和器物，是圣人所看重的。若加封不当，希望受封的人对国家有万分贡献，那就像缘木而求鱼，登高山而采珠。四海之内看到这个样子，定会有人暗中窥伺汉朝皇位！"更始大怒，将李淑逮捕下狱。在地方上的各位将领，独自施行诛杀和赏赐，各自设置州牧和太守，州、郡行政官吏互相重叠，不知服从谁好。因而关中地区百姓离心，全国人民怨恨反叛。

更始皇帝刘玄征召隗嚣与他的叔父隗崔、隗义等人。隗嚣即将出发，方望认为刘玄政权的成败尚未可知，就极力阻止。隗嚣不听，方望便留下辞职书而离去。隗嚣等人到达长安，刘玄任命隗嚣为右将军，隗崔、隗义仍保留原来的称号。

【段旨】

以上为第六段，写更始皇帝入都关中，荒怠政事，官民离心。

【注释】

㉖蓟：县名，县治在今北京市西南。㉗按堵：安定。㉘羞怍：羞愧。㉙俯首刮席：此言羞惭不敢仰视，两手不知所措而摩擦座席。㉚宫省：皇宫。㉛王：作动词用，封王。㉜高祖约二句：出自《史记·吕太后本纪》，"高帝刑白马盟曰：'非刘氏而王，天下共击之'"。㉝祉：刘祉（公元前七至公元三五年），字巨伯，光武族兄，刘敞之子。传见《后汉书》卷十四。㉞庆：刘庆，刘敞的弟弟。赤眉军攻入关中，庆为乱兵所杀。㉟歙：刘歙（？至公元三四年），字经孙，光武族父。传见《后汉书》卷十四。㊱嘉：刘嘉（？至公元三九年），字孝孙，光武族兄。传见《后汉书》卷十四。㊲宗佻：一作"宋佻"。㊳尹尊：一作"尹遵"。建武二年，降刘秀。㊴内任：指朝廷之内的职任。㊵纳：娶。㊶委政：付以政柄。㊷饮宴：大摆酒席。㊸时：有时。㊹侍饮：陪侍宴饮。㊺常侍：即中常侍，官名。皇帝的侍从近臣。㊻抵破书案：击破书案。㊼生杀自恣：随意决定人的生与死。㊽膳夫：官名，执掌宫廷的饮食。㊾灶下养六句：意谓在伙房担任炊事

【原文】

耿况遣其子弇[286]奉奏诣长安，弇时年二十一。行至宋子，会王郎起，弇从吏孙仓、卫包曰："刘子舆，成帝正统。舍此不归，远行安之！"弇按剑曰："子舆弊贼，卒为降虏耳！我至长安，与国家陈[287]渔阳、上谷[21]兵马，归发突骑[288]，以辚[289]乌合之众，如摧枯折腐耳。观公等不识去就[290]，族灭不久也！"仓、包遂亡，降王郎。

弇闻大司马秀在卢奴[291]，乃驰北上谒。秀留署[292]长史[293]，与俱北至蓟。王郎移檄购秀十万户[294]，秀令功曹令史[295]颍川王霸[296]至市中募人击王郎，市人皆大笑，举手邪揄[297]之，霸惭愧[298]而反。秀将南归，耿弇曰："今兵从南方来，不可南行。渔阳太守彭宠，公之邑人；上谷太守，即弇父也。发此两郡控弦[299]万骑，邯郸不足虑也。"秀官属腹心皆不肯，曰："死尚南首[300]，奈何北行入囊中[301]！"秀指弇曰："是我北道主人也。"

会故广阳王[302]子接[303]起兵蓟中以应郎，城内扰乱，言邯郸使者方到，二千石以下皆出迎。于是秀趣[304]驾而出，至南城门，门已闭。攻之，得出，遂晨夜[305]南驰，不敢入城邑，舍食[306]道傍。至芜蒌亭[307]，时

工作的人授官中郎将，能煮烂羊胃的人授官骑都尉，能煮烂羊头的人赐爵关内侯。养，担任炊事工作的人。㉘⓪济用：利用。㉘①施之既安：用在安定以后。㉘②名与器：名，名号。器，器物，此指能够表明贵贱尊卑等级的各种礼仪制度的器物。㉘③圣人所重：《左传》鲁成公二年记载孔子的话说，“唯器与名，不可以假人，君之所司也”。㉘④缘木求鱼二句：攀到树上去寻求鱼，登到山上去采集珍珠。比喻求非其所，终无所得。㉘⑤窥度：暗中窥测。

【校记】

[17]泚阳王：原作“泚阳王”。据章钰校，十二行本作“泚阳王”，张敦仁《通鉴刊本识误》同，今据改。[18]内：原作“中”。据章钰校，十二行本、乙十一行本、孔天胤本皆作“内”，今据改。[19]斩：据章钰校，十二行本作“击”。[20]为：原无此字。据章钰校，十二行本、乙十一行本、孔天胤本皆有此字，今据补。

【语译】

耿况派他的儿子耿弇拿着奏章前往长安，耿弇当时二十一岁。耿弇走到宋子县，正赶上王郎起事，耿弇的随从官员孙仓、卫包说：“刘子舆是成帝正统。丢掉他不去归附，还远行到哪里去呢！”耿弇拿着宝剑说：“刘子舆这个坏东西，最终是个降虏罢了！我到长安，向国家陈奏渔阳、上谷两郡兵马，回来发动精锐骑兵，用它来踏平乌合之众，如同摧枯拉朽罢了。看你们两位不懂选择归属，遭灭族之祸不会太久！”孙仓、卫包两人便逃跑了，投降了王郎。

耿弇听说大司马刘秀在卢奴县，便驰马北上去晋见刘秀。刘秀留下耿弇暂时担任长史，并和耿弇一起北行到蓟县。王郎悬赏十万户封邑捉拿刘秀，刘秀派功曹令史颍川人王霸到闹市上召募兵士讨伐王郎，闹市中的人全都大笑，做手势戏弄王霸，王霸羞愧而回。刘秀将要南归，耿弇说：“如今敌人从南向北来，不可以南行。北方渔阳太守彭宠，是明公老乡；上谷太守，就是我耿弇的父亲。发动这两郡善射骑士一万人，邯郸就不必忧虑了。”刘秀的心腹部属都不同意，说：“即便是死，头也要向着南方，为何还要北行钻入口袋中！”刘秀指着耿弇说：“他就是我北行路上的主人啊。”

正巧前广阳王的儿子刘接在蓟县起兵响应王郎，城内混乱，传言邯郸使者刚到，二千石以下官员都要出城迎接。于是刘秀赶紧驾车出城，到了南门，南门已经关闭。发起进攻，才得以出城，于是日夜南驰，不敢进入城邑，在路边吃住。

天寒烈，冯异上豆粥。至饶阳[308]，官属皆乏食。秀乃自称邯郸使者，入传舍，传吏方进食，从者饥，争夺之。传吏疑其伪，乃椎鼓数十通，绐言[309]“邯郸将军至”。官属皆失色。秀升车欲驰，既而惧不免，徐还坐，曰：“请邯郸将军入。”久乃驾去。晨夜兼行，蒙犯[310]霜雪，面皆破裂。

至下曲阳[311]，传闻王郎兵在后，从者皆恐。至滹沱河[312]，候吏[313]还白[314]：“河水流澌[315]，无船，不可济。”秀使王霸往视之。霸恐惊众，欲且[316]前，阻水还[317]，即诡曰：“冰坚可度。”官属皆喜。秀笑曰：“候吏果妄语也！”遂前。比[318]至河，河冰亦合，乃令王霸护渡，未毕数骑而冰解。至南宫[319]，遇大风雨，秀引车入道傍空舍，冯异抱薪，邓禹爇火，秀对灶燎[320]衣，冯异复进麦饭。

进至下博[321]城西，惶惑不知所之。有白衣老父在道旁，指曰：“努力！信都郡[322]为长安城守[323]，去此八十里。”秀即驰赴之。是时郡国皆已降王郎，独信都太守南阳任光[324]、和戎[325]太守信都邳彤[326]不肯从。光自以孤城独守，恐不能全，闻秀至，大喜。吏民皆称万岁[327]。邳彤亦自和戎来会，议者多言可因信都兵自送，西还长安。邳彤曰：“吏民歌吟思汉久矣，故更始举尊号而天下响应，三辅清宫除道以迎之。今卜者王郎，假名因势，驱集乌合之众，遂振[328]燕、赵之地，无有根本之固。明公奋二郡[329]之兵以讨之，何患不克！今释此而归，岂徒空失河北，必更惊动三辅，堕损威重，非计之得者也。若明公无复征伐之意，则虽信都之兵，犹难会也。何者？明公既西，则邯郸势成，民不肯捐[330]父母、背成主[331]而千里送公，其离散亡逃可必[332]也！”秀乃止。

秀以二郡兵弱，欲入城头子路[333]、刁子都[22]军中。任光以为不可。乃发傍县，得精兵四千人，拜任光为左大将军，信都都尉李忠[334]为右大将军，邳彤为后大将军、和戎太守如故，信都令万修[335]为偏将军，皆封列侯。留南阳宗广领信都太守事。使任光、李忠、万修将兵以从，邳彤将兵居前，任光乃多作檄文曰：“大司马刘公将城头子路、刁子都兵百万众从东方来，击诸反虏！”遣骑驰至钜鹿界中。吏

到达芜蒌亭，当时天气异常寒冷，冯异端上豆粥。到达饶阳，部属全部都没吃饭。刘秀便自称是邯郸派来的使者，进入驿站，驿站属吏刚摆出食物，跟随刘秀的人饥饿已极，大家争抢食物。驿站属吏怀疑刘秀是冒牌使者，便擂鼓数十下，欺骗说“邯郸派来的将军到了”。刘秀的部属全都变了脸色。刘秀想登车逃跑，又怕一会儿不能脱身，于是不慌不忙回到座位上，说：“请邯郸的将军进来。”过了很长时间，刘秀才驾车离去。日夜兼程，冒着霜雪赶路，脸面都冻裂了。

到达下曲阳，传闻王郎追兵跟在后边，随从官吏全都惊恐。将到滹沱河边，前面探路的候吏回来说：“河水流动着冰块，没有船，无法渡河。”刘秀派王霸前去察看。王霸担心众人惊恐，想让大家往前走，被河水阻挡再回头，当即诳称说：“河冰坚实可渡。”随从官吏全都高兴。刘秀笑着说：“候吏果然是胡说！”于是前行。等到了河边，河冰连接起来了，便命令王霸指挥渡河，还剩下几匹马和人没渡过河，河冰就破裂了。到了南宫县，遇上狂风暴雨，刘秀拉车进入路边的空房，冯异抱柴，邓禹烧火，刘秀对着灶烤衣，冯异送上麦饭。

前行到下博城西，惶恐疑惑不知到哪里去。有一位穿白衣的老者在路边，指路说：“诸君努力呀！信都郡是长安城的护卫，离这里八十里。”刘秀立即奔驰前往。这时，河北郡国都投降了王郎，只有信都太守南阳人任光、和戎太守信都人邳彤不肯附从。任光自己认为信都是一座孤城独自坚守，担心不能保全，听到刘秀来到，十分高兴。官民全都呼喊万岁。邳彤也从和戎来会合，议事的人多数说可利用信都的兵马护送自己，向西返回长安。邳彤说：“官民讴歌思念汉朝很长时间了，所以更始皇帝建立尊号，全国响应，三辅清理宫殿，扫除道路迎接他。如今卖卦人王郎，冒名乘势，驱赶一群乌合之众，于是收取了燕、赵之地，并没有巩固的根据地。明公振奋信都、和戎两郡的兵力讨伐王郎，何愁不胜！如今丢了这机会而西归，哪里只是白白地丢了整个河北地区，一定还会惊动三辅，损害声威，这不是一个好计谋。如果明公已没有征伐叛逆的意思，那么即使信都的兵也难会合。为什么呢？明公既然西走，那么就成就了邯郸的势力，百姓不肯丢掉父母，背叛已确立的主子远行千里护送明公，他们离散逃亡是肯定的！”刘秀这才停止西行。

刘秀认为两郡的兵力单薄，打算到城头子路、刁子都的军队中去。任光认为不可，便征召邻县的丁壮，得到四千名精兵，刘秀任命任光为左大将军，信都郡都尉李忠为右大将军，邳彤为后大将军，仍任和戎太守，信都县县令万修为偏将军，都封为列侯。留南阳人宗广代理信都郡太守政务。命令任光、李忠、万修率领兵马随从自己讨伐王郎，邳彤率兵充任前锋，任光撰写大量声讨文告说：“大司马刘公率领城头子路、刁子都大军百万，自东方来，讨伐各路叛贼！”派出骑兵赶到钜

民得檄，传[336]相告语。秀投暮[337]入堂阳[338]界，多张骑火[339]，弥满泽中，堂阳即降。又击贳县[340]，降之。城头子路者，东平爰曾也，寇掠河、济间，有众二十余万，刁子都有众六七万，故秀欲依之。昌城人刘植[341]聚兵数千人据昌城，迎秀。秀以植为骁骑将军。耿纯率宗族宾客二千余人，老病者皆载木[342]自随，迎秀于育[343]。拜纯为前将军。进攻下曲阳，降之。众稍合，至数万人，复北击中山[344]。耿纯恐宗家怀异心，乃使从弟䜣[345]、宿[346]归，烧庐舍以绝其反顾之望。

秀进拔卢奴，所过发奔命兵，移檄边郡共击邯郸。郡县还复响应。时真定王杨[347]起兵附王郎，众十余万，秀遣刘植说杨，杨乃降。秀因留真定，纳杨甥郭氏[348]为夫人以结之。进击元氏[349]、防子[350]，皆下之。至鄗[351]，击斩王郎将李恽。至柏人[352]，复破郎将李育[353]。育还保城。攻之，不下。

南郑人延岑[354]起兵据汉中。汉中王嘉击降之，有众数十万。校尉南阳贾复[355]见更始政乱，乃说嘉曰："今天下未定，而大王安守所保，所保得无不可保乎？"嘉曰："卿言大，非吾任也。大司马在河北，必能相用。"乃为书荐复及长史南阳陈俊[356]于刘秀。复等见秀于柏人，秀以复为破虏将军，俊为安集掾[357]。

秀舍中儿犯法，军市令[358]颍川祭遵[359]格杀[360]之，秀怒，命收遵。主簿陈副谏曰："明公常欲众军整齐，今遵奉法不避，是教令所行也。"乃贳[361]之，以为刺奸将军[362]，谓诸将曰："当备祭遵！吾舍中儿犯法尚杀之，必不私诸卿也。"

初，王莽既杀鲍宣，上党[363]都尉路平欲杀其子永[364]。太守苟谏保护之，永由是得全。更始征永为尚书仆射，行大将军事，将兵安集河东[365]、并州，得自置偏裨[366]。永至河东，击青犊，大破之。以冯衍为立汉将军，屯太原，与上党太守田邑[367]等缮[368]甲养士以捍卫并土[369]。

或说大司马秀以守柏人不如定钜鹿，秀乃引兵东北拔广阿[370]。秀披[371]舆地图[372]，指示邓禹曰："天下郡国如是，今始乃得其一，子前言以吾虑天下不足定，何也？"禹曰："方今海内殽乱[373]，人思明君，犹赤子之慕慈母。古之兴者在德薄厚，不以大小也！"

鹿郡内散发。吏民看到声讨文告，互相转告。刘秀在傍晚时进入堂阳县界，多置骑兵火把，布满在草泽中，堂阳县当夜投降。紧接着攻打贳县，贳县也投降了。城头子路，是东平郡人爰曾，在黄河、济水一带抢劫掳掠，有部众二十余万，而刁子都部众也有六七万，所以刘秀想依附他们。昌城人刘植聚集军队数千人占据昌城县，迎接刘秀。刘秀任命刘植为骁骑将军。耿纯率领宗族宾客二千多人，年老患病的各自带着棺木跟随，到育县迎接刘秀。刘秀任命耿纯为前将军。攻打下曲阳，下曲阳投降。此时刘秀军队逐渐增多，已达数万人，又向北进攻中山郡。耿纯怕宗族怀有二心，就派他的堂弟耿䜣、耿宿回到故乡，烧掉房舍，断绝他们返回的希望。

刘秀攻下卢奴县，所到之处，征发地方兵马，传送檄文给边塞郡、县，一起攻打邯郸城。郡、县反戈纷纷响应。此时，真定王刘杨起兵依附王郎，部众十余万，刘秀派遣刘植去游说刘杨，刘杨便投降了。刘秀因而留在真定县，娶了刘杨的外甥女郭氏为夫人，用以团结刘杨。接着攻打元氏县、防子县，全都攻了下来。到达鄗县，击杀王郎部将李恽。进至柏人县，又打败王郎部将李育。李育退守柏人县城。刘秀围攻，没有攻下。

南郑人延岑起兵占据汉中。汉中王刘嘉攻打延岑，延岑投降，刘嘉部众有数十万。校尉南阳人贾复看到更始政治混乱，便向刘嘉建议："如今天下还未安定，而大王却安守汉中郡，汉中郡恐怕未必能保吧?"刘嘉说："你说的话关系重大，不是我所能胜任的。大司马刘秀在河北，必定能任用你。"因而写信，将贾复和长史南阳人陈俊推荐给刘秀。贾复等人在柏人县拜见刘秀，刘秀任命贾复为破虏将军，陈俊为安集掾。

刘秀家中年轻人犯了法，军市令颍川人祭遵把他击杀了。刘秀大怒，命人逮捕了祭遵。主簿陈副谏阻刘秀说："明公经常要求众军军纪整肃，现今祭遵执法毫无回避，这正是在执行明公的教令呀。"刘秀因此饶恕了祭遵，用他担任刺奸将军，对众将说："你们要当心祭遵！我的家中年轻人犯法都给杀了，他肯定不会偏袒你们。"

当初，王莽杀害鲍宣时，上党郡都尉路平就想趁机杀死鲍宣的儿子鲍永。上党郡太守苟谏保护鲍永，鲍永才得以保命。更始征召鲍永为尚书仆射，代理大将军事，率领军队安抚河东郡和并州所属郡县，可以自行任命偏将和裨将。鲍永到达河东郡，攻打青犊兵，大败青犊。鲍永任命冯衍为立汉将军，屯驻太原郡，和上党郡太守田邑等人缮治兵甲，训练士卒，用以保卫并州疆土。

有人劝说大司马刘秀，与其固守柏人县，不如去平定钜鹿郡。刘秀便率军向东北，攻下钜鹿郡的广阿县。刘秀翻开地图，指给邓禹看，说："天下郡、国这么多，至今我才得到其中的一个，先生此前说凭我的思虑，天下不难平定，为什么?"邓禹回答说："眼下天下混乱，人们渴望出现英明的君主，就仿佛初生的婴儿思念慈母。古代兴起的帝王，都在于他们品德的厚薄，而不依靠他们所占地盘的大小!"

蓟中之乱，耿弇与刘秀相失，北走昌平[374]，就其父况，因说况击邯郸。时王郎遣将徇渔阳、上谷，急发其兵，北州疑惑，多欲从之。上谷功曹寇恂、门下掾[375]闵业[376]说况曰：“邯郸拔起[377]，难可信向[378]。大司马，刘伯升母弟[379]，尊贤下士，可以归之。”况曰：“邯郸方盛，力不能独拒，如何？”对曰：“今上谷完实，控弦万骑，可以详[380]择去就。恂请东约渔阳，齐心合众，邯郸不足图也！”况然之，遣恂东约彭宠，欲各发突骑二千匹、步兵千人诣大司马秀。

安乐令吴汉、护军[381]盖延[382]、狐奴[383]令王梁[384]亦劝宠从秀，宠以为然。而官属皆欲附王郎，宠不能夺[385]。汉出止外亭，遇一儒生，召而食之，问以所闻。生言：“大司马刘公，所过为郡县所称。邯郸举尊号者，实非刘氏。”汉大喜，即诈为秀书，移檄渔阳，使生赍[386]以诣宠，令具以所闻说之。会寇恂至，宠乃发步骑三千人，以吴汉行长史，与盖延、王梁将之，南攻蓟，杀王郎大将赵闳。

寇恂还，遂与上谷长史景丹[387]及耿弇将兵俱南，与渔阳军合，所过击斩王郎大将、九卿、校尉以下，凡斩首三万级，定涿郡[388]、中山、钜鹿、清河[389]、河间[390]凡二十二县。前及广阿，闻城中车骑甚众，丹等勒兵问曰：“此何兵？”曰：“大司马刘公也。”诸将喜，即进至城下。城下[23]初传言二郡兵为邯郸来，众皆恐。刘秀自登西城楼勒兵问之。耿弇拜于城下，即召入。具言发兵状。秀乃悉召景丹等入，笑曰：“邯郸将帅数言我发渔阳、上谷兵，吾聊应言‘我亦发之’，何意[391]二郡良[392]为吾来！方[393]与士大夫共此功名耳。”乃以景丹、寇恂、耿弇、盖延、吴汉、王梁皆为偏将军，使还领其兵，加耿况、彭宠大将军，封况、宠、丹、延皆为列侯。

吴汉为人，质厚[394]少文[395]，造次[396]不能以辞自达，然沉勇[397][24]有智略，邓禹数荐之于秀，秀渐亲重之。

更始遣尚书令[398]谢躬[399]率六将军讨王郎，不能下。秀至，与之合军，东围钜鹿，月余未下。王郎遣将攻信都，大姓马宠等开城[25]内之。更始遣兵攻破信都，秀使李忠还，行太守事。王郎遣将倪宏、刘奉率数万人救钜鹿，秀逆战[400]于南䜌[401]，不利。景丹等纵突骑击之，宏

蓟中之乱时，耿弇与刘秀失散，向北逃到昌平县，回到他父亲耿况那里，劝说他父亲耿况攻打邯郸。当时，王郎派遣将领进掠渔阳郡、上谷郡，紧急调发沿边郡县的部队，北方沿边州郡疑惑不安，多数人想归从王郎。上谷郡功曹寇恂、门下掾闵业向耿况建议说："邯郸突然崛起，难以信赖。大司马刘秀，是刘縯的亲弟弟，礼贤下士，我们应当归附他。"耿况说："邯郸势力正日渐强盛，我们的力量不能单独抵抗，怎么办？"寇恂回答说："现在上谷郡充实坚固，拥有骑兵万人，应当审慎选择去就。我寇恂愿意到东方联络渔阳郡的彭宠，同心合力，邯郸不愁攻不下！"耿况表示同意，派遣寇恂东去联合彭宠，打算各自派出骑兵突击队两千人、步兵一千人前往大司马刘秀那里。

安乐县令吴汉、护军盖延、狐奴县令王梁也力劝彭宠归附刘秀，彭宠表示赞同。但是，他的部属都想归附王郎，彭宠不能强迫他们。吴汉出城在城外的亭子里休息时，遇到一位儒生，就召他一同进餐，并向他打听消息。儒生说："大司马刘秀，每经过郡、县，都受到当地官民的称赞。邯郸那位皇帝，并非刘氏子弟。"吴汉很高兴，立即伪造一份刘秀致渔阳郡的文告，让那儒生拿着去见彭宠，嘱咐他把所听到的消息详细告诉彭宠。正好寇恂抵达，彭宠便派出步骑三千人，命吴汉为代理长史，和盖延、王梁一起率领，南下攻打蓟县，杀死王郎大将赵闳。

寇恂返回上谷郡，于是与上谷郡长史景丹以及耿弇率军南下，和渔阳郡的军队会合，进军途中斩杀王郎的大将、九卿、校尉以下吏士共计约三万人，平定涿郡、中山、钜鹿、清河、河间等二十二县。前锋到达广阿县，听说城里兵马很多，景丹等停兵打听消息，问道："这是什么人的军队？"回答说："是大司马刘秀的。"众将都很高兴，当即抵达城下。城里最初谣传上谷、渔阳二郡的军队为援助王郎而来，大家都十分惶恐。刘秀亲自登上西城楼布置军队询问来意。耿弇在城下拜见，刘秀当即叫他进城，耿弇详细说明了两郡发兵情况。刘秀因此把景丹等将领全请到城里来，笑着说："邯郸将领多次说我征调了渔阳、上谷二郡的兵力，我随声附和说'我是征召了'，想不到二郡兵马真的为我而来！我正好与各位士大夫共享此功名。"就任命景丹、寇恂、耿弇、盖延、吴汉、王梁等为偏将军，让他们各自回去统领自己的部队。擢升耿况、彭宠为大将军，封耿况、彭宠、景丹、盖延都为列侯。

吴汉为人质朴，不善言辞，紧急仓促时就词不达意，但沉着果敢，有智谋才略，邓禹多次向刘秀推荐，刘秀逐渐对他亲近敬重。

更始派尚书令谢躬率领六位将军讨伐王郎，不能战胜。刘秀到达后，谢躬便与刘秀军队会合，向东包围钜鹿，一个多月没有攻下。王郎派遣将领攻打信都郡，城内大族马宠等人打开城门迎接。更始派军队攻下了信都，刘秀命李忠返回信都，代理太守。王郎派遣将领倪宏、刘奉带领数万名士兵救钜鹿，刘秀在南䜌迎战，结果失利。景丹等派出突击骑兵袭击敌人，倪宏等大败。刘秀说："我

等大败。秀曰："吾闻突骑天下精兵，今见其战，乐可言邪！"

耿纯言于秀曰："久守钜鹿，士众疲弊，不如及大兵精锐，进攻邯郸，若王郎已诛，钜鹿不战自服矣。"秀从之。夏，四月，留将军邓满守钜鹿。进军邯郸，连战，破之，郎乃使其谏大夫杜威请降。威雅称[402]郎实成帝遗体[403]，秀曰："设使成帝复生，天下不可得，况诈子舆者乎！"威请求万户侯，秀曰："顾[404]得全身可矣！"威怒而去。秀急攻之，二十余日。五月甲辰[405]，郎少傅李立开门内汉兵，遂拔邯郸。郎夜亡走，王霸追斩之。秀收郎文书，得吏民与郎交关[406]谤毁者数千章[407]。秀不省[408]，会诸将军烧之，曰："令反侧子[409]自安！"

【段旨】

以上为第七段，写刘秀历经艰险，平定王郎。

【注释】

㉘弇：耿弇（公元三至五八年），字伯昭，扶风茂陵县人，耿况之子。刘秀称帝，为建威大将军，封好畤侯。传见《后汉书》卷十九。㉘陈：陈述。㉘突骑：能冲击军阵的精锐骑兵。㉘辚：车轮碾压，此指践踏。㉙不识去就：不懂选择归属。去就，取舍。㉙卢奴：县名，县治在今河北定州。㉙署：暂时担任。㉙长史：官名，协助长官处理官署事务。㉙购秀十万户：杀死或抓到刘秀者，赏给十万户的封地。㉙功曹令史：大司马府属官名。㉙王霸（？至公元五九年）：字符伯，颍川郡颍阳县（今河南许昌西南）人，历任讨虏将军、上谷太守等，封淮陵侯。传见《后汉书》卷二十。㉙邪揄：嘲笑；戏弄。㉙惭懅：羞愧。㉙控弦：指持弓善射的士兵。㉚南首：头朝南。㉚北行入囊中：渔阳、上谷二郡之北即为边塞，北行至此则道路穷尽，犹如进入布袋中，故以为喻。㉚广阳王：名刘嘉，汉武帝五世孙。㉚接：广阳王之子刘接。㉚趣：急忙。㉚晨夜：日夜。㉚舍食：住吃。㉚芜蒌亭：亭名，属饶阳县，处于县治北。其址在今河北肃宁南。㉚饶阳：县名，县治在今河北饶阳东北。㉚绐言：诈言；谎称。绐，欺骗。㉛蒙犯：冒着。㉛下曲阳：县名，县治在今河北晋州西北。㉛滹沱河：河流名，源出今山西繁峙东之泰戏山，穿太行山东流入河北平原。在献县与滏阳河汇合后称子牙河。至天津市，汇北运河入海。滹沱河于下曲阳北自西向东流。㉛候吏：负责整治道路、稽查

听说突击骑兵是天下的精锐部队，现在亲眼看到他们作战，高兴得无法用语言来形容！”

耿纯对刘秀说：“我们长久包围钜鹿城，官兵疲惫，不如趁大军兵精气盛，直接进攻邯郸，如果王郎被杀，钜鹿不用去打就自动降伏了。”刘秀采纳了他的建议。夏，四月，刘秀留下将军邓满继续围困钜鹿。亲自率领大军向邯郸挺进，连战连胜，王郎于是派他的谏大夫杜威请求投降。杜威极言王郎确实是汉成帝嫡亲骨肉，刘秀说：“假如成帝复活，也不能再得天下，何况他的冒牌儿子！”杜威请求封王郎万户侯，刘秀说：“只不要他死就可以了！”杜威发怒而去。刘秀加紧攻城，历时二十余天。五月初一日甲辰，王郎少傅李立打开城门迎接汉军，于是夺取了邯郸。王郎当夜逃走，王霸追杀了他。刘秀收缴王郎文书档案，获得吏民勾结王郎、诽谤自己的文书达数千件。刘秀不察看，集合全体将领，当着大家的面，将这些文书用火烧毁，说：“使反复无常的人安心！”

奸盗及迎送宾客的官员。⑭ 白：报告。⑮ 澌：同“凘”。解冻时流动的冰块。⑯ 且：通“徂”，往。⑰ 阻水还：被河水所阻而回。⑱ 比：等到。⑲ 南宫：县名，县治在今河北南宫西北。⑳ 燎：烘烤。㉑ 下博：县名，县治在今河北深州东南。㉒ 信都郡：郡名，治所信都县，在今河北衡水市冀州区。㉓ 守：护卫。㉔ 任光（？至公元二九年）：字伯卿，南阳郡宛县人，归刘秀，为左大将军，太守如故，封阿陵侯。传见《后汉书》卷二十一。㉕ 和戎：郡名。《后汉书·邳彤传》作“和成”，治所在下曲阳。㉖ 邳肜：《后汉书》作“邳彤”，字伟君，信都人，归刘秀，为后大将军，太守如故，封灵寿侯。传见《后汉书》卷二十一。㉗ 万岁：喜悦欢呼之词。㉘ 振：收取。㉙ 二郡：指信都、和戎二郡。㉚ 捐：抛弃。㉛ 成主：已确立的君主。此指王郎。㉜ 必：断定。㉝ 城头子路：姓爰，名曾，字子路，起兵卢县（今山东济南市长清区东南）城头，号称城头子路。活动于今河北、山东两省的黄河、济水流域，发展到二十余万人。刘玄称帝，命曾为东莱太守，行大将军事，不久为部将所杀。㉞ 李忠（？至公元四三年）：字仲都，东莱郡黄县（今山东黄县东）人，归刘秀，为右大将军、五官中郎将、丹阳太守等，封中水侯。传见《后汉书》卷二十一。㉟ 万修（？至公元二六年）：字君游，扶风茂陵县人，归刘秀，为偏将军、右将军等，封槐里侯。传见《后汉书》卷二十一。㊱ 传：通“转”，辗转。㊲ 投暮：傍晚。㊳ 堂阳：县名，县治在今河北新河县西北。㊴ 多张骑火：布疑兵。《后汉书·任光传》：“使骑各持炬火，弥满泽中，光炎烛天地。举城莫不震惊惶怖，其夜即降。”㊵ 贳县：县名，县治在今河北辛集西南。㊶ 刘植（？至公元二六年）：字伯先，钜鹿郡昌城县（今河北衡水市冀州区西北）人，归刘秀，为骁骑将军，封昌城侯。传见

《后汉书》卷二十一。㉞②木：指棺材。㉞③育：《后汉书·耿纯传》李贤注，“育，县名，故城在冀州”。检两《汉志》，无育县；两《汉书》以育为地名者，仅《耿纯传》一见。胡注认为，“育”盖“贳”字之误。贳县故治在今河北辛集西南。㉞④中山：王国名，治所在今河北定州。㉞⑤䜣：耿䜣（？至公元二六年），随堂兄耿纯归刘秀，为偏将军、赤眉将军等，封著武侯。后随邓禹西征，战死。㉞⑥宿：耿宿，随堂兄耿纯归刘秀，为偏将军，后官至代郡太守，封遂乡侯。㉞⑦杨：刘杨（？至公元二六年），汉景帝七世孙。后图谋自立，被杀。㉞⑧郭氏：郭昌女郭圣通。建武二年（公元二六年）立为皇后。传见《后汉书》卷十上《皇后纪》。㉞⑨元氏：县名，县治在今河北元氏西北。㉟⓪防子：即房子，县名，县治在今河北高邑西南。㉟①鄗：县名，县治在今河北高邑东南。㉟②柏人：县名，县治在今河北内丘东北。㉟③李育：王郎的大司马。㉟④延岑（？至公元三六年）：字叔牙，南阳郡筑阳县（今湖北谷城东北）人，初起兵南郑，占据汉中。后降汉中王刘嘉。建武二年（公元二六年），击走刘嘉，在汉中自称武安王。后降公孙述，为大司马，封汝宁王。汉军攻破成都，被杀。传见《后汉书》卷十三。㉟⑤贾复：（？至公元五五年）字君文，南阳郡冠军县（今河南邓州西北）人，初从汉中王刘嘉，为校尉。后归刘秀，官至左将军，封胶东侯。传见《后汉书》卷十七。㉟⑥陈俊（？至公元四七年）：字子昭，南阳郡西鄂县（今河南南阳东北）人，初从刘嘉，为长史。后归刘秀，为强弩大将军、琅琊太守，封祝阿侯。传见《后汉书》卷十八。㉟⑦安集掾：官名，欲安集军民，所以特意设置此官。㉟⑧军市令：官名，军中置市，设置军市令掌管。㉟⑨祭遵（？至公元三三年）：字弟孙，颍川郡颍阳县（今河南许昌西南）人，历任军市令、征虏将军，封颍阳侯。传见《后汉书》卷二十。㊱⓪格杀：击杀。㊱①贳：赦免。㊱②刺奸将军：将军名号，主管督察奸诈狡猾的人。㊱③上党：郡名，治所在今山西长子西南。㊱④永：鲍永，字君长，上党郡屯留县（今山西长治市屯留区南）人，历任司隶校尉、兖州牧等。传见《后汉书》卷二十九。㊱⑤河东：郡名，治所在今山西夏县西北。㊱⑥偏裨：偏将、裨将，此泛指将佐。㊱⑦田邑：字伯玉，冯翊莲芍县（今陕西蒲城南）人，后为渔阳太守、谏议大夫。㊱⑧缮：整治。㊱⑨并土：并州之地。㊲⓪广阿：县名，县治在今河北隆尧东。㊲①披：打开。㊲②舆地图：地图。㊲③殽乱：混乱。㊲④昌平：县名，县治在今北京市

【原文】

秀部分[410]吏卒各隶[411]诸军，士皆言愿属大树将军。大树将军者，偏将军冯异也，为人谦退不伐，敕吏士非交战受敌，常行诸营之后。每所止舍，诸将并坐论功，异常独屏[412]树下，故军中号曰“大树将军”。

昌平区东南。㊱门下掾：官名，州郡长官自行举用的属吏，治理官署众事。㊲闵业：官至辽西太守，爵关内侯。㊳拔起：突起。㊴信向：信赖。㊵母弟：同母弟弟。㊶详：审慎。㊷护军：官名，将军幕府属官。㊸盖延（？至公元三九年）：字巨卿，渔阳郡要阳县（今河北滦平西北）人，历任虎牙将军等，封安平侯。传见《后汉书》卷十八。㊹狐奴：县名，县治在今北京市顺义东北。㊺王梁（？至公元三八年）：字君严，渔阳郡要阳县人，历任大司空、河南尹、济南太守等，封阜成侯。传见《后汉书》卷二十二。㊻夺：强迫改变。㊼赍：带着。㊽景丹（？至公元二六年）：字孙卿，冯翊栎阳县（今陕西富平东南）人，官至骠骑大将军，封栎阳侯。传见《后汉书》卷二十二。㊾涿郡：郡名，治所在今河北涿州。㊿清河：郡名，治所在今河北清河县东南。(390)河间：王国名，治所在今河北献县东南。(391)何意：哪里料想到。(392)良：确实。(393)方：正要。(394)质厚：朴实厚道。(395)少文：没有文采。此指不善言辞。(396)造次：仓促；急遽。(397)沉勇：深沉果敢。(398)尚书令：官名，尚书台的长官，管理诸曹尚书。(399)谢躬（？至公元二四年）：字子张，南阳郡人，刘玄称帝，为尚书令，徇行河北，与刘秀共同击灭王郎。后为刘秀部将吴汉等杀死于邺城。(400)逆战：迎战。(401)南䜌：县名，县治在今河北钜鹿北。(402)雅称：极言。(403)遗体：古称儿女之身为父母的遗体。(404)顾：只是。(405)甲辰：五月初一日。(406)交关：交往；勾结。(407)章：公文一篇，或信一封。(408)省：看。(409)反侧子：反复无常的人。

【校记】

［21］渔阳、上谷：原作“上谷渔阳”。据章钰校，十二行本、乙十一行本、孔天胤本二词皆互乙，今据改。［22］刁子都：原作“力子都”。胡三省注云：“《考异》曰：‘范《书》作“力子都”。’同编修刘攽曰：‘“力”当作“刁”，音彫。’”据章钰校，孔天胤本皆作“刁子都”，张敦仁《通鉴刊本识误》同，今据改。［23］下：据章钰校，十二行本作“中”。［24］勇：原作“厚”。据章钰校，十二行本、乙十一行本、孔天胤本皆作“勇”，张敦仁《通鉴刊本识误》同，今据改。［25］城：原作“门”。据章钰校，十二行本、乙十一行本、孔天胤本皆作“城”，今据改。

【语译】

刘秀安排官兵各自隶属各位将领，大家都说愿意隶属大树将军。大树将军，就是偏将军冯异，冯异为人谦逊不夸耀，申令自己的部属，只要不是与敌交战或受到攻击，行军时常常走在各支部队的后面。每次驻停一个地方，各位将领聚在一起议论战功，冯异常常独自退避树下，所以军中称他“大树将军”。

护军宛人朱祜㊶[26]从容[27]言于秀曰："长安政乱，公有日角之相，此天命也！"秀曰："召刺奸收护军！"祜乃不敢复言。

更始遣使立秀为萧王，悉令罢兵，与诸将有功者诣行在所⑭。遣苗曾⑮为幽州牧，韦顺为上谷太守，蔡充为渔阳太守，并北之部。

萧王居邯郸宫，昼卧温明殿⑯，耿弇入，造床下请间⑰，因说曰："吏士死伤者多，请归上谷益兵。"萧王曰："王郎已破，河北略平，复用兵何为？"弇曰："王郎虽破，天下兵革乃⑱始耳。今使者从西方来，欲罢兵，不可听也。铜马⑲、赤眉之属数十辈，辈数十百万人，所向无前，圣公不能办⑳也，败必不久。"萧王起坐曰："卿失言，我斩卿！"弇曰："大王哀厚㉑弇如父子，故敢披㉒赤心。"萧王曰："我戏卿耳，何以言之？"弇曰："百姓患苦王莽，复思刘氏，闻汉兵起，莫不欢喜，如去虎口得归慈母。今更始为天子，而诸将擅命于山东，贵戚纵横于都内，虏掠自恣，元元叩心㉓，更思莽朝，是以知其必败也。公功名已著，以义征伐，天下可传檄㉔而定也。天下至重，公可自取，毋令他姓得之！"萧王乃辞以河北未平，不就征㉕，始贰于更始。

是时，诸贼铜马、大彤、高湖、重连、铁胫、大枪、尤来、上江、青犊、五校、五幡、五楼、富平、获索㉖等各领部曲㉗，众合数百万人，所在寇掠。萧王欲击之，乃拜吴汉、耿弇俱为大将军，持节北发幽州十郡㉘突骑。苗曾闻之，阴敕㉙诸郡不得应调㉚。吴汉将二十骑先驰至无终㉛，曾出迎于路，汉即收㉜曾，斩之。耿弇到上谷，亦收韦顺、蔡充，斩之。北州震骇，于是悉发其兵。

秋，萧王击铜马于鄡㉝，吴汉将突骑来会清阳㉞，士马甚盛，汉悉上兵簿㉟于莫府㊱，请所付与，不敢自私，王益重之。王以偏将军沛国朱浮㊲为大将军、幽州牧，使治蓟城。铜马食尽，夜遁，萧王追击于馆陶㊳，大破之。受降未尽，而高湖、重连从东南来，与铜马余众合。萧王复与大战于蒲阳㊴，悉破降之，封其渠帅为列侯。诸将未能信贼，降者亦不自安。王知其意，敕令降者各归营勒兵，自乘轻骑㊵按行㊶部陈㊷。降者更相语曰："萧王推赤心置人腹中，安得不投死㊸乎！"由是皆

护军宛人朱祜从容对刘秀说:“长安政令混乱,明公有帝王的相貌,这是天命啊!”刘秀说:“叫刺奸将军来收捕你!”朱祜便不敢再说了。

更始派使臣封刘秀为萧王,命令他们解散军队,并和有功将领一同来皇帝所在地。派苗曾去当幽州牧,韦顺当上谷郡太守,蔡充当渔阳郡太守,同时到北方赴任。

萧王刘秀住在邯郸赵王宫,白天睡在温明殿,耿弇入殿,走到床边请求单独谈话,趁机说:“吏卒死伤太多,请允许我回上谷郡补充兵员。”刘秀说:“王郎已经消灭,河北基本平定,还要兵力干什么呢?”耿弇说:“王郎虽被消灭,全国性的战争才开始。现在更始的使臣从西方来,想解散军队,绝不可听从。铜马、赤眉之类的团伙有数十个,每一个团伙都有数十万甚至百万人,所向无敌,更始皇帝不能制服他们,失败一定不会太久。”刘秀从床上坐起来说:“你说了不该说的话,我杀死你!”耿弇说:“大王怜爱厚待我如同父子,所以我才敢披露赤心。”刘秀说:“我跟你开玩笑罢了,你为什么这么说?”耿弇说:“百姓被王莽害得苦不堪言,思念刘氏,听说汉军兴起,无不高兴,就像脱离虎口而回到慈母怀抱一样。现今更始做皇帝,而各位将领在山东不听节制,皇亲国戚在京城内恣肆横行,随意抢掠,老百姓捶胸顿足,甚至思念王莽的新朝,因而可以推知更始必定失败。明公您的功业英名传播海内,以仁义作号召进行讨伐,传递檄文,天下就可平定。天下极为重要,明公可自行夺取,切莫让他姓的人得到它!”刘秀就以河北尚未平定为借口,不接受征召,开始背叛更始。

当时,铜马、大彤、高湖、重连、铁胫、大枪、尤来、上江、青犊、五校、五幡、五楼、富平、获索等贼寇各自统率部队,人数合计有几百万,到处抢夺掳掠。刘秀打算攻打他们,就任命吴汉、耿弇都为大将军,持节往北方征调幽州所属十郡的骑兵突击队。幽州牧苗曾听到这个消息,暗中吩咐各郡不得响应征调。吴汉率领二十余名骑兵先赶往幽州无终县,苗曾出城在道路上迎接,吴汉当即逮捕苗曾,杀了他。耿弇到达上谷,也逮捕韦顺、蔡充,并杀掉了。北方各州大为震惊,于是纷纷发兵。

秋,刘秀在鄡县攻打铜马,吴汉率领骑兵突击队赶到清阳与刘秀会合,兵马气势很盛,吴汉到幕府呈上所有官兵名册,请求调拨,不敢私自留用,萧王刘秀越发敬重他。刘秀任命偏将军沛国人朱浮为大将军兼幽州牧,将州府设在蓟城。铜马兵粮尽,乘夜逃跑,刘秀追击到馆陶县,大败铜马。刘秀接受铜马投降还没完成,而高湖、重连等各部从东南杀来,与还没有投降的铜马会合。刘秀又与他们在蒲阳县大战,高湖等各部被彻底打败,全都投降,刘秀封他们的首领为列侯。刘秀的将领们不敢信任降兵降将,而降兵降将内心也不能自安。刘秀知道他们的心思,便命令降将各自回到营地,统率军队,刘秀自己骑马轻装巡视部队。降兵降将互相告诫说:“萧王对我们推心置腹,我们怎能不为他效死命呢!”从此大家心悦诚服。刘秀把投

服，悉以降人分配诸将，众遂数十万。赤眉别帅与青犊、上江、大肜、铁胫、五幡十余万众在射犬㊹，萧王引兵进击，大破之。南徇河内㊺，河内太守韩歆㊻降。

初，谢躬与萧王共灭王郎，数与萧王违戾㊼，常欲袭萧王，畏其兵强而止。虽俱在邯郸，遂分城而处，然萧王每[28]有以慰安之。躬勤于吏职，萧王常称之曰："谢尚书，真吏也！"故不自疑。其妻知之，常戒之曰："君与刘公积不相能㊽，而信其虚谈㊾，终受制㊿矣！"躬不纳。既而躬率其兵数万还屯于邺。及萧王南击青犊，使躬邀击(451)尤来于隆虑山(452)，躬兵大败。萧王因躬在外，使吴汉与刺奸大将军岑彭袭据邺城。躬不知，轻骑还邺，汉等收斩之(453)，其众悉降。

【段旨】

以上为第八段，写刘秀剿灭铜马，诛杀更始所署幽州牧苗曾和将军谢躬，与刘玄决裂。

【注释】

(410)部分：部署。(411)隶：归属。(412)屏：退避。(413)朱祜（？至公元四八年）：《后汉书》作"朱祐"。《通鉴考异》云"祜"作"祐"，系避安帝讳。字仲先，南阳郡宛县人，为建义大将军，封鬲侯。传见《后汉书》卷二十二。(414)行在所：指天子所在的地方。(415)苗曾：刘玄任命为幽州牧，后为吴汉所杀。(416)温明殿：殿名。(417)造床下请间：到床边请求单独谈话。造，到。请间，意谓求私下谈事，不想让他人知道。(418)乃：才。(419)铜马：义军之一，后为刘秀击败，投降后其众被分散到诸将营中，壮大了刘秀的军事力量，由此人称刘秀为"铜马帝"。(420)圣公不能办：意谓更始帝不能制服铜马、赤眉。(421)哀厚：怜爱厚待。(422)披：表露；陈述。(423)叩心：捶胸。(424)传檄：传布檄文。(425)就征：应召。(426)铜马、大肜句：各支义军的名号。(427)部曲：指所属部队。(428)幽州十郡：即涿郡、广阳郡、代郡、上谷郡、渔阳郡、右北平郡、辽西郡、辽东郡、玄菟郡、乐浪郡。(429)阴敕：秘密告诫。(430)应调：接受调遣。(431)无终：县名，县治在今天津市蓟县。(432)收：拘捕。(433)鄡：县名，县治在今河北辛集东。(434)清阳：县名，县治在今河北清河县东南。(435)兵簿：军队名册。(436)莫府：同"幕府"。古代将帅驻所门施帷帐，因称将帅治事之所为幕府。(437)朱

降的部队分配给各将领，这时部队已达数十万。赤眉的另一位头领和青犊、上江、大彤、铁胫、五幡等共有十余万人集结在射犬聚，刘秀率领军队前去攻打，大获全胜。刘秀向南招抚河内郡，河内郡太守韩歆投降。

当初，谢躬与萧王刘秀一起消灭王郎，多次与萧王有矛盾，常想偷袭刘秀，却因畏惧刘秀军队强大而不敢动。双方的部队尽管都在邯郸，但分城驻扎，然而萧王刘秀经常安慰谢躬。谢躬处理政务很勤勉，刘秀常常称赞他说："谢尚书真是一个好官吏！"所以谢躬不再怀疑。谢躬的妻子知道这情况，常常告诫他说："你跟刘秀长久不和，但是你却相信他的假话，最后会被他控制的！"谢躬不接受她的劝告。不久，谢躬率领他几万军队回到邺城驻守。等到刘秀向南攻打青犊时，命谢躬在隆虑山截击尤来，谢躬的军队大败。刘秀趁谢躬领兵在外，命吴汉和刺奸大将军岑彭乘虚偷袭并占据邺城。谢躬不知情，率领轻装骑兵返回邺城，吴汉等把谢躬抓起来杀了，他的部队全部投降了。

浮：字叔元，沛国萧县（今安徽萧县西北）人，历任大将军、幽州牧、太仆、大司空等职，封新息侯。传见《后汉书》卷三十三。㊳馆陶：县名，县治在今河北馆陶。㊴蒲阳：山名，在今河北保定市满城区西北。㊵轻骑：轻装坐骑。㊶按行：巡视。㊷部陈：阵列，此指部队。㊸投死：效死。㊹射犬：即射犬聚，野王县村镇名，在今河南沁阳东北。㊺河内：郡名，治所在今河南武陟西南。㊻韩歆（？至公元三九年）：字翁君，南阳郡棘阳县人，初为刘玄河内太守，更始二年降刘秀。邓禹率军入关，以歆为军师。刘秀称帝，历任沛郡太守、大司徒等，封扶阳侯。后因直言免官，自杀。传见《后汉书》卷二十六。㊼违戾：违背；不一致。㊽积不相能：长久不和。积，久。能，亲善；和睦。㊾虚谈：虚假的言辞。㊿受制：受人控制。(451)邀击：截击；阻击。(452)隆虑山：山名，今名林虑山，在今河南林州西北。(453)收斩之：意谓逮捕谢躬，将其斩首。

【校记】

［26］朱祜：原作"朱祐"。胡三省注云："《考异》曰：'范《书》、袁《纪》"朱祐"皆作"祜"。'"据章钰校，十二行本、乙十一行本、孔天胤本皆作"朱祜"，张敦仁《通鉴刊本识误》同，今据改。［27］从容：原无此二字。据章钰校，十二行本、乙十一行本、孔天胤本皆有此二字，今据补。［28］每：原无此字。据章钰校，十二行本、乙十一行本、孔天胤本皆有此字，今据补。

【原文】

更始遣柱功侯[29]李宝[454]、益州刺史张忠[30]将兵万余人徇蜀、汉。公孙述遣其弟恢[455]击宝、忠于绵竹[456]，大破走之。述遂自立为蜀王，都成都，民、夷[457]皆附之。

冬，更始遣中郎将归德侯飒[458]、大司马护军陈遵[459]使匈奴，授单于汉旧制玺绶，因送云、当余亲属、贵人、从者还匈奴[460]。单于舆[461]骄，谓遵、飒曰："匈奴本与汉为兄弟。匈奴中乱，孝宣皇帝辅立呼韩邪单于，故称臣以尊汉。今汉亦大乱，为王莽所篡，匈奴亦出兵击莽，空其边境，令天下骚动思汉。莽卒以败而汉复兴，亦我力也，当复尊我！"遵与相牚拒[462]，单于终持此言。

赤眉樊崇等将兵入颍川，分其众为二部，崇与逄安[463]为一部，徐宣、谢禄、杨音为一部。赤眉虽数战胜，而疲弊厌兵，皆日夜愁泣，思欲东归。崇等计议，虑众东向必散，不如西攻长安。于是崇、安自武关，宣等从陆浑关[464]，两道俱入。更始使王匡、成丹与抗威将军刘均等分据河东、弘农以拒之。

萧王将北徇燕、赵，度赤眉必破长安，又欲乘衅并关中[465]，而未知所寄[466]，乃拜邓禹为前将军，中分[467]麾下[468]精兵二万人，遣西入关，令自选偏裨以下可与俱者。时朱鲔、李轶、田立[469]、陈侨[470]将兵号三十万，与河南太守武勃[471]共守洛阳。鲍永、田邑在并州。萧王以河内险要富实，欲择诸将守河内者而难其人[472]，问于邓禹。禹[31]曰："寇恂文武备足，有牧民[32]御众之才[473]，非此子莫可使也！"乃拜恂河内太守，行大将军事。萧王谓恂曰："昔高祖留萧何关中[474]，吾今委公以河内[475]。当给足军粮，率厉[476]士马，防遏[477]他兵，勿令北渡而已！"拜冯异为孟津[478]将军，统魏郡、河内兵于河上，以拒洛阳。萧王亲送邓禹至野王，禹既西[479]，萧王乃复引兵而北。寇恂调糇粮[480]、治器械以供军。军虽远征，未尝乏绝。

隗崔、隗义谋叛归天水。隗嚣恐并及祸，乃告之。更始诛崔、义，以嚣为御史大夫。

【语译】

更始派遣柱功侯李宝、益州刺史张忠率军万余人攻打蜀郡、汉中郡。公孙述派他的弟弟公孙恢在绵竹县攻击李宝、张忠，李宝、张忠大败逃走。公孙述便自立为蜀王，建都成都，汉民、夷人都归附他。

冬，更始派遣中郎将归德侯刘飒、大司马护军陈遵出使匈奴，授给单于汉朝旧制印信，顺便遣送栾提云与她丈夫须卜当尚存的亲属、贵人、随从返回匈奴。匈奴单于栾提舆态度傲慢，对陈遵、刘飒说："匈奴和汉朝本来是兄弟。匈奴内乱，孝宣皇帝帮助立了呼韩邪单于，所以才称臣以示尊敬汉朝。如今汉朝也大乱，政权被王莽篡夺，匈奴也曾出兵攻打王莽，使他的北方边境空虚，使天下骚动而人心思汉。王莽最终失败，而汉朝复兴，也是我们的力量，汉朝应当反过来尊敬我们！"陈遵与他相抗争，单于栾提舆始终坚持自己的意见。

赤眉首领樊崇等率军进入颍川郡，把他的部队分为两部分，樊崇、逄安率领一部分，徐宣、谢禄、杨音率领另一部分。赤眉军尽管屡打胜仗，但已筋疲力尽，厌恶作战，都日夜愁苦哭泣，想向东回到自己的家乡。樊崇等商议，担心部众向东势必一哄而散，不如向西攻打长安。因此樊崇、逄安从武关，徐宣等从陆浑关，两路同时向长安进军。更始派王匡、成丹和抗威将军刘均等人分别驻守河东郡、弘农郡抵抗赤眉。

萧王刘秀想向北夺取燕、赵地区，因估计赤眉必定会攻破长安，因此又想利用刘玄和赤眉的争斗而并吞关中，但不知道将这任务交给谁好，于是任命邓禹为前将军，将部下精兵分出两万，派他率领西入函谷关，并让他自己选择可以随同出征的副将以下的官吏。此时，更始的将领朱鲔、李轶、田立、陈侨率领军队，号称三十万，与河南郡太守武勃共同防守洛阳。鲍永、田邑驻军并州。刘秀因河内郡地势险要，物产充足，想在诸将领中选择一位有才干的人守卫河内郡，却难以找到合适人选，就问邓禹。邓禹说："寇恂文武兼备，有治民统军的才能，除了他再没有更合适的人了！"刘秀就任命寇恂为河内郡太守，并代理大将军职务。刘秀对寇恂说："从前汉高祖将萧何留在关中，现在我把河内郡委托给你。应当使军粮充足，统率激励兵马，防御其他的军队，不让他们北渡黄河就可以了！"刘秀又任命冯异为孟津将军，统领魏郡、河内两郡的地方兵力，沿着黄河北岸布防，以抗击洛阳方面的更始军队。刘秀亲自送邓禹到野王县，邓禹西去以后，刘秀就又率领军队北上。寇恂征调干粮，制造兵器，供给前方军队。军队虽然远征，也不匮乏物资。

隗崔、隗义图谋反叛更始，回到天水郡。隗嚣害怕事情败露一起遭殃，就向更始告发他们。更始诛杀隗崔、隗义，任命隗嚣为御史大夫。

梁王永据国起兵，招诸郡豪桀，沛人周建[481]等并署为将帅，攻下济阴[482]、山阳、沛、楚、淮阳[483]、汝南，凡得二十八城。又遣使拜西防[484]贼帅山阳佼强[485]为横行将军，东海贼帅董宪[486]为翼汉大将军，琅邪贼帅张步[487]为辅汉大将军，督[488]青、徐二州，与之连兵，遂专据[489]东方。

邔[490]人秦丰起兵于黎丘[491]，攻得邔、宜城[492]等十余县，有众万人，自号楚黎王。

汝南田戎[493]攻陷夷陵[494]，自称扫地大将军。转寇郡县，众数万人。

【段旨】

以上为第九段，写刘秀称雄于河北，公孙述称王于蜀，赤眉军西进长安，梁王刘永、邔县人秦丰、汝南人田戎各自起兵，更始帝刘玄号令不行，全国进入群雄纷争的局面。

【注释】

[454]李宝：刘玄时为柱天将军，封柱功侯。后为汉中王刘嘉之相。邓禹西征，嘉降，宝被杀。[455]恢：公孙恢（？至公元三六年），公孙述之弟。建武元年（公元二五年）公孙述于成都称帝，以恢为大司空。后光武派大军攻蜀，恢战死。[456]绵竹：县名，县治在今四川绵竹东南。[457]民、夷：指汉人与少数民族。[458]飒：刘飒（？至公元二五年），汉成帝建始二年（公元前三一年）嗣爵归德侯，在位五十六年。[459]陈遵：字孟公，京兆尹杜陵县人，西汉末年，历任郁夷令、河南太守、河内都尉等职。刘玄时为大司马护军。后留守朔方，为贼人所杀。传见《汉书》卷九十二。[460]因送句：天凤五年，云、当至长安。莽败，云、当死。现将留下的亲属、贵人、从者等人员送还匈奴。[461]舆：单于名，即栾提舆。[462]掌拒：抗争。掌，同“撑”。[463]逢安：即逄安。[464]陆浑关：关名，在今河南宜阳东南。[465]乘衅并关中：趁机吞并关中。[466]所寄：指可托付的人。寄，委托；托付。[467]中分：平分。[468]麾下：部下。[469]田立：刘玄封为廪丘王。[470]陈侨：刘玄封为白虎公。[471]武勃：后于守卫洛阳的战争中战死。[472]难其人：以得其合适人选为难。难，以为难。[473]牧民御众之才：有治民与统军的才能，即文武双全。牧民，治民。御众，统率军队。[474]高祖留萧何关中：在刘、项战争中，萧何镇守关中，安抚百姓，为前线供给军粮，补充兵员，保证了前线的需要，使刘邦无后顾之忧。此刘秀喻寇恂为萧何。[475]委公以河内：委，托付。刘邦先据汉中而得关中，与项羽争夺天下；刘秀先据河北而得河

梁王刘永在他的封国起兵，招揽各郡的豪杰，沛郡人周建等都被任命为将领，攻陷济阴、山阳、沛、楚、淮阳、汝南等郡，共获得二十八座城池。又派遣使者任命西防县贼帅山阳人佼强为横行将军，东海郡贼帅董宪为翼汉大将军，琅邪郡贼帅张步为辅汉大将军，统领青、徐二州，并将军队都集结起来，于是独自占有东方。

邔县人秦丰在黎丘起兵，攻占了邔县、宜城等十余县，有部众万余人，自称楚黎王。

汝南人田戎攻陷夷陵县，自称扫地大将军。辗转劫掠郡县，有部众数万人。

内，始贰于刘玄。所以，以今之河内比于昔日之关中。⑯率厉：统率激励。⑰防遏：防御阻截。⑱孟津：黄河渡口名，位于洛阳东北，在今河南孟州南。⑲既西：向西进发以后。⑳糇粮：干粮。㉑周建（？至公元二八年）：沛人，刘玄称帝，刘永绍封为梁王，以周建为将帅，攻下二十余城。永为部将杀死后，建立永子纡为梁王。后遭光武大军进击，死于败逃途中。㉒济阴：郡名，治所在今山东菏泽市定陶区西北。㉓淮阳：王国名，治所在今河南周口市淮阳区。㉔西防：县名，县治在今山东成武东北。㉕佼强：山阳人，梁王刘永以强为横行将军。建武五年（公元二九年），率其众降光武。㉖董宪（？至公元三〇年）：东海郡人，更始二年（公元二四年）在东海起兵。梁王刘永以宪为翼汉大将军；永称天子，立宪为海西王。后遭光武大军进击，兵败被杀。㉗张步（？至公元三二年）：字文公，琅邪郡不其县（今山东青岛市即墨区西南）人，王莽末年，于家乡率众起兵。刘永绍封梁王，以步为辅汉大将军。永为天子，立步为齐王。建武五年（公元二九年）降光武，封安丘侯。后叛离入海，被杀。传见《后汉书》卷十二。㉘督：统领。㉙专据：独占。㉚邔：县名，县治在今湖北宜城北。㉛黎丘：邔县乡名，位于县治北，在今湖北襄阳东南。㉜宜城：县名，县治在今湖北宜城东南。㉝田戎（？至公元三六年）：汝南郡人，更始二年（公元二四年）在夷陵县起兵。建武五年（公元二九年）入蜀投归公孙述，封翼江王。后光武大军入蜀，在江州（今重庆市北）兵败被杀。传见《后汉书》卷十三。㉞夷陵：县名，县治在今湖北宜昌东南。

【校记】

［29］柱功侯：原作“枉功侯”。据章钰校，十二行本、乙十一行本、孔天胤本皆作“柱功侯”，今据改。［30］张忠：原作“李忠”。据章钰校，十二行本、乙十一行本皆作“张忠”，张敦仁《通鉴刊本识误》同，今据改。［31］禹：原作“邓禹”。据章钰校，十二行本、乙十一行本皆无“邓”，今据删。［32］民：原作“人”。据章钰校，十二行本、乙十一行本皆作“民”，今据改。

【研析】

本卷记述淮阳王，即更始帝刘玄得天下、失天下来去匆匆的历史事件，它给人们留下这样一个历史思考：不是真命天子，得了天下也是保不住的。刘縯首先打出了兴汉的旗号，但他也不是真命天子，事业刚开始就以悲剧结局。刘秀胜利了，说明他是真命天子。那么三人之间，各有什么特点？他们的差别在哪里呢？刘秀的问题，在下一卷研析中还要评说，这里只评说刘縯和更始帝刘玄失败的原因，刘玄是评说的重点。

刘縯、刘秀兄弟是刘姓皇室宗亲，兄弟三人，刘縯老大，刘秀老三，是小弟。中间老二刘仲早夭。刘縯、刘秀兄弟是西汉景帝子刘发的第九代孙，舂陵侯的后裔。新朝建立，王莽废除了舂陵侯国。兄弟两人的父亲刘钦早死，兄弟二人由叔父刘良养大成人。

刘縯对王莽夺了刘氏天下，从小就愤愤不平。刘縯性情刚毅慷慨，发誓要夺回政权，因此野心勃勃，不事生产作业，反而卖田卖宅，投身江湖，有汉高帝刘邦之风度。刘秀性情温和，谨慎小心，勤事农作，被刘縯讥笑，把他比为刘邦的二哥刘仲。但刘秀与刘仲虽同在种田，而心胸完全不同。有一个穰县人民间星象家蔡少公说：图谶有言“刘秀当做天子”。王莽的国师公刘歆也叫刘秀。人们都认为图谶上的刘秀是指国师公刘秀，而舂陵刘秀却开玩笑说：“怎么就不是说的我呢？”这说明刘秀心中也在图谋大志，他的勤恳务农，不过如同刘备种菜，只是一种韬晦术，竟然瞒过了其兄刘縯。由此比较，刘秀比刘縯更加有城府。

地皇三年（公元二二年），刘縯起兵，与新市兵、平林兵联合。在一次战斗中因分配抢夺的财物不公平，新市兵、平林兵愤怒喧哗，要发动对刘縯的攻击，刘秀在这紧要关头，当机做出决断，把掠得的财物全部交出，维护了大局，也博得了忠厚长者之名。

昆阳大捷，刘秀立下首功，名声大振。正是这时，拥戴更始帝绿林兵诸将，谋害了刘縯。眼看大祸就要落到刘秀身上，刘秀连忙从前线赶回南阳，向刘玄赔罪，不接近刘縯的部属，不给刘縯披丧服。刘玄找不到杀刘秀的理由，而内心愧疚，任命刘秀为破虏大将军，封武信侯。白天刘秀饮食说笑与平常一样，夜里为兄长的惨死流泪，湿透了枕巾。沉稳的韬晦使刘秀化险为夷。坚强隐忍的性格和控制力，有如勾践卧薪尝胆。这表明刘秀确实有帝王气度。刘秀外貌“隆准日角”，也就是高鼻梁，高额角，相术家称为帝王之相，也使刘秀赢得不少英雄志士的喜爱。

刘縯也恢宏大度，诚信待人，顾全大局。绿林兵首领，多是农民和无赖出身，没有文化，没有远见，所以他们也很容易被“汉家当复兴”“人心思汉”的舆论征服，于是嚷嚷着要立一个刘姓皇帝。诸将本能地敌视刘縯，以张卬、朱鲔为首，强行拥立心无主见，又胆小如鼠的刘玄做傀儡皇帝，不仅刘縯诸将不服，绿林军中有许多将领也不服，例如王常就不服。但是刘縯为了顾全大局，做了让步，以强让弱，表明刘縯有帝王气度。刘縯还推诚与人相交。他的舅舅和刘秀都向他提出警告，李轶不可信任，张卬等诸将要提防，刘縯置若罔闻。但是，当更始一班人找碴儿要诛杀刘縯时，刘縯没有意识到，还不做防范。谋害诸将先杀刘縯部将刘稷试探。刘縯为了保护自己的部将刘稷，当众抗命刘玄，结果把自己的命也搭进去了。刘縯不知韬晦，不知防人，维护部属表现妇人之仁，这些都说明刘縯政治上的不成熟，有野心家的胸怀气度，而没有野心家的残忍和手段，所以他失败了，他不是真命天子。

刘玄是偶然因素把他推上政治舞台，如同赤眉军拥立牧羊童刘盆子为帝一样，本来就是做傀儡的，更不是真命天子。刘玄登坛即皇帝位，南向站立，接受群臣朝拜，他没见过这个场面，羞愧得流汗，紧张得举手说不出话。诸将攻入长安，灭了王莽，更始帝从洛阳迁都长安，住在长乐宫，登上前殿，接见群臣，官员们依照秩序，排列在前殿院子里等候朝见。刘玄看到这庄严肃穆的场面，又羞愧变色，低头擦席，不敢看人。刘玄与诸将说话，竟然问起："你抢了多少东西？"简直不成体统。刘玄进宫，沉迷酒色。他娶了赵萌的女儿做夫人，就把朝政大权交给赵萌处理，乐得日夜在后宫欢宴。大臣奏事或议论朝政，刘玄有时醉得不省人事。如此一个国君，处在乱世之中，怎么能削平群雄做成大事呢？

更始诸将拥立傀儡皇帝，只是要一个名义上的皇帝，拉一块遮羞布来掩盖自己的抢劫本性，因此不接受制度约束，打进长安就发生了一场火并。抢先进入长安的王宪自称汉室大将军，他缴获了王莽的皇帝玉玺不肯上交，又挟持很多宫女，在军中建立天子旗帜鼓号，被将军赵萌、申屠建等人抓了把柄就地正法。皇上更始如彼，更始诸将如此，一群好利之徒，不忘抢掠本性，哪能识天命、审时度势统一群雄呢！

何为天命？孟子有言："得天下有道；得其民，斯得天下矣；得其民有道；得其心，斯得民矣。"（《孟子·离娄上》）得到了民心的人就是得天命，赢得人民拥护就是真命天子。天命在地上人心，不在天上神灵。怎么样叫作得民心？抓住时机，拿出办法，想民之所想，去民之所恶，就得到了民心。英雄仰慕，服从领导，是得民心的一大标志。王莽末年，王莽成了天下人的公愤，反抗王莽就是得民心。刘玄被推为皇帝，因为他参加了农民军，他反对王莽，所以得了民心。刘玄入都洛阳，全天下的人都渴望统一，更始帝刘玄成了天下的人心所望。赤眉军首领樊崇等主动归附，接受收编。天水人隗嚣也抚安关西大片土地。此时天下形势，赤眉军活动中心在濮阳，城头子路、刁子都在河济间，铜马、大彤在燕赵，李宪在淮南。最大的敌对势力是赤眉。如果更始皇帝能审时度势，定都在洛阳，遣一能吏入关中，稳定局势为根本，全力在东靖乱，安抚好赤眉，那么天下就大定了。刘秀在河北也未敢轻举妄动。王夫之说："当其时，气乍盈而易弛，机至速而难留。"（《读通鉴论》）樊崇入洛阳，是统一之机的到来；樊崇逃出洛阳，统一之机丧失。“更始之亡，所以决于樊崇之入见也。”（王夫之语）真是一针见血，说得是何等的好啊。

从形势上说，更始之亡，亡于舍弃定都洛阳而西入长安。更始失败的教训成为光武帝刘秀的财富。从人格魅力上说，刘玄无智力，顶多是一个中等才干的人，不能控驭诸将。刘玄无大略，不知天下形势。刘玄不懂政治，不仅拿不出治理天下的一套方略，而且对归降的人不知怎样安抚。樊崇接受招安，到了洛阳，却又跑了。如此糊涂的皇帝，当然不是真命天子。

更始帝刘玄丧失了难得的一次统一机会，于是刘秀称雄于河北，公孙述称王于蜀，隗嚣据陇西，梁王刘永、邛县人秦丰、汝南人田戎各自起兵，更始帝号令不行。赤眉军西进长安，更始政权灭亡，全国进入群雄纷争的局面。

卷第四十　汉纪三十二

起旃蒙作噩（乙酉，公元二五年），尽柔兆阉茂（丙戌，公元二六年），凡二年。

【题解】

本卷记事起公元二五年，迄公元二六年，凡两年史事，当光武帝建武元年、二年。这是西汉末群雄逐鹿中原局势发生重大变化的两年，绿林军、赤眉军、南阳光武帝汉军等三大建立帝位的武装集团发生巨变，绿林军瓦解，赤眉削弱，光武汉军独大，东汉建立。最大事件，光武帝刘秀扫平河北，即位鄗邑，建立了东汉，开始了统一战争。第二件大事，赤眉军入长安，立牧羊童刘盆子为帝，更始政权被颠覆，绿林军瓦解，诸将军溃散。光武帝封刘玄为淮阳王，所以史称更始政权为淮阳王。刘玄为赤眉军所控制，未能投归光武帝，后为赤眉军所杀。第三件大事，更始覆没，西北局势发生重大变化。窦融保有河西五郡，隗嚣据天水，卢芳称帝于塞北，赤眉祸乱关中，那里成为主战场。赤眉遭到光武帝、隗

【原文】

世祖光武皇帝①上之上

建武元年（乙酉，公元二五年）

春，正月，方望与安陵人弓林共立前定安公婴为天子，聚党数千人，居临泾②。更始遣丞相松等击破，皆斩之。

邓禹至箕关③，击破河东都尉，进围安邑④。

赤眉二部俱会弘农。更始遣讨难将军苏茂⑤拒之。茂军大败。赤眉众遂大集，乃分万人为一营，凡三十营。三月，更始遣丞相松与赤眉战于蓩乡⑥，松等大败，死者三万余人。赤眉遂转北至湖⑦。

蜀郡功曹李熊说公孙述宜称天子。夏，四月，述即帝位，号成家，改元龙兴。以[1]李熊为大司徒，述弟光为大司马，恢为大司空。越嶲任贵据郡降述。

嚣、公孙述三方围攻，不到一年退出了长安，在东归途中为光武帝所灭。第四件大事，光武帝部署全国统一战争。光武帝用离间之计，使更始大将朱鲔杀洛阳守将李轶，接着光武帝又赦朱鲔谋杀其兄刘縯之罪，不战而下洛阳。第五件大事，光武帝在天下纷争之时，不失时机推行教化，表彰清廉官吏代表人物卓茂，尊礼耿正大臣宋弘，淳风俗，清吏治，尽显一代明君风采。第六件大事，光武帝大将贾复、吴汉南讨，军纪不肃，抢掠滥杀，南人降而复反。幽州牧朱浮逼反渔阳太守彭宠。建武二年末，光武帝北讨彭宠受挫，南方战争陷入胶着。突发事件延缓了光武帝的统一事业，贾复、吴汉、朱浮三功臣之过也，光武帝含容不惩，有圣德焉。

【语译】

世祖光武皇帝上之上

建武元年（乙酉，公元二五年）

春，正月，方望与安陵人弓林共同拥立前定安公刘婴为天子，聚集党羽数千人，盘踞在临泾县。更始刘玄派丞相李松等领兵击破，全都斩首。

邓禹抵达箕关，打败河东郡都尉，进兵包围了安邑县。

赤眉军的两支军队在弘农郡会合。更始刘玄派遣讨难将军苏茂抵抗。苏茂军大败。赤眉军于是大规模集结，每一万人编成一营，一共有三十营。三月，更始刘玄派丞相李松与赤眉军大战于蓩乡，李松等大败，死了三万余人。赤眉军于是转向北方到了湖县。

蜀郡功曹李熊劝说公孙述应当自称天子。夏，四月，公孙述即帝位，称号成家，改年号为龙兴。任命李熊为大司徒，公孙述弟弟公孙光为大司马，公孙恢为大司空。越巂人任贵占据越巂郡，归降了公孙述。

萧王北击尤来、大枪、五幡于元氏⑧，追至北平⑨，连破之。又战于顺水⑩北，乘胜轻进，反为所败。王自投高岸⑪，遇[2]突骑王丰下马授王，王仅而得免。散兵归保范阳⑫，军中不见王，或云已殁[3]，诸将不知所为，吴汉曰："卿曹努力！王兄子⑬在南阳，何忧无主！"众恐惧，数日乃定。贼虽战胜，而惮王威名，夜，遂引去。大军复追[4]至安次⑭，连战，破之。贼退入渔阳，所过虏掠。强弩将军陈俊言于王曰："贼无辎重，宜令轻骑出贼前，使百姓各自坚壁⑮以绝其食，可不战而殄⑯也。"王然之，遣俊将轻骑驰出贼前，视人保壁⑰坚完者，敕令固守；放散⑱在野者，因掠取之。贼至，无所得，遂散败。王谓俊曰："困此虏者，将军策也。"

冯异遗李轶书，为陈祸福，劝令归附萧王。轶知长安已危，而以伯升之死，心不自安，乃报书曰："轶本与萧王首谋造汉⑲，今轶守洛阳，将军镇孟津，俱据机轴⑳，千载一会㉑，思成断金㉒。唯深达萧王㉓，愿进愚策以佐国安民。"轶自通书之后，不复与异争锋，故异得北攻天井关㉔，拔上党两城，又南下㉕河南成皋㉖以东十三县，降者十余万。武勃将万余人攻诸畔者，异与战于士乡㉗下，大破，斩勃。轶闭门不救。异见其信效㉘，具以白王。王报异曰："季文㉙多诈，人不能得其要领㉚。令[5]移㉛其书告守、尉㉜当警备者。"众皆怪王宣露轶书。朱鲔闻之，使人刺杀轶，由是城中乖离㉝，多有降者。

朱鲔闻王北征而河内孤，乃遣其将苏茂、贾强将兵三万余人渡巩河㉞，攻温㉟。鲔自将数万人攻平阴㊱以缀异㊲。檄书至河内，寇恂即勒军驰出，并移告属县，发兵会温下。军吏皆谏曰："今洛阳兵渡河，前后不绝，宜待众军毕集，乃可出也。"恂曰："温，郡之藩蔽㊳，失温则郡不可守。"遂驰赴之。旦日㊴，合战，而冯异遣救及诸县兵适㊵至，恂令士卒乘城㊶鼓噪，大呼言曰："刘公兵到！"苏茂军闻之，陈动㊷。恂因奔击，大破之。冯异亦渡河击朱鲔，鲔走。异与恂追至洛阳，环城一匝㊸而归。自是洛阳震恐，城门昼闭。

异、恂移檄上状㊹，诸将入贺，因上尊号㊺。将军南阳马武先进

萧王刘秀北进在元氏县攻打尤来、大枪、五幡，追至北平县，连续打败他们。又在顺水河的北岸交战，乘胜轻率进军，反被对方打败。刘秀独自奔至水边高地上，遇到骑兵突击队的王丰下马，把马给了刘秀，刘秀仅以身免于祸难。溃散的兵卒退守范阳县时，发现刘秀不见了，有人说刘秀已经被杀，众将领都不知该怎么办。吴汉说："大家再加一把劲！刘秀哥哥的儿子在南阳郡，我们何必担忧没有国君！"大家恐慌，过了几天才安定下来。贼军虽然打了胜仗，然而畏惧刘秀的威名，当夜便撤走了。刘秀的军队又追到安次县，连续交战，大败贼军。贼军退入渔阳郡，沿途大肆掳掠。强弩将军陈俊向刘秀进言说："贼军没有粮食辎重，应当派轻骑兵挡在贼军的前面，让沿途的百姓各自坚守壁垒，以断绝他们的粮食，可以不交战而消灭他们。"刘秀赞同他的意见，派遣陈俊率领轻骑兵疾驰到贼军前面，视察那些坚固完整的壁垒，下令百姓固守；分散在野外荒郊的食物，乘机掠取。贼军到达之后，什么也没有得到，于是溃散了。刘秀对陈俊说："让这些贼军困窘的，是将军的计策。"

冯异写信给李轶，向他讲明利害关系，劝他归附萧王刘秀。李轶知道长安已危在旦夕，但因为刘縯之死，心里很不安，因此回信给冯异说："我李轶本来与刘秀首先合谋重建汉朝，现在我守洛阳，将军你镇守孟津，都是据守要地，这是千载难逢的良机，你我二人齐心协力，其利足可断金。希望你将我的意思透彻地转达给萧王，我甘愿进献愚策，以助他定国安民。"李轶自和冯异通信后，就不再与冯异交战，所以冯异能向北进攻天井关，占领上党郡的两个县城，又向南攻取河南郡成皋以东十三个县，投降的人有十余万人。更始的将领武勃率领万余人攻打各支叛变的部队，冯异与武勃在洛阳东士乡聚展开激战，大破武勃军，杀了武勃。李轶紧闭城门，不予救援。冯异见李轶守信而使自己获得实效，便将情况详细禀报萧王刘秀。刘秀回复冯异说："李轶诡计多端，人们不知他的真实用意。命令传送他的书信，通告郡守郡尉应当加以警备。"大家都奇怪刘秀何以要公开李轶的书信。朱鲔听到消息，派人刺杀了李轶，因此，洛阳城中人心背离，有很多人出城投降。

朱鲔听说萧王刘秀北征，河内郡势单力孤，便派部将苏茂、贾强领兵三万多人，从巩县渡过黄河，进攻温县。朱鲔亲自率领数万人马进攻平阴县牵制冯异。檄文传到河内郡，寇恂立即率军迅速出击，并传告所属各县，发兵会聚温县。军吏都劝阻说："如今洛阳兵渡河，前后不断。应该等到各县的兵集结以后，才可出击。"寇恂说："温县是河内郡的屏障，失去温县郡城就守不住了。"于是寇恂飞奔赶赴温县。第二天早晨，两军交战，冯异派来的救兵以及各县来救的兵恰好赶到，寇恂命令士兵登上城楼击鼓呐喊，大声呼叫说："刘公大军到了！"苏茂军听到喊声，军阵骚动。寇恂趁机冲击，大败苏茂军。这时，冯异也渡过黄河攻击朱鲔，朱鲔逃走。冯异与寇恂追到洛阳，环城绕了一圈撤回。从此洛阳震惊恐惧，白天也紧闭城门。

冯异、寇恂发布公文并向萧王刘秀呈报战果，各位将领纷纷向刘秀祝贺，乘机

曰："大王虽执谦退，奈宗庙社稷何！宜先即尊位，乃议征伐。今此谁贼㊻而驰骛㊼击之乎？"王惊曰："何将军出此言？可斩也！"乃引军还蓟。复遣吴汉率耿弇、景丹等十三将军追尤来等，斩首万三千余级，遂穷追至浚靡㊽而还。贼散入辽西、辽东，为乌桓㊾、貊㊿人所钞击略尽。

都护将军贾复与五校战于真定，复伤创(51)甚。王大惊曰："我所以不令贾复别将者，为其轻敌也。果然，失吾名将！闻其妇有孕，生女邪，我子娶之，生男邪，我女嫁之。不令其忧妻子也。"复病寻(52)愈，追及王于蓟，相见甚欢。

还至中山，诸将复上尊号，王又不听。行到南平棘(53)，诸将复固请之，王不许。诸将且出，耿纯进曰："天下士大夫，捐亲戚，弃土壤(54)，从大王于矢石(55)之间者，其计固望攀龙鳞，附凤翼(56)，以成其所志耳。今大王留时(57)逆众(58)，不正号位，纯恐士大夫望绝计穷，则有去归之思，无为久自苦也。大众一散，难可复合。"纯言甚诚切，王深感曰："吾将思之。"

行至鄗(59)，召冯异诣鄗[6]，问四方动静。异曰："更始必败，宗庙之忧在于大王(60)，宜从众议！"会儒生彊华自关中奉《赤伏符》(61)来诣王曰："刘秀发兵捕不道，四夷云集龙斗野，四七(62)之际火为主。"群臣因复奏请。六月己未(63)，王即皇帝位于鄗南，改元(64)，大赦。

【段旨】

以上为第一段，写刘秀扫荡河北，南挫更始，于是在鄗邑即皇帝位，东汉建立，汉室复兴。

【注释】

①世祖光武皇帝：姓刘，名秀，字文叔，南阳郡蔡阳县（今湖北枣阳西南）人，公元二五年称帝建汉，年号建武，定都洛阳，是为东汉。在位三十三年（公元二五至五七年）。死谥光武，庙号世祖，史称光武帝。事见《后汉书》卷一。②临泾：县名，县治在今甘肃镇原东南。③箕关：关名，其地在今河南济源西北。④安邑：县名，县治在今山西

恳请刘秀称帝。将军南阳人马武首先进言说："大王尽管谦虚退让，但国家宗庙社稷怎么办！您应该先即帝位，然后再讨论征伐的事。现在谁是贼军，我们东奔西走去攻击他？"刘秀吃惊说："将军怎么说出这种话？该当杀头！"于是率军返回蓟县。又派遣吴汉率领耿弇、景丹等十三位将军追击尤来等贼寇，斩杀一万三千余人，于是穷追到浚靡县才返回。贼寇分散进入辽西、辽东郡，被乌桓、貊人部落劫掠击杀，几乎死光。

都护将军贾复在真定与五校交战，贾复身负重伤。刘秀大惊说："我之所以不让贾复单独率军，就是因为他轻敌。果真如此，丧失我一员名将！听说他的妻子怀有身孕，生了女儿，我的儿子娶她为妻；生了男孩，我的女儿嫁给他。不要让他为妻子儿女担忧。"贾复的伤势不久痊愈，在蓟县追上刘秀，两人见面后十分高兴。

萧王刘秀回到中山县，各位将领再次请求他即位皇帝，刘秀又没有听从。大军行进到南平棘，众将领又坚决请求刘秀即位皇帝，刘秀不同意。众将领将要出门，耿纯进言说："天下的士大夫，抛弃亲戚，离开故土，冒着飞箭滚石追随大王您，目的是希望能攀龙附凤，以成全自己的志向。现在大王您拖延时间，违背众望，不正号位，我耿纯担心天下的士大夫希望破灭，无计可施，因而产生退归故里的念头，不想长久辛苦下去。大家一散，就很难再集合了。"耿纯的话非常诚恳真切，萧王刘秀大受感动，说："我将考虑这件事。"

刘秀到达鄗县，召见冯异去鄗县，询问四方的动静。冯异说："更始必败，宗庙社稷的忧虑在于大王的身上，应当接受大家的建议！"正好儒生彊华从关中捧着《赤伏符》来进见萧王，说："刘秀发兵捕不道，四夷云集龙斗野，四七之际火为主。"群臣们乘机又奏请。六月二十二日己未，刘秀在鄗县南郊即皇帝位，改换年号，大赦天下。

夏县西北。⑤苏茂（？至公元二九年）：陈留郡人，初为刘玄的讨难将军，后降刘秀，不久又降刘永，永以茂为大司马、淮阳王。永被杀，茂与周建等立永子纡为梁王。事败，投张步，被杀。⑥務乡：弘农县乡名，其地在今河南灵宝北。⑦湖：县名，县治在今河南灵宝西北。⑧元氏：县名，县治在今河北元氏西北。⑨北平：县名，县治在今河北保定市满城区北。⑩顺水：一名"徐水"，河流名。顺水自西北向东南流经北平县境。⑪投高岸：逃向水边高地。投，奔。⑫范阳：县名，县治在今河北定兴西南。⑬王兄子：指刘縯之子刘章、刘兴。⑭安次：县名，县治在今河北安次西北。⑮坚壁：坚守壁垒，隐藏物资不使落在敌人手里。⑯殄：灭绝。⑰保壁：即堡垒，军事上防守用的坚固建筑物。保，

通"堡"。⑱放散：分散。⑲首谋造汉：首先提出重新建立汉朝。造，建。⑳机轴：喻指关键重要的处所。㉑千载一会：形容机会难得。㉒断金：语出《周易·系辞上》："二人同心，其利断金"。后世谓同心协力或情意深重。㉓唯深达萧王：希望认真地转告萧王。唯，希望。深达，透彻地向上报告。㉔天井关：关名，其地在今山西晋城南。㉕下：攻克。㉖成皋：县名，属河南郡。县治在今河南荥阳西北。㉗士乡：聚名，位于洛阳东，其地在今河南洛阳东北。㉘信效：守信用，并于行动中收到实效。㉙季文：李轶字。㉚要领：真实用意。㉛移：传送。㉜告守、尉：指把李轶要效忠萧王的信通告给刘玄任命的河南郡守、尉。㉝乖离：背离。㉞巩河：巩，县名，县治在今河南巩义市西南。巩义北临黄河，有渡口五社津。巩河即指流经巩义市的一段黄河。㉟温：县名，县治在今河南温县西。㊱平阴：县名，县治在今河南孟津东北。㊲缀异：牵制冯异。㊳藩蔽：屏障。㊴旦日：明日。㊵适：恰好。㊶乘城：登城。㊷陈动：军阵骚动。㊸一匝：一周；一圈。㊹上状：报告情况。㊺上尊号：指请即帝位。㊻谁贼：谁为贼。㊼驰骛：奔走。此言不即帝位，名号不正，难分正邪。㊽浚靡：县名，县治在今河北遵化西北。㊾乌桓：古民族名，东胡的一支。汉初匈奴冒顿灭东胡，其中一支退居乌桓山（今内蒙古阿鲁科尔沁旗西北），后称乌桓。㊿貊：古称居于东北地区的民族为貊。[51]伤创：即创伤。[52]寻：不久。[53]南平棘：即平棘，县名，县治在今河北赵县东南。[54]土壤：土地。此指乡里故土。[55]矢石：箭

【原文】

邓禹围安邑，数月未下，更始大将军樊参将数万人渡大阳[65]，欲攻禹。禹逆击于解[66]南，斩之。王匡、成丹、刘均合军十余万，复共击禹，禹军不利。明日，癸亥[67]，匡等以六甲穷日[68]，不出，禹因得更治兵[69]。甲子，匡悉军出攻禹。禹令军中毋得妄动，既至营下，因传发[70]诸将，鼓而并进，大破之。匡等皆走，禹追斩均及河东太守杨宝，遂定河东，匡等奔还长安。

张卬与诸将议曰："赤眉旦暮且至，见灭不久，不如掠长安，东归南阳。事若不集[71]，复入湖池中为盗耳！"乃共入，说更始。更始怒不应，莫敢复言。更始使王匡、陈牧、成丹、赵萌屯新丰[72]，李松军掫[73]，以拒赤眉。张卬、廖湛、胡殷、申屠建与隗嚣合谋，欲以立秋日貙膢[74]时，共劫更始，俱成前计。更始知之，托病不出，召张卬等入，

和垒石。为古时守城的武器。此言身冒矢石，跟随刘秀征战。㊽攀龙鳞二句：喻指依附帝王以成就功业。语出扬雄《法言·渊骞》。㊾留时：拖延时日。㊿逆众：违背众望。59鄗：县名，县治在今河北高邑东南。60在于大王：指寄希望于刘秀。61《赤伏符》：方士编造的谶语。62四七：指四七之数为二十八。自刘邦建汉至刘秀起兵反莽为二百二十八年（公元前二〇六至公元二二年），即所谓四七之际。汉为火德，所以说火为主。63己未：六月二十二日。64元：指年号。刘秀称帝，年号建武。

【校记】

［1］以：原无此字。据章钰校，十二行本、乙十一行本、孔天胤本皆有此字，张敦仁《通鉴刊本识误》同，今据补。［2］遇：原无此字。据章钰校，十二行本、乙十一行本、孔天胤本皆有此字，张敦仁《通鉴刊本识误》、张瑛《通鉴校勘记》同，今据补。［3］殁：原作“杀”。据章钰校，十二行本、乙十一行本、孔天胤本皆作“殁”，张瑛《通鉴校勘记》同，今据改。［4］追：原作“进”。据章钰校，十二行本、乙十一行本皆作“追”，张敦仁《通鉴刊本识误》同，今据改。［5］令：原作“今”。张敦仁《通鉴刊本识误》以为当作“令”，其义长，今据改。［6］诣鄗：原无此二字。据章钰校，十二行本、乙十一行本、孔天胤本皆有此二字，张敦仁《通鉴刊本识误》同，今据补。

【语译】

邓禹围攻安邑县，几个月都没攻下，更始的大将军樊参率领几万人从大阳渡过黄河，准备攻打邓禹。邓禹在解县南郊迎击，杀了樊参。王匡、成丹、刘均集合军队十余万，再次攻打邓禹，邓禹的军队失利。第二天，六月二十六日癸亥，王匡等人认为癸亥是一轮甲子的最后一天，不宜出战，邓禹因此得以重新部署军队。二十七日甲子，王匡等倾巢而出攻击邓禹。邓禹下令军队不可轻举妄动，等王匡的军队到达营垒附近时，才传令诸将出发，击鼓齐进，大破敌军。王匡等人全都逃走，邓禹追杀了刘均和河东郡太守杨宝，于是平定河东。王匡等逃回长安。

张卬与众将军商议说：“赤眉军早晚就要到来，我们被灭亡就在眼前，不如抢掠了长安，东归南阳。事情如果不成功，我们就回到江湖重新做强盗罢了！”于是便一同入宫，说服更始刘玄。更始发怒，不回应，张卬等人也不敢再说。更始命王匡、陈牧、成丹、赵萌驻守新丰县，李松驻军掫地，以抵抗赤眉军。张卬、廖湛、胡殷、申屠建和隗嚣合谋，想趁立秋貙膢之祭时一同劫持更始，实现原先商议的计划。刘玄得知这消息后，称病不出，召张卬等进宫，准备把他们全部斩首。只有隗嚣称病没有进

将悉诛之。唯隗嚣称疾[75]不入，会客王遵、周宗等勒兵自守。更始狐疑不决，卬、湛、殷疑有变，遂突出。独申屠建在，更始斩建，使执金吾邓晔将兵围隗嚣第。卬、湛、殷勒兵烧门，入战宫中，更始大败。嚣亦溃围[76]，走归天水。明旦，更始东奔赵萌于新丰。更始复疑王匡、陈牧、成丹与张卬等同谋，乃并召入。牧、丹先至，即斩之。王匡惧，将兵入长安，与张卬等合。

赤眉进至华阴，军中有齐巫[77]，常鼓舞[78]祠城阳景王[79]，巫狂言："景王大怒曰：'当为县官[80]，何故为贼！'"有笑巫者辄病，军中惊动。方望弟阳说樊崇等曰："今将军拥百万之众，西向帝城[81]，而无称号，名为群贼，不可以久。不如立宗室，挟义[82]诛伐，以此号令，谁敢不从！"崇等以为然，而巫言益甚。前至郑[83]，乃相与议曰："今迫近长安，而鬼神若此，当求刘氏共尊立之。"

先是，赤眉过式[84]，掠故式侯萌[85]之子恭、茂、盆子[86]三人自随。恭少习《尚书》，随樊崇等降更始于洛阳，复封式侯，为侍中，在长安。茂与盆子留军中，属右校卒史[87]刘侠卿，主牧牛。及崇等欲立帝，求军中景王后，得七十余人，唯茂、盆子及前西安侯孝[88]最为近属。崇等曰："闻古者天子将兵称上将军。"乃书札[89]为符曰"上将军"，又以两空札置笥[90]中，于郑北设坛场，祠城阳景王，诸三老、从事[91]皆大会。列盆子等三人居中立，以年次[92]探札[93]，盆子最幼，后探，得符。诸将皆称臣，拜。盆子时年十五，被发徒跣[94]，敝衣赭汗[95]，见众拜，恐畏欲啼。茂谓曰："善藏[96][7]符！"盆子即啮折[97]，弃之。以徐宣为丞相，樊崇为御史大夫，逄安为左大司马，谢禄为右大司马，其余皆列卿、将军。盆子虽立，犹朝夕拜刘侠卿，时欲出从牧儿戏。侠卿怒止之，崇等亦不复候视[98]也。

宫，与他的宾客王遵、周宗等布置军队防守。更始犹豫不决，张卬、廖湛、胡殷怀疑事情有变化，便突然出宫。只有申屠建仍留在宫中，更始就杀了申屠建，派执金吾邓晔率兵包围隗嚣的住宅。张卬、廖湛、胡殷率领军队，火烧宫门，杀进宫中，更始大败。隗嚣也突破包围，逃出长安回到天水郡。第二天早晨，更始往东投奔驻守在新丰县的赵萌。更始又怀疑王匡、陈牧、成丹和张卬等共同谋划，便将他们一同召入。陈牧、成丹先到，立即被斩首。王匡害怕，就率领军队进入长安，与张卬等会合。

赤眉军进入华阴县，军中有一位齐国的巫师，经常击鼓跳舞，祭祀城阳景王刘章。巫师狂言："景王刘章大发雷霆，说：'应当做天子，为什么要做盗贼！'"有讥笑巫师的人就生病，军中惊恐骚动。方望弟弟方阳劝说赤眉军首领樊崇等人说："如今将军拥有百万大军，向西进军京城，却没有一个称号，被人看作一伙盗贼，这样是不可能长久的。不如立刘氏宗室，倚仗正当的名义前往讨伐，以此发号施令，谁敢不服从！"樊崇等人认为说得对，而巫师的狂言也越来越厉害。军队前进到达郑县，大家就互相商议说："如今已逼近长安，而鬼神的旨意如此，应当寻求刘氏宗室，我们共同立他为皇帝。"

在这之前，赤眉军经过式县，劫持了西汉时故式侯刘萌的儿子刘恭、刘茂、刘盆子三人随军行动。刘恭自幼学习《尚书》，随着樊崇等人到洛阳投降更始刘玄，重新封为式侯，为侍中，留在长安。刘茂与刘盆子，仍留在赤眉军中，归右校卒史刘侠卿管辖，负责放牛。等到樊崇等人要立刘氏为帝，就在军中寻找景王刘章的后代，一共找到七十余人，其中只有刘茂、刘盆子以及前西安侯刘孝是刘章血缘关系最近的。樊崇等人说："听说古代天子亲自率领军队都称上将军。"因此就将"上将军"三个字写在木简上作为符命，又将两片未写字的木简一起放在竹箱中，在郑县的北面设置祭坛，祭祀城阳景王，各位三老、从事都参加祭典。请刘盆子等三人排列在中间站着，按照年龄大小的次序摸取木简，刘盆子年纪最幼，最后抽取，抽得有符命的木简。众将领都向刘盆子称臣、下拜。刘盆子当年十五岁，披头散发，光着双脚，穿着破衣服，流着红褐色的汗水，看到各位将领向他跪拜，惊恐得想哭。刘茂对他说："藏好你的符命！"刘盆子当即将它咬断，扔掉。于是任命徐宣为丞相，樊崇为御史大夫，逢安为左大司马，谢禄为右大司马，其余将领都被任命为卿、将军。刘盆子尽管被立为皇帝，仍每天早晚向刘侠卿跪拜，有时想出去和牧童玩耍。刘侠卿发怒制止他，樊崇等人也不再来问候探视。

【段旨】

以上为第二段，写更始政权发生内讧。赤眉军西进，立牧羊童刘盆子为主，以正号位。

【注释】

⑥⑤大阳：县名，县治在今山西平陆西南。⑥⑥解：县名，县治在今山西临猗西南。⑥⑦癸亥：六月二十六日。⑥⑧六甲穷日：古代以干支递次相配纪日，首日为甲子，末日为癸亥，共六十日，为一个甲子。其中，甲日有六，即甲子、甲戌、甲申、甲午、甲辰、甲寅，称六甲。一轮甲子的末日癸亥，称六甲穷日。古人迷信，认为这一日不吉利。⑥⑨治兵：部署军队。⑦⓪传发：传令出发。⑦①集：成功。⑦②新丰：县名，县治在今陕西临潼东北。⑦③掫：新丰县地名，位于县治西北，在今临潼北。⑦④貙膢：立秋日祭名。貙，兽名，似貍而大。膢，祭名，古代常以立秋日祭兽，王者于此日出猎，还，以祭宗庙，称貙膢之祭。⑦⑤称疾：假说有病。⑦⑥溃围：突破包围。⑦⑦齐巫：齐地之巫。巫，以降神事鬼为职业的人。⑦⑧鼓舞：击鼓跳舞。⑦⑨城阳景王：指刘章。刘邦之孙，齐悼惠王刘肥之子，初封朱虚侯，吕后死，与周勃、陈平等人共诛诸吕。文帝立，封章城阳王，死后谥景，史称城阳景王。事见《史记》卷五十二、《汉书》卷三十八。⑧⓪县官：指天

【原文】

秋，七月辛未[99]，帝使使持节拜邓禹为大司徒，封酂侯、食邑万户。禹时年二十四。又议选大司空，帝以《赤伏符》曰“王梁主卫[100]作玄武[101]”，丁丑[102]，以野王令王梁为大司空[103]。又欲以谶文[104]用平狄将军孙咸行大司马，众咸不悦。壬午[105]，以吴汉为大司马。

初，更始以琅邪伏湛[106]为平原太守。时天下兵起，湛独晏然，抚循[107]百姓。门下督[108]谋为湛起兵、湛收斩之。于是吏民信向，平原一境赖湛以全。帝征湛为尚书，使典定[109]旧制。又以邓禹西征，拜湛为司直[110]，行大司徒事。车驾每出征伐，常留镇守。

邓禹自汾阴[111]渡河，入夏阳[112]，更始左辅都尉[113]公乘歙引其众十万与左冯翊兵共拒禹于衙[114]。禹复破走之。

宗室刘茂[115]聚众京、密[116]间，自称厌新将军，攻下颍川、汝南，众十余万人。帝使骠骑大将军景丹、建威大将军耿弇、强弩将军陈俊攻之。茂来降，封为中山王。

己亥[117]，帝幸[118]怀[119]，遣耿弇、陈俊军[120]五社津[121]，备荥阳[122]以东，

子。⑧1 帝城：指长安。⑧2 挟义：倚仗正当名义。⑧3 郑：县名，县治在今陕西华县。⑧4 式：县名，属泰山郡。县治今地不详。⑧5 式侯萌：即式侯刘萌。城阳景王刘章六世孙，萌父刘宪于汉元帝时封式侯；宪死，萌嗣。⑧6 盆子：刘盆子，公元二五年被赤眉军拥立为天子，公元二七年降光武。传见《后汉书》卷十一。⑧7 右校卒史：军官名。⑧8 西安侯孝：即西安侯刘孝，其人不知所出。⑧9 札：书写所用小而薄的木简，用于一般书信。⑨0 笥：盛衣物或饭食的方形竹编容器。⑨1 三老、从事：赤眉军最尊的称号是三老，其次是从事，再次是卒史。⑨2 年次：年龄大小的次序。⑨3 探札：摸取书札。⑨4 徒跣：光着脚。⑨5 赭汗：红褐色的汗水。汗水浸渍破衣而呈现的颜色。⑨6 善藏：很好地收藏。⑨7 啮折：用牙咬断。⑨8 候视：探望问候。

【校记】

［7］藏：原作“臧”。据章钰校，十二行本、孔天胤本皆作“藏”，今据改。

【语译】

秋，七月初五日辛未，皇上刘秀派遣使臣持符节任命邓禹为大司徒，封为酂侯，食邑万户。当时邓禹二十四岁。又商议选拔大司空，皇上因为《赤伏符》上说的“王梁主卫作玄武”，十一日丁丑，任命野王县令王梁为大司空。皇上又想依谶书的记载，任用平狄将军孙咸为代理大司马，大家全都不高兴。十六日壬午，任命吴汉为大司马。

最初，更始任命琅邪人伏湛为平原郡太守。当时全国各地纷纷起兵，伏湛却安逸无事，慰问安抚百姓。门下督为伏湛筹划起兵，伏湛将他抓起来杀了。于是吏民信赖他，整个平原郡都依靠他得以保全。光武帝征召伏湛为尚书，由他主持审定旧有的典章制度。又因为邓禹率军西征，任命伏湛为司直，代行大司徒政务。光武帝每次外出亲征，常常留下伏湛镇守。

邓禹从汾阴县渡过黄河，进入夏阳县，更始的左辅都尉公乘歙率领十万大军与左冯翊的军队在衙县共同阻击邓禹。邓禹再次大败更始军，公乘歙等逃走。

宗室刘茂在京、密地区聚众起兵，自称厌新将军，攻下颍川、汝南，有部众十余万人。光武帝派骠骑大将军景丹、建威大将军耿弇、强弩将军陈俊攻打刘茂。刘茂前来投降，封为中山王。

己亥日，光武帝巡幸怀县，派耿弇、陈俊驻军五社津，防备荥阳以东的来敌，使吴汉率建义[8]大将军朱祜等十一将军围朱鲔于洛阳。八月，进幸河阳[123]。

李松自掫引兵还，从更始与赵萌共攻王匡、张印于长安。连战月余，匡等败走，更始徙居长信宫[124]。

赤眉至高陵[125]，王匡、张印等迎降之，遂共连兵进攻东都门。李松出战，赤眉生得松，松弟况为城门校尉，开门纳之。九月，赤眉入长安。更始单骑走，从厨城门[126]出。式侯恭以赤眉立其弟，自系诏狱。闻更始败走，乃出，见定陶王祉，祉为之除械，相与从更始于渭滨。左[9]辅都尉严本，恐失更始为赤眉所诛，即将[127]更始至高陵，本将兵宿卫，其实围之。更始将相皆降赤眉，独丞相曹竞[128]不降，手剑[129]格死[130]。

辛未[131]，诏封更始为淮阳王。吏民敢有贼害者，罪同大逆[132]，其送诣吏[133]者封列侯。

【段旨】

以上为第三段，写更始政权在光武帝、赤眉军的夹击下崩溃。赤眉军入长安。光武帝封更始刘玄为淮阳王。

【注释】

⑲辛未：七月初五日。⑩主卫：为卫之主，此指野王县令。卫，古卫国。公元前二三九年，卫自濮阳（今河南濮阳西南）徙居野王（今河南沁阳）。所以此以卫指野王。⑩玄武：古代神话中的北方之神名。其形为龟，或龟蛇合体。龟是水中动物，所以玄武又为水神之名。司空为主水土之官，所以此以玄武指司空。⑩丁丑：七月十一日。⑩以野王令王梁为大司空：《后汉书·王梁传》，“帝以野王卫之所徙，玄武水神之名，司空水土之官也，于是擢拜梁为大司空”。⑩谶文：《东观汉记》载谶文说，“孙咸征狄”。⑩壬午：七月十六日。⑩伏湛（？至公元三七年）：字惠公，琅邪郡东武县（今山东诸城）人，王莽时为后队属正，刘玄时为平原太守，光武时官至大司徒。传见《后汉书》卷二十六。⑩抚循：安抚存恤。⑩门下督：官名，郡属吏，执掌兵卫。⑩典定：主持审定。⑩司直：官名，大司徒司直，即丞相司直之职。⑪汾阴：县名，县治在今山西万荣西南的黄河东岸。⑫夏阳：县名，县治在今陕西韩城南的黄河西岸。汾阴与夏阳隔黄河东西相对。⑬左辅都尉：官名，三辅都设有都尉，左辅即左冯翊。⑭衙：县名，县

派出吴汉率领建义大将军朱祐等十一位将军把朱鲔围困在洛阳。八月，光武帝临幸河阳。

李松从掫地率领军队回到新丰，追随更始与赵萌会合一同攻打在长安的王匡、张卬。交战一个多月，王匡等兵败逃走，更始迁居长安城长信宫。

赤眉军到达高陵县，王匡、张卬等前往投降，于是他们联合一同攻打长安的东都门。李松出城迎战，赤眉活捉了李松，李松的弟弟李况任城门校尉，就打开城门迎接赤眉军。九月，赤眉军进入长安。更始刘玄单人独骑从厨城门逃出长安。式侯刘恭因为赤眉军立他弟弟刘盆子为皇帝，就将自己囚禁在诏狱里。听说刘玄兵败逃走，才出诏狱，遇见定陶王刘祉，刘祉替他解下身上刑具，一同追随更始到渭水河畔。左辅都尉严本害怕更始走失被赤眉军所杀，就带领更始到达高陵县，严本率领军队守卫，实际是把他包围起来。更始的将相全部投降了赤眉军，唯有丞相曹竟不投降，持剑格斗而死。

初六日辛未，光武帝下诏封更始皇帝刘玄为淮阳王。官吏或百姓敢有伤害更始的，罪同大逆，把更始送到官府的人，封为侯爵。

治在今陕西黄龙西南。⑮ 刘茂：南阳郡舂陵县人，刘秀族父。王莽末年，起兵反莽，自称厌新将军。建武元年降光武，封中山王，后改封为单父侯（一说穰侯）。⑯ 京、密：皆县名。京县，县治在今河南荥阳东南。密县，县治在今河南新密市东南。京、密二县南北邻接。⑰ 己亥：七月丁卯朔，无己亥日。⑱ 幸：帝王亲临。⑲ 怀：县名，县治在今河南武陟西南。⑳ 军：作动词用，驻扎。㉑ 五社津：一名"五渡津"，黄河渡口，在巩县北。此谓巩河，即指称此津所在河段。㉒ 荥阳：县名，县治在今河南荥阳东北。㉓ 河阳：县名，县治在今河南孟州西。㉔ 长信宫：宫名。㉕ 高陵：县名，县治在今陕西高陵。㉖ 厨城门：城门名，长安城每面三门，北面三门，自东至西依次为洛城门、厨城门、横门。㉗ 将：带领。㉘ 曹竟：字子期，山阳郡人，王莽建新，弃官不仕。刘玄时征为丞相。㉙ 手剑：亲手用剑刺杀。㉚ 格死：格斗而死。㉛ 辛未：七月初六日。㉜ 大逆：罪名，封建时代称危害君父、宗庙、宫阙的罪行为大逆。《汉书·景帝纪》颜师古注引如淳说："律，大逆不道，父母妻子同产皆弃市。"㉝ 送诣吏：意谓把刘玄送到官府。

【校记】

［8］建义：原作"建议"。据章钰校，十二行本、乙十一行本、孔天胤本皆作"建义"，今据改。［9］左：原作"右"。张敦仁《通鉴刊本识误》作"左"，严衍《通鉴补》亦改作"左"，今据以校正。

【原文】

初，宛人卓茂[134]，宽仁恭爱，恬荡[135]乐道，雅实不为华貌，行己[136]在于清浊[137]之间，自束发[138]至白首，与人未尝[10]有争竞[139]，乡党[140]故旧，虽行能[141]与茂不同，而皆爱慕欣欣焉。哀、平间为密令，视民如子，举善而教，口无恶言，吏民亲爱，不忍欺之。民尝有言部[142]亭长受其米肉遗者[143]，茂曰："亭长为从汝求乎？为汝有事嘱之而受乎？将平居[144]自以恩意遗之乎？"民曰："往遗之耳。"茂曰："遗之而受，何故言邪？"民曰："窃闻贤明之君，使民不畏吏，吏不取民。今我畏吏，是以遗之。吏既卒受[145]，故来言耳。"茂曰："汝为敝民[146]矣！凡人所以群居不乱，异于禽兽者，以有仁爱礼义，知相敬事也。汝独不欲修之，宁能高飞远走，不在人间邪！吏顾[147]不当乘威力强请求耳。亭长素善吏，岁时[148]遗之，礼也。"民曰："苟如此，律何故禁之？"茂笑曰："律设大法，礼顺人情。今我以礼教汝，汝必无怨恶；以律治汝，汝何所措其手足乎！一门之内，小者可论[149]，大者可杀也。且归念[150]之！"初，茂到县，有所废置[151]，吏民笑之，邻城[152]闻者皆嗤[11]其不能[153]。河南郡为置守令，茂不为嫌[154]，治事自若[155]。数年，教化大行，道不拾遗。迁京部丞[156]，密人老少皆涕泣随送。及王莽居摄，以病免归。上即位，先访求茂，茂时年七十余。甲申[157]，诏曰："夫名冠天下[158]，当受天下重赏。今以茂为太傅，封褒德侯。"

臣光曰："孔子称'举善而教不能则劝'[159]。是以舜举皋陶，汤举伊尹，而不仁者远，有德故也[160]。光武即位之初，群雄竞逐[161]，四海鼎沸[162]，彼摧坚陷敌之人，权略[163]诡辩之士，方见重于世，而独能取忠厚之臣，旌[164]循良之吏[165]，拔于草莱[166]之中，置[167]诸群公之首[168]，宜其光复旧物[169]，享祚久长，盖由知所先务[170]而得其本原[171]故也。"

【语译】

当初，宛县人卓茂宽厚仁义，恭谦慈爱，性情淡泊坦荡，乐守圣贤之道，雅正朴实，不注重浮华的外表，自己的行为在清浊之间，从稚童到老年，跟别人从没有争执过，乡里故旧，尽管品行才干与卓茂不同，但大家都高兴地爱戴和仰慕他。卓茂在西汉哀帝、平帝时任密县令，视民如子，推举善言善行来教化百姓，不口出恶言，官吏百姓亲爱他，对他不忍心欺骗。曾有人上告说，卓茂属下的一个亭长收下了他所馈赠的粮米和肉，卓茂说："是亭长向你要的呢？还是你有事托他而送给他的呢？还是因平时就有恩惠情感而赠送给他的呢？"那个人说："是我去送给他的。"卓茂说："你自己送给他，他接受了，为何还要上告呢？"那个人说："我听说贤明的国君，使老百姓不怕官吏，而官吏也不向老百姓索取财物。如今我惧怕官吏，因此才送财物给他。官吏最终收下了，所以我来告他。"卓茂说："你真是个德薄的人！人之所以能群居在一起生活而不混乱，不同于禽兽，是因为人类有仁爱礼义，知道互相尊敬。而你却不遵循这些，难道你能远走高飞，不在人间吗！官吏只是不应该凭权力强求索取。亭长平时是个好官，每年一定的时节送他一点东西，是正常的礼节。"那个人说："若是这样，那法律为什么又禁止这样做呢？"卓茂笑着说："法律是按行为立下的规范，礼义是顺应人情。现在我用礼义开导你，你一定没有怨恨厌恶；若我用法律惩办你，你就不知该怎么办了！同一件事情，按小的说可以论罪，按大的说便可以杀头。你姑且回去想想吧！"当初卓茂到密县任职，有所兴替，官民嘲笑他，邻近县城的官民知道后也都讥笑他没有才能。河南郡为此在密县又安置一位临时代理县令，卓茂也不认为有妨碍，办公像平常一样。几年之后，卓茂所推行的教化蔚然成风，以至路不拾遗；后来卓茂被升迁为京部丞，密县的老少都流泪为他送行。当王莽居摄皇帝时，卓茂便称病辞职回家。刘秀称帝后，首先寻访卓茂的下落，卓茂此时已七十余岁。九月十九日甲申，光武帝下诏说："名誉满天下的人，应该受到国家最重的奖赏。今任命卓茂为太傅，封为褒德侯。"

司马光说："孔子说'提拔贤能的人教育那些无能的人，无能的人就受到激励'。因此虞舜推荐皋陶，商汤推荐伊尹，而不仁的人就远去，这是由于这两位品德高尚的缘故。光武帝刚刚即位，群雄纷争，天下混乱，那些冲锋破敌的将领，擅长奇计谋略、雄辩善言的策士，正被世人所敬重，而光武帝竟能起用忠厚的大臣，表彰奉公守法的清廉官吏，从民间选拔人才，安排在公卿首位，光武帝理所当然光复旧制，享受长久的国运，这是由于他知道首先要做的是什么并且找到了问题根源的缘故。"

【段旨】

以上为第四段，写光武帝初即位，天下还在纷争之时，首先推行教化，表彰清廉官吏的代表人物卓茂，受到司马光的高度赞扬。

【注释】

⑬④ 卓茂（？至公元二八年）：字子康，南阳郡宛县人，西汉末期，初辟丞相府史，后为密县令。刘玄时为侍中祭酒。刘秀称帝，为太傅，封褒德侯。传见《后汉书》卷二十五。⑬⑤ 恬荡：淡泊坦荡。⑬⑥ 行己：谓自己的立身行事。⑬⑦ 清浊：品优行善谓之“清”，贪污不正谓之“浊”。⑬⑧ 束发：束扎发髻。古代男孩子由幼儿到童年时要束发为髻，因以“束发”代指成童之年。⑬⑨ 争竞：争执；计较。⑭⓪ 乡党：乡、党皆为周代社会基层组织名称。周代二十五家为闾，四闾为族，五族为党，五党为州，五州为乡。后以乡党泛指乡里。⑭① 行能：品行与才能。⑭② 部：所部；下属。指卓茂的下属，一位亭长。⑭③ 受其米肉遗者：谓亭长收了他赠送的粮米和肉。遗，赠送。⑭④ 平居：平时。⑭⑤ 卒受：最终收受。⑭⑥ 敝民：刁民；德薄之人。⑭⑦ 顾：只是。⑭⑧ 岁时：每年一定的季节或者时间。⑭⑨ 论：定罪。⑮⓪ 念：思考。⑮① 废置：革除或兴作。⑮② 邻城：邻近之县。⑮③ 嗤其不能：讥笑卓茂

【原文】

诸将围洛阳数月，朱鲔坚守不下。帝以廷尉岑彭尝为鲔校尉，令往说之。鲔在城上，彭在城下，为陈成败。鲔曰：“大司徒被害时，鲔与其谋，又谏更始无遣萧王北伐，诚自知罪深，不敢降！”彭还，具言于帝。帝曰：“举大事者不忌小怨。鲔今若降，官爵可保，况诛罚乎！河水在此，吾不食言！”彭复往告鲔，鲔从城上下索[172]曰：“必信，可乘此上。”彭趣[173]索欲上，鲔见其诚，即许降。辛卯[174]，朱鲔面缚[175]，与岑彭俱诣河阳。帝解其缚，召见之，复令彭夜送鲔归城。明旦，与苏茂等悉其众出降。拜鲔为平狄将军，封扶沟侯。后为少府，传封累世[176]。

帝使侍御史[177]河内杜诗[178]安集洛阳。将军萧广纵兵士暴横，诗敕晓[179]不改，遂格杀广，还，以状闻。上召见，赐以棨戟[180]，遂擢任[181]之。

冬，十月癸丑[182]，车驾入洛阳，幸南宫，遂定都焉。

没有才能。嗤，嘲笑。不能，没有才能。⑭不为嫌：不认为有妨碍。嫌，妨碍。⑮自若：像自己平日一样，不变常态。正令在而置守令，卓茂却认为于己无碍，治事自若，作者叙此以见卓茂之贤。⑯京部丞：官名，王莽置大司农部丞十三人，分掌刺史部农业生产。京部丞，主管司隶校尉所属地区的农业生产。⑰甲申：九月十九日。⑱冠天下：天下第一。⑲孔子称句：语出《论语·为政》。举，提拔。劝，鼓励；勉励。此言无能的人受到鼓励。⑳是以舜举皋陶四句：《论语·颜渊》记子夏的话说，“舜有天下，选于众，举皋陶，不仁者远矣。汤有天下，选于众，举伊尹，不仁者远矣”。㉑竞逐：竞争。㉒鼎沸：形容形势动荡、群情激昂的状况如同鼎中的开水翻滚沸腾一样。㉓权略：权谋；谋略。㉔旌：表彰。㉕循良之吏：奉公守法的清廉官吏。㉖草莱：此指民间。㉗置：安置。㉘群公之首：东汉上公，仅置太傅一人，位在三公上。卓茂为太傅，所以说“置诸群公之首”。㉙光复旧物：指收复故土或恢复旧时典章制度。㉚先务：首要的事务。㉛本原：根源。

【校记】

[10] 与人未尝：原作“未尝与人”。据章钰校，十二行本、乙十一行本、孔天胤本皆作“与人未尝”，今据改。[11] 嗤：原作“蚩”。据章钰校，孔天胤本作“嗤”，今据改。

【语译】

汉众将包围洛阳几个月，朱鲔坚守而未能攻下。光武帝因廷尉岑彭曾经当过朱鲔的校尉，就派他去劝降朱鲔。朱鲔在城墙上，岑彭在城楼下，向朱鲔陈说成败利害。朱鲔说：“大司徒刘𬙂被害的时候，我朱鲔参与了谋划，又谏阻更始帝不派萧王北伐，我确实知道自己的罪孽深重，不敢投降！”岑彭回来，向光武帝原原本本转述了朱鲔的话。光武帝说：“兴办大事业的人，不计较小的仇怨。朱鲔现在如果投降，官位爵禄可以保全，怎么会诛罚他呢！黄河水在此作证，我不能食言！”岑彭再次前去告诉朱鲔，朱鲔从城楼上放下绳索，说：“果真可信，可坐此绳上来。”岑彭走向绳索打算登城，朱鲔看到了岑彭的诚意，当即答应投降。九月二十六日辛卯，朱鲔把两手反绑在身后，与岑彭一起前往河阳。光武帝解开朱鲔的绳索，召见了他，又下令岑彭当夜送朱鲔回洛阳城。第二天早晨，朱鲔与苏茂等人带领全部人马出城投降。光武帝任命朱鲔为平狄将军，封扶沟侯。后来担任少府，封爵累世相传。

光武帝派侍御史河内人杜诗安抚稳定洛阳。将军萧广放纵士兵横行暴虐，杜诗告诫晓谕仍然不改，于是击杀了萧广，回到河阳把实情报告皇上。光武帝召见了杜诗，赏赠他王公用的木戟仪仗，并提拔任用他。

冬，十月十八日癸丑，光武帝车驾进入洛阳，驾临南宫，于是定都洛阳。

【段旨】

以上为第五段，写光武帝宽仁大度，赦朱鲔之罪，不战而下洛阳，于是定都洛阳。

【原文】

赤眉下书曰："圣公降者，封为长沙王。过二十日，勿受。"更始遣刘恭请降，赤眉使其将谢禄往受之。更始随禄，肉袒[183]，上玺绶于盆子。赤眉坐更始，置庭中，将杀之。刘恭、谢禄为请，不能得[184]，遂引更始出。刘恭追呼曰："臣诚力极[185]，请得先死！"拔剑欲自刎。樊崇等遽[186]共救止之，乃赦更始，封为畏威侯。刘恭复为固请，竟[187]得封长沙王。更始常依谢禄居，刘恭亦拥护[188]之。

刘盆子居长乐宫，三辅郡县、营长[189]遣使贡献，兵士辄剽夺[190]之，又数暴掠吏民，由是皆复固守。

百姓不知所归，闻邓禹乘胜独克而师行有纪，皆望风相携负[191]以迎军，降者日以千数，众号百万。禹所止，辄停车拄节[192]以劳来[193]之，父老、童稚，垂发[194]、戴白[195]满其车下，莫不感悦，于是名震关西。

诸将豪桀皆劝禹径攻[196]长安，禹曰："不然。今吾众虽多，能战者少，前无可仰之积，后无转馈之资。赤眉新拔长安，财谷充实，锋锐未可当也。夫盗贼群居无终日之计[197]，财谷虽多，变故万端，宁能坚守者也！上郡[198]、北地[199]、安定三郡，土广人稀，饶谷多畜，吾且休兵北道，就粮养士，以观其敝，乃可图也。"于是引军北至栒邑[200]，所到，诸营保[201]郡邑皆开门归附。

上遣岑彭击荆州群贼，下犨[202]、叶[203]等十余城。

十一月甲午[204]，上幸怀。

【注释】

⑰②下索：放下绳索。⑰③趣：通“趋”，走向。⑰④辛卯：九月二十六日。⑰⑤面缚：两手反绑于背后。⑰⑥累世：接连几代。⑰⑦侍御史：官名，属少府，为御史中丞属官。执掌监察，或奉命出外执行指定任务。⑰⑧杜诗（？至公元二八年）：字君公，河内郡汲县（今河南卫辉西南）人，历任侍御史、南阳太守等。传见《后汉书》卷三十一。⑰⑨敕晓：告诫晓谕。⑱⓪棨戟：有缯衣或油漆的木戟。为古代官吏出行时用作前导的一种仪仗。⑱①擢任：提拔任用。⑱②癸丑：十月十八日。

【语译】

赤眉军写信给更始刘玄说：“圣公如果投降，封为长沙王。超过了二十天，就不接受投降。”更始刘玄派刘恭请求投降，赤眉军派出将领谢禄前往接受投降。更始刘玄跟随谢禄，脱衣裸背，向刘盆子献上印玺绶带。赤眉军将领让更始坐着，放在庭院中间，即将杀他。刘恭、谢禄替他请求，没有得到同意，于是把更始带出庭院。刘恭追着喊叫说：“臣尽了最大努力，请让我先死！”拔出剑来想要自刎。樊崇等人急忙一同制止，这才赦免更始，封为畏威侯。刘恭又坚决替更始求情，终于得封为长沙王。更始经常靠近谢禄居住，刘恭也全力保护他。

刘盆子居住在长乐宫，三辅郡县、营长派使节朝拜进贡，赤眉军士兵却在半路打劫，又多次残暴地掠夺吏民，因此，三辅吏民又回到各自的营垒固守。

三辅百姓不知归附谁，听说邓禹的军队接连打胜仗，而行军纪律严明，全都听到风声就扶老携幼迎接邓禹军，每天归降的人以千计，军众号称百万。邓禹所到之处，就停车持节慰问来归附的民众，父老、儿童，垂着头发的、满头白发的遍布在邓禹的车下，没有不感激高兴的，这时邓禹名震关西。

众将领和地方豪杰都劝邓禹直接进攻长安，邓禹说：“不行。如今我们的人数虽多，能作战的人很少，前面没有可仰赖的粮草，后方没有运来的物资。赤眉军刚刚占有长安，钱粮充实，锋芒锐利不可抵挡。但一群乌合的强盗，没有完整一天的计划，钱粮虽然很多，而变故多端，岂能长期坚守！上郡、北地、安定三郡，地广人稀，粮食充足，牲畜很多，我暂且在此一边休养士卒，一边观察赤眉军的弊病，才可以消灭他们。”于是邓禹率军向北到达栒邑，所到之处，各营寨郡邑都开门归顺。

光武帝派岑彭攻击荆州群盗，攻下犨县、叶县等十多座县城。

十一月三十日甲午，光武帝巡幸怀县。

梁王永称帝于睢阳。

十二月丙戌㉕，上还洛阳。

三辅苦赤眉暴虐，皆怜更始，欲盗出㉖之。张卬等深以为虑，使谢禄缢杀之。刘恭夜往，收藏其尸。帝诏邓禹葬之于霸陵㉗。中郎将宛人赵憙㉘[12]将出武关，道遇更始亲属，皆裸跣饥困，憙竭其资粮以与之，将护㉙而前。宛王赐闻之，迎还乡里。

【段旨】

以上为第六段，写赤眉军暴虐三辅百姓，诛杀更始刘玄，邓禹进军陕北，觊觎关中。

【注释】

⑱肉袒：脱去上衣，裸露肢体。古人请罪，常肉袒以示惶惧服罪。⑱不能得：没得到同意。⑱力极：力气用尽；竭尽全部力量。⑱遽：急忙。⑱竟：终于。⑱拥护：保护。⑱营长：当时地方武装头领的称号。⑲剽夺：抢劫；掠夺。⑲携负：牵挽背负，即扶老携幼。⑲拄节：持节。⑲劳来：慰问、劝勉前来的人。⑲垂发：儿童垂下的头发，此指儿童。⑲戴白：头顶白发，此指老年人。⑲径攻：直接攻打。⑲无终日之计：连贯彻一天的计划都没有。极言其无长远之计。⑲上郡：郡名，治所在今陕西榆林

【原文】

隗嚣归天水，复招聚其众，兴修故业，自称西州上将军。三辅士大夫避乱者多归嚣，嚣倾身㉚引接，为布衣交㉛。以平陵范逡㉜为师友㉝，前凉州刺史河南[13]郑兴㉞为祭酒㉟，茂陵申屠刚㊱、杜林㊲为治书㊳，马援㊴为绥德将军，杨广、王遵㊵、周宗及平襄行巡㊶、阿阳王捷㊷、长陵王元㊸为大将军，安陵班彪之属为宾客，由此名震西州，闻于山东。马援少时，以家用不足辞其兄况，欲就㊹边郡田牧㊺。况曰："汝大才，当晚成，良工不示人以朴㊻，且从所好㊼。"遂之北地田牧。常谓宾客曰：

梁王刘永在睢阳称帝。

十二月丙戌日，光武帝返回洛阳。

三辅百姓苦于赤眉军的暴虐，都同情更始刘玄，想暗中将其解救出来。张卬等人十分忧虑，就派谢禄勒死了刘玄。刘恭趁夜前往，收拾刘玄的尸体藏匿起来。光武帝下诏邓禹把刘玄安葬在霸陵。刘玄的原中郎将宛人赵憙将要兵出武关，路上遇到更始刘玄的亲属，全都赤脚露体，饥饿困乏，赵憙拿出全部钱财粮食送给他们，卫护他们前行。宛王刘赐得到消息，迎接他们返回家乡。

东南。⑲⑨北地：郡名，治所在今宁夏灵武西南。⑳⓪栒邑：县名，县治在今陕西旬邑东北。⑳①营保：即“营堡”，堡垒。⑳②犨：县名，县治在今河南平顶山市西南。⑳③叶：县名，县治在今河南叶县西南。⑳④甲午：十一月三十日。⑳⑤丙戌：十二月乙未朔，无丙戌日。⑳⑥盗出：暗地里劫走；暗中解救出来。⑳⑦霸陵：县名，县治在今陕西临潼西。⑳⑧赵憙（公元前四至公元八〇年）：《后汉书》本传作“赵熹”。字伯阳，南阳郡宛县人，光武时官至太尉，位三公。章帝时为太傅，位上公。传见《后汉书》卷二十六。⑳⑨将护：卫护。

【校记】

［12］赵憙：原作“赵熹”。据章钰校，十二行本、乙十一行本、孔天胤本皆作“赵憙”，今据改。下同。

【语译】

隗嚣回到天水郡，又重新召集他的部众，兴复旧时功业，自称西州上将军。躲避战乱的三辅的士大夫很多都归附了隗嚣，隗嚣谦卑地接待，与他们像普通百姓一般平等地交朋友。任命平陵人范逡为师友，凉州前刺史河南人郑兴为祭酒，茂陵人申屠刚、杜林为治书侍御史，马援为绥德将军，杨广、王遵、周宗以及平襄人行巡、阿阳人王捷、长陵人王元为大将军，安陵人班彪等为宾客，因此威名震动西州，闻名于山东。马援年轻时，因为家用不足，辞别他的哥哥马况，想到边郡一带耕垦放牧。马况说：“你是一个大才，会大器晚成。能工巧匠不把没雕琢好的器物给别人看，你暂且去从事自己意愿的事吧。”于是马援就到北地郡耕垦放牧。他常对宾客说：“大

“丈夫为志，穷当益坚，老当益壮。”后有畜数千头，谷数万斛。既而叹曰：“凡殖财产，贵其能赈施㉘也，否则守钱虏㉙耳！”乃尽散于亲旧。闻隗嚣好士，往从之。嚣甚敬重，与决筹策㉚。班彪，稚之子也。

初，平陵窦融㉛累世仕宦河西，知其土俗，与更始右大司马赵萌善，私谓兄弟曰：“天下安危未可知。河西殷富，带㉜河为固，张掖属国㉝精兵万骑，一旦缓急，杜绝河津㉞，足以自守，此遗种处也㉟！”乃因萌求往河西。萌荐融于更始，以为张掖属国都尉。融既到，抚结㊱雄杰，怀辑㊲羌虏，甚得其欢心。是时，酒泉太守安定梁统㊳、金城太守库钧㊴、张掖都尉茂陵史苞㊵、酒泉都尉竺曾㊶、敦煌都尉辛彤㊷，并州郡英俊，融皆与厚善。及更始败，融与梁统等计议曰：“今天下扰乱，未知所归。河西斗绝㊸在羌、胡中，不同心戮力，则不能自守，权钧力齐㊹，复无以相率，当推一人为大将军，共全五郡，观时变动。”议既定，而各谦让。以位次，咸共推梁统。统固辞，乃推融行河西五郡大将军事。武威太守马期、张掖太守任仲并孤立[14]无党㊺，乃共移书告示之。二人即解印绶去。于是以梁统为武威太守，史苞为张掖太守，竺曾为酒泉太守，辛彤为敦煌太守。融居属国，领都尉职如故。置从事，监察五郡。河西民俗质朴，而融等政亦宽和，上下相亲，晏然富殖，修兵马，习战射，明烽燧㊻。羌、胡犯塞，融辄自将与诸郡相救，皆如符要㊼，每辄破之。其后羌、胡皆震服亲附，内郡流民避凶饥者㊽归之不绝㊾。

王莽之世，天下咸思汉德，安定三水卢芳㊿居左谷(251)中，诈称武帝曾孙刘文伯，云“曾祖母，匈奴浑邪王之姊也”，常以是言诳惑(252)安定间。王莽末，乃与三水属国羌、胡起兵。更始至长安，征芳为骑都尉，使镇抚(253)安定以西。更始败，三水豪桀共立芳为上将军、西平王，使使与西羌、匈奴结和亲。单于以为：“汉氏中绝，刘氏来归，我亦当如呼韩邪立之，令尊事我。”乃使句林王将数千骑迎芳兄弟入匈奴，立芳为汉帝，以芳弟程为中郎将，将胡骑还入安定。

丈夫所怀之志，处境困穷应更加坚定，人老了应更加壮烈。”后来他拥有数千头牲口，数万斛粮食。不久又感叹说：“大凡积累财富，可贵之处在于能够赈救施舍，否则只是一个守财奴罢了！”因此，他便将全部家产分送给亲朋好友。他听说隗嚣礼贤下士，就去投奔他。隗嚣很器重马援，让他参与决策。班彪，是班稚的儿子。

当初，平陵人窦融累世任官河西，熟悉当地风俗民情，他和更始刘玄的右大司马赵萌关系交好，私下对他的弟弟说：“天下的安危不能预测。河西非常富足，环绕的黄河是牢固的屏障，张掖属国有一万名精锐骑兵，一旦有危急的情况，断绝黄河渡口，就足以保全自己，这是个保全自己不被绝灭的好地方！”窦融凭借赵萌的关系请求到河西去。赵萌将窦融推荐给更始刘玄，更始任用窦融为张掖属国都尉。窦融到任后，抚慰结纳英豪，安抚招徕西羌各部族，使他们十分高兴。这时，酒泉郡太守安定人梁统、金城郡太守库钧、张掖郡都尉茂陵人史苞、酒泉郡都尉竺曾、敦煌郡都尉辛肜，都是州郡的英雄俊杰，窦融和他们的交往深厚。等到更始失败，窦融和梁统等人商议说：“现在天下大乱，不知该归向谁。河西地方孤悬在羌、胡的中间，如果不同心协力，就不能保卫自己。但权势和力量都相等，又谁也不能统率谁，应该推举一个人做大将军，共同保全五个郡，以观察时局的变化。”商定之后，大家各自谦让。按照各位的次序，一致推举梁统为大将军。梁统坚决推辞，便推举窦融代管河西五郡大将军之事。武威郡太守马期、张掖郡太守任仲都势单力孤，窦融等就写信告诉他们。他们马上解下印绶离去。于是任命梁统为武威郡太守，史苞任张掖郡太守，竺曾为酒泉郡太守，辛肜为敦煌郡太守。窦融居住在张掖属国，仍旧任都尉之职。设置从事，监督五个郡。河西一带民风淳朴，窦融等人施政也宽和，上下相亲，安定富足，训练兵马，练习作战射箭，明了烽燧。羌、胡侵犯边塞，窦融就亲自率领兵卒和各郡的军队相救助，全同约定的一样，每战经常能将敌人打败。后来羌、胡全都被窦融的威名所震而亲近归附。内地各郡躲避凶年饥荒的人络绎不绝地归顺窦融。

王莽当政时，天下人都思念汉朝恩德，安定郡三水县人卢芳住在左谷中，冒称自己是汉武帝的曾孙刘文伯，说“我的曾祖母是匈奴浑邪王的姐姐”，卢芳常用这些话在安定一带欺骗蛊惑大家。王莽末年，卢芳与三水属国的羌、胡人一同兴兵。更始刘玄到达长安，征召卢芳为骑都尉，派他镇守安抚安定郡以西地区。更始失败后，三水豪杰共同拥立卢芳为上将军、西平王，卢芳派遣使臣与西羌、匈奴结亲和好。匈奴单于认为：“汉室中途绝续，刘氏皇族前来归附，我也应当像当年汉朝册立呼韩邪那样册立刘芳，让他尊敬侍奉我。”因此就派遣句林王率领数千名骑兵迎接卢芳兄弟到匈奴，立卢芳为汉帝，任命卢芳的弟弟卢程为中郎将，让他们率领胡人骑兵返回安定郡。

【段旨】

以上为第七段，写建武元年（公元二五年），中国西北部地区在战乱中的形势，窦融保河西，隗嚣据有天水，卢芳称帝于陕北。

【注释】

⑩倾身：身体向前倾。用以形容对人谦卑恭顺。⑪布衣交：指犹如平民不拘身份地位高低那样的朋友。布衣，布制的衣服。布衣一般为平民所服，所以用“布衣”借指平民。⑫范逡：扶风平陵县（今陕西咸阳西）人，初同杜林等人一起避居河西，后归光武。⑬师友：官名，参决谋议，备顾问，待以师友之位。⑭郑兴：字少赣，河南尹开封县（今河南开封西南）人，刘玄时为凉州刺史，后归隗嚣。建武六年（公元三〇年）光武征为太中大夫，后左迁莲勺令。兴明古学，尤精《左传》《周礼》。传见《后汉书》卷三十六。⑮祭酒：官名，执掌博士。⑯申屠刚：字巨卿，扶风茂陵县人，王莽时避居河西、巴蜀，建武七年（公元三一年）光武征为侍御史，后任尚书令、太中大夫等职。传见《后汉书》卷二十九。⑰杜林（？至公元四七年）：字伯山，扶风茂陵县人，初为郡吏，后避居河西。建武六年东归，光武征为侍御史，后官至大司空。传见《后汉书》卷二十七。⑱治书：即治书侍御史，官名。御史中丞属官，在殿中兰台掌图籍秘书。⑲马援（公元前一四至公元四九年）：字文渊，扶风茂陵县人，王莽时为新成大尹。莽败，避乱河西，隗嚣以为绥德将军。后归光武，历任陇西太守、虎贲中郎将、伏波将军等，封新息侯。传见《后汉书》卷二十四。⑳王遵：字子春，京兆霸陵县人，王莽末年，隗嚣在陇右自称上将军，以遵为明威将军，后为大将军。后归光武，为太中大夫，封向义侯。㉑行巡：人名，初归隗嚣，为大将军。嚣败，降光武。㉒王捷：天水郡阿阳县（今甘肃静宁西南）人，事隗嚣为大将军。建武八年（公元三二年），光武帝率师西征，兵败自杀。㉓王元：字惠孟，左冯翊长陵县（今陕西咸阳东北）人，初事隗嚣，为大将

【原文】

帝以关中未定，而邓禹久不进兵，赐书责之曰：“司徒，尧也；亡贼，桀也。长安吏民遑遑无所依归，宜以时进讨，镇慰西京，系百姓之心！”禹犹执[254]前意，别攻上郡诸县，更征兵[255]引谷[256]，归至大要[257]。积弩将军冯愔、车骑将军宗歆守栒邑，二人争权相攻，愔遂杀歆，因反击禹，禹遣使以闻。帝问使人：“愔所亲爱为谁？”对曰：

军。嚣败，入蜀归公孙述。后降光武，历任上蔡令、东平相等。因事下狱死。㉔就：到。㉕田牧：耕植、畜牧。㉖朴：未雕琢的玉石材料，此泛指未经加工的原材料。喻才华不外露。㉗且从所好：暂且去从事你自己意愿的事吧。㉘赈施：救济施与。㉙虏：奴。㉚筹策：谋划。㉛窦融（公元前一六至公元六二年）：字周公，扶风平陵县人，刘玄时，据河西，称河西五郡大将军。后归光武，官至大司空，封安丰侯。传见《后汉书》卷二十三。㉜带：环绕。㉝张掖属国：张掖郡属国都尉。汉代于边郡设属国都尉，主管镇抚内属的少数民族。㉞杜绝河津：断绝黄河渡口。㉟此遗种处也：此言河西乃为可得保全而不被灭绝之地。遗，留。㊱抚结：抚慰结纳。㊲怀辑：安抚招徕。㊳梁统：字仲宁，安定郡乌氏县（今宁夏固原东南）人，刘玄时为酒泉太守。窦融称河西五郡大将军，以统为武威太守。后归光武，历任宣德将军、太中大夫、九江太守等，封陵乡侯。传见《后汉书》卷三十四。㊴库钧：《后汉书》作"厍钧"，人名，随窦融归光武，封辅义侯。㊵史苞：字叔文。为张掖太守。随窦融归光武，封褒义侯。㊶竺曾：为酒泉太守、武锋将军。随窦融归光武，封助义侯。㊷辛肜：为敦煌太守、酒泉太守。随窦融归光武，封扶义侯。㊸斗绝：孤悬。㊹权钧力齐：彼此权势相当。钧，通"均"。㊺并孤立无党：指马期、任仲等人都孤立没有同党的人。并，都。党，同伙的人。㊻烽燧：古代边防报警的信号。白天放烟叫烽，夜间举火叫燧。㊼符要：盟约。㊽避凶饥者：躲避凶年饥荒的人。㊾归之不绝：归附窦融的人络绎不绝。㊿卢芳：字君期，安定郡三水县（今宁夏同心东）人，诈称是汉武帝曾孙刘文伯。建武十六年（公元四〇年）降光武，立为代王。后叛汉入匈奴。传见《后汉书》卷十二。(251)左谷：三水县地名，其地在县治东。(252)诳惑：欺骗迷惑。(253)镇抚：镇守安抚。

【校记】

［13］河南：原作"河内"。据章钰校，十二行本、乙十一行本、孔天胤本皆作"河南"，今据改。［14］立：据章钰校，十二行本作"亡"。

【语译】

光武帝因为关中还未平定，而邓禹长期不进兵长安，就写信指责邓禹说："大司徒你是唐尧，亡命的贼寇是夏桀。长安城的官民终日惶惶不安，无所依归，你应当抓住时机进兵讨伐，镇抚长安，维系百姓之心！"邓禹仍然坚持自己先前的意见，分兵攻打上郡各县，然后征兵运粮，会集到大要县。积弩将军冯愔、车骑将军宗歆共同防守栒邑县，两人因为争权夺利而互相攻击，冯愔终于杀了宗歆，乘机掉头来攻打邓禹，邓禹派遣使者向光武帝禀报。光武帝询问使者："冯愔最亲近的人是谁？"使者回答说：

"护军黄防。"帝度愔、防不能久和，势必相忤，因报禹曰："缚冯愔者，必黄防也。"乃遣尚书宗广持节往降之。后月余，防果执愔，将[258]其众归罪[259]。更始诸将王匡、胡殷、成丹等皆诣广降，广与东归。至安邑，道欲亡，广悉斩之。

愔之叛也，引兵西向天水。隗嚣逆击，破之于高平[260]，尽获其辎重。于是禹承制遣使持节命嚣为西州大将军，得专制[261]凉州[262]、朔方[263]事。

腊日[264]，赤眉设乐大会，酒未行，群臣更相辩斗。而兵众遂各逾宫[265]，斩关入[266]，掠酒肉，互相杀伤。卫尉诸葛稚闻之，勒兵入，格杀百余人，乃定。刘盆子惶恐，日夜啼泣，从官皆怜之。

帝遣宗正刘延攻天井关，与田邑连战十余合，延不得进。及更始败，邑遣使请降。即拜为上党太守。帝又遣谏议大夫储大伯持节征鲍永，永未知更始存亡，疑不肯从，收系大伯，遣使驰至长安，诇[267]问虚实。

初，帝从更始在宛，纳新野阴氏之女丽华[268]。是岁，遣使迎丽华与帝姊湖阳公主[269]、妹宁平公主[270]俱到洛阳。以丽华为贵人[271]。更始西平王李通先娶宁平公主，上征通为卫尉。

初，更始以王闳[272]为琅邪太守，张步据郡拒之。闳谕降，得赣榆[273]等六县，收兵与步战，不胜。步既受刘永官号，治兵于剧[274]，遣将徇泰山、东莱、城阳、胶东、北海、济南、齐郡[275]，皆下之。闳力不敌，乃诣步相见。步大陈兵而见之，怒曰："步有何罪，君前见攻之甚！"闳按剑曰："太守奉朝命，而文公[276]拥兵相拒。闳攻贼耳，何谓甚邪！"步起跪谢，与之宴饮，待为上宾，令闳关掌[277]郡事。

“是护军黄防。”光武帝料定冯愔、黄防不能长久和睦，势必相攻，就回答邓禹说：“将来捆绑冯愔的，一定是黄防。”便派尚书宗广持符节前往招降他们。一个多月后，黄防果真将冯愔抓起来，率领他的部属自首认罪。更始刘玄的几位将领王匡、胡殷、成丹等都到宗广那里投降，宗广与他们东归洛阳。到达安邑县，他们想逃跑，宗广把他们都杀了。

冯愔叛变后，率领军队西往天水郡。隗嚣迎击，在高平县打败冯愔，得到冯愔的全部辎重。于是，邓禹秉承光武帝的旨意，派遣使者持符节任命隗嚣为西州大将军，独自掌管凉州、朔方郡的军政大事。

十二月初八腊祭日，赤眉军在长安举行盛大宴会，酒还没有开始喝，文武百官就相互吵闹争斗。而士兵们也纷纷翻越宫墙，砍断门闩进入宫内，抢夺宴席上的酒肉，彼此相互残杀。卫尉诸葛稚得到消息，带领军队进宫，斩杀一百多人，才平定下来。刘盆子吓得要命，日夜哭泣，左右侍从官都很怜悯他。

光武帝派宗正刘延攻打天井关，同更始刘玄的守将田邑连战十余次，刘延不得前进。等到更始失败，田邑派使者请求投降。光武帝就地任命田邑为上党郡太守。光武帝又派谏议大夫储大伯持符节征召鲍永，鲍永不知更始刘玄的存亡，犹豫不肯归顺，囚禁了储大伯，派遣使者驰至长安，探听虚实。

当初，光武帝跟从刘玄在宛县时，娶新野县阴氏的女儿阴丽华。建武元年，光武帝派遣使者迎接阴丽华与光武帝的姐姐湖阳公主、妹妹宁平公主一起来到洛阳。光武帝封阴丽华为贵人。更始的西平王李通早先已娶宁平公主为妻，光武帝便征召李通为卫尉。

当初，更始刘玄任命王闳为琅邪郡太守，张步占据琅邪郡抵抗王闳。王闳通过劝降，获得赣榆等六个县，聚集兵力与张步交战，没有取胜。张步接受在睢阳称帝的刘永的官职后，在剧县训练军队，派将领攻打泰山、东莱、城阳、胶东、北海、济南、齐郡等郡，全都攻克了。王闳的力量战不过张步，就到张步的驻地与张步见面。张步大规模布列军队接见王闳，生气地说：“我有什么罪，你那么紧迫地攻打我！”王闳手按着剑说：“我是太守，奉朝廷的命令到任，而你却聚集军队抵抗。我攻打贼寇罢了，谈什么紧迫！”张步起身跪拜谢罪，设宴对饮，待为上宾，让王闳统管全郡事务。

【段旨】

以上为第八段，写光武帝建武元年（公元二五年）岁末时形势，从三辅到山东齐鲁，西有赤眉，东有梁王刘永、张步，东西一线成为战乱中心。

【注释】

㉞执：坚持。㉟征兵：征调军队。㊱引谷：运输粮食。引，拉。㊲归至大要：会集到大要县。归，会集。大要，县名，县治在今甘肃宁县。㊳将：率领。㊴归罪：自首认罪。㊵高平：县名，县治在今宁夏固原。㊶专制：独自掌管。㊷凉州：州名，辖有今甘肃大部、青海东部及宁夏回族自治区南部等地区。㊸朔方：州名，西汉置朔方州，辖有今陕西北部、山西西北部黄河沿岸、内蒙古自治区河套地区及宁夏回族自治区北部等地区。东汉废，其地并入并州。㊹腊日：举行腊祭之日。即农历十二月初八日。㊺逾宫：越过宫墙。宫，指宫墙。㊻斩关入：砍断门闩进入。㊼诇：侦察；探听。㊽丽华：阴丽

【原文】

二年（丙戌，公元二六年）

春，正月甲子朔[278]，日有食之。

刘恭知赤眉必败，密教弟盆子归玺绶，习为辞让之言[279]。及正旦大会[280]，恭先曰："诸君共立恭弟为帝，德诚深厚！立且一年，殽乱日甚，诚不足以相成，恐死而无益，愿得退为庶人，更求贤知，唯诸君省察！"樊崇等谢曰："此皆崇等罪也。"恭复固请，或曰："此宁式侯事邪！"恭惶恐起去。盆子乃下床解玺绶，叩头曰："今设置县官而为贼如故，四方怨恨，不复信向，此皆立非其人所致。愿乞骸骨，避[281]贤圣路！必欲杀盆子以塞责[282]者，无所离死[283]！"因涕泣嘘唏[284]。崇等及会者数百人，莫不哀怜之，乃皆避席顿首[285]曰："臣无状[286]，负陛下，请自今已后，不敢复放纵！"因共抱持盆子，带以玺绶，盆子号呼，不得已。既罢出，各闭营自守。三辅翕然，称天子聪明，百姓争还长安，市里[287]且满。后二十余日，复出，大掠如故。

刁子都[15]为其部曲所杀，余党与诸贼会檀乡[288]，号檀乡贼，寇魏郡、清河。魏郡大吏李熊弟陆谋反城[289]迎檀乡，或[290]以告魏郡太守颍川铫期[291]，期召问熊，熊叩头首服[292]，愿与老母俱就死。期曰："为吏傥不若为贼乐者，可归与老母往就陆也！"使吏送出城。熊行，求得陆，

华（公元五至六四年），南阳郡新野县人，更始元年（公元二三年）与刘秀结婚。建武元年（公元二五年）立为贵人，十七年（公元四一年）立为皇后。传见《后汉书》卷十上《皇后纪》。㉖⑨湖阳公主：光武帝的姐姐刘黄，建武二年封为湖阳长公主。㉗⓪宁平公主：光武帝的妹妹刘伯姬，李通的妻子。建武二年封为宁平长公主。㉗①贵人：皇帝妃嫔的名号，位次皇后。㉗②王闳：王莽叔父王谭之子。王莽时为东郡太守，刘玄时为琅邪太守。后降光武。传见《后汉书》卷十二。㉗③赣榆：县名，县治在今江苏赣榆东北。㉗④剧：县名，县治在今山东昌乐西北。㉗⑤泰山句：皆为郡国名，治所都在今山东。泰山郡治在泰安东，东莱郡治在龙口东，城阳国都在莒县，胶东国都在即墨西北，北海郡治在潍坊西南，济南郡治在章丘西北，齐郡治所在淄博东北。㉗⑥文公：张步之字。㉗⑦关掌：通管。

【语译】

二年（丙戌，公元二六年）

春，正月初一日甲子，发生日食。

刘恭知道赤眉政权必定失败，便暗中嘱咐弟弟刘盆子交出玉玺绶带，练习说推辞谦让的话。到元旦大规模朝会群臣，刘恭抢先说："诸公一起拥立我的弟弟做皇帝，恩德实在太深厚了！他即位快一年，天下混乱一天比一天严重，他实在不足以成就功业，即使死了也对国家无益，希望能让他退位，做一个普通老百姓，再另找贤德明智的人，谨请诸公详察！"樊崇等人谢罪说："这都是我们的罪过。"刘恭再次坚决请求。有人说："这难道是式侯你管的事吗！"刘恭害怕，起身离去。刘盆子于是下了宝座解下玉玺绶带，向诸公磕头说："现今虽设立了皇帝，但做强盗的人仍旧做强盗，天下百姓怨恨，不再信服归向我们，这都是由拥立错了皇帝所造成的。恳请各位让我辞职，为圣贤明君让路！若一定要杀我来补过，我也不敢避死！"说完就痛哭流涕。樊崇等参加朝会的数百人，没有一个不同情可怜他的，便都离开座位向刘盆子叩首说："都是我们不好，对不起陛下，从今往后，我们不敢再放纵！"就一起抱住刘盆子，给他系上玉玺绶带，刘盆子大哭大叫，不能停止。宴会毕，诸将出宫，各自闭营自守。三辅一片和睦，称颂天子圣明，百姓争先恐后返回长安，街市里巷上挤满了人。二十多天以后，赤眉官兵又跑出军营，照旧大肆抢劫。

刁子都被他的部下所杀，余党与其他贼寇在檀乡会合，号称檀乡贼，他们寇掠魏郡、清河郡。魏郡大吏李熊的弟弟李陆阴谋倾城反叛，迎接檀乡贼，有人把消息告诉了魏郡太守颍川人铫期，铫期召见李熊质问，李熊磕头自首认罪，并愿与老母一块儿赴死。铫期说："你如果认为做官还不如做贼快乐，可以回去和老母一块儿到你的弟弟李陆那里！"铫期派官吏把李熊母子送出城。李熊出城，找到李陆，

将诣[293]邺城西门[294]。陆不胜愧感[295]，自杀以谢期。期嗟叹，以礼葬之，而还熊故职。于是郡中服其威信。

帝遣吴汉率王梁等九将军击檀乡于邺东漳水[296]上，大破之，十余万众皆降。又使梁与大将军杜茂[297]将兵安辑[298]魏郡、清河、东郡，悉平诸营保，三郡清静，边路流通[299]。

庚辰[300]，悉封诸功臣为列侯。梁侯邓禹、广平侯吴汉皆食四县。博士丁恭[301]议曰："古者封诸侯不过百里，强干弱枝[302]，所以为治也。今封四县，不合法制。"帝曰："古之亡国皆以无道，未尝闻功臣地多而灭亡者也。"阴乡侯阴识[303]，贵人之兄也，以军功当增封，识叩头让曰："天下初定，将帅有功者众，臣托属掖廷[304]，仍加爵邑，不可以示天下。此为亲戚受赏，国人计功也[305]。"帝从之。帝令诸将各言所乐，皆占[306]美县，河南太守颍川丁綝[307]独求封本乡。或问其故，綝曰："綝能薄功微，得乡亭[308]厚矣！"帝从其志，封新安乡侯。帝使郎中[309]魏郡冯勤[310]典诸侯封事，勤差量[311]功次[312]轻重，国土远近，地势丰薄，不相逾越，莫不厌服[313]焉。帝以为能，尚书众事皆令总录[314]之。故事：尚书郎以令史[315]久次[316]补之，帝始用孝廉[317]为尚书郎。

起[318]高庙于洛阳，四时合祀[319]高祖、太宗、世宗；建社稷于宗庙之右；立郊兆[320]于城南。

长安城中粮尽，赤眉收载珍宝，大纵火烧宫室、市里，恣行杀掠，长安城中无复人行。乃引兵而西，众号百万，自南山转掠城邑，遂入安定、北地。邓禹引兵南至长安，军昆明池[321]，谒祠高庙，收十一帝[322]神主[323]，送诣洛阳。因巡行[324]园陵[325]，为置吏士奉守[326]焉。

把他带到邺城西门。李陆不胜惭愧感激，就自杀向铫期谢罪。铫期叹息，按照礼节安葬李陆，并恢复李熊的官职。因此，魏郡的人都敬服铫期的威信。

光武帝派遣吴汉率领王梁等九位将军在邺城东面的漳水河畔攻打檀乡贼，大败贼兵，十多万贼兵全部投降。光武帝又派王梁与大将军杜茂率领军队安抚魏郡、清河郡、东郡，扫平了各部贼兵的营堡，三郡安宁，由洛阳通往北部边郡的道路畅通无阻。

正月十七日庚辰，光武帝封所有功臣为列侯。梁侯邓禹、广平侯吴汉都食邑四县。博士丁恭建议说："古代封诸侯地不过百里，强干弱枝，目的是治理好国家。如今封四个县的食邑，不合法制。"光武帝说："古代亡国都是由于不行仁政，从来没有听说过因为功臣的封地多而亡国的。"阴乡侯阴识是贵人阴丽华的哥哥，因战功该增加封地，阴识却磕头辞谢说："天下刚刚平定，有战功的将帅很多，我厕身后宫的亲属，还要增加爵位食邑，便无法面对天下百姓。这样就成了亲戚无功受禄，而一般人计功才能受赏。"光武帝听从了他的意见。光武帝让将领们各自说出自己最想封在什么地方，大家都选择富庶的县，河南郡太守颍川人丁綝却请求将本乡封给他。有人问他原因，丁綝说："我的能力微薄，功劳也小，能够封个乡侯亭侯就很优厚了！"光武帝顺从他的志愿，封为新安乡侯。光武帝命郎中魏郡人冯勤主持诸侯分封事宜，冯勤衡量每人功劳的大小次序和轻重，国土的远近，土地的肥沃贫瘠，论功行赏，没有发生超越不符实际的差错，没有人不心服。光武帝认为冯勤很能干，尚书的众多事务都让他总领。依照成例：尚书郎是由资深的尚书令史依次补用，到光武皇帝才开始用孝廉为尚书郎。

光武帝在洛阳建筑高庙，每年四季一同祭祀汉高祖、汉文帝、汉武帝；在宗庙右边建造社稷；在城南建筑祭祀天地的祭坛。

长安城里粮食耗尽，赤眉军搜刮珍珠宝物装车运走，大肆纵火焚烧宫室、街市里巷，任意杀人抢劫，长安城里再也没有行人。赤眉军这才引兵西行，号称百万大军，从南山出发，劫掠所经过的城邑，随后进入安定、北地二郡。邓禹率领军队向南到达长安，驻军于昆明池，拜谒祭祀高庙，搜集西汉十一位皇帝的神位，送往洛阳。并巡视历代皇帝的墓园，为它们设立官员和卫士供奉祭祀，守护墓地。

【段旨】

以上为第九段，写赤眉军退出长安，祸乱三辅。光武帝为平乱蓄势，大封功臣。

【注释】

㉗⑧甲子朔：正月初一日。㉗⑨习为辞让之言：学习推辞谦让的话。㉘⓪正旦大会：正月初一大规模朝会。㉘①避：让。㉘②塞责：补过。㉘③无所离死：不敢逃避死亡。㉘④嘘唏：同“歔欷”，哽咽抽泣。㉘⑤顿首：头叩地而拜。㉘⑥无状：指行为丑恶，表现不好。㉘⑦市里：街市里巷。㉘⑧檀乡：瑕丘县地名，其地在今山东兖州东北。㉘⑨反城：倾城反叛。㉙⓪或：有人。㉙①铫期（？至公元三四年）：字次况，颍川郡郏县（今河南郏县）人，历任虎牙大将军、魏郡太守、卫尉等，封安成侯。传见《后汉书》卷二十。㉙②首服：自首服罪。㉙③将诣：带到。㉙④西门：邺县县城的西门。邺县是魏郡治所。㉙⑤愧感：惭愧与感激。㉙⑥漳水：河流名，源于山西东部，上游二源，一名清漳水，一名浊漳水。东南流至河南、河北二省交界处汇合为一，名漳水。至河北磁县南，折向东北流，注入渤海。㉙⑦杜茂（？至公元四三年）：字诸公，南阳郡冠军县（今河南邓州西北）人，官至骠骑大将军，封参蘧乡侯。传见《后汉书》卷二十二。㉙⑧安辑：安抚。㉙⑨边路流通：由洛阳通往北部边郡的道路，畅通无阻。㉚⓪庚辰：正月十七日。㉚①丁恭：字子然，山阳郡东缗县（今山东金乡）人，研治《公羊严氏春秋》，世称大儒。历任博士、少府、侍中祭酒、骑都尉等，封关内侯。传见《后汉书》卷七十九下。㉚②强干弱枝：使朝廷强大，诸侯弱小。以树为喻，干喻指朝廷，枝喻指王、侯的封国。㉚③阴识（？至公元五九年）：字次伯，南阳郡新野县人，光武阴皇后的同父异母哥哥。历任关都尉、侍中、执金吾等。

【原文】

真定王杨造谶记[327]曰：“赤九之后，瘿杨为主[328]。”杨病瘿，欲以惑众，与绵曼[329]贼交通。帝遣骑都尉陈副、游击将军邓隆征之，杨闭城门不内。帝复遣前将军耿纯持节行幽、冀，所过劳慰王、侯，密敕收杨。纯至真定，止传舍，邀杨相见。纯，真定宗室之出[330]也，故杨不以为疑，且自恃众强，而纯意安静，即从官属诣之，杨兄弟并将轻兵在门外。杨入，见纯，纯接以礼敬，因延请其兄弟皆入，乃闭阁[331]，悉诛之，因勒兵而出。真定震怖，无敢动者。帝怜杨谋未发而诛，复封其子为真定王。

二月己酉[332]，车驾幸修武[333]。

鲍永、冯衍审知[334]更始已亡，乃发丧，出储大伯等，封上印绶，

初封阴乡侯，后定封原鹿侯。传见《后汉书》卷三十二。㉚④托属掖廷：意谓厕身后宫亲属的行列。掖廷，后宫嫔妃所居之所，此借指嫔妃。㉚⑤亲戚受赏二句：意谓亲戚无功即可授官赐爵，一般人计功才能受赏。语出《战国策·赵策三》，系公孙龙对平原君赵胜说的话。㉚⑥占：选择。㉚⑦丁綝：字幼春，颍川郡定陵县（今河南郾城西）人，历任偏将军、河南太守。初封新安乡侯，后徙封陵阳侯。㉚⑧乡亭：指乡侯、亭侯。㉚⑨郎中：指尚书郎中，官名。㉛⓪冯勤（？至公元五六年）：字伟伯，魏郡繁阳县（今河南内黄西北）人，官至司徒。传见《后汉书》卷二十六。㉛①差量：衡量。㉛②功次：指功绩的大小、官阶升迁的先后顺序。㉛③厌服：心服。㉛④总录：总领；全面负责。㉛⑤令史：尚书令史，官名，地位次于尚书郎。㉛⑥久次：久居此官位。㉛⑦孝廉：汉代举荐人才为官的科目之一。㉛⑧起：兴建。㉛⑨四时合祀：每年四季都将高祖、文帝、武帝合于一处祭祀。㉜⓪郊兆：设于城郊祭祀天地的祭坛。㉜①昆明池：湖沼名，汉武帝时开凿，位于长安西南郊。㉜②十一帝：西汉十一位皇帝，即高、惠、文、景、武、昭、宣、元、成、哀、平。㉜③神主：为死者做的牌位。用木或石制作。㉜④巡行：巡视。㉜⑤园陵：帝王的墓地。㉜⑥奉守：供奉祭祀，守护墓地。

【校记】

［15］刁子都：原作“刀子都”。胡三省注云：“‘刀’，依《考异》当作‘刁’。”据章钰校，乙十一行本、孔天胤本皆作“刁子都”，今据改。

【语译】

真定王刘杨编造谶书说：“赤九之后，瘿杨为主。”刘杨脖子上长了一个瘤子，他想借此迷惑民众，与绵曼县的盗贼勾结。光武帝派骑都尉陈副、游击将军邓隆征召刘杨，刘杨关闭城门，不让他们入城。光武帝又派遣前将军耿纯持符节巡视幽、冀二州，每到一处，慰劳王、侯，并密令耿纯逮捕刘杨。耿纯到达真定县，住在驿站，邀请刘杨相见。耿纯是真定王刘杨的外甥，所以刘杨不疑心耿纯，并且仗着自己人多势众，而耿纯神安气静，刘杨便带着随从官吏前往耿纯那里，刘杨的兄弟率领轻装士兵守在门外。刘杨进入，见到耿纯，耿纯恭敬，以礼相待，并邀请他的兄弟们都进来，于是关闭房门，将他们全都杀了，然后率领士兵走出驿站。真定县人惶恐震动，没有人敢妄动。光武帝怜惜刘杨谋反未遂而被杀，就又封刘杨的儿子刘德为真定王。

二月十六日己酉，皇上车驾巡幸修武。

更始刘玄的部将鲍永、冯衍确知更始刘玄已死，就为他发丧追悼，并放出储大

悉罢兵，幅巾[335]诣河内。帝见永，问曰："卿众安在？"永离席叩头曰："臣事更始，不能令全，诚惭以其众幸[336]富贵，故悉罢之。"帝曰"卿言大[337]"，而意不悦。既而永以立功见用，衍遂废弃。永谓衍曰："昔高祖赏季布之罪[338]，诛丁固之功[339]。今遭明主，亦何忧哉！"衍曰："人有挑[340]其邻人之妻者，其长者[341]骂而少者报[342]之。后其夫死，取[343]其长者。或谓之曰：'夫非骂尔者邪！'曰：'在人[344]欲其报我，在我[345]欲其骂人也！'夫天命难知，人道易守，守道之臣，何患死亡？"

大司空王梁屡违诏命[346]，帝怒，遣尚书宗广持节即军中斩梁。广槛车送京师。既至，赦之，以为中郎将，北守箕关。

壬子[347]，以太中大夫京兆宋弘为大司空。弘荐沛国桓谭，为议郎、给事中。帝令谭鼓琴，爱其繁声[348]。弘闻之，不悦。伺谭内出[349]，正朝服坐府上，遣吏召之。谭至，不与席而让之，且曰："能自改邪，将令相举以法[350]乎？"谭顿首辞谢；良久，乃遣之。后大会群臣，帝使谭鼓琴。谭见弘，失其常度。帝怪而问之，弘乃离席免冠[351]谢曰："臣所以荐桓谭者，望能以忠正导主，而令朝廷耽悦[352]郑声[353]，臣之罪也。"帝改容谢之。

湖阳公主新寡，帝与共论朝臣，微观[354]其意。主曰："宋公威容[355]德器[356]，群臣莫及。"帝曰："方且[357]图之。"后弘被引见，帝令主坐屏风后，因谓弘曰："谚言'贵易交，富易妻'，人情乎？"弘曰："臣闻贫贱之知不可忘，糟糠之妻不下堂[358]。"帝顾谓主曰："事不谐[359]矣！"

伯等人，将印章绶带封好呈上，遣散所有部队，用头巾裹着自己的头往河内归降。光武帝召见鲍永，问他："你的部队在哪里？"鲍永离开席位，跪下磕头，说："我侍奉更始，却不能保全他，实在惭愧利用更始的部众侥幸取得富贵，所以全都遣散了。"光武帝说"你说得很好"，但心里不高兴。不久，鲍永因立战功而被重用，冯衍则被废弃不用。鲍永对冯衍说："从前汉高祖奖赏有罪的季布，而诛杀有功的丁固。如今我们遇到了圣明的国君，还有什么好忧虑的呢！"冯衍说："从前有人挑逗邻居的两个妻子，年长的就诟骂他，年轻的却表示应许。后来邻居的丈夫死了，他却娶了邻居年长的妻子。有人对他说：'她不是诟骂过你的人吗！'那人说：'她是别人的妻子，我盼她接受我的挑逗，她是我的妻子，我希望她诟骂挑逗的人！'天命难以预料，但做人的道德却容易遵守。遵守做人道德的臣子，何必担心死亡？"

大司空王梁屡次违背诏令，光武帝很生气，派遣尚书宗广持符节到王梁的军营中就地处斩王梁。宗广用囚车把他送到首都洛阳。到了洛阳后，光武帝赦免了他，任命为中郎将，到北方防守箕关。

二月十九日壬子，光武帝任命太中大夫京兆人宋弘为大司空。宋弘举荐沛国人桓谭，当了议郎、给事中。光武帝让桓谭弹琴，喜欢他的柔靡音乐。宋弘听说此事，很不高兴。探知桓谭出宫，宋弘就穿好官服坐在官府堂上，派官吏宣召桓谭。桓谭到了，宋弘不给他让座，指责他，并且说："能自己改正过失呢，还是由我列举罪行，绳之以法呢？"桓谭磕头谢罪。过了很久，宋弘才让他走。后来有一天光武帝大会群臣，又让桓谭弹琴。桓谭看到宋弘，失去了常态。光武帝觉得奇怪，就问怎么回事，宋弘便离开座席，脱掉官帽，谢罪说："我举荐桓谭，目的是希望他能用忠正之道来辅导君主，但现在让皇上沉溺郑声，这是我的罪过。"光武帝变了脸色向宋弘表示歉意。

湖阳公主新近死了丈夫，光武帝与她一起谈论朝廷大臣，暗中观察她对谁有意。公主说："宋公的威仪容貌，道德器识，群臣没有比得上的。"光武帝说："我考虑下这件事。"后来宋弘被召见，光武帝事先让湖阳公主坐在屏风后面，皇上就对宋弘说："俗语说'地位高了换朋友，钱财多了换老婆'，这是人之常情吧？"宋弘说："我却听说过：贫穷时候的朋友不能忘，一块吃过苦的老婆不能休弃。"皇上回过头来对公主说："事情不成喽！"

【段旨】

以上为第十段，写光武帝扑灭刘杨反叛于萌芽之际，招降更始忠臣鲍永，以及尊礼耿正大臣宋弘，尽显一代明君的风采。

【注释】

㉗真定王杨造谶记：真定王刘杨编造谶纬书记载谶语。㉘赤九之后二句：汉为火德，所以说“赤”。光武帝为汉高祖九世孙，所以说“九”。瘿，指长在脖子上的一种囊状瘤子。当时真定王刘杨患有瘿病，所以以“瘿杨”自指。此谶记意谓：汉于刘秀之后，刘杨当为君主。㉙绵曼：县名，县治在今河北获鹿北。㉚出：姐妹出嫁所生，即外甥、外孙。耿纯的母亲当是真定王宗室之女。㉛阁：小门。㉜己酉：二月十六日。㉝修武：亦作“脩武”。县名，县治在今河南获嘉。㉞审知：确知。㉟幅巾：古代男子以全幅细绢裹头的头巾。此言不戴帽子，只用幅巾裹头。㊱幸：希求；侥幸得到。㊲大：善；好。㊳昔高祖赏季布之罪：在楚汉战争中，楚将季布几次使刘邦处于困境。灭项羽后，刘邦初以千金购求季布，敢藏匿者罪三族。后听臣谏，明白了“臣各为其主用，职

【原文】

帝之讨王郎也，彭宠发突骑以助军，转粮食，前后不绝。及帝追铜马至蓟，宠自负其功，意望甚高。帝接之不能满[360]，以此怀不平。及即位，吴汉、王梁，宠之所遣，并为三公，而宠独无所加，愈怏怏[361]不得志，叹曰：“如此[362]，我当为王。但尔者[363]，陛下忘我邪！”

是时北州破散，而渔阳差完[364]，有旧铁官[365]，宠转以贸谷，积珍宝，益富强。幽州牧朱浮，年少有俊才，欲厉风迹[366]，收士心，辟召州中名宿[367]及王莽时故吏二千石，皆引置[368]幕府，多发诸郡仓谷禀赡[369]其妻子。宠以为天下未定，师旅方起，不宜多置官属以损军实，不从其令。浮性矜急[370]自多[371]，宠亦佷[16]强[372]，嫌怨转积[373]。浮数谮构[374]之，密奏宠多聚兵谷，意计[375]难量。上辄漏泄令宠闻，以胁恐之[376]。至是，有诏征宠，宠上疏，愿与浮俱征。帝不许。宠益以自疑，其妻素刚，不堪抑屈[377]，固劝无受征，曰：“天下未定，四方各自为雄，渔阳大郡，兵马最精，何故为人所奏而弃此去乎？”宠又与所亲信吏计议，皆怀怨于

耳”的道理，召布以为郎中。㊴诛丁固之功：在楚汉战争中，楚将丁固曾放跑了刘邦，而灭楚后，刘邦以他“为项王臣不忠”而杀了他。事见本书卷十一高帝五年。㊵挑：挑逗；引诱。㊶长者：年龄大的妻子。邻人有二妻，一年长，一年少。㊷报：应许。㊸取：同“娶”。㊹在人：指为他人之妻时。㊺在我：指为我的妻子时。此寓言故事见《战国策·秦策一》。㊻屡违诏命：《后汉书·王梁传》，“建武二年，与大司马吴汉等俱击檀乡，有诏军事一属大司马，而梁辄发野王兵，帝以其不奉诏敕，令止在所县，而梁复以便宜进军”。屡违诏命，即指此。㊼壬子：二月十九日。㊽繁声：指柔靡的音乐。㊾内出：从宫内出来。㊿相举以法：列举罪行，绳之以法。(351)免冠：脱帽。古人用以表示谢罪。(352)耽悦：沉溺；特别喜好。(353)郑声：古代郑地的地方音乐。后用以指淫荡的乐歌。(354)微观：暗中观察。(355)威容：威仪容貌。(356)德器：道德器识。(357)方且：将要。(358)下堂：指妻子被丈夫遗弃。(359)不谐：不成。

【语译】

光武帝征讨王郎时，彭宠征调骑兵突击队协同作战，运输粮食，前后不断。等到光武帝追击铜马军到了蓟县，彭宠仗着自己的功劳，心里要求很高。光武帝接待他，不能满足他的愿望，因此心怀不平。等到光武帝即位之后，吴汉、王梁过去都是彭宠的部下，并列为三公，唯独彭宠没有加官，越发显出不满意、不得志的样子，叹息说：“像他们那样能列为三公，我应当封为王。我只是现在这个样子，是陛下忘记了我！”

这时，北方各州郡残破，只有渔阳郡略微完好，有旧时设置的铁官，彭宠转卖铁器用来购买粮食，囤积金银财宝，越发富裕强大。幽州牧朱浮年轻而才华出众，想激励改革风俗，收拢士子之心，便征召州中一向有名望的人，以及王莽时俸禄二千石的旧官吏，都举用安置在幕府里，调拨各郡县府库的粮食赡养他们的妻子儿女。彭宠认为天下还没有安定，战争方兴未艾，不应该设置很多官员来损耗军用物资，没有听从朱浮的命令。朱浮性情高傲严厉，自以为是，彭宠也凶狠倔强，因此二人之间的嫌隙怨恨越来越深。朱浮多次向光武帝进谗言陷害彭宠，秘密上奏说彭宠聚集军队，囤积粮草，意图很难预测。光武帝便故意将此事泄露让彭宠知道，用以威胁恐吓彭宠。到此时，有诏书征召彭宠，彭宠就给光武帝上疏，请求与朱浮一起征召。光武帝不同意。彭宠因而更加惊疑，他的妻子素来刚强，不能忍受这种压抑和屈辱，力劝彭宠不要接受征召，说：“天下没有安定，四方英雄割据称雄，渔阳是个大郡，兵强马壮，为什么一被小人控告就放弃这里而离去呢？”彭宠又与自己亲

浮，莫有劝行者。帝遣宠从弟子后兰卿喻之。宠因留子后兰卿，遂发兵反，拜署将帅，自将二万余人，攻朱浮于蓟。又以与耿况俱有重功，而恩赏并薄，数遣使要[17]诱况。况不受，斩其使。

延岑复反，围南郑。汉中王嘉兵败走，岑遂据汉中，进兵武都。为更始柱功侯李宝所破，岑走天水。公孙述遣将侯丹取南郑。嘉收散卒得数万人，以李宝为相，从武都南击侯丹，不利，还军河池[378]、下辨[379]，复与延岑连战。岑引北，入散关[380]，至陈仓[381]。嘉追击，破之。

公孙述又遣将军任满[382]从阆中[383]下江州[384]，东据捍关[385]，于是尽有益州之地。

【段旨】

以上为第十一段，写幽州牧朱浮逼反渔阳太守彭宠，公孙述全据益州之地。

【注释】

[360]满：指满足意愿。[361]怏怏：形容不满意的神情。[362]如此：指吴汉、王梁皆为三公事。[363]尔者：如此，指自己目前的状况。[364]差完：略微完整。[365]铁官：汉代铁实行官营，于各地设铁官，负责铁矿的采冶和铁器的铸造。[366]厉风迹：激励改革风俗。[367]名宿：素有名望的人。[368]引置：举用安置。[369]禀赡：供应粮食以养人。[370]矜急：高傲严厉。[371]自多：自负；自以为是。[372]佷强：凶狠倔强。[373]嫌怨转积：指嫌怨越来越深。怨，怨恨。[374]谮构：诬陷。[375]意计：意图。[376]以胁恐之：意谓用泄露朱浮的告状信内

【原文】

辛卯[386]，上还洛阳。

三月乙未[387]，大赦。

更始诸大将在南方未降者尚多。帝召诸将议兵事，以檄叩地[388]曰：“郾最强，宛为次，谁当击之？”贾复率然对曰：“臣请击郾。”帝笑曰：

信官吏商议，大家都怀恨朱浮，没有一人劝彭宠去洛阳的。光武帝派彭宠的堂弟彭子后字兰卿的人到渔阳开导彭宠。彭宠借此扣留了子后兰卿，于是起兵造反。设立统帅部，任命各级将领，亲自率领二万多人，在蓟县攻打朱浮。彭宠又因为与耿况都有大功，而封赏都同样微薄，就多次派遣使者邀约诱惑耿况。耿况拒绝，斩了他的使者。

延岑又叛变，包围南郑县。汉中王刘嘉兵败逃走，延岑于是占据汉中，向武都县进军。被更始刘玄的柱功侯李宝击败，延岑逃往天水郡。公孙述派将军侯丹夺取南郑县。刘嘉搜集散兵数万人，任用李宝为丞相，从武都县南进攻打侯丹，失利，退回到河池县、下辨县，又与延岑连续交战。延岑领兵向北，进入散关，抵达陈仓。刘嘉追击，打败了延岑。

公孙述又派遣将军任满从阆中县南下攻陷江州县，向东占据捍关，于是占据了全部益州之地。

容来要挟、恐吓彭宠，使其畏惧。㊿377 抑屈：压抑屈辱。378 河池：县名，县治在今甘肃徽县西北。379 下辨：县名，县治在今甘肃成县西北。380 散关：关名，其地在今陕西宝鸡西南。381 陈仓：县名，县治在今陕西宝鸡东。382 任满：公孙述部将，后述以为大司徒。建武十一年（公元三五年）岑彭率军进击公孙述，满为述将所杀。383 阆中：县名，县治在今四川阆中。384 江州：县名，县治在今重庆市北。385 捍关：关名，在今重庆市奉节东北。

【校记】

［16］佷：原作“狠”。据章钰校，十二行本、乙十一行本皆作“佷”，今据改。［17］要：原作“邀”。胡三省注云：“‘邀’作‘要’。”据章钰校，十二行本、乙十一行本、孔天胤本皆作“要”，今据改。

【语译】

辛卯日，光武帝从修武返回洛阳。

三月乙未日，大赦天下。

更始刘玄在南方没投降的大将还很多。光武帝召集将领们商议战事，光武帝用写有檄文的木简敲击地面说：“郾县敌人最强，其次是宛县，谁承担攻击他们的任务？”贾复不假思索地回答说：“臣请求攻打郾县。”光武帝笑着说：“执金吾去攻打郾

"执金吾击郾，吾复何忧！大司马当击宛。"遂遣复击郾，破之，尹尊降。又东击更始淮阳太守暴汜，汜降。

夏，四月，虎牙大将军盖延督驸马都尉马武等四将军击刘永，破之。遂围永于睢阳。

故更始将苏茂反，杀淮阳太守潘蹇，据广乐[389]而臣于永。永以茂为大司马、淮阳王。

吴汉击宛，宛王赐奉更始妻子诣洛阳降。帝封赐为慎侯。叔父良、族父歙、族兄祉皆自长安来。甲午[390]，封良为广阳王，祉为城阳王。又封兄缜子章[391]为太原王，兴[392]为鲁王。更始三子求、歆、鲤皆为列侯[393]。

邓王王常降，帝见之甚欢，曰："吾见王廷尉，不忧南方矣！"拜为左曹[394]，封山桑侯。

五月庚辰[395]，封族父歙为泗水王。

帝以阴贵人雅性宽仁，欲立以为后。贵人以郭贵人有子，终不肯当。六月戊戌[396]，立贵人郭氏为皇后，以其子强[397]为皇太子。大赦。

丙午[398]，封泗水王子终[399]为淄川王。

秋，贾复南击召陵、新息，平之。复部将杀人于颍川，颍川太守寇恂捕得，系狱。时尚草创，军营犯法，率多相容，恂戮之于市。复以为耻，还，过颍川，谓左右曰："吾与寇恂并列将帅，而为其所陷，今见恂，必手剑之！"恂知其谋，不欲与相见。姊子谷崇曰："崇，将也，得带剑侍侧。卒[400]有变，足以相当。"恂曰："不然，昔蔺相如不畏秦王而屈于廉颇者[401]，为国也。"乃敕属县盛供具[402]，储酒醪[403]。执金吾[404]军入界，一人皆兼二人之馔[405]。恂出迎于道，称疾而还。复勒兵欲追之，而吏士皆醉，遂过去。恂遣谷崇以状闻，帝乃征恂。恂至，引见。时贾复先在坐，欲起相避。帝曰："天下未定，两虎安得私斗！今日朕分[406]之。"于是并坐极欢，遂共车同出，结友而去。

八月，帝自率诸将征五校。丙辰[407]，幸内黄[408]，大破五校于羛阳[409]，降其众五万人。

县，我还有什么可忧虑的！大司马吴汉应攻打宛县。”于是，派遣贾复攻打郾县，攻下了郾县，尹尊投降。又向东攻打更始刘玄的淮阳郡太守暴汜，暴汜投降。

夏，四月，虎牙大将军盖延督率驸马都尉马武等四位将军攻打在睢阳称帝的刘永，打败刘永军。于是，在睢阳县包围刘永。

更始刘玄的原将领苏茂叛变，杀死淮阳郡太守潘蹇，占据广乐县，向刘永称臣。刘永任命苏茂为大司马，封淮阳王。

吴汉攻打宛县，宛王刘赐带领刘玄的妻子儿女前往洛阳投降。光武帝封刘赐为慎侯。光武帝叔父刘良、堂叔刘歙、堂兄刘祉都从长安来洛阳。四月初二日甲午，封刘良为广阳王，刘祉为城阳王。又封哥哥刘缜的儿子刘章为太原王、刘兴为鲁王。刘玄的三个儿子刘求、刘歆、刘鲤都封为侯爵。

更始所封邓王王常投降，光武帝见到他很高兴，说：“我看到王廷尉，不再忧虑南方了！”任命王常为左曹，封为山桑侯。

五月十九日庚辰，封堂叔刘歙为泗水王。

光武帝因为贵人阴丽华素来性情宽厚仁爱，想立她为皇后。阴丽华因为郭贵人已有儿子，始终不肯答应。六月初七日戊戌，光武帝立贵人郭氏为皇后，封她生的儿子刘强为皇太子。大赦天下。

六月十五日丙午，光武帝封泗水王刘歙的儿子刘终为淄川王。

秋，贾复南下进攻召陵、新息，平定了这两县。贾复的部将在颍川杀人，颍川郡太守寇恂把他捕获，拘系狱中。当时，各项制度还是初创时期，军营犯法的大多相互包容，而寇恂把这位杀人者在闹市中斩首。贾复认为很羞辱，回军路过颍川，对身边亲信说：“我与寇恂同样都是将帅，却被他欺侮，今天见到寇恂，定要亲手给他一剑！”寇恂知道贾复的预谋，不想与他见面。寇恂外甥谷崇说：“我谷崇是一名将领，能佩剑侍候在您身边；突然之间有什么变化，足够抵挡。”寇恂说：“不应这样，从前蔺相如不怕秦王而受辱于廉颇，完全是为了国家。”因而下令所属各县盛设餐饮器具，储备醇香的酒。执金吾贾复的军队进入颍川郡境内，每人都是两份酒食。寇恂亲自出城在道旁迎候，然后声称有病而返回城内。贾复带领军队想追他，但将领士兵们都醉了，于是过境而去。寇恂派遣谷崇到洛阳将情况向皇上禀报，光武帝就征召寇恂。寇恂到达洛阳，皇上召见。这时，贾复先在座，想起身回避。光武帝说：“天下未定，两虎怎么能私下相斗！今天我来调解你们。”于是两人并肩而坐，极尽欢乐，然后同乘一辆车子出宫，结为好友后离去。

八月，皇上亲自统率大军征讨五校军。二十六日丙辰，到达内黄县，在羛阳村把五校军打得大败，招降了五校部众五万人。

帝遣游击将军邓隆助朱浮讨彭宠。隆军潞[410]南，浮军雍奴[411]，遣吏奏状。帝读檄，怒，谓使吏曰："营相去百里，其势岂可得相及！比若还[412]，北军必败矣。"彭宠果遣轻兵击隆军，大破之。浮远，遂不能救。

盖延围睢阳数月，克之。刘永走至虞[413]，虞人反，杀其母、妻。永与麾下数十人奔谯[414]。苏茂、佼强、周建合军三万余人救永，延与战于沛[415]西，大破之。永、强、建走保湖陵[416]，茂奔还广乐。延遂定沛、楚、临淮[417]。

帝使太中大夫伏隆[418]持节使青、徐二州，招降郡国。青、徐群盗闻刘永破败，皆惶怖请降。张步遣其掾孙昱随隆诣阙上书，献鳆鱼。隆，湛之子也。

堵乡[419]人董䜣反宛城，执南阳太守刘驎。扬化将军坚镡[420]攻宛，拔之。䜣走还堵乡。

吴汉徇南阳诸县，所过多侵暴。破虏将军邓奉[421]谒归[422]新野，怒汉掠其乡里，遂反，击破汉军，屯据淯阳，与诸贼合从。

九月壬戌[423]，帝自内黄还。

【段旨】

以上为第十二段，写光武帝北征南讨受挫。邓隆北援朱浮被彭宠击败，贾复、吴汉南讨，军纪不肃，南人降而复叛，南方战事陷于胶着。

【注释】

㊳㊱辛卯：二月甲午朔，无辛卯日。㊳㊲乙未：三月癸亥朔，无乙未日。㊳㊳以檄叩地：此言以檄板叩击地面。檄，官府用以征召、晓谕、声讨的文书，用木简书写，简长一尺二寸。㊳㊴广乐：虞县地名，位于县治西南，在今河南虞城西北。㊴㊵甲午：四月初二日。㊴㊶章：刘章（？至公元四六年），刘縯之子。曾任平阴令、梁郡太守。初封太原王，后徙封齐王。㊴㊷兴：刘兴（？至公元六四年），刘縯之子，继为光武二兄刘仲后。曾任缑氏令、弘农太守。初封鲁王，后徙封北海王。传见《后汉书》卷十四。㊴㊸更始三子求、歆、鲤皆为列侯：更始帝刘玄的三个儿子都封为列侯。刘求封襄邑侯（后徙封成阳侯），刘歆封谷孰侯，刘鲤封寿光侯。㊴㊹左曹：加官名，典枢机，收受尚书省奏事。㊴㊺庚辰：

光武帝派游击将军邓隆协助朱浮讨伐彭宠。邓隆屯驻在潞县的南边，朱浮屯驻在雍奴县，派出使者向光武帝奏报布防情况。光武帝读了檄文，大怒，对使者说："两军营地相距百里，这种态势岂能够相互救援！等到你回去，北方军队一定失败了。"彭宠果真派遣轻装的精兵攻击邓隆的军队，大败邓隆军队。朱浮距离遥远，终于不能相救。

盖延围攻睢阳数月，攻了下来。刘永逃到虞县，虞县百姓反叛刘永，杀了他的母亲和妻子。刘永与部下数十人逃往谯县。苏茂、佼强、周建联合军队共三万余人援救刘永，盖延跟他们在沛郡西边交战，大破苏茂等军。刘永、佼彊、周建逃到湖陵县据守，苏茂逃回广乐县。盖延于是平定了沛郡、楚郡、临淮郡。

光武帝派太中大夫伏隆执节出使青、徐二州，招降刘永管辖下的各郡、国。青、徐二州的盗贼听说刘永失败，都惶恐惊慌，请求投降。张步派遣他的掾属孙昱随从伏隆到洛阳向皇上奏书，献上鳆鱼。伏隆，是伏湛的儿子。

堵乡人董䜣在宛城叛变，逮捕了南阳郡太守刘驎。扬化将军坚镡进攻宛城，攻取了它。董䜣逃回堵乡。

吴汉进军南阳郡的各县，所过之处多有抢掠。破虏将军邓奉请假回新野县，看到吴汉军队掠夺他的乡里，十分生气，于是叛变，击败吴汉的军队，驻扎淯阳县，与各路贼寇联合起来。

九月初二日壬戌，光武帝从内黄县返回洛阳。

五月十九日。㊱戊戌：六月初七日。㊲强：刘强（公元二五至五八年），光武帝之子。初立为皇太子，后封为东海王。传见《后汉书》卷四十二。㊳丙午：六月十五日。㊴终：刘终（？至公元三四年），刘歙之子。刘玄时为侍中。少时与刘秀关系亲密，建武二年封为淄川王。传见《后汉书》卷十四。㊵卒：通"猝"，突然。㊶昔蔺相如句：蔺相如不与廉颇争地位高低，是忠于国家的表现。事见本书卷四周赧王三十六年。㊷供具：餐饮器具。㊸储酒醪：储备醇香的酒。酒醪，汁滓混合之酒，此指酒。㊹执金吾：指贾复。此时复任执金吾之职。㊺馔：食物。㊻分：解。㊼丙辰：八月二十六日。㊽内黄：县名，县治在今河南内黄西北。㊾羛阳：内黄县村镇名，位于县治南，在今河南内黄西南。㊿潞：县名，县治在今河北大厂回族自治县西北。⑪雍奴：县名，县治在今天津市武清区西北。⑫比若还：等到你回师。⑬虞：县名，县治在今河南虞城北。⑭谯：县名，县治在今安徽亳州。⑮沛：县名，县治在今江苏沛县。⑯湖陵：县名，县治在今山东鱼台东南。东汉章帝时改名湖陆县。⑰沛、楚、临淮：三郡国名。沛郡，治所相县，在今安徽濉溪县西北。楚，国名，都彭城，在今江苏徐州。临淮郡，治所盱眙县，在今江苏

盱眙西北。418 伏隆：字伯文。伏湛之子。历任太中大夫、光禄大夫。后被张步所杀。传见《后汉书》卷二十六。419 堵乡：堵阳县乡名，在今河南方城。420 坚镡（？至公元五〇年）：字子伋，颍川郡襄城县（今河南襄城）人，历任扬化将军、左曹，封合肥侯。传见《后汉书》卷二十二。421 邓奉：南阳郡新野县人，邓晨兄子。第二年，在小长安战败，被杀。422 谒归：请假回家。423 壬戌：九月初二日。

【原文】

陕贼苏况攻破弘农。帝使景丹讨之。会丹薨，征虏将军祭遵击弘农、柏华[424]、蛮中[425]贼，皆平之。

赤眉引兵欲西上陇[426]，隗嚣遣将军杨广迎击，破之。又追败之于乌氏[427]、泾阳[428]间。赤眉至阳城[429]、番须[430]中，逢大雪，坑谷皆满，士多冻死。乃复还，发掘诸陵[431]，取其宝货。凡有玉匣殓者，率[432]皆如生。贼遂污辱吕后[433]尸。邓禹遣兵击之于郁夷[434]，反为所败，禹乃出之云阳[435]。赤眉复入长安。延岑屯杜陵，赤眉将逢安击之。邓禹以安精兵在外，引兵袭长安。会谢禄救至，禹兵败走。延岑击逢安，大破之，死者十余万人。

廖湛将赤眉十八万攻汉中王嘉。嘉与战于谷口[436]，大破之，嘉手杀湛，遂到云阳就谷[437]。嘉妻兄新野来歙[438]，帝之姑子也，帝令邓禹招嘉，嘉因歙诣禹降。李宝倨慢[439]，禹斩之。

冬，十一月，以廷尉岑彭为征南大将军。帝于大会中指王常谓群臣曰："此家[440]率下江诸将辅翼汉室，心如金石，真忠臣也！"即日，拜常为汉忠将军，使与岑彭率建义大将军朱祐等七将军讨邓奉、董䜣。彭等先击堵乡，邓奉救之。朱祐军败，为奉所获。

铜马、青犊、尤来余贼共立孙登为天子。登将乐玄杀登，以其众五万余人降。

邓禹自冯愔叛后，威名稍损，又乏粮食，战数不利，归附者日益离散。赤眉、延岑暴乱三辅，郡县大姓各拥兵众，禹不能定。帝乃遣偏将军冯异代禹讨之，车驾送至河南[441]，敕异曰："三辅遭王莽、更始之乱，重以赤眉、延岑之丑[442]，元元涂炭[443]，无所依诉。将军今奉

【语译】

陕县盗贼苏况攻下弘农县。光武帝派景丹征讨他。碰上景丹去世，征虏将军祭遵攻打弘农县、柏华、蛮中各地盗贼，全都被平定。

赤眉军想西往陇县，隗嚣派遣将军杨广迎击，打败了赤眉军。又乘胜追击，在乌氏、泾阳两县间再败赤眉军。赤眉军到达阳城、番须一带，遇到大雪，坑谷都填满了，很多士卒被冻死。就又返回来，挖掘西汉皇帝陵墓，掘取墓中金银财宝。凡是用金缕玉衣入殓的尸体，都栩栩如生。赤眉军于是侮辱吕后的尸体。邓禹派兵在郁夷县攻打赤眉军，反而被击败，邓禹就逃往云阳县。赤眉军又进入长安。延岑驻扎在杜陵，赤眉军的将领逢安攻打延岑。邓禹认为逢安的精锐部队都在外出击，于是就率军偷袭长安。正巧赤眉大将谢禄率救兵赶到，邓禹军战败逃走。延岑攻击逢安，大破赤眉军，杀死的人有十多万。

廖湛率十八万赤眉军攻打汉中王刘嘉。刘嘉与廖湛在谷口县交战，大败廖湛，刘嘉亲手杀了廖湛，随后领兵到云阳县获取粮草。刘嘉妻子的哥哥新野县人来歙，是光武帝姑妈的儿子，光武帝命令邓禹招降刘嘉，刘嘉就通过来歙到邓禹那里归降，刘嘉的丞相李宝态度傲慢，邓禹将他杀了。

冬，十一月，光武帝任命廷尉岑彭为征南大将军。光武帝在大会群臣时指着王常对文武大臣说："此人率领下江众将辅佐汉室，心诚如金石，真是一个忠臣！"当天，任命王常为汉忠将军，派他与岑彭率领建义大将军朱祜等七位将军去讨伐邓奉、董䜣。岑彭等先攻打堵乡董䜣，邓奉出兵援救。朱祜军败，被邓奉俘虏。

铜马、青犊、尤来等残余部众共同拥立孙登为皇帝。孙登部将乐玄杀了孙登，率领他的部下五万人归降。

邓禹自从冯愔叛变后，威名受损，又缺乏粮食，几次和赤眉军作战不利，归附的人开始逐渐离散。赤眉军、延岑军暴虐三辅，郡县的豪门大族各自拥有兵众，邓禹未能平定他们。光武帝便派偏将军冯异代替邓禹讨伐他们，并亲自送冯异到河南县，告诫冯异说："三辅地区遭受王莽、刘玄战乱，又加上赤眉、延岑的暴行，人民涂炭，无处可依，无处可诉。将军如今奉命讨伐叛逆，营堡归降的人，把他们的首

辞㊹讨诸不轨，营堡[18]降者，遣其渠帅诣京师；散其小民，令就农桑；坏其营壁，无使复聚。征伐非必略地、屠城，要在平定安集之耳。诸将非不健斗，然好虏掠。卿本能御吏士，念自修敕，无为郡县所苦！”异顿首受命，引而西。所至布威信，群盗多降。

臣光曰：“昔周人颂武王之德曰㊺：‘铺时绎思㊻，我徂惟求定㊼。’言王者之兵志在布陈威德安民而已。观光武之所以取关中，用是道也。岂不美哉！”

又诏征邓禹还，曰：“慎毋与穷寇㊽争锋！赤眉无谷，自当来东。吾以饱待饥，以逸待劳，折棰笞㊾之，非诸将忧也。无得复妄进兵！”

帝以伏隆为光禄大夫，复使于张步，拜步东莱㊿太守，并与新除青州牧、守、都尉俱东，诏隆辄拜令、长以下(51)。

十二月戊午(52)，诏宗室列侯为王莽所绝者，皆复故国。

三辅大饥，人相食，城郭皆空，白骨蔽野，遗民往往聚为营保，各坚壁清野。赤眉虏掠无所得，乃引而东归，众尚二十余万，随道复散。帝遣破奸将军侯进等屯新安(53)，建威大将军耿弇等屯宜阳(54)，以要其还路，敕诸将曰：“贼若东走，可引宜阳兵会新安；贼若南走，可引新安兵会宜阳。”冯异与赤眉遇于华阴，相拒六十余日，战数十合，降其将卒五千余人。

【段旨】

以上为第十三段，写赤眉军西窜东逃，走上穷途末路，光武帝派出冯异、侯进、耿弇数路大军布置天网，只等赤眉军来投网。

领送到洛阳；遣散平民百姓，让他们从事农桑；毁坏他们的营垒，不让重新聚集。出征讨伐不一定要攻占土地，屠灭城邑，关键在于平定叛乱，安抚人民。各位将领并不是不英勇善战，但就是喜好掳掠。卿原本擅长管理部众，希望自我整饬，不要给郡县人民带来痛苦！”冯异磕头接受命令，率军西进。所到之处，布告示威，建立信誉，群盗很多来降。

司马光说：“从前周人称颂周武王的恩德说：‘布陈恩德，我前往征伐是为了求得天下的安定。’这话的意思就是说，圣王用兵的目的，就是展现声威恩德，让人民安居乐业罢了。观察光武帝之所以能取得关中，遵循的就是这一原则，难道不是很美好吗！”

光武帝又颁诏征召邓禹返还，说：“千万不要与穷寇争高低！赤眉军没有粮食，自然应该向东来。我军以饱食来对付饥饿，以安逸对付疲劳，到那时，用鞭子抽打敌人，众将领不必忧虑，不得再轻率进军！”

光武帝任命伏隆为光禄大夫，再派他出使张步，任命张步为东莱太守并且与新任命的青州牧、太守、都尉一起东下，下诏给伏隆，有权委任县令、县长及以下各级官员。

十二月三十日戊午，诏令被王莽废除的宗室列侯，全部恢复原来的封国。

三辅发生大饥荒，人吃人，城郭空虚，白骨遍野，幸存者往往聚集一起修筑营垒以自保，各自坚壁清野。赤眉军抢劫不到东西，于是率军向东回归，人众还有二十多万，随着长途行军，逃散了不少。光武帝派破奸将军侯进等屯驻新安，建威大将军耿弇等屯驻宜阳，在赤眉军的归路上拦截，告诫诸将说：“赤眉军如果向东逃窜，宜阳之军出动到新安会合；赤眉军如果南逃，新安之军出动到宜阳会合。”冯异与赤眉军在华阴县遭遇，互相对峙了六十多天，交战数十回合，招降了赤眉军将士五千多人。

【注释】

㉔柏华：村镇名。今地不详。㉕蛮中：新城县地名，位于县治东南，在今河南汝阳东南。㉖陇：县名，县治在今甘肃张家川回族自治县。㉗乌氏：县名，县治在今宁夏固原东南。㉘泾阳：县名，县治在今甘肃平凉西北。㉙阳城：汧县地名，位于县治西北，在今甘肃华亭南。㉚番须：即番须口，汧县地名。位于县治西北，在阳城南，在今陕西陇县西北。㉛诸陵：西汉各帝的陵墓。㉜率：都。㉝吕后：汉高祖吕皇后，与高祖合葬

长陵，高祖陵在西，吕后陵在东。㊴郁夷：县名，县治在今陕西宝鸡东。㊵云阳：县名，县治在今陕西淳化西北。㊶谷口：县名，县治在今陕西礼泉东北。㊷就谷：到粮多的地方取得给养。㊸来歙（？至公元三五年）：字君叔，南阳郡新野县人，历任太中大夫、中郎将。传见《后汉书》卷十五。㊹倨慢：傲慢。㊺此家：此人。㊻河南：县名，县治在今河南洛阳。㊼丑：凶残；暴行。㊽涂炭：此喻极困苦的景况。㊾奉辞：奉命。㊿周人颂武王之德曰：引诗见《诗经·赉》。此诗是颂扬周文王之德，此云周武王，司马光误。446铺时绎思：意谓布陈恩德。铺，布。时，是，此指恩德。绎，陈。思，语气助词，无义。447我徂惟求定：此言我前往征伐是为了求得天下安定。徂，往。448穷寇：处境困窘的敌人。449棰笞：用鞭抽打。棰，鞭；杖。笞，鞭打；杖击。450东莱：郡名，治所在今山东龙口东。451诏隆辄拜令、长以下：下诏书给伏隆，可以有权任命县长、县令及其以下的官员。辄，专擅；特授的权力。拜，任命。452戊午：十二月三十日。453新安：县名，县治在今河南渑池县东。454宜阳：县名，县治在今河南宜阳西。

【校记】

［18］堡：原作“保”。据章钰校，十二行本、乙十一行本、孔天胤本皆作“堡”，张敦仁《通鉴刊本识误》同，今据改。

【研析】

本卷研析光武中兴，着重评述刘秀的人格魅力。

光武帝的统一战略分为三步。第一步，经营河北，建立根据，用了近四年时间，河北粗安。第二步，南向争天下，扫荡山东群雄，安定中原，光武帝用了三年时间。第三步，用兵陇蜀，平定隗嚣和公孙述，用了六年时间。光武帝中兴，扫灭群雄，完成全国统一，前后用了十三年的时间，《资治通鉴》用了三卷的篇幅来载述，即第四十、第四十一、第四十二卷，每卷正好是光武帝的一个战略步骤。本卷载述光武帝经营河北，建立根据地的史事，是统一战略的第一步，也是光武帝统一事业最艰难的时期，仅凭更始帝的一纸诏书、一根符节，徒手打天下，又遭逢王郎之变，光武帝几乎性命不保，但他胜利了。光武帝为何取得胜利，是本卷研析的重心，所以着重评述刘秀的人格魅力。下面从经营河北、纳降有术、受降赤眉、着手文治四个方面，略述如次。

兼并农民军，经营河北。刘秀为人谦和，办事谨慎小心，营中诸将原本看不起他。等到昆阳之战，在危急关头，刘秀尽显英雄本色。他临危不惧，有谋有略，有胆有识，冲锋陷阵，勇冠三军。刘秀成了全军的灵魂，大家这才看到他刘秀内刚，智勇双全，而且是一个超凡绝伦的人物，一夜声名远播。绿林诸将杀害刘秀兄长刘缜时，刘秀表现出的冷静与忍辱能力也不同凡响。更始元年（公元二三年），刘玄计划北上，迁都洛阳，要派一位大将到河北去安抚那里的军民，最适合的人选，非刘秀莫属。刘秀到达洛阳，恢复西汉官名、服饰，不接受官民赠送的礼物，赢得一片赞扬声。刘秀带队出行，严肃威武，老人看见感动得流泪说："想不到今天重新看到汉家威仪。"刘秀到了河北，巡行诸郡县，释放囚徒，废除王莽苛政，一路顺风，到达河北卢奴，今河北定州市。这时突然发生剧变，邯郸王郎诈称是西汉成帝的儿子刘子舆，自称汉帝，河北郡县纷纷反叛。王郎声势浩大，刘秀走投无路。幸亏得到渔阳太守彭宠、上谷太守耿况的支持，刘秀才站稳脚跟。彭宠派大将吴汉、王梁率领步骑三千人，耿况派儿子耿弇率领突骑二千人追随刘秀。南阳人邓禹，千里追明主来到河北，成了刘秀的智囊。刘秀与邓禹规划了夺取天下的方针，军事上纪律严明，赏罚分明；政治上广招人才，争取民心；步骤上先灭王郎，次并河北铜马、青犊等上百万农民军，建立河北根据地，然后南向以争天下。不到一年的光景，刘秀实现了割据河北的目的，于是与更始决裂。更始三年六月，刘秀在鄗县，今河北高邑县即皇帝位，国号汉，改年号，以当年为建武元年。不久，定都洛阳，史称东汉。刘秀死后，谥号光武，史称光武帝。

纳降有术，度释前嫌。绿林诸将杀害刘縯的主谋人是朱鲔，胁从策划人是与刘縯、刘秀一同起兵的友人李轶。对朱鲔来说，他替更始帝刘玄排除对手，这叫人各为其主，尽管是主谋，道理上可以理解，敌对斗争，不是你死就是我亡，没有道义责任。对李轶来说，他投靠了新主子，出卖了旧主子，是刘氏兄弟的叛徒，人品低下，是见利忘义的小人。朱鲔可恕，李轶不可恕。当刘秀在河北独大，与更始决裂以后，朱鲔、李轶最为恐慌。朱鲔是更始政权的中坚，掌握军事大权。朱鲔派李轶率领三十万大军守洛阳，阻击刘秀南下和西进。

刘秀部署邓禹率领精兵二万入河东图取关中。派寇恂为河内太守、冯异为孟津将军，共同对付洛阳之敌。刘秀接受冯异的建议招降李轶。冯异写信给李轶，分析形势，陈说祸福，劝他投降。李轶回信冯异说："我李轶与萧王刘秀，原本共同起兵兴复汉室。如今我李轶守洛阳，将军你守孟津，都是军事战略重镇，这是千载难逢的良机，你我二人齐心协力，其利足可断金。请你把我的意思转达给萧王，我甘愿献计出力，帮助他定国安民。"刘秀让冯异把李轶的信公开，假手朱鲔诛杀了李轶。接着朱鲔亲自死守洛阳，汉军久攻不克。刘秀派岑彭招降朱鲔，朱鲔坦诚地说："杀害萧王之兄刘縯是我朱鲔主谋，宁可战死，绝不投降受辱而死。"刘秀再让岑彭转告朱鲔说："做大事业的人，不计小怨，朱鲔投降，保有原官原职，滔滔黄河作证，我刘秀绝不食言。"于是朱鲔率领全军投降，刘秀不战而下洛阳，宣布洛阳为都城。朱鲔降汉后，果然被任命为将军，封列侯。

朱鲔、李轶同是恶人，刘秀均恨之入骨，早就恨不得杀掉二人为兄长报仇。两人为了生存，同心死守洛阳，如果汉军久攻不下，可能形势逆转。当时河北未靖，更始未灭，赤眉正隆。刘秀鉴于更始失策，必须迅速拿下居天下之中的洛阳，定为都城，以此号令天下，使英雄有所归附。光复汉室的大局在此一举，个人恩仇只是小怨。但叛徒李轶绝不可恕。于是光武略施小技，借朱鲔之手除掉李轶，然后招降朱鲔，释却前嫌。朱鲔效忠补过，可以说功大于过，理不可杀。李轶反复无常，没有丝毫气节，他是自取灭亡。

刘秀招降的不同策略，表现了他的深谋与正义，真雄略之主也。

渔利胜算，受降赤眉。赤眉军首领只有徐宣一人做过狱吏，樊崇、逄安、谢禄等人都不识字，政治、军事知识都很缺乏，一路抢掠烧杀，不知建立根据地，不懂长远治国。赤眉打败更始，绝不能长久。赤眉与更始政权展开生死战，一死一伤，刘秀坐收渔利。长安粮尽，赤眉东归。刘秀派英勇善战的冯异代替邓禹在华阴阻击和追杀赤眉军。又派出破奸将军侯进屯驻新安，建威大将军耿弇屯驻宜阳，以逸待劳。刘秀告诫诸将说："赤眉军出关东逃，宜阳之军出动到新安会合；赤眉军如果南逃，新安之军出动到宜阳会合。"冯异在华阴与赤眉军对峙六十余日，大败赤眉军，使赤眉军受到很大消耗。接着冯异追击，又在崤底再败赤眉。赤眉东归二十余万大军，只剩下十余万。等到赤眉残军走到宜阳，遭到宜阳、新安两路大军合击，刘秀亲自统军，赤眉军丧失斗志，不战而降。赤眉军最终败降在建武三年春闰二月，所以写入下卷。

更始政权瓦解，赤眉军被消灭，东汉政权得到巩固。全国统一，只是早晚之间的事。刘秀完成了汉室中兴，史称光武中兴。

伴随军事斗争，刘秀着手文治。他即位伊始就寻访前朝的清廉官吏和隐逸守志的士大夫。刘秀征召伏湛，起用卓茂。伏湛是秦末大儒济南伏生之后，世代书香门第。更始立，伏湛任平原太守，即使在战乱之中，伏湛仍教授不废，他是当时的知名大儒。刘秀征召伏湛为尚书，拜为司直，代理大司徒之职，两年后正式任职大司徒。卓茂在哀帝时任密县令，政宽爱民，深受人民爱戴。王莽为代理皇帝，卓茂就辞职回家。光武即位，卓茂已七十多岁，没有行政能力了。光武帝仍然征起，下诏表扬说："名誉满天下的，应该受到国家的重赏，任命卓茂为太傅，封为褒德侯。"

伏湛、卓茂的被征用，表达了光武帝的一个治国信号，全国统一后，军人将退出政治舞台，士大夫文人将为治国中坚。刘秀的思虑何其深远。光武中兴，刘秀成为真命天子，不是应该的吗！

卷第四十一　汉纪三十三

起强圉大渊献（丁亥，公元二七年），尽屠维赤奋若（己丑，公元二九年），凡三年。

【题解】

本卷记事起公元二七年，迄公元二九年，凡三年史事，当光武帝建武三年至建武五年。这一时期，是光武帝定天下最有成效的三年，也是西汉末群雄逐鹿中原战斗最激烈的时期。首先，将赤眉军赶出关中，消灭于河南，使东汉根基站稳洛阳。其次，以善战的冯异代邓禹入镇关中，并羁縻天水隗嚣，成功地阻止了公孙述北上。光武帝分遣诸将征讨，不时亲征，次第平灭了张丰、秦丰、刘永、张步，破董宪、走田戎，中原大局粗安。在并灭群雄过程中，因处置失当，逼反邓丰、彭宠、庞萌，使局势一度逆转，最终三叛将亦被扫灭。建武五年，南疆交趾、西域各国归附汉朝。河西窦融附汉，牵制隗嚣迟迟不敢称王。此时期之末，天下未平者，尚有三大割据集团。西北有卢芳，勾结匈奴扰乱北疆；天水隗嚣不听班彪、郑兴劝谏，阴蓄异态；西蜀公孙述割据称帝；光武帝四分天下已有其三，占绝对优势。

【原文】

世祖光武皇帝上之下

建武三年（丁亥，公元二七年）

春，正月甲子①，以冯异为征西大将军。邓禹惭于受任无功，数以饥卒徼赤眉战，辄②不利。乃率车骑将军邓弘等自河北③度至湖④，要⑤冯异共攻赤眉。异曰："异与贼相拒数十日，虽虏获雄将，余众尚多，可稍以恩信倾诱⑥，难卒用兵破也。上今使诸将屯渑池⑦，要其东，而异击其西，一举取之，此万成计⑧也！"禹、弘不从，弘遂大战移日⑨。赤眉阳⑩败，弃辎重走。车皆载土，以豆覆其上，兵士饥，争取之。赤眉引还，击弘，弘军溃乱。异与禹合兵救之，赤眉小却⑪。异以士卒饥倦，可且休。禹不听，复战，大为所败，死伤者三千余人，禹以二十四骑脱归宜阳。异弃马步[1]走，上回谿阪，与麾下数人归

【语译】

世祖光武皇帝上之下

建武三年（丁亥，公元二七年）

春，正月初六日甲子，任命冯异为征西大将军。邓禹愧于接受重任而未能建功，多次率领饥饿的士兵与赤眉军交战，总是失败。于是率领车骑将军邓弘等从河北县南渡到湖县，邀约冯异一起进攻赤眉军。冯异说："我和赤眉军对阵几十天，虽然俘获了他们的勇猛战将，但剩下的部众还很多，可以慢慢用恩德信义诱使他们归顺，难以很快用武力打败他们。皇上如今派各位将领屯驻在渑池，在他们东边拦截，我在西边攻击，可以一举成功，这是万全之策！"邓禹、邓弘不同意，邓弘于是出军大战了很长时间。赤眉军假装败退，丢弃辎重逃跑。车上都装载泥土，用豆子盖在土上面，汉兵饥饿，争抢豆子。赤眉军趁机回军，反击邓弘，邓弘军大败溃散。冯异与邓禹合兵救邓弘，赤眉军才稍微后退。冯异认为士兵饥饿疲劳，应暂且休养。邓禹不听，又向赤眉军发动进攻，结果被赤眉军打得大败，死伤三千余人。邓禹只带了二十四名骑兵脱险，逃回宜阳。冯异弃马步行逃走，登上回谿阪，和几个部下回

营，收其散卒，复坚壁自守。

辛巳⑫，立四亲庙于雒阳⑬，祀父南顿君以上至舂陵节侯。

壬午⑭，大赦。

闰月乙巳⑮，邓禹上大司徒、梁侯印绶。诏还梁侯印绶，以为右将军。

冯异与赤眉约期会战，使壮士变服与赤眉同，伏于道侧。旦日⑯，赤眉使万人攻异前部，异少出兵以救之。贼见势弱，遂悉众攻异，异乃纵兵大战。日昃⑰，贼气衰，伏兵卒⑱起，衣服相乱，赤眉不复识别，众遂惊溃。追击，大破之于崤底⑲，降男女八万人。帝降玺书劳异⑳曰："始虽垂翅回谿㉑，终能奋翼渑池㉒，可谓失之东隅㉓，收之桑榆㉔。方论㉕功赏，以答大勋㉖。"

赤眉余众东向宜阳。甲辰㉗，帝亲勒六军，严陈㉘以待之。赤眉忽遇大军，惊震不知所谓㉙[2]，乃遣刘恭乞降曰："盆子将百万众降陛下，何以待之？"帝曰："待汝以不死耳！"丙午㉚，盆子及丞相徐宣以下三十余人肉袒降，上所得传国玺㉛绶。积兵甲宜阳城西，与熊耳山㉜齐。赤眉众尚十余万人，帝令县㉝厨㉞皆赐食。明旦，大陈兵马临雒水，令盆子君臣列而观之。帝谓樊崇等曰："得无悔降乎？朕今遣卿归营，勒兵鸣鼓相攻，决其胜负，不欲强相服也。"徐宣等叩头曰："臣等出长安东都门，君臣计议，归命圣德。百姓可与乐成㉟，难与图始，故不告众耳。今日得降，犹去虎口归慈母，诚欢诚喜，无所恨也！"帝曰："卿所谓铁中铮铮㊱，佣中佼佼㊲者也！"戊申㊳，还自宜阳。帝令樊崇等各与妻子居雒阳，赐之田宅。其后樊崇、逄安反，诛。杨音、徐宣卒于乡里。帝怜盆子，以为赵王㊴郎中。后病失明，赐荥阳均输官㊵地，使食其税终身。刘恭为更始报仇，杀谢禄，自系狱。帝赦不诛。

到营寨，搜集散兵，重新加固壁垒，自我防守。

正月二十三日辛巳，光武帝在洛阳建造四座亲庙，祭祀他的父亲南顿君刘钦以及上至高祖父舂陵节侯刘买。

二十四日壬午，大赦天下。

闰月乙巳日，邓禹呈上大司徒、梁侯的官印和绶带。光武帝诏令归还梁侯的官印和绶带，让他担任右将军。

冯异与赤眉军约定交战日期，让精壮兵士换上与赤眉军一样的服装，埋伏在路旁。天亮时，赤眉军派出万余人攻打冯异的前锋，冯异只用少数军队救援。赤眉军发现冯异人少势弱，就全军出动，攻打冯异，冯异这才全线出击，与赤眉军大战。太阳偏西时，赤眉军士气衰落，冯异伏兵突然杀出来，因服装相混，赤眉军不能分辨敌我，惊骇逃散。冯异率军追击，在崤底大败赤眉军，降服男女八万人。光武帝下达加盖皇帝玺印的诏书慰劳冯异说："你开始虽然在回谿阪受到挫折，最后能在渑池振翼高飞，可以说是失之东隅，收之桑榆。我要给你论功行赏，以酬答你的卓越功勋。"

赤眉军残余军队向东边溃退到宜阳县。二月十七日甲辰，光武帝亲自指挥大军，在宜阳县严阵等候赤眉军。赤眉军突然遇到东汉大军，吓得不知怎么办好，就派刘恭乞降，说："刘盆子率领百万部众投降陛下，陛下如何对待他呢？"光武帝说："待他不死罢了！"十九日丙午，刘盆子及丞相徐宣以下三十余人裸露上身投降，献上所得传国玺绶。赤眉军的兵器都堆积在宜阳城的西边，和熊耳山一样高。此时，赤眉军还有十余万人，光武帝命令宜阳县的厨官给赤眉军食物。第二天早晨，光武帝在洛水边列阵大批兵马，命令刘盆子君臣列队观看。光武帝对樊崇等人说："你们是否后悔投降？朕今天让你们回营，率领你们的军队鸣鼓相攻，决战胜负，朕不想勉强你们归顺。"徐宣等磕头说："臣等走出长安东都门，君臣商议，都愿归顺圣上。百姓可以和他们乐享成功，却不能和他们一开始就进行图谋，所以没有告诉部众。今天臣等能投降，就像离开虎口回到了慈母的怀抱，真的是高兴得很，没有一点后悔！"光武帝说："卿真是铁中之钢，平凡人中的佼佼者呀！"二十一日戊申，光武帝从宜阳县回到洛阳。光武帝让樊崇等人随同家人居住在洛阳，并赐给他们土地、住宅。后来，樊崇、逄安谋反，被杀。杨音、徐宣在家乡去世。光武帝可怜刘盆子，任命他为赵王刘良的郎中。后来，刘盆子因病失明，皇上就把荥阳县均输官所属的土地赐给他，让他终身享用土地上的租税。刘恭替刘玄报仇，杀了谢禄，自首投入监狱。皇上赦免了他，不予追究。

【段旨】

以上为第一段，写赤眉军的覆没，并交代赤眉诸将和刘盆子的后事。

【注释】

①甲子：正月初六日。②辄：常常；总是。③河北：县名，县治在今山西芮城西，位于黄河北岸。④度至湖：湖县在黄河南岸，隔河与河北县南北相对。度，通"渡"。⑤要：约。⑥倾诱：诱使别人顺服。⑦渑池：即黾池，县名，县治在今河南渑池县西。⑧万成计：万全之策。⑨移日：日影移动，言时间长久。⑩阳：通"佯"，假装。⑪小却：稍稍后退。⑫辛巳：正月二十三日。⑬立四亲庙于雒阳：光武帝在洛阳修建了四代亲庙。父以上四世，即高祖买（舂陵节侯）、曾祖外、祖回、父钦。雒阳，光武帝都洛阳，以汉为火德，忌水，故改洛阳为雒阳。⑭壬午：正月二十四日。⑮闰月乙巳：本年闰二月戊午朔，无乙巳日。乙巳应为二月十八日。⑯旦日：天亮时。⑰日昃：太阳偏西。⑱卒：通"猝"，突然。⑲崤底：地名，位于崤山山谷之底，在今河南渑池县西南。⑳降玺书劳异：下达加盖皇帝玺印的诏书慰劳冯异。降，下达。劳，慰劳。㉑垂翅回谿：指冯异兵败回谿。垂翅，垂翼，谓鸟翅下垂不能高飞。此喻指人受挫折，才

【原文】

二月，刘永立董宪为海西王。永闻伏隆至剧，亦遣使立张步为齐王。步贪王爵，犹豫未决。隆晓譬曰："高祖与天下约，非刘氏不王。今可得为十万户侯耳！"步欲留隆，与共守二州㊶。隆不听，求得反命，步遂执隆而受永封。隆遣间使㊷上书曰："臣隆奉使无状，受执凶逆。虽在困厄，授命㊸不顾。又，吏民知步反畔，心不附之，愿以时进兵，无以臣隆为念！臣隆得生到阙廷，受诛有司，此其大愿。若令没身㊹寇手，以父母、昆弟长累㊺陛下。陛下与皇后、太子永享万国㊻，与天无极㊼！"帝得隆奏，召其父湛，流涕示之，曰："恨㊽不且许㊾而遽求还也！"其后步遂杀之。帝方北忧渔阳，南事梁、楚，故张步得专集㊿齐地，据郡十二[51]焉。

力未能施展。㉒奋翼渑池：指于崤底大破赤眉军。奋翼，振翼高飞。此喻指人奋力有为。㉓东隅：日出之处。㉔桑榆：落日所照之处。㉕方论：正在议定。㉖以答大勋：用来报答你的大功。答，报答。大勋，大功。㉗甲辰：二月十七日。㉘严陈：严阵。陈，通"阵"。㉙所谓：所为。谓，通"为"。㉚丙午：二月十九日。㉛传国玺：秦以后皇帝世代相传的印章。相传秦用蓝田玉刻制，上纽交五龙，正面刻秦篆"受命于天，既寿永昌"八字。秦亡归汉，世世传授。㉜熊耳山：山名，秦岭东段支脉，以东西两峰相峙，状如熊耳得名。在今河南卢氏、嵩县之间。㉝县：指宜阳县。㉞厨：主管粮饷的官员。㉟乐成：乐享成功。㊱铁中铮铮：比喻才能较为出众的人。㊲佣中佼佼：指在平凡的人中才能较为突出。佣，平凡的人。佼佼，美好出众。㊳戊申：二月二十一日。㊴赵王：指刘秀叔父赵王刘良。㊵均输官：此指均输官之衙署。均输官属大司农。大司农下置均输令、丞，统一征收、买卖和运输货物。

【校记】

［1］步：原作"奔"。据章钰校，十二行本、乙十一行本、孔天胤本皆作"步"，张敦仁《通鉴刊本识误》、张瑛《通鉴校勘记》同，今据改。［2］谓：张敦仁《通鉴刊本识误》作"为"。

【语译】

二月，刘永封董宪为海西王。刘永听到伏隆到达剧县，也派出使者封张步为齐王。张步因贪图王爵，而犹豫不决。伏隆开导说："汉高祖曾与天下人约定，不是刘氏就不得封王。如今你能得十万户侯爵，应说待你不错！"张步想留下伏隆，和他共同防守青、徐二州。伏隆不同意，要求返回洛阳复命，张步就把伏隆抓起来，并接受刘永的王爵封号。伏隆暗中派遣特使上书说："臣奉命出使，没有收获，被凶恶的叛逆拘禁。臣虽然身处险境，即使献出生命，也义无反顾。再有，吏民知道张步叛变，心里都不愿归附他，希望陛下按时发兵，不要考虑臣的安危！臣能活着回到朝廷，接受主管官吏的诛杀，这是臣最大的愿望。倘若臣丧生于叛贼之手，父母兄弟就要长期托付陛下了。愿陛下和皇后、太子永远享有天下，地久天长！"光武帝看到伏隆的奏书，就召见伏隆的父亲伏湛，流着眼泪把伏隆的上书给他看，说："我恨不得伏隆暂且答应张步的要求，马上求得生还呀！"后来，张步终于杀了伏隆。皇上正担心北方的渔阳郡，南方正对梁、楚用兵，所以张步得以全力笼络齐地，占领了十二个郡。

帝幸怀。

吴汉率耿弇、盖延击青犊于轵52西，大破降之。

三月壬寅53，以司直伏湛为大司徒。

涿郡太守张丰反，自称无上大将军，与彭宠连兵。朱浮以帝不自征彭宠，上疏求救。诏报曰："往年赤眉跋扈54长安，吾策55其无谷必东，果来归附。今度此反虏，势无久全，其中必有内相斩者。今军资未充56，故须57后麦耳！"浮城中粮尽，人相食，会耿况遣骑来救，浮乃得脱身走，蓟城遂降于彭宠。宠自称燕王，攻拔右北平58、上谷数县，赂遗匈奴，借兵为助。又南结张步及富平、获索诸贼，皆与交通。

帝自将征邓奉，至堵阳59。奉逃归淯阳，董䜣降。夏，四月，帝追奉至小长安，与战，大破之。奉肉袒因60朱祜降。帝怜奉旧功臣，且衅起吴汉，欲全宥61之。岑彭、耿弇谏曰："邓奉背恩反逆，暴师62经年，陛下既至，不知悔善63，而亲在行陈，兵败乃降。若不诛奉，无以惩恶！"于是斩之。复朱祜位。

延岑既破赤眉，即拜置牧守，欲据关中。时关中众寇犹盛，岑据蓝田，王歆据下邽64，芳丹据新丰，蒋震据霸陵，张邯据长安，公孙守据长陵65，杨周据谷口，吕鲔据陈仓，角闳据汧，骆延据盩厔，任良据鄠66，汝章据槐里，各称将军，拥兵多者万余人，少者数千人，转相攻击。冯异且战且行，屯军上林苑中。延岑引张邯、任良共攻[3]异。异击，大破之，诸营保附岑者皆来降，岑遂自武关走南阳。时百姓饥饿，黄金一斤易豆五升，道路断隔，委输67不至，冯异军士悉以果实为粮68。诏拜南阳赵匡为右扶风，将兵助异，并送缣、谷。异兵谷渐盛，乃稍诛击豪杰不从令者，褒赏降附有功劳者，悉遣诸营渠帅诣京师，散其众归本业，威行关中。唯吕鲔、张邯、蒋震遣使降蜀69，其余悉平。

吴汉率骠骑大将军杜茂等七将军围苏茂于广乐。周建招集得十余万人救之。汉迎与之战，不利，堕马伤膝，还营。建等遂连兵入城。诸将谓汉曰："大敌在前，而公伤卧，众心惧矣！"汉乃勃然70裹创71而起，椎牛72飨士73，慰勉74之，士气自倍。旦日75，苏茂、周建出兵围

光武帝亲临怀县。

吴汉率领耿弇、盖延在轵县西边攻打青犊军，大破青犊军并使之投降。

三月十六日壬寅，光武帝任命司直伏湛为大司徒。

涿郡太守张丰叛乱，自称为无上大将军，和彭宠的军队联合起来。朱浮因皇上不亲自征讨彭宠，就上疏求救。光武帝下诏回应说："往年赤眉军在长安横暴，我预计他们缺粮一定会向东逃走，后来果然前来归顺。现今估计这些叛贼，其势不能长久保全，内部一定互相残杀。现今我军的军需物资不充足，所以要等收完麦子才出兵！"朱浮所在的蓟城粮食吃尽，人吃人，恰好耿况派遣骑兵来救，朱浮才得以脱身逃走，蓟城于是投降了彭宠。彭宠自称为燕王，攻陷右北平、上谷等几个县，送财物贿赂北方匈奴，向他借兵相助。又向南边结交张步以及富平、获索几路盗匪，彭宠都同他们往来。

光武帝亲自率军征讨邓奉，到达堵阳县。邓奉逃回淯阳县，董䜣投降。夏，四月，光武帝追击邓奉到小长安，同邓奉交战，大败邓奉。邓奉裸露上身，通过朱祜投降。光武帝怜悯邓奉是过去的有功之臣，而且他的反叛是由吴汉引起，想要保全生命宽恕他。岑彭、耿弇谏阻说："邓奉背叛恩主起兵造反，我军风餐露宿历经一年，陛下亲征抵达堵阳，他不知悔改向善，反而亲自上阵交战，失败了才投降。如果不杀邓奉，就无法惩戒恶人！"于是，杀了邓奉。恢复朱祜的官职。

延岑打败赤眉军之后，立即设置并任命州牧、太守，打算占领关中。当时关中地区盗贼势力仍很强大，延岑占有蓝田县，王歆占有下邽县，芳丹占有新丰县，蒋震占有霸陵县，张邯占有长安县，公孙守占有长陵县，杨周占有谷口县，吕鲔占有陈仓县，角闳占有汧县，骆延占有盩厔县，任良占有鄠县，汝章占有槐里县，各自号称将军，拥有部众多则万余人，少则数千人，各部之间互相攻打。冯异一边作战，一边向前推进，驻军上林苑中。延岑率领张邯、任良一起攻打冯异。冯异迎击，把他打得大败，很多归附延岑的营堡都来投降冯异，延岑便从武关逃到南阳县。当时，关中百姓饥荒，一斤黄金只能换五升豆子，道路阻绝，运送的粮食不能到达，冯异的士兵只好拿树上的果实充饥。光武帝下诏任命南阳人赵匡为右扶风太守，率领军队去援助冯异，并运送缣帛、粮食。冯异士兵有了补给，士气逐渐旺盛，于是攻杀那些不服从命令的豪强，奖赏投降有功的人，把各营堡的首领全都送到京城，遣散他们的部属，令他们各自回去从事农业，冯异威震关中。只有吕鲔、张邯、蒋震派出使节投降西蜀公孙述，其余都被扫平。

吴汉率领骠骑大将军杜茂等七位将军在广乐城围攻苏茂。刘永的另一大将周建召集到十余万人援救苏茂。吴汉迎战周建，失利，从马上摔倒，伤了膝盖，返回营地。周建等人于是带兵入城。众将领对吴汉说："大敌当前，而您却受伤躺在床上，军心恐慌！"吴汉就奋然起身，包扎好伤口，杀牛犒劳将士，慰问勉励他们，军中士

汉。汉奋击，大破之，茂走还湖陵。睢阳人反城迎刘永，盖延率诸将围之。吴汉留杜茂、陈俊守广乐，自将兵助延围睢阳。

车驾自小长安引还⑯，令岑彭率傅俊⑰、臧宫⑱、刘宏等三万余人南击秦丰。五月己酉⑲，车驾还宫。

乙卯晦⑳，日有食之。

六月壬戌㉑，大赦。

延岑攻南阳，得数城。建威大将军耿弇与战于穰㉒，大破之。岑与数骑走东阳㉓，与秦丰合；丰以女妻之㉔。建义大将军朱祐率祭遵等与岑战于东阳，破之。岑走归秦丰。祐遂南与岑彭等军合。

延岑护军邓仲况拥兵据阴县㉕，而刘歆孙龚㉖为其谋主㉗。前侍中扶风苏竟㉘以书说之，仲况与龚降。竟终不伐㉙其功，隐身㉚乐道㉛，寿终于家㉜。

秦丰拒岑彭于邓㉝，秋，七月，彭击破之。进围丰于黎丘，别遣积弩将军傅俊将兵徇江东㉞，扬州悉定。

盖延围睢阳百日，刘永、苏茂、周建突出㉟，将走酂㊱。延追击之急，永将庆吾㊲斩永首降。苏茂、周建奔垂惠㊳，共立永子纡㊴为梁王。佼强奔保西防。

冬，十月壬申㊵，上幸舂陵㊶，祠园庙㊷。

耿弇从容言于帝，自请北收上谷兵未发者，定彭宠于渔阳，取张丰于涿郡，还收富平、获索，东攻张步，以平齐地。帝壮㊸其意，许之。

十一月乙未㊹，帝还自舂陵。

是岁，李宪称帝，置百官，拥九城，众十余万。

帝谓太中大夫来歙曰："今西州㊺未附，子阳㊻称帝，道里阻远㊼，诸将方务㊽关东，思西州方略，未知所在㊾，奈何[4]？"歙曰："臣尝与隗嚣相遇长安。其人始起，以汉为名。臣愿得奉威命㊿，开以丹青之信，嚣必束手自归。则述自亡之势，不足图也！"帝然之，始令歙使于嚣。嚣既有功于汉，又受邓禹爵署，其腹心议者多劝通使京师，嚣乃奉奏诣阙。帝报以殊礼(111)，言称字(112)，用敌国(113)之仪(114)，所以慰藉(115)之甚厚。

气倍增。第二天，苏茂、周建出兵包围吴汉。吴汉奋力回击，大败敌军，苏茂逃回湖陵县。这时，睢阳人据城反叛，迎接刘永，盖延率领众将包围睢阳城。吴汉留下杜茂、陈俊防守广乐城，自己率领军队去支援盖延，包围睢阳城。

光武帝从小长安回师，命令岑彭率领傅俊、臧宫、刘宏等三万余人向南攻击秦丰。五月二十四日己酉，光武帝车驾回到洛阳宫。

三十日己卯，发生日食。

六月初七日壬戌，大赦天下。

延岑攻打南阳郡，占领了几座县城。建威大将军耿弇同延岑在穰县作战，大败延岑。延岑和几个骑兵逃到东阳县，与秦丰会合；秦丰把女儿嫁给延岑。建义大将军朱祐率领祭遵等同延岑在东阳交战，击败延岑。延岑逃到秦丰那里。朱祐于是向南和岑彭等军队会合。

延岑的护军邓仲况统兵占有阴县，而刘歆的孙子刘龚是他的主谋人。前侍中扶风人苏竟写信劝说他，邓仲况就与刘龚一起投降了。苏竟始终不夸耀自己的功绩，隐居乐道，在家寿终。

秦丰在邓县抵御岑彭，秋，七月，岑彭击败秦丰。进兵在黎丘城包围了秦丰，另外派积弩将军傅俊领兵进攻江东，扬州地区全部平定。

盖延围困睢阳一百天，刘永、苏茂、周建突围出城，将要逃到酂县。盖延快速追击，刘永的将领庆吾斩刘永首级投降。苏茂、周建逃到垂惠聚，共同立刘永的儿子刘纡为梁王。刘永另一个将领佼强逃到西防县自保。

冬，十月十九日壬申，光武帝巡幸舂陵，祭祀陵园寝庙。

耿弇闲谈时向光武帝说，请求到北方召集上谷郡还没有遣散的士兵，往渔阳郡平定彭宠，到涿郡捉拿张丰，转回来收拾富平、获索军，再转向东攻打张步，从而平定齐地。光武帝赞许他的雄心壮志，答应了他。

十一月十二日己未，光武帝从舂陵回京。

这一年，李宪称帝，设置文武百官，拥有九个县城，部众十余万。

光武帝对太中大夫来歙说:“如今西州还没有归附，公孙述又自称皇帝，道路险阻遥远，众将领正致力于征讨关东，考虑讨伐西州的方略时，还想不出办法来，该怎么办呢?”来歙说:“臣曾经和隗嚣在长安相见。此人开始起兵时，是以兴汉为名义。臣愿意奉陛下天威之命，陈述您丹青般的诚信，隗嚣一定会束手归顺。那么公孙述自然处于灭亡的形势，也就不值得费力图谋了!”光武帝赞同来歙的意见，开始派他出使隗嚣。隗嚣既对汉室有功，又接受邓禹署置的爵位，他的心腹及谋士们多劝他派使节和洛阳联系，于是隗嚣就捧着奏疏到朝廷。光武帝用特殊的礼仪接待隗嚣，说话时称他的字，用对待地位平等的国家的礼仪款待隗嚣，抚慰十分隆重。

【段旨】

以上为第二段，写光武帝平叛灭邓奉，诛梁王刘永，劝降隗嚣，而北边幽州彭宠、齐鲁张步、江东董宪、巴蜀公孙述、南阳秦丰、巴东田戎等数贼，仍割据称雄。

【注释】

㊶二州：指青、徐二州。㊷间使：负有伺机行事使命的使者。㊸授命：捐献生命。㊹没身：丧身。㊺累：托付。㊻万国：指天下。㊼无极：无穷尽，此言与天一样永存。㊽恨：悔恨。㊾且许：暂且答应。㊿专集：全力聚集；专力笼络。51郡十二：指城阳、琅邪、高密、胶东、东莱、北海、齐、千乘、济南、平原、泰山、淄川等十二郡国。52轵：县名，县治在今河南济源南。53壬寅：三月十六日。54跋扈：横暴。55策：预计。56充：足。57须：等待。58右北平：郡名，治所在今河北唐山市丰润区东。59堵阳：县名，县治在今河南方城东。60因：通过。61全宥：保全性命，宽恕罪行。62暴师：谓军队在外风餐露宿。63悔善：悔改向善。64下邽：县名，县治在今陕西渭南市东北。65长陵：县名，县治在今陕西咸阳东北。66鄠：县名，县治在今陕西西安市鄠邑区。67委输：转运；运送。68以果实为粮：采摘树上的野果作为充饥的食粮。69蜀：指盘踞蜀地的公孙述。70勃然：奋然。71裹创：包扎伤口。72椎牛：杀牛。73飨士：犒赏士卒。74慰勉：慰问勉励。75旦日：明日；第二天。76引还：率军退回。77傅俊（？至公元三一年）：字子卫，颍川郡襄城县（今河南襄城）人，历任侍中、积弩将军等，封昆阳侯。传见《后汉书》卷二十二。78臧宫（？至公元五八年）：字君翁，颍川郡郏县（今河南郏县）人，历任侍中、辅威将军、广汉太守、左中郎将等，封朗陵侯。传见《后汉书》卷十八。79己酉：五月二十四日。80乙卯晦：五月三十日。81壬戌：六月

【原文】

四年（戊子，公元二八年）

正月甲申[116]，大赦。

二月壬子[117]，上行幸怀。壬申[118]，还雒阳。

延岑复寇顺阳[119]。遣邓禹将兵击破之。岑奔汉中，公孙述以岑为大司马，封汝宁王。

初七日。㉜穰：县名，县治在今河南邓州市。㉝东阳：育阳县村镇名，在今河南南阳西南。㉞以女妻之：把女儿嫁给延岑。㉟阴县：县名，县治在今湖北老河口市西北。㊱龚：刘龚，字孟公。刘向曾孙，刘歆孙。㊲谋主：主谋的人。㊳苏竟：字伯况，扶风平陵县人，汉平帝时为讲书祭酒，王莽时为代郡都尉，光武时为代郡太守、侍中等。传见《后汉书》卷三十上。㊴伐：夸耀。㊵隐身：谓隐退家居，不贪求扬名于世。㊶乐道：喜好圣贤之道。㊷寿终于家：《后汉书》本传，"年七十，卒于家"。㊸邓：县名，县治在今湖北襄阳市西北。㊹江东：古代指自安徽芜湖市以下的江南地区为江东。江东之称始于汉初。㊺突出：突围出来。㊻酂：县名，县治在今河南永城西北。㊼庆吾：刘永部将。㊽垂惠：山桑县村镇名，位于县治南，在今安徽蒙城北。㊾纡：刘纡，刘永子。刘永被杀，其部下立纡为梁王。建武五年（公元二九年），纡被部下军士所杀。⑩壬申：十月十九日。⑩春陵：地名，在今湖北枣阳南。本为蔡阳县白水乡，汉光武祖舂陵侯刘仁由零陵郡泠道县（今湖南宁远东）的舂陵乡徙侯此地，于是改名舂陵。建武六年（公元三〇年），改为章陵县。⑩园庙：在帝王墓地所建的宗庙。⑩壮：推崇；赞许。⑩乙未：十一月十二日。⑩西州：指隗嚣占据的地区。⑩子阳：公孙述字。⑩阻远：险阻遥远。⑩方务：正在致力于。⑩未知所在：此言还没有想出解决西方隗嚣、公孙述问题的办法，故云未知方略所在。所在，在何处。⑩威命：天威之命，指诏命。⑪殊礼：特别的礼遇。⑪言称字：讲话时，称对方之字，以示尊敬。⑪敌国：地位或势力相等的国家。⑪仪：礼仪。⑪慰藉：抚慰。

【校记】

［3］攻：原作"击"。据章钰校，十二行本、乙十一行本、孔天胤本皆作"攻"，今据改。［4］奈何：原无此二字。据章钰校，十二行本、乙十一行本、孔天胤本皆有此二字，张敦仁《通鉴刊本识误》同，今据补。

【语译】

四年（戊子，公元二八年）

正月初二日甲申，大赦天下。

二月初一日壬子，光武帝巡幸怀县。二十一日壬申，回到洛阳。

延岑又侵犯顺阳县。光武帝派邓禹率军打败了延岑。延岑逃往汉中郡，公孙述任命延岑为大司马，封为汝宁王。

田戎闻秦丰破，恐惧，欲降。其妻兄辛臣图[120]彭宠、张步、董宪、公孙述等所得郡国以示戎曰："雒阳地如掌[121]耳，不如且按甲[122]以观其变。"戎曰："以秦王[123]之强，犹为征南[124]所围，吾降决矣！"乃留辛臣使守夷陵，自将兵沿江溯沔上黎丘[125]。辛臣于后盗戎珍宝，从间道[126]先降于岑彭，而以书招戎曰："宜以时降，无拘前计！"戎疑臣卖己，灼龟卜降[127]，兆中坼[128]，遂复反，与秦丰合。岑彭击破之，戎亡归夷陵。

夏，四月丁巳[129]，上行幸邺。己巳[130]，幸临平[131]，遣吴汉、陈俊、王梁击破五校于临平。鬲县[132]五姓共逐守长[133]，据城而反。诸将争欲攻之。吴汉曰："使鬲反者，守长罪也。敢轻冒进兵者斩！"乃移檄告郡使收守长，而使人谢[134]。城中五姓大喜，即相率降。诸将乃服，曰："不战而下城，非众所及也！"

五月，上幸元氏。辛巳[135]，幸卢奴，将亲征彭宠。伏湛谏曰："今兖、豫、青、冀，中国之都[136]，而寇贼从横，未及从化[137]。渔阳边外[138]荒耗[139]，岂足先图！陛下舍近务远，弃易求难，诚臣之所惑也！"上乃还。

帝遣建义[5]大将军朱祜、建威大将军耿弇、征虏将军祭遵、骁骑将军刘喜[140]讨张丰于涿郡。祭遵先至，急攻丰，禽之。初，丰好方术，有道士言丰当为天子，以五彩囊裹石系丰肘，云"石中有玉玺"。丰信之，遂反。既执，当斩，犹曰"肘石有玉玺"。傍人为椎破之，丰乃知被诈，仰天叹曰："当死无恨！"

上诏耿弇进击彭宠。弇以父况与宠同功[141]，又兄弟无在京师者，不敢独进，求诣雒阳。诏报[142]曰："将军举宗为国，功效尤著，何嫌何疑，而欲求征[143]！"况闻之，更遣弇弟国[144]入侍[145]。时祭遵屯良乡[146]，刘喜屯阳乡[147]，彭宠引匈奴兵欲击之。耿况使其子舒[148]袭破匈奴兵，斩两王，宠乃退走。

六月辛亥[149]，车驾还宫。

秋，七月丁亥[150]，上幸谯，遣捕虏将军马武、骑都尉王霸围刘纡、周建于垂惠。

董宪将贲休以兰陵[151]降。宪闻之，自郯[152]围之。盖延及平狄将

田戎听说秦丰被打败，很害怕，打算投降。他妻子的哥哥辛臣画出彭宠、张步、董宪、公孙述等所得郡、国给田戎看，对他说：“洛阳之地就像手掌那么大而已，不如暂且按兵不动，以观察局势的变化。”田戎说：“以秦丰之强，还被征南将军岑彭所围困，我决心投降！”于是留下辛臣，让他守卫夷陵县，自己率领军队沿江而下至沔水，再由沔水逆流而上到达黎丘。辛臣在田戎出发后盗取田戎的珍宝，从小路抢先向岑彭投降，而后写信给田戎说：“你应该及时投降，不要拘泥于以前的计划！”田戎怀疑辛臣出卖自己，就用龟甲占卜是否投降，龟甲的裂纹从中断开，于是田戎又反叛，同秦丰联合。岑彭率军打败田戎，田戎逃回夷陵县。

夏，四月初七日丁巳，光武帝巡幸鄴县。十九日己巳，光武帝到达临平县，派吴汉、陈俊、王梁在临平县击败五校军。鬲县五家豪门大族一起赶走郡太守和县令，占据县城反叛。众将领抢着要去攻打。吴汉说：“让鬲县人反叛，是郡太守和县令的罪过。敢轻易冒险进军的人，斩首！”于是用公文通告郡府拘捕郡太守和县令，派人向鬲县人谢罪。城中五家豪门大族非常高兴，立即一起投降。众将领这才心服，说：“不打仗就拿下城邑，这不是我们所能及的！”

五月，光武帝临幸元氏县。初一日辛巳，光武帝临幸卢奴县，将要亲自讨伐彭宠。伏湛谏阻说：“如今兖、豫、青、冀等州是中国的中心地区，而盗匪贼寇横行霸道，还没有顺从归化。渔阳郡是边境荒凉贫瘠之地，哪里值得首先去图谋呢！陛下舍近求远，弃易求难，实在使臣感到迷惑！”光武帝才返回洛阳。

光武帝派建义大将军朱祜、建威大将军耿弇、征虏将军祭遵、骁骑将军刘喜在涿郡征讨张丰。祭遵先到，发动猛烈攻击，活捉了张丰。当初，张丰喜好方术，有个道士说张丰应做天子，用五彩口袋包一块石头，系在张丰的手腕上，说“石头里有皇帝用的玉玺”。张丰深信不疑，于是叛变。被活捉后，罪当斩首，张丰还说“手腕系的石头里有玉玺”。旁边的人把石头槌开后，张丰这才知道被骗，仰天长叹说：“我该死，没有什么遗憾的！”

光武帝诏令耿弇攻打彭宠。耿弇因父亲耿况和彭宠同有助汉的功勋，又无兄弟在京师做人质，不敢单独进军，就要求前往洛阳。光武帝下诏书回复说：“将军全族人都为国效忠，功劳十分显著，有什么嫌隙和疑虑而要求征还洛阳呢！”耿况得知此事后，就又派耿弇的弟弟耿国入朝侍奉皇帝。这时，祭遵驻军良乡县，刘喜驻军阳乡县，彭宠想引导匈奴军队进攻他们。耿况派他的儿子耿舒偷袭并打败了匈奴军队，杀了两位匈奴亲王，彭宠便败退而逃走。

六月初二日辛亥，皇帝车驾回到洛阳宫。

秋，七月初八日丁亥，皇上巡幸谯县，派捕虏将军马武、骑都尉王霸在垂惠聚包围梁王刘纡、周建。

董宪的部将贲休献出兰陵县投降汉军。董宪知道后，就从郯县去包围兰陵县。

军山阳庞萌[153]在楚，请往救之。帝敕曰："可直往捣[154]郏，则兰陵自解。"延等以贲休城危，遂先赴之。宪逆战而阳败退，延等因拔围入城[155]。明日，宪大出兵合围。延等惧，遽出突走，因往攻郏。帝让之曰："间[156]欲先赴郏者，以其不意故耳！今既奔走，贼计已立，围岂可解乎！"延等至郏，果不能克。而董宪遂拔兰陵，杀贲休。

八月戊午[157]，上幸寿春[158]，遣扬武将军南阳马成[159]率诛虏将军南阳刘隆[160]等三将军发会稽、丹阳[161]、九江[162]、六安[163]四郡兵击李宪。九月，围宪于舒[164]。

王莽末，天下乱，临淮大尹河南侯霸[165]独能保全其郡。帝征霸会寿春，拜尚书令。时朝廷无故典[166]，又少旧臣，霸明习故事，收录遗文，条奏[167]前世善政法度，施行之。

冬，十月甲寅[168]，车驾还宫。

隗嚣使马援往观公孙述。援素与述同里闬[169]，相善，以为既至，当握手欢如平生。而述盛陈陛卫[170]以延[171]援入，交拜礼毕，使出就馆[172]。更为援制都[173]布单衣、交让冠[174]。会百官于宗庙中，立[175]旧交之位，述鸾旗[176]、旄骑[177]，警跸就车，磬折[178]而入，礼飨[179]官属甚盛，欲授援以封侯大将军位。宾客[180]皆乐留[181]，援晓之曰："天下雌雄[182]未定，公孙不吐哺[183]走迎国士，与图成败，反修饰边幅[184]，如偶人形[185]，此子[186]何足久稽[187]天下士乎！"因辞归，谓嚣曰："子阳，井底蛙耳，而妄自尊大！不如专意[188]东方。"

嚣乃使援奉书雒阳。援初到，良久[189]，中黄门[190]引入。帝在宣德殿[191]南庑[192]下，但帻[193]，坐，迎笑，谓援曰："卿遨游[194]二帝[195]间。今见卿，使人大惭。"援顿首辞谢，因曰："当今之世，非但君择臣，臣亦择君矣！臣与公孙述同县，少相善，臣前至蜀，述陛戟[196]而后进臣。臣今远来，陛下何知非刺客奸人，而简易若是！"帝复笑曰："卿非刺客，顾[197]说客[198]耳。"援曰："天下反覆，盗名字者[199]不可胜数。今见陛下恢廓大度[200]，同符[201]高祖，乃知帝王自有真也。"

太傅卓茂薨。

盖延跟平狄将军山阳县人庞萌驻扎在楚地，请求前往兰陵救援贲休。光武帝告诫说："可直接前往攻打郯县，那么，兰陵县自然解除包围。"盖延等人认为贲休的城池危急，就先去救贲休。董宪迎战而假装败退，盖延等于是突破包围进入兰陵城。第二天，董宪率领大军重新包围兰陵。盖延等人害怕，立即出城突围，前往攻打郯县。光武帝责备盖延等人说："前些时想让你们先攻打郯县，为的是出其不意！现在你们既然败走，敌军的谋略已定，兰陵城之围难道还能解除吗！"盖延赶到郯县，果然不能取胜。而董宪却攻下兰陵县，杀了贲休。

八月初十日戊午，光武帝幸临寿春县，派扬武将军南阳人马成率领诛虏将军南阳人刘隆等三位将军征调会稽、丹阳、九江、六安四个郡的兵力攻打李宪。九月，在舒县包围李宪。

王莽末年，天下大乱，唯独临淮郡大尹河南人侯霸能保全其郡。光武帝征召侯霸到寿春会见，任命为尚书令。当时，东汉朝廷没有旧典可依，又缺少西汉老臣，而侯霸熟悉旧制，就让他搜集失散的文献档案，分条呈奏前代的善政法制，加以实施。

冬，十月初七日甲寅，皇帝车驾回到洛阳宫。

隗嚣派马援前往成都观察公孙述的动向。马援和公孙述原本是同乡，一向友好，认为到达成都以后，两人一定像过去那样握手相欢。但公孙述大量布置警卫来迎接马援进入，交拜礼过后，就要马援出宫，到客舍休息。另外用都布为马援制作了单衣、交让冠。公孙述在宗庙会集文武百官，设置旧友的座位，公孙述从皇宫出来，设立天子的鸾旗、旄骑，开路清道，禁止行人，登车前往宗庙，弯腰如磬而入，隆重地以礼宴饮宾客，打算封马援侯爵，任命为大将军。马援带领的宾客们都乐意留下，马援开导他们说："天下胜负还未定，公孙述不懂得以一饭三吐哺来接待国士，与他们图谋大业成败，反而修饰仪表，就像木偶人，这种人怎能长久留住天下贤士呢！"于是告辞而回，对隗嚣说："公孙述，井底之蛙而已，却狂妄自大！不如一心归向东方。"

隗嚣就派马援带着给刘秀的书信到洛阳。马援刚到，等了很久，中黄门领进。光武帝在宣德殿南侧的廊屋下，头上裹着包头巾，坐着，笑着起来迎接，对马援说："先生遨游二帝之间。今天看见您，使我感到惭愧。"马援磕头拜谢，乘机说："当今，不但君主选择臣子，臣子也要选择君主。臣与公孙述是同乡，从小就要好，臣前些时到成都，公孙述在陛侧布置持戟卫士后，才肯让臣进去。臣今远道而来，陛下怎么知道臣不是奸人刺客，如此简装召见呢！"光武帝又笑着说："先生不是刺客，只是个说客罢了。"马援说："天下动荡不安，窃取帝王名号的人不计其数。今天臣见陛下宽宏大度，和汉高祖相同，才知道帝王原本有天命的。"

太傅卓茂去世。

十一月丙申[202]，上行幸宛。岑彭攻秦丰三岁，斩首九万余级。丰余兵裁[203]千人，食且尽。十二月丙寅[204]，帝幸黎丘，遣使招丰，丰不肯降。乃使朱祐等代岑彭围黎丘，使岑彭、傅俊南击田戎。

公孙述聚兵数十万人，积粮汉中。又造十层楼船，多刻天下牧守印章。遣将军李育[205]、程乌[206][6]将数万众出屯陈仓，就吕鲔，将徇三辅。冯异迎击，大破之，育、乌俱奔汉中。异还，击破吕鲔，营保降者甚众。

是时，隗嚣遣兵佐异有功，遣使上状，帝报以手书曰："慕乐[207]德义，思相结纳。昔文王三分，犹服事殷[208]，但驽马[209]、铅刀[210]，不可强扶，数蒙伯乐[211]一顾之价[212]。将军南拒公孙之兵，北御羌、胡之乱，是以冯异西征，得以数千百人踯躅[213]三辅。微[214]将军之助，则咸阳[215]已为他人禽[216]矣！如令子阳到汉中，三辅愿因[217]将军兵马，鼓旗相当。傥[218]肯如言，即智士[219]计功割地[220]之秋也！管仲[221]曰：'生我者父母，成我者鲍子[222]。'自今以后，手书[223]相闻，勿用傍人间构[224]之言。"其后公孙述数遣将间出[225]，嚣辄与冯异合势，共摧挫[226]之。述遣使以大司空、扶安王印绶授嚣。嚣斩其使，出兵击之，以故蜀兵不复北出。

泰山豪杰多与张步连兵。吴汉荐强弩大将军陈俊为泰山太守，击破步兵，遂定泰山。

【段旨】

以上为第三段，写建武四年（公元二八年），汉兵灭张丰，败秦丰、田戎，联合隗嚣抗拒公孙述，确保关中。马援归服光武帝。

【注释】

[116]甲申：正月初二日。[117]壬子：二月初一日。[118]壬申：二月二十一日。[119]顺阳：县名，县治在今河南内乡西南。[120]图：此作动词用，绘；画。[121]如掌：像手掌一样大小。喻其地狭小。[122]按甲：即按兵，屯兵不动。按，停止。[123]秦王：指秦丰。秦丰于建武二年（公元二六年）在邔县黎丘乡称王，以黎丘为古楚地，所以自称楚黎王。田戎以其姓秦

十一月十九日丙申，光武帝巡幸宛县。岑彭攻打秦丰三年，杀了九万余人。秦丰剩余的部队才一千人，粮食将要断绝。十二月二十日丙寅，光武帝幸临黎丘城，派使者招降秦丰，秦丰不肯投降。于是派朱祜等人代替岑彭包围黎丘，派岑彭、傅俊南下攻打田戎。

公孙述结集兵马数十万，在汉中郡囤积粮食。又建造十层的楼船，大量刻制天下州牧、太守的印章。派将军李育、程乌率领数万军队出外驻扎在陈仓，到吕鲔那里，即将攻取三辅地区。冯异率军迎击，大败敌军。李育、程乌都逃回汉中郡。冯异回军打败吕鲔，各地的营寨纷纷投降。

这时，隗嚣派兵协助冯异作战有功，派使者上报朝廷。光武帝亲自写信回复说："将军向往喜好恩德信义，希望与将军结交，从前周文王三分天下有其二，还侍奉殷朝，只是我像劣马与铅刀，不可勉强扶持，却多次承蒙您这位伯乐一顾而增价十倍。将军南面抗拒公孙述的军队，北面抵御羌胡的侵扰，因此冯异西征，才得以靠几千人的队伍在三辅来往活动。如果没有将军的帮助，那么咸阳早已被人占据了！如果公孙述到了汉中，三辅地区就托给将军，依靠将军的兵马抗拒公孙述，旗鼓相当。如果你同意按我的话做，那就是智士立功封侯的时候了。管仲说：'生我的是父母，成就我的是鲍叔牙。'从今以后，我俩之间用亲笔通信，不要听信旁人离间中伤之言。"此后，公孙述一再乘隙出兵三辅，隗嚣常与冯异联合，共同挫败公孙述。公孙述派使者送给隗嚣大司空、扶安王的印章绶带。隗嚣杀了使者，出兵攻击，因此蜀兵再没有北上。

泰山郡的豪杰很多与张步连兵。吴汉举荐强弩大将军陈俊为泰山郡太守，击败张步的军队，于是平定了泰山郡。

称王，所以称其秦王。⑫④征南：指岑彭。当时岑彭为征南大将军。⑫⑤溯沔上黎丘：溯，逆水而上。沔，河流名，即汉水。此言从汉水入江处溯汉而上到达黎丘。⑫⑥间道：小路。⑫⑦灼龟卜降：指用龟甲占卜投降的吉凶。灼，烧；炙。龟，指龟甲，用以占卜。古代用火烧炙龟甲，视其裂纹以测吉凶。⑫⑧兆中坼：龟甲裂纹从中断开。兆，占卜时烧灼龟甲兽骨所呈现的预示吉凶的裂纹。坼，裂开。⑫⑨丁巳：四月初七日。⑬⓪己巳：四月十九日。⑬①临平：县名，县治在今河北辛集北。⑬②鬲县：县名，县治在今山东德州东南。⑬③守长：郡守、县令。此指地方长官。⑬④谢：谢罪；认错。⑬⑤辛巳：五月初一日。⑬⑥都：中心地区之称。⑬⑦从化：顺从归化，指接受统治。⑬⑧边外：边境。⑬⑨荒耗：荒僻贫瘠。⑭⓪刘喜：字共仲，钜鹿郡昌城县（今河北衡水市冀州区西北）人，初与兄刘植同归光武，植为骁骑将军，喜为偏将军。建武二年（公元二六年），刘植战死，以喜率

植之军，继植为骁骑将军，封观津侯。⑭同功：都有助刘秀徇定河北之功。⑭报：指对耿弇请求的答复。⑭求征：指请求召回京师洛阳。⑭国：耿弇弟名。⑭入侍：入朝侍奉皇帝。⑭良乡：县名，县治在今北京市房山区东南。⑭阳乡：县名，县治在今河北固安西北。⑭舒：耿况子名。⑭辛亥：六月初二日。⑮丁亥：七月初八日。⑮兰陵：县名，县治在今山东枣庄东南。⑮郯：县名，县治在今山东郯城西北。⑮庞萌（？至公元三〇年）：山阳郡人，刘玄时为冀州牧。刘秀称帝，为侍中、平狄将军。建武四年反叛，自号东平王。后事败被杀。传见《后汉书》卷十二。⑮捣：攻打。⑮拔围入城：指盖延突破了董宪之围，进入兰陵城。⑮间：前些时。⑮戊午：八月初十日。⑮寿春：县名，县治在今安徽寿春。⑮马成（？至公元五六年）：字君迁，南阳郡棘阳县人，历任扬武将军、天水太守、行大司空事、中山太守等，封全椒侯。传见《后汉书》卷二十二。⑯刘隆（？至公元五七年）：字符伯，南阳郡安众县（今河南邓州东北）人，历任诛虏将军、南阳太守、中郎将、骠骑将军行大司空事，封慎侯。传见《后汉书》卷二十二。⑯丹阳：郡名，治所在今安徽宣城。⑯九江：郡名，治所在今安徽淮南市东。⑯六安：王国名，治所在今安徽六安东北。⑯舒：县名，县治在今安徽庐江县西南。⑯侯霸（？至公元三七年）：字君房，河南郡密县人，官至大司徒，封关内侯。传见《后汉书》卷二十六。⑯故典：旧典；旧的规章制度。⑯条奏：分条上奏。⑯甲寅：十月初七日。⑯里闬：里门，指乡里。⑰陛卫：陛侧的侍卫。陛，殿、坛的台阶。⑰延：迎。⑰就馆：到客舍。⑰都：布名。⑰交让冠：冠名。⑰立：设置。⑰鸾旗：天子车上之旗。赤色，编以羽毛，上绣鸾鸟。⑰旄骑：皇帝仪仗中的一种担任先驱的骑兵。⑰磬折：屈身如磬的曲折，以表示谦恭。⑰礼飨：以礼宴饮宾客。⑱宾客：指马援的随从。⑱乐留：乐意留下。⑱雌雄：喻指胜负。⑱哺：口中所含的食物。相传周公为接待士人一饭三吐哺。极言殷勤待士，求贤心切。⑱边幅：布制的边缘，喻指人的仪表、衣着。⑱偶人形：用土木陶瓷等制成的人形物。形，情况；样子。⑱此子：指公孙述。⑱稽：留。⑱专意：专心；心思专用于某一方面。⑱良久：很久。⑲中黄门：官名，宦官充任，属少府，在宫中供役使。⑲宣德殿：殿名。⑲庑：殿堂下周围的走廊、廊屋。⑲帻：包扎发髻的

【原文】

五年（己丑，公元二九年）

春，正月癸巳㉗，车驾还宫。

帝使来歙持[7]节送马援归陇右。隗嚣与援共卧起，问以东方事，曰："前到朝廷，上引见数十，每接㉘燕语㉙，自夕至旦，才明㉚勇

巾。⑲遨游：奔走；周旋。⑲二帝：指自己与公孙述。公孙述于更始三年（公元二五年）四月称帝。⑲陛戟：近臣持戟侍卫陛侧。⑲顾：只是。⑲说客：游说的人。⑲盗名字者：指占据一地，自建名号，称帝称王。名字，名号。⑳恢廓大度：胸怀开阔，宽宏大量。⑳同符：相合；完全相同。⑳丙申：十一月十九日。⑳裁：通“才”。⑳丙寅：十二月二十日。⑳李育：公孙述将。后述败，降光武。⑳程乌：一名程焉，公孙述将。后述败，降光武。⑳慕乐：向往喜好。⑳昔文王三分二句：《论语·泰伯》中有“孔子曰：‘三分天下有其二，以服事殷。周之德，其可谓至德也已矣。’”句。⑳驽马：劣马；下等的马。⑳铅刀：用铅制成的刀，刃钝，不锋利。此以驽马、铅刀喻指人愚钝没有才能。㉑伯乐：人名，相传姓孙，名阳，字伯乐，春秋秦穆公时人，是一位著名的善于相马、驯马的人。㉑一顾之价：《战国策·燕策二》，人有卖骏马者，“往见伯乐曰：‘臣有骏马，欲卖之，此三旦立于市，人莫与言。愿子还而视之，去而顾之，臣请献一朝之贾。’伯乐乃还而视之，去而顾之，一旦而马价十倍”。伯乐一顾而马价提高十倍，用以喻指由于受人称扬提携而自己的地位得到提高。㉑踯躅：来回走动，此指活动于一个地区。㉑微：没有。㉑咸阳：指冯异。冯异入关中，所战克捷，人称咸阳王，故此以咸阳代称冯异。㉑禽：同“擒”，活捉。㉑因：利用。㉑傥：如果。㉑智士：有智慧或有智谋的人。㉒计功割地：立功封侯。㉒管仲（？至公元前六四五年）：名夷吾，字仲，春秋齐国人，辅佐齐桓公称霸诸侯，是我国古代著名政治家。㉒成我者鲍子：语出《史记·管晏列传》。成，成就。鲍子，指鲍叔牙，又称鲍叔，春秋齐国人，与管仲交，知管仲贤，将管仲推荐给齐桓公，于是管仲相齐桓公称霸诸侯。管仲感慨称扬鲍子，曰：“生我者父母，成我者鲍子。”㉒手书：亲手写的书信。㉒间构：离间中伤。㉒间出：乘隙而出。㉒摧挫：挫败。

【校记】

［5］建义：原作“建议”。据章钰校，十二行本、乙十一行本、孔天胤本皆作“建义”，今据改。［6］乌：张敦仁《通鉴刊本识误》作“焉”。下同。

【语译】

五年（己丑，公元二九年）

春，正月十七日癸巳，皇帝车驾回到洛阳宫。

光武帝派来歙持节送马援回陇右。隗嚣与马援同床卧起，询问东边洛阳的情况，马援说：“前些天我到朝廷，皇上召见我数十次，每次见面闲谈，通宵达旦，皇上的

略[231]，非人敌[232]也。且开心见诚，无所隐伏，阔达[233]多大节，略与高帝同，经学博览，政事文辨[234][8]，前世无比。”嚣曰：“卿谓何如高帝？”援曰：“不如也。高帝无可无不可，今上好吏事[235]，动如节度[236]，又不喜饮酒。”嚣意不怿[237]，曰：“如卿言，反复胜邪[238]！”

二月丙午[239]，大赦。

苏茂将五校兵救周建于垂惠。马武为茂、建所败，奔过[240]王霸营，大呼求救。霸曰：“贼兵盛，出必两败，努力[241]而已！”乃闭营坚壁。军吏皆争之，霸曰：“茂兵精锐，其众又多，吾吏士心恐，而捕虏[242]与吾相恃[243]，两军不一[244]，此败道也。今闭营固守，示不相援，贼必乘胜轻进，捕虏无救，其战自倍[245]。如此，茂众疲劳，吾承其敝，乃可克也。”茂、建果悉出攻武，合战良久，霸军中壮士数十人断发[246]请战，霸乃开营后，出精骑袭其背。茂、建前后受敌，惊乱败走，霸、武各归营。茂、建复聚兵挑战，霸坚卧不出，方飨士作倡乐[247]。茂雨射营中[248]，中霸前酒樽[249]，霸安坐不动。军吏皆曰：“茂前日已破，今易击也！”霸曰：“不然，苏茂客兵[250]远来，粮食不足，故数挑战，以徼[251]一时之胜。今闭营休士，所谓‘不战而屈人兵[252]’者也。”茂、建既不得战，乃引还营。其夜，周建兄子诵[253]反[254]，闭城拒[255]之，建于道死。茂奔下邳[256]，与董宪合。刘纡奔佼强。

乙丑[257]，上行幸魏郡。

彭宠妻数为恶梦，又多见怪变。卜筮、望气[258]者皆言兵当从中[259]起。宠以子后兰卿质汉归，不信之，使将兵居外，无亲于中。宠斋[260]在便室[261]，苍头[262]子密[263]等三人因宠卧寐[264]，共缚着床，告外吏云：“大王斋禁，皆使吏休。”伪称宠命，收缚奴婢，各置一处。又以宠命呼其妻，妻入，惊曰：“奴反！”奴乃捽[265]其头，击其颊[266]。宠急呼曰：“趣为诸将军办装[267]！”于是两奴将妻入取宝物，留一奴守宠。宠谓守奴曰：“若小儿[268]，吾素所爱也。今为子密所迫劫耳！解我缚，当以女珠[269]妻汝，家中财物皆以与若。”小奴意欲解之，视户外，见子密听其语，遂不敢解。于是收金玉衣物，至宠所装之，被马[270]六匹，

才智勇略，不是其他人敌得上的。况且敞开胸怀，披露诚心，没有什么隐藏，心胸豁达，常持大节，大致与汉高帝相同，博览经学，政事上能文善辨，前代帝王没有人比得上他。”隗嚣说：“你细说一下与汉高帝相比怎么样？”马援说：“比不上汉高帝。汉高帝无可无不可，当今皇上喜欢政务，行动符合法度，又不喜欢饮酒。”隗嚣很不高兴，说：“照你的说法，反而胜过高帝！”

二月初一日丙午，大赦天下。

苏茂率领五校之兵到垂惠聚救援周建。马武被苏茂、周建联军打败，败逃时经过王霸军营，大声呼喊求救。王霸说：“贼兵士气旺盛，我出战，你我一定都失败，你自己努力吧！”于是紧闭军营，坚壁自守。军官们都争着要去营救，王霸说：“苏茂的士兵精锐，他的人数又多，我军官兵恐慌，而捕虏将军马武与我互相依靠，两军指挥又不统一，这只会走向失败。如今我紧闭军营固守，显示不去救援，敌人一定会乘胜轻率进军，捕虏将军没有救援，作战自然加倍努力。这样一来，苏茂军会精疲力竭，我军趁贼兵疲弊时袭击，才能取胜。”苏茂、周建果然倾巢出动攻击马武，双方交战很久，王霸军中有几十个勇士割断头发，请求出战，王霸这才打开军营的后门，出动精锐骑兵袭击贼兵的后背。苏茂、周建前后受到夹攻，惊慌败逃，王霸、马武各自回营。苏茂、周建重新集合军队挑战，王霸坚决休息不出战，正在军营设宴酬劳将士，艺人演奏歌舞。苏茂军像下雨一样向王霸军营射箭，一箭射中王霸面前的酒杯，王霸安坐不动。军官们都说：“苏茂前天已被打败，今天容易击溃他！”王霸说：“不是这样，苏茂客军从远道而来，粮食不足，所以多次挑战，以求一战取胜。如今我坚闭营门，修整士兵，这正是‘不战而屈人之兵’的方法啊。”苏茂、周建得不到机会交战，只好退回军营。当天夜里，周建哥哥的儿子周诵反叛，关闭城门，不接纳苏茂、周建，周建死在逃跑的路上。苏茂投奔下邳郡，与董宪会合。刘纡逃奔佼强。

二月二十日乙丑，光武帝巡幸魏郡。

彭宠的妻子多次做噩梦，又见到很多奇怪反常的现象。占卜、望气的人都说乱兵将从内部兴起。彭宠因为子后兰卿在洛阳做人质回来，不信任他，派他率领军队住在外地，不让他留在府中。彭宠在便室斋戒，奴仆子密等三人趁彭宠睡觉，一起用绳索把彭宠绑在床上，对府外的官吏说：“大王正在斋戒，让大家都休息。”他们假传彭宠的命令，把其他奴仆、婢女都捆绑起来，各置一处。又利用彭宠的命令，叫来他的妻子，彭宠的妻子一进便殿，惊恐大叫：“奴仆反了！”奴仆就揪住她的头发，打她的耳光。彭宠急喊：“赶快为这几位将军置办行装！”于是两个奴仆带着彭宠的妻子到后宫掠取金银财宝，只留下一个奴仆看守彭宠。彭宠对看守他的奴仆说：“你是个小孩子，我素来喜欢你。而今只是被子密逼迫而已！替我解开缚绳，我会把女儿彭珠嫁给你，家里的财宝也都给你。”小奴仆想为他解开绳子，就观察门外动静，看到子密在听他们说话，便不敢去解。于是，子密等搜取财宝衣物，回到彭宠被捆的便殿，装入袋子，

使妻缝两缣囊。昏夜后，解宠手，令作记㉗告城门将军云："今遣子密等至子后兰卿所，速开门出[9]，勿稽留㉗之。"书成，斩宠及妻头置囊中，便持记驰出城，因以诣阙。明旦，阁门不开，官属逾墙而入，见宠尸，惊怖。其尚书韩立等共立宠子午为王，国师韩利斩午首诣祭遵降，夷其宗族。帝封子密为不义侯。

权德舆㉗议曰："伯通㉗之叛命，子密之戕㉗君，同归于乱，罪不相蔽，宜各致于法，昭示㉗王度㉗。反乃爵于五等㉗，又以'不义'为名。且举㉗以不义，莫可侯也。此而可侯，汉爵为不足劝㉘矣。《春秋》书齐豹盗、三叛人名之义㉘，无乃异于是乎㉘！"

帝以扶风郭伋㉘为渔阳太守。伋承离乱之后，养民训兵，开示威信，盗贼销散，匈奴远迹。在职五年，户口增倍。

帝使光禄大夫樊宏持节迎耿况于上谷，曰："边郡寒苦，不足久居。"况至京师，赐甲第㉘，奉朝请㉘，封牟平侯。

【段旨】

以上为第四段，写王霸智胜苏茂，诛周建。彭宠因家奴反叛而灭亡，北疆平定。

【注释】

㉗癸巳：正月十七日。㉘接：会合。此指会面。㉙燕语：交谈；闲谈。㉚才明：才智。㉛勇略：勇敢和谋略。㉜非人敌：不是其他人能敌得上的。㉝阔达：胸怀开阔；豁达。㉞文辨：即文辩，能文善辩。㉟吏事：政事。㊱如节度：符合法度。㊲怿：喜悦。㊳反复胜邪：反而更胜一筹。复，又。胜，超过。㊴丙午：二月初一日。㊵奔过：败逃中经过。㊶弩力：犹努力。㊷捕虏：指马武。马武这时为捕虏将军。㊸恃：依

备好六匹马，又叫彭宠的妻子缝两个绢袋。天黑之后，把彭宠手上的绳索解开，命令他给守卫城门的将军写下通行文书："今派子密等人到子后兰卿处，立即开门出去，不得滞留他们。"写好后，子密等人杀了彭宠和他的妻子，把他们的头装在口袋里，拿着通行文书驱马出城，直奔东汉都城洛阳。第二天早晨，彭宠的府门不开，他的下属翻墙进入，见了彭宠的尸体，都很惊慌。彭宠的尚书韩立等人一起立彭宠的儿子彭午为燕王，国师韩利斩了彭午的头，到祭遵处投降，祭遵夷灭了彭宠的宗族。光武帝封子密为不义侯。

权德舆评议说："彭宠叛变，子密弑君，同样都属作乱，罪恶不能掩盖，都应各自绳之以法，以显示圣主的法度。光武帝反而授予子密五等中的爵位，又用'不义'作为名称。既然子密的行为不义，就不应封为侯爵。如果这种行为可以封侯，东汉的爵位就不足以起到劝勉的作用了。《春秋》记载卫国司寇齐豹因私怨杀死卫侯的哥哥孟絷而称强盗，对庶其、黑肱、牟夷三个叛徒直书其名，恐怕与光武帝的做法是不一样的吧！"

光武帝任命扶风人郭伋为渔阳太守。郭伋接受离乱后的残局，教导百姓，训练士兵，宣示恩威和诚信，使这个地区盗贼消失，匈奴也逃往远方。在他任职五年间，人口增加了一倍。

光武帝派遣光禄大夫樊宏持节到上谷郡接迎耿况，说："边塞郡县寒冷贫穷，不能长久居住。"耿况到达京师，皇上赐予豪宅，定期参加朝会，封为牟平侯。

赖。㉔④不一：指挥不统一。㉔⑤自倍：自然加倍努力，一人顶两人。㉔⑥断发：剪断头发，以此表示请战的决心。㉔⑦作倡乐：艺人演奏歌舞。作，表演。倡乐，倡人的歌舞杂戏表演。倡，古代表演歌舞杂戏的艺人。㉔⑧雨射营中：箭像雨点一样地射入军营内。㉔⑨樽：盛酒器。㉕⓪客兵：由外地来的军队。㉕①徼：求。㉕②不战而屈人兵：《孙子·谋攻》，"百战百胜，非善之善者也；不战而屈人之兵，善之善者也"。㉕③诵：周建兄子名。㉕④反：指叛刘纡而降光武。㉕⑤拒：不接受。㉕⑥下邳：县名，县治在今江苏邳州市西南。㉕⑦乙丑：二月二十日。㉕⑧望气：古代方士的一种占候术，通过观测云气来预测吉凶。㉕⑨中：内部。㉖⓪斋：斋戒。㉖①便室：正室以外的别室。㉖②苍头：指奴仆。汉时奴仆用深青色巾包头，所以称苍头。㉖③子密：苍头名。㉖④因宠卧寐：趁着彭宠睡觉。寐，睡。㉖⑤捽：抓；揪。㉖⑥击其颊：打她耳光。颊，脸的两旁；面颊。㉖⑦趣为诸将军办装：赶快去替这几

位将军置办行装。趣，从速；赶快。将军，称奴仆为将军。办装，置办行装。彭宠此言是想支走反奴，分化三人，以便找机会为自己松绑。㉖⑧若小儿：你是个小孩子。㉖⑨珠：女名。㉗⓪被马：把马鞍、嚼子、辔头等施加于马。㉗①令作记：让彭宠写通行文书。作，写。记，书札；文书。㉗②稽留：停留。㉗③权德舆（公元七五九至八一八年）：字载之，唐代天水郡略阳（今甘肃张家川回族自治县西）人，官至礼部尚书、同中书门下平章事。传见《旧唐书》卷一百四十八、《新唐书》卷一百六十五。㉗④伯通：彭宠字。㉗⑤戕：杀害。㉗⑥昭示：显示。㉗⑦王度：王法；国家的法度。㉗⑧爵于五等：授予五等中的爵位。爵，授予爵位。五等，指五等爵位，即公、侯、伯、子、男。周代封建，爵分五等，即公、侯、伯、子、男。汉代郡、国并行，爵分王、侯二等。㉗⑨举：举动；行为。此句谓子密等行事不义，怎么能封侯呢！㉘⓪劝：勉励。此谓叛人能封侯，那么封侯就不足以勉励人立功做善事。㉘①《春秋》书齐豹盗、三叛人名之义：书，记载，指《春秋》记载。齐豹是春秋卫国司寇。卫灵公的哥哥公孟絷轻慢齐豹，并且剥夺了他的司寇官职和封邑。于是齐豹与他人合谋杀了公孟絷。《春秋》记载此事说："盗杀卫侯之兄絷。"事见《春秋左氏传》鲁昭公二十年。三叛人，指春秋邾国庶其、黑肱与莒国牟夷。三人都以所守之地归降于鲁国。其事分别见于《春秋左氏传》鲁襄公二十一年、鲁昭公三十一年与鲁昭

【原文】

吴汉率耿弇、王常击富平、获索贼于平原，大破之。追讨余党，至勃海，降者四万余人。上因诏弇进讨张步。

平敌将军庞萌，为人逊顺，帝信爱之，常称曰："可以托六尺之孤[285]，寄百里之命[286]者，庞萌是也。"使与盖延共击董宪。时诏书独下延而不及萌，萌以为延谮[288]己，自疑，遂反袭延军，破之。与董宪连和，自号东平王，屯桃乡[289]之北。帝闻之，大怒，自将讨萌，与诸将书曰："吾常[10]以庞萌为社稷之臣，将军得无笑其言乎！老贼当族[290]，其各厉兵马[291]，会睢阳！"

庞萌攻破彭城，将杀楚郡太守孙萌。郡吏刘平[292]伏太守身上，号泣请代其死，身被七创。庞萌义而舍之。太守已绝复苏[293]，渴求饮，平倾创血[294]以饮之。

岑彭攻拔夷陵，田戎亡入蜀，尽获其妻子、士众数万人。公孙述以戎为翼江王。

公五年。根据《春秋》的行文惯例，一般情况书字，而如果违礼行事则书名。《春秋》记此三事，三人皆书其名，以示惩戒。《左传》鲁昭公三十一年评述《春秋》笔法时说："《春秋》书齐豹曰'盗'，三叛人名，以惩不义。"㉒ 无乃异于是乎：无乃……乎，不是……吗。为将语气表述得更委婉一些，一般译为"恐怕……吧"。异于是，与这种做法不同。㉓ 郭伋（公元前三九至公元四七年）：字细侯，扶风茂陵县人，历任尚书令、渔阳太守、颍川太守、并州牧等。传见《后汉书》卷三十一。㉔ 甲第：豪门贵族的宅第。㉕ 奉朝请：加官名，原来古代诸侯春季朝见天子叫朝，秋季朝见为请。因称定期参加朝会为奉朝请。汉代退职大臣、将军和皇室、外戚多以加官奉朝请名义参加每月初一、十五两日的朝会。

【校记】

［7］持：原作"特"。显系误刻，今校正。［8］辨：据章钰校，十二行本、乙十一行本皆作"辩"。〖按〗二字通。［9］速开门出：原无此四字。据章钰校，十二行本、乙十一行本、孔天胤本皆有此四字，张敦仁《通鉴刊本识误》、张瑛《通鉴校勘记》同，今据补。

【语译】

吴汉率领耿弇、王常在平原郡攻击富平、获索等贼兵，大获全胜。又追击余部至勃海郡，投降的人有四万多。光武帝于是下诏命令耿弇征讨张步。

平敌将军庞萌为人谦逊和气，光武帝很信任喜欢他，经常称赞他说："可以辅佐六尺幼主，可以托管地方百里的诸侯国的人，就是庞萌啊。"光武帝派他和盖延一起进攻董宪。当时诏令只单独给盖延而没有提到庞萌，庞萌以为是盖延在皇上面前毁谤自己，遂起疑心，于是反叛，袭击盖延，大破盖延军。又和董宪联合起来，自称东平王，在桃乡以北驻扎。光武帝听到庞萌叛变，极为愤怒，亲自率领大军讨伐庞萌，写信给将领们，说："我曾经认为庞萌是个可以托付国家命运的重臣，你们莫非要耻笑我说过的话吧！庞萌这个老贼应当灭族，你们各自厉兵秣马，会师睢阳！"

庞萌攻下彭城，要杀楚郡太守孙萌。楚郡官吏刘平趴在太守孙萌的身上，大声哭喊请求代替太守而死，身上被砍七刀。庞萌认为刘平很有义气，就放了他们。孙萌气绝后又苏醒过来，口渴想喝水，刘平从伤口挤尽血液给他喝。

岑彭攻取夷陵县，田戎逃入蜀郡，岑彭全部俘虏他的妻子、儿女，以及士卒数万人。公孙述封田戎为翼江王。

岑彭谋伐蜀，以夹川㉙谷少，水险难漕㉖，留威虏将军冯骏军江州，都尉田鸿军夷陵，领军李玄军夷道㉗，自引兵还屯津乡㉘，当荆州要会㉙，喻告诸蛮夷降者，奏封㉚其君长。

夏，四月，旱，蝗。

【段旨】

以上为第五段，写各路汉军连连告捷，光武帝一纸诏书不慎逼反庞萌，东边战局逆转。

【注释】

㉖托六尺之孤：指辅佐幼主。㉗寄百里之命：指封为诸侯，托管地方百里的诸侯国。㉘谮：诬陷。㉙桃乡：县名，县治在今山东东平东。㉚族：灭族。㉛厉兵马：即厉兵秣马，谓磨利兵器，喂饱马匹。指做好战争准备。㉜刘平：字公子，楚郡彭城县人，

【原文】

隗嚣问于班彪曰："往者周亡，战国并争，数世然后定。意者从横之事复[11]起于今乎？将承运迭兴，在于一人也㉑？"彪曰："周之废兴，与汉殊异。昔周爵五等，诸侯从政㉒，本根㉓既微，枝叶㉔强大，故其末流㉕有从横之事，势数㉖然也。汉承秦制，改立郡县，主有专己之威㉗，臣无百年之柄。至于㉘成帝，假借㉙外家，哀、平短祚㉚，国嗣三绝㉛，故王氏擅朝㉜，能[12]窃号位，危自上起，伤不及下㉝，是以即真㉞之后，天下莫不引领而叹㉟。十余年间，中外骚扰，远近俱发，假号云合㊱，咸称刘氏，不谋同辞㊲。方今雄桀带州域㊳者，皆无六国世业㊴之资㊵，而百姓讴吟思仰，汉必复兴，已可知矣。"

嚣曰："生㉑言周、汉之势可也，至于但见愚人习识㉒刘氏姓号之

岑彭计划征讨蜀郡，因长江两岸粮食不足，水流湍急，漕运困难，就留威虏将军冯骏驻守江州，都尉田鸿驻守夷陵县，领军李玄驻守夷道县，他自己回军驻守津乡，位于荆州要冲，告谕安抚那些归降的蛮夷，并上奏请求封赏他们的头领。

夏，四月，大旱，蝗灾。

官至宗正。传见《后汉书》卷三十九。㉓绝复苏：气绝后又苏醒。今谓之休克。绝，断气；死去。苏，苏醒；活过来。㉔倾创血：从伤口挤血。倾，挤尽。㉕夹川：沿江河两岸。川，河流。㉖漕：水道运输。㉗夷道：县名，县治在今湖北宜都。㉘津乡：江陵县地名，位于县治东南，长江北岸，在今湖北江陵东南。㉙当荆州要会：正处于荆州的要冲。当，正在；位于。要会，起通道作用的要地，即交通要冲。江陵县位于荆州中心地区，南临长江，是南郡治所。㉚奏封：奏请朝廷封赏。

【校记】

［10］常：原作“尝”。据章钰校，十二行本、乙十一行本、孔天胤本皆作“常”，今据改。

【语译】

隗嚣问班彪：“以前周朝灭亡，战国群雄并立，互相争战，经过几代纷乱，天下才终于统一。试想，合纵连横的故事是在今天重演呢，还是承受天命改换朝代取决于一个人呢?”班彪说：“周朝的兴亡，和西汉完全不同。从前周朝把爵位分为五等，诸侯国各自为政，作为根本的周王室已衰弱，而作为枝叶的诸侯国势力却强盛，所以到了周朝末年出现了合纵连横之事，这是形势和命运发展的必然结果。汉朝继承秦朝的政治制度，改设郡、县，君主有独断专行的权威，而臣子没有终身的权柄。到汉成帝时，大权给予外戚，汉哀帝、平帝在位时间极短，皇位的合法继承人三次断绝，所以王莽独揽朝政，能篡取皇位，汉政权的危机发生在上层，百姓没有伤害朝廷，因此王莽正式即帝位后，天下人莫不引颈叹息。十多年间，内扰外乱，远近都兴兵造反，假借名号，群聚起事，全都号称刘氏，没有商议而说法相同。现在拥有一州的人，都没有六国世代创业的资本，而老百姓歌颂、吟咏、思念、仰慕大汉，汉朝必会复兴，这已经是显而易见的了。”

隗嚣说：“先生说的周、汉两朝形势是对的，但只看见愚昧的老百姓熟知刘氏帝

故，而谓汉复兴，疏[323]矣！昔秦失其鹿[324]，刘季[325]逐而掎之[326]，时民复知汉乎？”

彪乃为之著《王命论》以风[327]切[328]之曰：“昔尧之禅[329]舜曰：‘天之历数在尔躬[330]。’舜亦以命禹[331]。洎于稷、契，咸佐唐、虞[332]，至汤、武而有天下。刘氏承尧之祚[333]，尧据火德而汉绍之，有赤帝子之符，故为鬼神所福飨，天下所归往。由是言之，未见运世无本，功德不纪[334]，而得屈起[335]在此位者也！俗[336]见高祖兴于布衣，不达[337]其故，至比天下于逐鹿，幸捷[338]而得之。不知神器[339]有命，不可以智力求也。悲夫，此世所以多乱臣贼子者也！夫饿馑流隶[340]，饥寒道路，所愿[341]不过一金[342]，然终转死沟壑[343]，何则？贫穷亦有命也。况乎天子之贵，四海之富，神明之祚，可得而妄处[344]哉！故虽遭罹厄会[345]，窃其权柄，勇如信、布[346]，强如梁、籍[347]，成[348]如王莽，然卒润镬伏质[349]，亨醢分裂[350]。又况幺么[351]尚不及数子，而欲闇奸天位者呼[352]！昔陈婴之母[353]以婴家世贫贱，卒富贵不祥，止婴勿王。王陵之母[354]知汉王必得天下，伏剑而死，以固勉[355]陵。夫以匹妇[356]之明，犹能推事理之致[357]，探祸福之机[358]，而全宗祀[359]于无穷，垂策书于春秋[360]，而况大丈夫之事呼！是故穷达有命[361]，吉凶由人，婴母知废，陵母知兴，审此二者，帝王之分决[362]矣。加之高祖宽明而仁恕，知人善任使，当食吐哺，纳子房之策；拔足挥洗，揖郦生之说；举韩信于行陈，收陈平于亡命。英雄陈力[363]，群策毕举，此高祖之大略[364]所以成帝业也。若乃[365]灵瑞符应[366]，其事甚众，故淮阴、留侯谓之天授、非人力也。英雄诚知觉寤，超然远览，渊然深识[367]，收[368]陵、婴之明分[369]，绝信、布之觊觎[370]，距逐鹿之瞽说[371]，审神器之有授，毋贪不可冀[372]，为二母[373]之所笑，则福祚流于子孙[374]，天禄[375]其永终[376]矣！”

嚣不听。彪遂避地河西[377]。窦融以为从事，甚礼重[378]之。彪遂为融画策，使之专意事汉焉。

王姓号，就说汉朝会复兴，那就不合实际了！从前，秦朝失去政权，刘邦追逐而获取了它，当时的老百姓也知道汉朝吗?”

班彪因此撰写了《王命论》，用以讽谏批评隗嚣说:“从前，唐尧把帝位禅让给虞舜的时候说:‘天命运转到你身上了。’虞舜也用这番话让位给夏禹。至于后稷、殷契都辅佐唐尧、虞舜，直到商汤、周武王而拥有天下。刘邦继承唐尧帝业，唐尧得到火德，而汉朝把它承袭下来，因而拥有赤帝子的符命，所以受到鬼神的保佑，天下人都归顺刘氏。由此说来，从未见过朝代的继承没有根源，功劳恩德不被世人铭记，而能突然取得天子之位的！世俗的人看到刘邦从一介平民登上皇帝的高位，不解其中缘故，以致把得天下比为众人逐鹿，谁的腿快就侥幸抓住了。却不知道帝位的取得是有天命的，不是靠智慧和武力可取得的。可悲啊，这就是世上有那么多乱臣贼子的原因！那些遭遇饥荒的流民，在路上挨饿受冻，他们希望的只是一点点钱而已，然而最终还是死在沟壑，这是什么原因呢？贫穷也是命中注定的。何况天子的尊贵，四海的富裕，神明的赐福，哪是能非分据有的呢！所以国家虽遭厄难，权力被窃取，勇猛如韩信、英布，强悍如项梁、项籍，甚至成功篡夺帝位的王莽，这些人最后还是被烹杀、腰斩、煮成肉酱、五马分尸。又何况是那些还比不上这几人的微不足道的小人，却妄想突然盗窃帝位吗！从前陈婴的母亲因为陈婴家世代贫贱，突然获得富贵不吉祥，就阻止陈婴称王。王陵母亲知道刘邦一定能得天下，就用剑自杀，以此坚定和鼓励王陵紧跟刘邦的决心。她们凭普通平民妇女的眼力，还能推究深奥微妙的道理，探知祸福的关键，保全宗庙祭祀，她们的姓名事迹被记录在史书中，更何况大丈夫处事呢！因此贫贱显达是由天命决定，吉祥凶险则由自己掌握，陈婴的母亲知道谁会灭亡，王陵的母亲知道谁会兴起，考究这两个事例，帝王名分的归属也就可以决定了。再说刘邦豁达聪明、仁慈宽厚、知人善用，正当吃饭时，刘邦能吐出口里的饭而接待张良献策；正在洗脚时，刘邦能立即拔出脚不洗，拱手迎入郦食其听取他的意见；从士兵队伍中提拔韩信，把逃亡中的陈平收留重用。于是，英雄豪杰为他施展才力，谋士们为他出谋划策，这就是刘邦成就帝王大业的宏大谋略。至于说到祥瑞符命和人事相应，这类事情很多，所以淮阴侯韩信、留侯张良说高帝的帝位是上天赐予，不是人的力量。英雄如果有自知之明，高瞻远瞩，见识深远，采用王陵、陈婴的思想，谨守自己的本分，拒绝韩信、英布那样非分的贪图，拒绝听信争天下是追逐逃鹿的谬论，认识到帝位的传授是上天意旨，不要贪图不属于自己的东西，而被陈婴、王陵的母亲所嘲笑，那么，自己的福禄就能流传给子孙，天赐的福禄也会永远享用了！”

隗嚣不听班彪劝告。于是班彪躲避到河西。窦融任命班彪为从事，很尊重他。班彪就替窦融出谋划策，使窦融专心致志地去侍奉东汉。

【段旨】

以上为第六段，写隗嚣不听班彪劝谏，阴蓄异志。

【注释】

㉛意者三句：此三句是说，试想合纵连横之事是在今天重演呢，还是承受天命改换朝代取决于一人呢？“将……将……”句式，表示选择关系，意为“是……还是……”。承运，承受天命。迭，更替；轮流。302从政：参与政事；治理政事。此言周朝的诸侯国各自为政。303本根：指周王室。304枝叶：指诸侯国。305末流：末世。306势数：形势和命运。307专己之威：独断专行的权威。威，威势；权力。308至于：到了。309假借：给予。此指朝政大权掌握在外戚手中。310哀、平短祚：哀帝在位六年，平帝在位五年，所以说“短祚”。311国嗣三绝：成、哀、平三帝皆无子，所以说“三绝”。312擅朝：独揽朝政。313危自上起二句：意谓危及汉朝刘氏统治的，是上层外戚，而下层民众并没有伤害朝廷。314即真：由摄政而正式即皇帝位。此指王莽废汉建新称帝。315引领而叹：伸颈叹气。用以形容极度失望的样子。316云合：喻指群聚。317不谋同辞：事前没有商量而意见完全一致。318带州域：拥有一州的地区。带，领有。319世业：世代相传的事业。320资：凭借；资本。321生：“先生”的省称。322习识：熟知。323疏：指班彪的看法说汉氏能复兴，不切实际。324秦失其鹿：失去帝位。语本《史记·淮阴侯列传》：“秦失其鹿，天下共逐之。”裴骃《集解》引张晏曰：“以鹿喻帝位也。”325刘季：刘邦。326逐而掎之：意即逐鹿，指争夺天下。掎，牵；拉。327风：通“讽”。微言劝告。328切：批评。329禅：以帝位让人。330天之历数在尔躬：语本《论语·尧曰》。天命的运转到你身上。历数，运数。尔，你。躬，自身。331舜亦以命禹：舜也用这番话让位给禹。332洎于稷、契二句：至于后稷、殷契全都辅助唐尧、虞舜。洎，至。稷，姓姬，名弃，周人祖先。尧舜时为主农之官，号后稷。契，商人祖先。尧舜时为司徒，封于商。333刘氏承尧之祚：刘邦建汉取得天下，上继唐尧的国统。此说始于刘向。《汉书·高帝纪》“赞”语引刘向说：“汉帝本系，出自唐帝。”334未见运世无本二句：从未见过朝代的继承没有根源，功劳恩德不被世人铭记。运，国运。世，继承。本，本原；根据。不纪，不为人所纪念。335屈起：即“崛起”，突起；猝然兴起。336俗：指一般人。337达：通晓。338幸捷：侥幸成功。339神器：代表国家政权的实物，如玉玺、宝鼎之类，此借指帝位、政权。340流隶：指流亡他乡的微贱之民。341愿：希望。342金：古代计算货币单位名称。343转死沟壑：意指饿死弃尸在

山沟里。转，抛弃。壑，山沟；溪谷。㉞妄处：非分享有、据有。㉟遭罹厄会：遭遇厄运。厄会，众灾会合；厄运。㊱信、布：韩信、黥布。韩信（？至公元前一九六年），佐助刘邦灭项羽建汉称帝。传见《史记》卷九十二与《汉书》卷三十四。黥布（？至公元前一九五年），本名英布，因受黥刑而称黥布。项羽大将，后投汉封淮南王，谋反诛。传见《史记》卷九十一与《汉书》卷三十四。㊲梁、籍：项梁、项羽。项梁，项羽的叔父。在会稽起兵反秦。后与秦将章邯作战中兵败被杀。项羽，名籍，字羽。灭秦的主将，自封西楚霸王，与刘邦争天下，兵败自杀。传见《史记》卷七、《汉书》卷三十一。㊳成：成功；实现。指王莽已建新称帝。㊴卒润镬伏质：卒，终于。润镬，受烹刑。镬，大锅。伏质，古代有腰斩的死刑，施刑时罪犯裸身伏在砧上，所以称伏质。这里用以指被处死。质，通"锧"，古刑具，腰斩时所用砧板。㊵亨醢分裂：亨，同"烹"。古代用鼎镬煮人的酷刑。醢，将人剁成肉酱。㊶幺么：微小。㊷闇奸天位者呼：闇，通"奄"，遽然。奸，窃取。天位，天子之位；帝位。呼，同"乎"，语气助词，用于句末。㊸陈婴之母：秦末，陈婴起兵，其母劝其投靠项梁，不要称王。事见本书卷八秦二世二年（公元前二〇八年）。㊹王陵之母：项羽欲召王陵为将，扣留王陵之母为人质，陵母自杀以绝项羽之望，激励陵投刘邦。事见本书卷九高祖元年。㊺固勉：坚定与激励。㊻匹妇：平民妇女。㊼推事理之致：指能推究深奥微妙的道理。㊽探祸福之机：探求祸福变化的关键。㊾全宗祀：保全宗庙祭祀。即谓保全宗族不遭祸难。㊿垂策书于春秋：谓青史留名。垂，流传。策书，指用以记录史实的简册。春秋，历史。(361)穷达有命：困顿与显达均由天命决定。(362)决：指是非判断就可决定了。(363)陈力：施展才力。(364)大略：宏大的谋略。(365)若乃：至于。(366)灵瑞符应：灵瑞，祥瑞，即吉祥的征兆。符应，上天显示的与人事相应的征兆。(367)渊然深识：见识深远。(368)收：采取。(369)明分：本分。(370)觊觎：非分的希望。(371)距逐鹿之瞽说：拒绝听信争天下是追逃鹿的谬论。距，通"拒"，拒绝。瞽说，胡说；不明事理的言论。(372)冀：希望。(373)二母：指陈婴、王陵二人的母亲。(374)福祚流于子孙：福禄传给子孙。(375)天禄：天赐的福禄。(376)永终：长久。(377)河西：古代地区名，春秋战国时指今山西、陕西两省间黄河南段之西。汉唐时指今甘肃、青海两省黄河以西，即河西走廊与湟水流域。(378)礼重：礼敬尊重。

【校记】

［11］复：原作"将复"。据章钰校，十二行本、乙十一行本、孔天胤本皆无"将"字，今据删。［12］能：据章钰校，孔天胤本作"因"。

【原文】

初，窦融等闻帝威德，心欲东向，以河西隔远，未能自通，乃从隗嚣受建武正朔。嚣皆假[379]其将军印绶。嚣外顺人望，内怀异心，使辩士张玄[380]说融等曰："更始事已成，寻复亡灭，此一姓[381]不再兴之效[382]也！今即所有[383]主，便相系属[384]，一旦拘制[385]，自令失柄，后有危败，虽悔无及。方今豪桀竞逐，雌雄未决，当各据土宇，与陇、蜀合从，高可为六国[386]，下不失尉佗[387]。"融等召豪桀议之，其中识者皆曰："今皇帝姓名见于图书[388]，自前世博物[389]道术[390]之士谷子云[391]、夏贺良等皆言汉有再受命之符，故刘子骏[392]改易名字，冀应其占。及莽末，西门君惠谋立子骏，事觉被杀，出谓观者曰：'谶文不误，刘秀真汝主也！'此皆近事暴[393]著，众所共见者也。况今称帝者数人，而雒阳土地最广，甲兵最强，号令最明，观符命而察人事，它姓殆未能当也！"众议或同或异。

融遂决策东向，遣长史刘钧等奉书诣雒阳。先是，帝亦发使遗融书以招之，遇钧于道，即与俱还。帝见钧欢甚，礼飨毕，乃遣令还，赐融玺书曰："今益州有公孙子阳，天水有隗将军。方蜀、汉相攻，权[394]在将军，举足左右，便有轻重[395]。以此言之，欲相厚[396]岂有量[397]哉？欲遂立桓、文[398]，辅微国，当勉卒[399]功业。欲三分鼎足[400]，连衡合从[401]，亦宜以时定[402]。天下未并[403]，吾与尔绝域[404]，非相吞之国。今之议者，必有任嚣[405]教尉佗制七郡之计[406]。王者有分土[407]，无分民[408]，自适[409]已事而已。"因授融为凉州牧。玺书至河西，河西皆惊，以为天子明见万里之外。

【语译】

当初，窦融等人得知光武帝的声威仁德，心里就想归顺他，因河西与洛阳相隔遥远，自己未能直接来往，就从隗嚣那里接受建武的年号和历法。隗嚣赐予他将军印章绶带。隗嚣表面上顺应众望，实际上怀有异心，他派说客张玄劝窦融等人说："刘玄的大业已成，但不久又灭亡，这是刘氏不能再兴的证明！如今就认定已有了君主，便去隶属，一旦被挟制，自己就会失去权力，以后遇到危急祸败，后悔就来不及了。当今英雄豪杰相互竞争，胜负未定，我们应当各自占据领土，和陇西隗嚣、西蜀公孙述合纵并力，成则为战国时代的六国，不成也能像南海尉佗。"窦融等人召集豪杰们商议此事，其中有卓识的人都说："当今皇帝刘秀的姓名见于图谶，前辈博通众物的道德学术大师谷子云、夏贺良等都说汉朝有再次接受天命的符命，所以刘歆改名为刘秀，希望能应验。等到王莽末年，西门君惠出谋要拥立刘歆做皇帝时，事败被杀，西门君惠在被绑赴刑场的途中，对围观的群众说：'谶书记载的不错，刘秀真是你们的君主！'这都是最近的事，明摆着的，人所共见。何况当今几个人称帝，而刘秀拥有土地最多，兵力最强，纪律最严，观看符命，考察人事，其他姓氏的人恐怕不能和他相提并论！"大家意见不一，有的赞同，有的反对。

窦融于是决策归顺刘秀，派长史刘钧等人带着书信前往洛阳。在这之前，光武帝也派出使臣给窦融送信招抚，使臣在途中碰到刘钧，就和刘钧一起返回洛阳。光武帝见到刘钧极为高兴，礼待宴飨完了，便让刘钧回去，赐给窦融加盖皇帝印章的文书，说："如今益州有公孙述，天水有隗嚣将军。当蜀、汉两方争战时，主动权掌握在将军手中，将军的脚跟左转则蜀重，向右转则汉重。由此说来，将军想要出力相助，岂有止境？将军想要建立像齐桓公、晋文公的霸业，辅助微弱的汉朝，就应当努力完成。要想三分天下，形成鼎立的局面，是连横或合纵，也应早做决定。天下没有统一，我和你距离遥远，不是要互相吞并的国家。现今讨论形势的人，一定会提出效法任嚣教导尉佗控制七郡那样的计谋。君王可以分封割土，但不能分割人民，只做适宜自己的事罢了。"于是任命窦融为凉州牧。诏书到达河西，河西官员都感到震惊，认为天子能明察万里之外的事情。

【段旨】

以上为第七段，写窦融兴起于河西，善识时务，纳班彪之言，归附光武帝。

【注释】

⑳假：授予。⑳张玄：辩士名，后为梁统派人刺杀。㉑一姓：指刘姓。㉒效：证明。㉓所有:《后汉书·窦融传》作“有所”。㉔系属：隶属。㉕拘制：管束；挟制。㉖高可为六国：好的结果是可以成为像战国时的诸侯。㉗尉佗（？至公元前一三七年）：秦汉之际真定县（今河北正定东南）人，本姓赵，秦时为南海郡龙川县令，秦末行南海尉事，称尉佗。秦亡，趁内地动乱之机，自立为南越王。刘邦建汉，立佗为南越王。事见《史记·南越列传》。㉘图书：指图谶。谶文《河图赤伏符》：“刘秀发兵捕不道。”㉙博物：通晓众物。㉚道术：道德学术。㉛谷子云：即谷永。永字子云。㉜刘子骏：即刘歆。歆字子骏，后为应验《河图赤伏符》的谶文，改名秀，字颖叔。㉝暴：显示。㉞权：权柄。此言主动权掌握在窦融手中。㉟举足左右二句：左右，指蜀、汉。此

【原文】

朱祐急攻黎丘，六月，秦丰穷困出降。槛车[410]送雒阳。吴汉劾祐废诏命，受丰降。上诛丰，不罪祐。

董宪与刘纡、苏茂、佼强去下邳，还兰陵，使茂、强助庞萌围桃城[411]。帝时幸蒙[412]，闻之，乃留辎重，自将轻兵晨夜驰赴。至亢父[413]，或言百官疲倦，可且止宿。上不听，复行十里，宿任城[414]，去桃城六十里。旦日，诸将请进，庞萌等亦勒兵挑战。帝令诸将不得出，休士养锐以挫其锋。时吴汉等在东郡，驰使召之[415]。萌等惊曰：“数百里晨夜行，以为至当战，而坚坐[416]任城，致人[417]城下，真不可往也！”乃悉兵攻桃城。城中闻车驾至，众心益固。萌等攻二十余日，众疲困，不能下。吴汉、王常、盖延、王梁、马武、王霸等皆至，帝乃率众军进救桃城，亲自搏战[418]，大破之。庞萌、苏茂、佼强夜走从董宪。

秋，七月丁丑[419]，帝幸沛，进幸湖陵。董宪与刘纡悉其兵数万人屯昌虑[420]，宪招诱五校余贼，与之拒守建阳[421]。帝至蕃[422]，去宪所百余里，诸将请进。帝不听，知五校乏食当退，敕各坚壁以待其敝。顷之[423]，五校果引去。帝乃亲临，四面攻宪，三日，大破之。佼强将其众降，苏

言窦融支持哪一方，对时局举足轻重。㊳⑯厚：指情意深厚，出力相助。㊳⑰量：限量；止境。㊳⑱桓、文：指春秋齐桓公、晋文公。㊳⑲勉卒：努力完成。㊵⓪三分鼎足：指一分为三，如鼎足并立。㊵①连衡合从：战国时，张仪说各诸侯国共事秦，称连衡；苏秦说各诸侯国联合拒秦，称合从。㊵②以时定：根据时势决定。㊵③并：统一。㊵④绝域：极远的地区。㊵⑤任嚣：秦朝南海郡尉，秦二世时病死。死前对尉佗说：南海僻远，负山阻海，东西数千里，可以立国。嚣死，佗行南海尉事，不久自称南越王。㊵⑥制七郡之计：制，控制；占据。七郡，指苍梧、郁林、合浦、交趾、九真、南海、日南等七郡。嚣、佗时尚未设置七郡，光武是依据后来在南越地区所置七郡而言。㊵⑦分土：分封土地。㊵⑧无分民：古时分封土地，其地居民仍是天子之民，受封者仍是天子之臣，不允许有割据政权存在。㊵⑨适：满足；安于。

【语译】

朱祜紧急攻打黎丘城，六月，秦丰困窘出城投降。朱祜用囚车把秦丰送到洛阳。吴汉弹劾朱祜违背诏令，接受秦丰归降。皇上杀了秦丰，不加罪于朱祜。

董宪和刘纡、苏茂、佼强离开下邳郡，返回兰陵县，派苏茂、佼强协助庞萌围攻桃城。光武帝这时临幸蒙县，听到消息，就留下辎重，亲自率领轻装部队，连夜奔赴救援。抵达亢父县时，有人说官员们都很疲倦，可暂且停留住宿。光武帝不同意，又走了十里路，住宿在任城，距离桃城还有六十里。第二天，众将领请求进军，庞萌等也指挥军队挑战。光武帝命令众将领不得出城迎战，休整军队，养精蓄锐，以便挫伤敌军的锐气。当时吴汉等人在东郡，光武帝迅速派使者把他们招来。庞萌等人吃惊地说："数百里路程日夜兼行，以为到达之后会立即投入战斗；可是却坚守任城，吸引我们到城下，绝对不能前往!"于是庞萌全力去攻打桃城。桃城里的军民听说皇上到达，军心更加坚定。庞萌等人攻打二十多天，将士已疲惫不堪，桃城仍未攻下。吴汉、王常、盖延、王梁、马武、王霸等都抵达，光武帝才率领各路大军救援桃城，亲自搏战，大破庞萌军。庞萌、苏茂、佼强连夜逃跑，投奔董宪。

秋，七月初四日丁丑，光武帝幸临沛县，前行到湖陵县。董宪和刘纡集合全部人马数万人驻守昌虑县，董宪招抚引诱五校残兵，帮他们驻守建阳县。光武帝率领大军到达蕃县，距离董宪驻地只有百余里，众将领请求进攻；光武帝不同意，他得知五校军缺少粮食，必然撤退，命令各路大军坚守营垒等待敌军疲困。不久，五校军果然撤退。光武帝亲临战场，从四面围攻董宪，三天，大败董宪。佼强率领他的

茂奔张步，宪及庞萌走保郯。八月己酉[424]，帝幸郯，留吴汉攻之，车驾转徇彭城、下邳。吴汉拔郯，董宪、庞萌走保朐[425]。刘纡不知所归，其军士高扈斩之以降。吴汉进围朐。

冬，十月，帝幸鲁[426]。

【段旨】

以上为第八段，写汉兵灭秦丰，破董宪。

【注释】

⑩槛车：囚车。⑪桃城：桃乡县城。⑫蒙：县名，县治在今河南商丘东北。⑬亢父：县名，县治在今山东济宁南。⑭任城：县名，县治在今山东济宁东南。⑮驰使

【原文】

张步闻耿弇将至，使其大将军费邑军历下[427]，又令兵屯祝阿[428]，别于泰山、钟城[429][13]列营数十以待之。弇渡河，先击祝阿，自旦攻城，未中[14]而拔之。故开围一角，令其众得奔归钟城。钟城人闻祝阿已溃，大恐惧，遂空壁亡去。

费邑分遣弟敢守巨里[430]。弇进兵先胁[431]巨里，严令军中趣修攻具，宣敕[432]诸部，后三日当悉力攻巨里城。阴缓[433]生口[434]，令得亡归，以弇期告邑。邑至日，果自将精兵三万余人来救之。弇喜，谓诸将曰："吾所以修攻具者，欲诱致[435]之耳。野兵[436]不击，何以城为[437]！"即分三千人守巨里，自引精兵上[438]冈阪[439]，乘高合战[440]，大破之，临陈斩邑。既而收首级以示城中，城中凶惧[441]。费敢悉众亡归张步。弇复收其积聚，纵兵击诸未下者，平四十余营，遂定济南。

时张步都剧，使其弟蓝[442]将精兵二万守西安[443]，诸郡太守合万余人守临淄，相去四十里。弇进军画中[444]，居二城之间。弇视西安城小而坚，且蓝兵又精。临淄名虽大而实易攻，乃敕诸校[445]后五日会攻西

部众归降，苏茂投奔张步，董宪和庞萌逃到郯县驻守。八月初六日己酉，光武帝到达郯县，留下吴汉围攻郯县，自己率领大军转战彭城、下邳。吴汉攻下郯县，董宪、庞萌逃到朐县驻守。刘纡不知逃往何处，他的部属高扈杀死了他，然后归降。吴汉进军包围朐县。

冬，十月，光武帝幸临鲁县。

召之：派人飞速去征调吴汉。㊶⑯坐：拒守。㊶⑰致人：招人。此言把人引到城下。㊶⑱搏战：拼搏战斗。㊶⑲丁丑：七月初四日。㊷⓪昌虑：县名，县治在今山东滕州东南。㊷①建阳：县名，县治在今山东枣庄西南。㊷②蕃：县名，县治在今山东滕州。㊷③顷之：过了不久。㊷④己酉：八月初六日。㊷⑤朐：县名，县治在今江苏连云港市西南。㊷⑥鲁：王国名，治所在今山东曲阜。

【语译】

张步听说耿弇将要来到，派大将军费邑驻守历下城，又派军队驻守祝阿县，另外在泰山、钟城布列数十个营堡等待耿弇军。耿弇渡过黄河，首先攻打祝阿县，早上开始攻城，还没有到中午就攻下了。耿弇故意留下一个缺口，让残兵逃奔钟城。钟城人听说祝阿县已经陷落，非常恐惧，于是弃城逃走。

张步的大将费邑分派他的弟弟费敢驻守巨里聚。耿弇进军先威胁巨里聚，严令军队尽快整治好攻城工具，宣令全军，三天后要全力攻打巨里城。耿弇暗中放松对俘虏的看管，让他们逃回去，把耿弇攻城日期告诉费邑。到第三天，费邑果然亲率精军三万余人来救援。耿弇很高兴，对将领们说："我要大家准备好攻城的工具，就是想引诱他们到来。在野外的部队不击破，攻城干什么！"耿弇当即分兵三千人围住巨里聚，亲自统率精兵登上陡坡，居高临下与费邑展开激战，大败费邑军，在阵前斩了费邑。接着拿来他的头向城里示众，城中恐惧骚动。费敢率领全军逃奔张步。耿弇又搜取费敢丢下的积蓄，全线攻打那些没有归降的营垒，扫平四十余座营，于是平定了济南郡。

当时张步以剧县为都城，派弟弟张蓝率领二万名精兵驻守西安县，各郡太守集合一万余人驻守临淄县，两地相距四十里。耿弇进军到达画中邑，位居西安和临淄之间。耿弇看到西安城小但坚固，张蓝的军队又精锐。临淄县名气虽大，实际上却容易攻下，

安。蓝闻之，晨夜警守。至期，夜半，弇敕诸将皆蓐食[446]，会明，至临淄城。护军荀梁等争之，以为“攻临淄，西安必救之，攻西安，临淄不能救，不如攻西安”。弇曰：“不然，西安闻吾欲攻之，日夜为备，方自忧，何暇救人！临淄出不意而至，必惊扰，吾攻之一日，必拔。拔临淄，即西安孤，与剧隔绝，必复亡去，所谓‘击一而得二’者也。若先攻西安，不能卒下，顿[447]兵坚城，死伤必多。纵[448]能拔之，蓝引军还奔临淄，并兵合势，观人虚实。吾深入敌地，后无转输，旬月[15]之间，不战而困矣。”遂攻临淄。半日，拔之，入据其城。张蓝闻之，惧，遂将其众亡归剧。

弇乃令军中无得虏掠，须[449]张步至乃取之，以激怒步。步闻，大笑曰：“以尤来、大彤十余万众，吾皆即其营而破之。今大耿[450]兵少于彼，又皆疲劳，何足惧乎！”乃与三弟蓝、弘、寿[451]及故大彤渠帅重异[452]等兵号二十万，至临淄大城东，将攻弇。弇上书曰：“臣据临淄，深堑高垒[453]。张步从剧县来攻，疲劳饥渴。欲进，诱而攻之；欲去，随而击之。臣依营而战，精锐百倍，以逸待劳，以实击虚，旬日之间，步首可获。”于是弇先出菑水[454]上，与重异遇。突骑欲纵，弇恐挫其锋，令步不敢进，故示弱以盛[455]其气，乃引归小城，陈兵于内，使都尉刘歆[456]、泰山太守陈俊分陈于城下。步气盛，直攻弇营，与刘歆等合战。弇升王宫坏台[457]望之，视歆等锋交，乃自引精兵以横突[458]步陈于东城下，大破之。飞矢[459]中弇股[460]，以佩刀截之，左右无知者。至暮，罢。弇明旦复勒兵出。

是时帝在鲁，闻弇为步所攻，自往救之。未至，陈俊谓弇曰：“剧虏兵盛，可且闭营休士，以须上来。”弇曰：“乘舆且到，臣子当击牛[461]、酾酒[462]以待百官，反欲以贼虏遗君父邪！”乃出兵大战。自旦及昏，复大破之，杀伤无数，沟堑皆满。弇知步困将退，豫[463]置左右翼为伏以待之。人定[464]时，步果引去，伏兵起纵击[465]，追至钜昧水[466]上，八九十里，僵尸相属[467]，收得辎重二千余两[468]。步还剧，兄弟各分兵散去。

于是，便命令各军营五天后集中进攻西安县。张蓝听到这个消息，日夜警戒防守。到了预定进攻日期，半夜里，耿弇命令各将领集合军士早早吃饭，天一亮，就赶到临淄城。护军荀梁等人与耿弇争辩，认为“进攻临淄县，西安县必来救援，进攻西安县，临淄县不能救援，还不如进攻西安县”。耿弇说：“错了。西安那边听说我们要去攻打它，日夜防备，正在忧虑自己的安全，哪有闲工夫去救别人！我军出其不意攻打临淄县，他们必定惊慌失措，我们攻打一天，必定能破城。攻陷了临淄，西安县就孤立了，西安县和剧县的交通也被我军切断，西安县的守军就会弃城而逃，这就是所说的‘攻打一座城而得两座城’的道理。如果先攻打西安县，不能很快攻下，军队停顿在坚固的城下，伤亡必然很多。即使攻取城池，张蓝率军逃回临淄，两地军队会合，再探察我们的虚实。我们深入敌地，后面缺乏补给，不用一个月，不战就已疲困不堪了。”于是耿弇决定进攻临淄，只花了半天时间，就攻占了临淄城。张蓝听到这个消息，十分害怕，就率领他的军队逃回剧县。

耿弇命令军队不得掳掠，等张步到来时才掠取财物，以此激怒张步。张步得知，大笑说：“凭着尤来、大彤十余万军队，我全都到他们的军营打败他们。如今耿弇的军队比他们还少，又都疲劳，有什么可怕的！”便和他的三个弟弟张蓝、张弘、张寿以及前大彤军首领重异等合兵，号称二十万，抵达临淄大城东边，准备进攻耿弇。耿弇上书说：“我军占领临淄县城，挖深沟，筑高墙；张步从剧县来攻打我军，疲劳饥渴。如果他前进，我就引诱他攻城而后反攻；如果他撤退，我就尾随追击。我军依靠坚固的营堡作战，比对方强百倍，以逸待劳，以实攻虚，十天之间，可以获得张步首级。”于是，耿弇率军先到菑水河边，与重异相遇。骑兵突击队希望放手作战，耿弇害怕挫伤敌军的锋芒，使张步不敢前进，所以外示弱小而使敌人志盛气傲，退军回到临淄小城，把军队布置在城内，派都尉刘歆、泰山郡太守陈俊分别在城下布阵。张步士气旺盛，直接进攻耿弇的军营，同刘歆等人交战。耿弇登上故齐国宫中残破的高台观望，看见刘歆等同张步交战，就亲自率领精锐部队，在东城下猛烈冲击张步的军队，大败张步军。流箭射中耿弇大腿，耿弇抽出佩刀把它砍断，身边无人知道他受伤。到了黄昏，收兵。第二天早晨，耿弇又率军出战。

这时，光武帝在鲁城，得知耿弇被张步攻击，亲自前去救援。没有到达，陈俊对耿弇说：“剧县敌人士气旺盛，我们可暂且关闭军营，休养士卒，等待皇上驾到。”耿弇说：“皇上将到，我们臣子应当杀牛、斟酒来接待文武百官，怎么反而要把敌人留给国君去征伐呢！”于是出兵大战。从早晨到黄昏，又大破张步，张步军伤亡无数，尸体都填满了水沟深壕。耿弇知道张步被困即将撤退，就预先设置伏兵在左右两翼以等待张步军。夜里亥时，张步果真率军离去，两边伏兵突起，纵兵攻击，一直追到钜昧水附近，达八九十里，尸体相连，缴获张步的辎重车二千余辆。张步逃回剧县，兄弟各自分兵散去。

后数日，车驾至临淄，自劳军，群臣大会。帝谓弇曰："昔韩信破历下[469]以开基[470]，今将军攻祝阿以发迹[471]，此皆齐之西界，功足相方[472]。而韩信袭击已降，将军独拔勍敌[473]，其功又难于信也[474]。又，田横亨郦生，及田横降，高帝诏卫尉[475]不听[476]为仇。张步前亦杀伏隆，若步来归命[477]，吾当诏大司徒[478]释其怨，又事尤相类也。将军前在南阳[479]，建此大策，常以为落落难合[480]，有志者事竟成也！"帝进幸剧。

耿弇复追张步，步奔平寿[481]，苏茂将万余人来救之。茂让步曰："以南阳兵精，延岑善战，而耿弇走之[482]，大王奈何就攻其营？既呼茂，不能待邪！"步曰："负负[483]，无可言者！"帝遣使告步、茂，能相斩降者，封为列侯。步遂斩茂，诣耿弇军门肉袒降。弇传诣行在所，而勒兵入据其城，树十二郡旗鼓，令步兵各以郡人诣旗下，众尚十余万，辎重七千余两，皆罢遣归乡里。张步三弟各自系所在狱，诏皆赦之，封步为安丘侯，与妻子居雒阳。

于是琅邪未平，上徙陈俊为琅邪太守。始入境，盗贼皆散。

耿弇复引兵至城阳，降五校余党，齐地悉平，振旅还京师。弇为将，凡所平郡四十六，屠城三百，未尝挫折焉。

【段旨】

以上为第九段，写耿弇用兵如神，以少击众，百战百胜，击降张步，齐地悉平。

几天之后，光武帝到达临淄县，亲自慰劳军队，大会群臣。皇上对耿弇说："从前韩信攻破历下城，替汉朝开创了基业，今天你攻下祝阿县，立功扬名，这些地方都是故齐国的西界，你们的功劳足以相比。但是韩信袭击的是已归降的军队，而将军独自打败强劲敌人，这功劳比韩信来得更艰难。此外，田横烹杀了郦食其，等到田横归降时，高帝下诏郦食其弟弟卫尉郦商不准报仇。张步以前也曾杀了伏隆，如果张步来归顺，我也应下诏给伏隆的父亲大司徒伏湛消除仇恨，这又是极相似的两件事。将军先前在南阳提出平齐的大策，我曾经以为迂阔不切实际，难以成功，事实说明有志者事竟成啊！"光武帝亲临剧县。

耿弇又追击张步，张步逃到平寿县，苏茂率领一万余人前来救他。苏茂责备张步说："因为耿弇的南阳部军精锐，延岑善战，也被耿弇赶跑了，大王您为什么要前去攻击耿弇的营地呢？您既然呼叫我，为何不能多等一下呢！"张步说："惭愧惭愧，没有可说的！"光武帝派使者告诉张步、苏茂，谁杀了对方而来降，就封为列侯。于是张步杀了苏茂，到耿弇军营门前，袒露上身归降。耿弇用驿车把张步送到光武帝那里，自己率军进驻平寿县城，立起十二个郡的旗帜、鼓吹，命令张步的部队各自按籍贯集合在本郡的旗下，张步军队还有十余万，辎重七千余车，都遣散回乡。张步的三位弟弟各自囚禁在所在地的监狱，光武帝下诏全都赦免，封张步为安丘侯，让他和妻子儿女住在洛阳。

这时，琅邪郡没有平定。光武帝改任陈俊为琅邪郡太守。陈俊刚到郡，盗贼就全都离散。

耿弇又率军抵达城阳郡，收降五校军的残部，齐地全部平定，耿弇得胜返回京师。耿弇作为将领，一共平定四十六个郡，屠城三百座，没有失败过。

【注释】

㉗历下：历城县地名，其地在今山东济南市历城区。㉘祝阿：县名，县治在今山东齐河县东南。㉙钟城：地名，今地不详。㊵巨里：历城县村镇名。㊶胁：威逼。㊷宣敕：发布命令。㊸阴缓：暗地里放松看管。㊹生口：指俘虏。㊺诱致：引诱敌人到来。㊻野兵：在野外的部队。㊼何以城为：攻城干什么呢。此言围城的目的正是为了攻打来援之敌。㊽上：登上。㊾冈阪：较陡的山坡。㊿合战：交战。㊶凶惧：非常恐惧；惊扰不安。㊷蓝：张蓝。张步弟，步以为玄武大将军。建武五年（公元二九年）战败降。八年随张步叛逃，被杀。㊸西安：县名，县治在今山东桓台东。㊹画中：西安县地名，其地在县治东南，位于临淄与西安之间。㊺校：营垒。军队一部一个营垒，所以称军队

的一部为一校。诸校，诸营；各部。㊻蓐食：早晨还未到起床时就早早进食。蓐，草席，军队常用蓐席以为躺卧之具。㊼顿：停留。㊽纵：即使。㊾须：等待。㊿大耿：耿弇为况长子，所以称大耿。[451]三弟蓝、弘、寿：张步的三个弟弟，张蓝、张弘、张寿。弘，张弘。张步弟，步以为卫将军。建武五年（公元二九年）战败降，八年随张步叛逃，被杀。寿，张寿。张步弟，步以为高密太守。[452]重异：渠帅名。[453]深堑高垒：深挖沟，高筑墙，构筑牢固的防御工事。堑，壕沟。垒，军垒，指作战的防御工事。[454]菑水：河流名，源出山东莱芜，东北流至临淄东，然后北流，合小清河，注入渤海。[455]盛：大。此言使其志盛气傲。[456]刘歆：字细君，钜鹿郡昌城县人，初与从弟刘植归光武，为偏将军，后为骑都尉、骁骑将军，封浮阳侯。[457]王宫坏台：临淄本为齐国都城，此指原齐王宫中的坏台。[458]横突：猛烈冲击。[459]飞矢：流矢，即飞来的箭。[460]股：大腿。[461]击牛：杀牛。[462]酾酒：斟酒。[463]豫：事先做准备。[464]人定：时辰名，古代一日分为十二时辰，每一时辰相当于今天的两小时。今天的二十一时至二十三时为亥时，又称人定。[465]纵击：追击。[466]钜昧水：河流名，自南向北流经剧县西。[467]相属：相连接。[468]两：古“辆”字。

【原文】

初起太学[484]。车驾还宫，幸太学，稽式古典[485]，修明[486]礼乐，焕然[487]文物[488]可观矣！

十一月，大司徒伏湛免，以侯霸为大司徒。霸闻太原闵仲叔[489]之名而辟之，既至，霸不及[490]政事，徒劳苦[491]而已。仲叔恨曰：“始蒙嘉命[492]，且喜且惧[493]。今见明公，喜惧皆去[494]。以仲叔为不足问邪？不当辟也。辟而不问，是失人也！”遂辞出，投劾[495]而去。

初，五原人李兴[496]、随昱[497]，朔方人田飒[498]，代郡人石鲔、闵堪[499]各起兵自称将军。匈奴单于遣使与兴等和亲[500]，欲令卢芳还汉地为帝。兴等引兵至单于庭迎芳。十二月，与俱入塞，都九原县[501]。掠有五原、朔方、云中、定襄[502]、雁门五郡，并置守、令，与胡通[16]兵侵苦北边。

冯异治关中，出入[503]三岁，上林[504]成都[505]。人有上章言：“异威权至重，百姓归心，号为咸阳王。”帝以章示异。异惶惧，上书陈谢。诏报曰：“将军之于国家，义为君臣，恩犹父子，何嫌何疑，而有惧意！”

一车为一辆。㊻⑨韩信破历下：事见本书卷十高祖四年（公元前一九七年）。⑰开基：开创基业。⑪发迹：指立功扬名。⑫相方：相比。方，比拟。⑬勍敌：强敌。⑭功又难于信也：此言耿弇的功劳来得比西汉功臣韩信更艰难。⑮卫尉：指郦商。商是食其弟，时为卫尉。⑯不听：不允许。刘邦为使田横前来归降，诏商不得报烹兄之仇。⑰归命：归顺。⑱大司徒：指伏湛。湛是隆的父亲，时为大司徒。⑲将军前在南阳：此指建武三年（公元前二七年）冬十月，弇随光武到舂陵，自请“东攻张步，以平齐地”。⑳落落难合：迂阔不切实际，难以成功。落落，迂阔。合，成功。㉑平寿：县名，县治在今山东潍坊西南。㉒走之：使之败逃。走，使动用法。㉓负负：非常惭愧。

【校记】

［13］钟城：原作“锺城”。据章钰校，十二行本、乙十一行本、孔天胤本皆作“钟城”，今据改。下同。［14］未中：原作“日未中”。据章钰校，十二行本、乙十一行本皆无“日”，今据删。［15］月：张敦仁《通鉴刊本识误》作“日”。

【语译】

东汉朝廷开始兴建太学。皇上车驾回到洛阳宫，亲临太学，取法古制，阐明礼乐，典章制度焕然一新。

十一月，大司徒伏湛免职，任命侯霸为大司徒。侯霸听说太原人闵仲叔的名声显赫，就征召他来洛阳，闵仲叔到洛阳后，侯霸不让他参与政事，只是慰劳他旅途中的辛苦。闵仲叔后悔说：“刚接到征召的嘉命，既高兴又担忧。今天见到你，高兴担忧都没了。是认为我闵仲叔不值得询问吗？那就不应征召。既然征召却不问政事，这是征召错了人！”于是告辞出来，呈递弹劾自己的状文，离开了洛阳。

当初，五原人李兴、随昱，朔方人田飒，代郡人石鲔、闵堪各自起兵，自称将军。匈奴单于派人同李兴等人结好，还想让卢芳返回中国当皇帝。李兴等率军到单于王庭迎接卢芳。十二月，卢芳和李兴一起进入边塞，建都九原县。掠取五原、朔方、云中、定襄、雁门五郡，并设置郡守、县令，与匈奴联合军队侵掠残害北部边境。

冯异治理关中地区，前后三年，上林苑成了都市。有人上奏说：“冯异声威权力极大，人心归依，号称咸阳王。”光武帝把奏章出示给冯异看。冯异惶恐，上书认罪。光武帝下诏书回复说：“将军对于国家，在道义上是君臣，在恩情上如同父子，为什么要猜疑而害怕呢！”

【段旨】

以上为第十段，写卢芳勾结匈奴割据西北边地，以及冯异初定关中。

【注释】

㊽太学：古代设在京城的国家最高学府。㊾稽式古典：取法古制。稽式，取法。㊿修明：阐明。[487]焕然：明显的样子。[488]文物：指礼乐制度。[489]闵仲叔：名贡，仲叔是其字，太原郡人，后未出仕。老年贫病，以寿终。[490]不及：不使参与。及，参与。[491]徒劳苦：只是慰劳旅途的辛苦。[492]嘉命：敬指对方之命。[493]且喜且惧：为得召而喜，担心有负嘉命而惧。[494]去：抛弃；去掉。[495]投劾：呈递弹劾自己的状文。此为古代

【原文】

隗嚣矜己[506]饰智[507]，每[508]自比西伯[509]，与诸将议欲称王。郑兴曰："昔文王三分天下有其二，尚服事殷；武王八百诸侯不谋同会，犹还兵待时[510]；高帝征伐累年，犹以沛公行师[511]。今令德[512]虽明，世无宗周[513]之祚，威略[514]虽振[515]，未有高祖之功。而欲举未可之事，昭速[516]祸患，无乃不可乎！"嚣乃止。后又广置职位[517]以自尊高，郑兴曰："夫中郎将、太中大夫、使持节官，皆王者之器[518]，非人臣所当制[519]也。无益于实，有损于名，非尊上之意也。"嚣病[520]之而止。

时关中将帅数上书言蜀可击之状，帝以书示嚣，因使击蜀以效[521]其信。嚣上书，盛言[522]三辅单弱，刘文伯[523]在边，未宜谋蜀。帝知嚣欲持两端[524]，不愿天下统一，于是稍黜其礼[525]，正君臣之仪。帝以嚣与马援、来歙相善，数使歙、援奉使往来，劝令入朝，许以重爵[526]。嚣连遣使，深持谦辞，言无功德，须四方平定，退伏闾里[527]。帝复遣来歙说嚣遣子入侍，嚣闻刘永、彭宠皆已被灭，乃遣长子恂[528]随歙诣阙。帝以为胡骑校尉[529]，封镌羌侯。

郑兴因恂[530]求归葬父母，嚣不听，而徙兴舍，益其秩礼[531]。兴入见曰："今为父母未葬，乞骸骨。若以增秩徙舍，中更[532]停留，是以

弃官的一种方式。㊾⑥ 李兴：入匈奴迎卢芳为帝，芳以兴为五原太守，后为芳所杀。㊾⑦ 随昱：卢芳称帝，以昱为将军。后降汉，为五原太守，封镌胡侯。㊾⑧ 田飒：卢芳为帝，以飒为朔方太守。后降汉，任旧职。㊾⑨ 闵堪：入匈奴迎卢芳为帝，后随芳降，芳立为代王，堪为代国相。⑤⓪⓪ 和亲：彼此结成友好亲善的关系。⑤⓪① 九原县：县名，县治在今内蒙古包头西。⑤⓪② 定襄：郡名，治所在今山西左云西。⑤⓪③ 出入：前后。⑤⓪④ 上林：指上林苑。⑤⓪⑤ 成都：成为都市。此言前往归附的人很多。

【校记】

［16］通：原无此字。据章钰校，十二行本、乙十一行本、孔天胤本皆有此字，张敦仁《通鉴刊本识误》、张瑛《通鉴校勘记》同，今据补。

【语译】

隗嚣炫耀自己，玩耍心计，常常自比周文王，和众将领商议，想要称王。郑兴说："从前周文王三分天下，占有二分，还是听命殷朝；周武王观兵孟津，不约而来相会的诸侯有八百个，他还要把军队带回去等待时机；汉高祖征讨多年，还是用沛公的名义用兵。如今您的美德虽然很明显，但无周朝世代相承的地位，声威谋略虽然显扬，但无汉高祖的战功。您却想要做不可能成功的事，明显地引来祸患，恐怕不行吧！"隗嚣便放弃称王的打算。后来隗嚣又大量设置官职来显示自己的尊严和富贵，郑兴说："中郎将、太中大夫、使持节官，都是帝王才能设立的官衔名号，不是臣子所应设立的。这于实无益，有损于名分，不是尊崇皇上的意思。"隗嚣感到很为难，只好作罢。

当时关中将领多次上书讲述可以攻取西蜀公孙述的情况，光武帝把这些上书给隗嚣看，趁便派隗嚣攻打西蜀，用以验证他的诚信。隗嚣上书，极言三辅军队薄弱，卢芳又在北边，不适宜用兵西蜀。光武帝知道隗嚣想脚踏两条船，不愿天下统一，于是逐渐降低对他的礼仪规格，端正君臣的礼节。光武帝因隗嚣和马援、来歙关系很好，就多次派来歙、马援奉命出使往来，劝隗嚣来京师朝见，答应封他高贵的爵位。隗嚣不断派遣使者来洛阳，言辞极其谦虚，说自己没有功德，等到天下平定，隐归乡里。光武帝又派遣来歙劝说隗嚣派儿子入侍帝侧，隗嚣听说刘永、彭宠都被消灭，就派长子隗恂跟随来歙来到朝廷。皇上任命隗恂为胡骑校尉，封为镌羌侯。

郑兴借着隗恂去京师的机会，请求回故乡安葬父母，隗嚣不同意，反而让郑兴搬进新住宅，提高礼遇和俸禄。郑兴求见隗嚣，说："我现在因为父母未安葬，才请求辞职回乡。如果因为增加俸禄，迁移住所，就中途放弃安葬父母，这是把双亲作

亲为饵[533]也，无礼甚矣，将军焉用之！愿留妻子独归葬，将军又何猜[534]焉！”嚣乃令与妻子俱东。马援亦将家属随恂归雒阳，以所将宾客猥多[535]，求屯田上林苑中。帝许之。

嚣将王元以为天下成败未可知，不愿专心内事，说嚣曰：“昔更始西都，四方响应，天下喁喁[536]，谓之太平。一旦坏败，将军几无所厝[537]。今南有子阳，北有文伯，江湖海岱[538]，王公十数，而欲牵[539]儒生[540]之说，弃千乘[541]之基，羁旅[542]危国[543]以求万全，此循覆车之轨者也。今天水完富，士马最强，元请以一丸泥[544]为大王东封函谷关，此万世一时也。若计不及此，且畜养士马，据隘自守，旷日持久，以待四方之变。图王不成，其敝[545]犹足以霸。要之[546]，鱼不可脱[547]于渊，神龙失势，与蚯蚓同！”嚣心然[548]元计，虽遣子入质，犹负其险厄[549]，欲专制方面。

申屠刚谏曰：“愚闻人所归者天所与，人所畔者天所去也。本朝诚天之所福，非人力也。今玺书数到，委国[550]归信[551]，欲与将军共同吉凶。布衣相与[552]，尚有没身不负然诺之信[553]，况于万乘[554]者哉！今何畏何利[555]，而久疑若是？卒有非常之变[556]，上负忠孝，下愧当世。夫未至豫言[557]，固常为虚[558]。及其已至，又无所及[559]。是以忠言至谏[560]，希得为用[561]，诚愿反复[562]愚老[563]之言！”嚣不纳，于是游士[564]长者稍稍去之。

【段旨】

以上为第十一段，写郑兴继班彪之后劝谏隗嚣归顺朝廷。光武帝也多次遣使招抚，隗嚣不听，阳奉阴违，听王元之言，图谋割据。

为获利的诱饵，太无礼了，将军怎么能任用这种人呢！我愿留下妻儿，独自返回故乡安葬父母，这样做，将军还怀疑什么呢！”隗嚣就让他和妻儿一起东去。马援也带领家属随同隗恂回到洛阳，因为所带的宾客众多，就请求在长安上林苑开垦种田。光武帝答应了马援的要求。

隗嚣的将领王元认为天下成败不可知晓，不愿意隗嚣专心治理现有地盘，就劝隗嚣说：“从前更始刘玄建都西京长安，四方响应，天下人仰望期待，说是天下太平。一朝失败，将军您几乎没有安身之处。现今南方有公孙述，北方有卢芳，江湖山海，自称王公的十多位，您却被儒生的说教所拘泥，抛弃自己割据一方的基业，寄居在危国，而祈求万无一失，这是走翻车的老路啊！如今天水郡完整富饶，兵马最强，我王元请求用很少的兵力替大王守住东边的函谷关，这是万代难寻的好机会。如果计划不到这些，就暂且休养军士，训练战马，占据险要关口严加防守，拖延时日，长久相持，以待天下形势的变化。即使图谋王位不成，最坏也能称霸一方。总之，鱼不能脱离水，神龙失去势力，和蚯蚓相同！”隗嚣内心认同王元的计谋，他虽然派长子入朝当人质，仍然倚仗着险要的地势，想称霸一方。

申屠刚谏阻隗嚣说：“我听说民心所归向的人，就是上天要赐予的人；民心所叛离的人，就是上天要抛弃的人。当今光武帝确实是上天赐福，而非人力强求的。现在朝廷玺书不断下达，以国事相托，给予信任，想同您同甘共苦。普通百姓相交往，也有一辈子都不背弃诺言的诚信，何况天子呢！如今归附汉朝有什么可怕的？归附西蜀，又有什么好处？如此犹豫不决，突然有意外变故，对上背叛忠孝，对下愧对百姓。事情没有发生就预先谈到，常人以为是假的。等到事情发生之后，又什么都来不及。所以忠直之言、恳切之谏，很少被采纳，我希望您能再三考虑老朽所讲的话！”隗嚣不听从，于是游士、长者逐渐离开他。

【注释】

⑯ 矜己：炫耀自己。⑰ 饰智：粉饰智慧，指施耍心计以弄巧设诈。⑱ 每：常常。⑲ 西伯：指周文王。⑩ 武王八百诸侯不谋同会二句：《史记·周本纪》，周武王即位九年，东观兵，至于盟津，“不期而会盟津者八百诸侯。诸侯皆曰：‘纣可伐矣。’武王曰：‘女未知天命，未可也。’乃还师归”。⑪ 行师：用兵。⑫ 令德：美德。⑬ 宗周：指周王朝。⑭ 威略：声威谋略。⑮ 振：显扬。⑯ 昭速：明显地招引。⑰ 职位：官位。⑱ 器：指官位名号。⑲ 制：建制；设置。⑳ 病：感到难办。㉑ 效：验证；证明。㉒ 盛言：极言。㉓ 刘文伯：指卢芳。芳自称是汉武帝的曾孙刘文伯。㉔ 持两端：指游移于两者之间的态度，俗谓脚踏两条船。持，保持。㉕ 稍黜其礼：逐渐降低礼遇规格，改变态度。黜，

减损；降低。㉖重爵：尊贵的爵位；高爵。㉗退伏闾里：退隐乡里。㉘恂：隗恂，字伯春。后隗嚣叛汉依附公孙述，恂被杀。㉙胡骑校尉：军官名，汉武帝时始置，秩二千石，主管池阳胡骑。㉚因恂：借恂入侍东行的机会。因，借着；利用。㉛益其秩礼：增加俸禄，并提高礼遇规格。益，增加。秩，俸禄。㉜中更：中途变更。㉝以亲为饵：用双亲作为获利的诱饵。亲，双亲；父母。饵，诱鱼上钩的食物。此指以事引诱对方满足自己的愿望。㉞猜：怀疑。㉟猥多：众多。㊱喁喁：仰望期待的样子。㊲几无所厝：几乎没有办法安身了。几，几乎。厝，安置。㊳江湖海岱：江湖山海，泛指四方各地。㊴牵：拘泥。㊵儒生：指郑兴、班彪等人。㊶千乘：战国时期诸侯国，小者称千乘，大者称万乘；此指占据一方建立的政权。㊷羁旅：寄居。㊸危国：指局势不安宁、面临危机的国

【原文】

王莽末，交趾[565]诸郡闭境自守。岑彭素与交趾牧邓让厚善[566]，与让书，陈国家威德。又遣偏将军屈充移檄江南，班行[567]诏命。于是让与江夏太守侯登、武陵[568]太守王堂、长沙相韩福、桂阳[569]太守张隆、零陵[570]太守田翕、苍梧[571]太守杜穆、交趾[572]太守锡光等相率遣使贡献。悉封为列侯。锡光者，汉中人，在交趾，教民夷以礼义。帝复以宛人任延[573]为九真[574]太守，延教民耕种嫁娶。故岭南[575]华风[576]始于二守焉。

是岁，诏征处士[577]太原周党[578]、会稽严光[579]等至京师。党入见，伏而不谒[580]，自陈愿守所志。博士范升奏曰："伏见太原周党、东海王良[581]、山阳王成等，蒙受厚恩，使者三聘[582]，乃肯就车。及陛见[583]帝廷，党不以礼屈，伏而不谒，偃蹇[584]骄悍，同时俱逝[585]。党等文不能演义[586]，武不能死君，钓采华名[587]，庶几[588]三公[589]之位。臣愿与坐云台[590]之下，考试图国之道。不如臣言，伏虚妄之罪[591]。而敢私窃虚名，夸上[592]求高[593]，皆大不敬[594]！"书奏，诏曰："自古明王、圣主，必有不宾之士[595]，伯夷、叔齐不食周粟[596]，太原周党不受朕禄，亦各有志焉。其赐帛四十匹，罢之。"

帝少与严光同游学，及即位，以物色[597]访之，得于齐国，累征[598]乃至。拜谏议大夫，不肯受，去，耕钓于富春山[599]中。以寿终于家。

家。⑭ 一丸泥：形容极少的力量。此言用极少的力量即可防守函谷关，封锁关口。⑮ 敝：指不好的结果。⑯ 要之：总之。⑰ 脱：脱离。⑱ 然：认为正确。⑲ 负其险厄：仗恃地形险要峻危。⑳ 委国：以国事相托。㉑ 归信：给予信任。㉒ 相与：相交往。㉓ 没身不负然诺之信：一辈子不背弃诺言的诚信。没身，终身。负，辜负。然诺，然、诺皆应对之词，表示应允、答应。㉔ 万乘：周制，天子地方千里，出兵车万乘；诸侯地方百里，出兵车千乘。所以用万乘称天子。㉕ 何畏何利：指归汉何畏，附公孙述何利。㉖ 非常之变：指突如其来的意外变故。㉗ 未至豫言：事情没有发生就预先谈到。㉘ 虚：虚假。㉙ 无所及：什么都来不及。㉚ 至谏：恳切的劝谏。㉛ 希得为用：很少被采用。㉜ 反复：再三思考。㉝ 愚老：老人自谦之词。㉞ 游士：指云游四方以谋生的文人。

【语译】

王莽末年，交趾所属各郡都闭关自守。岑彭一向和交趾牧邓让交情深厚，就写信给邓让，述说朝廷的声威与德行。又派偏将军屈充向江南地区传布文告，颁行皇上的命令。于是，邓让和江夏郡太守侯登、武陵郡太守王堂、长沙郡相韩福、桂阳郡太守张隆、零陵郡太守田翕、苍梧郡太守杜穆，交趾郡太守锡光等相继派使者入朝进贡。他们全都封为列侯。锡光是汉中郡人，在交趾任职，用礼仪教化百姓和夷人。光武帝又任命宛县人任延为九真郡太守，任延教育当地民众农耕、婚配的礼仪。所以岭南的华夏风俗习惯，是从锡光、任延两位太守开始的。

这一年，光武帝下诏征召处士太原人周党、会稽人严光等到京师。周党入殿朝见，伏地而不通报姓名，还陈述自己希望恪守隐逸的志向。博士范升上奏说："太原郡人周党、东海郡人王良、山阳县人王成等，承蒙皇上厚恩，使者三次聘召，才肯上车前来。等到在宫廷谒见天子，周党竟然不顾礼仪，仅伏地而不通报姓名，傲慢骄悍，同时离去。周党等人文不能阐发经义，武不能为君死难，沽名钓誉，希望得到三公的高位。臣愿意和他们同坐云台之下，考察辩论治国的方略。如果不像臣说的这样，愿承担不实之罪。如果是他们敢窃取虚名，向皇上夸耀以求抬高自己，都应是大不敬之罪！"奏疏呈上，光武帝下诏说："自古明王圣君，一定有不臣服的士人，伯夷、叔齐不吃周朝的粮食，太原人周党不愿接受朕的俸禄，也是人各有志。赐给周党四十匹绢帛，让他回家。"

光武帝少年时与严光同窗读书，等到光武帝即位，就按严光的形貌寻找他，在齐国找到了严光，多次征召才到京师。任命为谏议大夫，严光不肯接受，离去，在富春山耕种垂钓。以天年老死家中。

王良后历沛郡太守、大司徒司直，在位恭俭[600]，布被瓦器，妻子不入官舍。后以病归，一岁复征。至荥阳，疾笃[601]，不任进道[602]，过其友人。友人不肯见，曰："不有忠言奇谋而取大位，何其往来屑屑[603]不惮烦也!"遂拒之。良惭，自后连征不应，卒于家。

元帝之世，莎车[604]王延[605]尝为侍子[606]京师，慕乐中国。及王莽之乱，匈奴略有[607]西域，唯延不肯附属[608]，常敕诸子："当世奉[609]汉家，不可负也!"延卒，子康立。康率旁国拒匈奴，拥卫故都护吏士、妻子[610]千余口。檄书河西，问中国动静。窦融乃承制立康为汉莎车建功怀德王、西域大都尉，五十五国皆属焉。

【段旨】

以上为第十二段，写光武帝征召贤良，南疆交趾和西域各国归附东汉。

【注释】

㊿565交趾：刺史部名，交趾刺史部辖区约今广东、广西两省区与越南大部分地区。566厚善：交情深厚。567班行：颁行。568武陵：郡名，治所在今湖南溆浦。569桂阳：郡名，治所在今湖南郴州。570零陵：郡名，治所在今广西兴安东北。571苍梧：郡名，治所在今广西梧州。572交趾：郡名，治所在今越南河内西北。573任延：字长孙，南阳郡宛县人，历任九真、武威、颍川、河内等郡太守。传见《后汉书》卷七十六。574九真：郡名，治所在今越南清化西北。575岭南：指五岭以南地区，即交趾刺史部所领属地区。576华风：华夏的风俗习惯。577处士：指有才德而隐居不仕的人。578周党：字伯况，太原郡广武县（今山西代县西南）人，建武初年召为议郎，以病去职。后隐居黾池，终生不仕。传见《后汉书》卷八十三《逸民传》。579严光：字子陵，会稽郡余姚县（今浙江余姚）人，少时曾与光武同学。光武称帝，变名姓隐而不见。遣使聘至洛阳，光武与之共卧叙旧，然终不肯仕。后耕钓于富春山。终年八十。传见《后汉书》卷八十三《逸民传》。580伏而不谒：伏地而不通报姓名。古时谒见尊者，要伏地通报姓名。581王良：字仲子，东海郡兰陵县人，历任谏议大夫、沛郡太守、大司徒司直等。晚年家居不仕。传见《后汉书》卷二十七。582聘：以礼征召。583陛见：指谒见天子。584偃蹇：骄傲；傲慢。585逝：离去。586演义：阐发义理。587钓采华名：用虚伪的作为求取美名；沽名钓誉。588庶几：希望。589三公：东汉以太尉、司徒、司空为三公。590云台：

王良后来历任沛郡太守、大司徒司直，在任上谦恭节俭，使用布被和陶制器具，妻儿从不进官府。后因病回到故乡，一年后又被征召回洛阳。途经荥阳县时，病情加重，经受不了赶路，便顺路拜访一位朋友。那位朋友不肯见他，说："没有忠言奇谋，却取得高位，何苦来来往往，忙忙碌碌不嫌烦吗！"于是拒绝了王良。王良感到惭愧。从此以后，接连多次征召，王良都不答应，最终死在家中。

西汉元帝时，莎车国王延曾经在京师长安做侍子，喜欢中国。到了王莽之乱时，匈奴掠据西域各国，只有莎车国王延不肯归附，经常告诫几个儿子，说："应当世世代代侍奉汉朝，不可辜负！"延去世，儿子康继位。康率领邻国共同抵抗匈奴，保护原都护官员和他们的妻儿一千余口。发公文到河西，寻问中国的消息。窦融就秉承皇帝旨意立康为汉莎车建功怀德王、西域大都尉，五十五个国家都附属他。

汉代宫中高台名。㊿591 伏虚妄之罪：承担不实之罪。伏，通"服"，承当。虚妄，荒诞无稽。592 夸上：在君主面前夸大其词，言过其实。593 求高：求取美名以抬高自己。594 大不敬：指不敬皇帝。封建时代重罪之一。595 不宾之士：指不愿为官的隐士。不宾，不臣服；不归顺。596 伯夷、叔齐不食周粟：相传伯夷、叔齐为孤竹君的两个儿子。周武王伐纣，二人叩马谏阻。武王灭商后，二人义不食周粟，隐居首阳山，采薇而食，最后饿死山中。597 物色：形状、容貌。598 累征：多次征召。599 富春山：山名，在浙江桐庐南。前临富春江，山下有滩称严陵濑，相传为严光游钓处。600 恭俭：谦恭节俭。601 疾笃：病势沉重。602 不任进道：经受不了赶路。不任，不堪；经受不了。任，堪。进道，行路。603 屑屑：劳碌不安；忙忙碌碌。604 莎车：西域国名，其地在今新疆莎车。605 延：莎车王名。606 侍子：古代属国之王或诸侯遣子入朝陪侍天子，学习文化，所遣之子称侍子。607 略有：掠据。608 附属：归属。609 世奉：指世世代代拥戴。610 拥卫故都护吏士、妻子：保护原都护官员和他们的妻儿。拥卫，保护。王莽天凤三年（公元一六年），以李崇为西域都护。后莽死，西域攻没都护，其官属、妻儿皆滞留在西域，未能东归，今得莎车王康的保护。

【研析】

本卷载述光武帝建武三年到建武五年（公元二七至二九年）三年史事，是光武帝扫灭群雄，统一中国的第二阶段，也就是第二步，平定山东群雄。从大局说，这是西汉末战乱最激烈的时期，天下大势出现了统一的局面；从东汉政权角度说，是光武帝定天下最有成效的丰收期。三年间，东汉政权从只占天下十分之一的群雄之一员胜出，到占有天下十分之七八的绝对强者。这时，山东基本平定，中原大局粗安，光武帝已奠定了真命天子的地位，成为不可战胜的新王朝的统治者。这里只从用兵角度研析光武帝的战功与失误带给我们的历史思考。分为战前战后形势、光武帝的军事战略、光武帝的失误等三个方面来谈。

战前战后形势。此指本卷所载光武帝扫灭群雄的战争时段，即战前形势，系指建武三年初的全国群雄割据态势；所谓战后形势，系指建武五年末，中原局势粗安的形势。

建武三年初，光武帝歼灭赤眉，拉开了统一战争的序幕，全国局势，群雄纷争。当时光武帝的政权，群雄不予认可，只有割据陇西的隗嚣接受光武帝的封号：西州大将军。隗嚣也是坐观时变，包括隗嚣，所有群雄，光武帝都要以武力扫除。更始残余，一部分投靠延岑，混战三辅，大部分出关入南阳，融入南方的各个割据集团。更始政权，曾经是全国统一的一线曙光。由于更始政权的瓦解，全国人民迷失了方向，不知真龙天子在哪里，因此群雄混战的局面才正式形成，称王称帝的此起彼伏。最大的军事集团是赤眉军，占第二、第三位置的分别是据有全蜀之地的公孙述和据有陇西的隗嚣。光武政权虽入都洛阳，但光武帝的军事实力和声望只占第四位。一是洛阳四面皆敌，河南河北有五校、青犊、富平等多支农民武装集团环绕。其他称王称帝的割据者有：武安王延岑据汉中，争三辅，失败后转入南阳。周成王田戎据夷陵，在今湖北宜都。楚黎王秦丰据黎丘，在今湖北宜城。秦丰以女妻延岑、田戎，于是三家结成联盟。梁王刘永据睢阳（今河南商丘）称帝，刘永失败，其子刘纡称梁王，据垂惠，在今安徽蒙城。接受刘永齐王封号的张步，都临淄。海西王董宪据郯城，在今山东郯城。淮南王李宪据庐江，在今安徽庐江县，建武三年称帝。赤眉、延岑、秦丰、田戎、刘永、刘纡、张步、董宪、李宪等群雄皆逐鹿中原，他们是光武帝的劲敌。在逐鹿过程中，由于光武帝的措置失误，逼反了彭宠、邓奉、庞萌、苏茂。彭宠反于渔阳，接着张丰起兵于涿郡，光武帝后院起火。邓奉、庞萌、苏茂，反于用兵前线，差点坏了光武帝大事。由于光武帝经营河北起于细微，他凭借的仅仅是更始帝的一支符节，依靠上谷太守耿况、渔阳太守彭宠的五千突骑、河北信都之众，以及临时招募的乌合之众，不足万人起家，所以用了近四年的努力，才粗安了河北。光武帝经营河北，是建立根据地。光武帝入都洛阳，策划消灭赤眉军，正式拉开了统一全国的序幕。

光武帝的统一战争，进行了三年，次第平定了赤眉、张丰、秦丰、刘永、刘纡、张步、董宪、李宪，走田戎、延岑，灭了彭宠、邓奉、庞萌、苏茂等叛将，山东群雄尽灭，中原局势粗安，全国统一的形势明朗。建武五年末，天下未平者，只有边陲三大集团，蜀帝公孙述，陇右隗嚣，西北割据五原、云中、朔方、定襄、雁门五郡的卢芳。光武帝四分天下已有其三，占绝对优势。

光武帝的军事战略。建武三年，统一战争之初，光武帝的力量并不占优势，山东群雄力量的总和数倍于光武。刘姓皇帝有好几个，赤眉天子刘盆子、汉帝刘永，也是皇室正宗。卢芳称帝也冒姓刘。这些拥兵者并不买光武帝的账。张步贪王爵称号，拒绝了光武帝的招降，就是生动例证。但是光武帝最终胜利了，而且统一之势，势如破竹，攻无不克，战无不胜，三年之间，灭尽山东群雄，光武帝依靠的是什么呢？光武帝的用兵方略，胜人一筹，突出地有以下几个特点。

第一，谋定而后动。《兵法》曰：多算胜少算。光武帝胸中有一天下大势，决机于事发之先，最后统一全国。关键是如何次第消灭山东群雄，从哪里开始呢？光武帝决策各个击破，运之于胸。首先，坐山观赤眉与更始两虎相斗，假手赤眉打垮更始政权，驱除这一合法政权，为自己的统一战争开辟道路。光武帝预料赤眉入关，更始必败，而赤眉胜后，因无远略，烧杀抢掠，必不能久立关中，必然东归。在赤眉未入关中之前，光武帝就部署邓禹入河东，伺机夺取关中，驱赶赤眉东归。更始灭亡，赤眉是全国最强大的军事集团，绝不能放虎归山，让赤眉军回到山东，要在赤眉军行进中加以歼灭。战争进程完全按光武帝预计的规划发展。

第二，智计胜敌。完成歼灭赤眉军在西边的关键，必须抢在赤眉东归之前先据有洛阳，以便在宜阳、新安赤眉必经之路设伏，以逸待劳。更始政权用三十万重兵防守洛阳，攻取谈何容易。光武帝为了抢在赤眉东归之前占有洛阳，他弃小怨，顾大局，招降朱鲔，不战而下洛阳，不仅实力大增，而且赢得了休整时间。消灭赤眉后，光武帝避免两线作战，专一扫荡山东群雄的关键，是阻止公孙述、隗嚣东出。羁縻隗嚣，使之拥汉，更是计划成败的关键。光武帝用尽了心机。他利用隗嚣好儒好面子的特点，优礼隗嚣。隗嚣遣使到洛阳，光武帝待以平等之礼。光武帝给隗嚣的信，亲笔书写。光武帝动员知名大儒班彪、郑兴，隗嚣挚友马援、来歙次第游说隗嚣。隗嚣接受光武帝西州大将军的职事，协助邓禹、冯异争三辅，阻击公孙述北上。光武帝承认隗嚣割据陇右的现实，兼有河西五郡的势力范围，而暗中却又拉拢窦融，既牵制隗嚣，又挖了隗嚣的墙脚，一箭双雕。

第三，各个击破。山东群雄如果一起对抗光武帝，胜败就很难说了。但他们互不统属，给予光武帝各个击破的好时机。单个军事集团，谁都不是光武帝的对手。

第四，光武帝本人雄才大略，部属人才济济，君臣一心，是天下无敌的力量。光武帝大将邓禹、冯异、贾复、吴汉、耿弇、马武、岑彭、来歙，个个是人才，均可独当一面。敌方对手也不乏人才，隗嚣大将王元、杨广，公孙述大将荆邯，以及延岑、秦丰、田戎等，单个可敌光武之将。但他们人才分散，光武人才集中，对阵时无论人才、兵力都占绝对优势。光武帝本人的雄才大略更是无人可比。光武帝从行伍出身，懂得兵机，他不仅有战略规划之才，更有战术克敌之才，总能在关键时刻给前线诸将授以方略。

以上各点，是光武帝从实践中摸爬滚打中总结出来的，既是人为，又有天授，无人可及。昆阳之战，可以说是光武帝卓绝领袖之才的崭露。

光武帝的失误。光武帝用轻躁青年朱浮为幽州牧，加于自恃有大功的彭宠之上，又拒绝彭宠的要求，同时征召朱浮。光武帝要杀彭宠的傲气，为时过早，正在扫荡群雄难解难分之时逼反彭宠，造成后院起火，两线作战。吴汉军纪不肃，烧杀抢掠，又逼反了邓奉。庞萌、苏茂都是招纳的降将，光武帝未能一视同仁，既用他们在前方作战，又不给予大将同等礼遇，下诏书指示，忘了提他们的名字，于是庞萌、苏茂生猜忌而反。邓奉、庞萌、苏茂，前线倒戈，尽知虚实，又是突然袭击，吴汉、盖延被打得大败。光武帝的士兵，大都是收编的农民军，纪律松弛。吴汉、耿弇两员主要战将，起于边郡，好杀成性。吴汉南征，因士兵劫掠邓奉桑梓，逼反邓奉。吴汉破成都又大肆屠城。史称耿弇未尝打败仗，攻陷郡国四十六个，而屠城三百。贾复南征，他的部将在光武帝统治区颍川行凶杀人，受到颍川太守寇恂的惩治。军纪松弛，带兵之将应负主要责任，而光武帝没有对这些爱将有所惩处，亦是其短。

光武帝的这些失误，延缓了统一战争的进程。特别是诸将之反，一度使新造之东汉政权陷于危局。光武帝有过则改，采取措施转危为安。例如镇压反叛诸将，光武帝立即亲征，稳定了军心。邓禹将略为短，争关中受挫，及时换将，任命冯异代邓禹，扭转了不利局势。吴汉暴掠成都降民，也受到了光武帝的申斥。

光武帝扫灭群雄，最终获得胜利，他的失误不足以掩大德。光武帝其人，作为真命天子，大醇小疵。

卷第四十二　汉纪三十四

起上章摄提格（庚寅，公元三〇年），尽旃蒙协洽（乙未，公元三五年），凡六年。

【题解】

本卷记事起公元三〇年，迄公元三五年，共六年史事，当光武帝建武六年至建武十一年。本卷大事主要载述光武帝用兵陇蜀，完成统一大业。隗嚣据陇，公孙述据蜀，两人皆妄自尊大，而又无远略，均乘乱世而起，期盼出现战国局势，群雄割据，称霸一方。公孙述割据称帝，隗嚣欲称王，一心效法西伯，两人都坐失一搏之良机。当光武帝用兵山东，横扫河朔之时，公孙述未能东出，坐观成败，隗嚣还被光武帝利用，阻挡公孙述北出。当山东已平，天下四分而光武帝有其三时，两人唇齿相依以叛。光武帝全力攻陇，一度亲征，两次遭败绩，从建武

【原文】

世祖光武皇帝中之上

建武六年（庚寅，公元三〇年）

春，正月丙辰[①]，以舂陵乡为章陵县，世世复[②]徭役，比丰、沛[③]。

吴汉等拔朐，斩董宪、庞萌，江、淮、山东悉平。诸将还京师，置酒赏赐。

帝积苦[④]兵间，以隗嚣遣子内侍，公孙述远据边垂[⑤]，乃谓诸将曰："且当置此两子于度外耳。"因休诸将于雒阳，分军士于河内，数腾书陇、蜀[⑥]，告示祸福。

公孙述屡移书[⑦]中国[⑧]，自陈符命，冀以惑众。帝与述书曰："图谶言公孙，即宣帝也[⑨]。代汉者姓当涂，其名高，君岂高之身邪？乃复以掌文为瑞[⑩]，王莽何足效乎[⑪]！君非吾贼臣乱子，仓卒时人皆欲为君事耳。君日月已逝[⑫]，妻子弱小，当早为定计。天下神器，不可力

六年到建武十年，前后五年才平定了陇西，用力之勤，莫过于此。因陇地险阻，隗嚣困兽死守，且颇有人望，公孙述又为之后援，遂两败汉军。然而以小敌大，如卵击石，失败固宜。公孙述失去陇山屏障，支撑不到一年就全线溃退。可惜汉军警惕不足，丢失两员主将，也付出了沉重代价。河西窦融，善识时务，矢志归汉，加速了隗嚣的失败。在战争间隙，光武帝整顿吏治，裁汰冗官，减田租，恢复西汉旧制三十税一，察纳雅言，多所兴革，遂为一代中兴明主。光武帝好图谶，是其一短。

【语译】

世祖光武皇帝中之上

建武六年（庚寅，公元三〇年）

春，正月十六日丙辰，把春陵乡改为章陵县，世世代代免除章陵县的徭役，与汉高祖出生地丰县、沛县一样。

吴汉等人攻占朐县，杀了董宪、庞萌，全部平定了江淮、山东一带。众将领回京，光武帝置酒庆功。

光武帝苦于长年累月打仗，由于隗嚣派长子入朝侍奉，公孙述割据在遥远的边陲，便对众将领说："暂且不管这两个人。"于是下令众将领在洛阳休息，把兵士分调到河内郡，多次传信给隗嚣、公孙述，劝告指示利害关系。

公孙述也多次向中原地区发布文告，陈述自己得天命的符兆，企图迷惑民众。光武帝写信给公孙述说："图谶上说'立公孙'，是指立皇公之孙，即汉宣帝。图谶又说，代汉者姓当涂，名高，你难道是当涂高这个人吗？你又把掌纹'公孙帝'作为祥符，王莽怎么值得效法呢！你不是我的乱臣贼子，只不过是天下混乱时人人都想当皇帝罢了。你已年老，妻儿弱小，应当早早安排后路，国家帝王的位置，不是靠

争，宜留三思！”署[13]曰“公孙皇帝”。述不答。

其骑都尉平陵荆邯说述曰：“汉高祖起于行陈之中，兵破身困者数矣，然军败复合[14]，疮愈复战。何则？前死[15]而成功，愈于却[16]就于灭亡也！隗嚣遭遇运会，割有雍州，兵强士附，威加[17]山东；遇更始政乱，复失天下，众庶引领[18]，四方瓦解。嚣不及此时推[19]危乘胜以争天命，而退欲为西伯之事，尊师章句[20]，宾友处士[21]，偃武息戈[22]，卑辞事汉，喟然自以文王复出也！令汉帝释关、陇之忧，专精东伐，四分天下而有其三[23]；发间使，召携贰[24]，使西州豪杰咸居心[25]于山东，则五分而有其四；若举兵天水，必至沮溃[26]，天水既定，则九分而有其八。陛下以梁州之地，内奉万乘，外给三军，百姓愁困，不堪上命，将有王氏[27]自溃之变矣！臣之愚计，以为宜及天下之望未绝，豪杰尚可招诱，急以此时发国内精兵，令田戎据江陵，临[28]江南之会[29]，倚巫山[30]之固，筑垒坚守，传檄吴、楚，长沙以南必随风而靡[31]。令延岑出汉中，定三辅，天水、陇西拱手[32]自服。如此，海内震摇，冀有大利。”述以问群臣，博士吴柱曰：“武王伐殷，八百诸侯不期同辞，然犹还师以待天命。未闻无左右之助而欲出师千里之外者也！”邯曰：“今东帝[33]无尺土之柄，驱乌合之众，跨马陷敌，所向辄平。不亟乘时[34]与之分功，而坐谈武王之说，是复效隗嚣欲为西伯也！”

述然邯言，欲悉发北军[35]屯士及山东客兵[36]，使延岑、田戎分出两道，与汉中诸将合兵并势。蜀人及其弟光以为不宜空国千里之外，决成败于一举，固争之，述乃止。延岑、田戎亦数请兵立功，述终疑不听，唯公孙氏得任事。

述废铜钱，置铁钱，货币不行，百姓苦之；为政苛细[37]，察[38]于小事，如为清水令时而已；好改易郡县官名；少尝为郎[39]，习汉家故事，出入法驾，鸾旗旄骑；又立其两子为王，食犍为、广汉[40]各数县。或谏曰：“成败未可知，戎士暴露而先王[41]爱子，示无大志也！”述不从，由此大臣皆怨。

人力争得的，你要三思!”信题名“公孙皇帝”。而公孙述不予回答。

公孙述的骑都尉平陵人荆邯劝公孙述说：“汉高祖从行伍中兴起，多次兵败受困，然而兵败后又重新聚集，伤愈后重整再战。为什么呢？因为冒死前进才能取得成功，总比后退自取灭亡要好！隗嚣遇上时势变化的机会，割据雍州，兵强马壮，士人归附，声威施加山东；又碰到更始刘玄朝政混乱，失去天下，黎民大众伸长脖子盼望太平，而全国却土崩瓦解。隗嚣不趁此时消除危险，乘胜而力争帝位，却退而想做周文王那样的事，尊礼经师大儒，将隐士当宾客朋友，停止战争，用谦卑的言辞侍奉东汉，还感叹自以为是周文王再生！这使光武帝不以隗嚣为忧，把精力全部集中往东讨灭群雄，四分天下占据了三分；派出秘密使者，招纳离心之人，使西州地区的豪杰都心留山东，那么五分天下就占据了四分；如果光武帝派兵进攻天水郡，天水郡一定会被击败，天水郡平定后，九分天下就占了八分。陛下凭着梁州这块地盘，对内侍奉天子，对外供给三军，百姓愁困，不堪忍受沉重的负担，就会发生王莽那样的内部溃散！臣的愚见，认为应趁着天下人仍怀有太平的愿望，豪杰人士尚可招聚，紧急调动国内的精锐部队，下令田戎去占领江陵县，据守这一通往江南的都会，依靠巫山的险阻，修建壁垒，严加防守，传檄吴、楚，长沙以南将会望风归附。下令延岑率军北出汉中，平定三辅，天水、陇西二郡就会拱手服从。这样，全国震动，有希望获得最大的利益。”公孙述以荆邯的话询问文武大臣，博士吴柱说：“周武王讨伐殷，有八百位诸侯没有约定日期便集合起来，异口同声说纣王可伐；然而武王还是挥师返回，等待天命。从来没听说没有邻近的帮助，却出兵千里之外的事！”荆邯说：“现今东边的皇帝当初没有什么权力，指挥一群乌合之众，跨上战马，冲锋陷阵，进攻到哪里，哪里就被平定。不赶紧趁机分享功业，却坐谈周武王伐纣的道理，这又是效法隗嚣想做周文王！”

公孙述赞同荆邯的话，想调动成都的所有禁卫北军、屯垦军队，以及在蜀地的山东客籍军队，派延岑、田戎分两路出发，与汉中郡各将领的军队会合。蜀中士大夫与公孙述的弟弟公孙光认为不应调动全国的兵力征战千里之外，一举决定成败，他们坚决反对，公孙述就作罢了。延岑、田戎也屡次请求带兵立功，公孙述始终不听，因为只有公孙氏家族才能担任军政大任。

公孙述废除铜钱，铸铁钱，货币不能流通，百姓深受其害；公孙述为政苛刻细碎，辨察小事，就像当年做清水县令时那样；他喜欢改换郡县和官名；年轻时他曾做过郎官，熟悉汉朝旧例，进出都乘皇帝的车驾，鸾旗旄骑；他又封两个儿子为王，以犍为、广汉两郡各数县为食邑。有人谏阻他说：“成败未知，战士暴露在野外战斗，您却先封自己的儿子为王，显示您没有大志向啊！”公孙述不听从，从此大臣们都抱怨他。

【段旨】

以上为第一段，写公孙述妄自尊大，既不归附朝廷，也无大志远略，坐守西蜀以待毙。

【注释】

①丙辰：正月十六日。②复：免除徭役或赋税。③比丰、沛：免除章陵县民的徭役，与丰县、沛县之民同等待遇。比，与……等同。丰，县名，县治在今江苏丰县。刘邦是秦泗水郡沛县丰邑人。刘邦建汉称帝，以丰邑改置县。因丰、沛二县是自己的故乡，便“复其民，世世无有所与”（《汉书·高帝纪下》）。④积苦：长期劳苦。⑤边垂：边地。垂，通“陲”。⑥数腾书陇蜀：指光武帝多次传递书信给隗嚣和公孙述。腾，传递。陇指隗嚣，蜀指公孙述。⑦移书：发送公文、布告。⑧中国：指中原地区。⑨图谶言公孙二句：图谶上说“废皇帝，立公孙”，是指废除昌邑王，而立公孙汉宣帝。公孙述引用的谶文，有《录运法》说：“废昌帝，立公孙。”是说废除当今隆盛的刘姓帝王而立公孙氏。光武帝予以反驳。〖按〗宣帝，指汉宣帝。汉昭帝死，无嗣，立昌邑王刘贺。不久即废，又立刘病已（后改名询），是为宣帝。《汉书·五行志》：“昭帝时，上林苑中大柳树断仆地，一朝起立，生枝叶，有虫食其叶，成文字，曰‘公孙病已立’。”宣帝是武帝废太子戾太

【原文】

冯异自长安入朝，帝谓公卿曰：“是我起兵时主簿也，为吾披荆棘，定关中。”既罢，赐珍宝、钱帛，诏曰：“仓卒芜蒌亭豆粥，虖沱河麦饭，厚意久不报。”异稽首谢曰：“臣闻管仲谓桓公曰：‘愿君无忘射钩，臣无忘槛车。’㊷齐国赖之。臣今亦愿国家㊸无忘河北之难，小臣不敢忘巾车之恩。”留十余日，令与妻子还西。

申屠刚、杜林自隗嚣所来，帝皆拜侍御史。以郑兴为太中大夫。

三月，公孙述使田戎出江关㊹，招其故众，欲以取荆州，不克。

帝乃诏隗嚣，欲从天水伐蜀。嚣上言：“白水㊺险阻，栈阁㊻败绝。述性严酷，上下相患㊼，须其罪恶孰著㊽而攻之，此大呼响应㊾之势也。”帝知其终不为用，乃谋讨之。

子刘据之孙，史皇孙之子，所以称公孙。公孙指宣帝，则以昌帝指昌邑王刘贺。⑩ 以掌文为瑞：据《后汉书·公孙述传》，述梦有人对他说："八厶子系，十二为期。"又有龙出现在他官府的大殿中，夜有光耀，认为是称帝的符瑞，就在自己手掌中刻了"公孙帝"三个字。⑪ 王莽何足效乎：此言王莽多称符瑞，结果新朝短命而国破身亡，哪里值得效法呢。⑫ 日月已逝：指年老。⑬ 署：题收信人的官号。⑭ 合：聚集；集中。⑮ 前死：冒死前进。⑯ 却：后退。⑰ 加：施加。⑱ 引领：伸长脖子，有所企望。⑲ 推：排除；除去。⑳ 章句：剖章析句。汉代学者所创采用剖章析句解说经义的治学方法，称为章句学。此指郑兴等人。㉑ 处士：指方望等人。㉒ 偃武息戈：停息武备，不从事征战。㉓ 令汉帝释关、陇之忧三句：此言隗嚣远居西地，无意向东发展，使光武解除了对关中、陇右地区的后顾之忧，得以集中精力平定东方，拥有了天下的四分之三。㉔ 召携贰：指招纳离心之人。㉕ 居心：留心。㉖ 沮溃：溃散。㉗ 王氏：指王莽。㉘ 临：据守。㉙ 会：指一个地区的政治、经济中心。㉚ 巫山：山名，在今重庆市巫山县东川、鄂交界处。㉛ 随风而靡：意谓檄文一到就服服帖帖地归顺。㉜ 拱手：极言轻易。㉝ 东帝：指光武帝。㉞ 亟乘时：赶快乘机。㉟ 北军：汉代京师的卫戍部队，有南、北军。后二军合并，通称北军。公孙述仿汉制，设北军。㊱ 山东客兵：用侨居蜀地的山东人组成的部队。㊲ 苛细：苛刻细碎。㊳ 察：辨察。㊴ 少尝为郎：西汉末年，于哀帝时述以父任为郎。㊵ 犍为、广汉：皆郡名，犍为治所在今四川宜宾西南。广汉治所在今四川梓潼。㊶ 王：作动词用，封王。

【语译】

冯异从长安进京朝见，光武帝对公卿大臣们说："冯异是朕起兵时的主簿，替朕披荆斩棘，平定关中。"朝见后，光武帝赏赐冯异珍宝、金银和绢帛，下诏说："想那艰难岁月，你在芜蒌亭奉上豆粥，滹沱河献上麦饭，你的深情厚意，我很久没有回报。"冯异磕头拜谢说："臣听说管仲对齐桓公说：'希望君王不要忘记臣曾用箭射过您的带钩，臣也不会忘记君王曾用槛车关押过我。'齐国有赖于此。现在臣希望皇上不要忘记当年在河北县的困苦，小臣也不敢忘记当年陛下在巾车乡对我的恩惠。"冯异在洛阳停留十余天，光武帝让他和妻子儿女西还长安。

申屠刚、杜林从隗嚣那里来到洛阳，光武帝任命他们为侍御史、任命郑兴为太中大夫。

三月，公孙述派田戎东出江关，召集其旧部，想凭借他们夺取荆州，结果失败。

光武帝于是下诏给隗嚣，要他从天水南下攻打公孙述。隗嚣上书说："白水县地势险峻，栈道毁断。公孙述性情残酷，上下忧患，等他的罪行显著再攻打，这是内外夹攻、四方响应的形势。"皇上深知隗嚣终不会为己所用，就谋划讨伐他。

夏，四月丙子㊿，上行幸长安，谒园陵；遣耿弇、盖延等七将军从陇道伐蜀，先使中郎将来歙奉玺书赐嚣谕旨。嚣复多设疑故㉛，事久冘[1]豫㉜不决。歙遂发愤㉝质责㉞嚣曰："国家以君知臧否㉟，晓废兴，故以手书畅意。足下㊱推忠诚㊲，既遣伯春㊳委质㊴，而反欲用佞惑㊵之言，为族灭之计邪！"因欲前刺嚣。嚣起入，部勒㊶兵将杀歙，歙徐杖节就车而去，嚣使牛邯将兵围守之。嚣将王遵谏曰："君叔㊷虽单车远使，而陛下之外兄㊸也，杀之无损于汉，而随以族灭。昔宋执楚使㊹，遂有析骸易子之祸。小国犹不可辱，况于万乘之主，重以伯春之命哉！"歙为人有信义，言行不违，及往来游说，皆可按覆㊺；西州士大夫皆信重之，多为其言㊻，故得免而东归。

五月己未㊼，车驾至自长安。

隗嚣遂发兵反，使王元据陇坻㊽，伐木塞道。诸将因与嚣战，大败，各引兵下陇。嚣追之急，马武选精骑为后拒，杀数千人，诸军乃得还。

【段旨】

以上为第二段，写隗嚣据陇叛变。

【注释】

㊷管仲谓桓公曰三句：春秋齐襄公统治时期，政局不稳，鲍叔牙随同公子小白逃到莒国。襄公被杀，管仲与召忽随同公子纠逃到鲁国。管仲曾在小白回国途中伏击小白，射中小白的带钩。结果小白抢先回国为君，就是齐桓公。桓公逼鲁杀死公子纠，召忽自杀，管仲被囚，用槛车送回齐国。桓公任之为相，辅佐桓公称霸诸侯。此言应常想困窘苦难之时，以使自己慎而不骄，永有天下。㊸国家：指天子。㊹江关：又名"捍关"，关名，其地在今重庆市奉节东北。㊺白水：关名，地处白水县东，在今四川广元东北。㊻栈阁：即栈道，在险绝处傍山架木而成的一种道路。㊼患：忧患。㊽孰著：显著。㊾大呼响应：大声呼喊，响亮回应。此喻指有外攻则必有内应。㊿丙子：四月初

夏，四月初八日丙子，光武帝巡视长安，拜谒西汉历代皇陵；派耿弇、盖延等七位将军从陇西取道攻打公孙述，先派中郎将来歙捧着玺书赐给隗嚣，说明旨意。隗嚣又提出许多疑难事端，故意拖延时间，犹豫不决。来歙激于义愤，责问隗嚣说："皇上认为您懂得善恶得失，明白成败兴亡，所以亲笔写信表达诚意。您已推诚效忠，派了您的儿子隗恂入朝做人质，却又反悔采纳谄佞之言，做那灭族的事吗！"来歙想上前刺杀隗嚣。隗嚣起身进屋，部署士兵打算杀死来歙，来歙从容地拿着符节登车而去，隗嚣派牛邯率兵包围了来歙。隗嚣的部将王遵谏止说："来歙虽然是远方来的单车使节，但他是陛下的表哥，把他杀了，无损于东汉，随之而来将是灭族之灾。从前，宋国逮捕楚国的使节，结果招来楚国围攻，使宋人蒙受易子而食，用人骨作木柴的大灾。小国尚不能辱，何况于天子，您还要保全隗恂的性命！"来歙为人讲信义，言行一致，往来游说，都可审查核实；西州士大夫们都很信任敬重他，很多人为他说情，所以他能幸免于难，东归洛阳。

五月二十一日己未，光武帝从长安回到京城。

隗嚣于是发动叛变，派王元占据陇山，砍伐树木堵塞东去之路。东汉众将领和隗嚣作战，大败，各自领兵逃离陇山。隗嚣急追，马武挑选精锐骑兵断后，杀敌数千人，各路军队才得以返回。

八日。㊿疑故：疑难事端。㊾尢豫：犹豫。㊽发愤：激于义愤。㊼质责：以正义指责人。㊻臧否：善恶；得失。㊺足下：古代下称上或同辈相称的敬辞。㊹推忠诚：以忠诚相待。

八日。(51)疑故：疑难事端。(52)尢豫：犹豫。(53)发愤：激于义愤。(54)质责：以正义指责人。(55)臧否：善恶；得失。(56)足下：古代下称上或同辈相称的敬辞。(57)推忠诚：以忠诚相待。(58)伯春：隗嚣子隗恂字。(59)委质：此处指隗恂入朝做人质。(60)佞惑：谄佞。(61)部勒：部署；指挥。(62)君叔：来歙字。(63)外兄：表兄。歙是光武帝姑姑的儿子。(64)昔宋执楚使：据《左传》鲁宣公十四、十五年，楚庄王派申舟出使齐国，途经宋国却不向宋打招呼，宋人不能容忍强楚对宋的蔑视态度，杀了申舟。于是楚伐宋，围困宋都九个月，城内宋人易子而食，析骨而炊。(65)按覆：审查核实。(66)为其言：替来歙说情。(67)己未：五月二十一日。(68)陇坻：即陇山。

【校记】

［1］尢：据章钰校，孔天胤本作"尤"。

【原文】

六月辛卯⑥⑨，诏曰："夫张⑦⓪官置吏，所以为民也。今百姓遭难，户口耗少，而县官吏职，所置尚繁。其令司隶⑦①、州牧各实⑦②所部⑦③，省减吏员，县国不足置长吏者并之。"于是并省四百余县，吏职减损，十置其一。

九月丙寅晦⑦④，日有食之。执金吾朱浮上疏曰："昔尧、舜之盛，犹加三考⑦⑤；大汉之兴，亦累⑦⑥功效，吏皆积久⑦⑦，至长子孙⑦⑧。当时吏职，何能悉治，论议之徒，岂不喧[2]哗！盖以为天地之功不可仓卒，艰难之业当累日也。而间者⑦⑨守宰数见换易，迎新相代，疲劳道路。寻其视事⑧⓪日浅⑧①，未足昭见⑧②其职，既加严切⑧③，人不自保，迫于举劾⑧④，惧于刺讥⑧⑤，故争饰诈伪以希虚誉⑧⑥，斯所以致⑧⑦日月失行⑧⑧之应也。夫物暴长⑧⑨者必夭折⑨⓪，功卒成者必亟⑨①坏。如摧⑨②长久之业而造速成之功，非陛下之福也。愿陛下游意⑨③于经年之外，望治于一世之后，天下幸甚！"帝采其言，自是牧守代易[3]颇简⑨④。

十二月壬辰⑨⑤，大司空宋弘免。

癸巳⑨⑥，诏曰："顷者师旅未解，用度不足，故行十一之税⑨⑦。今粮储差积⑨⑧，其令郡国收见⑨⑨田租，三十税一，如旧制⑩⓪。"

【段旨】

以上为第三段，写光武帝在征战间隙，已留心整顿吏治，裁汰冗官，减轻田租，恢复西汉三十税一的制度。

【注释】

⑥⑨辛卯：六月二十四日。⑦⓪张：设。⑦①司隶：即司隶校尉，官名，负责督察京师百官，并领京畿一州。东汉司隶州领河南、河内、右扶风、左冯翊、京兆、河东、弘农等七郡。⑦②实：核实；查实。⑦③所部：管辖的部门或官属。⑦④丙寅晦：九月三十日。⑦⑤加三考：古代考核官吏政绩的制度。经三次考核，决定升降赏罚。⑦⑥累：积聚。⑦⑦积久：

【语译】

六月二十四日辛卯，光武帝下诏说："设置官吏，是因为民众需要的缘故。如今百姓遇难，人口锐减，县府地方官吏却设立太多。应令司隶、州牧各自考察核实所辖部门，精简官员，县或国户口不够设立长官的，一律合并。"于是，合并减少了四百多个县，官吏职位裁减，十个才留一个。

九月三十日丙寅，发生日食。执金吾朱浮上奏疏说："从前，唐尧、虞舜盛世，对官吏尚且实施三次考核定升降的制度；大汉朝的兴起，官吏也是积累资历业绩升迁，任职时期都很长，甚至子孙长大，还在任上。当时官吏任职，哪能治理好所有政事，论议之人，岂能不喧哗！但上位者认为创建功绩是不能仓促完成的，艰难的事业要日积月累才能办好。然而近来太守、县宰屡次被改换，辞旧迎新，奔忙于道路。紧接着的是官员们治事时间不长，还没有明察自己的职责，就受到严厉斥责，人人感到不能自保，他们常常迫于被检举弹劾，害怕舆论讥刺，所以就争着用欺骗伪装的手段希望得到虚假的声誉，这就是导致日月运行不正常，出现日食的原因。生物暴长一定会夭折，功业突然建成必定很快衰落。如果毁坏长久的大业以求得急功近利，这不是陛下的福分。希望陛下留心考察官吏一年以上的治绩，期望三十年之后天下大治，那才是天下大幸！"皇上采纳了他的建议，从此州牧、太守更换次数很少。

十二月二十七日壬辰，大司空宋弘被免职。

二十八日癸巳，光武帝下诏说："以前征战不休，用度不够，所以按十分之一收税。如今国家粮食储存稍微增多，命令各郡、国按三十分之一征税，恢复过去的制度。"

指经历很长时间。⑱长子孙：意谓胥吏长期居于其职，直到他们的子孙长大，还在原任，而未调动或升迁。⑲间者：近来。⑳视事：治事。㉑日浅：时间短。此处指上任不久。㉒昭见：明察。㉓严切：严厉斥责。㉔举劾：指被上奏弹劾。㉕刺讥：讥刺；讽刺。㉖希虚誉：希望得到名不副实的声誉。虚誉，虚假不实的声誉。㉗致：造成；导致。㉘失行：不按轨道正常运行。㉙暴长：急遽生长。㉚夭折：喻指事情半途终止。㉛亟：快速。㉜摧：毁坏。㉝游意：留意。㉞简：稀少。㉟壬辰：十二月二十七日。㊱癸巳：十二月二十八日。㊲十一之税：十分纳一分税。㊳粮储差积：粮食储备稍微增加。差，略微。㊴见："现"的本字。㊵旧制：汉景帝二年（公元前一五五年），令田租三十税一。今依景帝之制，故云"旧制"。

【校记】

［2］喧：据章钰校，十二行本、乙十一行本皆作“諠”。［3］代易：据章钰校，十二行本、乙十一行本、孔天胤本二字皆互乙。

【原文】

诸将之下陇也，帝诏耿弇军漆[101]，冯异军栒邑，祭遵军汧，吴汉等还屯长安。冯异引军未至栒邑，隗嚣乘胜使王元、行巡将二万余人下陇，分遣巡取栒邑，异即驰兵欲先据之。诸将曰：“虏兵盛而乘胜，不可与争锋，宜止军便地[102]，徐思方略。”异曰：“虏兵临境，忸忕[103]小利，遂欲深入。若得栒邑，三辅动摇。夫攻者不足，守者有余。今先据城，以逸待劳，非所以争也。”潜往，闭城，偃旗鼓。行巡不知，驰赴之。异乘其不意，卒击鼓建旗而出。巡军惊乱奔走，追击，大破之。祭遵亦破王元于汧。于是北地诸豪长[104]耿定等悉畔[105]隗嚣降。诏异进军义渠[106]，击破卢芳将贾览、匈奴奥鞬日逐王[107]，北地、上郡、安定皆降。

【段旨】

以上为第四段，写汉军征讨隗嚣，初战不利。光武帝重新部署，冯异抢先一步入据栒邑，出其不意，大败隗嚣军。

【原文】

窦融复遣其弟友[108]上书曰：“臣幸得托[109]先后末属[110]，累世二千石，臣复假历将帅[111]，守持一隅[112]，故遣刘钧口陈肝胆，自以底里上露[113]，长

【语译】

东汉众将领撤离陇山时，光武帝命耿弇驻军漆县，冯异驻军栒邑，祭遵驻军汧县，吴汉等率军返回长安驻扎。冯异率军还没到达栒邑，隗嚣就乘胜派王元、行巡率领二万余人从陇山下来，分派行巡攻打栒邑县，冯异立即带兵想要抢先占据栒邑县。众将领说："敌军强大，而且乘胜前进，我们不可与他们交战，应当将军队驻扎在便利之地，再想办法。"冯异说："敌军临境，习惯于小利，便想深入。如果敌人攻占了栒邑县，三辅地区人心浮动。若进攻，我们兵力不足，若防守，兵力却有余。现在我们抢先占领栒邑县城，以逸待劳，不是要和敌人争胜负。"于是秘密进军栒邑，紧闭城门，偃旗息鼓。行巡不知道这一情况，匆忙奔赴栒邑城。冯异乘其不备，突然击鼓扬旗出城。行巡军队惊慌混乱，四下逃散，冯异追击，大破敌军。祭遵也在汧县大败王元的军队。于是，北地郡各个头领耿定等全部背叛隗嚣，归降东汉。光武帝下令冯异进军义渠县，击退卢芳的将领贾览以及匈奴奥鞬日逐王，北地郡、上郡、安定郡全部归降。

【注释】

⑩漆：县名，县治在今陕西彬州。⑩便地：形势便利之地。⑩忸忕：习惯。⑩豪长：渠帅；头领。⑩畔：通"叛"。⑩义渠：道（县）名，道治在今甘肃宁县西北。少数民族聚居的县称道。⑩奥鞬日逐王（？至公元五六年）：名比，呼韩邪单于之孙。建武二十四年（公元四八年），自立为单于，袭其祖号，称呼韩邪单于。从此，匈奴分为南北单于。南单于比内附，长期与东汉保持友好关系。

【语译】

窦融又派他的弟弟窦友上书说："臣庆幸自己是汉文帝窦皇后亲属的后代，历代都是二千石俸禄，臣又历任将帅，镇守一方，所以派刘钧口头向陛下陈述臣的赤胆忠心，臣自认为坦诚无私，没有一点过错。而陛下的玺书却大讲公孙述、隗嚣两位

无纤介[114]。而玺书盛称蜀、汉二主三分鼎足之权，任嚣、尉佗之谋，窃自痛伤。臣融虽无识，犹知[4]利害之际，顺逆之分，岂可背真旧之主，事奸伪之人；废忠贞之节，为倾覆之事；弃已成之基，求无冀之利！此三者，虽问狂夫，犹知去就，而臣独何以用心！谨遣弟友诣阙，口陈至诚。"友至高平[115]，会隗嚣反，道不通，乃遣司马席封[116]间道通书[117]。帝复遣封赐融、友书，所以尉藉[118]之甚厚。

融乃与隗嚣书曰："将军亲遇厄会之际，国家不利之时，守节不回[119]，承事[120]本朝。融等所以欣服[121]高义[122]，愿从役[123]于将军者，良[124]为此也！而忿悁[125]之间，改节易图，委成功[126]，造难就[127]，百年累之，一朝毁之，岂不惜乎！殆[128]执事者[129]贪功建谋，以至于此。当今西州地势局迫[130]，民兵离散，易以辅人，难以自建。计若失路不反，闻道犹迷，不南合子阳，则北入文伯耳。夫负虚交而易强御[131]，恃远救而轻近敌，未见其利也。自兵起以来，城郭皆为丘墟[132]，生民转于沟壑。幸赖天运[133]少还，而将军复重其难，是使积疴[134]不得遂瘳[135]，幼孤将复流离，言之可为酸鼻。庸人且犹不忍，况仁者乎！融闻为忠甚易，得宜实难。忧人[136]太过，以德取怨[137]，知且[138]以言获罪也！"嚣不纳。

融乃与五郡太守共砥厉兵马，上疏请师期[139]，帝深嘉美之。融即与诸郡守将兵入金城，击嚣党先零羌[140]封何[141]等，大破之。因并[142]河，扬[143]威武，伺候[144]车驾。时大兵未进，融乃引还。帝以融信效著明，益嘉之，修理融父坟墓[145]，祠以太牢，数驰轻使，致遗[146]四方珍羞[147]。

梁统犹恐众心疑惑，乃使人刺杀张玄，遂与隗嚣绝，皆解所假将军印绶。

君主三分天下鼎足而立的权力，任嚣、尉佗的谋略，臣私下深感悲痛。臣窦融虽无知，犹能明辨利害，懂得顺逆的界限，怎会背叛旧主人，去侍奉奸诈小人；废弃忠贞节操，做颠覆国家的事情；抛开成功的基业，去寻求无望的利益呢！这背主、失节、逐利三件事，即使去问狂夫，尚知取舍，而臣怎么会有背叛的思想呢！谨派舍弟窦友前往朝廷，亲口说明臣的至诚之心。”窦友到达高平县，正遇隗嚣叛变，道路不通，就派遣司马席封从小路把书信送到朝廷。皇上又派席封给窦融、窦友带去书信，对他们厚加安抚。

窦融给隗嚣去信说：“正当将军遇到艰难困苦的时候，也是国家蒙受不幸的日子，将军愤怒之间能守节不变，侍奉当今朝廷。我窦融等悦服将军高尚的德义，愿跟随将军任职做事，实在是出于这个缘故！可是将军愤怒之间，改变节操，另作图谋，舍弃已成的功勋，想建立难以实现的帝业，先前百年积聚的成果，毁于一旦，不是很可惜吗！也许是你手下办事的人贪图功业，为你谋划，才到今天这个地步。当今西州地方狭窄，人民流离失所，士兵散乱，容易辅助别人，自创大业却很艰难。想来你假若走错路而不返，知道了正路仍执迷不悟，那么，不是向南联合公孙述，就是向北投向卢芳。凭着虚假的交情而轻视强敌，依靠远处的救兵而轻视身边的敌人，看不到有什么利益。自各支军队兴起以来，城郭变成废墟，百姓死亡遍地。幸好天命渐渐回转，而将军又制造灾难，这使旧疾不能很快痊愈，幼孤将再度飘零，说来真令人伤痛。常人尚不忍心这样做，何况是仁慈的人呢！我窦融听说进忠言容易，但要说得适宜很困难。过度替人担忧，反遭怨恨，我知道将会因为说这些话而获罪！”隗嚣没有采纳。

窦融于是和五个郡太守厉兵秣马，向朝廷上书，请求出兵的日期，光武帝非常赞赏窦融。窦融随即和各郡太守率领军队进入金城郡，攻打隗嚣的同党先零羌首领封何等人，把他们打得大败，并乘势沿着黄河，展示军威，等候天子。当时东汉大军还未进发，窦融就率军返回。光武帝因窦融很讲信义，成果显著，更加赞赏他，便修整窦融父亲的坟墓，用牛羊猪三牲俱全的太牢祭祀，屡次派遣轻装的使臣，赠送窦融珍美的食物。

梁统仍然担心大家疑惑，就派人刺杀隗嚣的使者张玄，遂与隗嚣断绝关系，解下隗嚣授予的全部将军印章和绶带。

【段旨】

以上为第五段，写窦融所统河西五郡与隗嚣决裂，效顺朝廷。

【注释】

⑩⑧友：窦友。融弟。历任奉车都尉、城门校尉，封显亲侯。⑩⑨托：依附。⑪⓪先后末属：窦融七世祖窦广国，是汉文帝窦皇后的弟弟。⑪⑪假历将帅：历任将帅。假，谦辞，指名不副实。历，任职。⑪⑫守持一隅：镇守一方。守持，坚守。一隅，指一个边远地区。隅，角落。⑪⑬底里上露：以器皿、囊袋为喻，底与里人不易见。如今底、里都显露在外面，喻指自己开诚布公，而无阴谋隐私。⑪⑭纤介：细微。此指纤介之过。⑪⑮高平：县名，县治在今宁夏固原。⑪⑯席封：人名。⑪⑰间道通书：走小道把书信送到朝廷。⑪⑱尉藉：慰劳；抚慰。尉，古“慰”字。⑪⑲回：改变。⑫⓪承事：侍奉。⑫⑪欣服：悦服。⑫⑫高义：行为高尚合于正义。⑫⑬从役：任职做事。⑫⑭良：实在。⑫⑮忿悁：怨怒；愤恨。⑫⑯委成功：放弃已成的功业。委，放弃。成功，已成的功勋，指归服东汉。⑫⑰造难就：建立难以实现的事业。造，建立。难就，难以成功的事，指称帝。⑫⑱殆：大概。⑫⑲执事者：办事人员。⑬⓪局迫：狭隘；狭窄。⑬⑪负虚交而易强御：依靠虚假的交情而轻视强敌。负，仗恃。虚交，徒有其名的朋友，这里指公孙述。易，轻视。强御，指有权而又

【原文】

先是，马援闻隗嚣欲贰[148]于汉，数以书责譬[149]之，嚣得书增怒。及嚣发兵反，援乃上书曰：“臣与隗嚣本实交友，初遣臣东，谓臣曰：‘本欲为汉，愿足下往观之，于汝意可，即专心[150]矣。’及臣还反，报以赤心，实欲导之于善，非敢谲[151]以非义。而嚣自挟奸心，盗憎主人[152]，怨毒之情，遂归于臣。臣欲不言，则无以上闻，愿听[153]诣行在所，极陈[154]灭嚣之术。”帝乃召之。援具言谋画。

帝因使援将突骑五千，往来游说嚣将高峻[155]、任禹之属，下及羌豪，为陈祸福，以离嚣支党。援又为书与嚣将杨广，使晓劝于嚣曰：“援窃见四海已定，兆民[156]同情[157]，而季孟[158]闭拒[159]背畔，为天下表的[160]，常惧海内切齿[161]，思相屠裂[162]，故遗书恋恋[163]，以致[164]恻隐[165]之计。乃闻季孟归罪于援，而纳王游翁[166]谄邪之说，因自谓函谷以西，举足可定。以今而观，竟何如邪！

“援间至河内，过存[167]伯春，见其奴吉[168]从西方还，说伯春小弟仲舒[169]望见吉，欲问伯春无他否，竟不能言，晓夕号泣[170]，宛转尘中[5]。

势强的人，这里指光武帝。⑬² 丘墟：废墟，形容遭战乱破坏之后荒凉残破之状。⑬³ 天运：天命。⑬⁴ 积疴：旧病。疴，疾病。⑬⁵ 遂瘳：疾病立即痊愈。遂，马上、立即。瘳，痊愈。⑬⁶ 忧人：为人担忧。⑬⁷ 以德取怨：此言过于为人担忧，说服人从迷途返回，走上正道，本是好事，但难免言辞过激，或意见不合人意，最后得到的反而是对方对自己的怨恨。⑬⁸ 且：将。⑬⁹ 师期：出师日期。⑭⁰ 先零羌：羌族的一支。初居今甘肃、青海两省的湟水流域，后渐与西北各族融合。⑭¹ 封何：先零羌首领。刘玄时，杀金城太守而占据其郡。后与隗嚣结盟，抗拒光武。⑭² 并：挨着。⑭³ 扬：张扬；展示。⑭⁴ 伺候：等待；等候。⑭⁵ 修理融父坟墓：融是扶风平陵县人。⑭⁶ 致遗：赠送。⑭⁷ 珍羞：珍美的肴馔。羞，通“馐”，美味的食物。

【校记】

［4］犹知：原作“无知”。据章钰校，十二行本、乙十一行本皆作“犹知”，张敦仁《通鉴刊本识误》、张瑛《通鉴校勘记》同，今据改。

【语译】

此前，马援听说隗嚣对东汉怀有二心，就屡次写信对他批评晓谕，隗嚣接到信后更加气愤。等到隗嚣发兵叛变，马援就上书说：“臣和隗嚣本是知交，当初他派我东来，对臣说：‘我原本想侍奉汉室，请你去观察一下，只要你认为可以，我就专心归汉。’等臣返回，用诚心待他，确实是想引导他从善，不敢欺诈他做不义之事。可是隗嚣自怀奸心，好像强盗憎恨主人，便把怨恨发泄在臣的身上。臣本想不说，那就没别的办法上达，希望允许臣进宫，详尽地述说消灭隗嚣的策略。”光武帝召见马援。马援详细叙说了他的谋划。

光武帝于是派马援率领骑兵突击队五千人，来往游说隗嚣的将领高峻、任禹等人，以及羌族首领，向他们陈述利害关系，离间隗嚣党羽。马援又写信给隗嚣的将领杨广，令他劝导隗嚣，说：“我马援看到天下已平，亿万民众同心，可隗季孟闭门抗拒，起兵反叛，成为天下攻击目标，我担心民众对隗季孟切齿痛恨，想要宰割他，所以给他写信表达我的顾念之心，致以恻隐之情。听说隗季孟把罪过都推到我马援身上，而接纳王游翁谄媚的意见，因而宣称函谷关以西，举足就可以平定。从现在的局势看，究竟怎么样呢！

“我马援最近到河内郡，问候隗季孟的儿子隗伯春，看见他的仆人吉从西州返回，说隗伯春的小弟隗仲舒希望见到吉，想询问隗伯春是否遭遇意外，竟然说不出

又说其家悲愁之状，不可言也。夫怨仇可刺不可毁，援闻之，不自知泣下也。援素知季孟孝爱，曾、闵[171]不过[172]。夫孝于其亲，岂不慈于其子！可有子抱三木[173]而跳梁[174]妄作[175]，自同分羹之事[176]乎！

“季孟平生自言所以拥兵众者，欲以保全父母之国而完坟墓也，又言苟厚士大夫而已。而今所欲全者将破亡之，所欲完者将伤毁之，所欲厚者将反薄之。季孟尝折愧[177]子阳而不受其爵，今更共陆陆[178]欲[6]往附之，将难为颜[179]乎！若复责以重质[180]，当安从得子主给是哉[181]！往时子阳独欲以王相待而春卿[182]拒之，今者归老[183]，更欲低头与小儿曹[184]共槽枥[185]而食，并肩侧身[186]于怨家[187]之朝乎！

“今国家待春卿意深[188]，宜使牛孺卿[189]与诸耆老[190]大人共说季孟，若计画不从，真可引领[191]去矣。前披舆地图，见天下郡国百有六所，奈何欲以区区[192]二邦[193]以当诸夏百有四乎[194]！春卿事季孟，外有君臣之义，内有朋友之道。言君臣邪，固当谏争；语朋友邪，应有切磋[195]。岂有知其无成，而但萎腇咋舌[196]，叉手[197]从族[198]乎！及今成计[199]，殊尚[200]善也，过是[201]，欲少味矣[202]！且来君叔[203]天下信士[204]，朝廷重之，其意依依[205]，常独为西州言。援商朝廷，尤欲立信于此，必不负约[206]。援不得久留[207]，愿急赐报[208]。”广竟不答。

诸将每有疑议，更请呼援，咸敬重焉。

隗嚣上疏谢曰：“吏民闻大兵卒至，惊恐自救，臣嚣不能禁止。兵有大利[209]，不敢废臣子之节，亲自追还。昔虞舜事父，大杖则走，小杖则受[210]。臣虽不敏[211]，敢忘斯义！今臣之事，在于本朝，赐死则死，加刑则刑。如更得洗心[212]，死骨不朽[213]。”有司以嚣言慢[214]，请诛其子，帝不忍，复使来歙至汧，赐嚣书曰：“昔柴将军[215]云：‘陛下宽仁，诸侯虽有亡叛而后归，辄复位号，不诛也。’今若束手[216]，复遣恂弟归阙庭者，则爵禄获全，有浩大之福矣！吾年垂[217]四十，在兵中十岁，厌[218]浮语虚辞[219]。即[220]不欲，勿报。”嚣知帝审[221]其诈，遂遣使称臣于公孙述。

匈奴与卢芳为寇不息，帝令归德侯飒使匈奴以修旧好。单于骄倨，虽遣使报命，而寇暴如故。

话来，早晚哭泣，哭声回荡在旷野中久久不能离去。还说到家中悲愁的情况，无法用言语来表达。有怨仇可以讥刺，却不能诽谤，援听后，情不自禁流下眼泪。援一向了解隗季孟孝顺慈爱，曾参、闵子骞也不能超过他。孝顺父母的人，哪有不爱自己儿子的！哪有儿子身戴刑具，而父亲强横妄为，自己去做乐羊分羹那样的事呢！

“隗季孟平时说自己拥有军队，是想用来保全父老乡亲的土地和坟墓，又说借此优待士大夫罢了。可现在他要保护的乡土即将丧失，想要保护的祖坟即将毁灭，想要优待的士人反而轻视他。隗季孟曾侮辱公孙子阳而不接受他的爵位，今天却打算同平庸无能之辈一起去依附他，恐怕面有愧色吧！如果公孙子阳又要求再派一个儿子做人质，隗季孟将从哪里找儿子来充当此任呢！从前，公孙子阳对隗季孟只想以王相待，就被你杨春卿拒绝，现在他到了老年，却愿低着头和小孩们同在一个养马槽里吃食，并肩侧身在仇家的小朝廷里吗！

“如今朝廷对你杨春卿情谊深厚，你应该请牛孺卿和各位长辈一起劝说隗季孟，如果说服不了，真的可以引退。前些时，我观看地图，看到全国有一百零六个郡，怎么能够用陇西、天水两个区区小郡来抵抗诸夏一百零四个郡呢！你杨春卿侍奉隗季孟，外有君臣的道义，内有朋友的情谊。说到君臣，本应以理相争；说到朋友，也应切磋商讨。哪有明知隗季孟事情不能成功，却畏缩不敢说话，服服帖帖随他一起遭遇灭族呢！你应趁现在确定大计，还是很好的，错过了时机，就将乏味了！况且来君叔是天下诚实可信之士，朝廷尊重他，他对隗季孟也很思慕，经常替隗嚣说好话。援思量皇上，尤其想在这事上树立诚信，一定不会违背诺言。我马援不能久留边陲，希望你尽快回信相告。”杨广最终未作回答。

众将领每当有疑问，相继找马援请教，因为大家都敬重他。

隗嚣向朝廷上疏谢罪说：“官民听说大军突然到来，惊恐惧怕，只求自救，臣隗嚣无法控制他们。臣打了大胜仗，但不敢废弃做臣子的礼节，亲自把军队追回。从前，虞舜侍奉他父亲，他父亲用大棍打他，他就逃跑；用小棍打他，他就承受。臣虽不才，岂敢忘记这个道理！而今臣的命运决定于皇上，若赐臣死，臣就死；若加臣刑，臣就受刑。如果再给臣一次改过自新的机会，臣死而无憾。”主管部门认为隗嚣的话傲慢，请求杀掉他的儿子，光武帝于心不忍，又派来歙到汧县赐信给隗嚣，说：“从前汉高祖的大将柴武将军说：‘陛下宽厚仁慈，诸侯即使有人逃亡叛变，然而后来又回归，都恢复他原有的职位，不诛杀他。’现今你如果罢手，再派遣隗恂的弟弟来朝廷做人质，那你的爵位官禄都可保全，拥有莫大的福分！我年近四十，在军旅中十年，憎恶浮语虚词。你如果不想这样做，就不必回报。”隗嚣知道皇上洞察了他的诈骗谎言，就派使者向公孙述称臣。

匈奴与卢芳侵扰不止，光武帝下令归德侯刘飒出使匈奴，想重修旧好。匈奴单于骄横傲慢，虽然也派使臣复命，但侵掠残暴与原来一样。

【段旨】

以上为第六段，写马援致书隗嚣将军杨广，光武帝致书隗嚣，君臣交替劝降，均未奏效。

【注释】

⑱贰：怀有二心。⑲责譬：批评晓谕。⑳专心：指专心归汉。⑮谲：欺诈。⑯盗憎主人：强盗憎恨主人。喻指奸恶的人怨恨正直的人。⑯听：准许。⑯极陈：详尽地一一述说。⑯高峻：隗嚣将。马援奉命招降峻，中郎将来歙承制任命峻为通路将军，封关内侯。后峻复叛，据高平。光武派寇恂说降，峻降，送洛阳。⑯兆民：亿万民众。⑯同情：同一种心情。⑯季孟：隗嚣字。⑯闭拒：拒绝。⑯表的：箭靶，此喻指攻击目标。⑯切齿：咬牙，此指极端痛恨的样子。⑯屠裂：屠杀肢解。⑯恋恋：顾念。⑯致：奉献。⑯恻隐：同情。⑯王游翁：王元，字游翁。⑯存：问候。⑯吉：人名。⑯仲舒：隗纯，字仲舒，隗嚣之少子。建武九年（公元三三年）嚣死，其将立纯为王。次年降光武。建武十八年，在逃亡匈奴途中被捕杀。⑰晓夕号泣：早晚哭泣。⑰曾、闵：曾参与闵损。二人都是孔子弟子，以孝行著称。⑰不过：不能超过。⑰三木：古代刑具为木制，加在犯人颈、手、足三处的刑具，合称三木。⑰跳梁：强横。⑰妄作：胡作非为。⑰分羹之事：指战国魏将乐羊事。《战国策·中山策》："乐羊为魏将，攻中山。其子时在中山，中山君烹之，作羹致于乐羊。乐羊食之。"⑰折愧：侮辱。⑰陆陆：犹"碌碌"，形容平庸无能的样子。⑰难为颜：言其应该面有愧色。颜，脸色。⑱责以重质：要求再派一个儿子做质子。责，责求。⑱当安从得子主给是哉：将从哪里找一个儿子来承担这一责任呢。当，将。安从，从哪里。主给是，意谓负责充当此任。⑱春卿：杨广的字。⑱归老：到了老年。⑱曹：辈。⑱槽枥：马槽。⑱并肩侧身：肩并肩侧着身子。

【原文】

七年（辛卯，公元三一年）

春，三月，罢郡国轻车[22]、骑士[23]、材官[24]，令还复民伍[25]。

公孙述立隗嚣为朔宁王，遣兵往来，为之援势[26]。

癸亥晦[27]，日有食之。诏百僚各上封事，其上书者不得言圣。太中大夫郑兴上疏曰："夫国无善政，则谪见日月[28]，要在因人之心，

形容畏惧的样子。⑱⑦ 怨家：仇家。⑱⑧ 意深：情意深厚。此指光武帝属意杨广。⑱⑨ 牛孺卿：牛邯，字孺卿。⑲⓪ 耆老：指年老而有地位的人。⑲① 引领：指引退。⑲② 区区：形容小的样子。⑲③ 二邦：指陇西、天水二郡。⑲④ 诸夏百有四乎：指全国有一百零四个郡。⑲⑤ 切磋：互相研讨，此指坦诚相劝。⑲⑥ 萎腇咋舌：懦弱畏缩，咬紧舌头。此指不敢说话。萎，软弱。⑲⑦ 叉手：两手在胸前相交，形容服服帖帖。⑲⑧ 从族：听凭灭族。⑲⑨ 及今成计：趁现今之时确定大计。⑳⓪ 殊尚：还是。⑳① 过是：错过这个时机。⑳② 欲少味矣：将十分乏味。少味，乏味。此以食为喻，指出日后再难逢此良机。⑳③ 来君叔：即来歙。歙字君叔。⑳④ 信士：诚实可信的人。⑳⑤ 依依：形容思慕怀念的心情。⑳⑥ 援商朝廷三句：我马援思量皇上，特别想要在此事上立下诚信，绝不失信。商，推测。朝廷，指光武帝。负约，失约、违背诺言。⑳⑦ 久留：久留边地。⑳⑧ 赐报：要求回信的客气说法。⑳⑨ 兵有大利：指王元陇山之捷。㉑⓪ 昔虞舜事父三句：意谓舜事父至孝，父用大棍棒打自己，就跑掉；用小棍棒打自己，就用身体承受。语出《韩诗外传》卷八："夫子曰：'汝不闻昔者舜为人子乎？小棰则待，大杖则逃。'" ㉑① 不敏：谦辞，犹不才。㉑② 洗心：改过自新。㉑③ 死骨不朽：犹言死而无憾。㉑④ 慢：傲慢无礼。㉑⑤ 柴将军：指柴武，又名陈武。汉高祖时为将军，后为大将军，封棘蒲侯。高祖十一年（公元前一九六年），柴武率军攻击叛逃匈奴的原韩王信，先修书一封送给信。这里所引即书中之语，见《史记》卷九十三。㉑⑥ 束手：罢手，指停止抵抗。㉑⑦ 垂：将近。㉑⑧ 厌：憎恶。㉑⑨ 浮语虚辞：无根据、不实在的话。㉒⓪ 即：如果。㉒① 审：知道；洞察。

【校记】

［5］宛转尘中：原无此四字。据章钰校，十二行本、乙十一行本、孔天胤本皆有此四字，张敦仁《通鉴刊本识误》、张瑛《通鉴校勘记》同，今据补。［6］欲：原无此字。据章钰校，十二行本、乙十一行本、孔天胤本皆有此字，张敦仁《通鉴刊本识误》同，今据补。

【语译】

七年（辛卯，公元三一年）

春，三月，裁撤郡国的轻车兵、骑兵、步兵，让他们返乡复员为民。

公孙述封隗嚣为朔宁王，派出军队往来，作为声援态势。

三月三十日癸亥，发生日食。皇上诏令百官各自上呈密封的奏章，上书的人不能说"圣"字。太中大夫郑兴上疏说："国家没有好的政策措施，谴责就在日月上显现出来，

择人处位。今公卿大夫多举渔阳太守郭伋可大司空者，而不以时定。道路流言，咸曰‘朝廷欲用功臣’，功臣用则人位谬[229]矣。愿陛下屈己从众，以济[230]群臣让善之功。顷年日食每[7]多在晦，先时而合[231]，皆月行疾也。日君象而月臣象，君亢急[232]则[8]臣下促迫[233]，故月行疾。今陛下高明而群臣惶促[234]，宜留思[235]柔克[236]之政，垂意[237]《洪范》之法[238]。”帝躬勤政事，颇伤[239]严急，故兴奏及之。

夏，四月壬午[240]，大赦。

五月戊戌[241]，以前将军李通为大司空。

大司农江冯上言：“宜令司隶校尉督察三公[242]。”司空掾陈元[243]上疏曰：“臣闻师臣[244]者帝[245]，宾臣者霸。故武王以太公为师，齐桓以夷吾为仲父，近则高帝优相国之礼[246]，太宗[247]假[248]宰辅之权。及亡新王莽，遭汉中衰，专操国柄以偷[249]天下，况已自喻[250]，不信群臣，夺公辅之任，损宰相之威，以刺举[251]为明，徼[9]讦[252]为直，至乃陪仆[253]告其君长，子弟变[254]其父兄，罔密法峻，大臣无所措手足[255]。然不能禁董忠之谋，身为世戮。方今四方尚扰[256]，天下未一，百姓观听，咸张耳目。陛下宜修文、武之圣典，袭祖宗之遗德，劳心下士，屈节待贤，诚不宜使有司察公辅之名[257]。”帝从之。

酒泉太守竺曾以弟报怨杀人[258]，自免去郡；窦融承制拜曾武锋将军，更以辛肜为酒泉太守。

秋，隗嚣将步骑三万侵安定，至阴槃[259]，冯异率诸将拒之；嚣又令别将下陇攻祭遵于汧，并无利而还。帝将自征隗嚣，先戒窦融师期，会遇雨，道断，且嚣兵已退，乃止。

帝令来歙以书招王遵，遵来降，拜太中大夫，封向义侯。

冬，卢芳以事诛其五原太守李兴兄弟，其朔方太守田飒、云中太守乔扈各举郡降，帝令领职如故。

帝好图谶，与郑兴议郊祀事，曰：“吾欲以谶断之，何如？”对曰：“臣不为谶！”帝怒曰：“卿不为谶，非之邪？”兴惶恐曰：“臣于书有所未学，而无所非也。”帝意乃解。

关键在于顺应民心，用人得当。现今多数公卿大夫推举渔阳郡太守郭伋出任大司空，而陛下没有及时裁定。行路之人传言，都说‘朝廷将任用功臣’，功臣任职朝廷，那么职位和任职之人就错谬了。希望陛下委屈自己，听从大家的意见，成全群臣互相谦让的美德。近年日食每次大多发生在月末，日月提前重合，都是月亮运行加快的缘故。太阳是君主的象征，月亮是臣子的象征，君主过急则臣子也急迫，所以月亮运行迅速。而今陛下高尚明达，群臣却惶恐拘谨，应当留心思考施行宽缓柔和的政事，留意《尚书·洪范》大法。”皇上亲自处理政事，总是失于严急，所以郑兴上奏提醒他。

夏，四月十九日壬午，大赦天下。

五月初六日戊戌，任命前将军李通为大司空。

大司农江冯上书说：“应让司隶校尉督察三公。”司空掾陈元上奏疏说：“臣听说以臣下为老师，可以成就帝业；以臣下为宾客，可以成就霸业。所以周武王以姜太公为老师，齐桓公以管仲为仲父，近代汉高祖特别优礼相国萧何，汉文帝授予宰相申屠嘉以重权。等到已亡的新朝王莽，遇上汉朝中道衰落，他专擅汉朝政权窃取天下，自比周公，不信任群臣，剥夺三公、辅相的权力，降低宰相的威严，把检举别人的隐私当作明察，斥责别人的过失当作正直，导致家仆告发主人，儿子、弟弟告发父亲、哥哥，法网严密苛刻，大臣手足无措。即使这样，仍不能阻止董忠的叛变，王莽本人遭世人杀戮。现今全国仍然动乱不安，天下没有统一，百姓全都竖起耳朵、睁大眼睛在聆听观看。陛下应该施行周文王、周武王的圣制，继承祖先的遗德，费心尊礼有识之士，降低身份优待贤能的人，实在不应该派有关部门监督三公、辅相的职位。”皇上听从了他的提议。

酒泉郡太守竺曾因为弟弟报私仇杀人，自动免职离郡；窦融秉承皇帝旨意任命竺曾为武锋将军，另以辛肜为酒泉郡太守。

秋，隗嚣率领步骑三万人侵犯安定郡，抵达阴槃县，冯异率领众将领抵抗他；隗嚣又命其他将领率军下陇山，到汧县攻打祭遵，都未胜返回。光武帝准备亲自征伐隗嚣，先提醒窦融出兵的日期，恰好遇上下雨，道路中断，而且隗嚣的军队已撤退，就停止出兵。

光武帝命来歙写信招降王遵，王遵归降，皇上任命王遵为太中大夫，封为向义侯。

冬，卢芳因事杀了他的五原郡太守李兴兄弟，他的朔方郡太守田飒、云中郡太守乔扈各自举郡归降，光武帝命令他们留任原职。

光武帝喜好宣扬符命占验的书，他与郑兴商议郊外祭祀天地的事，说：“我想用符命占验之法来决定此事，怎么样?”郑兴回答说：“我不研究符命占验之术!”皇上发怒说：“你不研究符命占验，是认为它不对吗?”郑兴恐惧地说：“我没有学过，没认为它不对。”光武帝的怒气才消了。

南阳太守杜诗政治清平，兴利除害，百姓便之。又修治陂池㉖⓪，广拓土田，郡内比室㉖①殷足㉖②，时人方㉖③于召信臣。南阳为之语曰："前有召父，后有杜母。"

【段旨】

以上为第七段，写光武帝纳谏，常与群臣议论政治得失。光武帝喜好图谶，是其一短。

【注释】

㉒②轻车：车兵。㉒③骑士：骑兵。㉒④材官：勇猛的步卒。㉒⑤民伍：平民的行列。㉒⑥援势：声援的态势。㉒⑦癸亥晦：三月三十日。㉒⑧谪见日月：此言上天通过日月之食以示谴责。谪，谴责。见，显现、表现。㉒⑨人位谬：意谓功臣有功，却不一定能胜任其职。人不称其位，故云"谬"。㉓⓪济：成就。㉓①先时而合：先时，先于时、早于正常运行的应蚀时间。合，指太阳、月球、地球运行到一条直线上。当地球运行到太阳与月球之间，则发生月食，月食发生在望日；当月球运行到太阳与地球之间，则发生日食，日食发生在朔日即农历初一。如今晦日发生日食，所以说"先时"。㉓②亢急：严急。㉓③促迫：急迫。㉓④惶促：惶恐拘谨。㉓⑤留思：留心考虑。㉓⑥柔克：宽缓柔和而能成事。㉓⑦垂意：留意。㉓⑧《洪范》之法：《洪范》所阐述的治国大法。《洪范》，《尚书》中的一篇。洪，大。范，法。相传周武王杀纣灭商后，向箕子询问治国方略，箕子阐述九种大法，史官整理成文，即为《洪范》。㉓⑨伤：失于；受到……损害。㉔⓪壬午：四月十九日。㉔①戊戌：五月初六日。㉔②督察三公：据《通典》卷三十二记载，"司隶校尉无所不纠，唯不察三公"。

【原文】

八年（壬辰，公元三二年）

春，来歙将二千余人伐山开道，从番须、回中㉖④径袭略阳㉖⑤，斩隗嚣守将金梁。嚣大惊曰："何其神也！"帝闻得略阳，甚喜，曰："略阳，嚣所依阻㉖⑥，心腹已坏，则制其支体易矣！"

吴汉等诸将闻歙据略阳，争驰赴之。上以为嚣失所恃，亡其要城，

南阳郡太守杜诗施政清廉公平，兴利除害，人民都平安无事。杜诗又兴修池塘，广泛开垦荒地，南阳郡内，家家富裕，当时人们把杜诗比作西汉元帝时的南阳郡太守召信臣。南阳地区称颂他说："从前有召父，现在有杜母。"

实际上，西汉已有司隶纠察三公之例。此时东汉初建，一切草创，故有此议。㉔③陈元：字长孙，苍梧郡广信县（今广西梧州）人，通晓《左传》，为当时著名学者。传见《后汉书》卷三十六。㉔④师臣：以臣为师。㉔⑤帝：成就帝业。㉔⑥高帝优相国之礼：据《史记·萧相国世家》记载，刘邦时萧何为相国，"赐带剑履上殿，入朝不趋"。㉔⑦太宗：指汉文帝。文帝庙号太宗。㉔⑧假：给予。㉔⑨偷：窃取。㉕⓪自喻：自比。王莽以己比况周公。㉕①刺举：检举。㉕②徼讦：揭发别人的隐私；斥责别人的过失。㉕③陪仆：奴仆。㉕④变：指变告，即向朝廷上书告发谋叛作乱的事。㉕⑤无所措手足：不知如何安放手足。形容没有办法，不知如何是好。㉕⑥扰：动乱不安。㉕⑦名：名分；职位。㉕⑧弟报怨杀人：《后汉书》卷二十三李贤注引《东观记》曰："曾弟婴报怨，杀属国候王胤等，曾惭而去郡。"㉕⑨阴槃：县名。㉖⓪陂池：池塘。㉖①比室：犹言家家户户。㉖②殷足：富裕。㉖③方：比。

【校记】

［7］每：原无此字。据章钰校，十二行本、乙十一行本、孔天胤本皆有此字，今据补。［8］则：原作"而"。据章钰校，十二行本、乙十一行本皆作"则"，今据改。［9］徼：原作"激"。章钰校云："徼讦，十二行本'徼'误'激'。"可见章钰所据胡克家刻本作"徼"，与校者所见不同。严衍《通鉴补》改作"徼"，今据以校正。〖按〗《后汉书·陈元传》亦作"徼"。

【语译】

八年（壬辰，公元三二年）

春，来歙率领两千余人伐山开路，从番须、回中道直接袭击略阳县，斩了隗嚣的守将金梁。隗嚣大惊，说："简直神了！"皇上听说取得略阳县，很高兴，说："略阳县是隗嚣依靠的屏障，心腹已毁败，那么，控制肢体也就容易了！"

吴汉等众将领听说来歙攻占了略阳县，争相前往。光武帝认为隗嚣失去依靠，

势必悉以精锐来攻；旷日久围而城不拔，士卒顿敝[267]，乃可乘危而进。皆追汉等还。隗嚣果使王元拒陇坻，行巡守番须口，王孟塞鸡头[268]道，牛邯军瓦亭[269]。嚣自悉其大众数万人围略阳，公孙述遣将李育、田弇助之，斩[270]山筑堤，激水[271]灌城。来歙与将士固死坚守，矢尽，发[272]屋断木[273]以为兵[274]。嚣尽锐攻之，累月不能下。

夏，闰四月，帝自将征隗嚣，光禄勋汝南郭宪[275]谏曰："东方初定，车驾未可远征。"乃当车[276]拔佩刀以断车靷[277]。帝不从，西至漆。诸将多以王师之重，不宜远入险阻，计冘[10]豫未决，帝召马援问之。援因说隗嚣将帅有土崩之势，兵进有必破之状；又于帝前聚米为山谷[278]，指画形势，开示众军所从道径，往来分析，昭然可晓。帝曰："虏在吾目中矣！"明旦，遂进军，至高平第一[279]。

窦融率五郡太守及羌虏小月氏[280]等步骑数万，辎重五千余两，与大军会。是时军旅草创，诸将朝会礼容多不肃[281]，融先遣从事问会见仪适[282]。帝闻而善之，以宣告百僚，乃置酒高会，待融等以殊礼。遂共进军，数道上陇。使王遵以书招牛邯，下之，拜邯太中大夫。于是嚣大将十三人、属县十六、众十余万皆降。嚣将[283]妻子奔西城[284]，从杨广，而田弇、李育保上邽，略阳围解。帝劳赐来歙，班坐[285]绝席[286]，在诸将之右[287]，赐歙妻缣千匹。

进幸上邽，诏告隗嚣曰："若束手自诣，父子相见，保无他也。若遂欲为黥布者，亦自任[288]也。"嚣终不降，于是诛其子恂。使吴汉、岑彭围西城，耿弇、盖延围上邽。

以四县[289]封窦融为安丰侯，弟友为显亲侯，及五郡太守皆封列侯，遣西还所镇。融以久专方面，惧不自安，数上书求代，诏报曰："吾与将军如左右手耳，数执[290]谦退，何不晓人意！勉循[291]士民，无擅离部曲！"

颍川盗贼群起，寇没[292]属县，河东守兵亦叛，京师骚动。帝闻之曰："吾悔不用郭子横[293]之言。"秋，八月，帝自上邽晨夜东驰，赐岑彭等书曰："两城若下，便可将兵南击蜀虏。人苦不知足，既平陇，复望蜀。每一发兵，头须[294]为白[295]！"

丢弃了重镇，势必出动所有精锐部队反攻；等到长久相持，隗嚣攻不下围城，士兵困顿疲惫，就可以乘危进攻。于是，光武帝下令追吴汉等人全都还军。隗嚣果真派王元在陇山抗拒，行巡在番须口防守，王孟堵住鸡头道，牛邯驻扎在瓦亭。隗嚣亲率全部大军数万人包围略阳县，公孙述也派遣将领李育、田弇协助作战，开山筑堤，阻遏水流灌城。来歙和将士们死守，箭射完了，就拆房砍树制作兵器。隗嚣用尽精锐部队攻城，几个月没有攻下。

夏，闰四月，光武帝亲自率军征讨隗嚣，光禄勋汝南人郭宪谏阻说："东方刚平定，天子不可远征。"于是挡住车驾，拔出佩刀，砍断了车靷。光武帝不听从，西进到漆县。众将领多数认为皇上的部队事关重大，不宜深入险阻之地，光武帝犹豫不决，就召见马援，询问他的意见。马援便说，隗嚣的众将领出现了土崩瓦解的情形，我们进军有必然破敌的态势；又在皇上面前用米聚集成山谷地形，指点敌我双方的形势，展示各路大军进军的路线，反复分析，清楚明白。光武帝说："敌人已在我的眼中！"第二天早晨，大军便进发到高平县第一城。

窦融率领五个郡太守以及羌族、小月氏等步骑兵数万人，辎重车五千余辆，与大军会合。当时军队刚组建，众将领朝见皇帝的礼仪不严肃规整，窦融先派从事询问朝见礼仪。光武帝听后认为很好，拿这件事告诉文武百官，摆设酒宴，大会群臣，用特殊的礼遇招待窦融等人。随后同时进军，分成几路登上陇山。光武帝让王遵写信招降牛邯，牛邯归顺，光武帝任命牛邯为太中大夫。这样，隗嚣的十三位大将、天水所属的十六个县、十余万部众全部归降。隗嚣带着妻子儿女逃往西城县，跟从杨广，而将领田弇、李育退守上邽县，略阳县被解围。光武帝慰劳、赏赐来歙，班次独坐一席，在将领们的上首，还赐给来歙的妻子一千匹细绢。

光武帝到达上邽县，诏告隗嚣说："如果你亲自束手前来，父子相见，保证不会有其他事故。如果你一定要做黥布，也随便。"隗嚣始终不肯投降，于是光武帝杀了他的儿子隗恂。派遣吴汉、岑彭包围西城县，耿弇、盖延包围上邽县。

光武帝用四个县封窦融为安丰侯，窦融的弟弟窦友为显亲侯，还封五个郡的太守都为列侯，派他们回到西边各自的镇所。窦融因长期在一个地方独揽大权，惶恐不安，屡次上书请求派人替代，皇上下诏回答说："我和将军你的关系就像左右手，你一再坚持谦虚退让，为什么就不明白我的心意！你要努力安抚官吏、百姓，不要擅自离开部队！"

颍川郡的盗贼蜂起，攻陷所属县城，河东郡的守军也叛变，京城骚动。光武帝听到这消息，说："我后悔没听郭子横的话。"秋，八月，光武帝从上邽县日夜东驰。赐给岑彭等人书信说："西城、上邽两城如果攻下了，就可率军向南攻打公孙述。人苦不知足，既平定了陇西郡，又渴望得到蜀国。每一次出兵，头发与胡须都为之变白！"

九月乙卯[296]，车驾还宫。帝谓执金吾寇恂曰："颍川迫近京师，当以时定。惟念独卿能平之耳，从九卿复出[297]以忧国可也！"对曰："颍川闻陛下有事陇、蜀，故狂狡[298]乘间[299]相诖误[300]耳。如闻乘舆南向，贼必惶怖归死[301]，臣愿执锐前驱。"帝从之。庚申[302]，车驾南征，颍川盗贼悉降。寇恂竟不拜郡[303]，百姓遮道曰："愿从陛下复借[304]寇君一年。"乃留恂长社[305]，镇抚吏民，受纳余降。

东郡、济阴盗贼亦起，帝遣李通、王常击之。以东光侯耿纯尝为东郡太守，威信著于卫地[306]，遣使拜太中大夫，使与大兵会东郡。东郡闻纯入界，盗贼九千余人皆诣纯降，大兵不战而还，玺书复以纯为东郡太守。戊寅，车驾还自颍川。

安丘侯张步将妻子逃奔临淮，与弟弘、蓝欲招其故众，乘船入海；琅邪太守陈俊追讨，斩之。

冬，十月丙午[307]，上行幸怀；十一月乙丑[308]，还雒阳。

杨广死，隗嚣穷困，其大将王捷别在戎丘[309]，登城呼汉军曰："为隗王城守者，皆必死，无二心，愿诸军亟罢，请自杀以明之。"遂自刎死。

初，帝敕吴汉曰："诸郡甲卒但坐费[310]粮食，若有逃亡，则沮败[311]众心，宜悉罢之。"汉等贪并力攻嚣，遂不能遣[312]，粮食日少，吏士疲役[313]，逃亡者多。岑彭壅谷水灌西城，城未没丈余[314]。会王元、行巡、周宗将蜀救兵五千余人乘高卒至，鼓噪大呼曰："百万之众方至！"汉军大惊，未及成陈[315]，元等决围殊死战[316]，遂得入城，迎嚣归冀。吴汉军食尽，乃烧辎重，引兵下陇，盖延、耿弇亦相随而退。嚣出兵尾击诸营，岑彭为后拒，诸将乃得全军东归，唯祭遵屯汧不退。吴汉等复屯长安，岑彭还津乡。于是安定、北地、天水、陇西复反为嚣。

校尉[317]太原温序[318]为嚣将苟宇[319]所获，宇晓譬数四，欲降之。序大怒，叱宇等曰："虏何敢迫胁[320]汉将！"因以节檛[321]杀数人。宇众争欲杀之，宇止之曰："此义士，死节，可赐以剑。"序受剑，衔须于口，顾左右曰："既为贼所杀，无令须污土！"遂伏剑而死。从事王忠持其

九月初一日乙卯，光武帝车驾返回洛阳官。光武帝对执金吾寇恂说："颍川靠近京城，应当及时平定。朕考虑只有你才能平定它，请你从九卿之位上再次出朝，为国分忧！"寇恂回答说："颍川郡人听说陛下远征陇西、蜀国，所以那些狂妄狡诈之徒乘机误人。如果他们听说陛下向南征讨，盗贼一定会心生恐惧而受死，臣愿意手执兵器，做陛下的先锋。"光武帝听从了他的意见。初六日庚申，光武帝率军南征，颍川郡盗贼全部归降。寇恂果然未被任命为颍川郡太守，百姓都挡在道路上请求说："希望从陛下手里再借寇恂一年。"于是，光武帝就把寇恂留在长社县，抚慰官民，收容降军。

东郡、济阴郡的盗贼兴起，光武帝派遣李通、王常去攻打他们。因为东光侯耿纯曾做过东郡太守，在东郡地区颇有声望，光武帝派使臣任命耿纯为太中大夫，让他与李通的大军在东郡会合。东郡人听说耿纯进入郡界，盗贼九千余人到耿纯那儿投降，大军没有交战就返回了，光武帝用玺书再度任命耿纯为东郡太守。九月二十四日戊寅，光武帝从颍川郡回到洛阳。

安丘侯张步带领妻子儿女逃到临淮，和他弟弟张弘、张蓝想召集旧部，乘船入海；琅邪郡太守陈俊追击，将他们杀了。

冬，十月二十二日丙午，光武帝巡幸怀县；十一月十二日乙丑，回到洛阳官。

杨广死去，隗嚣困窘无路，隗嚣的大将王捷驻守在戎丘城，他登上城楼向东汉军高喊："替大王隗嚣守城的人，都明知必死，绝无二心，请你们马上撤军，让我用自杀来表明决心。"于是自刎而死。

当初，光武帝对吴汉下手谕说："各郡的地方兵士只是空费粮食，如有人逃亡，就会挫伤军心，应该全部遣散。"吴汉等人贪图集合众多兵力进攻隗嚣，不愿遣散士兵。于是，粮食日渐减少，官兵疲于役使，逃跑的人很多。岑彭堵住谷水，引水灌进西城，城墙没有被水淹没的只有一丈有余。碰巧王元、行巡、周宗率领公孙述的救兵五千余人从高处突然来到，击鼓号叫："百万军队来了！"东汉军队惊恐，来不及摆好阵势，王元等拼死战斗突破重围，便进入了西城，护送隗嚣回到冀县。吴汉军粮吃光，便烧掉辎重，领兵下陇山。盖延、耿弇也相继撤退。隗嚣派出军队从后追击，岑彭断后，众将领才得以全军东归，只有祭遵驻军在汧县未撤退。吴汉等人又驻军长安，岑彭回到津乡。于是安定、北地、天水、陇西等郡反被隗嚣占领。

校尉太原人温序被隗嚣的将军苟宇俘获，苟宇反复劝导温序，想让他投降。温序大怒，呵斥苟宇等人说："你们这些匪徒怎么敢威胁汉将！"就用手中符节击杀数人。苟宇的左右争着要杀死温序，苟宇制止他们说："这是位义士，为节操而死，可以赐他一把剑。"温序接了剑，把胡须衔在嘴里，回头对身边的人说："既然遭遇匪徒而死，也不要使胡须被土弄脏！"于是拔剑自杀而死。从事王忠护送他的遗体回到洛

丧归雒阳，诏赐以冢地，拜三子为郎。

十二月，高句丽王遣使朝贡，帝复其王号㉜。

是岁，大水。

【段旨】

以上为第八段，写光武帝不听劝谏，御驾亲征隗嚣，大功垂成，因东方叛乱，而功亏一篑。

【注释】

㉖④回中：古道路名，南起汧水河谷，北出萧关。因途经回中（今陕西陇县西北）得名。为关中平原与陇东高原间的交通要道。㉖⑤略阳：县名，县治在今甘肃秦安东北。㉖⑥依阻：依靠；仗恃。㉖⑦顿敝：困顿疲惫。㉖⑧鸡头：山名，在甘肃平凉西。一名笄头，又名崆峒山。㉖⑨瓦亭：地名，在今宁夏固原西南。㉗⓪斩：开辟。㉗①激水：阻遏水流。㉗②发：拆毁。㉗③断木：砍断树木。㉗④兵：兵器。㉗⑤郭宪：字子横，汝南郡宋县（今安徽界首东北）人，王莽时任为郎中，不受。光武时，历任博士、光禄勋等。传见《后汉书》卷八十二上。㉗⑥当车：指郭宪挡在车驾的前面。㉗⑦靷：车上革制驾马工具。一端系于车轴上，一端系于马脖子的皮套上，用以引车前行。郭宪抽出佩刀砍断了车靷。㉗⑧为山谷：为山为谷。㉗⑨高平第一：即高平县第一城。在今宁夏固原。㉘⓪小月氏：古族名，月氏族初居今甘肃敦煌与青海祁连之间。汉初被匈奴击破，西迁至伊犁河上游，称大月氏。未迁者进入祁连山区，称小月氏。小月氏与羌人杂居，分布在今甘肃永登与青海湟中一带。㉘①肃：严肃。㉘②仪适：仪式；礼节。㉘③将：带领；携带。㉘④西城：西城县，在今甘肃天水市西南。㉘⑤班坐：班次；座次。㉘⑥绝席：不同席。独坐一席，以示尊显。㉘⑦右：古代崇右，以右为上，为贵，为尊。㉘⑧自任：自己随便。㉘⑨四县：指安丰、阳泉、蓼安、风四县。㉙⓪执：坚持。㉙①勉循：努力安抚。㉙②寇没：攻陷、攻占。㉙③郭

【原文】

九年（癸巳，公元三三年）

春，正月，颍阳成侯祭遵薨于军，诏冯异并将其营。遵为人，廉约小心，克己奉公，赏赐尽与士卒，约束严整，所在吏民不知有军。

阳，光武帝下诏赐给他墓地，任命他的三个儿子为郎官。

十二月，高句丽国王遣使朝贡，光武帝恢复他的王号。

这一年，发生水灾。

子横：郭宪，字子横。㉙④头须：头发与胡须。㉙⑤为白：为之变白。㉙⑥乙卯：九月初一日。㉙⑦从九卿复出：寇恂现任执金吾，为九卿之一。恂于建武二年至三年（公元二六至二七年），曾任颍川太守。此言欲让恂解卿职，再次出任颍川太守。㉙⑧狂狡：狂妄狡诈。此指叛乱者。㉙⑨乘间：趁机。㉚⓪诖误：贻误。㉚①归死：受死；请死。㉚②庚申：九月初六日。㉚③拜郡：任命为郡守。㉚④复借：因寇恂前些年曾任颍川太守，所以说"复借"。㉚⑤长社：县名，县治在今河南长葛东北。㉚⑥卫地：东郡所辖，为古卫国地。㉚⑦丙午：十月二十二日。㉚⑧乙丑：十一月十二日。㉚⑨戎丘：西县地名，其地在县治西南。㉛⓪坐费：空费。㉛①沮败：败坏；挫伤。㉛②遣：遣散。㉛③疲役：疲于所役。㉛④城未没丈余：城墙没有被水淹没的只有一丈多高。㉛⑤成陈：布好军阵。陈，同"阵"。㉛⑥决围殊死战：突围拼死战斗。㉛⑦校尉：《通鉴考异》："按《序传》及袁《纪》，皆称'序为护羌校尉'。检《西羌传》，九年方置此官，牛邯为之，又云'邯卒，职省'，则序无缘作护羌。今但云'校尉'。"㉛⑧温序（？至公元三二年）：字次房，太原郡祁县（今山西祁县东南）人，历任侍御史、武陵都尉、谒者、校尉等。传见《后汉书》卷八十一。㉛⑨苟宇：隗嚣将。建武十年降光武。《后汉书·温序传》："序行部至襄武，为隗嚣别将苟宇所拘劫。"㉜⓪迫胁：胁迫，威胁强迫。㉜①椓：打，击。㉜②复其王号：王莽始建国四年（公元一二年），更名高句丽王为下句丽侯。至此，恢复其王号。

【校记】

［10］冘：胡三省注云："'冘'与'犹'同。"据章钰校，乙十一行本、孔天胤本皆作"犹"。

【语译】

九年（癸巳，公元三三年）

春，正月，颍阳成侯祭遵在军中去世，光武帝诏令冯异合并率领祭遵的军队。祭遵为人廉洁谨慎，克己奉公，每有赏赐都分给士兵，军纪严明，所到之处，地方

取士皆用儒术，对酒设乐，必雅歌投壶㉓。临终，遗戒薄葬；问以家事，终无所言。帝愍悼之尤甚，遵丧至河南，车驾素服㉔临㉕之，望哭哀恸㉖；还，幸城门，阅过丧车，涕泣不能已；丧礼成，复亲祠以太牢。诏大长秋㉗、谒者、河南尹护丧事，大司农给费。至葬，车驾复临之；既葬，又临其坟，存见㉘夫人、室家㉙。其后朝会，帝每叹曰："安得忧国奉公如祭征虏㉚者乎！"卫尉铫期曰："陛下至仁，哀念祭遵不已，群臣各怀惭惧㉛。"帝乃止。

隗嚣病且饿，餐糗糒㉜，恚愤㉝而卒。王元、周宗立嚣少子纯㉞为王，总兵㉟据冀。公孙述遣将赵匡、田弇助纯。帝使冯异击之。

公孙述遣其翼江王田戎、大司徒任满、南郡太守程泛将数万人下江关，击破冯骏等军，遂拔巫及夷道、夷陵，因据荆门、虎牙㊱，横江水起浮桥、关楼㊲[11]，立攒柱㊳以绝㊴水道，结营跨山以塞㊵陆路，拒汉兵。

夏，六月丙戌㊶，帝幸缑氏㊷，登轘辕㊸。

吴汉率王常等四将军，兵五万余人，击卢芳将贾览、闵堪于高柳㊹。匈奴救之，汉军不利。于是匈奴转盛，钞暴㊺日增。诏朱祜屯常山，王常屯涿郡，破奸将军侯进屯渔阳，以讨虏将军王霸为上谷太守，以备匈奴。

帝使来歙悉监护㊻诸将屯长安，太中大夫马援为之副。歙上书曰："公孙述以陇西、天水为藩蔽，故得延命假息㊼，今二郡平荡，则述智计[12]穷矣。宜益选兵马，储积资粮。今西州新破，兵人疲馑㊽，若招以财谷，则其众可集。臣知国家所给㊾非一，用度不足，然有不得已也！"帝然之。于是诏于汧积谷六万斛。秋八月，来歙率冯异等五将军讨隗纯于天水。

骠骑将军杜茂与贾览战于繁畤㊿，茂军败绩。

诸羌自王莽末入居塞内，金城属县多为所有。隗嚣不能讨，因就慰纳(351)，发其众与汉相拒。司徒掾班彪上言："今凉州部皆有降羌。羌胡被发左衽(352)，而与汉人杂处，习俗既异，言语不通，数为小吏黠人所见侵夺，穷恚无聊(353)，故致反叛。夫蛮夷寇乱，皆为此也。旧制，益州

官民都不知有军队。他选用的人才都是有儒术的人，在宴会上作乐，一定歌唱《雅》诗，做投壶游戏。临终时，祭遵遗嘱薄葬；问起家事，始终不说一句话。光武帝对他特别痛惜悼念，祭遵的遗体运到河南郡，光武帝身着丧服亲临哭吊，望柩痛哭，哀伤悲痛；回宫时，登上城楼，看着灵车经过，涕泣不已；丧礼举行之后，又亲自用牛、羊、猪三牲俱备的太牢礼祭祀。下诏令大长秋、谒者、河南尹主持丧事，由大司农承担费用。下葬那天，皇上又亲临哭吊；埋葬完毕，还亲自到墓前致哀，探望慰问祭遵夫人和家属。之后，每当朝会时，皇上常叹息说："我到哪里再找忧心国事像祭征虏将军这样的人啊！"卫尉铫期说："陛下十分仁爱，哀思祭遵不已，使我们深感惭愧。"光武帝这才停止。

隗嚣患病，又饥饿，每餐吃干粮，愤恨而死。王元、周宗立隗嚣的小儿子隗纯为王，总领军队，据守冀县。公孙述派遣将领赵匡、田弇援助隗纯。光武帝派遣冯异攻击他们。

公孙述派遣他的翼江王田戎、大司徒任满、南郡太守程泛率领数万人出江关，击败东汉将领冯骏等军队，攻占巫县、夷道、夷陵等县，随后占据荆门山、虎牙山，在长江上修造浮桥、关楼，在江中竖立密集的木桩用以断绝航道，跨山结营堵塞陆路，抵御汉军。

夏，六月初六日丙戌，光武帝巡幸缑氏县，登上轘辕山。

吴汉率领王常等四位将军，统兵五万余人，攻打驻守在高柳县的卢芳部将贾览、闵堪。匈奴来救援他们，东汉军失利。这时匈奴转盛，劫掠日益严重。光武帝诏令朱祐在常山郡驻军、王常在涿郡驻军、破奸将军侯进在渔阳郡驻军，任命讨虏将军王霸为上谷郡太守，以防备匈奴。

光武帝命来歙监管全部将领驻扎长安，命太中大夫马援做他的副手。来歙上书说："公孙述把陇西、天水二郡作为屏障，所以能苟延残喘，现在这两郡已被平定，公孙述就智困计穷了。我们应该选调兵马，储备粮草。现今西州刚被击败，军民疲惫饥饿，如用钱财粮食招抚他们，当地军民就能集合起来。臣知道国家需要开支供给的事项很多，财政困难，然而这样做也是迫不得已！"光武帝同意他的看法。于是，诏令在汧县积储六万斛粮食。秋，八月，来歙率领冯异等五位将军，在天水郡讨伐隗纯。

骠骑将军杜茂在繁畤与贾览交战，杜茂军队大败。

西羌各部落从王莽末年迁移到边塞之内以后，金城郡所属各县大多被他们占有。隗嚣无力讨伐，便安抚、接纳他们，发动他们和东汉对抗。司徒掾班彪上书说："现今凉州各地都有归降的羌人。羌族人披头散发，左边开襟，他们和汉人杂居，习俗相异，语言不通，经常被小官吏及狡猾之徒侵掠，穷困怨愤，无以为生，导致反叛。南方蛮夷为寇作乱，都是因此而起。旧制，益州地区设立蛮夷骑都尉，幽州地区设

部置蛮夷骑都尉，幽州部置领乌桓校尉，凉州部置护羌校尉，皆持节领护，治其怨结[354]，岁时巡行，问所疾苦。又数遣使译[355]，通导动静，使塞外羌夷为吏耳目，州郡因此可得警备。今宜复如旧，以明威防。”帝从之。以牛邯为护羌校尉。

盗杀阴贵人母邓氏及弟䜣。帝甚伤之，封贵人弟就[356]为宣恩侯。复召就兄侍中兴[357]，欲封之，置印绶于前。兴固让曰：“臣未有先登陷陈之功，而一家数人，并蒙爵土，令天下觖望[358]，诚所不愿！”帝嘉之，不夺其志。贵人问其故，兴曰：“夫外戚家苦不知谦退，嫁女欲配侯王，取妇眄睨[359]公主，愚心实不安也。富贵有极[360]，人当知足，夸奢[361]益为观听所讥。”贵人感其言，深自降挹[362]，卒不为宗亲求位。

帝召寇恂还，以渔阳太守郭伋为颍川太守。伋招降山贼赵宏、召吴等数百人，皆遣归附农[363]，因自劾专命[364]，帝不以咎之[365]。后宏、吴等党与闻伋威信，远自江南，或从幽、冀，不期[366]俱降，骆驿[367]不绝。

莎车王康卒，弟贤立，攻杀拘弥[368]、西夜[369]王，而使康两子王之。

【段旨】

以上为第九段，写东汉开国功臣的风采，祭遵是一个典型，他为人廉洁雅致，死后光武帝葬以殊礼。卢芳、隗嚣余党、公孙述等垂死挣扎，光武帝部署诸将，以做最后一击。东汉恢复诸夷持节校尉。

【注释】

[323]雅歌投壶：古代宴会礼制，也是一种娱乐活动。宾主依次歌唱《雅》诗，用矢投向壶口，以投中多少决胜负，负者饮酒。[324]素服：白色丧服。此指身穿丧服。[325]临：哭吊死者。[326]哀恸：极其悲痛。[327]大长秋：官名，为皇后的近侍，多由宦官充任。执掌宣达皇后旨意，管理宫中事宜。[328]存见：探望慰问。[329]室家：指家中成员。[330]祭征虏：祭遵建武二年被任命为征虏将军。[331]群臣各怀惭惧：光武怀念祭遵，常向群臣称誉祭遵忧国奉公之美。群臣愧不如遵，因而产生惭惧之心。[332]餐糗糒：吃干粮。[333]恚愤：愤恨。[334]纯：隗纯，字仲舒。[335]总兵：总领军队。[336]荆门、虎牙：二山名，位于夷陵、夷道之间的长江南、北岸，荆门在南，虎牙在北，隔江相对。在今湖北宜昌东南。[337]关楼：

置领乌桓校尉，凉州地区设置护羌校尉，这些官员都持节对当地进行管理和保护，平息郁积的怨气，每年巡视各地，慰问他们的疾苦，并经常派翻译去疏通关系，了解动静，使塞外的羌人、夷人充当官吏耳目，州、郡才有所戒备。现在应该恢复旧制，明示威严和防备。”光武帝采纳了。于是任命牛邯为护羌校尉。

强盗杀死阴贵人的母亲邓氏和弟弟阴䜣。光武帝十分伤心，就封阴贵人的弟弟阴就为宣恩侯。又召见阴就的哥哥侍中阴兴，想封他爵位，把印章绶带放在阴兴面前。阴兴坚决推辞说：“臣没有伐敌登城和冲锋陷阵的功劳，但一家之中已有好几个人都受爵封土，使天下人不满而怨恨，这确实是臣不愿意看到的！”光武帝赞赏他，不违背他的想法。阴贵人问阴兴为什么要这样做，阴兴说：“外戚之家苦于不知谦让美德，嫁女想配王侯，娶媳盯着公主，我的内心实在不安。富贵有限，人应知足，浮华奢侈更被世人讥笑。”阴贵人被他的话所感触，更加谦恭退让，始终不替亲属求取官爵。

光武帝召回寇恂，任命渔阳郡太守郭伋为颍川郡太守。郭伋招降山贼赵宏、召吴等数百人，全部遣送回乡务农，并弹劾自己擅自做决定，光武帝没有因此事责备他。后来，赵宏、召吴等人的同党得知郭伋有威信，远的从江南，或从幽州、冀州，不约而同都来归降，络绎不绝。

莎车王康去世，他的弟弟贤继位，攻杀了拘弥、西夜王，而委派康的两个儿子分别为拘弥王和西夜王。

《后汉书·岑彭传》作“斗楼”。犹如城墙上御敌的城楼。㊳攒柱：密集的柱桩。㊴绝：截断。㉞塞：堵塞。㉟丙戌：六月初六日。㊷缑氏：县名，县治在今河南偃师东南。㊸轘辕：山名，在缑氏东南。㊹高柳：县名，县治在今山西阳高。㊺钞暴：即抄暴，掠夺。㊻监护：监督掌管。㊼假息：苟延残喘。㊽疲馑：疲惫而又饥饿。㊾所给：需要供给的事项。㊿繁畤：县名，县治在今山西应县东北。(351)慰纳：安抚接纳。(352)被发左衽：被发，散发。被，通“披”。左衽，衣襟向左。衽，衣襟。这是我国古代一些少数民族的习俗。(353)穷恚无聊：穷困怨愤，无以为生。(354)怨结：郁积的怨气。(355)译：翻译官。(356)就：阴就。光武阴皇后弟，嗣父封为宣恩侯，后改封为新阳侯。明帝时为少府，位特进。(357)兴：阴兴（？至公元四七年），字君陵，光武阴皇后弟。历任黄门侍郎、守期门仆射、侍中等，赐爵关内侯。传见《后汉书》卷三十二。(358)觖望：因不满而怨恨。(359)睊睨：指眼睛盯着。(360)极：尽头；限度。(361)夸奢：浮华奢侈。(362)降挹：谦抑退让。挹，通“抑”。(363)附农：从事农业生产。(364)专命：指擅自放还赵宏、召吴等。(365)不以咎之：不拿这件事责怪他。(366)不期：未经约定。(367)骆驿：往来不断。(368)拘弥：西域国名，其地在今新疆于田。(369)西夜：西域国名，其地在今新疆叶城南。

【校记】

［11］关楼：胡三省注云："'关楼'，范《书》作'鬬楼'。"据章钰校，乙十一行本作"鬬楼"。［12］计：据章钰校，孔天胤本作"既"。

【原文】

十年（甲午，公元三四年）

春，正月，吴汉复率捕虏将军王霸等四将军六万人，出高柳击贾览，匈奴数千骑救之，连战于平城[370]下，破走之。

夏阳节侯[371]冯异等，与赵匡、田弇战且一年，皆斩之。隗纯未下，诸将欲且还休兵，异固持[372]不动，共攻落门[373]，未拔。夏，异薨于军。

秋，八月己亥[374]，上幸长安。

初，隗嚣将安定高峻拥兵据高平第一，建威大将军耿弇等围之，一岁不拔。帝自将征之，寇恂谏曰："长安道里居中[375]，应接[376]近便[377]，安定、陇西必怀震惧，此从容一处，可以制四方也。今士马疲倦，方履险阻[378]，非万乘[379]之固[380]也。前年颍川，可为至戒[381]。"帝不从。戊戌[382][13]，进幸汧。峻犹不下，帝遣寇恂往降之。恂奉玺书至第一，峻遣军师皇甫文出谒[383]，辞礼[384]不屈[385]；恂怒，将诛之。诸将谏曰："高峻精兵万人，率多[386]强弩[387]，西遮陇道，连年不下，今欲降之而反戮其使，无乃不可乎？"恂不应，遂斩之，遣其副归告峻曰："军师无礼，已戮之矣！欲降，急降；不欲，固守！"峻惶恐，即日开城门降。诸将皆贺，因曰："敢问杀其使而降其城，何也？"恂曰："皇甫文，峻之腹心，其所取计[388]者也。今来，辞意不屈，必无降心。全之则文得其计，杀之亡其胆[389]，是以降耳。"诸将皆曰："非所及也！"

冬，十月，来歙与诸将攻破落门，周宗、行巡、苟宇、赵恢等将隗纯降，王元奔蜀。徙诸隗于京师以东[390]。后[391]隗纯与宾客亡入胡[392]，至武威，捕得，诛之。

【语译】

十年（甲午，公元三四年）

春，正月，吴汉又率捕虏将军王霸等四位将军共六万人，从高柳县出击贾览，匈奴数千名骑兵援救贾览，在平城县多次交战，打跑了匈奴骑兵。

夏阳节侯冯异等同赵匡、田弇交战将近一年，最后杀了赵匡和田弇。隗纯没有被攻下，东汉众将领想暂时退兵休整，冯异坚持不动，一起攻打落门聚，未能攻取。夏，冯异在军中去世。

秋，八月二十五日己亥，光武帝幸临长安。

当初，隗嚣的将领安定县人高峻率军据守高平第一城，东汉建威大将军耿弇等率军包围，历时一年，未能攻下。光武帝亲自率军征讨隗嚣，寇恂谏阻说："长安居于洛阳和高平的中间，接应路近方便，陛下坐镇长安，安定、陇西二郡一定震动，陛下在长安一处举动，可以控制四方。现今人马疲倦，正临险境，不是天子安全之地。前年颍川郡群盗蜂起，可以作为最好的鉴戒。"光武帝不听从。八月二十四日戊戌，进军到汧县。高峻仍不投降，光武帝就派寇恂前往招降。寇恂捧着玺书到第一城，高峻派军师皇甫文出城拜见，言辞礼节不恭顺；寇恂大怒，要杀皇甫文。众将领谏阻说："高峻有精兵一万，大多是强劲的弓弩手，断绝西边陇西郡的通道，整年都没有攻下，今天打算招降高峻，却杀了他的使节，恐怕不行吧?"寇恂不听，杀了皇甫文，放他的副使回去转告高峻说："军师无礼，已被我杀了！想投降，就赶快投降；不想投降，就继续坚守!"高峻惊慌，当天打开城门投降。众将领都来祝贺，便问寇恂，说："冒昧询问你杀了高峻的使节，却能使他投降，为什么?"寇恂说："皇甫文是高峻的心腹，是高峻求计之人。这次前来，言辞傲慢，一定没有归降的意思。如果保全皇甫文，那么皇甫文自得其计，杀掉皇甫文，就可以使高峻丧胆，所以高峻投降。"众将领都说："这不是我们能比得上的!"

冬，十月，来歙和众将领攻陷落门聚，周宗、行巡、苟宇、赵恢等领着隗纯归降，王元投奔公孙述。光武帝把隗姓宗族迁到京师以东的地方。后来，隗纯和宾客逃往匈奴，逃到武威县时被抓获，处死了他们。

先零羌与诸种寇金城、陇西，来歙率盖延等进击，大破之，斩首虏数千人。于是开仓廪以赈㊿饥乏，陇右遂安，而凉州流通焉。

庚寅[394]，车驾还宫。

【段旨】

以上为第十段，写光武帝平定陇西，隗嚣残余被消灭。西羌亦被安抚，河西道路畅通。

【注释】

[370]平城：县名，县治在今山西大同西北。[371]夏阳节侯：冯异封夏阳侯，卒，谥曰节侯。一云冯异封阳夏侯。[372]固持：坚持。[373]落门：冀县村镇名，位于县治西，在今甘肃武山县东北。[374]己亥：八月二十五日。[375]道里居中：指自都城洛阳至高平，长安处于二者的中间位置。[376]应接：接应；支援。[377]近便：路近方便。[378]方履险阻：正临险境。[379]万乘：指天子。[380]固：牢固。此指安全。[381]至戒：深戒；最好的鉴戒。[382]戊

【原文】

十一年（乙未，公元三五年）

春，三月己酉[395]，帝幸南阳，还[396]幸章陵；庚午[397]，车驾还宫。

岑彭屯津乡，数攻田戎等，不克。帝遣吴汉率诛虏将军刘隆等三将，发荆州兵凡六万余人、骑五千匹，与彭会荆门。彭装战船数千[14]艘，吴汉以诸郡棹卒[398]多费粮谷，欲罢之；彭以为蜀兵盛，不可遣[399]，上书言状。帝报彭曰："大司马[400]习用步骑，不晓水战，荆门之事，一由征南公[401]为重[402]而已。"

闰月，岑彭令军中募攻浮桥，先登者上赏，于是偏将军鲁奇应募而前。时东风狂急，鲁奇船逆流而上，直冲浮桥，而攒柱[403]有反杷钩[404]，奇船不得去。奇等乘势殊死战，因[405]飞炬[406]焚之，风怒火盛，桥楼崩烧。岑彭悉军[407]顺风并进，所向无前[408]，蜀兵大乱，溺死者数千人，斩任满，生获程泛，而田戎走保[409]江州。

先零羌和其他部落一起入侵金城、陇西二郡，来歙率领盖延等进军回击，大败他们，杀死和俘虏数千人。于是开仓救济饥民，陇山以西终于平定，而凉州诸郡到京师的道路便开通了。

十月十七日庚寅，皇上车驾返回洛阳宫。

戊：八月二十四日。㊳出谒：出来拜见。㊴辞礼：言辞与招待礼节。㊵屈：指卑恭顺服。㊶率多：大多。㊷强弩：硬弓，此指强劲的射手。㊸取计：求计。㊹亡其胆：此言文死则无人为高峻策划应敌之策，峻必丧胆畏惧。㊺徙诸隗于京师以东：《后汉书·隗嚣传》，“宗、恢及诸隗分徙京师以东，纯与巡、宇徙弘农”。㊻后：时在建武十八年（公元四二年）。㊼胡：指匈奴。㊽赈：救济。㊾庚寅：十月十七日。

【校记】

［13］戊戌：原无此二字。据章钰校，十二行本、乙十一行本、孔天胤本皆有此二字，张敦仁《通鉴刊本识误》同，今据补。

【语译】

十一年（乙未，公元三五年）

春，三月初九日己酉，光武帝巡幸南阳，随即幸临章陵；三十日庚午，皇上车驾回到洛阳宫。

岑彭驻扎津乡，多次攻打田戎等，没有攻克。光武帝派吴汉率领诛虏将军刘隆等三位将军，调发荆州兵共六万余人、战马五千匹，与岑彭在荆门县会师。岑彭战船数千艘，吴汉因为各郡的操船水兵消耗粮食太多，想遣散他们；岑彭以为公孙述军队庞大，不能遣散，上书光武帝说明情况。光武帝回复岑彭说：“大司马习用步兵、骑兵，不知晓水战，荆门的战事，全由征南大将军岑彭做主。”

闰三月，岑彭在军中挑选攻击浮桥的士兵，下令先登上浮桥的给予重赏，偏将军鲁奇应募而出。当时东风刮得很厉害，鲁奇的船只逆流而上，直冲浮桥，而浮桥立柱上有反杷钩，鲁奇的船只不能离去。鲁奇等人趁势拼死作战，利用投掷火炬焚烧浮桥，风大火盛，浮桥和桥楼被烧毁崩塌。岑彭全军顺风齐进，所向无敌，蜀军大乱，落水淹死了几千人，杀了任满，活捉程泛，而田戎逃跑据守江州。

彭上[410]刘隆为南郡太守，自率辅威将军臧宫、骁骑将军刘歆长驱入江关。令军中无得虏掠，所过[411]百姓皆奉[412]牛酒迎劳[413]，彭复让不受，百姓大喜，争开门降。诏彭守[414]益州牧，所下[415]郡辄行[416]太守事，彭若出界[417]，即以太守号付[418]后将军[419]。选官属守州中长吏。

彭到江州，以其城固粮多，难卒拔，留冯骏守之，自引兵乘利[420]直指垫江[421]，攻破平曲[422]，收其米数十万石。吴汉留夷陵，装露桡[423]继进。

夏，先零羌寇临洮[424]；来歙荐马援为陇西太守，击先零羌[15]，大破之。

公孙述以王元为将军，使与领军[425]环安拒河池。六月，来歙与盖延等进攻元、安，大破之，遂克下辨，乘胜遂进。蜀人大惧，使刺客刺歙，未殊[426]，驰召盖延。延见歙，因伏悲哀，不能仰视。歙叱延曰："虎牙[427]何敢然[428]！今使者[429]中刺客，无以报国，故呼巨卿[430]，欲相属以军事，而反效儿女子涕泣乎！刃虽在身，不能勒兵斩公邪！"延收泪强起，受所诫。歙自书表曰："臣夜人定后，为何人[431]所贼伤[432]，中臣要害。臣不敢自惜，诚恨奉职不称[433]，以为朝廷羞。夫理国以得贤为本，太中大夫段襄，骨鲠[434]可任，愿陛下裁察[435]。又臣兄弟不肖[436]，终恐被罪[437]，陛下哀怜，数赐教督[438]。"投笔[439]抽刃[440]而绝。帝闻，大惊，省书[441]揽涕[442]，以扬武将军马成守中郎将代之。歙丧还洛阳，乘舆缟素[443]临吊，送葬。

赵王良从帝送歙丧还，入夏城门[444]，与中郎将张邯争道，叱邯旋车[445]；又诘责[446]门候[447]，使前走数十步。司隶校尉鲍永劾奏"良无藩臣[448]礼，大不敬"。良尊戚贵重，而永劾之，朝廷肃然[449]。永辟[450]扶风鲍恢为都官从事[451]，恢亦抗直[452]，不避强御。帝常曰："贵戚且敛手[453]以避二鲍。"

永行县到霸陵，路经更始墓[454]，下拜，哭尽哀而去；西至扶风，椎牛上苟谏冢[455]。帝闻之，意不平，问公卿曰："奉使[456]如此，何如？"太中大夫张湛[457]对曰："仁者，行之宗[458]；忠者，义之主也。仁不遗旧[459]，忠不忘君，行之高者也。"帝意乃释。

帝自将征公孙述；秋七月，次[460]长安。

岑彭上奏请求任命刘隆为南郡太守，自己率领辅威将军臧宫、骁骑将军刘歆等长驱直入江关。岑彭下令军队不得劫掠抢夺，军队所经过之处，百姓都献上牛肉美酒欢迎、慰劳，岑彭又推让不肯接受，百姓非常高兴，争着开城门投降。光武帝诏令岑彭暂时代理益州牧，攻下某郡，就兼任某郡太守，岑彭如果离开郡界，就把太守的职务交付后面接防的将领。选拔属官暂行代理益州长吏。

岑彭到达江州县，因为江州城固粮多，难以很快攻破，他就留冯骏围守，自己率军乘有利形势直指垫江县，攻占平曲，收取粮食数十万石。吴汉留守夷陵县，这时也装备露桡船跟进。

夏，先零羌侵犯临洮县；来歙推荐马援为陇西郡太守，马援攻打先零羌，大败敌军。

公孙述任命王元为将军，派他和领军环安在河池县抵抗。六月，来歙和盖延等进军攻击王元、环安，大败敌军，于是攻占了下辨县，乘胜前进。蜀人大为恐惧，派刺客行刺来歙，来歙被刺未死，命人快马急召盖延。盖延见到来歙，便伏地痛哭，不敢抬头看来歙。来歙斥责盖延说：“你虎牙将军怎么敢这样！现今我被刺客刺中，无以报国，所以才叫你来，要把军事大权交付给你，你却像小孩子一样哭泣！刀尖虽然插在我身上，难道我就不能指挥士兵杀你吗！”盖延擦干眼泪，勉强站起来，接受来歙的训诫。来歙亲手写书表，说：“臣夜里人定后，不知被什么人刺伤，已刺中要害。臣不敢爱惜生命，只恨自己没能尽职，给朝廷带来羞辱。治理国家以任用贤才为根本，太中大夫段襄，正直无私，可以任用，望陛下裁断明察。又，臣的兄弟不贤，最终恐怕获罪，请陛下哀怜，多多给予教导督促。”写完后，把笔抛掉，拔出身上刀刃，断气身亡。光武帝得知消息，极为震惊，边阅览奏表，边挥泪，任命扬武将军马成为代理中郎将，代替来歙。来歙的遗体运回洛阳，光武帝穿上白色丧服，亲自吊丧、送葬。

赵王刘良随皇上参加来歙的葬礼回来，进入夏城门，和中郎将张邯抢夺道路，呵斥张邯车回转；又斥责守卫城门的门候，让他向前走数十步。司隶校尉鲍永弹劾说，“刘良毫无诸侯的礼节，犯大不敬之罪”。刘良是最显贵的皇亲，鲍永却弹劾他，朝廷百官肃然。鲍永征辟扶风人鲍恢任都官从事，鲍恢也刚强正直，不畏强权显贵。皇上经常说：“皇亲贵戚应收敛，回避二鲍。”

鲍永巡视各县来到霸陵县，途经更始帝刘玄坟墓，下车跪拜行礼，哭泣尽哀后离去；西行到达扶风，杀牛祭奠苟谏的坟墓。光武帝知道此事后，内心不满，就问公卿说：“如此奉命出使，你们认为如何？”太中大夫张湛回答说：“仁德，是行动的根本；忠心，是伦理的根本。仁德的人不忘旧友，忠心的人不忘君主，这应是最高尚的情操。”光武帝的不平之意才消除。

光武帝亲自领兵征讨公孙述；秋，七月，停留长安。

公孙述使其将延岑、吕鲔、王元、公孙恢悉兵拒广汉[461]及资中[462]，又遣将侯丹率二万余人拒黄石[463]。岑彭使臧宫将降卒五万，从涪水[464]上[465]平曲，拒延岑，自分兵浮[466]江下[467]还江州，溯[468]都江[469]而上，袭击侯丹，大破之。因晨夜倍道兼行[470]二千余里，径拔[471]武阳[472]。使精骑驰击广都[473]，去成都数十里，势若风雨，所至皆奔散。初，述闻汉兵在平曲，故遣大兵逆[474]之。及彭至武阳，绕出延岑军后[475]，蜀地震骇。述大惊，以杖击地曰："是何神也！"

延岑盛兵[476]于沅水[477]。臧宫众多食少，转输不至，降者皆欲散畔郡邑，复更保聚[478]，观望成败。宫欲引还，恐为所反；会帝遣谒者将兵诣岑彭，有马七百匹，宫矫制[479]取以自益。晨夜进兵，多张旗帜，登山鼓噪，右步左骑[480]，挟船而引，呼声动山谷。岑不意汉军卒至，登山望之，大震恐；宫因纵击，大破之，斩首溺死者万余人，水为之浊。延岑奔成都，其众悉降，尽获其兵马珍宝。自是乘胜追北[481]，降者以十万数。军至平阳乡[482][16]，王元举众降。

帝与公孙述书，陈言祸福，示以丹青之信。述省书太[17]息，以示所亲。太常常少、光禄勋张隆皆劝述降。述曰："废兴，命也，岂有降天子哉！"左右莫敢复言。少、隆皆以忧死。

帝还自长安。

冬，十月，公孙述使刺客诈为亡奴，降岑彭，夜，刺杀彭。太中大夫监军[483]郑兴领其营，以俟吴汉至而授之。彭持军[484]整齐，秋豪无犯[485]。邛谷王任贵闻彭威信，数千里遣使迎降，会彭已被害，帝尽以任贵所献赐彭妻子。蜀人为立庙祠之。

马成等破河池，遂平武都。先零诸种羌数万人，屯聚寇钞，拒浩亹[486]隘[487]。成与马援深入讨击，大破之，徙降羌置天水、陇西、扶风。

是时，朝臣以金城破羌[488]之西，涂远多寇，议欲弃之。马援上言："破羌以西，城多坚[18]牢，易可依固[489]；其田土肥壤，灌溉流通。如令羌在[19]湟中[490]，则为害不休，不可弃也。"帝从之。民归者三千余口，援为置长吏，缮城郭，起坞候[491]，开沟洫[492]，劝以耕牧，郡中乐

公孙述派他的将领延岑、吕鲔、王元、公孙恢率领各自所属的全部军队据守广汉和资中两个县。又派将领侯丹率领两万余人在黄石滩抵抗。岑彭派臧宫率领归降部队五万人，从涪水上行平曲，抵抗延岑，自己另率一军浮江而下，回到江州县，然后沿都江逆流而上，袭击侯丹，大败侯丹军。接着岑彭日夜兼程，急行两千余里，直接攻取了武阳县。又派出精锐骑兵疾速袭击广都县，距离成都仅数十里，势如暴风骤雨，所到之处，公孙述的军队逃跑离散。当初，公孙述听说东汉军队在平曲，所以派大军抵抗。等到岑彭抵达武阳县，绕到延岑军队背后，蜀地上下震骇。公孙述大惊，用手杖敲击地面说："这是多么神奇呀！"

延岑在沅江集结重兵。臧宫军队多粮食少，运输的物资跟不上，投降过来的士兵都想叛逃到所属郡县，再聚集起来自守，以观成败。臧宫打算率军撤退，又害怕引起士兵反叛；恰好光武帝派谒者率领军队赶到，有战马七百匹，臧宫假传圣旨，拿过来增强自己的力量。他昼夜进军，到处竖起军旗，登上高山，击鼓呐喊，右岸步兵，左岸骑兵，在战船两边前进，呼喊声震动山谷。延岑没有料到东汉军队突然到来，登山遥望，极为惧怕；臧宫趁机全线攻击，大败蜀军，斩首和淹死的就有一万余人，涪水都变浑浊了。延岑逃回成都，他的部下全都投降，臧宫获取延岑所有兵马珍宝。此后乘胜追击败敌，投降的军队又有十万之多。臧宫率军抵达平阳乡，王元率部下投降。

光武帝写信给公孙述，陈述利害，表示坚贞不渝的诚信。公孙述看信叹息，也拿给亲近的大臣看。太常卿常少、光禄勋张隆都劝公孙述归降。公孙述说："兴与废，都是天命，哪有投降的天子呢！"左右大臣没有人敢再说话。常少、张隆都忧虑而死。

光武帝从长安返回洛阳。

冬，十月，公孙述派刺客假装是逃跑的奴仆，归降岑彭，在夜里刺杀岑彭。太中大夫监军郑兴率领岑彭的军队，等吴汉率军前来再移交给他。岑彭掌管军队严格，对百姓利益秋毫无犯。公孙述封的邛谷王任贵听说岑彭的威信，从数千里之外派使节来归降，正赶上岑彭被刺身亡，光武帝就把任贵所献的礼物全部赐予岑彭的妻子儿女。蜀郡人为岑彭立庙祭祀他。

东汉将军马成等攻占河池县，平定了武都郡。先零羌各部共数万人，纠集起来到处抢劫，在浩亹隘口抗拒东汉军队。马成和马援深入讨伐，大败羌人，将归降的羌人迁到天水、陇西、扶风等地区安置。

这时，朝廷大臣们认为金城郡破羌县的西边，道路遥远，盗贼众多，建议放弃它。马援上书说："破羌县以西，城池大多坚固，容易依恃固守；那里土地肥沃，灌溉方便。如果让羌人占据湟中地区，将后患无穷，不应放弃。"光武帝同意马援的意见。那里归顺的民众有三千余人，马援替他们设立长吏，修理城郭，建筑坞堡，兴修水利，鼓励种田放牧，郡中民众安居乐业。又招抚塞外的氐人、羌人，

业[493]。又招抚塞外氐、羌，皆来降附，援奏复其侯王君长，帝悉从之，乃罢马成军。

十二月，吴汉自夷陵将三万人溯江而上，伐公孙述。

郭伋为并州牧，过京师，帝问以得失，伋曰："选补众职，当简[494]天下贤俊，不宜专用南阳人。"是时在位多乡曲[495]故旧，故伋言及之。

【段旨】

以上为第十一段，写光武帝全力伐蜀，两路进军，大将来歙为北路出汉中，岑彭为南路出夷陵。汉军势如破竹，公孙述全线崩溃。可惜胜利前夕，汉军两路主帅来歙、岑彭均被公孙述所派刺客杀害。光武帝用兵以来损失最重，折了两员大将。

【注释】

㊗395己酉：三月初九日。396还：随即。397庚午：三月三十日。398棹卒：操棹行船的兵士。棹，船桨。399遣：遣返；使离去。400大司马：指吴汉。此时吴汉任大司马。401征南公：指岑彭。此时岑彭为征南大将军。402为重：为主。403攒柱：浮桥立柱。404反把钩：一种钩名。这种钩子钩住敌船，使其既不能退，又不能进。405因：利用。406飞炬：投掷火炬。407悉军：全军。408所向无前：所指向的地方，谁也阻挡不住。409走保：逃跑据守。410上：上奏。411所过：所经过的地方。412奉：进献。413迎劳：欢迎慰劳。414守：官制术语，代理。415所下：攻占的地方。416行：兼任。417出界：离开管辖地区。418付：交给。419后将军：指率军继岑彭之后进军蜀地的将军。420利：指有利的军事形势。421垫江：县名，县治在今重庆市合川区。422平曲：地名，今地不详。423露桡：战船名。桡，船桨。这种船，桡露在外面，人在船中，所以叫作露桡。424临洮：县名，县治在今甘肃岷县。425领军：军官名。426未殊：未断气；没死。殊，死亡。427虎牙：指盖延。此时盖延为虎牙大将军。428然：这样。指盖延悲哭的状态，失军人体。429使者：来歙自指。430巨卿：盖延字。431何人：不知何人。432贼伤：杀伤；伤害。433不称：不胜任；不称职。434骨鲠：喻指正直。435裁察：裁断明察。436不肖：不贤。437被罪：获罪。438教督：教导督促。439投笔：扔掉笔。440抽刃：拔出刺中自己的兵刃。441省书：阅读公文书。442揽涕：挥泪。443缟素：白色的丧服。444夏城门：即夏门，洛阳城门名。洛阳

都来归附，马援奏请朝廷恢复他们的侯王君长，光武帝全都同意，于是撤回了马成的军队。

十二月，吴汉从夷陵率军三万人，逆长江而上，讨伐公孙述。

郭伋担任并州牧，到达洛阳，光武帝询问他政事的得失，郭伋说："选拔补充各级官吏，应选用全国范围内的贤士俊杰，不宜专用南阳人。"这时担任官职的大多是光武帝的同乡或故旧，所以郭伋说这番话。

城十二门，每面三门，北面中门为谷门，谷门之西为夏门。㊹㊺旋车：调转车驾行驶方向。㊹㊻诘责：斥责。㊹㊼门候：官名，洛阳城十二门，置城门校尉一人执掌，每门设候一人，称门候。㊹㊽藩臣：指诸侯。㊹㊾肃然：形容敬畏的样子。㊺㊿辟：征召。451都官从事：官名，司隶校尉属官，执掌察举百官犯法者。452抗直：刚强正直。453敛手：缩手。表示不敢妄为。454路经更始墓：更始与鲍永有君臣之义，所以对其墓下拜而哭。455椎牛上苟谏冢：王莽时有人秉承王莽之意杀害鲍永，永得苟谏保护。谏对永有救命之恩，所以过其墓杀牲而祭。456奉使：指司隶、州刺史巡行所部郡县。州部刺史即为部使者。司隶领京畿一州，职同州刺史。所以司隶出行所部郡县称奉使。457张湛：字子孝，扶风平陵县人，历任左冯翊、光禄勋、太子太傅、太中大夫等。传见《后汉书》卷二十七。458宗：根本。459遗旧：遗忘老朋友。460次：停留。461广汉：县名，县治在今四川射洪东南。462资中：县名，县治在今四川资阳。463黄石：长江滩名，在今重庆市涪陵区与丰都县之间。464涪水：河流名，在四川中部。源出松潘，东南流至合川县注入嘉陵江。465上：逆水上行。466浮：水上航行。467下：顺水下行。468溯：逆水而上。469都江：即成都江，河流名，在今四川省。郫江自灌县绕成都东北与流江（一名锦江）汇合，于眉山市彭山区注入岷江。古称郫江、流江为成都二江。此言都江，指岷江。470倍道兼行：以加倍的速度赶路。471径拔：直取。472武阳：县名，县治在今四川眉山市彭山区东。此言岑彭命臧宫自垫江逆涪水而上到平曲，自己自垫江顺涪水而下到江州，然后由江州逆长江而上进入岷江，再溯岷江而上袭击侯丹，直取武阳。473广都：县名，县治在今四川成都南。474逆：拒。475绕出延岑军后：武阳为犍为郡治所，在成都西南。延岑等军在广汉、资中，而广汉在成都东，资中在武阳东，所以说岑彭绕到了延岑等军的背后。476盛兵：集结重兵。477沅水：《后汉书·光武帝纪下》作"沈水"，李贤注："本或作'沉水'及'沅水'者，并非。"沈水，在今四川射洪东，西南流至县治东南注入涪水。478保聚：聚众守卫。479矫制：指假托君命行事。480右步左骑：水右步兵，水左骑兵。481追北：追击败逃之军。482平阳乡：地名，在今四川三台。483监军：监督军队的官员。484持军：掌管军队。485秋豪无犯：丝毫不侵犯别人的利益，多用以喻指军队纪律严明，不侵犯民

众的一点利益。秋豪，又作“秋毫”，鸟兽在秋天新长出来的细毛，常用以喻指细微之物。㊻浩亹：县名，县治在今甘肃永登西南。㊼隘：险要之地。㊽破羌：县名，县治在今青海乐都东南。㊾依固：依恃固守。㊿湟中：地区名，在今青海东部湟水流经的西宁与乐都一带。汉时湟中为羌族居住地区。⑷⑼①坞候：防御用的土堡。坞，小型城堡。候，古“堠”字，土堡。⑷⑼②沟洫：田间水道、沟渠。⑷⑼③乐业：愉快地从事本业。⑷⑼④简：选用。⑷⑼⑤乡曲：指乡里。

【校记】

［14］千：据章钰校，十二行本、乙十一行本皆作“十”。［15］羌：据章钰校，十二行本、乙十一行本皆无此字。［16］平阳乡：原无“平”字。胡三省注云：“《臧宫传》作‘平阳乡’。此逸‘平’字。”据章钰校，乙十一行本有“平”字，今据补。［17］太：据章钰校，十二行本、乙十一行本、孔天胤本皆作“叹”。［18］坚：据章钰校，十二行本、乙十一行本、孔天胤本皆作“完”。［19］在：张敦仁《通鉴刊本识误》作“有”。

【研析】

本卷载述光武帝建武六年至建武十一年（公元三〇至三五年）六年史事，着重记载光武帝完成统一大业的第三步骤：用兵陇蜀。公孙述据蜀，隗嚣据陇。此时，纷乱全国的群雄，除陇蜀外，均已被消灭，光武帝占有四分天下其三的绝对优势，吞并陇蜀毫无疑义。光武帝扫灭山东群雄，以寡敌众，总体力量是以弱敌强，只用了三年时间，而用兵陇蜀，是以大吞小，占绝对优势，却用了六年多的时间，而且付出了沉重代价。汉兵平陇，吃了两次败仗，汉兵平蜀，折了两员大将。同一个光武帝，为何前后有如此大的反差，这就是本卷史事研析的重心。

陇蜀联兵，有取胜之道。在冷兵器时代，地形险阻是争天下的一个重要因素，即使现代战争，军事要地的地理因素，仍是一个制胜因素。秦并天下，古人就认为是秦得地利。高帝以蜀地汉中为基地，还军定三秦，也是据陇蜀而得天下。三国鼎立，诸葛亮隆中对策，也是规划据陇蜀以争天下，刘备有蜀而无陇，结果失败了。公孙述只有蜀，而无陇，隗嚣有陇而无蜀，如果两人联兵，在群雄纷争之时，协力东出，天下大势就很难说了。光武帝征战东方，陇蜀敌对，隗嚣接受光武帝西州大将军的封号，替光武帝阻击公孙述北上，丧失了大好时机。等到光武帝用兵陇蜀，公孙述、隗嚣二人才顿悟唇亡齿寒，携手相抗，所以迟滞了光武帝的统一进程，并使光武帝付出了沉重的代价。但就在此时，陇蜀也是消极自保，公孙述没有采纳荆邯之言，东出荆州，开辟第二战线策应隗嚣，被动挨打，以小敌大，焉能不败。隗嚣两战取胜，经不起消耗，必然灭亡。

公孙述、隗嚣，亦人中之杰。两人能割据称雄，也是乱世英雄。公孙述如同东汉末袁绍，隗嚣是典型的刘表，两人都尊礼儒者，好客养士，身边聚集了一些人才，但不能用。公孙述部属有荆邯，有刺客死士，能刺杀光武帝两员前敌总指挥，也不简单。公孙述、隗嚣，两人到了穷途末路，宁死不屈，能保持个人尊严，亦是英雄之举。袁绍能聚人而不能用人，公孙述更有过之。光武帝进兵陇蜀，隗嚣称臣于蜀，公孙述没有北面侧背之忧，若纳荆邯之言，放手一搏，田戎、延岑均善战之将，必效死力。公孙述猜疑心重，不放军权，坐以待毙，可见是一个胸无大志的人。公孙述见故友马援，摆谱讲排场，礼仪烦琐，形同木偶，马援称他为井底之蛙，无法与光武帝的恢宏气度相比。公孙述的人品，比隗嚣还要低下，所以他败亡得也迅速。公孙述的地盘、兵众比隗嚣大几倍，可是不到一年就丢失干净，而隗嚣却能抗击汉兵五年。

隗嚣在群雄中，除光武帝之外，应是第一人。隗嚣好经书，尊礼士人，年少素有名，活脱脱一个刘表。天水十六家大姓起事反王莽，众推隗嚣为盟主。隗嚣打出拥汉旗号，在天水立汉室宗庙，祭祀汉高祖、武帝太宗、宣帝世宗，赢得陇西豪右拥戴，割有河西。部将杨广、王元、高峻、行巡、王捷均是一方人才。隗嚣君臣以区区两郡之地，兼受腹背之敌，河西窦融率五郡之众袭其后，陇右之众还能两败汉军，隗嚣君臣，尽了死力。汉使来歙当面行刺隗嚣，隗嚣宽宥不诛，放走马援、郑兴东归，亦显恢宏气度。不过隗嚣只是一个区域人才，没有经过大浪，没有见过大世面，故其本谋有限，一心只做周文王，企图割据称王，不敢逐鹿中原，他只想保有陇右，连关中三辅地区都不敢取。当赤眉、更始、延岑、邓禹四方在三辅混战时，隗嚣居高临下，以逸待劳，最有夺取关中之地的优势，他却助邓禹抗击公孙述，这说明隗嚣亦是一个井底之蛙。当光武帝逼迫隗嚣平蜀时，自知末日已到，又不肯束手就缚，于是不得已而反。此时隗嚣未能效法窦融，释兵东归，说明他又是一个不识时务者。

公孙述、隗嚣早识天命，归附汉朝，不仅身家可保，也能避免陇蜀人民遭浩劫。正如公孙述所说：“有投降的天子吗！”专制制度，天无二日，人无二王，得胜者乃家天下之主，必然猜疑，失败者归诚亦鲜有善终者。公孙述、隗嚣顽抗到底，势不得已也。